Middernachtskinderen

Van dezelfde auteur

Schaamte*
De glimlach van een jaguar*
De duivelsverzen*
Haroen en de zee van verhalen
Is er dan niets meer heilig?
Oost, west*
De laatste zucht van de Moor

*In PANDORA-POCKET verschenen

Salman Rushdie

MIDDERNACHTS-KINDEREN

Vertaald door Max Schuchart

Pandora Pockets maakt deel uit van Uitgeverij Contact
Achtste druk
Oorspronkelijke titel: *Midnight's Children*

Omslagontwerp: Jos Peters, Huizen
Omslagillustratie: Kangra, 1800
NUGI 301
CIP/ISBN 90 254 5738 X

Voor Zafar Rushdie,
die, tegen alle verwachtingen in,
's middags werd geboren.

Inhoud

Boek een

Boek twee

Boek drie

Boek een

Ik ben geboren in de stad Bombay... eens op een dag. Nee, dat kan niet, aan de datum valt niet te ontkomen: ik ben geboren op 15 augustus 1947 in Dokter Narlikars kraamkliniek... En de tijd? De tijd komt er ook op aan. Goed dan: 's avonds. Nee, het is van belang... Klokslag middernacht om precies te zijn. Wijzers van klokken vouwden zich als handen samen in een eerbiedige begroeting toen ik arriveerde. O, verklaar je nader, verklaar je nader: precies op hetzelfde tijdstip dat India onafhankelijk werd, buitelde ik de wereld in. Er was het geluid van snikken. En, buiten het raam, van vuurwerk en menigten. Een paar seconden later brak mijn vader zijn grote teen, maar zijn ongeluk was een kleinigheid vergeleken met wat mij op dat nachtelijke ogenblik was overkomen, want dank zij de occulte tirannieën van die minzaam groetende klokken was ik op een geheimzinnige manier in de handboeien van de geschiedenis geslagen, mijn lot onlosmakelijk aan dat van mijn land geketend. De volgende drie decennia zou er geen ontsnapping mogelijk zijn. Waarzeggers hadden mij voorspeld, dagbladen mijn komst gevierd, politici mijn authenticiteit bekrachtigd. Ikzelf had er helemaal niets in te zeggen. Ik, Saleem Sinai – later afwisselend Snotneus, Vlekporum, Kaalkop, Snotteraar, Boeddha en zelfs Stuk-van-de-Maan genoemd, was zwaar verwikkeld geraakt in het Noodlot – in het gunstigste geval een gevaarlijk soort betrokkenheid. En ik kon op dat tijdstip niet eens mijn eigen neus afvegen.

Nu evenwel begint de tijd (waarvoor ik verder van geen nut ben) op te raken. Ik word binnenkort eenendertig. Misschien. Als mijn aftakelende, misbruikte lichaam dat toestaat. Maar ik heb niet de hoop dat ik mijn leven kan redden, en ik kan er zelfs niet op rekenen dat ik nog duizend-en-één nacht heb. Ik moet snel werken, sneller dan Sheherazade, als ik uiteindelijk iets wil betekenen – ja, betekenen. Ik geef toe: ik ben bovenal bang om belachelijk te zijn.

En er zijn zoveel verhalen te vertellen, te veel, zo'n overvloed aan verweven levens gebeurtenissen wonderen plaatsen geruchten, zo'n compacte vermenging van het onwaarschijnlijke met het wereldse! Ik ben een slokop van levens geweest, en om mij te kennen, alleen maar die ene ik, zul je de rest ook helemaal moeten slikken. Verorberde menigten zijn in me aan het dringen en duwen; en alleen geleid door de herinnering aan een groot wit beddelaken met een min of meer rond gat met een diameter van zo'n vijftien centimeter in het midden uitgeknipt, me vastklampend aan de droom van die toegetakelde rechthoek van linnen met een gat die mijn talisman, mijn sesam-open-u is, moet ik beginnen mijn leven te reconstrueren van het punt af waar het werkelijk begon, zo'n tweeëndertig jaar voor iets zo onmiskenbaars, zo *aanwezigs* als mijn door de klok beheerste, door misdaad bezoedelde geboorte.

(Het laken is, tussen twee haakjes, ook bevlekt met drie droppels van iets ouds, verbleekts, roods. Zoals de koran ons voorhoudt: *Zeg, in de naam van de Heer, uw Schepper, die de Mens schiep uit klonters bloed.)*

Op een ochtend in Kasjmir, in het vroege voorjaar van 1915, stootte mijn grootvader Aadam Aziz zijn neus tegen een door de vorst verhard kluitje aarde terwijl hij probeerde te bidden. Drie droppels bloed floepten uit zijn linkerneusgat, stolden onmiddellijk in de knisperende lucht en lagen voor zijn ogen op het bidkleedje, veranderd in robijnen. Toen hij zich met een ruk achterwaarts bewoog tot hij opnieuw knielde, met het hoofd rechtop, merkte hij dat de tranen die hem in de ogen waren gesprongen eveneens waren gestold; en op dat ogenblik, terwijl hij geringschattend diamanten uit zijn wimpers veegde, besloot hij de aarde nooit meer voor welke god of mens ook te kussen. Dit besluit maakte echter een gat in hem, een leegte in een inwendige kamer van vitaal belang, waardoor hij kwetsbaar werd voor vrouwen en de geschiedenis. Hoewel hij daar aanvankelijk, ondanks zijn recentelijk voltooide medische opleiding geen erg in had, stond hij op, rolde het bidkleedje op tot een dikke sigaar, en terwijl hij dit onder zijn rechterarm hield, overzag hij het dal door heldere, van diamanten bevrijde ogen.

De wereld was weer nieuw. Na een winter van incubatie in zijn eierschaal van ijs, had het dal zich een weg naar buiten gepikt, vochtig en geel. Het nieuwe gras beidde ondergronds zijn tijd, de bergen trokken zich naar hun regeringsposten terug voor het warme jaargetij. ('s Winters, wanneer het dal onder het ijs kromp, kwamen de bergen naderbij en grauwden als nijdige kaken om de stad aan het meer.)

In die tijd was de radiomast nog niet gebouwd en beheerste de tempel van Sankara Acharya, een kleine zwarte blaar op een kakikleurige heuvel, de straten en het meer van Srinagar. In die tijd was er geen legerkamp aan het meer, geen eindeloze slangen van gecamoufleerde vrachtwagens en jeeps verstopten de smalle bergwegen, geen soldaten hielden zich schuil achter de bergtoppen voorbij Baramulla en Gulmarg. In die tijd werden reizigers niet als spionnen doodgeschoten als ze foto's van bruggen namen, en afgezien van de woonboten van de

Engelsen op het meer, was het dal sinds het rijk van de mogols nauwelijks veranderd, ondanks de vernieuwingen van het voorjaar; maar de ogen van mijn grootvader – die, net als de rest van zijn lichaam, vijfentwintig jaar oud waren – zagen de dingen anders ... en zijn neus was begonnen te jeuken.

Om het geheim van mijn grootvaders veranderde manier van zien uit de doeken te doen: hij had vijf jaar, vijf lentes, van huis doorgebracht. (De kluit aarde, hoe uitermate belangrijk de aanwezigheid ervan ook was onzichtbaar onder een toevallige plooi in het bidkleedje, was au fond niet meer dan een katalysator.) Nu hij terugkeerde, keek hij met bereisde ogen. In plaats van de schoonheid van het kleine dal omcirkeld door reuzentanden, merkte hij de beperktheid, de nabijheid van de horizon op; en voelde verdriet om thuis te zijn en zich zo volkomen ingesloten te voelen. Hij had ook het gevoel – onverklaarbaar – dat de oude woonplaats hem zijn ontwikkelde, be-stethoscoopte terugkeer kwalijk nam. Onder het ijs van de winter was het koud neutraal geweest, maar nu was er geen twijfel mogelijk: na de jaren in Duitsland was hij naar een vijandige omgeving teruggekeerd. Vele jaren later, toen het gat in hem verstopt was geraakt met haat, en hij zich kwam offeren bij de schrijn van de zwarte stenen god in de tempel op de heuvel, probeerde hij zich de lentes uit zijn kinderjaren in het Paradijs te herinneren zoals het was geweest voor reizen, aardkluitjes en legertanks alles bedierven.

Op de ochtend toen het dal, gehuld in een bidkleedje, hem op de neus stompte, had hij, belachelijk genoeg, geprobeerd te doen alsof er niets veranderd was. Hij was dus in de bittere kou van kwart over vier opgestaan, had zich op de voorgeschreven manier gewassen, zich aangekleed en de astrakan muts van zijn vader opgezet; waarna hij het als sigaar opgerolde bidkleedje naar de kleine tuin voor hun donkere oude huis had meegenomen en het over de wachtende kluit had uitgerold. De grond voelde bedrieglijk zacht aan onder zijn voeten en maakte hem tegelijkertijd onzeker en onvoorzichtig. 'In naam van God, de Barmhartige, de Genadige...' – die aanhef, uitgesproken met de handen voor hem gevouwen als een boek, troostte een deel van hem, maakte dat een ander, groter deel, zich onbehaaglijk voelde – '...Allah, Heer van de Schepping, zij geprezen...' – maar nu drong Heidelberg zijn hoofd binnen; daar was Ingrid, korte tijd zijn Ingrid, met minachting op haar gezicht om dit naar Mekka toe gekeerde gepapegaai daar, hun vrienden Oskas en Ilse Lubin de anarchisten, die zijn bidden bespotten met hun anti-ideologieën – '...De Barmhartige, de Genadige, Koning van het Laatste Oordeel!...' – Heidelberg, waar hij, tegelijk met geneeskunde en politiek, had geleerd dat India – evenals radium – door de Europeanen was 'ontdekt'; zelfs Oskar was van bewondering vervuld voor Vasco da Gama, en dit was wat Aadam Aziz ten slotte van zijn vrienden scheidde, dit geloof van hem dat hij op de een of andere manier de uitvinding van hun voorvaderen was – '...U alleen vereren wij, en tot U alleen bidden wij om hulp...' – dus daar zat hij, ondanks hun aanwezigheid in zijn hoofd, en probeerde zich te herenigen met een vroeger ik dat hun invloed negeerde, maar alles wist wat het had moeten weten, over ootmoed bijvoorbeeld, over wat hij nu aan het doen was, terwijl zijn handen, geleid door oude herinneringen, omhoog fladderden, duimen tegen oren aan gedrukt, vingers gespreid, terwijl hij op zijn knieën neerzonk – '...Leid ons naar het rechte pad, Het pad van hen die U hebt begunstigd...' Maar het haalde niets uit, hij was gevangen in een vreemd middengebied, in de val tussen geloof en ongeloof, en dit was per slot van rekening slechts een schertsvertoning – '...Niet van hen die zich Uw toorn op de hals hebben gehaald, Noch van hen die zijn afgedwaald.' Mijn grootvader boog zijn voorhoofd naar de aarde. Hij boog voorover en de aarde, bedekt door het bidkleedje, kromde zich omhoog naar hem toe. En nu was het ogenblik van de aardkluit aangebroken. Op een en hetzelfde ogenblik een berisping van Ilse-Oskar-Ingrid-Heidelberg en van dal-en-God, die hem op het puntje van zijn neus trof. Er vielen drie droppels. Er waren robijnen en diamanten. En mijn grootvader, die met een ruk overeind kwam, nam een besluit. Stond op. Rolde een sigaar. Staarde over het meer. En werd voor altijd dat middengebied ingekwakt, niet in staat een God te vereren in wiens bestaan hij helemaal niet kon geloven. Permanente verandering: een gat.

De jonge, pas afgestudeerde dokter Aadam Aziz stond met zijn gezicht naar het lentemeer en snoof de vleugen van verandering op; terwijl zijn rug (die bijzonder recht was) naar nog meer veranderingen was toegekeerd. Zijn vader had tijdens zijn afwezigheid in het buitenland een beroerte gehad, en zijn moeder had dit geheim gehouden. De stem van zijn moeder die stoïcijns fluisterde: '...*Omdat je studie te belangrijk was, zoon.*' Deze moeder, die haar leven aan huis gebonden, in purdah, had doorgebracht, had plotseling enorme kracht gevonden en was buitenshuis de kleine zaak in edelstenen gaan drijven (turkooizen, robijnen, diamanten), waardoor Aadam zijn medicijnenstudie had kunnen afmaken, met behulp van een studiebeurs; dus toen hij terugkwam, merkte hij dat de schijnbaar onveranderlijke orde van zijn familie op zijn kop was gezet: zijn moeder ging uit werken terwijl zijn vader verscholen zat achter de sluier die de beroerte over zijn brein had laten vallen ... in een houten stoel, in een verduisterde kamer zat hij en maakte vogelgeluiden. Dertig verschillende soorten vogels bezochten hem en zaten op de vensterbank voor zijn geblindeerde raam over van alles en nog wat te praten. Hij scheen tamelijk gelukkig.

(...En ik kan de herhalingen al zien beginnen; want vond mijn grootmoeder ook geen enorme ... en die beroerte was ook niet het enige ... en de Brutale Aap had haar vogels ... de vloek begint al, en we zijn nog niet eens bij de neuzen aangeland!)

Het meer was niet langer bevroren. De dooi was snel ingevallen, zoals gewoonlijk; vele van de kleine boten, de shikara's, waren overrompeld, wat eveneens normaal was. Maar terwijl die luilakken verder sliepen, op het droge, vredig naast hun eigenaren snurkend, was de oudste boot bij het ochtendkrieken op, zoals dat vaak bij oude mensen het geval is, en was derhalve het eerste vaartuig dat over het ontdooide meer voer. Tais shikara... dit was eveneens gebruikelijk.

Zie hoe de oude vletterman, Tai, goed opschiet door het nevelige water terwijl hij gebogen op de achterkant van zijn boot staat! Hoe zijn riem, een houten hart aan een gele stok, rukkerig door het wier wrikt! In deze streek wordt hij als een buitenbeentje beschouwd omdat hij staande roeit ... onder andere. Tai, die met een dringende oproep naar dokter Aziz op weg is, staat op het punt de geschiedenis in beweging te zetten ... terwijl Aadam, die omlaag kijkt in het water, zich herinnert wat Tai hem jaren geleden had geleerd: 'Het ijs ligt altijd te wachten, Aadam baba, vlak onder de huid van het water.' Aadams ogen zijn helderblauw, het verbazingwekkende blauw van de berghemel, dat de gewoonte heeft om in de pupillen van de mannen van Kasjmir te droppelen; ze hebben niet vergeten hoe ze moeten kijken. Ze zien – daar! als het skelet van een geest, vlak onder de oppervlakte van het Dalmeer – het fijne traceerwerk, het ingewikkelde netwerk van kruisende kleurloze lijnen, de koude wachtende aderen van de toekomst. Zijn Duitse jaren, die zoveel andere dingen hebben doen vervagen, hebben hem niet beroofd van de gave van het zien. Tais gave. Hij kijkt op, ziet de naderende V van Tais boot, wuift een groet. Tais arm gaat omhoog – maar dit is een bevel. 'Wacht!' Mijn grootvader wacht: en gedurende dit hiaat, terwijl hij de laatste vrede van zijn leven ervaart, een troebel, onheilspellend soort vrede, kan ik mij er beter toe zetten hem te beschrijven.

Terwijl ik de natuurlijke afgunst van de lelijke man op de opvallend indrukwekkende uit mijn stem ban, leg ik vast dat dokter Aziz een lange man was. Plat tegen een muur van zijn ouderlijk huis aangedrukt, mat hij vijfentwintig bakstenen (één baksteen voor elk jaar van zijn leven), of wel iets meer dan één meter vijfentachtig. En ook een sterke man. Zijn baard was vol en rood – en ergerde zijn moeder, die zei dat alleen hadji's, mannen die de pelgrimstocht naar Mekka hadden ondernomen, een rode baard mochten laten staan. Zijn haar was evenwel een stuk donkerder. Van zijn hemelsblauwe ogen weet u al. Ingrid had gezegd: 'Toen ze jouw gezicht hebben gemaakt, hebben ze iets geks met de kleuren uitgehaald!' Maar het belangrijkste aspect van mijn grootvaders anatomie was niet de kleur, noch de lengte, en ook niet de kracht van zijn armen of de rechtheid van rug. Daar was het, weerspiegeld in het water, golvend als een gekke pisang in het midden van zijn gezicht... Aadam Aziz, wachtend op Tai, kijkt naar zijn gerimpelde neus. Die zou minder karakteristieke gezichten dan het zijne gemakkelijk hebben beheerst; zelfs aan hem is het wat men het eerste ziet en zich het langst herinnert. 'Een cyraneus,' zei Ilse Lubin, en Oskar voegde eraan toe: 'Een probocissimus.' Ingrid verkondigde: 'Je zou op die neus een rivier kunnen oversteken.' (De rug ervan was breed.)

Mijn grootvaders neus: wijde neusvleugels, welgevormd als dansers. Daartussenin verheft zich de triomfboog van de neus, eerst omhoog en naar voren, dan omlaag en naar onderen, met een schitterende en op dit ogenblik rood gepunte kromming die in zijn bovenlip overgaat. Een neus waarmee je gemakkelijk een aardkluit raakt. Ik wens mijn dankbaarheid jegens dit machtige orgaan te boekstaven – want als dat er niet was geweest, wie zou dan ooit hebben geloofd dat ik werkelijk de zoon van mijn moeder was, de kleinzoon van mijn grootvader? – dit kolossale orgaan dat ook mijn geboorterecht was. Dokter Aziz' neus – alleen vergelijkbaar met de slurf van de god Ganesha met de olifantskop – staafde onweerlegbaar zijn recht om een aartsvader te zijn. Tai had hem ook dat bijgebracht. Toen de jonge Aadam nauwelijks puber af was, had de krakkemikkige vletterman gezegd: 'Dat is een neus om een gezin mee te stichten, mijn prinsje. Je zou je nooit kunnen vergissen in wie de vader was. Mogolkeizers zouden hun rechterhand voor zo'n neus hebben gegeven. Er zitten hele dynastieën in te wachten' – en hier verviel Tai in platvloersheid – 'als snot.'

Aadam Aziz kreeg door die neus een patriarchaal voorkomen. Bij mijn moeder zag hij er nobel en ietwat lankmoedig uit; bij mijn tante Emerald snobistisch; bij mijn tante Alia intellectueel; mijn oom Mustapha maakte hij tot een tweederangs snuiver; de Brutale Aap ontkwam er helemaal aan; maar bij mij – bij mij was hij weer iets anders. Maar ik moet niet al mijn geheimen tegelijk onthullen.

(Tai komt dichterbij. Hij, die de macht van de neus openbaarde, en die mijn grootvader nu de boodschap brengt die hem zijn toekomst in zal lanceren, roeit zijn shikara op het vroege ochtendlijke meer...)

Niemand kon zich herinneren wanneer Tai jong was geweest. Hij had diezelfde boot, in dezelfde houding staande, over het Dalmeer en

Nageenmeer gevaren ... ten eeuwigen dage. Voor zover iedereen wist. Hij woonde ergens in de onhygiënische ingewanden van de oude wijk met de houten huizen, en zijn vrouw verbouwde lotuswortels en andere vreemde groenten op een van de vele 'drijvende tuinen', deinend op de oppervlakte van het water in het voorjaar en de zomer. Tai zelf gaf opgewekt toe dat hij geen idee van zijn leeftijd had. En zijn vrouw evenmin – hij was, zei ze, al gelooid geweest toen ze trouwden. Zijn gezicht was een sculptuur van wind op water; rimpelingen gemaakt van vel. Hij had twee gouden tanden, maar verder geen. In de stad had hij weinig vrienden. Weinig vlettermannen of handelaren nodigden hem uit om een hookah te komen roken wanneer hij langs de steigers of een van de vele gammele magazijnen of theehuizen langs de oevers van het meer dreef.

De algemene opinie over Tai was lang geleden weergegeven door de vader van Aadam Aziz, de koopman in edelstenen: 'Zijn hersens zijn met zijn tanden uitgevallen.' (Maar nu zat de oude Aziz sahib verzonken in vogelgetsjirp, terwijl Tai, eenvoudig, groots, verder ging.) Het was een indruk die de veerman cultiveerde met zijn geklets, dat fantastisch, bombastisch en onstuitbaar was, en veelal alleen maar tot zichzelf gericht. Geluid draagt over water, en de mensen van het meer giechelden om zijn alleenspraken; maar met ondertonen van ontzag, en angst zelfs. Ontzag omdat de oude halve gare de meren en heuvels beter kende dan wie van zijn lasteraars ook; angst omdat hij aanspraak maakte op een zo hoge ouderdom dat het onbegonnen werk was om zijn jaren te tellen, en die hem bovendien zo losjes om zijn kippenek hing dat het geen beletsel voor hem was geweest om een hoogst begeerlijke vrouw te veroveren en vier zonen bij haar te verwekken – en nog een paar meer, zo ging het verhaal verder, bij andere vrouwen aan het meer. De jonge kerels bij de shikara-steigers waren ervan overtuigd dat hij ergens een bom duiten had verborgen – een schat, misschien van onschatbare gouden tanden die in een zak rammelden als walnoten. Jaren later toen oom Puffs mij zijn dochter probeerde aan te smeren door aan te bieden haar tanden te laten trekken en door gouden te vervangen, dacht ik aan Tais vergeten schat ... en als kind had Aadam Aziz van hem gehouden.

Hij voorzag in zijn onderhoud als een eenvoudige veerman, ondanks alle geruchten over rijkdom, en vervoerde hooi en geiten en groenten en hout tegen contante betaling over de meren; en ook mensen. Als hij zijn taxidienst onderhield, zette hij in het midden van zijn shikara een paviljoen op, een vrolijke toestand met gebloemde gordijnen en baldakijn, en bijpassende kussens; en maakte de boot reukloos met wierook. De aanblik van Tais naderende shikara met wapperende gordijnen, was voor dokter Aziz altijd een van de kenmerkende beelden van de naderende lente geweest. Weldra zouden de Engelse sahibs arriveren, en Tai zou hen overzetten naar de Tuinen van Shalimar en de Koningsbron, wauwelend, stekelig en gebogen. Hij was de levende antithese van Oskar-Ilse-Ingrids geloof in de onvermijdelijkheid van verandering ... een eigenzinnige, blijvend vertrouwde geest van het dal. Een waterachtige Kalibaan, een beetje al te verzot op de goedkope cognac van Kasjmir.

Herinnering aan de blauwe muur van mijn slaapkamer: waaraan, naast de brief van de Eerste Minister, de Jongen Raleigh vele jaren had gehangen, verrukt starend naar een oude visser in wat eruitzag als een rode dhoti, die op – wat? – wrakhout? – zat en naar zee wees terwijl hij zijn visserslatijn spuide ... en de Jongen Aadam, mijn toekomstige grootvader, werd dol op de veerman Tai, juist vanwege die eindeloze woordenstroom waardoor anderen dachten dat hij geschift was. Het waren wonderbaarlijke woorden die uit hem stroomden, als het geld van dwazen, langs zijn twee gouden tanden, gelardeerd met hikken en cognac, opstijgend naar de verste Himalaya van het verleden, om dan listig neer te duiken op een of ander detail in het heden, zoals Aadams neus bijvoorbeeld, om de zin ervan als een muis te ontleden. Deze vriendschap had Aadam met grote regelmaat voor hete vuren doen staan (kokend water. Letterlijk. Terwijl zijn moeder zei: 'We zullen de luizen van die veerman uitroeien, ook al wordt het jouw dood.') Maar toch hing de oude soloprater steeds in zijn boot rond bij de plaats waar de tuin op het meer uitkwam, en Aziz zat dan aan zijn voeten tot stemmen hem naar binnen riepen, waar ze hem de les lazen over Tais vunzigheid en waarschuwden voor de plunderende heerscharen bacteriën die zijn moeder van dat gastvrij oude lichaam op de gesteven witte losse pyjama van haar zoon zag overspringen. Maar steeds weer keerde Aadam naar de waterkant terug om de nevels af te zoeken naar het gebochelde karkas van de haveloze verworpeling die zijn magische boot over de betoverde wateren van de ochtend stuurde.

'Maar hoe oud ben je nou echt, Taiji?' (Dokter Aziz, volwassen, met rode baard, naar de toekomst overhellend, herinnert zich de dag waarop hij die onvraagbare vraag stelde.) Een ogenblik lang stilte, luidruchtiger dan een waterval. De monoloog onderbroken. Klets van riem in water. Hij voer in de shikara met Tai, hurkend te midden van geiten, op een hoop stro, zich ten volle bewust van de stok en de tobbe die hem thuis wachtten. Hij was meegegaan om verhalen te horen en had de verteller met een vraag tot zwijgen gebracht.

'Nee, zeg nou, Taiji, hoe oud ben je *werkelijk*?' En nu een cognacfles die uit het niets opdook: goedkope sterke drank uit de plooien van de grote warme chuga-jas. Toen een huivering, een oprisping, een boze blik. Glans van goud. En – eindelijk! – woorden. 'Hoe oud? Jij vraagt hoe oud, kleine snotaap, nieuwsgierige...' Tai, de visser aan mijn muur voorziend, wees naar de berg. 'Zo oud, nakkoo!' Aadam, de nakkoo, de nieuwsgierige, volgde zijn wijzende vinger. 'Ik heb de bergen geboren zien worden; ik heb keizers zien sterven. Luister. Luister, nakkoo...' – opnieuw de cognacfles, gevolgd door cognacstem en woorden bedwelmender dan sterke drank – '...Ik heb die Isa, die Christus, gezien toen hij naar Kasjmir kwam. Lach maar, lach, het is jouw geschiedenis die ik in mijn hoofd bewaar. Eens is die opgetekend in oude, verloren gegane boeken. Eens wist ik waar een graf was met doorboorde voeten op de grafsteen gebeeldhouwd, die eens per jaar bloedden. Zelfs mijn herinnering laat me nu in de steek; maar ik weet het, hoewel ik niet kan lezen.' Analfabetisme joyeus opzij geveegd; literatuur verpulverd onder de woede van zijn zwaaiende hand. Die opnieuw naar chugha-zak, naar cognacfles schiet, naar lippen gekloofd door de kou. Tai heeft altijd vrouwenlippen gehad. 'Nakkoo, luister, luister. Ik heb een heleboel gezien. Yara, je had die Isa moeten zien toen hij kwam, met een baard helemaal tot aan zijn ballen, op z'n kop zo kaal als een ei. Hij was oud en afgepeigerd, maar hij had manieren. "Jij eerst Taiji," zei hij dan en "Ga alsjeblieft zitten"; altijd eerbiedig pratend, hij noemde me nooit halve gare, noemde me ook nooit *tu*. Altijd *aap*. Beleefd, zie je? En een trek dat ie had! Zo'n enorme honger dat ik van angst mijn oren vasthield. Heilige of duivel, ik zweer dat hij een hele jonge geit in één keer kon opeten. En wat dan nog? Ik zei tegen hem, eet, vul je pens, een mens komt naar Kasjmir om van het leven te genieten, of er een eind aan te maken, of allebei. Zijn werk was gedaan. Hij kwam hier alleen maar om wat te genieten.' Betoverd door dit van cognac doortrokken portret van een kale, vraatzuchtige Christus, luisterde Aziz, en herhaalde later ieder woord tot ontsteltenis van zijn ouders, die in edelstenen handelden en geen tijd hadden voor 'gelul'.

'O, geloof je het niet?' – met een grijns zijn zere lippen likkend, in de wetenschap dat het de omgekeerde waarheid was; 'Je aandacht dwaalt af?' – nogmaals, hij wist hoe verwoed Aziz aan zijn lippen hing. 'Misschien prikt het stro in je achterwerk, hè? O, het spijt me zo, babaji, dat ik geen zijden kussens met goudbrokaat voor je heb, kussens als waarop keizer Jehangir gezeten heeft! Jij ziet keizer Jehangir ongetwijfeld alleen maar als een tuinman,' zei Tai beschuldigend tegen mijn grootvader, 'omdat hij Shalimar heeft aangelegd. Domkop! Weet jij veel. Zijn naam betekende Omvamer van de Aarde. Heet een tuinman zo? God mag weten wat ze jullie jongens tegenwoordig leren. Terwijl ik' ...zich hierbij enigszins opblazend... 'ik wist precies hoeveel hij woog, tot op de tola! Vraag me hoeveel mans, hoeveel serst! Wanneer hij gelukkig was, werd hij zwaarder, en in Kasjmir was hij de zwaarste van allemaal. Ik placht zijn stoel te dragen ...nee, nee, kijk, je gelooft me weer niet, die grote komkommer op je gezicht kwispelt net als het kleintje in je pyjama! Dus, vooruit, vraag maar. Vraag me maar uit! Vraag hoeveel keren de leren riemen om de handvatten van de draagstoel gingen? – het antwoord is eenendertig. Vraag me wat de keizer zei toen hij stierf – Ik zal je zeggen wat het was: "Kasjmir". Hij had een slechte adem en een goed hart. Wie denk je dat ik ben? Een of andere ordinaire stomme leugenachtige straathond? Vooruit, en nu m'n boot uit, je neus maakt hem te zwaar om te roeien; en je vader wacht ook om mijn gelul uit je lijf te slaan, en je moeder om je huid van je bast af te koken.'

In de cognacfles van de veerman Tai zie ik voorspeld hoe mijn eigen vader bezeten werd van demonen ... en er zal een andere kale vreemdeling komen ... en Tais gezwets voorspelt een ander soort, dat de troost werd van mijn moeder op haar oude dag, en haar ook verhalen leerde... en straathonden zijn niet ver weg ... Genoeg. Ik jaag mezelf angst aan.

Ondanks slaag en koken, dreef Aadam Aziz met Tai in zijn shikara, telkens weer, tussen geiten hooi bloemen meubilair lotuswortels, hoewel nooit met de Engelse sahibs, en hoorde telkens opnieuw de wonderbaarlijke antwoorden op die enc angstaanjagende vraag: 'Maar Taiji, hoe oud ben je nou, *eerlijk*?'

Van Tai leerde Aadam de geheimen van het meer – waar je kon zwemmen zonder door het wier omlaag te worden getrokken; de elf soorten waterslangen; waar de kikkers hun dril schoten; hoe je een lotuswortel moest koken; en waar de drie Engelse vrouwen een paar jaar daarvoor waren verdronken. 'Er is een stam van Portugees-Indische vrouwen die naar dit water komen om te verdrinken,' zei Tai. 'Soms weten ze het, soms niet, maar ik weet het op het moment dat ik ze ruik. Ze houden zich schuil onder water voor God weet wie of wat – maar voor mij kunnen ze zich niet verschuilen, baba!' Tais lach, die opwelde en Aadam aanstak – een geweldige, schallende lach die macaber scheen wanneer hij uit dat oude, verschrompelde lichaam scheurde, maar die zo natuurlijk klonk bij mijn reuzengrootvader dat iemand, later, wist dat het eigenlijk niet zijn lach was (mijn oom Hanif erfde die lach; dus leefde er, tot hij stierf, een deel van Tai in Bombay). En mijn grootvader hoorde eveneens van Tai over neuzen.

Tai tikte op zijn linker neusvleugel. 'Je weet wat dit is, nakkoo? Het is de plaats waar de buitenwereld de wereld binnen in je ontmoet. Als ze niet met elkaar overweg kunnen, voel je het hier. Dan wrijf je je neus in verlegenheid om de kriebel te verdrijven. Een neus zoals die, kleine idioot, is een groot geschenk. Ik zeg: vertrouw erop. Wanneer hij je waarschuwt, pas dan op, of je gaat eraan. Volg je neus, en je zult het ver brengen.' Hij schraapte zijn keel; zijn ogen rolden weg in de bergen van het verleden. Aziz ging weer op zijn gemak in het stro liggen. 'Ik heb eens een officier gekend – in het leger van die Alexander de Grote. Zijn naam doet er niet toe. Hij had net zo'n stuk groente als jij tussen zijn ogen hangen. Toen het leger bij Gandhara halt maakte, werd hij verliefd op een of andere lellebel ter plaatse. Meteen begon zijn neus te jeuken als een gek. Hij krabde eraan, maar dat hielp niet. Hij inhaleerde de dampen van fijngestampte, gekookte eucalyptusbladeren. Hielp nog steeds niets, baba! Hij werd gek van de jeuk, maar die verdomde stommeling hield zijn poot stijf en bleef bij die kleine heks toen het leger naar huis ging. Hij werd – wat? – iets stoms, geen vlees en geen vis, een half-om-halver met een zeurende vrouw en jeuk aan zijn neus, en ten slotte stak hij zijn zwaard in zijn buik. Wat zeg je daarvan?'

...Dokter Aziz in 1915, die door robijnen en diamanten tot een half-om-halver is gemaakt, herinnert zich dit verhaal terwijl Tai binnen gehoorsafstand komt. Zijn neus jeukt nog steeds. Hij krabt, haalt zijn schouders op, gooit zijn hoofd achterover, en dan roept Tai.

'Hela! Dokter sahib! De dochter van landeigenaar Ghani is ziek.'

Die boodschap, bondig overgebracht, zonder plichtplegingen over de oppervlakte van het meer geschreeuwd, hoewel veerman en pupil elkaar in vijf jaar niet hebben gezien, uitgesproken door vrouwenlippen die niet glimlachen met een groet van in-lang-niet-gezien, brengt de tijd in een snellende, rondtollende, wazige vlaag van opwinding...

...'Als je bedenkt, zoon,' zegt Aadams moeder, terwijl ze aan verse limonade nipt, in een houding van berustende uitputting achterover liggend op een takht, 'waar het leven op uitloopt. Zoveel jaren lang waren zelfs mijn enkels een geheim, en nu moet ik mij door vreemde lieden die niet eens familie zijn, laten aanstaren.'

...Terwijl Ghani, de landeigenaar, onder een groot olieverfschilderij van Diana de Jageres staat, ingelijst in kronkelig goud. Hij draagt een dikke donkere bril en zijn befaamde giftige glimlach, en praat over kunst. 'Ik heb het van een Engelsman gekocht die pech had gehad. Maar vijfhonderd roepies – en ik heb niet eens de moeite genomen om af te dingen. Wat zijn vijfhonderd ballen? Ik ben een liefhebber van cultuur, weet u.'

...'Zo zie je, mijn zoon,' zegt Aadams moeder terwijl hij haar begint te onderzoeken, 'wat een moeder niet allemaal voor haar kind doet. Kijk eens hoe ik lijd. Jij bent dokter... voel die uitslag, die vlekkerige plekken, begrijp dat mijn hoofd 's morgens, 's middags en 's avonds pijn doet. Schenk mijn glas nog eens vol, jongen.'

...Maar de jonge dokter kampt met een hoogst onhippocratische opwinding door de kreet van de veerman, en schreeuwt: 'Ik kom eraan! Even m'n spullen pakken!' De boeg van de shikara raakt de zoom van de tuin. Aadam rent naar binnen, bidkleedje als een sigaar onder een arm opgerold, blauwe ogen knipperend tegen de plotselinge duisternis binnen; hij heeft de sigaar op een hoge plank gelegd boven op een stapel exemplaren van *Vorwärts* en Lenins *Wat te doen?* en andere pamfletten, stoffige echo's van zijn halfvervaagde Duitse leven; van onder zijn bed haalt hij een tweedehands leren koffertje te voorschijn dat zijn moeder zijn 'doctori-valies' noemde, en terwijl hij dit en zichzelf omhoog zwaait en de kamer uit snelt, is het woord HEIDELBERG heel even zichtbaar, in het leer in de bodem van het valies gebrand. De dochter van de landeigenaar is werkelijk goed nieuws voor een arts die nog carrière moet maken, ook al is ze ziek. Nee: *omdat* ze ziek is.

...Terwijl ik als een lege zoetzuurpot in een lichtpoel van mijn bureaulamp zit, bezocht door dit visioen van mijn grootvader drieënzestig jaar geleden, dat vraagt te worden vastgelegd, mijn neusgaten vullend met de zure stank van mijn moeders beschamende toestand, waardoor ze steenpuisten heeft gekregen, met de azijnachtige kracht van Aadam Aziz' vastberadenheid om een zo geslaagde praktijk op te bouwen dat ze nooit meer naar de winkel met edelstenen terug zal hoeven te gaan, met de blinde mufheid van een groot beschaduwd huis waarin de jonge dokter, slecht op zijn gemak, voor een schilderij staat van een onopvallend meisje met levendige ogen en een doorboord hert achter haar aan de horizon, gespietst door een pijl uit haar boog. Het meeste van wat in ons leven van belang is, vindt in onze afwezigheid plaats: maar ik schijn ergens de truc vandaan te hebben gehaald om de hiaten in mijn kennis op te vullen, zodat alles in mijn hoofd zit, tot de kleinste bijzonderheid, zoals de manier waarop de mist schuin door de vroege ochtendlucht scheen te vallen ... alles, en niet alleen maar de paar aanwijzingen waar je toevallig tegenaan loopt, bijvoorbeeld door een oude tinnen koffer te openen die dicht en vol spinrag had behoren te blijven.

...Aadam schenkt zijn moeders glas opnieuw vol en gaat, bezorgd, verder met haar te onderzoeken. 'Doe wat zalf op die uitslag en vlekken, Amma. Voor de hoofdpijn zijn er pillen. In die steenpuisten moet gesneden worden. Maar misschien, als je purdah zou dragen wanneer je in de winkel zit ... opdat geen oneerbiedige ogen ... dat soort klachten begint vaak in de geest...'

...Klets van riem in water. Pets van spuug in meer. Tai schraapt zijn keel en mompelt nijdig: 'Da's wat moois. Een nakkoo kind dat nog niet droog achter zijn oren is, gaat weg voor hij een flikker geleerd heeft, en hij komt terug als een grote dokter sahib met een grote tas vol vreemde apparaten, maar toch is hij nog net zo stom als een uil. Ik zweer: een kwade zaak.'

...Dokter Aziz schuifelt onbehaaglijk van de ene voet op de andere, onder invloed van de glimlach van de landeigenaar, in wiens aanwezigheid het niet mogelijk is je ontspannen te voelen; en wacht op een of andere tic als reactie op zijn eigen buitenissige verschijning. Hij is gewend geraakt aan dit soort onbewuste zenuwtrekkingen van verbazing om zijn grootte, zijn veelkleurige gezicht, zijn neus... maar Ghani laat niets merken, en de jonge dokter besluit, op zijn beurt, niet te laten zien dat hij zich slecht op zijn gemak voelt. Hij houdt op met zijn geschuifel. Ze kijken elkaar aan, terwijl ieder (of zo lijkt het althans) zijn oordeel over de ander onderdrukt, de basis legt voor hun toekomstige relatie. En nu verandert Ghani, van kunstminnaar overgaand in een harde bink. 'Dit is een grote kans voor je, jongeman,' zegt hij. Aziz' ogen zijn afgedwaald naar Diana. Grote stukken van haar bezoedelde roze huid zijn zichtbaar.

...Zijn moeder kermt, schudt haar hoofd. 'Nee, wat weet jij ervan, kind, jij bent als dokter een grote piet geworden, maar de handel in edelstenen is anders. Wie zou een turkoois kopen van een vrouw die zich in een zwarte kap verschuilt? Het is een kwestie van vertrouwen wekken. Dus moeten ze naar me kijken; en ik moet pijnen en steenpuisten krijgen. Ga maar, ga maar, en maak je over je arme moeder geen kopzorgen.'

...'Grote piet,' Tai spuugt in het meer, 'grote zak, grote piet. Bah! Hebben we soms niet genoeg zakken thuis? Moet jij zonodig dat ding mee terug brengen dat gemaakt is van een varkenshuid en een mens alleen maar door ernaar te kijken onrein maakt? En God mag weten wat er allemaal in zit.' De gedachten van dokter Aziz, die tussen bloemetjesgordijnen en de geur van wierook zit, wordt afgeleid van de patiënte die aan de overkant van het meer wacht. Tais bittere monoloog dringt tot zijn bewustzijn door, veroorzaakt een dof gevoel van shock, een geur als van een eerstehulp afdeling die het van de wierook wint ... de oude man is klaarblijkelijk woedend om iets, bezeten van een onbegrijpelijke boosheid die gericht schijnt te zijn op zijn vroegere acoliet of, juister en vreemd genoeg, op zijn tas. Dokter Aziz probeert over koetjes en kalfjes te praten ... 'Maakt je vrouw het goed? Wordt er nog altijd over je tas met gouden tanden gepraat?' ... probeert een oude vriendschap te herstellen; maar Tai is nu door het dolle heen, en er barst een stroom beschimpingen uit hem los. De tas uit Heidelberg schudt onder de stortvloed van scheldwoorden. 'Varkensleren tas uit het Buitenland vol met incestueuze vreemdelingentrucjes. Hogepietentas. Als nu iemand een arm breekt, zal die tas niet toestaan dat de bottenman hem met bladeren verbindt. Nu moet een man zijn vrouw naast die tas laten liggen en toezien hoe er messen aan te pas komen om haar open te snijden. Een mooie boel wat die buitenlanders in de hoofden van onze jongemannen stoppen. Ik zweer: het is meer dan bar. Die tas zou met de testikels van de goddelozen in de hel moeten branden.'

...Ghani, de landeigenaar, laat zijn bretels met zijn duimen knallen. 'Een grote kans, ja, inderdaad. Er worden goeie dingen over u in de stad verteld. Goeie medische opleiding. Goeie... behoorlijke... familie... En nu is onze eigen vrouwelijke arts ziek, dus krijgt u uw kans. Die vrouw, tegenwoordig altijd ziek, te oud, denk ik, en ook niet op de hoogte met de nieuwste ontwikkelingen, weet u wel? Ik zeg: dokter maak jezelf beter. En ik zeg u dit: ik ben volkomen objectief in mijn zakenrelaties. Gevoelens, liefde, houd ik uitsluitend voor m'n gezin. Als iemand me geen eersteklas werk levert, vliegt ze eruit! Begrijpt u me? Nu dan: mijn dochter Naseem is niet in orde. U zult haar uitstekend behandelen. Denk erom, ik heb vrienden; en ziekte treft zowel de aanzienlijken als de laaggeborenen.'

...'Maak je nog altijd waterslangen in cognac in om je manbaar te maken, Taiji? Eet je nog altijd graag lotuswortel zonder kruiden?' Aarzelende vragen, opzij gewuifd door de stortregen van Tais woede. Dokter Aziz begint zijn diagnose te stellen. Voor de veerman vertegenwoordigt de tas het Buitenland; het is het oneigene, de indringer, de vooruitgang. En ja, hij heeft de geest van de jonge dokter inderdaad in bezit genomen; en ja, hij bevat messen, en geneesmiddelen tegen de cholera en malaria en pokken; en ja, hij staat tussen de dokter en de vletterman in, en heeft tegenstanders van hen gemaakt. Dokter Aziz begint te vechten, tegen de droefheid en tegen Tais woede, die hem begint aan te steken en zijn eigen woede wordt, die slechts zelden uitbarst, maar wanneer hij komt, onaangekondigd komt met een gebrul uit zijn diepste regionen en alles dat in zicht is braak legt; en dan verdwijnt, en hem ten slotte doet afvragen waarom iedereen zo van streek is... Ze naderen Ghani's huis. Een drager wacht de shikara op en staat met verstrengelde handen op een kleine houten aanlegsteiger. Aziz concentreert zich op hetgeen waar hij mee bezig is.

...'Heeft uw eigen dokter in mijn visite toegestemd, Ghani sahib?'
...Opnieuw wordt een aarzelende vraag luchtig weggewuifd. De landeigenaar zegt: 'O, ze zal geen bezwaar maken. Volg me nu, alstublieft.'

...De drager wacht op de aanlegsteiger. Houdt de shikara vast terwijl Aadam Aziz er uitstapt, met de tas in de hand. En nu, eindelijk, spreekt Tai rechtstreeks tegen mijn grootvader. Met minachting op zijn gezicht vraagt Tai: 'Vertel me eens, dokter sahib, heb je in die van dooie varkens gemaakte tas een van die apparaten die buitenlandse dokters gebruiken om mee te ruiken?' Aadam schudt niet-begrijpend zijn hoofd. Tais stem drukt al maar meer walging uit. 'U weet wel, mijnheer, zoiets als de slurf van een olifant.' Aziz, die nu begrijpt wat bij bedoelt, antwoordt: 'Een stethoscoop? Natuurlijk.' Tai duwt de shikara van de aanlegsteiger af. Spuugt. Begint weg te roeien. 'Ik wist het,' zei hij, 'u gebruikt nu zeker zo'n apparaat in plaats van uw eigen grote neus.'

Mijn grootvader neemt niet de moeite om uit te leggen dat een stethoscoop meer op een stel oren lijkt dan op een neus. Hij onderdrukt zijn eigen ergernis, de verontwaardigde woede van een verstoten kind; en bovendien, er wacht een patiënt. De tijd komt tot rust en concentreert zich op de belangrijkheid van het ogenblik.

Het huis was overdadig, maar het was slecht verlicht. Ghani was weduwnaar en de bedienden maakten daar duidelijk misbruik van. Er zaten spinnewebben in hoeken en richels zaten onder het stof. Ze liepen een lange gang door; een van de deuren stond op een kier en daardoor zag Aziz een kamer waar een enorme wanorde heerste. Deze korte blik te zamen met een lichtschijnsel in Ghani's donkere bril zei Aziz plotseling dat de landeigenaar blind was. Dit vergrootte zijn gevoel van onbehagen; een blinde man die beweerde dat hij Europese schilderijen waardeerde? Hij was ook onder de indruk omdat Ghani nergens tegenaan was gelopen ... ze bleven voor een zware teakhouten deur staan. Ghani zei: 'Wacht hier twee ogenblikken,' en ging de kamer achter de deur binnen.

In latere jaren zwoer dokter Aadam Aziz dat hij gedurende die twee ogenblikken van eenzaamheid in de sombere spinachtige gangen van het landhuis van de grondbezitter was aangegrepen door een haast onbedwingbaar verlangen rechtsomkeert te maken en zo ver weg te rennen als z'n benen hem konden dragen. Afgeschrikt door het raadsel van de blinde kunstminnaar, zijn ingewanden vol kleine krieuwelende insekten tengevolge van het verraderlijke venijn van Tais gemompel, terwijl zijn neusgaten zo erg jeukten dat ze hem de overtuiging gaven dat hij een venerische ziekte had opgelopen, voelde hij dat zijn voeten zich langzaam, alsof ze in schoenen van lood waren gevat, begonnen om te draaien: voelde het bloed in zijn slapen bonzen en werd overvallen door een zo machtig gevoel dat hij zich op een punt bevond vanwaar geen terugkeer mogelijk was, dat hij bijna in zijn Duitse wollen onderbroek plaste. Hij begon, zonder dat hij het wist, hevig te blozen; en op dit punt verscheen zijn moeder voor hem, gezeten op de vloer voor een lage lessenaar, terwijl uitslag zich als een blos over haar gezicht verspreidde toen ze een turkoois in het licht omhoog hield. Het gezicht van zijn moeder had heel de minachting van de vletterman Tai aangenomen. 'Vooruit, vooruit, ga er vandoor,' zei ze met Tais stem tegen hem. 'Maak je geen zorgen om je arme oude moeder.' Dokter Aziz hoorde zichzelf stamelen: 'Wat een nutteloze zoon heb je, Amma; kun je niet zien dat er midden in me een gat zit zo groot als een meloen?' Zijn moeder glimlachte gepijnigd. 'Je bent altijd al een harteloze jongen geweest,' zei ze met een zucht, en veranderde toen in een hagedis op de muur van de gang en stak haar tong tegen hem uit. Dokter Aziz voelde zich niet langer duizelig, wist niet zeker of hij werkelijk hardop had gesproken, vroeg zich af wat hij had bedoeld met die kwestie van het gat, merkte dat zijn voeten niet langer probeerden te ontsnappen en besefte dat er iemand naar hem keek. Een vrouw met de biceps van een worstelaar staarde hem aan en wenkte hem haar de kamer in te volgen. Hij kon aan haar sari zien dat ze een dienstbode was, maar onderdanig was ze niet. 'U ziet zo groen als een vis,' zei ze. 'Jullie dokters toch. Jullie komen in een vreemd huis en jullie lever verandert in gelei. Kom, dokter sahib, er wordt op u gewacht.' Zijn tas een tikkeltje te stevig vastklemmend, volgde hij haar door de donkere teakhouten deur.

...Een ruime slaapkamer in die even slecht verlicht was als de rest van het huis, hoewel er hier bundels stoffig zonlicht door een bovenlicht hoog in een muur vielen. Deze duffe stralen verlichtten een tafereel dat het opmerkelijkste was dat de dokter ooit had gezien: een tableau van een zo weergaloze vreemdheid dat zijn voeten opnieuw jeukten om naar de deur te gaan. Twee andere vrouwen, eveneens met het postuur van beroepsworstelaars, stonden stram in het licht en hielden elk een hoek van een enorm wit beddelaken vast, hun armen hoog boven hun hoofden geheven, zodat het laken als een gordijn tussen hen in hing. Mijnheer Ghani welde op uit de duisternis die het door de zon beschenen laken omringde, en liet de verbijsterde Aadam misschien een halve minuut lang verdwaasd naar het vreemde tableau staren, aan het eind waarvan, en nog voor er een woord was gesproken, de dokter een ontdekking deed:

Precies in het midden van het laken was een gat uitgeknipt, ruwweg een cirkel met een diameter van ongeveer vijftien centimeter.

'Doe de deur dicht, ayah,' gelastte Ghani de eerste van de vrouwelijke worstelaars en werd toen, zich tot Aziz richtend, vertrouwelijk. 'Er zijn vele nietsnutten in deze stad die af en toe hebben geprobeerd mijn dochters kamer binnen te dringen. Zij heeft beschermers nodig,' zei hij, met een knikje in de richting van de drie potige vrouwen.

Aziz keek nog steeds naar het geperforeerde laken. Ghani zei: 'Goed, vooruit, u moet mijn Naseem nu onderzoeken. *Pronto*.'

Mijn grootvader keek de kamer rond. 'Maar waar is zij, Ghani sahib?' bracht hij er ten slotte uit. De vrouwelijke worstelaars maten zich een laatdunkende gelaatsuitdrukking aan en, zo scheen het hem toe, spanden hun spieren voor het geval hij zich ongewenste vrijheden zou willen veroorloven.

'Ach, ik begrijp uw verwarring,' zei Ghani, terwijl zijn giftige glimlach zich verbreedde. 'Jullie kereltjes die in Europa zijn geweest vergeten bepaalde dingen. Dokter sahib, mijn dochter is een keurig meisje, dat spreekt vanzelf. Zij spreidt haar lichaam niet tentoon voor de neus van vreemde mannen. U zult begrijpen dat het u niet kan worden toegestaan haar te zien, nee, in geen geval; dientengevolge heb ik verlangd dat ze achter dat laken zou worden gezet. Ze staat daar als een braaf meisje.'

Dokter Aziz' stem had iets uitzinnigs gekregen. 'Ghani sahib, vertel mij hoe ik haar moet onderzoeken zonder naar haar te kijken?' Ghani bleef glimlachen.

'Wees zo vriendelijk nader aan te duiden welk deel van mijn dochters lichaam moet worden onderzocht. Ik zal haar dan opdracht geven het gewenste lichaamsdeel tegen het gat te plaatsen dat u daar ziet. En zo, op die manier, kan het worden gedaan.'

'Maar wat zijn de klachten van mevrouw?' – mijn grootvader, wanhopig. Waarop mijnheer Ghani, terwijl zijn ogen in hun kassen omhoog rolden en zijn glimlach in een smartelijke grimas vertrok, antwoordde: 'Het arme kind! Ze heeft erge, werkelijk vreselijke buikpijn.'

'Wil ze in dat geval,' zei dokter Aziz met enige terughouding, 'alstublieft zo vriendelijk zijn mij haar buik te laten zien?'

Padma – onze mollige Padma – is luisterrijk aan het mokken. (Ze kan niet lezen en, evenals alle liefhebbers van vis, vindt ze het niet prettig wanneer andere mensen iets weten wat zij niet weet. Padma: sterk, opgewekt, een troost in mijn laatste dagen. Maar ongetwijfeld iemand die de zon niet in het water kan zien schijnen.) Ze probeert me met een zoet lijntje van mijn bureau af te praten. 'Eet nou, anders bederft 't.' Ik blijf koppig over het papier gebogen zitten. 'Maar wat is er zo belangrijk,' vraagt Padma, terwijl haar rechterhand geërgerd opneerop door de lucht snijdt, 'dat daar al dat zeikerige geschrijf voor nodig is?' Ik antwoord: nu ik de bijzonderheden van mijn geboorte heb onthuld, nu het geperforeerde laken tussen dokter en patiënte staat, kan ik niet meer terug. Padma snuift verachtelijk. Pols kletst tegen voorhoofd. 'Okay, verhonger verhonger ... wie kan dat twee spie schelen?' Een tweede, luider, beslissend gesnuif ... maar ik neem geen aanstoot aan haar houding. Ze roert de hele dag in een borrelend vat om in haar levensonderhoud te voorzien; iets heets en azijnachtigs heeft haar vanavond opgewonden. Dik van middel, met enigszins harige onderarmen, stuift ze op, gesticuleert, gaat weg. Die arme Padma. Er zijn altijd dingen die haar woest maken. Misschien ook haar naam: begrijpelijk genoeg, aangezien haar moeder haar, toen ze nog klein was, vertelde dat ze naar de lotusgodin was genoemd, wier meest gebruikelijke benaming onder dorpelingen 'Zij Die Mest Bezit' is.

In de hernieuwde stilte wend ik me weer tot de vellen papier die een beetje naar geelwortel ruiken, klaar en bereid om een verhaal dat ik gisteren tussen hemel en aarde heb laten zweven uit zijn lijden te verlossen – net zoals Scheherazade, wier eigen leven daar van afhing dat ze prins Shahryar door nieuwsgierigheid opgevreten achterliet, nacht na nacht placht te doen. Ik zal meteen beginnen: door te onthullen dat de voorgevoelens van mijn grootvader in de gang niet ongegrond waren. In de volgende maanden en jaren kwam hij onder wat ik alleen maar kan beschrijven als de betovering van dat enorme – en tot dan toe onbevlekte – geperforeerde laken.

'Alweer?' zei Aadams moeder terwijl ze met haar ogen rolde. 'Ik zeg je, m'n jongen, dat meisje is zo ziekelijk omdat ze te veel in de watten wordt gelegd. Te veel snoepgoed en verwennerij, omdat ze de vaste hand van een moeder mist. Ga maar voor je onzichtbare patiënte zorgen; je moeder met haar akkevietje van een hoofdpijn mankeert niets.'

In die jaren, ziet u, kreeg Naseem Ghani, de dochter van de landeigenaar, een opmerkelijk aantal kwaaltjes, en iedere keer werd een shikara-wallah uitgestuurd om de lange jonge dokter sahib met de grote neus te halen, die zo'n naam voor zichzelf in het dal aan het maken was. Aadam Aziz' bezoeken aan de slaapkamer met de bundel zonlicht en de drie vrouwelijke worstelaars werden wekelijkse gebeurtenissen; en bij iedere gelegenheid kreeg hij genadiglijk, door het verknipte laken, een glimp te zien van een andere cirkel van vijftien centimeter van het lichaam van de jonge vrouw. Haar aanvankelijke buikpijn werd gevolgd door een heel licht verstuikte rechterenkel, een ingroeiende nagel aan de grote teen van de linkervoet, een sneetje onder aan de linkerkuit ('Tetanus is een dodelijke ziekte, dokter sahib,' zei de landeigenaar. 'Mijn Naseem mag niet aan een schrammetje sterven.') Er was de kwestie van haar stijve rechterknie die de dokter moest behandelen door het gat in het laken... en na enige tijd sprongen de ziektes omhoog, bepaalde onnoembare zones vermijdend, en begonnen zich rondom haar bovenste helft uit te breiden. Ze leed aan iets geheimzinnigs dat haar vader Vingerrot noemde, dat de huid van haar handen deed afschilferen; aan zwakte van de polsgewrichten, waarvoor Aadam kalktabletten voorschreef; en aan aanvallen van constipatie, waarvoor hij haar iets laxerends gaf, aangezien het uitgesloten was dat hij een lavement zou mogen toedienen. Ze had koortsaanvallen, maar ze had eveneens ondertemperaturen. Bij die gelegenheden werd zijn thermometer onder haar oksel aangelegd en dan bromde hij iets over de betrekkelijke ondoeltreffendheid van die methode. In de tegenoverliggende oksel openbaarde zich eens een licht geval van tineachloris en hij bestrooide haar met gele poeder; na die behandeling – die hem noopte de poeder in te wrijven, voorzichtig maar stevig, hoewel het zachte, verborgen lichaam daarna begon te schudden en te trillen en hij hulpeloos gelach door het laken hoorde komen, omdat Naseem Ghani helemaal niet tegen kietelen kon – verdween de jeuk, maar Naseem vond al gauw een nieuwe reeks klachten. Ze werd in de zomer bloedarm, en in de winter bronchiaal ('Haar luchtwegen zijn uitermate gevoelig,' verklaarde Ghani, 'als kleine fluiten.') Ver weg verviel de Eerste Wereldoorlog van de ene crisis in de andere, terwijl in het huis met de spinnewebben dokter Aziz ook verwikkeld was in een totale oorlog tegen de onuitputtelijke klachten van zijn gesegmenteerde patiënte. En in al die oorlogsjaren kreeg Naseem nooit twee keer dezelfde ziekte. 'Waaruit alleen maar blijkt,' zei Ghani tegen hem, 'dat u een goede dokter bent. Wanneer u haar beter maakt, is ze voorgoed genezen. Maar helaas!' – hij sloeg zich op het voorhoofd – ' ze smacht naar wijlen haar moeder, het arme kind, en haar lichaam lijdt. Ze is een al te liefdevol kind.'

Zo kreeg dokter Aziz geleidelijk een beeld van Naseem in zijn geest, een slecht passende collage van haar onderscheidenlijk onderzochte lichaamsdelen. Deze hersenschim van een afgeschermde vrouw begon hem te achtervolgen, en niet alleen in zijn dromen. Door zijn verbeelding aaneen gelijmd vergezelde ze hem op al zijn visites, ze trok in de voorkamer van zijn geest, zodat hij zowel wakend als slapend in zijn vingertoppen de zachtheid van haar kittelige huid kon voelen, of de volmaakte kleine polsen, of de schoonheid van de enkels; hij kon haar geur van lavendel en chambeli ruiken; hij kon haar stem horen en haar hulpeloze meisjeslach; maar ze had geen hoofd, omdat hij haar gezicht nooit had gezien.

Zijn moeder lag op haar bed, languit op haar buik. 'Vooruit, kom me wrijven,' zei ze, 'mijn zoon de dokter wiens vingers de spieren van z'n oude moeder kunnen verzachten. Wrijf, wrijf, mijn kind, dat kijkt als een geconstipeerde gans.' Hij masseerde haar schouders. Ze gromde, spande, ontspande zich. 'Lager nu,' zei ze, 'nu hoger. Naar rechts. Goed. Mijn briljante zoon die niet kan zien waar die landeigenaar Ghani mee bezig is. Zo knap, dat kind van me, maar hij heeft er geen vermoeden van waarom dat meisje met haar pietluttige klachten altijd ziek is. Luister, m'n jongen: Kijk nu eens verder dan je neus lang is: die Ghani denkt dat jij een goede partij voor haar bent. Een buitenlandse opleiding en zo. Ik heb in winkels gewerkt en ben door de ogen van vreemdelingen ontkleed zodat jij met die Naseem zou kunnen trouwen! Natuurlijk heb ik gelijk; waarom zou hij onze familie anders een tweede blik waard achten?' Aziz masseerde zijn moeder. 'O God, hou maar op, je hoeft me niet om zeep te brengen omdat ik je de waarheid vertel.'

Tegen 1918 waren Aadam Aziz' geregelde tochtjes over het meer zijn lust en zijn leven geworden. En nu werd zijn happigheid nog heviger omdat het, na drie jaar, duidelijk werd dat de landeigenaar en zijn dochter nu bereid waren bepaalde barrières te verlagen. Nu zei Ghani, voor de eerste keer: 'Een knobbeltje in de rechterborst. Is het verontrustend, dokter? Kijk. Kijk goed.' En daar, omlijst door het gat, was een volmaakt gevormde en lyrisch mooie... 'Ik moet hem bevoelen,' zei Aziz, die het moeilijk had met zijn stem. Ghani gaf hem een klap op de rug. 'Voel, voel!' riep hij. 'De handen van de heler! De genezende aanraking, hè, dokter?' En Aziz stak een hand uit... 'Neem me niet kwalijk dat ik het vraag; maar heeft mevrouw misschien haar maandstonde?' ...Kleine heimelijke lachjes verschenen op de gezichten van de vrouwelijke worstelaars. Ghani, minzaam knikkend: 'Ja, geneer je niet, ouwe jongen. Je bent nu onze eigen huisarts.' En Aziz:

'Dan is er geen reden tot ongerustheid. De knobbeltjes zullen verdwijnen wanneer de periode eindigt.' ... En de volgende keer: 'Een verrekte spier aan de achterkant van haar dij, dokter sahib. Zo'n pijn!' en daar, in het laken stak een prachtig geronde en onmogelijke bil, die de ogen van Aadam Aziz week maakte... En nu Aziz: 'Is het gepermitteerd om...' Waarop Ghani iets zegt; een gehoorzaam antwoord van achter het laken; ruk aan een koordje; en pyjama valt van de hemelse romp die wonderbaarlijk door het gat bolt. Aadam Aziz dwingt zich in een medische gemoedstoestand ... strekt zijn hand uit ... voelt. En zweert bij zichzelf, stomverbaasd, dat hij het achterste rood ziet worden in een verlegen, maar toegeeflijke blos.

Die avond dacht Aadam over die blos na. Was de magie van het laken aan beide kanten van het gat werkzaam? Opgewonden stelde hij zich zijn hoofdloze Naseem voor terwijl ze tintelde onder zijn vorsende ogen, zijn thermometer, zijn stethoscoop, zijn vingers, en zich in haar geest een beeld van *hem* probeerde te vormen. Zij was natuurlijk in het nadeel, omdat ze niets anders van hem had gezien dan zijn handen... Aadam begon met een ongeoorloofde wanhoop te hopen dat Naseem Ghani migraine zou krijgen, of haar ongeziene kin zou ontvellen, zodat ze elkaar in het gezicht zouden kunnen kijken. Hij wist hoe weinig zijn gevoelens met zijn beroep te maken hadden, maar deed niets om ze te onderdrukken. Hij kon er weinig aan doen. Ze waren een eigen leven gaan leiden. Kortom: mijn grootvader was verliefd geworden en was het geperforeerde laken als iets heiligs en magisch gaan beschouwen, omdat hij er de dingen door had gezien die het gat binnen in hem hadden opgevuld, dat was ontstaan toen hij door een aardkluit op de neus was getroffen en door de vletterman Tai was beledigd.

De dag waarop de Wereldoorlog eindigde, kreeg Naseem de verhoopte hoofdpijn. Dergelijke historische toevallen zijn er volop in het bestaan van mijn familie in de wereld geweest en hebben er misschien een smet op geworpen.

Hij durfde nauwelijks te kijken naar wat in het gat in het laken was omlijst. Misschien was ze afzichtelijk; misschien verklaarde dat al die poespas ... hij keek. En zag een vriendelijk gelaat dat helemaal niet lelijk was, een zachte omlijsting voor haar glinsterende ogen als edelstenen, die bruin waren met gouden spikkels: tijgerogen. Dokter Aziz was volledig onder haar bekoring gekomen. En Naseem bracht uit: 'Maar dokter, mijn God, wat een *neus*!' Ghani, boos: 'Dochter, pas op wat...' Maar patiënte en dokter lachten allebei, en Aziz zei: 'Ja, ja, het is een opmerkelijk exemplaar. Ze zeggen dat er hele dynastieën in zitten te wachten...' En hij beet zich op zijn tong, omdat hij op het punt had gestaan eraan toe te voegen: '...als snot.'

En Ghani, die drie jaar lang blind naast het laken had gestaan, glimlachend en glimlachend en glimlachend, begon zijn heimelijke lach weer te vertonen die in de lippen van de worstelaars werd weerspiegeld.

Ondertussen had de vletterman Tai zijn onverklaarde besluit genomen om zich niet meer te wassen. In een dal dat gedrenkt was in zoetwatermeren, waar zelfs de allerarmsten zich op hun reinheid konden voorstaan (en dat deden ook), wenste Tai te stinken. Drie jaar lang had hij zich nu al niet gebaad of gewassen na aan de drang van de natuur te hebben toegegeven. Hij droeg jaar in jaar uit dezelfde kleren, zonder ze te wassen; zijn enige concessie aan de winter was om zijn chuga-jas over zijn stinkende pyjama te dragen. Het kleine mandje met hete kolen dat hij, naar de gewoonte van Kasjmir, binnen in de chuga droeg om hem in de bittere kou warm te houden, verergerde en benadrukte zijn kwalijke geuren alleen maar. Hij begon er een gewoonte van te maken langzaam langs het huis van de familie Aziz te drijven, waarbij hij de afschuwelijke stank van zijn lichaam over de kleine tuin en het huis binnen losliet. Bloemen gingen dood; vogels vluchtten van het kozijn voor het raam van de bejaarde vader Aziz. Natuurlijk raakte Tai werk kwijt; vooral de Engelsen voelden er niets voor zich door een menselijke beerput te laten overvaren. Om het meer deed het verhaal de ronde dat Tais vrouw, die helemaal gek werd van de plotselinge vervuiling van de oude man, om een reden had gesmeekt. Hij had geantwoord: 'Vraag dat maar aan onze uit het buitenland teruggekeerde dokter, vraag het die nakkoo, die Duitse Aziz.' Was het dan een poging om de hypergevoelige neusgaten van de dokter (waarin de kriebel van gevaar enigszins was verminderd onder de verdovende bijstand van de liefde) te krenken? Of een gebaar van onveranderlijkheid om de invasie van het doctori-valies uit Heidelberg te tarten? Aziz vroeg de grijsaard eens op de man af waar het allemaal om ging; maar Tai ademde slechts op hem en roeide weg. Die ademtocht velde Aziz bijna: hij was scherp als een bijl.

In 1918 stierf dokter Aziz' vader, beroofd van zijn vogels, in zijn slaap; en zijn moeder, die de zaak in edelstenen dank zij het succes van Aziz' praktijk had kunnen verkopen, en die de dood van haar man nu als een voor haar genadige bevrijding van een met verantwoordelijkheden gevuld leven zag, ging meteen op haar eigen sterfbed liggen en volgde haar man voor zijn eigen veertigdaagse rouwperiode om was. Tegen de tijd dat de Indiase regimenten aan het eind van de oorlog terugkeerden, was dokter Aziz wees en een vrij man – behalve dat zijn hart door een gat met een doorsnee van ongeveer vijftien centimeter was gevallen.

Vernietigend effect van Tais gedrag: het bedierf dokter Aziz' goede betrekkingen met de drijvende bevolking van het meer. Hij, die als kind vrijelijk met visvrouwen en bloemenverkopers had gepraat, merkte dat hij nu scheef werd aangekeken. 'Vraag het die nakkoo, die Duitse Aziz.' Tai had hem als een vreemdeling gebrandmerkt, en derhalve als iemand die niet helemaal te vertrouwen was. Ze mochten de vletterman niet, maar ze vonden de verandering die de dokter blijkbaar in hem teweeg had gebracht nog verontrustender. Aziz merkte dat hij verdacht, zelfs gemeden werd door de armen; en hij was er erg door gegriefd. Nu begreep hij wat Tai in de zin had: de man probeerde hem uit het dal te verjagen.

Het verhaal van het geperforeerde laken lekte eveneens uit. De vrouwelijke worstelaars waren blijkbaar minder discreet dan ze eruitzagen. Aziz begon te merken dat mensen hem nawezen. Vrouwen giechelden achter hun handen...

'Ik heb besloten Tai zijn overwinning te gunnen,' zei hij. De drie vrouwelijke worstelaars, van wie er twee het laken omhoog hielden terwijl de derde bij de deur rondhing, spanden zich tot het uiterste in om hem door de watten in hun oren heen te horen. ('Ik heb m'n vader ertoe gedwongen,' vertelde Naseem hem. 'Die klessebessen zullen van nu af aan niet langer meer kwebbelen en roddelen.') Naseems ogen, omlijst door het gat, werden groter dan ooit.

...Net als zijn eigen ogen toen hij, een paar dagen eerder, door de straten van de stad had gelopen, de laatste bus van de winter had zien arriveren, beschilderd met zijn kleurige opschriften – op de voorkant ALS GOD HET WIL in groen gearceerd in rood; op de achterkant, blauw gearceerd geel dat schreeuwde DANK GOD! en in brutaal kastanjebruin JAMMER-AJUUS! – en door een web van nieuwe kringen en groeven op haar gezicht Ilse Lubin had herkend toen ze uitstapte...

Tegenwoordig liet Ghani de landeigenaar hem alleen met de bewakers met gewatteerde oren: 'Om wat te praten; de verhouding tussen dokter en patiënt kan zich alleen in de strikste vertrouwelijkheid verdiepen. Ik zie dat nu in, Aziz sahib – vergeef mij mijn vroegere indringerigheid.' Tegenwoordig werd Naseems tong al maar ongeremder. 'Wat is dat voor gepraat? Wat ben je – een man of een muis? Om je huis te verlaten vanwege een stinkende schuitenvoerder!'...

'Oskar is dood,' vertelde Ilse hem, terwijl ze aan verse limonade nipte op de takht van zijn moeder. 'Als een komediant. Hij ging met het leger praten om ze te zeggen dat ze geen pionnen moesten zijn. De stommeling dacht werkelijk dat de soldaten hun geweren zouden neergooien en weglopen. Wij keken uit een raam toe en ik bad dat ze hem niet zo maar onder de voet zouden lopen. Het regiment had ondertussen geleerd in de pas te lopen, je zou ze niet herkennen. Toen hij van het exercitieterrein bij de hoek van de straat kwam, struikelde hij over zijn eigen schoenveter en viel op straat. Een stafauto reed hem aan en hij stierf. Hij kon zijn veters nooit behoorlijk vastbinden, die sukkel' ... op dit punt waren er diamanten die in haar wimpers bevroren ... 'Hij was het type dat anarchisten een slechte naam bezorgt.'

'Goed,' gaf Naseem toe, 'dus je maakt een goeie kans om een goeie baan te krijgen. De Universiteit van Agra, die is beroemd, denk maar niet dat ik dat niet weet. Universiteitsarts! ... klinkt goed. Zeg dat je daarvoor gaat, en de zaak verandert.' Wimpers werden neergeslagen in het gat. 'Ik zal je missen natuurlijk...'

'Ik ben verliefd,' zei Aadam Aziz tegen Ilse Lubin. En later: '...Dus ik heb haar alleen maar door een gat in een laken gezien, elke keer een gedeelte; en ik zweer dat haar achterste bloost.'

'Ze doen hierboven zeker iets in de lucht,' zei Ilse.

'Naseem, ik heb die baan,' zei Aadam opgewonden. 'De brief is vandaag gekomen. Met ingang van april 1919. Je vader zegt dat hij een koper voor mijn huis kan vinden en ook voor de edelstenenwinkel.'

'Prachtig,' zei Naseem pruilend. 'Dus nu moet ik een nieuwe dokter zoeken. Of misschien neem ik die ouwe heks weer die nergens iets van af wist.'

'Omdat ik een wees ben,' zei dokter Aziz, 'moet ik zelf komen in plaats van mijn familieleden. Maar niettemin ben ik gekomen, Ghani sahib, voor het eerst zonder ontboden te zijn. Dit is geen artsenbezoek.'

'Beste jongen!' Ghani, die Aadam op de rug klopt. 'Natuurlijk moet je met haar trouwen. Met een piekfijne bruidsschat! Geld speelt geen rol! Het zal het huwelijk van het jaar worden, o, vast en zeker, ja!'

'Ik kan jou niet achterlaten wanneer ik ga,' zei Aziz tegen Naseem. Ghani zei: 'Genoeg van die tamasha. Dat gedoe met dat laken is niet langer nodig. Laat het zakken, vrouwen, dit is nu een jong verliefd stel.'

'Eindelijk,' zei Aadam Aziz, 'ik zie je eindelijk helemaal. Maar nu moet ik weg. Mijn visites ... en ik heb een oude vriendin bij me te logeren, ik moet het haar vertellen, ze zal erg blij zijn voor ons beiden. Een goede vriendin uit Duitsland.'

'Nee, Aadam baba,' zei zijn drager, 'ik heb Ilse begum sinds vanmorgen niet meer gezien. Ze heeft de ouwe Tai gehuurd voor een tochtje met de shikara.'

'Wat valt er te zeggen, mijnheer?' mompelde Tai gedwee. 'Ik ben werkelijk vereerd dat ik naar het huis van een zo groot personage als uzelf ben ontboden. Mijnheer, mevrouw heeft me gehuurd om een tochtje naar de Mogoltuinen te maken voor het meer dichtvriest. Een stille dame, dokter sahib, ze deed de hele tijd geen mond open. Ik zat dus mijn eigen onwaardige gedachten te overpeinzen zoals oude dwazen dat meestal doen, en plotseling kijk ik en ze zit niet op haar plaats. Sahib, ik zweer het bij mijn vrouw, het is niet mogelijk om over de achterkant van de zitplaats heen te kijken, hoe kon ik het weten? Geloof een arme vletterman die uw vriend was toen u jong was...'

'Aadam baba,' viel de oude drager hem in de rede, 'neem me niet kwalijk, maar ik heb zoëven dit papier op haar tafel gevonden.'

'Ik weet waar ze is,' zei dokter Aziz, terwijl hij Tai aanstaarde. 'Ik weet niet hoe je almaar bij mijn leven betrokken raakt; maar je hebt me die plek een keer aangewezen. Je zei: bepaalde buitenlandse vrouwen komen hier om te verdrinken.'

'Ik, sahib?' Tai geschokt, kwalijk riekend, onschuldig. 'Maar verdriet maakt uw hoofd in de war! Hoe kan ik dat soort dingen weten?'

En nadat het lijk, opgezwollen, in wier gehuld, door een groep onaandoenlijk kijkende vlettermannen was opgedregd, bezocht Tai de shikarahalte en zei tegen de mannen daar, terwijl ze terugdeinsden voor zijn adem als van een stier met dysenterie: 'Hij geeft mij de schuld, stel je voor! Brengt zijn loszinnige Europeanen hier en zegt me dat het mijn schuld is wanneer ze in het meer springen!... Ik vraag je, hoe wist hij precies waar hij moest kijken? Ja, vraag hem dat, vraag dat aan nakkoo Aziz!'

Ze had een briefje achtergelaten. Er stond op: 'Ik was het niet van plan.'

Ik geef geen commentaar; deze gebeurtenissen, die op de een of andere manier over mijn lippen zijn gerold, verdraaid door haast en ontroering, moeten anderen maar beoordelen. Laat mij er niet langer omheen draaien, en zeggen dat Tai tijdens de lange strenge winter van 1918-1919 ziek werd en een hevige huidaandoening opliep, verwant aan die Europese vloek koningszeer genaamd; maar hij weigerde naar dokter Aziz te gaan en werd door een plaatselijke homeopaat behandeld. En in maart, toen het meer ontdooide, vond er een huwelijk plaats in een grote feesttent op het terrein van het huis van landeigenaar Ghani. De huwelijksovereenkomst verzekerde Aadam Aziz van een aanzienlijk geldbedrag, dat zou helpen om in Agra een huis te kopen, en bij de bruidsschat was ook, op dokter Aziz' speciale verzoek, een zeker verknipt beddelaken inbegrepen. Het jonge paar zat op een verhoging, omkranst en koud, terwijl de gasten in rijen voorbij schuifelden en roepies in hun schoot lieten vallen. Die nacht legde mijn grootvader het geperforeerde laken onder zijn bruid en zichzelf, en de volgende ochtend werd het gesierd door drie droppeltjes bloed, die een kleine driehoek vormden. 's Morgens werd het laken tentoon gespreid, en na de voltrekkingsplechtigheid reed er een limousine voor die door de landeigenaar was gehuurd om mijn grootouders naar Amritsar te brengen, waar ze op de posttrein zouden stappen. Bergen verdrongen zich rondom en staarden toen mijn grootvader voor de laatste keer zijn huis verliet. (Hij zou er eens terugkeren, maar niet om weg te gaan.) Aziz meende dat hij een oude vletterman aan land zag staan om hen te zien voorbijrijden – maar dat was waarschijnlijk een vergissing, aangezien Tai ziek was. De blaar van een tempel boven op Sankara Acharya, die moslems de Takth-e-Sulaiman, of Zetel van Salomo waren gaan noemen, schonk geen aandacht aan hen. Winterkale populieren en met sneeuw bedekte saffraanvelden golfden rondom hen toen de auto naar het zuiden reed, met een oud leren valies, waarin onder andere een stethoscoop en een beddelaken zaten, in de kofferbak. Dokter Aziz voelde diep in zijn buik een gewaarwording die verwant was aan gewichtloosheid.

Of vallen.

(...En nu is mij de rol van spook toebedeeld. Ik ben negen jaar oud en de hele familie, mijn vader, mijn moeder, de Brutale Aap en ikzelf, logeren in het huis van mijn grootouders in Agra, en de kleinkinderen – waaronder ikzelf – voeren het gebruikelijke nieuwjaarstoneelstukje op; en ik heb de rol van spook gekregen. Dientengevolge – en stiekem, om de geheimen van de aanstaande voorstelling te bewaren – stroop ik het huis af naar een spookachtige vermomming. Mijn grootvader is uit op zijn visites. Ik ben in zijn kamer. En daar boven op die kast ligt een oude koffer, bedekt met stof en spinnen, maar niet afgesloten. En hier, binnenin, zit het antwoord op mijn gebeden. Niet alleen maar een laken, maar een waar al een gat in is geknipt! Hier is het in dat leren valies in die koffer, vlak onder een oude stethoscoop en een buisje beschimmelde Vick's Inhaler ... het optreden van het laken in onze voorstelling veroorzaakte niet minder dan een sensatie. Mijn grootvader wierp er één blik op en kwam brullend overeind. Hij beende het toneel op en maakte mij ten overstaan van iedereen spook af. De lippen van mijn grootmoeder waren zo stijf dichtgeknepen dat ze schenen te verdwijnen. Met z'n tweeën, de een die tegen me brulde met de stem van een vergeten vletterman, en de ander die haar woede door verdwenen lippen tot uitdrukking bracht, herleidden ze het ontzagwekkende spook tot een huilend wrak. Ik vluchtte, lichtte de hielen en rende het kleine korenveld in, zonder te weten wat er gebeurd was. Ik bleef daar – misschien op precies dezelfde plaats waar Nadir Khan gezeten had! – een paar uur zitten, telkens opnieuw zwerend dat ik nooit meer een verboden koffer zou openen, maar met een vaag wrokkig gevoel omdat hij niet eens afgesloten was geweest. Maar door hun woede wist ik dat het laken op de een of andere manier werkelijk heel erg belangrijk was.)

Ik ben gestoord door Padma, die mij mijn avondeten bracht en het mij toen niet wilde geven, me chanterend: 'Als jij dus al je tijd gaat doorbrengen met je ogen te bederven met dat geschrijf, is het minste dat je kunt doen het mij voorlezen.' Ik heb wat terug moeten doen om mijn eten te krijgen – maar misschien zal onze Padma nuttig zijn, omdat het onmogelijk is haar ervan te weerhouden voor criticus te spelen. Ze is vooral boos om mijn opmerkingen over haar naam. 'Wat weet jij daarvan af, stadsjongen?' riep ze uit – terwijl haar hand door de lucht sneed. 'In mijn dorp is het geen schande om naar de Godin van de Mest te worden genoemd. Schrijf meteen dat je het mis hebt, faliekant.' Ingevolge de wensen van mijn lotus las ik, onverwijld, een korte lofzang op Mest in.

Mest, die vruchtbaar maakt en gewassen doet gedijen! Mest die in kleine chapati-achtige koeken wordt geplet wanneer hij nog vers en vochtig is, en die aan de aannemers van het dorp wordt verkocht, die het gebruiken om de uit modder opgetrokken muren van kachchagebouwen mee te beschermen en te verstevigen. Mest, die komend uit het achterwerk van koeien, hun goddelijke en heilige status voor een groot deel verklaart! O ja, ik had het mis, ik geef toe dat ik bevooroordeeld was, ongetwijfeld omdat de ongelukkige geuren ervan mijn gevoelige neus nu eenmaal onaangenaam treffen – hoe geweldig, hoe onuitsprekelijk verrukkelijk moet het zijn om naar de Leverancier van Mest te zijn genoemd!

...Op 6 april 1919 rook de heilige stad Amritsar (heerlijk, Padma, hemels!) naar uitwerpselen. En misschien krenkte de (verrukkelijke!) stank de Neus aan mijn grootvaders gezicht niet – per slot van rekening, de boeren van Kasjmir gebruikten die, zoals eerder beschreven, bij wijze van pleisterkalk. Zelfs in Srinagar waren venters met handkarren met ronde mestkoeken geen ongewone bezienswaardigheid. Maar dan was het spul aan het drogen, uitgewerkt, nuttig. Het kwam uit de billen van de paarden tussen de dissels van de vele tonga's, ikka's en gharries in de stad; en muildieren en mensen en honden gaven gehoor aan de aandrang van de natuur, zich vermengend tot een broederschap van stront. Maar er waren ook runderen; heilige koeien die door de stoffige straten zwierven, elk zijn eigen gebied patrouillerend, hun terrein met uitwerpselen afbakenend. En vliegen! Het grootste gevaar voor de gemeenschap, vrolijk van de ene dampende drol naar de andere vliegend, celebreerde en bestoof deze gratis gegeven offerrandes. De stad zwermde ook, een afspiegeling van de bewegingen van de vliegen. Dokter Aziz keek uit zijn hotelraam neer op dit spektakel terwijl een heilige man met een masker op voorbijkwam, en het trottoir voor zich met een bezem van takkenbossen schoonveegde om te voorkomen dat hij op een mier, of zelfs een vlieg zou trappen. Kruidige zoete geuren stegen op van een venterskar met versnaperingen. 'Warme pakora's, warme pakora's!' Een blanke vrouw kocht zijde in een winkel aan de overkant van de straat, en mannen met tulbanden keken lonkend naar haar. Naseem – nu Naseem Aziz – had een barstende hoofdpijn; het was voor het eerst dat ze dezelfde ziekte voor een tweede keer had gehad, maar het leven buiten haar rustige dal was min of meer een schok voor haar geweest. Er stond een karaf met verse limonade naast haar bed, die snel leger werd. Aziz stond voor het raam, de stad inademend. De spits van de Gouden Tempel glansde in de zon. Maar zijn neus jeukte; er was hier iets niet in de haak.

Detailopname van de rechterhand van mijn grootvader: nagels knokkels vingers allemaal op de een of andere manier groter dan je zou verwachten. Plukjes rood haar aan de buitenkanten. Duim en wijsvinger samengedrukt, slechts gescheiden door de dikte van een blaadje papier. Kortom: mijn grootvader hield een pamflet vast. Dat was hem in de hand gedrukt (we gaan nu over op een totaalopname – niemand uit Bombay behoort het zonder een elementaire filmwoordenlijst te stellen) toen hij de foyer van het hotel binnen was gegaan. Geren van een klein jongetje door de draaideur, papieren die achter hem vallen terwijl de chaprassi hem achterna zit. Waanzinnige wentelingen in de deuropening, rondenrond; tot chaprassihand ook om een close-up vraagt, omdat hij duim tegen wijsvinger aan drukt, de twee slechts gescheiden door de dikte van een kwajongensoor. Verwijdering van jeugdige verspreider van smerige traktaatjes, maar toch had mijn grootvader de boodschap bewaard. Nu, terwijl hij uit zijn raam kijkt, ziet hij die op een tegenoverstaande muur herhaald; en daar, op de minaret van een moskee; en in de grote zwarte letters van een krant onder de arm van een straatventer. Pamflet krant moskee en muur schreeuwen: *Hartal*! Hetgeen, letterlijk, wil zeggen, een dag van rouw, van stilte, van zwijgen. Maar dit in India in de glansperiode van de Mahatma, waarin zelfs de taal de opdrachten van Ghandiji gehoorzaamt en het woord, onder zijn invloed, nieuwe weerklank heeft gekregen. *Hartal – 7 april*, zeggen moskee krant muur en pamflet eensgezind, omdat Gandhi heeft verordend dat heel India op die dag tot stilstand moet komen. Om, in vrede, te rouwen om de voortdurende aanwezigheid van de Britten in India.

'Ik begrijp die hartal niet terwijl er niemand dood is,' huilt Naseem zacht. 'Waarom loopt de trein niet? Hoe lang zitten we hier vast?'

Dokter Aziz ziet een soldateske jongeman op straat en denkt – de Indiërs hebben voor de Britten gevochten; zovelen van hen hebben de wereld nu gezien en zijn door het Buitenland geïnfecteerd. Ze zullen niet gemakkelijk naar de oude wereld terugkeren. Het is verkeerd van de Britten om te proberen de klok terug te zetten. 'Het was fout om de Rowlatt-wet aan te nemen,' mompelt hij.

'Wat rowlatt?' jammert Naseem. 'Dat is onzin voor zover het mij betreft.'

'Tegen politieke agitatie,' legt Aziz uit, en vervalt weer in gepeinzen. Tai had eens gezegd: 'Kasjmiri's zijn anders. Lafaards, bijvoorbeeld. Geef een Kasjmiri een geweer in de hand en het zal vanzelf moeten afgaan – hij zal de trekker nooit durven overhalen. Wij zijn niet zoals Indiërs, altijd aan het vechten.' Aziz, met Tai in zijn hoofd, voelt zich geen Indiër. Kasjmir is tenslotte strikt genomen geen deel van het rijk, maar een onafhankelijk prinsdom. Hij is er niet zeker van of de hartal van pamflet moskee muur krant zijn strijd is, ook al bevindt hij zich nu in bezet gebied. Hij keert zich van het raam af...

...En ziet Naseem in een kussen huilen. Ze heeft gehuild van het ogenblik af dat hij haar, op de tweede nacht, had gevraagd een beetje te bewegen. 'Waarheen bewegen?' vroeg ze. 'Hoe bewegen?' Hij werd verlegen en zei: 'Alleen maar bewegen, bedoel ik, als een vrouw...' Ze gilde van ontzetting. 'Mijn God, waar ben ik mee getrouwd? Ik ken jullie mannen die uit Europa zijn teruggekomen. Jullie vinden daar vreselijke vrouwen, en dan proberen jullie ons meisjes even erg te maken! Luister dokter sahib, echtgenoot of geen echtgenoot... ik ben niet een of andere... vrouw met een obscene benaming.' Dit was een strijd die mijn grootvader nooit heeft gewonnen; maar hij bepaalde de toon voor hun huwelijk, dat weldra een terrein van herhaaldelijke en verwoestende oorlogvoering werd, die als gevolg van haar plunderingen het jonge meisje achter het laken en de linkse jonge dokter snel in andere, vreemdere wezens veranderde... 'Wat nu, vrouw?' vraagt Aziz. Naseem begraaft haar gezicht in het kussen. 'Wat anders?' zegt ze met een verstikte stem. 'Jij, of wat? Jij wilt dat ik naakt voor vreemde mannen ga paraderen.' (Hij heeft haar gezegd om purdah op te geven.)

Hij zegt: 'Je hemd bedekt je van nek tot pols tot knie. Je pyjamabroek verhult je van onderen tot en met je enkels. Wat er over is zijn je voeten en je gezicht. Vrouw, zijn je gezicht en voeten obsceen?' Maar ze jammert: 'Ze zullen nog meer zien dan dat. Ze zullen mijn diepgevoelde schaamte zien!'

En nu een toeval dat ons de wereld van het mercurochroom binnenvoert ... Aziz, die merkt dat hij zijn humeur begint te verliezen, haalt alle purdahsluiers van zijn vrouw uit haar koffer, gooit ze in een blikken prullenmand met opzij een beschildering van goeroe Nanak, en steekt er de brand in. Vlammen springen op, overrompelen hem, lekken aan gordijnen. Aadam snelt naar de deur en schreeuwt om hulp terwijl de goedkope gordijnen in lichterlaaie staan ... en dragers gasten wasvrouwen stromen de kamer binnen en slaan met stofdoeken handdoeken en het wasgoed van andere mensen naar de brandende stof. Er worden emmers gebracht; het vuur dooft; en Naseem maakt zich klein op het bed terwijl ongeveer vijfendertig Sikhs, Hindoes en paria's zich in het van rook vervulde vertrek verdringen. Ten slotte gaan ze weg, en Naseem laat twee zinnen de vrije loop alvorens haar lippen obstinaat op elkaar te klemmen.

'Je bent een krankzinnige. Ik wil meer limonade.'

Mijn grootvader zet de ramen open, wendt zich tot zijn bruid. 'Het zal even duren voor de rook weg is. Ik ga een eindje lopen. Ga je mee?'

Lippen opeengeklemd; ogen toegeknepen; een enkel heftig Nee met het hoofd; en mijn grootvader gaat alleen de straat op. Zijn laatste woord: 'Vergeet maar een braaf Kasjmiri meisje te zijn. Denk er maar eens over na hoe je een moderne Indiase vrouw kunt worden.'

...Terwijl in het kantonnementsgebied, op het Britse hoofdkwartier, een zekere brigadegeneraal R. E. Dyer zijn snor opstrijkt met was.

Het is 7 april 1919, en in Amritsar wordt het grote plan van de Mahatma in de war gestuurd. De winkels zijn dichtgegaan; het spoorwegstation is gesloten; maar nu worden ze door oproerige menigten vernield. Dokter Aziz, met leren valies in de hand, is buiten op straat, verleent waar mogelijk hulp. Onder de voet gelopen lichamen zijn achtergelaten op de plaats waar ze vielen. Hij verbindt wonden, sprenkelt er rijkelijk mercurochroom op, waardoor ze er bloediger uitzien dan ooit, maar in elk geval worden ze ontsmet. Ten slotte keerde hij terug naar zijn hotelkamer, zijn kleren doortrokken van rode vlekken, en Naseem raakt in paniek. 'Laat mij helpen, laat mij helpen. Allah, met wat voor man ben ik getrouwd, die de goot in gaat en met goonda's vecht!' Ze overstelpt hem met water op plukken watten. 'Ik weet niet waarom je geen keurige dokter kunt zijn zoals gewone mensen en alleen maar belangrijke ziektes en zo geneest? O God, je zit onder het bloed! Ga zitten, ga zitten, laat me je in elk geval wassen!'

'Het is geen bloed, vrouw.'

'Denk je dat ik zelf niet met mijn eigen ogen kan zien? Waarom moet je me belachelijk maken, zelfs wanneer je gewond bent? Mag je vrouw dan niet eens voor je zorgen?'

'Het is mercurochroom, Naseem. Rode medicijn.'

Naseem – die een wervelwind van bedrijvigheid was geworden, kleren pakkend, kranen opendraaiend – verstijft. 'Je doet het expres,' zegt ze, 'om het te doen voorkomen dat ik stom ben. Ik ben niet stom. Ik heb verschillende boeken gelezen.'

Het is 13 april, en ze zijn nog altijd in Amritsar. 'Deze zaak is nog niet voorbij,' zei Aadam Aziz tegen Naseem. 'We kunnen niet weg, begrijp je; misschien hebben ze opnieuw artsen nodig.'

'Dus moeten we hier op het einde van de wereld zitten wachten?'

Hij wreef zijn neus. 'Nee, niet zo lang, vrees ik.'

Die middag zijn de straten plotseling vol mensen die allen dezelfde kant uitgaan en zich niets aantrekken van Dyers nieuwe verordeningen ingevolge de staat van beleg. Aadam zegt tegen Naseem: 'Er zal wel een bijeenkomst zijn georganiseerd – de militairen zullen moeilijkheden maken. Ze hebben vergaderingen verboden.'

'Waarom moet je gaan? Waarom wacht je niet tot je geroepen wordt?'

...Een erf kan van alles zijn, van een braakliggend terrein tot een park. Het grootste erf in Amritsar wordt Jallianwala Bagh genoemd. Er groeit geen gras. Overal liggen stenen blikken glas en andere dingen. Om er te komen moet je een heel nauw steegje tussen twee gebouwen doorlopen. Op 13 april persen zich vele duizenden Indiërs door dit steegje. 'Het is een vreedzaam protest,' zegt iemand tegen dokter Aziz. Hij heeft een valies uit Heidelberg in de rechterhand. (Een detailopname is niet nodig.) Hij voelt zich, ik weet het, heel erg bang, want zijn neus jeukt nog erger dan ooit; maar hij is een ervaren arts, hij zet het van zich af, hij loopt het erf op. Iemand houdt een hartstochtelijke rede. Venters bewegen zich door de menigte en verkopen channa en suikergoed. De lucht staat bol van het stof. Er schijnen geen goonda's, onruststokers, te zijn voor zover mijn grootvader kan zien. Een groep Sikhs heeft een doek op de grond uitgespreid en zit eromheen te eten. Er hangt nog altijd een geur van drek in de lucht. Aziz dringt tot het hart van de menigte door, terwijl brigadegeneraal R. E. Dyer bij de ingang van het steegje arriveert, gevolgd door vijftig man keurtroepen. Hij is de bevelhebber van Amritsar tijdens de staat van beleg – een belangrijke man, per slot van rekening; de ingevette punten van zijn snor staan stijf van gewichtigheid. Terwijl de eenenvijftig mannen het steegje doorlopen begint de neus van mijn grootvader te krieuwelen in plaats van te jeuken. De eenenvijftig mannen komen het erf op en nemen posities in, vijfentwintig rechts van Dyer en vijfentwintig links van hem; en Aadam Aziz concentreert zich niet langer op wat er om hem heen gebeurt, omdat de krieuweling ondraaglijk in hevigheid toeneemt. Terwijl brigadegeneraal Dyer een bevel geeft, treft een niesbui mijn grootvader midden in het gezicht. 'Haatsjoe' niest hij en valt voorover, zijn evenwicht verliezend, zijn neus volgend en daarmee zijn leven reddend. Zijn 'doctori-valies' springt open; flessen, zalf en injectiespuiten vliegen overal in het stof in het rond. Hij grabbelt furieus aan de voeten van mensen in een poging zijn spullen te redden voor die worden vertrapt. Er klinkt een geluid als van tanden die in de winter klapperen en iemand valt boven op hem. Iets roods bevlekt zijn hemd. Er klinkt nu geschreeuw en gesnik en het vreemde geklapper houdt aan. Meer en meer mensen schijnen te zijn gestruikeld en op mijn grootvader te zijn gevallen. Hij begint voor zijn rug te vrezen. Het slot van zijn valies dringt in zijn borst en veroorzaakt daar een zo ernstige en geheimzinnige bloeduitstorting dat die pas na zijn dood, jaren later, op de heuvel van Sankara Acharya of Takht-e-Suleiman verbleekt. Zijn neus zit klem tegen een flesje met rode pillen. Het geklapper houdt op en er komen de geluiden van mensen en vogels voor in de plaats. Er schijnt helemaal geen verkeerslawaai te zijn. De vijftig manschappen van brigadegeneraal Dyer danken hun machinegeweren af en gaan weg. Ze hebben in het totaal zestienhonderdvijftig kogels in de ongewapende menigte afgevuurd. Hiervan hebben er vijftienhonderdzestien doel getroffen en iemand gedood of verwond. 'Goed geschoten,' zegt Dyer tegen zijn manschappen, 'we hebben een aardige prestatie geleverd.'

Toen mijn grootvader die avond thuiskwam, deed mijn grootmoeder heel erg haar best om een moderne vrouw te zijn, om hem te plezieren, en dus verblikte of verbloosde ze niet toen ze hem zag. 'Ik zie dat je weer met het mercurochroom hebt geknoeid, klungel,' zei ze sussend.

'Het is bloed,' zei hij, en ze viel flauw. Toen hij haar met behulp van wat vlugzout bijbracht, zei ze: 'Ben je gewond?'

'Nee,' zei hij.

'Maar *waar* heb je gezeten, mijn *God*?'

'Nergens op aarde,' zei hij en begon in haar armen te trillen.

Mijn eigen hand, ik geef het toe, was begonnen te beven; niet geheel en al vanwege zijn onderwerp, maar omdat ik had opgemerkt dat er een dun scheurtje als een haar, in mijn pols was verschenen, onder de huid... Maar goed. Wij allen zijn de dood een leven verschuldigd. Dus laat me besluiten met het onbevestigde gerucht dat de vletterman Tai, die kort na het vertrek van mijn grootvader uit Kasjmir van zijn klierinfectie herstelde, pas in 1947 stierf toen (zo gaat het verhaal) hij woedend was vanwege de strijd tussen India en Pakistan om zijn dal, en naar Chhamb liep met de uitdrukkelijke bedoeling zich tussen de strijdende partijen op te stellen en ze eens te vertellen wat hij van hen dacht. Kasjmiri voor de Kasjmiri's dat was zijn standpunt. Natuurlijk schoten ze hem dood. Oskar Lubin zou zijn retorische gebaar waarschijnlijk hebben goedgekeurd; R. E. Dyer zou de schietvaardigheid van zijn moordenaars waarschijnlijk hebben geprezen.

Ik moet naar bed. Padma wacht; en ik heb behoefte aan wat warmte.

Geloof alsjeblieft dat ik aan het aftakelen ben.

Ik spreek niet in overdrachtelijke zin; en dit is evenmin de openingszet van een of ander melodramatisch, raadselachtig, armzalig beroep op medelijden. Ik bedoel doodeenvoudig dat ik over mijn gehele lichaam aan het barsten ben als een oude kruik – dat mijn arme lichaam, uniek, lelijk, door een overmaat aan geschiedenis geteisterd, onderworpen aan drainage boven en drainage van onderen, verminkt door deuren, de hersens ingeslagen met kwispedoors, uit zijn voegen begint te barsten. Kortom, ik ben letterlijk uit elkaar aan het vallen, nu nog langzaam, hoewel er tekenen zijn dat het proces zich versnelt. Ik vraag u alleen om te aanvaarden (zoals ik het heb aanvaard) dat ik uiteindelijk zal vergaan tot (ongeveer) zeshonderddertig miljoen deeltjes anoniem en noodzakelijkerwijze onbewust stof. Dat is de reden waarom ik heb besloten het papier in vertrouwen te nemen, voor ik het vergeet. (Wij zijn een natie van vergeters.)

Er zijn ogenblikken van ontzetting, maar die gaan voorbij. Paniek komt als een borrelend zeedier naar boven om lucht te happen, kolkt aan de oppervlakte, maar keert uiteindelijk weer naar de diepte terug. Het is belangrijk om kalm te blijven. Ik kauw op betelnoot en spuw in de richting van een goedkope koperkleurige kom, en speel het oude spelletje van raak-de-kwispedoor: Nadir Khans spelletje dat hij van de oude mannen in Agra had geleerd ... en vandaag de dag kun je 'raketpaans' kopen waarin niet alleen de pasta van de betel die het tandvlees rood maakt, maar ook de vertroosting van de cocaïne in een blad ligt gevouwen. Maar dat zou niet eerlijk zijn.

...Uit mijn bladzijden komt de onmiskenbare geur van chutney opstijgen. Laat ik u dus niet langer in de war brengen: Ik, Saleem Sinai, bezitter van het fijnst-begaafde reukorgaan uit de geschiedenis, heb mijn nadagen gewijd aan de grootscheepse bereiding van specerijen. Maar nu: 'Een kok?' zegt u met van afgrijzen stokkende adem. 'Niet meer dan een gewone khansama? Hoe bestaat het?' En ik moet toegeven, een dergelijk meesterschap van de dubbele gaven van koken en taal is inderdaad zeldzaam; toch bezit ik die. U bent verbaasd; maar ziet u, ik ben dus niet een van uw koksmaatjes van 200 roepies in de maand, maar mijn eigen meester, die werkt onder het saffraan met groene geknipoog van mijn persoonlijke neongodin. En mijn chutneys en kasaundies houden, per slot van rekening, verband met mijn nachtelijke schrijverij – overdag tussen de pekelvaten, en 's avonds binnen deze vellen, breng ik mijn tijd door met het grote werk van het conserveren. Zowel de herinnering als het fruit wordt gered van het bederf van de klokken.

Maar hier staat Padma naast mij, mij bazig terug dwingend in de wereld van het rechtlijnige verhaal, het universum van wat-gebeurde-er-toen: 'Als je zo doorgaat,' klaagt Padma, 'zul je tweehonderd jaar oud zijn voor je erin slaagt over je geboorte te vertellen.' Ze doet alsof het haar niets kan schelen en steekt achteloos een heup in mijn richting uit, maar mij houdt ze niet voor de gek. Ik weet nu dat ze er, ondanks al haar tegenwerpingen, aan verslingerd is. Er is geen twijfel mogelijk: ze is aan mijn verhaal verslaafd, zodat ze ineens is opgehouden met me aan m'n hoofd te zeuren dat ik naar huis moet gaan, vaker een bad moet nemen, mijn met azijn bevlekte kleren moet uittrekken en zelfs een ogenblik deze duisterende inmaakfabriek waar de geuren van specerijen altijd in de lucht borrelen, in de steek moet laten ... nu maakt mijn mestgodin eenvoudig een slaapplaats in de hoek van dit kantoor en bereidt mijn eten op twee beroete gaspitjes, en onderbreekt mijn door de bureaulamp beschenen geschrijf om te protesteren: 'Je mag wel voortmaken, anders zul je nog sterven voor je jezelf geboren hebt laten worden.' De eigen trots van de geslaagde verteller bedwingend probeer ik haar op te voeden. 'Dingen – mensen zelfs – hebben er een handje van om in elkaar over te vloeien,' leg ik uit, 'net als aroma's wanneer je kookt. Ilse Lubins zelfmoord bijvoorbeeld vloeide in de oude Aadam over en lag daar in een plasje tot hij God zag. Op dezelfde manier,' zeg ik op ernstige toon, 'is het verleden in mij gedruppeld ... dus we kunnen het niet negeren ...' Haar schouderophalen, dat prettige golvende dingen met haar borst doet, maakt dat ik ophoud. 'Voor mij is het een gekke manier om je levensverhaal te vertellen,' roept ze uit, 'als je niet eens bij het punt kunt komen waar je vader je moeder ontmoette.'

... En ongetwijfeld is Padma mij aan het binnen vloeien. Terwijl de geschiedenis uit mijn gebarsten lichaam stroomt, droppelt mijn lotus er stilletjes in, met haar nuchterheid, en haar paradoxale bijgeloof, haar tegenstrijdige liefde voor het fabelachtige – dus is het gepast dat ik op het punt sta het verhaal van de dood van Mian Abdullah te vertellen. De gedoemde Kolibrie: een legende van onze tijd.

... En Padma is een edelmoedige vrouw, want zelfs in deze laatste dagen blijft ze bij me, hoewel ik niet veel voor haar kan doen. Zo is het – en nogmaals, het is gepast om het te zeggen voor ik aan het verhaal van Nadir Khan begin – ik ben ontmand. Ondanks Padma's vele uiteenlopende gaven en goede zorgen, kan ik niet in haar vloeien, zelfs niet wanneer ze haar linkervoet op mijn rechter zet, haar rechterbeen om mijn middel slaat, haar hoofd omhoog naar het mijne toe heft en kirrende geluidjes maakt; zelfs niet wanneer ze mij in het oor fluistert: 'En laten we eens zien nu je klaar bent met je schrijverij of we je andere potlood in actie kunnen krijgen!'; ondanks alles wat ze probeert, kan ik haar kwispedoor niet raken.

Genoeg bekentenissen. Buigend voor de onontkoombare Padmase pressie van het wat-gebeurde-er-toen, en mij de eindige hoeveelheid tijd waarover ik beschik herinnerend, spring ik van mercurochroom voorwaarts en beland in 1942. (Ook ik wil erg graag mijn ouders bij elkaar brengen.)

Het schijnt dat in de nazomer van dat jaar mijn grootvader, dokter Aadam Aziz, een hoogst gevaarlijke vorm van optimisme opliep. Terwijl hij door Agra fietste, floot hij doordringend, slecht, maar erg opgewekt. Hij was geenszins de enige, want ondanks energieke pogingen van de kant van de autoriteiten om haar uit te roeien, was deze gevaarlijke ziekte dat jaar over heel India uitgebroken en moesten er drastische maatregelen worden genomen voor zij bedwongen was. De oude mannen in de paanwinkel boven aan Cornwallis Road, kauwden op betelnoten en vermoedden een list. 'Ik heb twee keer zo lang geleefd als ik had moeten doen,' zei de oudste, en zijn stem kraakte als een oude radio omdat rond zijn stembanden decennia tegen elkaar schuurden, 'maar ik heb nog nooit zoveel mensen in een zo slechte tijd zo opgewekt gezien. Het is het werk van de duivel.' Het was, inderdaad, een veerkrachtig virus – het weer alleen al had dergelijke bacteriën moeten beletten te groeien nu het duidelijk was geworden dat de regens verstek hadden laten gaan. De aarde begon te scheuren. Stof vrat de randen van de wegen op en op sommige dagen verschenen er enorme gapende spleten midden op geasfalteerde kruisingen. De betelkauwers in de paanwinkel waren begonnen over voortekens te praten; zich kalmerend met hun spelltje 'raak-de-kwispedoor' speculeerden ze over de talloze naamloze Godweetwat voor dingen die nu uit de barstende aarde te voorschijn zouden kunnen komen. Blijkbaar was de tulband van een Sikh uit de fietsenmakerij in de hitte op een middag van zijn hoofd gestoten toen zijn haar, zonder enige reden, plotseling overeind was gaan staan. En prozaïscher nog, het tekort aan water had het punt bereikt waarop melkboeren geen schoon water meer konden vinden om de melk mee aan te lengen ... Ver weg was er opnieuw een Wereldoorlog aan de gang. In Agra steeg de hitte. Niettemin floot mijn grootvader. De oude mannen in de paanwinkel vonden dat zijn gefluit, gezien de omstandigheden, van slechte smaak getuigde.

(En, evenals zij, spuw ik en stijg boven spleten uit.)

Op zijn fiets, het leren valies op de bagagedrager, zat mijn grootvader te fluiten. Ondanks irritaties van de neus, de lippen getuit. Ondanks een blauwe plek op zijn borst die al drieëntwintig jaar lang weigerde te verbleken, was zijn goede humeur onaangetast. Lucht ging tussen zijn lippen door en werd veranderd in geluid. Hij floot een oud Duits wijsje: *Tannenbaum*.

De optimisme-epidemie was veroorzaakt door een enkel menselijk wezen wiens naam, Mian Abdullah, alleen door journalisten werd gebruikt. Voor alle anderen was hij de Kolibrie, een wezen dat onmogelijk zou zijn als het niet bestond. 'Goochelaar werd geestenbezweerder' schreven de journalisten, 'Mian Abdullah is opgestaan uit het beroemde goochelaarsghetto in Delhi om de hoop van India's honderd miljoen moslems te worden.' De Kolibrie was de stichter, voorzitter, éénmaker en drijvende kracht van de Vrije Islamitische Convocatie; en in 1942 werden grote feesttenten en spreekgestoelten op de maidan in Agra opgezet waar de tweede jaarvergadering van de Convocatie op het punt stond te worden gehouden. Mijn grootvader, tweeënvijftig jaar oud, zijn haar wit geworden door de jaren en andere bezoekingen, was begonnen te fluiten toen hij langs de maidan kwam. Nu hing hij schuin in bochten op zijn fiets, en nam die met een zwierige draai, slingerend tussen koeievla's en kinderen ... en op een andere tijd en plaats vertelde hij zijn vriendin, de Rani van Cooch Naheen: 'Ik begon als een Kasjmiri en niet zo'n erg goeie moslem. Toen kreeg ik een blauwe plek op mijn borst die een Indiër van me maakte. Ik ben nog altijd niet zo'n erg goede moslem, maar ik sta helemaal achter Abdullah. Hij strijdt mijn strijd.' Zijn ogen bezaten nog steeds het blauw van de hemel van Kasjmir ... hij kwam thuis, en hoewel zijn ogen een schittering van tevredenheid behielden, kwam er een eind aan het gefluit; want op het erf, vol kwaadaardige ganzen, wachtten hem de afkeurende gelaatstrekken van mijn oma, Naseem Aziz, die hij per abuis bij stukjes en beetjes had liefgehad, en die nu één was gemaakt en veranderd in de ontzagwekkende figuur die ze altijd zou blijven, en die altijd bekend was onder de vreemde titel van Eerwaarde Moeder.

Zij was een vroegtijdig oude, omvangrijke vrouw geworden, met twee enorme wratten, als heksentepels, op haar gezicht; en ze leefde in een onzichtbaar fort dat ze zelf had opgetrokken, een met ijzer beslagen citadel van tradities en zekerheden. Eerder dat jaar had Aadam Aziz levensgrote vergrotingen van zijn gezin laten maken om aan de muur van de zitkamer te hangen; de drie meisjes en twee jongens hadden zeer plichtsgetrouw geposeerd, maar Eerwaarde Moeder was in opstand gekomen toen zij aan de beurt was. Uiteindelijk had de fotograaf geprobeerd haar bij verrassing te kieken, maar ze had zijn camera afgepakt en die op zijn hoofd aan stukken geslagen. Gelukkig overleefde hij het; maar nergens op aarde zijn er foto's van mijn grootmoeder. Zij was geen vrouw die zich zomaar in iemands zwarte doos liet vangen. Het was genoeg voor haar dat ze in ongesluierde, openlijke schaamteloosheid moest leven – er was geen sprake van dat ze zou toestaan dat dit feit werd vastgelegd.

Het was misschien de dure plicht om met ontbloot gezicht te lopen, te zamen met Aziz' niet aflatende verzoeken om onder hem te bewegen, die haar naar de barricaden had gedreven; en de huishoudelijke regels die zij invoerde waren een zo onaantastbaar systeem van zelfverdediging dat Aziz, na vele vruchteloze pogingen, het min of meer had opgegeven te proberen haar vele ravelijnen en bastions te bestormen en haar, als een grote zelfvoldane spin, over haar uitverkoren domein liet regeren. (Misschien ook was het wel helemaal geen systeem van zelfverdediging, maar een middel om zich tegen zichzelf te verdedigen.)

Tot de dingen die zij toegang weigerde, behoorden alle politieke aangelegenheden. Wanneer dokter Aziz over dat soort dingen wilde spreken, bezocht hij zijn vriendin de Rani, en Eerwaarde Moeder mokte; maar niet zo erg, omdat ze wist dat zijn bezoeken een overwinning voor haar betekenden.

Het dubbele hart van haar koninkrijk was haar keuken en haar provisiekamer. Ik ben nooit in de eerstgenoemde geweest, maar herinnerde mij dat ik door de afgesloten louvredeuren van de provisiekamer naar de raadselachtige wereld daarbinnen keek, een wereld van hangende draadmanden afgedekt met linnen doeken om de vliegen weg te houden, van blikjes waarvan ik wist dat ze vol zaten met gur en andere zoetigheden, van afgesloten kisten met keurige vierkante etiketten, met noten en knolrapen en zakken graan, van ganzeëieren en houten bezems. Provisiekamer en keuken waren haar onvervreemdbare domein; en ze verdedigde ze meedogenloos. Toen ze zwanger was van haar laatste kind, mijn tante Emerald, bood haar man aan haar te verlossen van het karwei om toezicht te houden op de kokkin. Ze gaf geen antwoord, maar de volgende dag, toen Aziz in de buurt van de keuken kwam, kwam ze met een metalen pot in de handen naar buiten en versperde de deuropening. Ze was dik en bovendien zwanger, dus was er niet veel ruimte in de deuropening. Aadam Aziz trok zijn wenkbrauwen op. 'Wat heeft dit te betekenen, vrouw?' Waarop mijn grootmoeder antwoordde: 'Dit is, hoenoemjehet, een hele zware pot, en als ik je hier één keer aantref, hoenoemjehet, zal ik je hoofd erin duwen, er wat dahi bij doen en een, hoenoemjehet, korma maken.' Ik weet niet hoe mijn grootmoeder de uitdrukking *hoenoemjehet* als haar leitmotiv nam, maar in de loop van de jaren dook het steeds vaker in haar zinnen op. Ik ben geneigd het te beschouwen als een onbewuste kreet om hulp ... een ernstig bedoelde vraag. Eerwaarde Moeder gaf ons een aanwijzing dat zij, ondanks haar aanwezigheid en omvang, op drift was in het universum. Ze wist niet, begrijpt u, hoe het genoemd werd.

...En aan de eettafel bleef zij, gebiedend, regeren. Er werd geen eten op tafel gezet, er werden geen borden gedekt. Kerrie en aardewerk werden op een lage zijtafel aan haar rechterkant opgesteld, en Aziz en de kinderen aten wat zij opschepte. Het is een teken van de macht van deze gewoonte dat ze, zelfs toen haar echtgenoot constipatie had, hem niet één keer toestond zijn eten te kiezen, en naar geen verzoeken of raad luisterde. Een fort mag niet wankelen. Zelfs niet wanneer de stoelgang van degenen die er afhankelijk van zijn onregelmatig wordt.

Gedurende de lange onderduikperiode van Nadir Khan, tijdens de bezoeken aan het huis aan Cornwallis Road van de jonge Zulfikar die verliefd werd op Emerald en van de welvarende handelaar in kunstleer en leerdoek Ahmed Sinai genaamd die mijn tante Alia zo erg beledigde dat zij vijfentwintig jaar lang een grief koesterde alvorens die wreed op mijn moeder af te wentelen, verslapte de greep van Eerwaarde Moeder op haar gezin geen ogenblik; en zelfs voor Nadirs komst de grote stilte versnelde, had Aadam Aziz geprobeerd deze greep te verbreken, en was verplicht geweest tegen zijn vrouw ten strijde te trekken. (Dit alles draagt ertoe bij om aan te tonen hoe opmerkelijk zijn bezoeking door optimisme eigenlijk was.)

...In 1932, tien jaar eerder, had hij de opvoeding van zijn kinderen ter hand genomen. Eerwaarde Moeder was ontsteld; maar het was de traditionele vaderrol, dus kon ze er geen bezwaar tegen maken. Alia was elf; de tweede dochter, Mumtaz, was bijna negen. De twee jongens, Hanif en Mustapha, waren acht en zes, en de kleine Emerald was nog geen vijf. Eerwaarde Moeder begon haar angsten aan de kokkin van het gezin, Daoud, toe te vertrouwen. 'Hij vult hun hoofd met ik weet niet welke buitenlandse talen, hoenoemjehet en met nog meer onzin, ongetwijfeld.' Daoud roerde in pannen en Eerwaarde Moeder riep uit: 'Is het een wonder hoenoemjehet, dat het kleintje zich Emerald noemt? In het Engels, hoenoemjehet? Die man zal mijn kinderen voor me ruïneren. Doe minder komijn in die, hoenoemjehet, je moet je hoofd meer bij het koken houden en je minder met andermans zaken bemoeien.'

Ze stelde slechts een opvoedkundige voorwaarde: godsdienstonderwijs. In tegenstelling tot Aziz, die door tweeslachtigheid werd gekweld, was zij vroom gebleven. 'Jij hebt je Kolibrie,' zei ze tegen hem, 'maar ik, hoenoemjehet, heb de Roeping van God! Een beter geluid, hoenoemjehet, dan het geneurie van die man.' Dit was een van haar zeldzame politieke commentaren ... en toen kwam de dag waarop Aziz de godsdienstleraar het huis uit gooide. Duim en wijsvinger sloten zich om het oor van de maulvi. Naseem Aziz zag hoe haar echtgenoot de arme man met de verwilderde baard naar de deur in de tuinmuur leidde; snakte naar adem; schreeuwde het uit toen de voet van haar man tegen de vlezige delen van de godgeleerde aankwam.

'Man zonder waardigheid!' schold ze tegen haar echtgenoot, en 'Man zonder, hoenoemjehet, *schaamte*!' Kinderen keken van de veilige achterveranda toe. En Aziz: 'Weet je wat die man je kinderen leerde?' En Eerwaarde Moeder, die de ene vraag met de andere beantwoordde: 'Wat jij niet doet om rampspoed, hoenoemjehet, over ons te brengen?' – Maar nu Aziz: 'Jij denkt zeker dat het Nastalisch schrift was, hè?' – waarop zijn vrouw, die begon op te warmen, zei: 'Zou jij varkensvlees eten? Hoenoemjehet? Zou jij op de koran spugen?' En met stemverheffing riposteert de dokter: 'Of waren het een paar verzen uit "De Koe?" Denk je dat?'... Zonder er notitie van te nemen komt Eerwaarde Moeder tot haar climax: 'Zou jij je dochters aan Duitsers uithuwelijken?' En pauzeert, naar adem snakkend, en laat mijn grootvader onthullen: 'Hij leerde hun te haten, vrouw. Hij zegt hun dat ze Hindoes, boeddhisten en Jains en Sikhs en wie weet welke vegetariërs nog meer moeten haten. Wil jij haatdragende kinderen hebben, vrouw?'

'Wil jij goddeloze kinderen hebben?' Eerwaarde Moeder stelt zich de legioenen van de aartsengel Gabriël voor, die 's nachts afdalen om haar heidens gebroed naar de hel te brengen. Zij heeft levendige voorstellingen van de hel. Het is er even heet als Rajputana in juni en iedereen wordt er gedwongen zeven vreemde talen te leren... 'Ik zweer deze eed, hoenoemjehet,' zei mijn grootmoeder, 'ik zweer dat er geen voedsel uit mijn keuken naar jouw lippen zal komen! Nee, nog geen chapati, tenzij je de maulvi sahib laat terugkomen en zijn, hoenoemjehet, voeten kust.'

De uithongeringsoorlog welke op die dag begon, werd bijna een gevecht op leven en dood. Haar woord gestand doend, gaf Eerwaarde Moeder haar echtgenoot bij de maaltijden niet eens een leeg bord. Dokter Aziz nam onmiddellijk represailles door te weigeren voedsel tot zich te nemen wanneer hij uit was. Dag in, dag uit zagen de vijf kinderen hun vader verdwijnen, terwijl hun moeder de schalen met eten grimmig bewaakte. 'Zul je helemaal kunnen verdwijnen?' vroeg Emerald belangstellend, en voegde er bezorgd aan toe: 'Dat mag je alleen maar doen als je weet hoe je weer terug moet komen.' Het gezicht van Aziz kreeg kraters; zelfs zijn neus scheen dunner te worden. Zijn lichaam was een slagveld geworden, en iedere dag werd er een stuk van weggeschoten. Hij zei tegen Alia, de oudste, het verstandige kind: 'In iedere oorlog wordt het slagveld zwaarder gehavend dan een van beide legers. Dat is natuurlijk.' Hij begon riksja's te nemen wanneer hij zijn visites maakte. Hamdard, de riksja-wallah, begon zich zorgen over hem te maken.

De Rani van Cooch Naheen stuurde afgezanten om bij Eerwaarde Moeder te pleiten. 'Zijn er niet meer dan genoeg hongerende mensen in India?' vroegen de afgezanten aan Naseem, en zij ontketende een drakeblik die al een legende begon te worden. Met de handen in haar schoot verstrengeld, een dupatta van neteldoek vrekkig om haar hoofd gewonden, doorboorde ze haar bezoekers met een strakke blik tot die hun ogen neersloegen. Hun stemmen verkeerden in steen; hun harten bevroren; en alleen in een kamer met vreemde mannen zat mijn grootmoeder daar in triomf, omringd door neergeslagen ogen. 'Meer dan genoeg, hoenoemjehet?' kraaide ze. 'Nou, misschien. Maar misschien ook niet.'

Maar in werkelijkheid was Naseem Aziz heel ongerust; want, hoewel Aziz' dood door uithongering duidelijk een demonstratie van de superioriteit van haar idee van de wereld over de zijne zou zijn, was ze niet bereid om louter om een principe weduwe te worden; toch zag ze geen uitweg uit de situatie die er niet op zou neerkomen dat ze moest toegeven en haar gezicht verliezen, en omdat ze had geleerd haar gezicht te ontbloten, voelde mijn grootmoeder er weinig voor er ook maar iets van te verliezen.

'Word ziek, waarom doe je dat niet?' – Alia, het verstandigste kind, vond de oplossing. Eerwaarde Moeder blies een tactische aftocht, kondigde aan dat ze pijn had, werkelijk een moordende pijn, hoenoemjehet, en ging naar bed. In haar afwezigheid reikte Alia haar vader de olijftak aan, in de vorm van een kom kippesoep. Twee dagen later stond Eerwaarde Moeder op (na voor de eerste keer van haar leven geweigerd te hebben door haar man te worden onderzocht), trok de macht weer aan zich en gaf, met een schouderophalen in het besluit van haar dochter berustend, Aziz zijn eten alsof het een peuleschil was.

Dat was tien jaar eerder; maar in 1942 worden de oude mannen in de paanwinkel bij het zien van de fluitende dokter nog altijd opgewekt tot giechelende herinneringen aan de tijd toen zijn vrouw hem bijna had gedwongen tot een verdwijntruc, ook al wist hij niet hoe hij moest terugkomen. Tot laat in de avond porren ze elkaar met: 'Weet je nog toen – ' en 'Uitgedroogd als een skelet aan de waslijn! Hij kon zijn fiets niet eens –' en 'Ik zeg je, baba, die vrouw was tot vreselijke dingen in staat. Ik heb gehoord dat ze zelfs de dromen van haar dochters kon dromen, alleen maar om erachter te komen wat ze in hun schild voerden!' Maar wanneer de avond invalt, houdt het gepor op, omdat het tijd is voor de wedstrijd. Ritmisch, zwijgend, bewegen hun kaken; dan ineens worden lippen getuit, maar wat eruit komt is geen geluid dat door de lucht wordt veroorzaakt. Geen gefluit, maar in plaats daarvan komt een lange rode straal betelsap over afgeleefde lippen en schiet met feilloze nauwkeurigheid naar een oude koperen kwispedoor. Er is een hoop dijengeklets en zelfbewonderende uitingen van 'Wah, wah, mijnheer!' en 'Een volmaakt, meesterlijk schot!'... Rondom de bejaarden vervaagt de stad in vluchtig avondlijk tijdverdrijf. Kinderen spelen met hoepels en kabaddi en tekenen baarden op affiches van Mian Abdullah. En nu zetten de oude mannen de kwispedoor op straat, verder en verder van de plaats waar ze neerhurken, en richten er steeds langere stralen op. Maar toch, het vocht vliegt zuiver. 'O, ongelooflijk, yara!' De straatjongens maken er een spelletje van om tussen de rode stralen heen en weer te rennen zonder geraakt te worden, dit spelletje van wie durft er combinerend met de serieuze kunst van het in de kwispedoor spugen ... maar daar komt een stafauto van het leger die de straatjongens uiteenjaagt terwijl hij nadert... kijk, brigadegeneraal Dodson, de militaire bevelhebber van de stad, stikkend van de hitte... en daar, zijn aide de camp, majoor Zulfikar, die hem een handdoek aanreikt. Dodson veegt zijn gezicht af; de straatjongens verspreiden zich; de auto rijdt de kwispedoor omver. Een donkerrode vloeistof met klonters als bloed erin stolt als een rode hand in het stof van de straat en wijst beschuldigend naar de zich terugtrekkende macht van de raj.

Herinnering aan een beschimmelde foto (misschien het werk van dezelfde op z'n hoofd geslagen fotograaf wiens levensgrote vergrotingen hem op een haar na het leven kostten): Aadam Aziz gloeiend van optimismekoorts, schudt de hand van een man van een jaar of zestig, een ongeduldig, levendig type met een witte haarlok die over zijn voorhoofd valt als een vriendelijk litteken. Het is Mian Abdullah, de Kolibrie. ('Ziet u, dokter sahib, ik houd mezelf fit. Wilt u mij een stomp in de maag geven? Probeer het maar, ga uw gang. Ik ben prima in vorm.' ... Op de foto verbergen plooien van een wit los hemd de maag, en de vuist van mijn grootvader is niet gebald, maar is opgeslokt door de hand van de ex-goochelaar.) En achter hem, minzaam toekijkend, de Rani van Cooch Nasheen, die witte vlekken kreeg, een ziekte die kort na de Onafhankelijkheid de geschiedenis in lekte en op een enorme schaal uitbarstte... 'Ik ben het slachtoffer,' fluistert de Rani door gefotografeerde lippen die nooit bewegen, 'het ongelukkige slachtoffer van de wisselwerking tussen mijn culturele interessen. Mijn huis is de uitwendige uitdrukking van het internationalisme van mijn geest.' Toch is er op deze foto een gesprek aan de gang, terwijl de optimisten, als deskundige buiksprekers, hun leider ontmoeten. Naast de Rani – luister nu goed; geschiedenis en afstamming staan op het punt elkaar te ontmoeten! – staat een vreemde vent, zacht en pafferig, zijn ogen als stilstaande vijvers, zijn haar lang als dat van een dichter. Nadir Kahn, de particuliere secretaris van de Kolibrie. Als zijn voeten niet bevroren waren door het kiekje, zouden ze schuifelen van verlegenheid. Hij oreert door zijn dwaze, starre glimlach heen: 'Dat is waar, ik heb verzen geschreven...' Waarop Mian Abdullah hem in de rede valt, en door zijn open mond met schitteringen van puntige tanden buldert: 'Maar wat voor verzen! Niet één rijm op al die bladzijden!' ...En de Rani, vriendelijk: 'Een modernist dus?' En Nadir, schuchter: 'Ja.' Wat een spanningen zijn er nu in het stille, onbeweeglijke tafereel! Wat een scherpe scherts wanneer de Kolibrie spreekt: 'Dat hindert niet; kunst behoort te verheffen; zij hoort ons aan onze roemrijke literaire erfenis te herinneren!' ...En is dat een schaduw, of een frons, op het voorhoofd van zijn secretaris? ...Nadirs stem, zachtensloom uit het verblekende beeld: 'Ik geloof niet in hoogdravende kunst, Mian sahib. De kunst hoort niet in hokjes thuis; mijn poëzie en – o – het spelletje van raak-de-kwispedoor zijn gelijken.' ...Dus nu schertst de Rani, vriendelijke vrouw als zij is: 'Welnu, ik zal een kamer reserveren, misschien; voor paan-eten en kwispedoor-mikkerij. Ik heb een schitterende zilveren kwispedoor, ingelegd met lapis lazuli, en jullie moeten allemaal komen oefenen. Laat de muren ondergespetterd worden met ons onnauwkeurige gespuw! Het zullen in elk geval eerlijke vlekken zijn.' En nu heeft de foto geen woorden meer; nu zie ik, met mijn geestesoog, dat de Kolibrie al die tijd naar de deur heeft staan staren die zich achter mijn grootvader, helemaal aan de rand van de foto bevindt. Achter die deur roept de geschiedenis. De Kolibrie staat op hete kolen om weg te gaan ... maar hij is bij ons geweest, en zijn aanwezigheid heeft ons twee draden opgeleverd die mij m'n hele leven lang zullen achtervolgen: de draad die leidt naar het ghetto van de goochelaars; en de draad die het verhaal vertelt van Nadir, de dichter zonder rijmen en woorden, en een kostbare zilveren kwispedoor.

'Wat een onzin,' zegt onze Padma. 'Hoe kan een foto nu praten? Hou maar op; je moet onderhand te moe zijn om te denken.' Maar wanneer ik haar zeg dat Mian Abdullah de eigenaardigheid had dat hij zonder ophouden neuriede, op een vreemde manier neuriede, muzikaal noch onmuzikaal, maar op de een of andere manier mechanisch, het gebrom van een motor of dynamo, slikt ze dat maar al te gemakkelijk, en zegt verstandig: 'Nou, als hij zo'n energieke man was, verbaast me dat niet.' Zij is weer een en al oor; dus loop ik warm voor mijn verhaal en deel mee dat Mian Abdullahs geneurie toe- of afnam in rechtstreekse verhouding tot zijn werktempo. Het was een geneurie dat zo laag kon zakken dat je er kiespijn van kreeg, en wanneer het tot zijn hoogste, meest koortsachtige toon steeg, bezat 't het vermogen om erecties te veroorzaken bij iedereen die zich in de buurt bevond. ('Arré baap,' zegt Padma lachend, 'geen wonder dat hij zo populair was bij de mannen!') Nadir Khan werd, als zijn secretaris, voortdurend belaagd door de trillerende tic van zijn meester en zijn oren kaak penis gedroegen zich altijd volgens wat de Kolibrie voorschreef. Waarom bleef Nadir dan, ondanks erecties die hem in het bijzijn van vreemden in verlegenheid brachten, ondanks pijnlijke kiezen en een werkschema dat vaak tweeëntwintig uur van iedere vierentwintig in beslag nam? Niet – denk ik – omdat hij het als zijn dichterlijke plicht beschouwde om dicht bij het middelpunt van gebeurtenissen te zijn en die tot literatuur om te vormen. Ook niet omdat hij zelf naam wilde maken. Nee: maar Nadir had een ding met mijn grootvader gemeen; en dat was genoeg. Hij leed ook aan de optimismeziekte.

Evenals Aadam Aziz, net als de Rani van Cooch Naheen, verafschuwde Nadir Khan de Moslemliga. ('Dat stelletje ellendelingen!' riep de Rani met haar zilverachtige stem uit, om de octaven heen duikend als een skiër. 'Landeigenaren die gevestigde belangen te beschermen hebben! Wat hebben die met moslems te maken? Ze gaan als pluimstrijkers naar de Britten en vormen regeringen voor hen, nu het Congres weigert dat te doen!' Het was het jaar van de 'Verlaat-India'-resolutie. 'En wat meer is,' zei de Rani op besliste toon, 'ze zijn gek. Waarom zouden ze India anders willen verdelen?')

Mian Abdullah, de Kolibrie, had de Vrije Islamitische Convocatie bijna helemaal alleen opgericht. Hij had de leiders van de tientallen moslemsplintergroeperingen uitgenodigd een los aaneengesloten alternatief voor het dogmatisme en de gevestigde belangen van de aanhangers van de Liga te vormen. Het was een grote goocheltruc geweest, want ze waren allemaal gekomen. Dat was de eerste vergadering, in Lahore; Agra zou de tweede krijgen. De grote feesttenten zouden worden gevuld met leden van agrarische bewegingen, vakbonden en stadsarbeiders, religieuze godgeleerden en regionale groeperingen. Daar zou worden bevestigd wat de eerste vergadering al had aangegeven: dat de liga, met zijn eis van een verdeeld India, namens niemand anders werd uitgesproken dan henzelf. 'Ze hebben ons de rug toegekeerd,' stond op de affiches van de vergadering, 'en nu beweren ze dat wij achter hen staan!' Mian Abdullah was tegen de verdeling.

Tijdens de stuiptrekkingen van de optimisme-epidemie maakte de beschermvrouwe van de Kolibrie nooit gewag van de wolken aan de horizon. Zij wees er nooit op dat Agra een bolwerk van de moslemliga was, maar zei slechts: 'Aadam, mijn jongen, als de Kolibrie de vergadering hier wil houden, zal ik niet zeggen dat hij naar Allahabad moet gaan.' Zij droeg alle kosten van die gebeurtenis zonder te klagen of zich ermee te bemoeien; niet, dat moet gezegd worden, zonder vijanden in de stad te maken. De Rani leefde niet zoals andere Indische vorsten. In plaats van teetarjachtpartijen schonk ze studiebeurzen. In plaats van hotelschandalen, had zij de politiek. En zo begonnen de geruchten. 'Die beursstudenten van haar, man, iedereen weet dat ze plichten buiten het leerplan om moeten vervullen. Ze gaan in het donker naar haar slaapkamer, en ze laat hun nooit haar vlekkerige gezicht zien, maar tovert ze haar bed in als een zingende heks!' Aadam Aziz had nooit in heksen geloofd. Hij genoot van haar briljante kring van vrienden, die even goed thuis waren in het Perzisch als in het Duits. Maar Naseem Aziz, die de verhalen over de Rani maar half en half geloofde, ging nooit met hem mee naar het huis van de prinses. 'Als het Gods bedoeling was dat mensen vele talen zouden spreken,' redeneerde ze, 'waarom heeft hij er dan maar één in ons hoofd gestopt?'

En zo kwam het dat geen van de optimisten van de Kolibrie voorbereid waren op wat er gebeurde. Ze speelden raak-de-kwispedoor, en negeerden de scheuren in de aarde.

Soms brengen legenden werkelijkheid voort, en worden nuttiger dan feiten. Volgens de legende nu – volgens de verfijnde roddel van de oude mannen in de paanwinkel – had Abdullah zijn val te danken aan zijn aankoop, op het station van Agra, van een waaier van pauweveren, ondanks Nadir Khans waarschuwing dat die ongeluk zou brengen. Bovendien, op die nacht van maansikkels had Abdullah met Nadir zitten werken zodat ze, toen de nieuwe maan opkwam, die beiden door glas zagen. 'Deze dingen zijn belangrijk,' zeggen de betelkauwers. 'Wij hebben te lang geleefd, en wij weten het.' (Padma knikt instemmend.)

De kantoren van de Convocatie lagen op de parterre van het gebouw van de geschiedkundige faculteit op de universiteitscampus. Abdullah en Nadir kwamen aan het einde van hun nachtelijke arbeid: het geneurie van de Kolibrie was laaggestemd en Nadirs tanden waren geïrriteerd. Er hing een affiche aan de muur van het kantoor, die Abdullahs geliefde anti-Verdelingsgevoel uitdrukte, een citaat van de dichter Iqbal: 'Waar kunnen wij een land vinden dat God vreemd is?'

En nu bereikten de sluipmoordenaars de campus.

Feiten: Abdullah had volop vijanden. De Britse houding tegenover hem was altijd tweeslachtig. Brigadegeneraal Dodson had hem niet in de stad willen hebben. Er werd op de deur geklopt en Nadir deed open. Zes nieuwe manen kwamen het vertrek in, zes halvemaanvormige messen in de handen van de mannen die allen in het zwart waren gekleed, met bedekte gezichten. Twee mannen hielden Nadir vast, terwijl de anderen op de Kolibrie af gingen.

'Op dit punt,' zeggen de betelkauwers, 'werd het geneurie van de Kolibrie hoger. Hoger en hoger, yara, en de ogen van de moordenaars gingen wijd open toen hun lid een tent maakte onder hun kleren. Toen – Allah, toen! – begonnen de messen te zingen en Abdullah zong luider, hoog en hoger, neuriënd zoals hij nog nooit eerder had geneuried. Zijn lichaam was hard en het viel de lange gekromde messen niet licht hem te doden; een brak op een rib, maar de andere werden al gauw rood gevlekt. Maar nu – luister! – Abdullahs geneurie steeg buiten het bereik van onze menselijke oren, en werd door de honden van de stad gehoord. In Agra zijn misschien wel achtduizendvierhonderdentwintig straathonden. Het staat vast dat op die avond sommige aan het vreten waren, andere aan het sterven; er waren er die copuleerden en andere die de roep niet hoorden. Zeg dat dat er ongeveer tweeduizend waren; dus waren er zesduizendvierhonderdentwintig hondsvotten over, en die draaiden zich allemaal om en renden naar de universiteit, en vele hiervan staken de spoorbaan van het verkeerde einde van de stad over. Het is welbekend dat dit waar is. Iedereen in de stad zag het, behalve degenen die sliepen. Ze maakten veel lawaai, als een leger, en naderhand was hun spoor bezaaid met botten en uitwerpselen en plukken haar ... en al die tijd was Abdullah aan het neuriën en nog eens neuriën, en de messen zongen. En let wel: plotseling barstte het oog van een van de moordenaars en viel uit zijn kas. Naderhand werden de stukjes glas gevonden, in het tapijt getrapt.

Ze zeggen: 'Toen de honden kwamen was Abdullah bijna dood en de messen waren bot ... ze kwamen als wilde dieren, door het raam springend, waar geen glas in zat omdat Abdullahs geneurie het verbrijzeld had ... ze bonsden tegen de deur tot het hout het begaf ... en toen waren ze overal, baba! ... sommige zonder poten, andere zonder haar, maar de meeste hadden in elk geval een paar tanden, en sommige ervan waren scherp ... En dan was er dit: de moordenaars kunnen niet bang zijn geweest dat ze gestoord zouden worden, want ze hadden geen posten uitgezet; dus overal overvielen de honden hen ... de twee mannen die Nadir Khan, die slappeling, vasthielden, werden door het gewicht van de dieren omvergegooid, met misschien achtenzestig honden op hun hals ... na afloop waren de moordenaars zo erg toegetakeld dat niemand kon zeggen wie ze waren.'

'Op een gegeven moment,' zeggen ze, 'dook Nadir het raam uit en rende weg. De honden en moordenaars hadden het te druk om hem achterna te gaan.'

Honden? Moordenaars?... Als u me niet gelooft, controleer het dan maar. Vraag maar naar Mian Abdullah en zijn Convocatie. Ontdek hoe we dit verhaal onder het tapijt hebben geveegd ... laat me u dan vertellen hoe Nadir Khan, zijn plaatsvervanger, drie jaar onder de vloerkleden van mijn familie heeft doorgebracht.

Als jongeman had hij een kamer gedeeld met een schilder wiens schilderijen almaar groter en groter waren geworden bij zijn pogingen om het hele leven in zijn kunst te leggen. 'Kijk naar mij,' zei hij, voor hij de hand aan zichzelf sloeg, 'ik wilde een schilder van miniaturen zijn, en in plaats daarvan heb ik elefantiasis!' De opgeblazen gebeurtenissen van de nacht van de sikkelvormige messen deden Nadir Khan aan zijn kamergenoot denken, omdat het leven opnieuw, eigenzinnig, weigerde levensgroot te blijven. Het was melodramatisch geworden: en dat bracht hem in verlegenheid.

Hoe rende Nadir Khan door de nachtelijke stad zonder te worden opgemerkt? Ik schrijf dit toe aan het feit dat hij een slecht dichter was, en als zodanig iemand die altijd de dans ontsprong. Terwijl hij rende, had hij iets verlegens en zijn lichaam scheen zich te verontschuldigen voor het feit dat hij zich gedroeg alsof hij een figuur in een goedkope thriller was, van het soort dat venters op spoorwegstations verkopen, of cadeau geven bij flesjes met een groen drankje dat verkoudheid, tyfus, impotentie, heimwee en armoede kan genezen... Op Cornwallis Road was het een warme nacht. Een kolenkomfoor stond leeg bij de verlaten riksjastandplaats. De paanwinkel was dicht en de oude mannen sliepen op het dak en droomden van het spel dat ze morgen zouden spelen. Een koe die aan slapeloosheid leed en lui op een sigarettenpakje kauwde, slenterde langs een ineengerolde slaper op straat, hetgeen inhield dat hij in de ochtend wakker zou worden, omdat een koe geen notitie neemt van een slapend mens, tenzij die op het punt staat te sterven. Dan besnuffelt hij hem peinzend. Heilige koeien eten alles.

Mijn grootvaders grote oude stenen huis, gekocht van de opbrengst van de edelsteenwinkels en de bruidsschat van de blinde Ghani, stond in het donker, op een waardige afstand van de weg. Aan de achterkant was een ommuurde tuin, en bij de tuinpoort stond het lage bijgebouw dat goedkoop aan het gezin van de oude Hamdard en zijn zoon Rashid de riksjajongen was verhuurd. Voor het bijgebouw was de put met zijn door koeien rondgedraaide waterwiel, vanwaar irrigatiekanalen naar het kleine korenveld liepen dat het huis helemaal tot aan het hek in de muur langs Cornwallis Road omzoomde. Tussen het huis en het veld liep een smal pad voor voetgangers en riksja's. In Agra was de fietsriksja onlangs in de plaats gekomen voor het soort waar een man tussen houten dissels stond. Er was nog steeds emplooi voor de door een paard getrokken tonga's, maar dat werd minder... Nadir Khan dook door het hek naar binnen, hurkte een ogenblik met zijn rug tegen de grensmuur, blozend terwijl hij een plas deed. Toen, blijkbaar van streek door de vulgariteit van zijn beslissing, vluchtte hij naar het korenveld, en stortte zich erin. Gedeeltelijk verscholen tussen de door de zon verdorde stengels, ging hij in de foetale houding liggen.

Rashid de riksjajongen was zeventien en op weg naar huis van de bioscoop. Die ochtend had hij twee mannen een lage wagen zien duwen waarop twee enorme, met de hand beschilderde affiches stonden, rug aan rug, waarop de nieuwe film *Gai-Wallah* werd aangekondigd, met Rashids favoriete acteur Dev. PAS AANGEKOMEN NA VIJFTIG ROERIGE WEKEN IN DELHI! RECHTSTREEKS VAN DRIEËNZESTIG WEKEN SCHERPSCHIETEN IN BOMBAY! schreeuwden de affiches. TWEEDE ONSTUIMIGE JAAR! De film was een oosterse cowboyfilm. De held ervan, Dev, die niet slank was, doorkruiste de jachtvelden op zijn eentje. Die leken sterk op de Gangesvlakte van India. Gai-Wallah betekent koeie-kerel en Dev speelde een soort eenmans comité van waakzaamheid ter bescherming van koeien. ALLEEN! en DUBBELLOOPS! besloop hij de vele veestapels die over de vlakte naar het slachthuis werden gedreven, bedwong veedrijvers en bevrijdde de heilige dieren. (De film was voor Hindoepubliek gemaakt; in Delhi had hij aanleiding gegeven tot rellen. Leden van de Moslemliga hadden de koeien langs bioscopen naar de slachtbank gedreven, en waren door de menigte aangevallen.) De liedjes en dansnummers waren goed en er was een mooie Indiase danseres die er bevalliger zou hebben uitgezien als ze haar niet met een cowboyhoed van vijfenveertig liter op hadden laten dansen. Rashid zat op een bank in de frontloge en deed mee met het gefluit en gejuich. Hij at twee sarmosa's en gaf te veel geld uit; zijn moeder zou het erg vinden, maar hij had zich geamuseerd. Toen hij met zijn riksja naar huis fietste, deed hij enkele van de toeren na die hij op de film had gezien, hij hing laag naar opzij over, freewheelde een hellinkje af en gebruikte de riksja zoals Gai-Wallah zijn paard had gebruikt om hem aan het oog van zijn vijanden te onttrekken. Ten slotte ging hij rechtop zitten, draaide aan het stuur en tot zijn verrukking reed de riksja rustig het hek door en het pad op naast het korenveld. Gai-Wallah had deze truc toegepast om een bende veedrijvers te besluipen terwijl ze in het struikgewas zaten te drinken en te gokken.

Rashid remde en stortte zich in het korenveld en rende – IN VOLLE VAART – op de niets vermoedende veedrijvers af, zijn revolvers met gespannen haan in de aanslag. Toen hij hun kampvuur naderde, liet hij zijn 'kreet van haat' los om hen angst aan te jagen. YAAAAAAA! Natuurlijk schreeuwde hij niet echt zo vlak bij het huis van dokter sahib, maar hij sperde zijn mond open terwijl hij rende, geluidloos schreeuwend. WAMM! WAMM! Nadir Khan was moeizaam in slaap gesukkeld en nu opende hij zijn ogen. Hij zag EEEJAAH! – een wilde magere figuur als een posttrein op zich afstormen, uit alle macht gillend – maar misschien was hij doof geworden, want er was helemaal geen *geluid*! – en hij stond op, de kreet kwam net over zijn te dikke lippen, toen Rashid hem zag en ook zijn stem vond. Eendrachtig slaakten ze een gil van angst, draaiden zich beiden om en renden weg. Toen bleven ze staan, nu elk de vlucht van de ander had opgemerkt en staarden elkaar door het dorrende koren aan. Rashid herkende Nadir Khan, zag zijn gehavende kleren en was hevig ontsteld.

'Ik ben een vriend,' zei Nadir schaapachtig. 'Ik moet dokter Aziz spreken.'

'Maar de dokter slaapt en zit niet in het korenveld.' Verman je, zei Rashid tegen zichzelf, hou op met onzin uit te kramen! Dit is Mian Abdullahs vriend!... Maar Nadir scheen het niet te hebben opgemerkt; zijn gezicht vertrok krampachtig terwijl hij probeerde enkele woorden uit te brengen die als stukjes kippevlees tussen zijn tanden waren blijven steken... 'Ik verkeer,' slaagde hij er ten slotte in uit te brengen, 'in levensgevaar.'

En nu kwam Rashid, nog steeds vervuld van de geest van Gai-Wallah, hem te hulp. Hij bracht Nadir naar een deur aan de zijkant van het huis. Die was vergrendeld en zat op slot, maar Rashid trok, en hij hield het slot in zijn hand. 'Indiaas fabrikaat,' fluisterde hij, alsof dat alles verklaarde. En toen Nadir naar binnen ging, siste Rashid: 'U kunt volledig op me vertrouwen, sahib. Mondje dicht! Ik zweer het bij de grijze haren van mijn moeder.'

Hij bracht het slot weer aan de buitenkant aan. Om werkelijk de rechterhand van de Kolibrie te hebben gered!... Maar waarvan? Van wie?... Ach, het echte leven was beter dan de film, af en toe.

'Is dat 'm?' vroeg Padma, lichtelijk verward. 'Die dikke kwabbelige bangelijke dikzak? Wordt hij je vader?'

Dat was het einde van de optimisme-epidemie. De volgende ochtend kwam een werkster het kantoor van de Vrije Islamitische Convocatie binnen en trof de Kolibrie, tot zwijgen gebracht, op de grond aan, omringd door pootafdrukken en de flarden van zijn moordenaars. Ze gilde; maar later, toen de autoriteiten waren gekomen en gegaan, kreeg ze opdracht het vertrek schoon te maken. Na ontelbare hondeharen te hebben verwijderd, talloze vliegen te hebben dood gemept, en de resten van een versplinterd glazen oog uit het tapijt te hebben geveegd, bezwoer zij de werkopziener van de universiteit dat ze als dit soort dingen zich zouden blijven voordoen een kleine salarisverhoging verdiende. Ze was waarschijnlijk het laatste slachtoffer van de optimismebacil, en in haar geval duurde de ziekte niet lang, want de opzichter was een hard man en stuurde haar de laan uit.

De moordenaars werden nooit gevonden, en hun opdrachtgevers werden evenmin bekend. Mijn grootvader werd door majoor Zulfikar, de aide-de-camp van brigadegeneraal Dodson, naar de campus ontboden om de overlijdensakte van zijn vriend te tekenen. Majoor Zulfikar beloofde bij dokter Aziz langs te komen om een paar onafgedane zaken te regelen; mijn grootvader snoot zijn neus en ging op weg. Op de maidan werden tenten afgebroken als doorgeprikte verwachtingen; de Convocatie zou nooit meer worden gehouden. De Rani van Cooch Naheen werd bedlegerig. Na haar ziektes een leven lang te hebben gebagatelliseerd, stond zij ze toe haar op te eisen, en lag jarenlang stil, en zag zichzelf de kleur van haar beddelakens aannemen. Ondertussen waren in het oude huis aan Cornwallis Road de dagen vervuld van potentiële moeders en mogelijke vaders. Zie je, Padma; je zult er nu achter komen.

Gebruik makend van mijn neus (omdat hij, hoewel hij de vermogens heeft verloren die hem, tot voor kort, in staat stelden geschiedenis te maken, ter compensatie andere gaven heeft verworven) – hem naar binnen richtend, heb ik de sfeer in het huis van mijn grootvader in die tijd na de dood van India's neuriënde hoop nagesnuffeld; en door de jaren heen komt me een vreemde mengeling van geuren aanwaaien, vervuld met angstige voorgevoelens, de vleug van verborgen dingen vermengd met de geuren van een ontluikende idylle en de scherpe stank van mijn grootmoeders nieuwsgierigheid en kracht... terwijl de

Moslemliga zich verheugde, in het geheim natuurlijk, over de val van zijn tegenstander, was mijn grootvader iedere morgen te vinden (mijn neus vindt hem) gezeten op wat hij zijn 'donderbus' noemde, waarbij de tranen hem in de ogen stonden. Maar dit zijn geen tranen van verdriet; Aadam Aziz heeft eenvoudig de prijs betaald van het Geïndiaseerd zijn, en lijdt vreselijk aan verstopping. Onheilspellend kijkt hij naar de klisteertoestand die aan de muur van het toilet hangt.

Waarom heb ik inbreuk gemaakt op de privacy van mijn grootvader? Waarom, terwijl ik had kunnen beschrijven hoe Aadam na Mian Abdullahs dood helemaal in zijn werk was opgegaan, de zorg voor de zieken in de sloppenwijken langs de spoorbaan op zich had genomen – hen verlossend van de kwakzalvers die hen injecties gaven met peperwater en dachten dat gebakken spinnen blindheid konden genezen – terwijl hij zijn plichten als universiteitsarts bleef vervullen; terwijl ik had kunnen uitweiden over de grote liefde die was begonnen op te bloeien tussen mijn grootvader en zijn tweede dochter, Mumtaz, wier donkere huid tussen haar en de genegenheid van haar moeder stond, maar wier gaven van zachtaardigheid zorgzaamheid en broosheid haar geliefd maakten bij haar vader met zijn innerlijke kwellingen die hunkerden naar haar vorm van onvoorwaardelijke tederheid; waarom, terwijl ik de nu constant geworden jeuk in zijn neus had kunnen beschrijven, geef ik er de voorkeur aan te zwelgen in excrementen? Omdat dit de plek is waar Aadam Aziz zat op de middag nadat hij een overlijdensakte had getekend, toen ineens een stem – zacht, lafhartig, verlegen, de stem van een rijmloze dichter – tegen hem sprak uit de diepten van een grote oude waskist die in de hoek van het vertrek stond, en hem zo'n hevige schok gaf dat die laxerend bleek te werken, en de klisteerspuit niet van zijn plaats hoefde te worden genomen. Rashid de riksjajongen had Nadir Khan in de kamer met de donderbus binnengelaten via de ingang van de schoonmaker, en hij had zijn toevlucht gezocht in de waskist. Terwijl mijn grootvaders verbaasde sluitspier zich ontspande, hoorden zijn oren een verzoek om asiel, een verzoek dat gedempt werd door wasgoed, vuil ondergoed, oude hemden en de verlegenheid van de spreker. En zo gebeurde het dat Aadam Aziz besloot Nadir Khan bij zich te laten onderduiken.

Nu komt er een geur van een ruzie, want Eerwaarde Moeder Naseem denkt aan haar dochters, de eenentwintig jaar oude Alia, de zwarte Mumtaz die negentien is, en de mooie, wufte Emerald, die nog geen vijftien is maar een blik in de ogen heeft die ouder is dan alles wat haar zusters bezitten. In de stad, onder de kwispedoorspugers en riksjawallahs, bij duwers van affichekarren en studenten, staan de drie zusters bekend als de 'Teen Batti', de drie heldere lichtjes... en hoe kan

Eerwaarde Moeder een vreemde man toestaan in hetzelfde huis te wonen als Alia's ernst, Mumtaz' zwarte lumineuze huid en Emeralds ogen?... 'Je bent niet goed bij je hoofd, man; dat sterfgeval heeft je hersens geschaad.' Maar Aziz, vastberaden: 'Hij blijft.' In de kelders ... want geheimhouding is altijd een beslissende bouwkundige overweging in India geweest, zodat Aziz' huis uitgebreide ondergrondse ruimten heeft, die uitsluitend via luiken in de vloeren, die met tapijten en matten bedekt zijn, kunnen worden bereikt... Nadir Khan hoort het doffe gerommel van ruzie, en vreest voor zijn lot. Mijn God (ik snuif de gedachten van de dichter met de klamme handen op), de wereld is gek geworden ... zijn wij mensen in dit land? Zijn we beesten? En als ik weg moet, wanneer zullen de messen me dan vinden?... En door zijn geest trekken beelden van waaiers, van pauweveren en de nieuwe maan door glas gezien en veranderd in een stekend, roodbevlekt lemmet... Boven zegt Eerwaarde Moeder: 'Het huis zit vol met jonge ongehuwde meisjes, hoenoemjehet; is dit de manier waarop jij je dochters eerbied betoont?' En nu de aroma van een opkomende boosheid; de grote vernietigende woede van Aadam Aziz wordt ontketend, en in plaats van erop te wijzen dat Nadir Khan onder de grond zal zitten, onder het tapijt geveegd waar hij nauwelijks in staat zal zijn dochters te onteren; in plaats van te getuigen van het gevoel van fatsoen van de woordloze bard dat zo ver gaat dat hij nog niet eens van onbehoorlijke avances zou kunnen dromen zonder in zijn slaap te blozen; in plaats van deze wegen van de rede, brult mijn grootvader: 'Zwijg, vrouw! Die man heeft onze bescherming nodig; hij blijft.' Waarop een onverzoenlijk parfum, een harde wolk van vastberadenheid neerdaalt over mijn grootmoeder die zegt: 'Goed dan. Jij vraagt mij om, hoenoemjehet, te zwijgen. Dus niet één woord, hoenoemjehet, zal van nu af aan over mijn lippen komen.' En Aziz, kreunend: 'O, verdomme, vrouw, bespaar ons je waanzinnige geloften!'

Maar de lippen van Eerwaarde Moeder waren verzegeld, en er daalde stilte neer. De geur van stilte, als rottende ganzeëieren, vult mijn neusgaten; hij overheerst al het andere, hij bezit de aarde... Terwijl Nadir Khan zich in zijn halfverlichte onderwereld schuilhield, verschool zijn gastvrouw zich ook, achter een oorverdovende muur van geluidloosheid. Aanvankelijk tastte mijn grootvader die muur af, op zoek naar spleten; hij vond er geen. Ten slotte gaf hij er de brui aan en wachtte tot haar zinnen vluchtige beelden van haarzelf te zien zouden geven, net zoals hij eens had gehunkerd naar de gedeelten van haar lichaam die hij heel even door een laken met een gat erin had gezien; en de stilte vervulde het huis, van muur tot muur, van vloer tot plafond, zodat het was alsof de vliegen niet langer zoemden en muskieten niet meer gonsden voor ze beten; stilte die het sissen van ganzen op het erf deed verstommen. De kinderen spraken aanvankelijk op fluisterende toon, maar zwegen toen; terwijl Rashid de riksjajongen in het korenveld zijn stille 'kreet van haat' slaakte, en zijn eigen gelofte tot zwijgen hield die hij bij het haar van zijn moeder had afgelegd.

In dit moeras van stilzwijgen kwam op een avond een kleine man binnen wiens hoofd even plat was als de pet die erop stond; wiens benen even krom waren als riet in de wind; wiens neus zijn omhoog welvende kin bijna raakte; en wiens stem dientengevolge iel en scherp was – dat moest hij wel zijn om zich tussen de smalle spleet van zijn ademhalingsorgaan en zijn kaken door te persen ... een man wiens kortzichtigheid hem noopte om met een stap tegelijk door het leven te gaan, hetgeen hem de reputatie van grondigheid en saaiheid bezorgde, en hem geliefd maakte bij zijn superieuren omdat ze het gevoel konden hebben dat hij hen goed diende, zonder dat ze bedreigd werden; een man wiens gesteven, geperste uniform naar Blanco en rechtschapenheid riekte en om wie, niettegenstaande hij eruitzag als een figuur uit een poppenkast, de onmiskenbare geur van succes hing: majoor Zulfikar, een man met een toekomst, kwam langs, zoals hij had beloofd, om een paar onafgemaakte zaken af te handelen. De moord op Abdullah, en Nadir Khans verdachte verdwijning hielden hem erg bezig, en aangezien hij wist dat Aadam Aziz was aangetast door de optimismebacil, hield hij de stilte in het huis abusievelijk voor een stilte van rouw, en bleef niet lang. (In de kelder maakte Nadir zich zo klein mogelijk, samen met de kakkerlakken.) Terwijl hij rustig in de woonkamer zat bij de vijf kinderen, met zijn hoed en stok naast zich op de Telefunken radiogrammofoon, en de levensgrote afbeeldingen van de jonge Azizen die hem van de wanden aanstaarden, werd majoor Zulfikar verliefd. Hij was bijziend, maar blind was hij niet, en in de onmogelijk volwassen blik van de jonge Emerald, de intelligentste van de 'drie heldere lichtjes', zag hij dat ze door had wat zijn toekomst zou zijn en hem, daardoor, zijn uiterlijke verschijning had vergeven; en voor hij vertrok, had hij besloten haar na een gepaste tussenpoos te trouwen. ('Zij?' raadt Padma. 'Dat nest is jouw moeder?' Maar er zijn andere moeders in spe, andere toekomstige vaders die de stilte in en uit zweven.)

In die moerassige tijd zonder woorden ontwikkelde zich ook het gevoelsleven van de ernstige Alia, de oudste; en Eerwaarde Moeder, opgesloten in de provisiekamer en keuken, verzegeld achter haar lippen, was niet in staat – vanwege haar gelofte – haar vertrouwen jegens de jonge handelaar in kunstleer en leerdoek die haar dochter kwam bezoeken te uiten. (Aadam Aziz had altijd gewild dat het zijn dochters zou zijn toegestaan er mannelijke vrienden op na te houden.) Ahmed Sinai – 'Ahaa!' roept Padma in triomfantelijke herkenning uit – had Alia op de universiteit ontmoet, en scheen intelligent genoeg voor het leesgrage, knappe meisje op wier gezicht de neus van mijn grootvader een air van overladen wijsheid had gekregen; maar Naseem Aziz voelde zich niet helemaal gerust over hem omdat hij op zijn twintigste was gescheiden. ('Iedereen kan zich vergissen,' had Aadam tegen haar gezegd, en dat was bijna het begin van een ruzie geworden omdat ze een ogenblik had gemeend dat er iets al te persoonlijks was geweest in de manier waarop hij dat zei. Maar toen had Aadam eraan toegevoegd: 'Laat die scheiding gewoon een jaar of twee vervagen; dan zullen we dit huis zijn eerste huwelijk geven, met een grote feesttent in de tuin, en zangers en versnaperingen en zo.' Hetgeen, ondanks alles, een idee was dat Naseem aansprak.) Nu, terwijl ze door de ommuurde tuinen van stilte wandelden, communiceerden Ahmed Sinai en Alia zonder te spreken; maar hoewel iedereen verwachtte dat hij haar een aanzoek zou doen, scheen de stilte ook tot hem te zijn doorgedrongen en de vraag bleef onuitgesproken. Alia's gezicht kreeg in die tijd een gewichtigheid, iets zwaarkakig pessimistisch dat ze nooit helemaal zou kwijtraken. ('Hé zeg,' wijst Padma mij terecht, 'dat is geen manier om je eerbiedwaardige moeder te beschrijven.')

Nog iets: Alia had haar moeders aanleg om dik te worden geërfd. Met de jaren zou ze buitenwaarts opbollen.

En Mumtaz, die zo zwart als de nacht uit de schoot van haar moeder was gekomen? Mumtaz was nooit briljant; niet zo mooi als Emerald; maar ze was lief en plichtsgetrouw, en alleen. Ze bracht meer tijd met haar vader door dan haar zusters, hem sterkend tegen het slechte humeur dat tegenwoordig werd verergerd door de voortdurende kriebel in zijn neus; en zij nam de taak op zich in de behoeften van Nadir Khan te voorzien, en daalde dagelijks naar zijn onderwereld af met dienbladen eten, en bezems, en ze ledigde zelfs zijn persoonlijke donderbus zodat een latrineschoonmaker zijn tegenwoordigheid niet kon vermoeden. Wanneer ze naar beneden kwam, sloeg hij de ogen neer; en in dat met stomheid geslagen huis werden geen woorden tussen hen gewisseld.

Wat zeiden de kwispedoorspuwers over Naseem Aziz? 'Ze luisterde de dromen van haar dochters af, alleen maar om te weten te komen wat ze uitspookten.' Ja, er is geen andere verklaring, er zijn vreemdere dingen gebeurd in dat land van ons, u hoeft alleen maar een krant op te slaan om de dagelijkse roddeltjes te zien staan over wonderen in een of ander dorp – Eerwaarde Moeder begon de dromen van haar dochters te dromen. (Padma aanvaardt dit zonder met de ogen te knipperen;

maar wat anderen even moeiteloos slikken als een laddoo, zal Padma misschien net zo gemakkelijk verwerpen. Geen enkel gehoor is zonder zijn eigenaardigheden wat geloof betreft.) Goed dan: 's avonds slapend in haar bed, bezocht Eerwaarde Moeder Emeralds dromen en trof daar een andere droom in aan – majoor Zulfikars heimelijke fantasie dat hij een groot modern huis bezat met een bad naast zijn bed. Dit was het toppunt van de ambities van de majoor; en op die manier ontdekte Eerwaarde Moeder niet alleen dat haar dochter Zulfy in het geheim had ontmoet, maar ook dat Emeralds ambities groter waren dan die van haar man. En (waarom niet?) in Aadam Aziz' dromen zag ze haar echtgenoot treurig een berg in Kasjmir oplopen met een gat in zijn buik ter grootte van een vuist, en vermoedde dat hij niet langer van haar hield, en voorzag tevens zijn dood; zodat ze jaren later, toen ze het hoorde, alleen maar zei: 'O, ik wist het allang.'

...Het kon nu niet lang meer duren, dacht Eerwaarde Moeder, of onze Emerald vertelt haar majoor van de gast in de kelder; en dan zal ik weer kunnen spreken. Maar toen, op een nacht, ging ze de dromen van haar dochter Mumtaz binnen, het zwartje van wie ze nooit had kunnen houden vanwege haar huid als van een Zuidindiase vissersvrouw, en besefte dat de moeilijkheden daar niet zouden ophouden; want Mumtaz Aziz – evenals haar bewonderaar onder de tapijten – begon eveneens verliefd te worden.

Er was geen bewijs. De invasie van dromen – of de kennis van een moeder, of de intuïtie van een vrouw, noem het wat u wilt – is niet iets dat in een gerechtshof overeind blijft, en Eerwaarde Moeder wist dat het een ernstige zaak was om een dochter ervan te beschuldigen dat ze onder haar vaders dak aan het rommelen was. Bovendien was iets onwrikbaars Eerwaarde Moeder binnengeslopen; en ze besloot om niets te doen, haar zwijgen intact te laten en Aadam Aziz erachter te laten komen hoezeer zijn moderne denkbeelden zijn kinderen ruïneerden – laat hij er zelf maar achter komen, nadat hij haar zijn hele leven had gezegd haar fatsoenlijke ouderwetse ideeën voor zich te houden. 'Een verbitterde vrouw,' zegt Padma; en ik ben het met haar eens.

'En?' vraagt Padma. 'Was het waar?'

Ja: in zekere zin: waar.

'Er werd gerommeld? In de kelder? Zonder chaperonnes zelfs?'

Neem de omstandigheden in aanmerking – verzachtend als omstandigheden nog nooit eerder waren. Onder de grond schijnen dingen toelaatbaar die bij daglicht belachelijk, of zelfs verkeerd zouden schijnen.

'Deed die dikke dichter het met dat arme zwartje? *Werkelijk?*'

Hij was daar ook een lange tijd beneden – lang genoeg om met vliegende kakkerlakken te gaan praten en te vrezen dat iemand hem op een dag zou vragen weg te gaan, en dromend van kromme messen en huilende honden en wensend, en wensend dat de Kolibrie nog leefde om hem te zeggen wat hij moest doen, en te ontdekken dat je onder de grond geen poëzie kunt schrijven; en dan komt dat meisje met eten, en ze vindt het niet erg om je potten schoon te maken, en je slaat je ogen neer, maar je ziet een enkel die schijnt te glanzen van bevalligheid, een zwarte enkel als het zwart van de ondergrondse nachten...

'Ik zou nooit hebben gedacht dat ie ertoe in staat was.' Padma klinkt bewonderend. 'Die dikke ouwe nietsnut.'

En tenslotte in dat huis waar iedereen, zelfs de vluchteling die zich in de kelder verschuilt voor zijn vijanden zonder gezicht, merkt dat zijn tong droog aan zijn gehemelte kleeft, waar zelfs de zonen van het huis met de riksjajongen naar het korenveld moeten gaan om grappen te maken over hoeren en de lengte van hun lid te vergelijken en steels te fluisteren dat ze ervan dromen filmregisseur te worden (Hanifs droom, die zijn droom-binnendringende moeder, die denkt dat de bioscoop een verlengstuk van het bordeelbedrijf is, met afschuw vervult), waar het leven tot iets grotesks is omgevormd doordat de geschiedenis er is binnengedrongen, uiteindelijk, in de somberheid van de onderwereld waar hij zelf niets aan kan doen, merkt hij dat zijn ogen omhoog zwerven, langs fijne sandalen en wijduitstaande pyjama en langs losse kurta en boven de dupatta, het kledingstuk van ingetogenheid, tot oog oog ontmoet, en dan

'En dan? Vooruit, baba, wat dan?' glimlacht ze verlegen tegen hem.

'Wat?'

En daarna wordt er in de onderwereld geglimlacht en is er iets begonnen.

'O, wat dan? Wil je mij wijsmaken dat dat *alles* is?'

Dat is alles: tot de dag waarop Nadir Khan mijn grootvader te spreken vroeg – zijn zinnen nauwelijks hoorbaar in de mist van stilte – en hem om de hand van zijn dochter vroeg.

'Het arme kind,' besluit Padma. 'Kasjmiri meisjes zijn gewoonlijk licht als bergsneeuw, maar zij viel zwart uit. Nee maar, haar huid zou haar hebben belet een goede partij te doen, waarschijnlijk; en die Nadir is niet gek. Nu zullen ze hem moeten laten blijven, en te eten geven, en een dak boven zijn hoofd verschaffen, en het enige wat hij hoeft te doen is zich als een dikke regenworm onder de grond verbergen. Ja, misschien is hij niet zo gek als hij eruitziet.'

Mijn grootvader deed erg zijn best om Nadir Khan ervan te overtuigen dat hij niet langer in gevaar was; de moordenaars waren dood, en Mian Abdullah was hun ware doelwit geweest; maar Nadir Khan droomde nog van de zingende messen, en smeekte: 'Nog niet, dokter sahib; alstublieft, nog wat meer tijd.' Zodat op een avond aan het eind van de zomer van 1943 – de regens waren opnieuw uitgebleven – mijn grootvader, met een stem die veraf en spookachtig klonk in dat huis waar zo weinig woorden werden gesproken, zijn kinderen verzamelde in de zitkamer waar hun portretten hingen. Toen ze binnenkwamen ontdekten ze dat hun moeder er niet was, omdat ze had verkozen in haar kamer opgesloten te blijven met haar web van zwijgen; maar aanwezig waren een advocaat en (ondanks Aziz' tegenzin had hij aan Mumtaz' wensen toegegeven), een mollah, beiden verschaft door de ziekelijke Rani van Cooch Naheen, beiden 'volkomen discreet'. En hun zuster Mumtaz was daar in bruidskleding, en naast haar op een stoel die voor de radiogrammofoon was neergezet, zat de sluikharige, zwaarlijvige verlegen figuur van Nadir Khan. Zo kwam het dat de eerste trouwerij in het huis er een was waaraan geen tenten, geen zangers, geen versnaperingen en slechts een minimum aan gasten te pas kwamen; en nadat de plechtigheid voorbij was en Nadir Khan de sluier van zijn bruid oplichtte – wat Aziz plotseling een schok gaf en maakte dat hij een ogenblik weer jong en in Kasjmir was, op een verhoging gezeten terwijl mensen roepies in zijn schoot wierpen – liet mijn grootvader hen allen een eed afleggen dat ze de aanwezigheid in de kelder van hun nieuwe zwager niet zouden onthullen. Emerald deed haar belofte met tegenzin, het laatste van allemaal.

Daarna liet Aadam Aziz zijn zonen meehelpen allerlei soorten meubilair door het luik in de zitkamer naar beneden te sjouwen: draperieën en kussens en lampen en een groot geriefelijk bed. En ten slotte liepen Nadir en Mumtaz de gewelven in; het luik werd gesloten en het tapijt op zijn plaats gerold en Nadir Khan, die zijn vrouw even kies beminde als een man ooit had gedaan, had haar meegenomen naar zijn onderwereld.

Mumtaz Aziz begon een dubbel leven te leiden. Overdag was ze een ongehuwd meisje dat kuis bij haar ouders woonde, op de universiteit middelmatig studeerde, terwijl ze de gaven van ijver, nobelheid en verdraagzaamheid cultiveerde die haar hele leven door kenmerkend voor haar zouden zijn, tot en met de tijd waarop ze werd aangevallen door de pratende waskisten van haar verleden en toen zo plat werd geslagen als een rijstpannekoek; maar 's avonds, wanneer ze door het luik afdaalde, ging ze een door lampen verlicht, besloten huwelijksvertrek binnen dat haar geheime man de Taj Mahal was gaan noemen, omdat Taj Bibi de naam was die men aan een vroegere Mumtaz had gegeven –

Mumtaz Mahal, de vrouw van keizer shah Jehan, wiens naam 'koning van de wereld' betekende. Toen ze stierf bouwde hij voor haar het mausoleum dat onsterfelijk is gemaakt op prentbriefkaarten en bonbondozen en waar de buitengangen stinken naar urine en de muren bedekt zijn met graffiti en waarvan de echo's voor bezoekers door gidsen worden gedemonstreerd, hoewel er opschriften in drie talen zijn waarin om stilte wordt verzocht. Evenals shah Jehan en zijn Mumtaz, lagen Nadir en zijn donkere vrouw naast elkaar, en lapis-lazulimozaïek was hun metgezel omdat de aan bed gekluisterde, stervende Rani van Cooch Naheen hun, als huwelijkscadeau, een schitterend uitgesneden, met lapis ingelegde en met edelstenen afgezette kwispedoor had gestuurd. In hun gerieflijke door lampen beschenen afzondering, speelden man en vrouw het spelletje van de oude mannen.

Mumtaz maakte de paans voor Nadir, maar vond ze zelf niet lekker. Ze spoog stralen nibu-pani. Zijn stralen waren rood en de hare waren limoenkleurig. Het was de gelukkigste tijd van haar leven. En ze zei naderhand, aan het einde van de lange stilte: 'We zouden ten slotte kinderen hebben gekregen; alleen kwam het toen niet goed uit, dat is het enige.' Mumtaz Aziz hield haar leven lang van kinderen.

Ondertussen sleet Eerwaarde Moeder traag de maanden in de greep van een stilte die zo volkomen was geworden dat zelfs de bedienden hun opdrachten in gebarentaal kregen, en de kok Daoud had eens naar haar staan staren, proberend haar slaperige dolzinnige gebaren te begrijpen, en als gevolg daarvan had hij niet de kant van de kokende pan met jus uitgekeken die op zijn voet viel en die bakte als een ei met vijf tenen; hij deed zijn mond open om te gillen, maar er kwam geen geluid uit, en daarna was hij ervan overtuigd dat de oude heks toverkracht bezat, en werd te bang om haar de dienst op te zeggen. Hij bleef tot aan zijn dood, over het erf hinkend en door de ganzen belaagd.

Het waren geen gemakkelijke jaren. De droogte leidde tot rantsoenering, en deels door de uitbreiding van vleesloze dagen en rijstloze dagen viel het niet mee om een extra, verborgen mond te voeden. Eerwaarde Moeder was gedwongen diep in haar provisiekast te duiken, hetgeen haar woede indikte als hitte onder een saus. Er begonnen haren uit de wratten op haar gezicht te groeien. Mumtaz merkte ongerust op dat haar moeder opzwol, maand na maand. De onuitgesproken woorden in haar bliezen haar op ... Mumtaz had de indruk dat de huid van haar moeder gevaarlijk werd uitgerekt.

En dokter Aziz bracht zijn dagen buitenshuis door, weg van de doodse stilte, dus zag Mumtaz, die haar nachten ondergronds doorbracht, in die tijd de vader van wie ze hield heel weinig; en Emerald hield haar belofte en vertelde de majoor niets over het familiegeheim;

maar aan de andere kant vertelde zij haar familie niets over haar verhouding met hem, wat eerlijk was, vond ze; en in het korenveld werden Mustapha en Hanif en Rashid de riksjajongen geïnfecteerd met de lusteloosheid van de tijd; en ten slotte dreef het huis aan Cornwallis Road tot 9 augustus 1945 mee, en de dingen veranderden.

Familiegeschiedenis heeft natuurlijk haar eigen dieetvoorschriften. Men wordt verondersteld slechts de toegestane gedeelten ervan door te slikken en te verteren, de halaldelen van het verleden, waaruit hun roodheid, hun bloed is weggelopen. Ongelukkigerwijze maakt dit de verhalen minder sappig; dus sta ik op het punt het eerste en enige lid van mijn familie te worden dat de halalvoorschriften in de wind slaat. Zonder bloed te laten ontsnappen uit de kern van het verhaal, kom ik bij het onzegbare gedeelte; en ik ga onverschrokken verder.

Wat gebeurde er in augustus 1945? De Rani van Cooch Naheen stierf, maar daar gaat het mij niet om, hoewel zij toen ze heenging zo lakenachtig wit was geworden dat het moeilijk was haar van het beddegoed te onderscheiden; na haar functie te hebben vervuld door mijn verhaal een zilveren kwispedoor na te laten, was zij zo goed snel te vertrekken ... en ook lieten de moessons in 1945 geen verstek gaan. In de jungle van Birma werden Orde Wingate en zijn Chindits, evenals het leger van Subhas Chandra Bose, dat aan Japanse zijde vocht, drijfnat van de terugkerende regens. Satyagraha-demonstranten in Jullundur, die geweldloos op de spoorbaan lagen, werden tot op de huid doorweekt. De scheuren in de lang verdroogde aarde begonnen dicht te trekken; tegen de deuren en ramen van het huis aan Cornwallis Road waren handdoeken gepropt die voortdurend moesten worden uitgewrongen en vervangen. Muskieten ontsproten in de plassen water die langs de weg stonden. En de kelder – Mumtaz' Taj Mahal – begon vochtig te worden tot ze ten slotte ziek werd. Een paar dagen lang vertelde ze het aan niemand, maar toen haar ogen rode randjes kregen en ze begon te rillen van de koorts smeekte Nadir, die vreesde dat ze longontsteking had, haar naar haar vader te gaan om zich te laten behandelen. Zij bracht de vele volgende weken weer in haar maagdenbed door, en Aadam Aziz zat naast het bed van zijn dochter en legde verkoelende compressen op haar voorhoofd terwijl ze rilde. Op 6 augustus was de crisis voorbij. Op de ochtend van de 9de voelde Mumtaz zich goed genoeg om wat vast voedsel tot zich te nemen.

En nu haalde mijn grootvader een oud leren valies met het woord HEIDELBERG in het leer aan de onderkant gebrand, omdat hij had besloten dat hij haar, aangezien ze erg verzwakt was, liever maar eens grondig moest onderzoeken. Terwijl hij het koffertje openmaakte, begon zijn dochter te huilen.

(En nu zijn we er, Padma: dit is het.)

Tien minuten later kwam er voor altijd een einde aan de lange tijd van zwijgen toen mijn grootvader briesend uit de ziekenkamer te voorschijn kwam. Hij brulde om zijn vrouw, zijn dochters, zijn zonen. Zijn longen waren sterk en de herrie drong door tot Nadir Khan in de kelder. Het zou niet moeilijk voor hem zijn geweest om te raden waar al die drukte om ging.

De familie verzamelde zich in de zitkamer om de radiogrammofoon onder de leeftijdsloze foto's. Aziz droeg Mumtaz de kamer binnen en legde haar op een divan neer. Zijn gezicht zag er vreselijk uit. Kun je je voorstellen hoe zijn neus van binnen moet hebben aangevoeld? Want hij had deze sensationele mededeling te doen: dat zijn dochter, na twee jaar getrouwd te zijn geweest, nog altijd maagd was.

Het was drie jaar geleden sinds Eerwaarde Moeder had gesproken. 'Dochter, is dat waar?' De stilte die in de hoeken van het huis had gehangen als een verscheurd spinneweb, werd eindelijk weggeblazen; maar Mumtaz knikte alleen maar: Ja. Waar.

Toen sprak ze. Ze zei dat ze van haar man hield en dat het andere uiteindelijk wel terecht zou komen. Hij was een goede man en wanneer het mogelijk was om kinderen te hebben, zou hij zeker in staat zijn om het te doen. Ze zei dat een huwelijk daar niet van af behoorde te hangen, had ze gedacht, dus had ze er niet over willen praten, en het was niet goed geweest dat haar vader het hardop aan iedereen had verteld, zoals hij had gedaan. Ze had meer willen zeggen; maar nu ontplofte Eerwaarde Moeder.

Woorden van drie jaar stroomden uit haar (maar haar lichaam, uitgerekt door de inspanning van die voorraadvorming, werd niet kleiner). Mijn grootvader stond heel stil bij de Telefunken toen de storm over hem losbarstte. Wiens idee was het geweest? Wiens krankzinnige idiote plan, hoenoemjehet, om deze lafaard die niet eens een man was in huis te halen? Om hier te logeren, hoenoemjehet, vrij als een vogel, eten en onderdak drie jaar lang, wat bekommerde jij je om vleesloze dagen, wat wist jij van de prijs van rijst? Wie was de zwakkeling, hoenoemjehet, ja, die witharige zwakkeling die dit zondige huwelijk had toegestaan? Wie had zijn dochter in het, hoenoemjehet, *bed* van die schoft gelegd? Wiens hoofd was vol van ieder verdomd stom onbegrijpelijk ding, hoenoemjehet, wiens brein was zo verzwakt door rare buitenlandse ideeën dat hij zijn kind zo'n onnatuurlijk huwelijk liet sluiten? Wie had zijn leven lang God beledigd, hoenoemjehet, en op wiens hoofd kwam dit oordeel neer? Wie had rampspoed over dit huis gebracht ... ze ging een uur en negentien minuten tegen mijn grootvader te keer en tegen de tijd dat ze klaar was, hadden de wolken geen water meer en stond het huis vol plasjes. En voor zij was uitgesproken, deed haar jongste dochter Emerald iets heel vreemds.

Emeralds handen gingen naast haar gezicht omhoog, tot vuisten gebald, maar met uitgestoken wijsvingers. Wijsvingers gingen gehoorgangen binnen en schenen Emerald van haar stoel af te tillen tot ze met de vingers in de oren gestopt – IN VOLLE VAART! – zonder haar dupatta aan de straat op rende, door de plassen water, langs de riksjastandplaats, langs de paanwinkel waar de oude mannen net voorzichtig naar buiten kwamen in de schone frisse lucht van na-de-regen, en haar snelheid verbaasde de straatjongens die in de startblokken stonden, wachtend om hun spelletje: tussen de betelstralen door slingeren, te beginnen, omdat niemand gewend was een jongedame, en zeker niet een van de Teen Batti, alleen en radeloos door de kletsnatte straten te zien rennen met haar vingers in haar oren en geen dupatta om haar schouders. Tegenwoordig zijn de steden vol met moderne, modieuze, dupattaloze juffrouwen; maar in die tijd klakten de oude mannen verdrietig met hun tong, want een vrouw zonder dupatta was een vrouw zonder eer, en waarom had Emerald Bibi verkozen haar eer thuis te laten? De oudjes waren verbijsterd, maar Emerald wist. Zij zag, duidelijk, fris in de lucht na-de-regen dat de oorzaak van de moeilijkheden van haar familie die lafhartige dikkerd was (ja, Padma) die onder de grond leefde. Als ze hem kwijt kon raken zou iedereen weer gelukkig zijn ... Emerald rende aan een stuk door naar het kantonnementsdistrict. De Cantt, waar het leger zijn basis had; waar majoor Zulfikar zou zijn! Haar eed verbrekend, arriveerde mijn tante op zijn kantoor.

Zulfikar is een beroemde naam onder moslems. Het was de naam van het tweesnijdende zwaard dat Ali droeg, de neef van de profeet Mohammed. Het was een wapen als de wereld nog nooit had gezien.

O ja: er gebeurde die dag nog iets anders op de wereld. Een wapen als de wereld nog nooit had gezien werd op gele mensen in Japan gegooid. Maar in Agra gebruikte Emerald een eigen geheim wapen. Het had kromme benen, was klein, met een plat hoofd; zijn neus kwam bijna tegen zijn kin aan: het droomde van een groot modern huis met een op de waterleiding aangesloten bad pal naast het bed.

Majoor Zulfikar was er nooit helemaal zeker van geweest of hij al of niet geloofde dat Nadir Khan achter de moord op de Kolibrie had gezeten, maar hij kon niet wachten op de kans om erachter te komen. Toen Emerald hem van Agra's ondergrondse Taj vertelde, werd hij zo opgewonden dat hij vergat om kwaad te worden, en met een troep van vijftien man naar Cornwallis Road snelde. Ze arriveerden in de zitkamer met Emerald aan het hoofd. Mijn tante: verraad met een mooi gezicht, geen dupatta en rose wijde pyjama. Aziz keek sprakeloos toe toen de soldaten het tapijt in de zitkamer oprolden en het grote luik openden terwijl mijn grootmoeder probeerde Mumtaz te troosten. 'Vrouwen moeten met mannen trouwen,' zei ze. 'Niet met muizen, hoenoemjehet! Het is geen schande om bij die, hoenoemjehet, worm weg te gaan.' Maar haar dochter bleef huilen.

Afwezigheid van Nadir in zijn onderwereld! Gewaarschuwd door Aziz' eerste gebrul, overmand door de verlegenheid die gemakkelijker over hem kwam dan moessonregen, was hij verdwenen. Een luik opengegooid in een van de toiletten – ja, hetzelfde, waarom niet, waar hij uit de veilige wijkplaats van een waskist tegen dokter Aziz had gesproken. Een houten 'donderbus' – een 'troon' – lag aan een kant, terwijl een lege emaille pot op de kokosmat was gerold. Het toilet was voorzien van een deur naar buiten die uitkwam op het pad langs het korenveld; die deur stond open. Hij was aan de buitenkant afgesloten, maar slechts met een slot van Indiaas fabrikaat, zodat het gemakkelijk te forceren was geweest ... en in de zachte door een lamp verlichte afzondering van de Taj Mahal, een glanzende kwispedoor, en een briefje, aan Mumtaz gericht, getekend door haar echtgenoot, drie woorden lang, zes lettergrepen, drie uitroeptekens:

Talaaq! Talaaq! Talaaq!

Onze taal mist de donderende klank van het Oerdoe, en in ieder geval weet u wat het betekent. Ik scheid van je. Ik scheid van je. Ik scheid van je.

Nadir Khan had zich fatsoenlijk gedragen.

O, de ontzagwekkende woede van majoor Zulfy toen hij merkte dat de vogel gevlogen was! En dit was de kleur die hij zag: rood. O, boosheid, volledig vergelijkbaar met de woede van mijn grootvader, hoewel met nietige gebaren uitgedrukt! Eerst sprong majoor Zulfy op en neer in machteloze woedeaanvallen; beheerste zich ten slotte; en rende door badkamer naar buiten, langs troon, langs korenveld, door poort in buitenmuur. Geen spoor van een rennende, gezette, langharige dichter. Naar links kijkend: niets. Naar rechts kijkend: niets. De woedende Zulfy maakte zijn keuze, rende langs de fietsriksjastandplaats. Oude mannen waren raak-de-kwispedoor aan het spelen en de kwispedoor stond midden op straat. Straatjongens die tussen de stralen betelsap door doken. Majoor Zulky rende, verderverderverder. Tussen de oude mannen en hun doelwit, maar hij miste de behendigheid van de straatjongens. Wat een ongelukkig moment: een lage harde straal rode vloeistof trof hem recht in het kruis. Een vlek als een hand greep in de lies van zijn gevechtstenue; kneep; stuitte zijn voortgang. Majoor Zulfy bleef in almachtige woede staan. O, nog ongelukkiger, want een tweede speler, in de veronderstelling dat de krankzinnige militair verder zou rennen, had een tweede straal ontketend. Een tweede rode hand greep de eerste en maakte majoor Zulfy's dag compleet ... langzaam, weloverwogen, ging hij naar de kwispedoor en schopte hem omver, in het stof. Hij sprong erop – een keer, twee keer! nog een keer! – plette hem en weigerde te laten merken dat hij daarmee zijn voet had bezeerd. Toen, met enige waardigheid, liep hij hinkend weg, terug naar de auto die voor het huis van mijn grootvader geparkeerd stond. De oude mannen haalden hun gebrutaliseerde vat terug en begonnen het weer in vorm te kloppen.

'Nu ik ga trouwen,' zei Emerald tegen Mumtaz, 'zou het erg ongemanierd van je zijn als je niet eens probeert je te amuseren. En jij zou me raad moeten geven en zo.' Toentertijd, hoewel Mumtaz tegen haar jongere zuster glimlachte, had ze het erg brutaal van Emerald gevonden om dit te zeggen; en ze had, misschien onbedoeld, de druk van het potlood vergroot waarmee ze een hennapatroon op de voetzolen van haar zuster aanbracht. 'Hé!' gilde Emerald. 'Je hoeft niet kwaad te worden! Ik dacht alleen maar dat we konden proberen vriendinnen te zijn.'

De betrekkingen tussen de zusters waren ietwat gespannen geweest sinds de verdwijning van Nadir Khan; en Mumtaz had het niet prettig gevonden toen majoor Zulfikar (die besloten had mijn grootvader niet aan te klagen wegens het onderdak geven aan een gezochte man, en het met brigadegeneraal Dodson in orde had gemaakt) toestemming gevraagd, en gekregen om met Emerald te trouwen. 'Het is net afpersing,' dacht ze. 'En, hoe zat het eigenlijk met Alia? De oudste behoorde niet als laatste te trouwen, en kijk eens hoe geduldig ze met haar koopman is geweest.' Maar ze zei niets, en glimlachte haar verdraagzame glimlach, en wijdde haar aangeboren vlijt aan de huwelijksvoorbereidingen, en zei dat ze zou proberen zich te amuseren, terwijl Alia op Ahmed Sinai bleef wachten. ('Ze zal eeuwig wachten,' raadt Padma: juist.)

Januari 1947. Feesttenten, snoep, gezang, flauwvallende bruid, bruidegom stram in de houding: een schitterende trouwpartij ... waarop de handelaar in leerdoek, Ahmed Sinai, ontdekte dat hij in een diep gesprek verwikkeld was met de pas gescheiden Mumtaz. 'Hou je van kinderen? – wat toevallig, ik ook...' 'En heb je er geen gehad, arm kind? Nou ja, het zat zo, mijn vrouw kon geen...' 'O nee; wat naar voor je; en ze moet zo slecht gehumeurd zijn geweest als ze ze maar maken!' '... O, als de hel ... neem me niet kwalijk. Ik werd door mijn gevoelens meegesleept.' ' – Hindert niet, vergeet het maar. Gooide ze met borden en zo?' 'Nou, en of! Binnen de maand moesten we van de krant eten!' 'Nee, grote goedheid, wat vertel jij 'n leugens!' 'O, het haalt niets uit. Je bent mij te slim af. Maar toch heeft ze met borden gegooid.' 'Arme, arme man die je bent.' 'Nee – jij. Arme, arme jij.' Terwijl ze dacht: 'Zo'n charmante jongen, bij Alia zag hij er altijd zo verveeld uit...' En: '...je kunt zien dat hij van kinderen houdt; en daarom zou ik...' En: '...Ach, die huid kan me niet schelen...' Het was opmerkelijk dat toen de tijd was aangebroken om te zingen, Mumtaz de levenslust vond om met alle liedjes mee te doen; maar Alia bleef zwijgen. Ze was nog erger gekwetst dan haar vader in Jallianwala Bagh; maar aan haar kon je er niets van zien.

'Zo, sombere zus, je hebt dus toch kans gezien je te amuseren.'

In juni van dat jaar hertrouwde Mumtaz. Haar zuster – die het voorbeeld van haar moeder volgde – weigerde met haar te spreken tot ze, vlak voor ze allebei stierven, haar kans op wraak schoon zag. Aadam Aziz en Eerwaarde Moeder probeerden, zonder succes, Alia ervan te overtuigen dat dit soort dingen gebeuren, en het was beter om daar nu achter te komen dan later, en Mumtaz was erg gekrenkt en had een man nodig om haar erover heen te helpen ... bovendien, Alia had hersens, zij zou op haar pootjes terecht komen.

'Maar, maar,' zei Alia, 'er is nog nooit iemand met een boek getrouwd.'

'Verander je naam,' zei Ahmed Sinai. 'Tijd voor een nieuw begin. Gooi Mumtaz en haar Nadir Khan het raam uit. Ik zal een nieuwe naam voor je kiezen. Amina. Amina Sinai: zou je dat prettig vinden?'

'Je zegt het maar, man,' zei mijn moeder.

'Hoe dan ook,' schreef Alia het verstandige kind in haar dagboek: 'wie wil met dat huwelijksgedoe worden opgescheept? Ik niet; nooit; nee.'

Mian Abdullah was een valse start voor een heleboel optimistische mensen; zijn assistent (wiens naam in het huis van mijn vader niet kon worden genoemd) was mijn moeders verkeerde afslag. Maar dat waren de jaren van de droogte; van vele gewassen die in die tijd waren geplant kwam uiteindelijk niets terecht.

'Wat is er met die vetzak gebeurd?' vraagt Padma, boos. 'Je wilt toch niet zeggen dat je dat niet gaat *vertellen*?'

Er volgde een illusionistische januari, een tijd die oppervlakkig gezien zo stil was dat 1947 niet eens scheen te zijn begonnen. (Terwijl, natuurlijk, eigenlijk...) Waarin de regeringsmissie – de oude Pethick-Lawrence, de knappe Cripps, de militair A.V. Alexander – hun plan voor de machtsoverdracht zagen mislukken. (Maar natuurlijk zou het feitelijk slechts zes maanden duren voor...) Waarin de onderkoning Wavell begreep dat het met hem gedaan was, fini, of met ons eigen expressieve woord funtoosh. (Hetgeen de zaken in werkelijkheid natuurlijk bespoedigde, omdat het de deur opende voor de laatste onderkoning, die...) Waarin Attlee het te druk scheen te hebben om met Aung Sam over de toekomst van Birma te beslissen. (Terwijl hij, natuurlijk, eigenlijk de laatste onderkoning instrueerde, alvorens diens benoeming bekend te maken; de laatste toekomstige onderkoning bezocht de Koning en kreeg volmachten; zodat weldra, weldra...) Waarin de constituerende vergadering zichzelf had geschorst, zonder over een grondwet te hebben beslist. (Maar natuurlijk konden wij graaf Mountbatten, de laatste onderkoning, eigenlijk iedere dag verwachten, met zijn onverbiddelijke getik-tak, zijn soldatenmes dat subcontinenten in drieën kon snijden, en zijn vrouw die in het geheim kippeborsten at achter een afgesloten wc-deur.) En midden in de spiegelachtige stilte waardoor het onmogelijk was de grote molens te zien malen, werd mijn moeder, de gloednieuwe Amina Sinai, die er ook stil en onveranderlijk uitzag hoewel er grote dingen onder haar huid gebeurden, op een ochtend wakker met een hoofd dat gonsde van slapeloosheid en een tong die dik was beslagen door ongeslapen slaap en ontdekte dat ze hardop, zonder dat ze dat ook maar in het minst van plan was, zei: 'Wat doet die zon hier, Allah? Zij is op de verkeerde plaats opgegaan.'

...Ik moet mezelf onderbreken. Ik was niet van plan het vandaag te doen, omdat Padma tegenwoordig telkens wanneer mijn verhaal zelf beschouwelijk wordt, geïrriteerd wordt, telkens wanneer ik, als een onbekwame marionettenspeler, de handen laat zien die de touwtjes vasthouden; maar ik moet eenvoudig protest aantekenen. Dus, terwijl ik een hoofdstuk binnenval dat ik, door een gelukkig toeval 'Een openbare bekendmaking' heb genoemd, vaardig ik (in de sterkst mogelijke bewoordingen) de volgende algemene medische waarschuwing uit: 'Een zekere dokter N.Q. Baligga,' wens ik te verkondigen – van de daken! Door de megafoons van minaretten! – 'is een kwakzalver. Behoort achter slot en grendel te worden gezet, te worden geroyeerd, uit het raam te worden gegooid. Of erger: aan zijn eigen kwakzalverij te worden onderworpen, uit te barsten in lepreuze steenpuisten door een verkeerd voorgeschreven pil. De verdomde dwaas,' onderstreep ik mijn standpunt, 'ik kan niet zien wat er vlak voor zijn neus gebeurt.'

Na stoom te hebben afgeblazen, moet ik mijn moeder laten rusten om zich nog een ogenblik langer zorgen te maken over het vreemde gedrag van de zon, om uit te leggen dat onze Padma, gealarmeerd door mijn verwijzingen naar mijn aftakeling, deze Baligga heimelijk in vertrouwen heeft genomen – die medicijnman, die groene-medicijn-wallah! – met als gevolg dat de charlatan, die ik mij niet zal verwaardigen met een beschrijving te verheerlijken, een visite kwam maken. In alle onschuld, en ter wille van Padma, stond ik hem toe mij te onderzoeken. Ik had het ergste behoren te vrezen; het ergste is wat hij deed. Geloof dit als u kunt: de bedrieger heeft verklaard dat er niets met mij aan de hand is! 'Ik zie geen barsten,' zei hij treurig, in zoverre van Nelson bij Kopenhagen verschillend dat hij geen gezond oog had en zijn blindheid niet de keus van een koppig genie was, maar de onvermijdelijke vloek van zijn dwaasheid! Blindelings vocht hij mijn geestestoestand aan, trok mijn betrouwbaarheid als getuige in twijfel en Godweetwatnogmeer: 'Ik zie geen barsten.'

Uiteindelijk was het Padma die hem wegjoeg. 'Laat maar, dokter sahib,' zei Padma, 'we zullen hem zelf wel verzorgen.' Op haar gezicht zag ik een soort erkenning van haar eigen stomme schuld... exit Baligga, die nooit meer naar deze pagina's zal terugkeren. Maar goeie God! Is de medische stand – de roeping van Aadam Aziz – zo laag gezonken? Tot deze beerput van Baligga's? Als dat zo is, zal ten slotte iedereen het zonder dokters stellen... hetgeen me terugbrengt bij de reden waarom Amina Sinai op een ochtend wakker werd met de zon op haar lippen.

'Hij is op de verkeerde plaats opgekomen!' piepte ze, per ongeluk; en toen, door het verflauwende gezoem van haar slechte nachtrust, begreep ze hoe ze in deze maand van illusie het slachtoffer was geworden van een truc, want het enige dat er was gebeurd, was dat ze in Delhi wakker was geworden, in het huis van haar nieuwe echtgenoot dat op het oosten lag waar de zon opkomt; dus de waarheid in deze was dat de zon op de goede plaats stond, en het haar positie was die was veranderd... maar zelfs nadat ze deze elementaire gedachte had begrepen en die had weggeborgen bij de vele gelijksoortige fouten die ze had gemaakt sinds ze hier gekomen was (want haar verwarring met betrekking tot de zon had zich regelmatig voorgedaan, alsof haar geest weigerde de verandering van haar omstandigheden, de nieuwe bovengrondse positie van haar bed te aanvaarden), bleef er iets van haar verwarrende invloed bij haar hangen en belette haar zich volkomen op haar gemak te voelen.

'Uiteindelijk kan iedereen het zonder vader stellen,' had dokter Aziz gezegd toen hij afscheid nam van zijn dochter; en Eerwaarde Moeder had eraan toegevoegd: 'Nog een wees in de familie, hoenoemjehet, maar dat hindert niet, Mohammed was ook een wees; en wat in ieder geval voor jou Ahmed Sinai, hoenoemjehet, pleit is dat hij in elk geval half Kasjmiri is.' Toen, eigenhandig, had dokter Aziz een grote groene tinnen koffer in het spoorwegcompartiment gezet, waar Ahmed Sinai op zijn bruid wachtte. 'De bruidsschat is in dit soort gevallen klein noch groot,' had mijn grootvader gezegd. 'Wij zijn geen miljonairs, begrijp je. Maar we hebben je genoeg gegeven; Amina zal je nog meer geven.' In de groene koffer: zilveren samovars, brokaten sari's, gouden munten die dokter Aziz door dankbare patiënten waren geschonken, een museum waarin de tentoongestelde stukken genezen ziektes en geredde levens vertegenwoordigden. En nu tilde Aadam Aziz zijn dochter (met zijn eigen armen) op, haar na de bruidsschat aan de zorg van deze man toevertrouwend die haar een nieuwe naam had gegeven en haar zo opnieuw had uitgevonden, waardoor hij in zeker opzicht zowel haar vader als haar nieuwe echtgenoot werd... hij liep (op zijn eigen benen) langs het perron toen de trein zich in beweging zette. Als een estafetteloper aan het eind van zijn etappe stond hij omkranst door rook en verkopers van stripverhalen en de verwarring van waaiers van pauweveren en warme hapjes en het hele lome tumult van neerhurkende kruiers en gipsen dieren op wagentjes toen de trein vaart kreeg en op weg ging naar de hoofdstad, het tempo opvoerend voor de volgende etappe van de race. In de coupé zat de nieuwe Amina Sinai (pico bello) met haar voeten op de grote groene koffer die tweeëneenhalve centimeter te hoog was geweest om onder de bank te passen. Met haar sandalen rustend op het afgesloten museum van haar vaders prestaties, snelde ze weg, haar nieuwe leven in, Aadam Aziz achterlatend om zich te wijden aan een poging de vaardigheden van de Westerse en hakimi-geneeskunde te versmelten, een poging die hem geleidelijk zou uitputten, hem ervan overtuigend dat de hegemonie van het bijgeloof, poespas en alle magische zaken in India nooit zou worden verbroken omdat de hakims weigerden mee te werken; en naarmate hij ouder en de wereld minder reëel werd, begon hij aan de dingen waarin hij zelf geloofde te twijfelen, zodat hij, tegen de tijd dat hij de God zag in wie hij nooit had kunnen geloven of niet-geloven, waarschijnlijk verwachtte dat wel te doen.

Toen de trein het station uitreed, sprong Ahmed Sinai op, vergrendelde de coupédeur en trok de rolgordijnen dicht, zeer tot Amina's verbazing; maar toen ineens werd er buiten gebonsd en waren er handen die deurknoppen bewogen en stemmen die zeiden: 'Laat ons binnen, maharadja! Maharadja, bent u daar, vraag uw man open te doen.' En altijd, in alle treinen van dit verhaal, waren er die stemmen en die vuisten die bonsden en smeekten; in de posttrein naar Bombay en in alle sneltreinen van die jaren; en het was altijd angstaanjagend, tot ik ten slotte degene was die buiten stond, tot het bittere einde volhoudend, en smeekte: 'Hé, maharadja! Laat me binnen, grote heer.'

'Zwartrijders,' zei Ahmed Sinai, maar zij waren meer dan dat. Ze waren een profetie. Er zouden spoedig andere komen.

...En nu stond de zon op de verkeerde plaats. Zij, mijn moeder, lag in bed en voelde zich niet op haar gemak; maar ook opgewonden door hetgeen er binnen in haar was gebeurd en dat, voor het ogenblik, haar geheim was. Naast haar lag Ahmed Sinai zwaar te snurken. Hij leed niet aan slapeloosheid; allerminst, ondanks de moeilijkheden die hem ertoe hadden gebracht een grijze tas vol met geld mee te nemen en die onder zijn bed te verbergen toen hij dacht dat Amina niet keek. Mijn vader sliep als een os, gewikkeld in de vertroostende omhulling van mijn moeders grootste gave, die heel wat meer waard bleek te zijn dan de inhoud van de grote groene koffer: Amina schonk Ahmed de gave van haar onuitputtelijke toewijding.

Niemand getroostte zich ooit zoveel moeite als Amina. Mijn moeder, donker van huid, met een stralende blik, was van nature de nauwgezetste persoon op aarde. IJverig schikte ze bloemen in de gangen en vertrekken van het huis in Oud-Delhi; tapijten werden met oneindige zorg uitgekozen. Ze kon zich er vijfentwintig minuten het hoofd over breken hoe ze een stoel zou neerzetten. Tegen de tijd dat ze klaar was met de inrichting van haar huis, hier kleinigheden toevoegend, daar minieme veranderingen aanbrengend, zag Ahmed Sinai zijn weeshuis veranderd in iets vriendelijks en liefdevols. Amina stond meestal eerder op dan hij, haar toewijding spoorde haar aan om alles te stoffen, zelfs de bamboe rolgordijnen (tot hij erin toestemde voor dat doel een hamal in dienst te nemen); maar wat Ahmed nooit te weten kwam, was dat de talenten van zijn vrouw, hoogst toegewijd, hoogst vastberaden, niet op de uiterlijkheden van hun levens waren gericht, maar op het punt van Ahmed Sinai zelf.

Waarom was ze met hem getrouwd? – Om vertroosting, om kinderen. Maar in het begin stond de slapeloosheid die haar brein benevelde haar eerste doel in de weg; en kinderen komen niet altijd meteen. Dus had Amina gemerkt dat ze droomde van een ondroombaar dichtersgezicht en dat ze ontwaakte met een onuitsprekelijke naam op de lippen. U zult vragen: wat deed ze eraan? Ik antwoord: ze zette haar tanden op elkaar en begon zichzelf onder handen te nemen. En ze hield zich het volgende voor: 'Jij grote ondankbare stommeling, kun je niet zien wie nu je echtgenoot is? Weet je niet wat een echtgenoot toekomt?' Om vruchteloze controverse over de juiste antwoorden op deze vragen te vermijden, moet ik zeggen dat, naar het oordeel van mijn moeder, een echtgenoot ontwijfelbare trouw verdiende, en onvoorwaardelijke, gevoelvolle liefde. Maar er was een moeilijkheid: Amina, wier brein verstopt was door Nadir Khan en slapeloosheid, merkte dat ze Ahmed Sinai deze dingen niet op natuurlijke wijze kon verschaffen. En dus, met inschakeling van haar gave van toewijding, begon ze zich erop toe te leggen hem lief te hebben. Te dien einde verdeelde ze hem, in haar geest, in elk afzonderlijk stuk van zijn samenstellende delen, lichamelijk en gedragsmatig, hem onderverdelend in lippen en verbale tics, en vooroordelen en voorkeuren... kortom, ze kwam onder de bekoring van het geperforeerde laken van haar eigen ouders, omdat ze besloot stukje bij beetje verliefd te worden op haar man.

Iedere dag koos ze een stuk van Ahmed Sinai uit, en concentreerde haar hele wezen erop tot het volkomen vertrouwd werd; tot ze tederheid in zich voelde opwellen die genegenheid werd en ten slotte liefde. Op die manier begon ze van zijn al te luide stem en de manier waarop die op haar trommelvliezen roffelde en haar deed beven, te houden; en van zijn eigenaardigheid dat hij altijd in een goed humeur was tot nadat hij zich geschoren had – waarna zijn manier van doen, iedere ochtend, ernstig, nors, zakelijk en afstandelijk werd; en van zijn gierachtig half geloken ogen die verborgen wat naar haar overtuiging zijn innerlijke goedheid achter een grauwe dubbelzinnige blik was; en van de manier waarop zijn onderlip buiten de bovenlip uitstak; en van zijn geringe lengte die ertoe leidde dat hij haar verbood om ooit hoge hakken te dragen... 'Mijn God,' zei ze bij zichzelf, 'het schijnt dat er een miljoen verschillende dingen aan iedere man lief te hebben zijn!' Maar ze liet zich niet uit het veld slaan. 'Wie kent per slot van rekening,' redeneerde ze bij zichzelf, 'ooit een ander mens helemaal?' en ging verder met zijn trek in gebakken voedsel, zijn vermogen om Perzische poëzie te citeren, de groef van boosheid tussen zijn wenkbrauwen, te leren liefhebben en bewonderen... 'Als het zo doorgaat,' dacht ze, 'zal er altijd iets nieuws aan hem zijn om van te houden; dus kan ons huwelijk eenvoudig niet gaan vervelen.' Op die manier wende mijn moeder zich, toegewijd, aan het leven in de oude stad. De grote tinnen koffer stond ongeopend in een oude almirah.

En zonder het te weten of te vermoeden merkte Ahmed dat hijzelf en zijn leven door zijn vrouw werden beïnvloed, tot hij, beetje bij beetje, begon te lijken op – en begon te wonen in een huis dat leek op – een man die hij nooit had gekend en een ondergronds vertrek dat hij nooit had gezien. Onder invloed van een nauwgezette tovenarij, zo duister dat Amina waarschijnlijk niet eens in de gaten had dat ze die bedreef, merkte Ahmed Sinai dat zijn haar dunner werd, en dat wat er van over was sluik en vettig begon te worden; hij ontdekte dat hij bereid was het te laten groeien tot het over zijn oren begon te kruipen. Ook begon zijn buik uit te dijen, tot het de papperige, kneedbare buik werd waarin ik zo vaak zou worden gesmoord en die geen van ons, in elk geval bewust, vergeleek met de molligheid van Nadir Khan. Zijn verre nicht Zohra vertelde hem koket: 'Je moet op dieet, neefje, anders kunnen we niet bij je komen om je te kussen!' Maar dat hielp niet ... en stukje bij beetje bouwde Amina in Oud-Delhi een wereld van zachte kussens en draperieën voor de ramen die zo min mogelijk licht binnen lieten ... ze voerde de rolgordijnen met zwarte stof; en al die kleine veranderingen hielpen haar bij haar herculische taak, de taak om, stukje bij beetje, te aanvaarden dat ze van een nieuwe man moest houden. (Maar ze bleef vatbaar voor de verboden droombeelden van ... en voelde zich altijd aangetrokken tot mannen met zachte buiken en nogal lang, sluik haar.)

Je kon de nieuwe stad vanuit de oude niet zien. In de nieuwe stad had een geslacht van roze veroveraars paleizen van roze steen gebouwd; maar de huizen in de smalle steegjes van de oude stad helden over, verdrongen zich, schoven, blokkeerden elkaars uitzicht op de roos-kleurige gebouwen van macht. Niet dat er trouwens iemand ooit in die richting keek. In de moslem muhalla's of buurten die om Chandni Chowk lagen, stelden de mensen zich ermee tevreden in de afgeschermde binnenplaatsen van hun levens de blik binnenwaarts te richten; om rolgordijnen voor hun ramen en veranda's neer te laten. In de smalle steegjes liepen jeugdige leeglopers hand in hand en gearmd, en kusten elkaar wanneer ze elkaar tegenkwamen en stonden met vooruitgestoken heupen in kringen, met de gezichten naar elkaar toe. Er was geen groen en de koeien bleven weg, in de wetenschap dat ze hier niet heilig waren. Fietsbellen rinkelden aan een stuk door. En boven hun kakofonie klonken de kreten van rondtrekkende fruitverkopers: *Komt gij allen van adel, O, eet eens wat dadels – O!*

Waar, op die ochtend in januari toen mijn moeder en vader beiden geheimen voor elkaar verborgen, het nerveuze geklepper van de voetstappen van de heer Mustapha Kemal en de heer S. P. Butt ook nog bijkwam; alsmede het aanhoudende geratel van Lifafa Das' roffelende trommel.

Toen de klepperende voetstappen voor de eerste keer in de steegjes van de muhalla werden gehoord, waren Lifafa Das en zijn kijkkast en trommel nog een eindje weg. Kleppervoeten stapten uit een taxi en renden naar de smalle straatjes; ondertussen stond mijn moeder, in hun hoekhuis, in haar keuken khichri voor het ontbijt om te roeren en hoorde mijn vader toevallig met zijn verre nicht Zohra praten. Voeten klakten langs fruitverkopers en elkaar bij de hand houdende leeglopers; mijn moeder hoorde: '...Jullie pasgetrouwden, ik moet almaar komen kijken, *sjo lief*, ik kan 't je niet vertellen!' Terwijl voeten naderden, kreeg mijn vader zowaar een kleur. In die tijd was hij op het hoogtepunt van zijn charme; zijn onderlip stak niet zo erg uit, de groef tussen zijn wenkbrauwen was nog maar vaag... En Amina, die in de khichri roerde, hoorde Zohra gillen: 'O, kijk, roze! Maar jij bent ook zo licht, neefje.' ...En hij liet haar naar radio All-India luisteren aan tafel, wat Amina niet was toegestaan; Lata Mageshkar zong een klaaglijk liefdeslied toen Zohra verder ging met: 'Net als ik, vin'jeniet? Wij zullen mooie rose baby's krijgen, een volmaakt stel, nee, neefje, mooie blanke paren?' En de voeten klepperden en de pan werd omgeroerd, terwijl 'Wat vreselijk om zwart te zijn, neefje, om iedere ochtend wakker te worden en het je te zien aanstaren, in de spiegel, als bewijs van je minderwaardigheid! Natuurlijk weten ze het; zelfs zwartjes weten dat blank mooier is, denk je ook niet?' De voeten nu heel dichtbij en Amina die de eetkamer binnen komt stampen met de pan in de hand, zich zwaar concentrerend om zich in te houden, denkend Waarom moet ze nou uitgerekend vandaag komen nu ik nieuws te vertellen heb en ik ook in haar bijzijn om geld zal moeten vragen. Ahmed Sinai vond het prettig wanneer hem vriendelijk om geld werd gevraagd, om het zich met liefkozingen en zoete woordjes te laten ontfutselen tot zijn servet in zijn schoot omhoog begon te gaan terwijl er iets in zijn pyjama bewoog; maar zij vond het niet erg, met haar toewijding leerde ze ook hiervan te houden, en wanneer ze geld nodig had waren er liefkozingen en 'Janum, mijn leven, alsjeblieft...' en '...Een beetje maar zodat ik lekker eten kan maken en de rekeningen betalen...' en 'Wat een edelmoedige man, geef me maar wat je wilt, ik weet dat het genoeg zal zijn.' ...de methoden van bedelaars op straat en zij zou dat moeten doen ten overstaan van die daar met haar ogen als schoteltjes en giechelende stem en harde gepraat over zwartjes. Voeten bijna bij de deur en Amina in de eetkamer met warme khichri klaar, zo heel dicht bij Zohra's dwaze hoofd, waarop Zohra uitroept: 'O, dat geldt *natuurlijk* niet voor de aanwezigen!' alleen maar voor het geval dat, omdat ze er niet zeker van is of iemand haar toevallig heeft gehoord of niet, en 'O, Ahmed, neefje, dat is werkelijk heel erg van je dat je denkt dat ik onze mooie Amina bedoelde, die eigenlijk helemaal niet zo zwart is, maar alleen als een blanke dame die in de schaduw staat!' Terwijl Amina met haar pan in de hand naar het knappe hoofdje kijkt en denkt Zal ik? En, Durf ik? En zich kalmeert met: 'Het is een grote dag voor me, en in elk geval heeft zij het onderwerp kinderen ter sprake gebracht, dus nu zal het gemakkelijk voor me zijn om...' Maar het is te laat, het geweeklaag van Lata op de radio heeft het geluid van de deurbel overstemd, dus hebben ze niet gehoord dat de oude Musa de drager naar beneden is gegaan om open te doen; Lata heeft het geluid van haastige voeten die naar boven klepperen verdoezeld; maar ineens zijn ze er, de voeten van mijnheer Mustapha Kemal en de heer S.P. Butt die schuifelend tot stilstand komen.

'De schooiers hebben een wandaad bedreven!' Mijnheer Kemal, die de magerste man is die Amina Sinai ooit heeft gezien, begint op zijn vreemd archaïsche manier te spreken (ontleend aan zijn voorliefde voor procesvoeringen, als gevolg waarvan hij besmet is met de intonaties van de gerechtshoven) een soort kettingreactie van kluchtige paniek, waaraan de kleine, pieperige, ruggegraatloze S.P. Butt, die iets wilds als een aap in de ogen heeft dansen, aanzienlijk bijdraagt door de volgende drie woorden te spreken: 'Ja, de brandstichters!' En nu klemt Zohra de radio in een vreemde reflexhandeling aan haar boezem, Lata tussen haar borsten smorend, en schreeuwt: 'O God, O God, wat voor brandstichters, waar? Dit huis? O God, ik kan de hitte voelen!' Amina staat verstijfd met de khichri in de hand naar de twee mannen in hun driedelige kostuums te staren terwijl haar man, nu geheimzinnigheid overboord is gegooid, geschoren, maar nog niet in het pak, opstaat en vraagt: 'Het magazijn?'

'Magazijn, goedang, pakhuis, noem het wat u wilt; maar Ahmed Sinai had zijn vraag nog niet gesteld of er viel een stilte in de kamer, behalve natuurlijk dat de stem van Lata Mangeshkar nog uit Zohra's decolleté kwam; want deze drie mannen deelden een dergelijk groot gebouw op het industrieterrein aan de rand van de stad. 'Niet het magazijn, God verhoede,' bad Amina stilletjes, omdat het goed ging met de kunstleer- en leerdoekhandel – door majoor Zulfikar, die nu adjudant was op het algemene militaire hoofdkwartier in Delhi, had Ahmed Sinai een contract gekregen om leren jassen en waterdichte tafelkleden aan het leger zelf te leveren – en grote voorraden van het materiaal waarvan hun bestaan afhing lagen in dat pakhuis opgeslagen. 'Maar wie zou zoiets doen?' jammerde Zohra in harmonie met haar zingende borsten. 'Wat voor gekken lopen er tegenwoordig rond op de wereld?' ...en op die manier kreeg Amina, voor het eerst, de naam te horen die haar man voor haar geheim had gehouden en die, toentertijd, vele harten met ontzetting vervulde. 'Het is Ravana,' zei S.P. Butt... maar Ravana is de naam van een veelkoppige duivel; lopen er dan duivels in het land rond? 'Wat is dat voor onzin?' Amina, sprekend met haar vaders afschuw van bijgeloof, eiste een antwoord; en mijnheer Kemal gaf het. 'Het is de naam van een lafhartige troep, mevrouw; een bende van brandstichtende schurken. Dit zijn zorgelijke tijden; zorgelijke tijden.'

In het magazijn; rollen en nog eens rollen leerdoek; en de goederen waar mijnheer Kemal in handelt, rijst thee zaden – hij vergaart ze met enorme hoeveelheden over het hele land, als een vorm van bescherming tegen het veelkoppige, veelmondige hebzuchtige monster, het publiek, dat, als het zijn zin kreeg, de prijzen in een tijd van overvloed zo zou drukken dat godvruchtige ondernemers zouden verhongeren terwijl het monster dik werd... 'Economie is schaarste,' redeneert mijnheer Kemal, 'daarom houden mijn voorraden de prijzen niet alleen behoorlijk op peil, maar steunen de structuur van de economie zelf.' – En dan is er in het magazijn mijnheer Butts voorraad, opgeslagen in kartonnen dozen waarop de woorden AAG BRAND staan. Ik hoef u niet te vertellen dat aag vuur betekent. S.P. Butt was fabrikant van lucifers.

'Onze informaties,' zegt mijnheer Kemal, 'onthullen alleen het feit van een brand op het industrieterrein. Welk magazijn het precies is, is niet genoemd.'

'Maar waarom zou het 't onze zijn?' vraagt Ahmed Sinai. 'Waarom, want we hebben nog de tijd met betalen.'

'Betalen?' valt Amina hem in de rede. 'Wie betalen? Wat betalen? Man, janum, mijn leven, wat is hier aan de hand?'... Maar 'We moeten gaan,' zegt S.P. Butt, en Ahmed Sinai vertrekt, verkreukelde pyjama en al, en rent kleppervoetig het huis uit met de magere en de ruggegraatloze, ongegeten khichri, vrouwen met wijdopen ogen, gesmoorde Lata achterlatend, en de naam Ravana die in de lucht hangt... 'een bende van nietsnutten, mevrouw; onscrupuleuze moordenaars en stuk voor stuk ploerten.'

En de laatste trillende woorden van S.P. Butt: 'Stomme Hindoebrandstichters, begum sahiba. Maar wat kunnen wij moslems doen?'

Wat is er van de Ravanabende bekend? Dat die zich voordeed als een fanatieke anti-moslem beweging die, in de tijd voor de Verdelingsonlusten, in de tijd toen varkenskoppen ongestraft op de voorpleinen van vrijdagsmoskeeën konden worden achtergelaten, niets ongewoons was. Dat die er mannen op uit stuurde, in het holst van de nacht, om leuzen op de muren van oude en nieuwe steden te kladden: GEEN VER-

DELING OF ANDERS VERDOEMENIS! MOSLEMS ZIJN DE JODEN VAN AZIË! enzovoort. En dat die fabrieken, winkels, magazijnen van moslems platbrandden. Maar er is meer, en dat is niet algemeen bekend: achter deze façade van rassenhaat, was de Ravanabende een briljant opgezette commerciële onderneming. Anonieme telefoontjes, brieven geschreven met letters die uit kranten waren geknipt werden aan moslem-zakenlieden toegestuurd, die voor de keus werden gesteld of ze voor één keer een geldbedrag in contanten wilden betalen, of hun wereld wilden zien afbranden. Interessant genoeg bleek de bende ethisch te zijn. Er werden nooit een tweede keer eisen gesteld. En het was hen menens: bij afwezigheid van grijze tassen met steekpenningen, placht er vuur te lekken aan winkelpuien fabrieken pakhuizen. De meeste mensen betaalden omdat ze dat liever deden dan naar de politie te gaan. In 1947 konden moslems niet op de politie vertrouwen. En men zegt (hoewel ik daar niet zeker van ben) dat wanneer de chantagebrieven arriveerden, ze een lijst van 'tevreden klanten' bevatten die betaald hadden en in zaken waren gebleven. De Ravanabende gaf – als alle vaklui – referenties.

Twee mannen in kostuum, een in pyjama, renden door de smalle straten van de moslem-muhalla naar de taxi die op Chandni Chowk stond te wachten. Ze trokken nieuwsgierige blikken: niet alleen vanwege hun uiteenlopende kledij maar omdat ze probeerden niet te rennen. 'Geef geen blijk van paniek,' zei mijnheer Kemal. 'Doe alsof je kalm bent.' Maar hun voeten liepen almaar uit de hand en repten zich voort. Rukkerig, met korte sprintjes, gevolgd door een paar slecht gedisciplineerde stappen op wandelsnelheid, verlieten ze de muhalla; en kwamen onderweg een jongeman tegen met een zwart metalen kijkkast op wielen, een man die een dugdugee trommel vasthield; Lifafa Das, op weg naar het toneel van een belangrijke bekendmaking waaraan deze episode zijn naam ontleent. Lifafa Das roffelde op zijn trommel en riep: 'Kom alles kijken, kom alles zien, kom kijken. Kom Delhi bekijken, kom India bekijken, kom kijken. Kom kijken, kom kijken!'

Maar Ahmed Sinai had andere dingen om naar te kijken.

De kinderen van de muhalla hadden voor de meeste bewoners ter plaatse hun eigen namen. Een groep van drie buren stond bekend als de 'kemphanen', omdat ze een Sindhi en een Bengali gezinshoofd telden, wier huizen gescheiden waren door een van de weinige Hindoewoningen van de muhalla. De Sindhi en de Bengali hadden erg weinig gemeen – ze spraken niet dezelfde taal en kookten niet hetzelfde eten; maar ze waren allebei moslems, en beiden verafschuwden ze de tussen hen in wonende Hindoe. Ze lieten van hun daken vuilnis op zijn huis vallen. Ze slingerden hem uit hun ramen veeltalige scheldwoorden toe. Ze gooiden vleesafval voor zijn deur ... terwijl hij, op zijn beurt, straatjongetjes betaalde om stenen door hun ramen te gooien, stenen waar boodschappen omheen zaten: 'Wacht maar,' luidden die boodschappen. 'Jouw beurt komt nog wel' ... de kinderen van de muhalla noemden mijn vader niet bij zijn juiste naam. Ze kenden hem als 'de man die zijn neus niet kan volgen.'

Ahmed Sinai was de bezitter van een richtinggevoel dat zo absurd was dat hij, als hij aan zichzelf werd overgelaten, zelfs in de slingerende steegjes van zijn eigen buurt zou kunnen verdwalen. De straatjongens in de steegjes waren hem vaak tegengekomen wanneer hij eenzaam rondzwierf, en hadden een vier-anna chavanni-munt gekregen om hem naar huis te brengen. Ik maak daar gewag van omdat ik geloof dat mijn vaders gave om de verkeerde wegen in te slaan niet alleen maar iets was waar hij zijn hele leven last van had; het was ook een reden waarom hij zich aangetrokken voelde tot Amina Sinai (omdat zij, dank zij Nadir Khan, had laten zien dat zij ook een verkeerde weg kon inslaan); en wat meer is, zijn onvermogen om zijn eigen neus te volgen droppelde in mij, in zeker opzicht de nasale erfenis die ik van elders ontving vertroebelend waardoor ik, jaar na jaar, niet in staat was de lucht te krijgen van de ware weg... Maar dit is voorlopig voldoende, omdat ik de drie zakenlui genoeg tijd heb gegeven om op het industrieterrein aan te komen. Ik zal er alleen aan toevoegen dat mijn vader (naar mijn mening als direct gevolg van zijn gebrek aan richtinggevoel) een man was over wie, zelfs in zijn ogenblikken van triomf, de stank van toekomstige mislukking hing, de geur van een verkeerde weg die vlak om de hoek lag, een aroma dat niet door zijn veelvuldige baden kon worden weggewassen. Mijnheer Kemal, die dat rook, placht vertrouwelijk tegen S.P. Butt te zeggen: 'Die lui uit Kasjmir, ouwe jongen: bekend feit dat ze zich nooit wassen.' Deze laster legt een verband tussen mijn vader en de vletterman Tai ... met Tai in de greep van de zelfvernietigende woede die hem ertoe bracht op te houden met rein te zijn.

Op het industrieterrein sliepen de nachtwakers vredig door de herrie van de brandweerauto's heen. Waarom? Hoe? Omdat ze een overeenkomst hadden gesloten met de Ravanabende, en, wanneer ze werden ingelicht over de aanstaande komst van de bende, slaapdranken innamen en hun charpoy-bedden een eind van de gebouwen op het terrein wegsleepten. Op die manier vermeed de bende geweld, terwijl de nachtwakers hun karig loon aanvulden. Het was een vriendschappelijk en niet onintelligente afspraak.

Te midden van de slapende nachtwakers keken mijnheer Kemal,

mijn vader, en S.P. Butt hoe gecremeerde fietsen in dikke zwarte wolken hoog naar de hemel opstegen. Butt vader Kemal stonden naast de brandweerauto's, terwijl opluchting door hen heen stroomde, omdat het 't magazijn van Arjuna Indiabike was dat in brand stond – de Arjuna merknaam, ontleend aan een held uit de Hindoemythologie, had het feit niet verhuld dat de onderneming in handen van een moslem was. Helemaal opgelucht ademden vader Kemal Butt lucht in die vervuld was van verbrande fietsen, hoestend en proestend toen de dampen van geblakerde fietsen, in rook opgegane geesten van kettingen bellen zadeltassen handvatten, de getransformeerde frames van Arjuna Indiabike hun longen in en uit gingen. Een grof kartonnen masker was aan een telegraafpaal voor het brandende pakhuis gespijkerd – een masker met vele gezichten – een duivelsmasker van grauwende gezichten met dikke krullende lippen en vuurrode neusgaten. De gezichten van het veelkoppige monster, Ravana de duivelskoning, die nijdig neerkeek op de lichamen van de nachtwakers die zo vast sliepen dat niemand, noch de brandweerlieden, noch Kemal, noch Butt, noch mijn vader, de moed had ze te storen; terwijl de as van pedalen en binnenbanden uit de hemel op hen neerviel.

'Een verdomd slechte zaak,' zei mijnheer Kemal. Hij zei dat niet uit sympathie. Hij kritiseerde de eigenaren van de Arjuna Indiabike Company.

Kijk: de wolk van rampspoed (die ook een opluchting is) stijgt op en trekt zich samen als een bal in de verkleurde avondlucht. Zie hoe zij zich naar het westen spoedt naar het hart van de oude stad; hoe zij wijst, lieve hemel, als een vinger, wijst naar de moslem-muhalla bij Chandni Chowk!... Waar op dit ogenblik Lifafa Das zijn waren aanprijst in het eigen steegje van de Sinais.

'Kom alles bekijken, kom, bekijk de hele wereld, kom kijken!'

Het is bijna tijd voor de openbare bekendmaking. Ik zal niet ontkennen dat ik opgewonden ben: ik heb al te lang op de achtergrond van mijn eigen verhaal rondgehangen, en hoewel het nog even duurt voor ik het heft in handen kan nemen, is het leuk om even een kijkje te nemen. Dus volg ik, met hooggespannen verwachting, de wijzende vinger in de lucht, en kijk neer op de buurt van mijn ouders, op fietsen, op straatventers die geroosterde mungbonen in papieren zakjes verkopen, op de heupwiegende, hand in hand lopende straatvlegels, op rondvliegende stukjes papier en kleine wervelwinden van bosjes vliegen om de snoepkraampjes... alles verkort door mijn gezichtspunt hoog-in-de-lucht. En er zijn ook kinderen, hele zwermen, die op straat worden gelokt door het magische geroffel van Lifafa Das' dugdugee trommel en zijn stem. 'Dunya dekho,' zie de hele wereld! Jongens zonder korte broeken aan, meisjes zonder hemdjes en andere, nettere kinderen in witte schoolkleding, hun broeken opgehouden door elastieke riemen met S-vormige slangegespen, dikke kleine jongens met propperige vingers; zij allen stromen naar de zwarte kast op wielen, met inbegrip van dit ene bijzondere meisje, een meisje met één lange harige doorlopende wenkbrauw die beide ogen overschaduwt; de acht jaar oude dochter van diezelfde onbeleefde Sindhi die nu zelfs de vlag van het nog fictieve land Pakistan op zijn dak hijst, die ook nu zijn buurman scheldwoorden toe slingert, terwijl zijn dochter met haar chavanni in de hand de straat op rent, met de uitdrukking van een lilliputterkoningin en met moordzucht vlak achter haar lippen verborgen. Hoe heet ze? Ik weet het niet, maar die wenkbrauwen ken ik.

Lifafa Das; die door een ongelukkig toeval zijn zwarte kijkkast tegen een muur heeft gezet waarop iemand een swastika heeft geschilderd (in die tijd zag je ze overal; de extremistische RSSS-partij zette ze op iedere muur; niet de naziswastika die de verkeerde kant uitging, maar het oude Hindoesymbool van macht. Svasti is Sanskriet voor goed) ... deze Lifafa Das, wiens komst ik heb uitgebazuind, was een jonge kerel die onzichtbaar was tot hij glimlachte, waarna hij mooi werd, of op zijn trommel roffelde, waarna hij onweerstaanbaar werd voor kinderen. Dugdugee-mannen: heel India door schreeuwen ze: 'Dilli dekho', 'kom Delhi zien!' Maar dit was Delhi, en Lifafa Das had zijn roep dienovereenkomstig veranderd. 'Zie de hele wereld, kom alles zien!' De hyperbolische formule begon hem na een tijdje te kwellen; meer en meer prentbriefkaarten kwamen in zijn kijkkast terecht naarmate hij, wanhopig, probeerde te geven wat hij beloofde, om alles in zijn kast te stoppen. (Ik word plotseling herinnerd aan Nadir Khans vriend, de kunstschilder: is dit een Indiase ziekte, deze drang om de hele realiteit in te kapselen? Erger: ben ik ook besmet?)

De kijkkast van Lifafa Das bevatte afbeeldingen van de Taj Mahal en Meenakshi-Tempel en de heilige Ganges; maar behalve deze beroemde bezienswaardigheden had de kijkkastman de behoefte gevoeld om beelden meer van deze tijd op te nemen – Stafford Cripps die Nehru's residentie verlaat; onaanraakbaren die worden aangeraakt; gestudeerde mensen die met grote aantallen op spoorbanen slapen; een publiciteitsfoto van een Europese actrice met een berg fruit op haar hoofd – Lifafa noemde haar Carmen Veranda; zelfs een krantefoto, opgeplakt op een kaart, van een brand op het industrieterrein. Lifafa Das meende dat hij zijn publiek niet moest beschermen tegen de niet-altijd-aangename aspecten van de tijd ... en vaak, wanneer hij deze steegjes bezocht, kwamen niet alleen kinderen, maar ook volwassenen kijken wat er voor nieuws was in zijn kast op wielen, en tot zijn trouwste bezoekers behoorde begum Amina Sinai.

Maar vandaag hangt er iets hysterisch in de lucht; iets breekbaars en dreigends is over de muhalla gekomen terwijl de wolk van gecremeerde Indiabikes in de lucht hangt ... en nu glipt het uit zijn halsband, terwijl dit meisje met haar ene doorlopende wenkbrauw gilt, haar stem lispend met een onschuld die hij niet bezit: 'Ik eerfst! Uit de weg ... laat me ffsien! Ik kan het niet *ffsien!*' Omdat er al ogen voor de gaten in de kast zijn, er zijn al kinderen die helemaal opgaan in de opeenvolging van prentbriefkaarten, en Lifafa Das zegt (zonder met zijn werk op te houden – hij gaat onverdroten voort met aan de knop te draaien die de prentbriefkaarten in de kast in beweging houdt): 'Een paar minuten, bibi; iedereen komt aan de beurt; wacht maar!' Waarop de éénwenkbrauwige lilliputterkoningin zegt: 'Nee, nee! Ik wil eerfst!' Lifafa glimlacht niet langer – wordt onzichtbaar – haalt de schouders op. Ongebreidelde woede verschijnt op het gezicht van de lilliputterkoningin. En nu komt een belediging op; een dodelijke angel trilt op haar lippen: 'Wat 'n brutaliteit, naar deeffse muhalla te komen! Ik ken je wel; mijn vader kent je; iedereen weet dat je een Hindoe bent!!'

Lifafa staat zwijgend aan de handgrepen van zijn kast te draaien; maar nu zingt de éénwenkbrauwige walkure met de paardestaart, met mollige vingers wijzend, en de jongens in hun witte schoolkleren en slangegespen doen mee: 'Hindoe! Hindoe! Hindoe!' En rolgordijnen schieten omhoog en uit zijn raam leunt de vader van het meisje naar buiten en doet mee, scheldwoorden naar een nieuw doel slingerend, en de Bengali doet mee in het Bengaals ... 'Moederverkrachter! Verkrachter van onze dochters!' ... en vergeet niet: de kranten hebben geschreven over aanvallen op moslem-kinderen, dus plotseling krijst een stem – een vrouwenstem, misschien zelfs die van de dwaze Zohra: 'Verkrachter! Arré mijn God ze hebben de schurk gevonden! Daar is ie.' En de waanzin van de wolk als een wijzende vinger en de hele verwarde onwerkelijkheid grijpen de muhalla nu aan en de kreten schallen uit ieder raam, en de schooljongens zijn begonnen te scanderen: 'Ver-krach-ter! Ver-krach-ter! Ver-ver-ver-ver-krach-*ter!*' zonder werkelijk te weten wat ze zeggen; de kinderen zijn van Lifafa weggeschuifeld, en hij is ook opzij gestapt, zijn kast op wielen meetrekkend, in een poging weg te gaan, maar hij is nu omringd door stemmen waarin bloed klinkt, en de straatjongens komen op hem af, een kom vliegt door de lucht en spat in stukken uiteen op een muur naast hem; hij staat met zijn rug tegen een deuringang terwijl een kerel met een vettige kuif zoetsappig tegen hem grijnst en zegt: 'Zo, meneer, ben jij het? Meneer Hindoe, die onze dochters schoffeert? Meneer de dweper, die met zijn zuster naar bed gaat?' En Lifafa Das: 'Nee, in hemels ...' lachend als een dwaas ... en dan gaat de deur achter hem open en hij tuimelt achterover, en belandt in een donkere koele gang naast mijn moeder Amina Sinai.

Ze had die ochtend alleen met de giechelende Zohra en de echo's van de naam Ravana doorgebracht, niet wetend wat er daarginds op het industrieterrein gebeurde, en terwijl ze nadacht over de manier waarop de hele wereld krankzinnig scheen te worden; en toen het gegil begon en Zohra – voordat ze kon worden tegengehouden – meedeed, verhardde er iets binnenin haar, een besef dat zij de dochter van haar vader was, een spookherinnering aan Nadir Khan die zich voor de kromme dolken in een korenveld verschool, een of andere irritatie van haar neusgangen, en ze ging naar beneden om te helpen, hoewel Zohra krijste: 'Wat doe je nu, zusje?, dat gekke beest, in godsnaam laat hem hier niet binnen, zijn je hersens verweekt?' ... Mijn moeder deed de deur open en Lifafa Das tuimelde naar binnen.

Stel je haar die ochtend voor, een donkere schaduw tussen het gepeupel en zijn prooi, haar schoot barstend met zijn zichtbare, verzwegen geheim: 'Wah, wah!' prees zij de menigte: 'Wat 'n helden, ik zweer je, absoluut! Maar met jullie vijftigen tegen dit verschrikkelijke monster van een man! Allah, u doet mijn ogen glanzen van trots.'

...En Zohra: 'Kom terug, zusje.' En de vetkuif: 'Waarom neemt u het op voor deze goona, begum sahib? Dat is niet de juiste manier om te handelen.' En Amina: 'Ik ken deze man. Hij is een fatsoenlijk mens. Vooruit, vort, hebben jullie niets beters te doen? Willen jullie een mens in stukken scheuren in een moslem-muhalla? Vooruit, wegwezen.' Maar de menigte is van haar verbazing bekomen, en dringt weer naar voren ... en nu. Nu komt het.

'Luister,' schreeuwde mijn moeder. *'Luister goed. Ik ben zwanger. Ik ben een moeder die een kind gaat krijgen, en ik neem deze man in bescherming. Vooruit maar, als jullie willen doden, doodt dan een moeder en laat de wereld zien wat voor mensen jullie zijn!'*

Zo kwam het dat mijn komst – de komst van Saleem Sinai – aan de verzamelde menigte van het volk werd verkondigd voor mijn vader ervan had gehoord. Van het ogenblik van mijn bevruchting af ben ik, schijnt het, publiek eigendom geweest.

Maar hoewel mijn moeder gelijk had toen ze haar openbare bekendmaking deed, had ze ook ongelijk. En de reden is: de baby die zij droeg bleek uiteindelijk niet haar zoon te zijn.

Mijn moeder ging naar Delhi; werkte met toewijding aan het liefhebben van haar man; werd door Zohra en khichri en klepperende voeten verhinderd haar nieuws aan haar man te vertellen; hoorde kreten, deed een openbare bekendmaking. En het hielp. Mijn annunciatie redde een leven.

Nadat de menigte zich had verspreid, ging de oude Musa de drager de straat op en redde de kijkkast van Lifafa Das, terwijl Amina de jongeman met de mooie glimlach het ene glas verse limonade na het andere gaf. Het scheen dat zijn wederwaardigheid niet alleen vocht aan hem had onttrokken, maar ook zoetigheid, want hij deed vier lepels ongeraffineerde suiker in ieder glas, terwijl Zohra in mooie ontzetting op een sofa lag. Ten slotte zei Lifafa Das (gerehydrateerd door limonade, gezoet door suiker): 'Begum sahiba, u bent een geweldige vrouw. Als u mij wilt toestaan, ik zegen uw huis; ook uw ongeboren kind. Maar ook – sta mij alstublieft toe – zal ik nog iets voor u doen.'

'Dank u,' zei mijn moeder, 'maar u moet helemaal niets doen.'

Maar hij vervolgde (waarbij de suiker zijn tong verzoette). 'Mijn neef Shri Ramram Seth, is een groot ziener, begum sahiba. Handlezer, astroloog, waarzegger. Gaat u alstublieft naar hem toe, en hij zal u de toekomst van uw zoon onthullen.'

Waarzeggers hebben mij voorspeld ... in januari 1947 kreeg mijn moeder een voorspelling als geschenk aangeboden, in ruil voor haar geschenk van een leven. En ondanks Zohra's 'Het is krankzinnig om met die man mee te gaan, Amina, zuster, haal het niet in je hoofd, dit zijn tijden waarin je voorzichtig moet zijn'; ondanks haar herinneringen aan het scepticisme van haar vader en van zijn duimenwijsvinger die om het oor van een maulvi knijpen, raakte het aanbod van mijn moeder een plek die Ja antwoordde. Gevangen in de onlogische verwondering van haar gloednieuwe moederschap waar ze pas zeker van was geworden, zei ze: 'Ja, Lifafa Das, wil je alsjeblieft over een paar dagen bij het hek van het Rode Fort op me wachten. Dan mag je mij naar je neef toe brengen.'

'Ik zal iedere dag wachten,' hij vouwde de handpalmen tegen elkaar, en ging weg.

Zohra was zo verbijsterd dat ze, toen Ahmed Sinai thuiskwam, slechts met haar hoofd kon schudden en zeggen: 'Jullie pasgetrouwden; gek als uilen; ik moet me maar niet met jullie bemoeien.'

Musa, de oude drager, hield ook zijn mond dicht. Hij hield zich op de achtergrond van onze levens, altijd, behalve twee keer ... een keer toen hij bij ons wegging; een keer toen hij terugkwam om de wereld per ongeluk te vernietigen.

Tenzij er, natuurlijk, niet zoiets als toeval bestaat; in welk geval Musa – ondanks zijn leeftijd en slaafsheid – niets minder was dan een tijdbom, die zachtjes verder tikte tot zijn vastgestelde tijd; in welk geval wij of – optimistisch – zouden moeten opstaan en juichen, want als alles van te voren vaststaat, hebben we allen een betekenis en wordt ons de verschrikking bespaard te weten dat we een toevalligheid zijn, zonder een *waarom*; of anders zouden wij het – als pessimisten – natuurlijk meteen hier en nu opgeven, omdat we de futiliteit van denken besluiten handelen inzien, omdat niets dat wij denken enig verschil uitmaakt; de dingen zullen zijn zoals ze zijn. Waar is dan het optimisme? In het lot of in de chaos? Was mijn vader opti- of pessimistisch toen mijn moeder hem haar nieuws vertelde (nadat iedereen in de buurt het gehoord had), en hij antwoordde met: 'Ik heb je toch gezegd; het was alleen maar een kwestie van tijd.' De zwangerschap van mijn moeder was, zo schijnt het, voorbestemd; mijn geboorte had echter heel wat aan het toeval te danken.

'Het was alleen maar een kwestie van tijd,' zei mijn vader met alle schijn van genoegen; maar de tijd is een onzekere aangelegenheid geweest, naar mijn ervaring, niet iets waarop te vertrouwen viel. Hij kon zelfs worden verdeeld: de klokken in Pakistan plachten een halfuur voor te lopen op hun Indiase tegenhangers... Mijnheer Kemal, die niets met de Verdeling te maken wilde hebben, had er een handje van om te zeggen: 'Hier is het bewijs van de dwaasheid van het plan! Die ligajongens zijn van zins er met een volle dertig minuten vandoor te gaan! Tijd zonder Verdelingen,' riep mijnheer Kemal uit, 'dat is het partijprogramma!' En S.P. Butt zei: 'Als ze de tijd zo maar kunnen veranderen, wat is er dan nog echt? Ik vraag je? Wat is waar?'

Het lijkt een dag voor belangrijke vragen. Ik antwoord door de onbetrouwbare jaren heen aan S.P. Butt, wiens keel werd doorgesneden in de Verdelingsonlusten en die zijn belangstelling voor de tijd verloor: 'Wat echt is en wat waar is, is niet noodzakelijkerwijze hetzelfde.' Voor mij was van mijn vroegste tijd *waar* iets dat verborgen lag in de verhalen die Mary Pereira mij vertelde: Mary, mijn aya, die zowel meer als minder voor mij was dan een moeder; Mary die alles van ons allen wist. *Waar* was iets dat net achter de horizon verborgen was, waar de vinger van de visser op de prent aan mijn muur naar wees, terwijl de jonge Raleigh naar zijn verhalen luisterde. Nu, terwijl ik dit in het lichtschijnsel van mijn bureaulamp zit te schrijven, meet ik de waarheid af aan die vroegere gebeurtenissen: Is dit de manier waarop Mary het zou hebben verteld? Is dit wat de visser zou hebben gezegd?... En volgens die maatstaven is het onmiskenbaar dat mijn moeder, op een dag in januari 1947, alles over mij te horen had gekregen, zes maanden voor ik ter wereld kwam, terwijl mijn vader in conflict raakte met een duivelskoning.

Amina Sinai had gewacht op een geschikt ogenblik om het aanbod van Lifafa Das aan te nemen; maar Ahmed Sinai bleef twee dagen nadat de Indiabike-fabriek in brand was gestoken thuis, zonder ook maar zijn kantoor aan Connaught Place te bezoeken, alsof hij zich voorbereidde op een of andere onaangename ontmoeting. Twee dagen lang lag de grijze geldzak zogenaamd in het geheim op z'n plaats onder zijn kant van het bed. Mijn vader toonde geen verlangen om over de reden voor de aanwezigheid van die grijze tas te praten; dus zei Amina bij zichzelf: 'Laat hem maar gaan - wie kan het iets schelen?' omdat ook zij haar geheim had, dat geduldig op haar wachtte bij de hekken van het Rode Fort op Chandni Chowk. Met heimelijke humeurigheid pruilend, hield mijn moeder Lifafa Das voor zichzelf. 'Tenzij-en-tot hij me vertelt wat hij in zijn schild voert, waarom zou ik het hem vertellen?' redeneerde ze.

En toen een koude avond in januari waarop Ahmed Sinai zei: 'Ik moet vanavond uit' en ondanks haar tegenwerpingen van 'Het is koud – je zult ziek worden...' trok hij zijn geklede pak en jas aan waaronder de geheimzinnige grijze tas een belachelijk onmiskenbare bobbel vormde; dus zei ze ten slotte: 'Pak je warm in,' en deed hem uitgeleide naar waar hij ook heenging, en vroeg: 'Denk je dat het laat wordt?' Waarop hij antwoordde: 'Ja, zeker!' Vijf minuten nadat hij was vertrokken, ging Amina Sinai op weg naar het Rode Fort, naar het hart van haar avontuur.

Eén reis begon bij een fort; één had bij een fort moeten eindigen, maar deed dat niet. Eén voorspelde de toekomst; de andere bepaalde zijn geografische ligging. Tijdens een reis voerden apen een amusante dans uit; terwijl op die andere plaats eveneens een aap danste, maar met rampzalige gevolgen. In beide avonturen speelden roofvogels een rol. En veelkoppige monsters lagen aan het eind van beide op de loer.

Eén tegelijk dan ... en hier is Amina Sinai aan de voet van de hoge muren van het Rode Fort, waar mogols regeerden, van welks hoogten de nieuwe natie zal worden uitgeroepen ... hoewel zij vorst noch heraut is, wordt mijn moeder niettemin met warmte begroet (ondanks het weer). In het laatste licht van de dag roept Lifafa Das uit: 'Begum sahiba! O, het is uitstekend dat u gekomen bent!' Met donkere huid in een witte sari, wenkte ze hem naar de taxi; hij steekt zijn hand uit naar het achterportier; maar de chauffeur bijt hem toe: 'Wat denk je wel? Wie denk je dat je bent? Vooruit, ga als de gesmeerde bliksem voorin zitten, en laat mevrouw achterin zitten!' Dus deelt Amina haar zitplaats met een zwarte kijkkast op wielen, terwijl Lifafa Das zich verontschuldigt: 'Sorry, hè, begum sahiba? Goede bedoelingen zijn geen belediging.'

Maar hier, weigerend op zijn beurt te wachten, komt nog een taxi, die voor een ander fort stilhoudt om zijn vrachtje van drie mannen in geklede kostuums te laten uitstappen, elk met een uitpuilende grijze tas onder de jas ... een man die lang is als een leven en mager als een leugen, een tweede die geen ruggegraat schijnt te hebben, en een derde wiens onderlip uitsteekt, wiens buik naar papperigheid neigt, wiens vettige haar aan het dunnen is en over de puntjes van zijn oren uitsteekt, en tussen wiens wenkbrauwen de veelbetekenende groef loopt die zich, naarmate hij ouder wordt, zal verdiepen tot het litteken van een verbitterde, verbolgen man. De taxichauffeur is uitbundig, ondanks de kou. 'Purana Qila!' roept hij. 'Iedereen uitstappen alsjeblieft! Oude Fort, we zijn er!... Er zijn vele, vele steden in Delhi geweest, en het Oude Fort, die geblakerde ruïne, is een zo oud Delhi dat daarmee vergeleken onze eigen Oude Stad nog maar een wiegekind is. Naar deze ruïne van een onmogelijk antiek verleden zijn Kemal, Butt en Ahmed Sinai door een anoniem telefoontje ontboden met de lastgeving: 'Vanavond. Oude Fort. Vlak na zonsondergang. Maar geen politie ... anders pakhuis funtoosh!' Met hun grijze tassen stevig onder de arm lopen ze de oude bouwvallige wereld binnen.

...Met haar tas stevig in de handen, zit mijn moeder naast een kijkkast, terwijl Lifafa Das voorin zit bij de verbaasde, opvliegende chauffeur, en de taxi straten aan de verkeerde kant van het postkantoor laat inrijden; en terwijl ze langs deze wegen rijdt waar armoede het asfalt wegvreet als een droogte, waar mensen hun onzichtbare levens slijten (omdat ze Lifafa Das zijn vloek van onzichtbaarheid delen, en niet allemaal een mooie glimlach bezitten), begint iets nieuws haar te overvallen. Onder de druk van deze straten, die met de minuut smaller worden, en met de centimeter voller, heeft ze haar 'stadsogen' verloren. Wanneer je stadsogen hebt, kun je de onzichtbare mensen niet zien, de mensen met elefantiasis van de ballen en de bedelaars in dichte wagentjes raken je niet, en de betonnen elementen van toekomstige rioolbuizen zien er niet uit als slaapzalen. Mijn moeder verloor haar stadsogen en de nieuwte van wat ze zag deed haar blozen, nieuwte die haar wangen als een hagelbui prikte. Kijk, mijn God, die mooie kinderen hebben zwarte tanden! Zou je geloven ... jonge meisjes die hun tepels laten zien! Wat vreselijk, werkelijk! En, Allah-tobah, de hemel verhoede het, straatvegers met – nee! – wat *afschuwelijk*! – verzakte ruggegraten en bosjes twijgen, en geen kastetekens; onaanraakbaren, lieve Allah! ... en overal kreupelen, door liefhebbende ouders verminkt om hen van een levenslang inkomen uit bedelarij te verzekeren ... ja, bedelaars, in dichte wagentjes, volwassen mannen met babybenen, in kratten op wielen, gemaakt van afgedankte rolschaatsen en oude mangokisten; mijn moeder roept uit: 'Lifafa Das, terug!' ... Maar hij glimlacht zijn mooie glimlach en zegt: 'Van hier af moeten we lopen.' Ziende dat er geen weg terug is, zegt ze dat de taxi moet wachten, en de slecht gehumeurde chauffeur zegt: 'Ja, natuurlijk, voor een grote dame, wat valt er anders te doen dan te wachten, en wanneer u terugkomt moet ik mijn auto het hele eind achteruit rijden naar de hoofdweg, omdat er hier geen ruimte is om te keren!' ... Kinderen die aan de pallu van haar sari trekken, overal hoofden die mijn moeder aanstaren, die denkt: Het is alsof ik omringd ben door een of ander vreselijk monster, een schepsel met hoofden, hoofden, hoofden; maar ze verbetert zichzelf, nee, natuurlijk, geen monster, deze arme mensen – wat dan? Een of andere macht, een macht die zijn kracht niet kent, die misschien tot onmacht is vervallen doordat hij nooit is gebruikt... Nee, dit zijn geen vergane mensen, ondanks alles. Mijn moeder betrapt zich erop dat ze denkt: Ik ben bang, net terwijl een hand haar arm aanraakt. Ze draait zich om en ontdekt dat ze in het gezicht kijkt van – onmogelijk! – een blanke man die een haveloze hand uitsteekt en met een stem als een hoog vreemd lied zegt: 'Geef iets, begum sahiba...' en dat herhaalt en herhaalt als een grammofoonplaat die in een groef is blijven steken terwijl zij verlegen in een wit gezicht kijkt met lange wimpers en een gebogen aristocratische neus – verlegen omdat hij blank was, en blanke mensen niet bedelden. '... Helemaal uit Calcutta, te voet,' zei hij, 'en bedekt met as, zoals u ziet, begum sahiba, vanwege mijn schande dat ik daar ben geweest voor de Slachting – vorig jaar augustus, weet u nog wel, begum sahiba, duizenden doodgestoken tijdens vier dagen van paniek...' Lifafa Das staat er hulpeloos bij, en weet niet hoe hij zich tegenover een blanke man moet gedragen, al is het een bedelaar, en '... Hebt u gehoord van die Europeaan?' vraagt de bedelaar. '... Ja, onder de moordenaars, begum sahiba, die 's nachts door de stad liep met bloed aan zijn overhemd, een blanke man krankzinnig geworden door de aanstaande nutteloosheid van zijn soort; hebt u het gehoord?'... En nu een stilte in die verbijsterend zangerige stem, en toen: 'Hij was mijn man.' Pas nu zag mijn moeder de ingesnoerde borsten onder de vodden... 'Geef iets voor mijn schande.' Ze sjort aan haar arm. Lifafa Das sjort aan de andere kant, terwijl hij fluistert Hijra, travestiet, kom mee, begum sahiba; en Amina die stilstaat terwijl er in tegengestelde richtingen aan haar wordt getrokken, wil zeggen Wacht, blanke vrouw, laat me mijn zaken even afhandelen, ik zal je mee naar huis nemen, je voeden, je kleden, je terugsturen naar je eigen wereld; maar net op dat ogenblik haalt de vrouw de schouders op en loopt met lege handen weg door de smaller wordende straat, en wordt kleiner tot een punt waarop ze opgaat – nu! – in de verre armzaligheid van de steeg. En nu zegt Lifafa Das, met een eigenaardige uitdrukking op zijn gezicht: 'Ze zijn funtoosh! Allemaal verloren! Binnenkort zullen ze allemaal weggaan; en dan zullen wij vrij zijn om elkaar af te maken.' Terwijl ze haar buik met een lichte hand aanraakt, volgt ze hem een donkere deuropening in terwijl de vlammen haar uitslaan.

...Terwijl bij het Oude Fort Sinai op Ravana wacht. Mijn vader in de zonsondergang: staande in de verduisterde ingang van wat eens een vertrek in de vervallen muren van het fort was, de onderlip vlezig vooruitstekend, handen achter de rug verstrengeld, het hoofd vol geldzorgen. Hij was nooit een gelukkig mens. Hij rook lichtelijk naar toekomstige mislukking; hij mishandelde bedienden; misschien wenste hij dat hij, in plaats van zijn vader in de leerdoekhandel op te volgen, de kracht had gehad om zijn oorspronkelijke ambitie na te streven, de herindeling van de koran in de juiste chronologische volgorde. (Hij vertelde mij eens: 'Toen Mohammed profeteerde, schreven de mensen wat hij zei op palmbladeren, die op de een of andere manier in een kist werden bewaard. Nadat hij gestorven was, probeerden Abubakr en de anderen zich de juiste volgorde te herinneren, maar hun geheugen was niet zo goed.' Weer een verkeerde weg ingeslagen: in plaats van een heilig boek te herschrijven, hing mijn vader in een ruïne rond, wachtend op demonen. Het is geen wonder dat hij niet gelukkig was; en ik zou het er niet beter op maken. Toen ik geboren werd, brak hij zijn grote teen.) ...Mijn ongelukkige vader, ik herhaal het, denkt slecht gehumeurd aan contanten. Aan zijn vrouw, die hem roepies aftroggelt en 's nachts zijn zakken leeghaalt. En zijn ex-vrouw (die uiteindelijk bij een ongeluk omkwam, toen ze ruzie maakte met een kameeldrijver en door een kameel in de nek werd gebeten), die hem eindeloze bedelbrieven stuurt, ondanks de echtscheidingsovereenkomst. En zijn verre nicht Zohra, die geld van een bruidsschat van hem moet hebben, opdat ze kinderen kan grootbrengen om met de zijne te trouwen en op die manier nog meer van zijn geld kan inpikken. En dan zijn er majoor Zulfikars beloften van geld (in dit stadium konden Zulfy en mijn vader erg goed met elkaar overweg). De majoor had brieven geschreven waarin stond: 'Je moet voor Pakistan kiezen wanneer dat er komt, en dat zal zeker gebeuren. Het zal ongetwijfeld een goudmijn worden voor mensen als wij. Laat mij je alsjeblieft voorstellen aan M.A.J. zelf...' Maar Ahmed Sinai wantrouwde Muhammad Ali Jinnah en nam Zulfy's aanbod niet aan; dus toen Jinnah president van Pakistan werd, kwam er weer een verkeerde afslag om over na te denken. En ten slotte waren er brieven van mijn vaders oude vriend, de gynaecoloog dokter Narlikar, in Bombay. 'De Britten trekken met bosjes weg, Sinai bhai. Huizen zijn spotgoedkoop! Verkoop je spullen; kom hier, koop, leef de rest van je leven in weelde!' Voor een hoofd zo vol contanten was geen plaats voor verzen uit de koran ... en, ondertussen, hier staat ie, naast S.P. Butt, die in een trein naar Pakistan zal sterven, en Mustapha Kemal, die door goonda's in zijn indrukwekkende huis aan Flagstaff Road zal worden vermoord, met de woorden 'incestueze oppotter' met zijn eigen bloed op zijn borst geschreven ... naast deze twee gedoemde mannen, die in de geheimzinnige schaduw van een ruïne wachten om een afperser die zijn geld komt halen te bespioneren. 'Zuidwestelijke hoek,' was er over de telefoon gezegd. 'Torentje. Stenen trap binnen. Omhoog. Bovenste overloop. Laat geld daar achter. Ga weg. Begrepen?' De instructies aan hun laars lappend, houden ze zich in het bouwvallige vertrek schuil; ergens boven hen, op de bovenste overloop van het torentje, wachten drie grijze tassen in de dichter wordende duisternis.

...In de dichter wordende duisternis van een bedompt trappenhuis, klimt Amina Sinai naar een voorspelling toe. Lifafa Das stelt haar gerust; want nu ze per taxi in de nauwe fles van zijn genade terecht is gekomen, heeft hij een verandering in haar opgemerkt, spijt om haar besluit; hij stelt haar gerust terwijl ze de trap opgaan. Het donkere trappenhuis is vol ogen, ogen die door deuren met luiken glinsteren bij de aanblik van de klimmende donkere dame, ogen die haar oplikken als ruwe kattetongen; en terwijl Lifafa praat, geruststellend, voelt mijn moeder haar wil wegebben. Wat gebeuren moet, zal gebeuren, haar geestkracht en haar greep op de wereld siepelen uit haar weg de donkere spons van het trappenhuis in. Traag volgen haar voeten de zijne, omhoog naar de bovenste regionen van de enorme, sombere muil, de vervallen huurkazerne waarin Lifafa Das en zijn neven een hoekje hebben, helemaal boven ... hier, bovenaan, ziet ze duister licht op de hoofden van kreupelen die een rij vormen neerfilteren. 'Mijn tweede neef,' zegt Lifafa Das, 'is bottenzetter.' Ze klimt langs mannen met gebroken armen, vrouwen met voeten die in onmogelijke hoeken achterwaarts zijn verdraaid, langs gevallen glazenwassers en versplinterde metselaars, de doktersdochter die een wereld binnengaat die ouder is dan injectiespuiten en ziekenhuizen; tot Lifafa Das eindelijk zegt: 'We zijn er, begum,' en haar door een kamer leidt waarin de bottenzetter twijgen en bladeren aan verbrijzelde ledematen bevestigt, gebarsten hoofden in palmbladeren wikkelt tot zijn patiënten op kunstmatige bomen beginnen te lijken, waarbij vegetatie uit de wonden spruit... Dan naar buiten op een groot plat cementen dak. Amina, die in het donker knippert tegen het felle licht van lantarens, onderscheidt waanzinnige gedaanten op het dak: dansende apen; springende mongoes, slangen die in manden zwaaien; en op de borstwering de silhouetten van grote vogels wier lijven even krom en wreed zijn als hun snavels: aasgieren.

'Arré Baap,' roept ze, 'waar breng je me naartoe?'

'Niets om u ongerust over te maken, begum,' zegt Lifafa Das. 'Dit hier zijn mijn neven. Mijn neven nummer drie en vier. Die daar is apendanser...'

'Alleen maar aan het oefenen, begum!' roept een stem. 'Kijk: aap trekt ten strijde en sterft voor zijn land!'

'...en daar, slang-en-mongoes-man.'

'Kijk mongoes springen, sahiba. Kijk, cobra dansen.'

'...Maar de vogels?'

'Niets, mevrouw; het enige is, de Parsi Toren van Stilte is hier vlakbij; en wanneer daar geen doden zijn, komen de gieren. Nu slapen ze; overdag vinden ze het, denk ik, prettig om mijn neven te zien oefenen.'

Een klein vertrek aan de andere kant van het dak. Licht stroomt door de deur wanneer Amina binnengaat ... en daar binnen een man van dezelfde leeftijd aantreft als haar echtgenoot, een zware man met onderkinnen, die een witte morsige broek draagt en een rood geblokt hemd en geen schoenen, kauwend op anijszaad en drinkend uit een fles Vimto, met gekruiste benen in een vertrek zittend met platen aan de muren van Vishnu in elk van zijn avatars, en kennisgevingen waarop staat SCHRIJFLES en SPUGEN TIJDENS BEZOEK IS EEN HEEL SLECHTE GEWOONTE. Er staat geen meubilair ... en Shri Ramram Seth zit met gekruiste benen, vijftien centimeter boven de grond.

Ik moet bekennen: tot haar schande gilde mijn moeder...

...Terwijl in het Oude Fort apen te midden van wallen krijsen. De verwoeste stad die door mensen is verlaten, is nu de verblijfplaats van slankapen. De apen met lange staarten en zwarte gezichten zijn bezeten van een alles overheersend gevoel van roeping. Ze klauteren omhoogenomhoog en springen naar de bovenste topjes van de ruïne, hun terrein afbakenend, en wijden zich daarna aan de afbraak, steen voor steen, van het hele fort. Padma, het is waar: jij bent daar nooit geweest, hebt nooit in de schemering staan kijken hoe zwoegende, onvervaarde, harige dieren de stenen onderhanden nemen, rukkend en schuddend, schuddend en rukkend, de stenen een voor een losmakend ... iedere dag gooien de apen stenen langs de muren naar beneden, die van hoeken en uitsteeksels kaatsen, in de greppels beneden neerstorten. Op een dag zal er geen Oud Fort meer zijn; uiteindelijk: niets anders dan een puinhoop waarop apen in triomf zitten te krijsen ... en hier is een aap die zich langs de wallen rept – ik zal hem Hanuman noemen, naar de aapgod die prins Rama de oorspronkelijke Ravana hielp verslaan, Hanuman van de vliegende strijdwagens ... Zie hem nu terwijl hij bij dat torentje aankomt – zijn territoir; terwijl hij springt snapt rent van hoek tot hoek van zijn koninkrijk, zijn achterste tegen de stenen wrijft; en dan ophoudt, iets ruikt dat hier niet behoort te zijn... Hanuman rent naar de alkoof hier, op de bovenste overloop, waar de drie mannen hun drie zachte grijze vreemde voorwerpen hebben achtergelaten. En terwijl apen dansen op een dak achter het postkantoor, danst Hanuman de aap van woede. Stampt op de grijze dingen. Ja, ze zijn behoorlijk los, er zal niet veel schudden en rukken, rukken en schudden voor nodig zijn ... zie Hanuman nu, terwijl hij de zachte grijze stenen naar de rand van de hoge buitenmuur van het Fort sleept. Zie hoe hij ze scheurt: rip! rap! rop!... Zie hoe behendig hij papier uit het binnenste van de grijze dingen schept, en het als zwevende regen naar omlaag gooit, om de neergestorte stenen in de greppel onder te dompelen... Papier dat met trage, weerspannige gratie valt en als een mooie herinnering in de muil van de duisternis zinkt; en nu, schop! bons! en opnieuw schop! gaan de drie zachte stenen over de rand, omlaagomlaag in de duisternis, en ten slotte klinkt er een zachte troosteloze plof. Nu zijn werk gedaan is, verliest Hanuman zijn belangstelling, spoedt zich weg naar een of ander ver pinakeltje van zijn koninkrijk, begint aan een steen te rukken.

...Terwijl, beneden, mijn vader een groteske gedaante uit de duisternis heeft zien opduiken. Volslagen onwetend van de ramp die zich boven heeft voltrokken, slaat hij het monster vanuit de schaduw van zijn bouwvallige kamer gade: een schepsel in een voddige pyjama met de hoofdtooi van een demon, een duivelskop van papier-maché met aan alle kanten grijnzende gezichten ... de vertegenwoordiger die door de Ravanabende is aangewezen. De ontvanger. Harten bonzen, de drie zakenlieden zien dit spook uit de nachtmerrie van een boer in het trappenhuis dat naar de overloop voert verdwijnen; en horen na een ogenblik, in de stilte van de lege nacht, de volmaakt menselijke vloeken van de duivel. 'Moederverkrachters! Eunuchen van ergens!' ... Vol onbegrip zien ze de bizarre kwelgeest te voorschijn komen, in de duisternis wegrennen, verdwijnen. Zijn verwensingen ... 'Sodemieters met ezels! Zonen van varkens! Eters van hun eigen uitwerpselen!' ... blijven op de bries hangen. En nu gaan ze naar boven, terwijl verwarring hun brein verwart; Butt vindt een verscheurd stuk grijze stof; Mustapha Kemal buigt zich over een verfomfaaide roepie; en misschien, ja, waarom niet, ziet mijn vader iets donkers aapachtigs uit een ooghoek ... en ze gissen.

En nu gekerm en mijnheer Butts schrille vloeken, die echo's van de vloeken van de duivel zijn; en er woedt een strijd, zonder woorden, in hun drie hoofden: geld of pakhuis of pakhuis of geld? Zakenlieden peinzen, in zwijgende paniek, over dit voornaamste raadsel – maar goed, zelfs al laten ze het geld ten prooi aan de plunderingen van azende honden en mensen, hoe moeten ze de brandstichters tegenhouden? – en ten slotte, zonder dat er een woord gesproken is, wint de onverbiddelijke wet van handje-contantje het; ze rennen stenen trappen af, langs grasvelden, door ingestorte poorten en komen – IN VERWARRING – bij de greppel aan en beginnen roepies in hun zakken te scheppen, grabbelend, graaiend, scharrelend, plasjes urine en rottend fruit vermijdend, er tegen alle waarschijnlijkheid in op vertrouwend dat vanavond – bij de genade van – alleen voor die ene keer vanavond, de bende zijn beloofde wraak niet zal nemen. Maar, natuurlijk...

...Maar natuurlijk zweefde Ramram de ziener niet echt in de lucht, vijftien centimeter boven de grond. De gil van mijn moeder verstierf; haar ogen richtten zich; en ze merkte de kleine richel op die van de muur uitstak. 'Goedkope truc,' dacht ze bij zichzelf, en 'Wat doe ik hier op deze godvergeten plaats van slapende aasgieren en apedansers, wachtend tot een goeroe die zweeft door op een richel te zitten mij wie weet wat voor dwaasheden vertelt?'

Wat Amina Sinai niet wist was dat ik, voor de tweede keer in de geschiedenis, mijn aanwezigheid voelbaar zou maken. (Nee, niet die bedrieglijke padde in haar buik; ik bedoel mezelf, in mijn historische rol, waarover eerste ministers hebben geschreven ... 'die is, in zeker opzicht, de spiegel van ons allemaal.' Grote krachten waren die avond aan het werk; en allen die aanwezig waren stonden op het punt hun macht te voelen, en bang te worden.)

Neven – één tot vier – verzamelden zich in de deuropening waar de donkere dame door was gegaan, als motten tot de kaars van haar gil aangetrokken ... toen ze, geleid door Lifafa Das, naar de onwaarschijnlijke waarzegger toeliep, sloegen bottenzetter cobra-wallah en apeman haar zwijgend gade. Fluisteringen van bemoediging nu (en klonk er ook gegiechel achter ruwe handen?): 'O, hij zal zo'n mooie voorspelling doen, sahiba!' en: 'Kom, neefje, de dame wacht!'... Maar wat was die Ramram? Een sjacheraar, een handlezer van twee spie, iemand die dwaze vrouwen slimme dingen voorspelde? – of de ware figuur, de bezitter van de sleutel? En Lifafa Das: zag hij, in mijn moeder, een vrouw die tevreden kon worden gesteld door een goedkope oplichter, of schouwde hij dieper, in het ondergrondse hart van haar zwakte? – En toen de voorspelling kwam, waren neven ook verbaasd? – En het schuim op de mond? Wat zeg je daarvan? En was het waar dat mijn moeder, onder de ontwrichtende invloed van die hysterische avond, haar greep op haar gebruikelijke ik verloor – die ze van zich had voelen wegglippen in de zuigende spons van de lichtloze lucht in het trappenhuis – en een geestestoestand was binnengegaan waarin van alles kon gebeuren en kon worden geloofd? En er is nog een andere, afschuwelijker mogelijkheid; maar voor ik mijn achterdocht onder woorden breng, moet ik, zo getrouw mogelijk, ondanks dit vliesdunne gordijn van dubbelzinnigheden, beschrijven wat er feitelijk gebeurde: ik moet mijn moeder beschrijven, haar handpalm schuin buitenwaarts gekeerd naar de naderende handlezer, haar ogen groot en star als van een zwarte vis – en de neven (giechelend?): 'Wat een voorspelling staat u te wachten, sahiba!' en: 'Voorspel, neefje, voorspel!' – maar het gordijn zakt weer, dus weet ik niet zeker – begon hij als een goedkope circusartiest en ging hij verder met de banale verbindingen van levenslijn hartlijn en kinderen die multimiljonair zouden worden, terwijl neven juichten: 'Wah, wah!' en 'Absoluut meesterlijke voorspelling, yara!' – en veranderde hij toen? – werd Ramram stijf – zijn ogen omhoog rollend tot ze wit waren als eieren – vroeg hij, met een stem vreemd als een spiegel: 'Staat u mij toe, mevrouw, dat ik de plek aanraak?' – terwijl neven stil werden als slapende aasgieren – en antwoordde mijn moeder, even vreemd: 'Ja, dat mag,' zodat de ziener pas de derde man werd die haar van haar leven aanraakte, afgezien van haar familieleden? – en was het toen, op dat ogenblik, dat er een korte scherpe elektrische schok tussen pafferige vingers en moederlijke huid oversprong? En mijn moeders gezicht, verschrikt als een konijn, dat de profeet in het geruite hemd gadesloeg toen hij begon rond te draaien, zijn ogen nog steeds op eieren lijkend in de zachtheid van zijn gezicht, en er plotseling een huivering door hem heen voer en weer die vreemde hoge stem toen de woorden over zijn lippen kwamen (ik moet die lippen ook beschrijven – maar later, want nu...) 'Een zoon.'

Zwijgende neven – apen aan leibanden, die hun gekwebbel staken – cobra's opgerold in manden – en de ronddraaiende waarzegger die ontdekt dat de geschiedenis door zijn lippen spreekt. (Was dat hoe?) Beginnend: 'Een zoon... wat een zoon!' En dan komt het: 'Een zoon, sahiba, die nooit ouder zal zijn dan zijn moederland – niet ouder, maar ook niet jonger.' En nu echte angst onder de slangenbezweerder mongoesdanser bottenzetter en kijkkast-wallah, want ze hebben Ramram nog nooit zo gehoord, terwijl hij verdergaat, eentonig sprekend, met een hoge stem: 'Er zullen twee hoofden zijn – maar u zult er maar één zien – er zullen knieën en een neus zijn, een neus en knieën.' Neus en knieën en knieën en neus ... luister goed, Padma; de kerel had niets mis! 'Krant prijst hem, twee moeders voeden hem op! Fietsers houden van hem – maar, menigten zullen hem opzij schuiven! Zusters zullen huilen; cobra zal kruipen...' Ramram sneller cirkelend, terwijl vier neven mompelen: 'Wat is dit, baba?' en 'Deo, Shiva, behoed ons!' Terwijl Ramram: 'Wasgoed zal hem verbergen – stemmen zullen hem leiden! Vrienden hem verminken – bloed hem verraden!' En Amina Sinai: 'Wat bedoelt hij? Ik begrijp het niet – Lifafa Das – wat bezielt hem?' Maar, onverbiddelijk, ei-ogig om haar standbeeldstille aanwezigheid cirkelend, vervolgt Ramram Seth: 'Kwispedoors zullen hem de hersens inslaan – dokters zullen hem aderlaten – woestijn zal hem opeisen – tovenaars heropeisen! Soldaten zullen hem op de proef stellen – tirannen zullen hem verbranden...' Terwijl Amina om verklaringen smeekt en neven vervallen in een handenfladderende razernij van hulpeloze ontsteltenis omdat iets uit de hand is gelopen en niemand Ramram Seth durft aan te raken terwijl hij naar zijn climax wervelt: 'Hij zal zonen hebben zonder zonen te krijgen! Hij zal oud zijn voor hij oud is! *En hij zal sterven ... voor hij dood is.*'

Ging het echt zo? Is dat het ogenblik waarop Ramram Seth, tenietgedaan doordat er een macht door hem heen ging die groter was dan die van hemzelf, plotseling op de grond viel en schuimbekte? Werd de stok van de mongoesman tussen zijn klapperende tanden gestoken? Lifafa Das zei: 'Begum sahiba, u moet weggaan, alstublieft; ons neefje is ziek geworden.'

En ten slotte de cobra-wallah- of apeman of bottenzetter, of zelfs Lifafa Das van de kijkkast op wielen – die zegt: 'Te veel voorspellingen, man. Onze Ramram heeft vanavond verdomd veel voorspeld.'

Vele jaren later, in de tijd van haar ontijdige oude dag, toen allerlei geesten uit haar verleden opwelden en voor haar ogen dansten, zag mijn moeder opnieuw de kijkkastman die ze had gered door mijn komst te verkondigen, en die haar terugbetaalde door haar naar te veel voorspellingen te brengen, en sprak hem gelijkmatig, zonder wrok toe: 'Dus je bent terug,' zei ze. 'Welnu, laat me je dit vertellen; ik wou dat ik had begrepen wat je neefje bedoelde – over bloed, over knieën en neus. Want wie weet? Misschien zou ik een heel andere zoon hebben gehad.'

Evenals mijn grootvader aan het begin, in een gang met spinnewebben in het huis van een blinde man, en opnieuw aan het eind; evenals

Mary Pereira nadat ze haar Joseph verloor, en als ik, was mijn moeder goed in het spoken zien.

...Maar nu, omdat er nog meer vragen en dubbelzinnigheden zijn, ben ik verplicht uitdrukking te geven aan bepaalde vermoedens. Achterdocht is eveneens een monster met te veel koppen; waarom kan ik mij er dan niet van weerhouden die op mijn eigen moeder los te laten?... Wat, vraag ik, zou een eerlijke beschrijving zijn van de buik van de ziener? En het geheugen – mijn nieuwe, alwetende geheugen, dat het grootste deel van de levens van moeder vader grootvader en alle anderen omvat – antwoordt: zacht, papperig als maïzenapudding. Opnieuw vraag ik met tegenzin: 'Hoe zagen zijn lippen eruit?' En het onvermijdelijke antwoord: vol, te vlezig, dichterlijk. Voor een derde keer ondervraag ik dat geheugen van me: en zijn haar? Het antwoord: dunnend; donker, sluik, over zijn oren piekend. En nu stellen mijn onredelijke vermoedens de ultieme vraag ... heeft Amina, zo zuiver als goud, werkelijk ... vanwege haar zwak voor mannen die op Nadir Khan leken, zou ze hebben kunnen ... in haar vreemde gemoedstoestand, en ontroerd door de ziekte van de ziener, zou ze niet... 'Nee!' schreeuwt Padma woedend. 'Hoe durf je dat te suggereren? Over die brave vrouw – je eigen moeder? Dat zij zoiets zou doen? Je weet het helemaal niet, maar toch zeg je het?' En natuurlijk heeft ze gelijk, zoals altijd. Als ze het wist, zou ze zeggen dat ik alleen maar wraak nam voor wat ik Amina stellig heb zien doen, jaren later, door de smerige ruiten van het Café De Pionier; en misschien werd daar mijn irrationele idee geboren, dat onlogisch achterwaarts in de tijd zou groeien en volledig gerijpt in dit vroegere – en ja, vrijwel zeker onschuldige – avontuur zou belanden. Ja, dat zal het zijn. Maar het monster wil er niet in berusten... 'Ah,' zegt het, 'maar hoe zit het dan met die scène – die ze maakte op de dag dat Ahmed aankondigde dat ze naar Bombay gingen verhuizen? Nu doet het haar na: 'Jij neemt altijd de beslissingen. En ik dan? Veronderstel dat ik niet wil... Ik heb dit huis net op orde en nu...!' Nou Padma, was dat huishoudelijke ijver – of een maskerade?

Ja – een zekere twijfel blijft nog hangen. Het monster vraagt: 'Waarom liet ze na haar man op de een of andere manier van haar bezoek te vertellen?' Antwoord van de beschuldigde (vertolkt door onze Padma bij ontstentenis van mijn moeder): 'Maar denk je eens in hoe woedend hij zou zijn geworden, mijn God! Zelfs als die hele brandstichting er niet was geweest waar hij zich zorgen over maakte! Vreemde mannen; een vrouw alleen; hij zou razend geworden zijn! Razend, volslagen!'

Onwaardige vermoedens... Ik moet ze van me afzetten; moet mijn afkeuring voor later bewaren toen ze mij, bij gebrek aan dubbelzinnigheid, zonder het verhullende gordijn, harde, duidelijke, onweerlegbare bewijzen gaf.

...Maar natuurlijk, toen mijn vader die avond laat thuiskwam, met een greppelachtige geur aan hem die zijn gebruikelijke stank van toekomstige mislukking overheerste, vertoonden zijn ogen en wangen sporen van asachtige tranen; er zat zwavel in zijn neusgaten en de grijze stof van gerookt leerdoek op zijn hoofd ... want natuurlijk hadden ze het pakhuis platgebrand.

'Maar de nachtwakers?' – die sliepen, Padma, die sliepen. Vooraf gewaarschuwd om hun slaapdrank in te nemen voor het geval dat... Die dappere lala's, Afghaanse krijgers die, in de stad geboren, de Khyber nooit hadden gezien, openden kleine papieren zakjes, gooiden roestkleurige poeders in hun borrelende theeketel. Ze sleepten hun charpoys een heel eind van mijn vaders pakhuis weg om neerstortende balken en vonkenregens te vermijden; en op hun touwbedden liggend nipten ze aan hun thee en belandden op de bitterzoete hellingen van het bedwelmingsmiddel. Aanvankelijk werden ze rauw en prezen schreeuwend hun favoriete hoeren in Pushtu aan; toen vervielen ze in loszinnig gegiechel terwijl de zachte fladderende vingers van het bedwelmingsmiddel hun ribben kietelden ... tot het gegiechel plaats maakte voor dromen en ze in de grenspassen van het bedwelmingsmiddel zwierven, de paarden van de drug bereden, en ten slotte een droomloze vergetelheid bereikten waaruit niets ter wereld hen kon wekken voordat het bedwelmingsmiddel was uitgewerkt.

Ahmed, Butt en Kemal kwamen per taxi aan – de chauffeur, van zijn stuk gebracht door drie mannen die stapels verfomfaaide bankbiljetten omklemden die nog erger stonken dan de hel vanwege de onaangename substanties die ze in de greppel waren tegengekomen, zou niet hebben gewacht als ze niet hadden geweigerd hem te betalen. 'Laat me gaan, grote heren,' smeekte hij. 'Ik ben maar een klein mannetje; hou me niet hier...' maar tegen die tijd bewogen hun ruggen zich van hem vandaan, naar de brand toe. Hij sloeg hen gade terwijl ze renden, hun roepies die door tomaten en hondepoep waren bevuild vastklemmend; met open mond staarde hij naar het brandende pakhuis, naar de wolken aan de nachtelijke hemel, en zoals alle aanwezigen daar was hij genoodzaakt lucht in te ademen die vervuld was van leerdoek en lucifers en brandende rijst. Met zijn handen voor zijn ogen, door zijn vingers kijkend, zag de kleine taxichauffeur met zijn onbenullige snor mijnheer Kemal, dun als een dement potlood, naar de slapende lichamen van de nachtwakers uithalen en schoppen; en hij liet zijn vrachtprijs bijna zitten om in ontzetting weg te rijden toen mijn vader schreeuwde: ‘Kijk uit!’ ... maar toen hij ondanks dit alles bleef, zag hij het pakhuis toen het onder het geweld van de lekkende rode vlammen uit elkaar barstte, hij zag een onwaarschijnlijke lavastroom van gesmolten rijst linzen kekers waterbestendige jasjes lucifersdozen en pekel uit het pakhuis stromen, hij zag de hete rode bloemen van het vuur naar de hemel spatten toen de inhoud van het pakhuis zich op de harde gele grond verspreidde als een zwarte verkoolde hand van wanhoop. Ja, natuurlijk brandde het pakhuis af, het viel in vonken op hun hoofden uit de lucht, het stortte zich in de open monden van de gekneusde maar nog altijd snurkende nachtwakers... ‘God beware ons,’ zei mijnheer Butt, maar Mustapha Kemal antwoordde, pragmatischer: ‘Goddank dat we goed verzekerd zijn.’

‘Het was op dat ogenblik,’ vertelde Ahmed Sinai zijn vrouw later, ‘precies op dat moment dat ik besloot me uit de leerdoekhandel terug te trekken. Het kantoor, de goodwill te verkopen, en alles te vergeten dat ik van de kunstleerhandel afweet. Toen – niet eerder, niet later – besloot ik eveneens om niet langer aan die Pakistaanse bombast van je zuster Esmeralds Zulfy te denken. In de hitte van dat vuur,’ onthulde mijn vader – een woedeaanval bij zijn vrouw ontketenend – ‘besloot ik naar Bombay te verhuizen en de makelaardij in te gaan. Huizen zijn daar nu spotgoedkoop,’ vertelde hij haar voor ze ook maar kon beginnen tegen te sputteren. ‘Narlikar weet dat.’

(Maar te zijner tijd zou hij Narlikar een verrader noemen.)

In mijn familie gaan we altijd wanneer we een duwtje krijgen – de vorstperiode van ’48 was de enige uitzondering op deze regel. De vletterman Tai verdreef mijn grootvader uit Kasjmir; mercurochroom verjoeg hem uit Amritsar; de ineenstorting van haar leven onder de tapijten leidde rechtstreeks tot mijn moeders vertrek uit Agra; en veelkoppige monsters stuurden mijn vader naar Bombay, opdat ik daar geboren kon worden. Aan het eind van januari, toen de geschiedenis zich eindelijk, door een reeks duwtjes, op het punt had gebracht waar zij bijna zover was dat ik mijn entree kon maken. Er waren mysteries die niet konden worden opgehelderd tot ik op het toneel verschenen was – het mysterie, bijvoorbeeld van Shri Ramrams raadselachtigste opmerking: ‘Er zullen een neus en knieën zijn; knieën en een neus.’

Het geld van de verzekering kwam; januari eindigde; en in de tijd die ervoor nodig was hun zaken in Delhi af te wikkelen en te verhuizen naar de stad waar – zoals dokter Narlikar de gynaecoloog wist – huizen tijdelijk spotgoedkoop waren, concentreerde mijn moeder zich op haar gesegmenteerde plan om van haar man te leren houden. Ze begon een diepe genegenheid te koesteren voor de vraagtekens van zijn oren;

voor de opmerkelijke diepte van zijn navel, waar haar vinger helemaal tot aan het eerste kootje in kon, zonder dat ze ook maar hoefde te duwen; ze begon van de knokigheid van zijn knieën te houden; maar hoe ze ook haar best deed (en omdat ik haar het voordeel van de twijfel gun, zal ik hier geen mogelijke reden aanvoeren), er was een deel van hem waarvan ze nooit leerde houden, hoewel het 't enige was dat hij bezat dat volledig functioneerde, en dat Nadir Khan ongetwijfeld had ontbeerd; op die avonden waarop hij zich bovenop haar hees – toen de baby in haar schoot niet groter was dan een kikker – lukte het helemaal niet.

...'Nee, niet zo vlug, janum, mijn leven, een beetje langer, alsjeblieft,' zegt ze. En Ahmed probeert, om de zaak te rekken, weer aan de brand te denken, aan het laatste dat er op die laaiende nacht gebeurde toen hij, net terwijl hij zich omdraaide om weg te gaan, een smerig gekrijs in de lucht hoorde, en, toen hij omhoog keek, nog net kon zien dat een aasgier – 's nachts! – een aasgier van de Torens van Stilte over zijn hoofd vloog, en dat die een nauwelijks aangevreten Perzische hand liet vallen, een rechterhand, dezelfde hand die hem – nu! – midden in het gezicht sloeg terwijl hij viel; terwijl Amina, onder hem in bed, zichzelf een standje geeft: Waarom kun je niet genieten, domme vrouw die je bent, van nu af aan moet je het werkelijk *proberen*.

Op 4 juni vertrokken mijn slecht bij elkaar passende ouders per posttrein naar Bombay. (Er werd gebonsd, stemmen die volhielden alsof het leven ervan afhing, vuisten die uitriepen: 'Maharadja! Doe open, heel even maar! Ohé, begunstig ons met de melk van uw vriendelijkheid, grote heer!' En er was ook – verborgen onder bruidsschat in groene tinnen koffer – een verboden, met lapis lazuli bezette, fijn bewerkte zilveren kwispedoor.) Op diezelfde dag gaf graaf Mountbatten van Birma een persconferentie waarop hij de Verdeling van India aankondigde, en zijn aftelkalender aan de muur hing: nog zeventig dagen tot de machtsoverdracht ... negenenzestig ... achtenzestig ... tik, tak.

Methwold

De vissers waren hier het eerst. Voor Mountbattens tiktak, voor monsters en openbare bekendmakingen; toen ondergrondse huwelijken nog onvoorstelbaar waren en kwispedoors onbekend; eerder dan mercurochroom; langer geleden dan vrouwelijke worstelaars die lakens met een gat omhoog hielden; en terug en terug, verder dan Dalhousie en Elphinstone, voor de Oost-Indische Compagnie haar Fort bouwde, voor de eerste William Methwold; in het ochtendgloren van de tijd toen Bombay een haltervormig eiland was, in het midden taps afnemend tot een smal glanzend strand waarachter de mooiste en grootste natuurlijke haven van Azië te zien was, toen Mazagaon en Worli, Matunga en Mahim, Salsette en Colaba eveneens eilanden waren – kortom voor de landaanwinning, voor vierpoten en verzonken palen de Zeven Eilanden tot een lang schiereiland maakten als een uitgestrekte, grijpende hand die naar het westen in de Arabische Zee reikt; in deze oerwereld voor klokketorens, voeren vissers – die Koli's werden genoemd – in Arabische dhows, rode zeilen tegen de ondergaande zon uitspreidend. Ze vingen braam en kreeft, en maakten van ons allemaal liefhebbers van vis. (Of de meesten van ons. Padma is bezweken voor hun visachtige tovenarij; maar bij ons thuis waren we besmet met de vreemdheid van het Kasjmiri bloed, met de ijzige terughoudendheid van de Kasjmiri hemel, en bleven stuk voor stuk vleeseters.)

Er waren ook kokosnoten en rijst. En, bovenal, de welwillende leidende invloed van de godin Mumbadevi, wier naam – Mumbadevi, Mumbabai, Mumbai – heel goed die van de stad kan zijn geworden. Maar anderzijds, de Portugezen noemden de plaats Bom Bahia vanwege zijn haven, en niet vanwege de godin van het braamvolk ... de Portugezen waren de eerste invallers, die de haven gebruikten om hun koopvaardijschepen en hun oorlogsschepen te beschermen; maar toen, op een dag in 1633, kreeg een officier van de Oost-Indische Compagnie, Methwold genaamd, een visioen. Dit visioen – een droom van een Brits Bombay, versterkt, het Westen van India tegen alle bezoekers verdedigend – was zo'n krachtig idee dat het de tijd in beweging zette. De geschiedenis woelde verder; Methwold stierf; en in 1660 trouwde Karel II van Engeland met Catharina van het Portugese huis Braganza – dezelfde Catharina die haar hele leven de tweede viool zou spelen bij de sinaasappelen verkopende Nell. Maar deze troost heeft ze – dat het haar bruidsschat was die Bombay in Britse handen bracht, misschien in een groene tinnen koffer, en Methwolds visie een stap dichterbij bracht. Daarna duurde het niet lang of het werd 21 september 1668, toen de Compagnie het eiland eindelijk in handen kreeg ... en toen gingen ze aan het werk met hun Fort en landaanwinning, en voor je met de ogen kon knipperen stond hier een stad, Bombay, waarvan het oude liedje zong:

Prima in Indis
Toegangspoort tot India,
Ster van het Oosten
Met haar gezicht naar het Westen.

Ons Bombay, Padma! Het was toen heel anders, er waren geen nachtclubs of zoetzuur-fabrieken of Oberoi-Sheraton Hotels, of filmstudio's; maar de stad groeide razendsnel en kreeg een kathedraal en een ruiterstandbeeld van de Mahratta krijgsman-koning Sivaji dat (zo dachten wij) 's nachts tot leven kwam en ontzagwekkend door de straten van de stad galoppeerde – helemaal langs de Marine Drive! Op het Chowpatty-strand! Langs de grote huizen op Malabar Hill, om Kemp's Corner, duizelingwekkend langs de zee tot Scandal Point! En ja, waarom niet, steeds verder en verder, langs mijn eigen Warden Road, vlak langs de gescheiden zwembaden van Breach Candy, helemaal omhoog naar de enorme Mahalaxmi-tempel en de oude Willingsdon-club... Al mijn kinderjaren door, telkens wanneer Bombay slechte tijden doormaakte, meldde een of andere slapeloze nachtelijke wandelaar dat hij het standbeeld had zien bewegen; in de stad van mijn jeugd dansten rampen op de occulte muziek van de grijze, stenen hoeven van een paard.

En waar zijn ze nu, die eerste inwoners? Kokosnoten hebben het nog het beste van alles gedaan. Kokosnoten worden nog altijd dagelijks op het Chowpatty-strand onthoofd; terwijl op het Juhu-strand, onder de kwijnende blik van filmsterren in het Sun'n Sand-hotel, kleine jongens nog altijd in kokospalmen klimmen en de baardige vruchten naar beneden brengen. Kokosnoten hebben zelfs hun eigen feest, Kokosnootdag, die enkele dagen voor mijn synchronistische geboorte werd gevierd. U kunt u gerust voelen wat kokosnoten betreft. Rijst is minder gelukkig geweest; rijstvelden liggen nu onder beton; huurkazernes torenen waar eens rijst in plassen stond binnen het gezicht van de zee. Maar toch, wij in de stad zijn grote rijsteters. Patna-rijst, Basmati, Kasjmiri-rijst komt dagelijks in de metropool aan; zo heeft de oorspronkelijke, oerrijst op ons allen zijn stempel achtergelaten, en men kan niet zeggen dat het voor niets gestorven is. Wat Mumbadevi betreft – zij is tegenwoordig niet zo populair meer omdat ze in de genegenheid van het volk plaats heeft gemaakt voor Ganesha met de olifantskop. De festivalkalender onthult haar achteruitgang: Ganesha – 'Ganpati Baba' – heeft zijn dag van Ganesha Chaturthi, wanneer enorme optochten erop uit trekken en naar Chowpatty lopen, gipsen afbeeldingen van de god meedragend, die ze in de zee gooien. Ganesha's dag is een regenmakende ceremonie, hij maakt de moesson mogelijk, en hij werd ook gevierd in de tijd voor mijn komst aan het einde van de tiktak-aftelling – maar waar is Mumbadevi's dag? Die staat niet op de kalender. Waar de gebeden van het braamvolk, devoties van de kreeftevangers?... Van alle eerste inwoners zijn de Koli-vissers er het slechtst van af gekomen. Nu platgedrukt in een klein dorpje in de duim van het op een hand lijkende schiereiland, hebben ze weliswaar hun naam aan een district gegeven – Colaba. Maar volg de straatweg van Colaba naar de punt ervan – langs goedkope textielwinkels en Iraanse restaurants en de tweederangs flats van leraren, journalisten en klerken – en je zult hen vinden, gevangen tussen de marinebasis en de zee. En soms dringen Koli-vrouwen, met handen die stinken naar de ingewanden van bramen en kreeften, arrogant naar het begin van een rij wachtenden op een Coloba-bus, met hun scharlaken (of purperen) sari's brutaal tussen hun benen opgehesen, en een pijnlijke glans van oude nederlagen en onteigeningen in hun bolle en enigszins visachtige ogen. Een fort, en naderhand een stad, nam bezit van hun land; heiers stalen (vierpoten stalen nu eenmaal) stukken van hun zee. Maar er zijn nog altijd Arabische dhows, iedere avond, die hun zeilen tegen de ondergaande zon spreiden... in augustus 1947 stonden de Britten na een eind te hebben gemaakt aan de heerschappij van visnetten, kokosnoten, rijst, zelf op het punt te vertrekken; geen heerschappij duurt eeuwig.

En op 19 juni, twee weken na hun aankomst per posttrein, sloten mijn ouders een vreemde overeenkomst met zo'n vertrekkende Engelsman. Zijn naam was William Methwold.

De weg naar Methwolds Villapark (we gaan nu mijn koninkrijk binnen, en komen in het hart van mijn kindertijd; er is een kleine brok in mijn keel gekomen) buigt af van Warden Road tussen een bushalte en een rijtje winkels. Chimalkers Speelgoedwinkel; het Lezersparadijs; de Chimanbhoy Fatbhoy juwelierszaak; en bovenal, Bombelli de Banketbakker met zijn Marquis-gebak, zijn Eén Meter Chocolaatjes! Namen om mee te goochelen; maar daar is nu geen tijd voor. Langs de groetende kartonnen piccolo van de Band Box Wasserij, voert de weg ons naar huis. In die tijd was nog niet eens gedacht aan de roze wolkenkrabber van de vrouwen van Narlikar (afschuwelijke echo van Srinagars radiomast!); de weg liep omhoog over een laag heuveltje, niet hoger dan een gebouw van twee verdiepingen; hij beschreef een bocht en keek op zee uit, en neer op de Breach Candy Zwemclub, waar roze mensen konden zwemmen in een bad dat de vorm had van Brits-Indië zonder dat ze bang hoefden te zijn om tegen een zwarte huid aan te komen; en daar, nobel om een kleine rotonde heen gegroepeerd, stonden de paleizen van William Methwold, waaraan borden hingen die – dank zij mij – jaren later weer zouden opduiken, borden waarop maar twee woorden stonden; twee slechts maar ze lokten mijn onwetende ouders in Methwolds eigenaardige spelletje: TE KOOP.

Methwolds Villapark: vier identieke huizen gebouwd in een stijl die bij de oorspronkelijke bewoners ervan paste (huizen van overwinnaars! Romeinse landhuizen; drie verdiepingen hoge huizen van goden staande op een twee verdiepingen hoge Olympus, een Kailash die in de groei belemmerd was!) – grote, duurzame landhuizen met rode puntdaken en torentjes op iedere hoek, ivoorwitte hoektorens die puntmutsen van rode pannen droegen (torens geknipt om prinsessen in op te sluiten!) – huizen met veranda's, met verblijven voor personeel die via ijzeren wenteltrappen die aan de achterkant verborgen waren werden bereikt – huizen die hun eigenaar William Methwold majestueus naar de paleizen van Europa had genoemd: Villa Versailles, Villa Buckingham, Villa Escoriaal en Sans Souci. Bougainvillea kroop erover heen, goudvissen zwommen in lichtblauwe vijvers, cactussen groeiden in rotstuinen; kleine vergeet-mij-nietjes verdrongen zich onder tamarindes; er waren vlinders en rozen en rieten stoelen op de gazons. En op die dag midden juni verkocht de heer Methwold zijn lege paleizen voor een habbekrats – maar er waren voorwaarden. Dus nu stel ik hem zonder verdere plichtplegingen aan u voor, compleet met middenscheiding in zijn haar ... 'n één meter tachtig lange titaan, deze Methwold, zijn gezicht roze als rozen en de eeuwige jeugd. Hij had een kop met dik zwart gepommadeerd haar, met een scheiding in het midden. Wij zullen opnieuw komen te spreken over deze middenscheiding waarvan de lineaalrechte precisie Methwold onweerstaanbaar maakte voor vrouwen die een onweerstaanbare aandrang voelden om het in de war te maken... Methwolds haar, in het midden gescheiden, heeft een hoop te maken met mijn begin. Het was een van die scheidingen waarlangs de geschiedenis en de seksualiteit zich bewogen. Als koorddansers. (Maar ondanks alles ben zelfs ik, die hem nooit heeft gezien, nooit een blik heeft geworpen op languissante blikkerende tanden of onweerstaanbaar gekamd haar, niet in staat een grief jegens hem te koesteren.)

En zijn neus? Hoe zag die eruit? Opvallend? Ja, dat moet hij wel zijn geweest, de erfenis van een aristocratische Franse grootmoeder – uit Bergerac! – wier bloed blauw in zijn aderen vloeide en zijn hoffelijke charme verduisterde met iets wreders, een of andere zoete moorddadige nuance van absint.

Methwolds Villapark werd verkocht op twee voorwaarden: dat de huizen compleet werden gekocht met alles wat erin was, dat de hele inhoud door de nieuwe eigenaars zou worden behouden en dat de eigenlijke overdracht pas plaats zou vinden op 15 augustus te middernacht.

'Alles?' vroeg Amina Sinai. 'Kan ik niet eens een lepel weggooien? Allah, die lampekap... Kan ik niet één *kam* wegdoen?'

'Zoals de zaak reilt en zeilt,' zei Methwold. 'Dat zijn mijn voorwaarden. Een gril, meneer Sinai ... u gunt een vertrekkende koloniaal zijn kleine spelletje toch zeker wel? Er rest ons Britten niet veel anders meer dan onze spelletjes te spelen.'

'Luister nu, luister, Amina,' zegt Ahmed later. 'Wil je voor altijd in deze hotelkamer blijven zitten? Het is een fantastische prijs; fantastisch absoluut. En wat kan hij doen als de koopakten eenmaal zijn getekend? Dan kun je iedere lampekap eruit gooien die je maar wilt. Het duurt nog geen twee maanden...'

'Drinkt u een cocktail mee in de tuin?' zegt Methwold. 'Zes uur iedere avond. Cocktailuur. In geen twintig jaar ooit van afgeweken.'

'Maar mijn God, die verf... en de kasten zitten vol met ouwe kleren, janum ... we zullen uit koffers moeten leven, er is nergens plaats om ook maar één pak op te hangen.'

'Slechte zaak, meneer Sinai,' Methwold nipt te midden van cactussen en rozen aan zijn whisky. 'Nooit zoiets gezien. Honderden jaren behoorlijk bestuur, dan ineens, hup en wegwezen. U moet toegeven dat we niet allemaal slecht waren: uw wegen aangelegd. Scholen, treinen, parlementair stelsel, allemaal zaken die de moeite waard zijn. De Taj Mahal stond op instorten voordat een Engelsman de moeite nam om er iets aan te doen. En nu, plotseling, onafhankelijkheid. Zeventig dagen om te vertrekken. Ik ben er zelf faliekant tegen, maar wat kun je eraan doen?'

'...En kijk die vlekken op de tapijten eens, janum; moeten we twee maanden lang leven als die Britten? Heb je in de toiletten gekeken? Geen water in de pot. Ik heb het nooit willen geloven, maar het is waar, mijn God ze vegen hun achterste alleen maar met papier af!...'

'Vertel me eens, meneer Methwold,' Ahmed Sinais stem is veranderd, in de tegenwoordigheid van een Engelsman is het een afschuwelijke bespotting van een lijzig Oxfords accent geworden, 'waarom staat u op het uitstel? Een snelle verkoop is per slot van rekening de beste manier van zakendoen. Maak de zaak rond.'

'...En overal foto's van oude Engelse vrouwen, baba! Geen plaats om de foto van mijn eigen vader aan de muur te hangen!...'

'Het schijnt, meneer Sinai,' Methwold schenkt de glazen nog eens vol terwijl de zon achter het Breach Candy Zwembad naar de Arabische Zee duikt, 'dat achter dit stijve Engelse uiterlijk een geest huist met een zeer Indiase zin voor allegorie.'

'En zoveel drinken, janum ... dat is niet goed.'

'Ik weet niet zeker – meneer Methwold, eh – wat u precies bedoelt met...'

'...O, weet u: in zekere zin draag ik ook macht over. Heb een soort kriebel om het tegelijk met de raj te doen. Zoals ik zei: een spel. Geef me mijn zin, alstublieft, Sinai? Per slot van rekening: u hebt toegegeven dat de prijs niet slecht is.'

'Is ie niet goed bij z'n hoofd geworden, janum? Wat denk je: is het veilig om met hem in zee te gaan als ie geschift is?'

'Luister nu eens, vrouw,' zegt Ahmed Sinai, 'dit heeft lang genoeg geduurd. Mijnheer Methwold is een prima mens, iemand met goede manieren, een man van eer, ik wil niet dat zijn naam... En bovendien, de andere kopers maken niet zoveel drukte, daar ben ik zeker van... Hoe dan ook, ik heb ja gezegd, en daarmee basta.'

'Neem een cracker,' zegt meneer Methwold, en gaat met een schaal rond. 'Ga verder, meneer S., alstublieft. Ja, een vreemde zaak. Nooit iets dergelijks meegemaakt. Mijn oude huurders – oude India-specialisten, het hele stelsel – plotseling fini en weg. Geen stijl. Hadden genoeg van India gekregen. Van de ene dag op de andere. Raadselachtig voor een eenvoudige kerel als ik. Scheen alsof ze er niets mee te maken wilden hebben – wilden niets met zich meenemen. 'Laat maar gaan,' zeiden ze. Een nieuw begin thuis. Geen gebrek aan geld, geen van hen begrijpt u, maar toch. Vreemd. Laten mij met de gebakken peren zitten. Toen kreeg ik mijn idee.'

'...Ja, beslis maar, beslis,' zegt Amina temperamentvol. 'Ik zit hier als een zoutzak met een baby, wat gaat het mij aan? Ik moet in het huis van een vreemde wonen terwijl het kind groeit, dus wat?... O, wat je mij al niet laat doen...'

'Niet huilen,' zegt Ahmed nu, terwijl hij opgewonden door de hotelkamer heen en weer loopt. 'Het is een goed huis. Je weet dat je het huis mooi vindt. En twee maanden ... minder dan twee ... wat, schopt ie? Laat me eens voelen... Waar? Hier?'

'Daar,' zegt Amina, terwijl ze haar neus afveegt. 'Een behoorlijk stevige schop.'

'Mijn idee,' legt mijnheer Methwold uit, terwijl hij naar de ondergaande zon staart, 'is mijn eigen overmaking van activa te regelen. Alles achter te laten, ziet u? Geschikte mensen te vinden – zoals uzelf, meneer Sinai – alles volkomen intact over te dragen; in tiptop conditie. Kijk eens om u heen: alles verkeert in een uitstekende staat, vindt u niet? Piekfijn, zoals we vroeger zeiden. Of zoals u in 't Hindoestaans zegt: Sabkuch ticktock hai. Alles is prima in orde.'

'Aardige mensen kopen de huizen,' Ahmed biedt Amina zijn zakdoek aan, 'aardige nieuwe buren ... die meneer Homi Catrack in Villa Versailles, een Parsi, maar eigenaar van renpaarden. Maakt films en zo. En de Ibrahims in Sans Souci, Nussie Ibrahim verwacht ook een baby, jullie kunnen vriendinnen worden ... en de oude heer Ibrahim, met grote sisalfarms in Afrika. Goeie familie.'

'... En naderhand kan ik met het huis doen wat ik wil...?'

'Ja, naderhand, natuurlijk, dan is hij weg.'

'... Het is allemaal uitstekend geregeld,' zegt William Methwold. 'Wist u dat mijn voorvader de man was die op het idee is gekomen om deze hele stad te bouwen? Een soort Raffles van Bombay. Als zijn afstammeling, op dit kritieke ogenblik, voel ik de, ik weet het niet, behoefte mijn rol te spelen. Ja, uitstekend ... wanneer wilt u erin trekken? U hoeft het maar te zeggen, en ik neem mijn intrek in het Taj Hotel. Morgen? Uitstekend. Sabkuch ticktock hai.'

Dit waren de mensen te midden van wie ik mijn kinderjaren doorbracht: mijnheer Homi Catrack, filmmagnaat en eigenaar van renpaarden, met zijn zwakzinnige dochter Toxy die met haar kinderjuffrouw moest worden opgesloten, Bi-Appah, de angstwekkendste vrouw die ik ooit heb gekend; en de Ibrahims in Sans Souci, de oude heer Ibrahim Ibrahim met zijn sik en sisal, zijn zonen Ismail en Ishaq, en Ismails kleine zenuwachtige vrouw Nussie, die wij altijd Nussie-de-eend noemden vanwege haar waggelende loop, en in wier schoot mijn vriend Sonny groeide, zelfs nu, dichter en dichter bij zijn ongeluk met een verlostang komend... Villa Escoriaal was in flats verdeeld. Op de parterreverdieping woonde de familie Dubash, hij een natuurkundige die een kopstuk zou worden bij de atoomonderzoekbasis Trombay, zij een non-valeur onder wier nietszeggendheid een waar godsdienstig fanatisme schuilging – maar ik zal het daarbij laten, en alleen maar zeggen dat zij de ouders waren van Cyrus (die pas over een paar maanden zou worden verwekt), mijn eerste mentor, die meisjesrollen in toneelstukjes op school speelde en bekend stond als Cyrus-de-grote. Boven hen woonde mijn vaders vriend dr. Narlikar, die hier ook een flat had gekocht ... hij was even zwart als mijn moeder; had het vermogen om fel te glimmen wanneer hij opgewonden of hitsig werd; haatte kinderen, ook al bracht hij ons ter wereld; en zou, toen hij stierf, de horde vrouwen op de stad loslaten die alles mochten doen en die geen hindernis in de weg stond. En ten slotte, op de bovenste verdieping, woonden overste Sabarmati en Lila – Sabarmati die een van de hoogvliegers was bij de Marine, en zijn vrouw met haar dure smaak; hij had zijn geluk niet kunnen geloven toen hij zo goedkoop aan een huis voor haar was gekomen. Ze hadden twee zoons, van achttien maanden en van vier maanden, die langzaam en luidruchtig zouden opgroeien en de bijnamen Oogsnee en Haarolie zouden krijgen; en zij wisten niet (hoe kan het ook?) dat ik hun levens zou verwoesten... Deze mensen, die het middelpunt van mijn wereld zouden worden, uitgekozen door William Methwold, verhuisden naar het Villapark en verdroegen de vreemde nukken van de Engelsman – omdat de prijs, per slot van rekening, goed was.

...Er zijn nog dertig dagen te gaan voor de machtsoverdracht, en Lila Sabermati is aan de telefoon: 'Hoe hou je het uit, Nussie? In iedere kamer hier zitten pratende parkieten, en in de almirah's vind ik door de motten aangevreten jurken en gedragen bustehouders!' ...En Nussie vertelt Amina: 'Goudvissen, Allah, ik kan die beesten niet uitstaan, maar Methwold sahib komt zelf om ze te voeren... en er staan halflege potten Bovril die ik, zegt hij, niet mag weggooien... het is krankzinnig, Amina, zuster, wat doen we zo?'... En de oude heer Ibrahim weigert de plafondventilator in zijn slaapkamer aan te zetten, terwijl hij mompelt: 'Dat apparaat zal vallen – het zal mijn hoofd 's nachts afsnijden – hoe lang kan zoiets zwaars aan een plafond vast blijven zitten?' ... en Homi Catrack, die nogal ascetisch is aangelegd, is gedwongen op een grote zachte matras te liggen, hij lijdt aan pijn in de rug en de donkere wallen van inteelt onder zijn ogen worden omkranst door de kringen van slapeloosheid, en zijn drager zegt tegen hem: 'Geen wonder dat de buitenlandse sahibs allemaal zijn weggegaan, sahib, ze moeten snakken naar wat slaap.' Maar ze houden het allemaal vol, en er zijn niet alleen problemen maar ook voordelen. Luister naar Lila Sabarmati ('Die – te mooi om waar te zijn,' zei mijn moeder)... 'Een pianola, Amina, zuster! En hij doet het! De hele dag zit ik er God weet wat al niet op te spelen! "Ik hield van Blanke Handen Naast de Shalimar" ... geweldig leuk, te gek, je hoeft alleen maar op de pedalen te drukken!' ...En Ahmed Sinai vindt een cocktailkastje in Villa Buckingham (dat Methwolds eigen huis was voor het van ons werd); hij ontdekt de verrukkingen van voortreffelijke Schotse whisky en roept uit: 'Nou, en wat dan nog? Mijnheer Methwold is een beetje excentriek, dat is het enige – kunnen we hem niet terwille zijn? Kunnen wij met onze oude beschaving niet even beschaafd zijn als hij?' ... en hij drinkt zijn glas in één teug leeg. Voordelen en nadelen: 'Al die honden om voor te zorgen, Nussie, zuster,' klaagt Lila Sabarmati. 'Ik haat honden, voor honderd procent. En mijn kleine schattekat, ze is *sjo lief*, ik sjweer het, doodsbang!' ... En dokter Narliker, die gloeit van ergenis: 'Boven mijn bed! Foto's van kinderen, Sinai, broeder! Ik zeg je: dik! Rose! Drie! Is dat eerlijk?' ...Maar nu duurt het nog maar twintig dagen, het leven wordt weer normaal, de scherpe kantjes beginnen onduidelijk te worden, dus heeft geen van hen opgemerkt wat er gebeurt: het Villapark, Methwolds Villapark, verandert hen. Iedere avond om zes uur zitten ze buiten in hun tuinen en drinken cocktails, en wanneer William Methwold komt aanlopen, vervallen ze allemaal in hun namaak-Oxfordiaanse slijmerige manier van praten; en ze leren over plafondventilators en gasfornuizen en het juiste dieet voor parkieten, en Methwold, die toezicht houdt op hun transformatie, mompelt onhoorbaar. Luister zorgvuldig: wat zegt hij? Ja, dat is het. 'Sabkuch ticktock hai,' mompelt William Methwold. Alles is goed.

Toen de editie voor Bombay van de *Times of India*, op zoek naar een menselijke invalshoek voor de aanstaande onafhankelijkheidsfeesten aankondigde dat zij een prijs zou toekennen aan iedere moeder in Bombay die het zo kon inrichten dat ze precies op het ogenblik van de geboorte van een nieuwe natie een kind ter wereld bracht, was Amina Sinai, die net was ontwaakt uit een geheimzinnige droom over vliegenpapier, niet meer weg te slaan bij krantenpapier. Krantenpapier werd Ahmed Sinai onder de neus gedrukt, en Amina's vinger, die triomfantelijk naar de pagina wees, benadrukte de volmaakte zekerheid van haar stem.

'Zie je, janum?' kondigde Amina aan. 'Dat zal ik zijn.'

Voor hun ogen rees een visioen op van vette koppen die verklaarden 'Charmante Pose van Baby Sinai – het Kind van dit Glorieuze Uur!' – een visioen van eersteklas reuzegrote babykiekjes van topkwaliteit op de voorpagina, maar Ahmed begon tegen te spreken: 'Bedenk dat de kans klein is, begum,' tot ze haar mond in een klem van obstinaatheid zette en protesteerde: 'Niks geen gemaar; ik word het echt; ik weet het gewoon zeker. Vraag me niet hoe.'

En hoewel Ahmed de voorspelling van zijn vrouw bij wijze van borrelgrap tegenover William Methwold herhaalde, bleef Amina onwankelbaar, zelfs toen Methwold lachend zei: 'Vrouwelijke intuïtie – iets geweldigs, mevrouw S.! Maar werkelijk, u kunt nauwelijks van ons verwachten dat we ...' Zelfs onder de druk van de lichtgeraakte blik van haar buurvrouw Nussie-de-eend, die ook zwanger was, en eveneens de *Times of India* had gelezen, hield Amina voet bij stuk, omdat Ramrams voorspelling diep in haar hart was doorgedrongen.

Om de waarheid te zeggen, naarmate Amina's zwangerschap vorderde, had zij gemerkt dat de woorden van de waarzegger steeds zwaarder op haar schouders, haar hoofd, haar opzwellende ballon drukten, zodat ze, toen ze verstrikt raakte in een web van zorgen dat ze een kind met twee hoofden ter wereld zou brengen, op de een of andere manier aan de subtiele magie van Methwolds Villapark ontsnapte, en niet besmet werd door cocktailuurtjes, parkieten, pianola's en Engelse accenten... Aanvankelijk had haar zekerheid dat ze de prijs van de *Times* zou winnen iets dubbelzinnigs gehad, want ze had zichzelf ervan overtuigd dat als dit deel van de voorspelling van de waarzegger in vervulling zou gaan, dit het bewijs was dat de rest ervan even juist zou zijn, wat de betekenis ervan ook mocht zijn. Dus zei mijn moeder, niet bepaald op een toon van onvervalste trots en verwachting: 'Laat intuïtie erbuiten, meneer Methwold. Dit is gegarandeerd een feit.'

Voor zichzelf voegde ze eraan toe: 'En dit ook nog: ik zal een zoon krijgen. Maar hij zal een hoop zorg vereisen, of anders.'

Het komt me voor dat de bovennatuurlijke ideeën van Naseem Aziz, die diep in de aderen van mijn moeder stroomden, misschien dieper dan ze besefte, haar gedachten en gedrag waren gaan beïnvloeden – dezelfde bizarre ideeën die Eerwaarde Moeder ervan overtuigden dat vliegtuigen uitvindingen van de duivel waren, en dat camera's je ziel konden stelen, en dat geesten even duidelijk deel uitmaakten van de werkelijkheid als het Paradijs, en dat het niet minder dan een zonde was om bepaalde heilige oren tussen je duim en je wijsvinger beet te pakken, fluisterden nu in het zich donker aftekenende hoofd van haar dochter. 'Ook al zitten we midden in heel die Engelse rotzooi,' begon mijn moeder te denken, 'dit is toch India, en mensen als Ramram Seth weten wat ze weten.' Op die manier werd het scepticisme van haar geliefde vader vervangen door de goedgelovigheid van mijn grootmoeder, en tegelijkertijd werd de avontuurlijke vonk die Amina van dokter Aziz had geërfd gedoofd door een ander, maar even zwaar gewicht.

Tegen de tijd dat aan het einde van juni de regens kwamen, was de foetus in haar schoot volledig gevormd. Knieën en neus waren aanwezig, en even zovele hoofden als wilden groeien zaten al op hun plaats. Wat (aanvankelijk) niet groter was geweest dan een punt, was uitgegroeid tot een komma, een woord, een zin, een paragraaf, een hoofdstuk; nu barstte het uit in gecompliceerder ontwikkelingen en werd, zou men kunnen zeggen, een boek – misschien een encyclopedie – een complete taal zelfs ... hetgeen wil zeggen dat de bult midden in mijn moeder zo groot werd, en zo zwaar dat, terwijl Warden Road aan de voet van onze twee verdiepingen hoge heuvel onder vuilgeel regenwater kwam te staan, en gestrande bussen begonnen te roesten en kinderen in de vloeibare weg zwommen en kranten doorweekt onder de oppervlakte zonken, Amina in een cirkelvormige torenkamer op de eerste verdieping zat, nauwelijks in staat zich te bewegen onder het gewicht van haar loodzware ballon.

Eindeloze regen. Water dat naar binnen siepelde onder ramen waarin gebrandschilderde tulpen langs in lood gevatte ruitjes dansten. Handdoeken, tegen raamlijsten gepropt, zogen water in tot ze zwaar, verzadigd, nutteloos werden. De zee: grijs en log strekte zij zich uit naar de regenwolken aan de versmalde horizon. Regen die tegen mijn moeders oren roffelt, en bijdraagt tot de verwarring van de waarzegger en moederlijke goedgelovigheid en de ontwrichtende aanwezigheid van bezittingen van vreemden, die maken dat zij zich allerlei vreemde dingen in het hoofd haalt. Gevangen onder haar groeiende kind, stelde Amina zich voor dat ze een veroordeelde moordenares was in de tijd van de mogols, toen de dood door verplettering onder een rotsblok een gangbare straf was geweest ... en in de volgende jaren placht ze, telkens wanneer ze terugkeek op die tijd die het eind van de tijd was voor ze moeder werd, die tijd waarin het tiktak van aftelkalenders iedereen naar 15 augustus toe deed snellen, te zeggen: 'Van dat alles weet ik niets af. Voor mij was het alsof de tijd helemaal tot stilstand was gekomen. De baby in mijn buik zette de klokken stil. Daar ben ik zeker van. Lach niet: herinner je je de klokketoren aan het eind van de heuvel? Ik zeg je, na die moesson heeft ie nooit meer gelopen.'

...En Musa, de oude bediende van mijn vader, die het paar naar Bombay had vergezeld, ging weg om de andere bedienden te vertellen, in de keukens van de paleizen met rode dakpannen, in de bediendenverblijven achter Versailles en Escoriaal en Sans Souci: 'Het zal een tien-roepie baby worden, jawel, meneer. Een kanjer van een braam van tien spie, je zult het zien!' De bedienden waren blij, want een geboorte is iets moois en een gezonde grote baby is het beste begin van alles...

...En Amina, wier buik de klokken had stilgezet, zat onbeweeglijk in een kamer in een toren en zei tegen haar man: 'Leg je hand eens daar en voel hem ... nu, heb je het gevoeld? ... zo'n grote sterke jongen; ons kleine stukje-van-de-maan.'

Pas toen de regens ophielden en Amina zo zwaar werd dat twee mannelijke bedienden met hun handen een stoel moesten vormen om haar op te tillen, kwam Kleine Willy Winkie terug om in de circuspiste tussen de vier huizen te zingen, en pas toen besefte Amina dat ze niet één, maar twee ernstige rivalen had (twee voorzover ze wist) voor de prijs van de *Times of India*, en dat het, voorspelling of geen voorspelling, een uiterst spannende finish zou worden.

'Kleine Willie Winkie is mijn naam, zingen voor mijn brood is mijn faam!'

Ex-goochelaars en kijkkastmannen en zangers ... nog voor ik geboren werd stond de vorm vast. Artiesten zouden mijn leven orkestreren.

'Ik hoop dat u zich kom-voor-tabel voelt!... Of bent u voor de thee gekomen? O, grapje-grapje, dames en ladahs, laat me u nu zien lachen!'

Langdonkerknap, een clown met een harmonika, zo stond hij in de piste. In de tuinen van Villa Buckingham wandelde mijn vaders grote teen (met zijn negen collega's) naast en onder de middenscheiding van William Methwold ... op sandalen, bol, een teen die zich niet bewust was van zijn naderende doem. En Kleine Willie Winkie (wiens ware naam we nooit te weten kwamen), tapte moppen en zong. Van een veranda op de eerste verdieping keek Amina toe en luisterde, en voelde van de aangrenzende veranda de steek van de jaloerse concurrerende starende blik van Nussie-de-eend.

... Terwijl ik, aan mijn bureau, de steek van Padma's ongeduld voel. (Ik wou soms dat ik een opmerkzamer gehoor had, iemand die de noodzaak zou inzien van ritme, tempo, de subtiele introductie van mineur akkoorden die later luider zullen klinken, aanzwellen, de melodie in hun greep nemen, zou begrijpen; die, bijvoorbeeld, zou weten dat hoewel het gewicht van baby's en moessons de klok van de klokketoren in het Villapark tot zwijgen had gebracht, de vaste maat van Mountbattens tiktak er nog is, zacht, maar onverbiddelijk, en dat het slechts een kwestie van tijd is of die vervult onze oren met zijn metronomische, roffelende muziek.) Padma zegt: 'Ik wil nu niets over die Winkie horen; dagen en nachten heb ik gewacht en nog kom je niet aan je geboorte toe!' Maar ik raad geduld aan; alles op zijn eigen plaats, maan ik mijn mestlotus, omdat ook Winkie zijn doel en zijn plaats heeft, hier is hij nu de zwangere dames op hun veranda's aan het plagen, en houdt even op met zingen om te zeggen: 'U hebt van de prijs gehoord, dames? Ik ook. Mijn Vanita zal spoedig bevallen, heel gauw, misschien krijgt zij en niet u haar foto in de krant!' ... en Amina fronst het voorhoofd, en Methwold glimlacht (is het een geforceerde glimlach? Waarom?) onder zijn middenscheiding, en mijn vaders lip steekt oordeelkundig uit terwijl zijn grote teen wandelt en hij zegt: 'Dat is een brutale kerel; hij gaat te ver.' Maar nu wijst Methwold, met iets dat erg op verlegenheid lijkt – schuld zelfs! – Ahmed Sinai terecht: 'Onzin, beste kerel. De traditie van de nar, weet je. Hij mag provoceren en plagen. Belangrijke sociale uitlaatklep.' En mijn vader, schouderophalend: 'Hm.' Maar hij is een handige jongen, die Winkie, want hij gooit nu olie op de golven en zegt: 'Een geboorte is iets moois; twee geboorten zijn nog mooier dan eendje. Eentje, dames, een woordspeling, begrijpt u?' En een verandering van stemming wanneer hij een dramatisch idee, een overweldigende, beslissende gedachte introduceert: 'Dames en heren, hoe kunt u zich hier op uw gemak voelen, midden in mijnheer Methwold sahibs lange verleden? Ik zeg u: het moet vreemd zijn; niet echt; maar nu is het hier nog nieuw voor u, dames, ladahs, en een nieuwe woonplaats wordt pas echt wanneer er een geboorte heeft plaats gehad. De eerste geboorte zal maken dat u zich thuis voelt.' Waarna een liedje volgt: 'Daisy, Daisy...' En mijnheer Methwold zingt mee, maar toch is er iets donkers dat een smet op zijn voorhoofd werpt...

...En hier komt het: ja, het is schuld, want al is onze Winkie dan misschien handig en grappig, hij is niet handig genoeg, en nu is de tijd gekomen om het eerste geheim van de middenscheiding van William Methwold te onthullen, omdat die is neergedropen en zijn gezicht heeft bevlekt: eens, lang voor tiktak en reilzeilende verkopen, nodigde mijnheer Methwold Winkie en zijn Vanita uit om voor hem te komen zingen, privé, in wat nu de grote ontvangkamer van mijn ouders is; en na een tijdje zei hij: 'Luister eens Kleine Willie, doe me 'n lol, man: dit recept moet voor me worden klaargemaakt, vreselijke hoofdpijnen, breng het naar Kemp's Corner en vraag of de apotheker je de pillen meegeeft, de bedienden liggen allemaal in bed met verkoudheid.' Winkie, die een arme man was, zei Ja sahib meteen sahib en vertrok; en toen was Vanita alleen met de middenscheiding, en voelde dat die een aantrekkingskracht op haar vingers uitoefende die ze onmogelijk kon weerstaan, en terwijl Methwold onbeweeglijk in een rieten stoel zat, gekleed in een lichtgewicht crème kostuum met een roos in het knoopsgat, bleek ze hem steeds dichter te naderen, met uitgestrekte vingers, voelde dat vingers haar aanraakten, vond middenscheiding, en begon die in de war te maken.

Zodat nu, negen maanden later, Kleine Willie Winkie over de aanstaande baby van zijn vrouw grapte en er een smet op het voorhoofd van de Engelsman verscheen.

'Nou en?' zegt Padma. 'Wat kan mij die Winkie en zijn vrouw schelen over wie je me niet eens iets hebt verteld?'

Sommige mensen zijn nooit tevreden; maar Padma zal dat wel zijn, weldra.

En nu staat ze op het punt om nog gefrustreerder te raken; want, mij losrukkend in een lange klimmende spiraal van de gebeurtenissen in

Methwolds Villapark, weg van goudvissen en honden en babywedstrijden en middenscheidingen, weg van grote tenen en pannedaken – vlieg ik over de stad die fris en schoon is na de regens; Ahmed en Amina aan de liedjes van Kleine Willie Winkie overlatend, wiek ik naar het district van het Oude Fort, langs de Floridafontein, en kom bij een groot gebouw vervuld van flauw bombazijnen licht en de geur van slingerende wierookvaten ... want hier, in de Kathedraal van de Heilige Thomas, verneemt juffrouw Mary Pereira welke kleur God heeft.

'Blauw,' zei de jonge priester ernstig. 'Alle beschikbare bewijzen, mijn dochter, wijzen erop dat Onze Here Jezus Christus de allermooiste, doorschijnende kleur hemelsblauw was.'

De kleine vrouw achter het houten tralieraam van de biechtstoel zweeg een ogenblik. Een bekommerde, peinzende stilte. Dan: 'Maar hoezo, eerwaarde? Mensen zijn niet *blauw*. In de hele wijde wereld zijn geen blauwe mensen!'

Verbijstering van kleine vrouw, geëvenaard door verbijstering van de priester ... want dit is niet de manier waarop ze wordt verondersteld te reageren. De bisschop had gezegd: 'Problemen met nieuwe bekeerlingen ... wanneer ze naar kleur vragen zijn ze dat bijna altijd ... belangrijk om bruggen te slaan, mijn zoon. Bedenk,' aldus sprak de bisschop, 'God is liefde; en de Hindoegod van de liefde, Krishna, wordt altijd afgebeeld met een blauwe huid. Zeg maar blauw tegen hen; het zal een soort brug tussen de godsdiensten zijn; kalm aan dan breekt het lijntje niet, weet je; en bovendien is blauw een neutraal soort kleur, omzeilt de gebruikelijke kleurproblemen, zo ontkom je aan zwart en wit: ja, in het algemeen ben ik er zeker van dat je die het beste kunt kiezen.' Zelfs bisschoppen kunnen het mis hebben, denkt de jonge priester, maar ondertussen zit hij in de nesten, want de kleine vrouw raakt duidelijk van streek, is begonnen een ernstige vermaning door het houten traliewerk te geven: 'Wat voor antwoord is blauw, eerwaarde, hoe kan iemand zoiets geloven? U hoort aan de Heilige Vader Paus in Rome te schrijven, hij zal u zeker uit de droom helpen; maar je hoeft geen paus te zijn om te weten dat de mens nooit blauw is!' De jonge priester sluit de ogen; haalt diep adem; gaat tot de tegenaanval over. 'Huiden zijn weleens blauw geverfd,' stamelt hij. 'De Picten, de blauwe Arabische nomaden; met behulp van onderwijs, mijn dochter, zou je inzien...' Maar nu weergalmt een hevig gesnuif in de biechtstoel. 'Wat, eerwaarde? U vergelijkt Onze Lieve Heer met wildemannen uit de *junglie*? O, Heer, ik moet mijn oren van schaamte vasthouden!' ... En er is meer, veel meer, terwijl de jonge priester wiens maag plotseling helse pijn doet de ingeving krijgt dat er iets belangrijks achter deze blauwe bedoening schuilt, en stelt de vraag; waarop de tirade plaats maakt voor tranen, en de jonge priester paniekerig zegt: 'Kom, kom, de Goddelijke Uitstraling van Onze Lieve Heer is toch niet alleen maar een kwestie van pigment?'... En een stem door het opkomende zoute water: 'Ja, eerwaarde, u bent per slot van rekening niet zo slecht; dat heb ik hem ook gezegd, precies hetzelfde, maar hij zei een heleboel lelijke woorden en wilde niet luisteren...' Dus daar is het, *hem* is in het verhaal opgedoken, en nu rolt het er allemaal uit, en juffrouw Mary Pereira, de kleine maagdelijke verontruste, biecht iets op dat ons een beslissende aanwijzing over haar beweegredenen geeft wanneer zij, op de avond van mijn geboorte, de laatste en belangrijkste bijdrage aan de hele geschiedenis van het India uit de twintigste eeuw leverde, van de tijd waarop mijn grootvader zijn neus stootte tot de tijd van mijn volwassenheid.

Mary Pereira's biecht: als iedere Maria had zij haar Joseph. Joseph D'Costa, een ziekenbroeder in de kliniek aan Pedder Road, Dokter Narlikars Kraamkliniek geheten. ('Oho!' Padma ziet eindelijk een verband), waar zij als vroedvrouw werkte. In het begin was alles erg goed gegaan; hij had haar meegenomen voor kopjes thee of lassie of falooda en lieve dingen tegen haar gezegd. Hij had ogen als asfaltboren, hard en vol rattattat, maar hij sprak zacht en mooi. Mary, klein, gezet, maagdelijk, had zijn attenties heerlijk gevonden, maar nu was alles veranderd.

'Plotseling plotseling snuift hij almaar de lucht op. Op een rare manier, de neus in de hoogte. Ik vraag: "Ben je soms verkouden, Joe?" Maar hij zegt nee; nee, zegt hij, hij snuift de wind uit het noorden op. Maar ik zeg hem, Joe in Bombay waait de wind uit zee, uit het westen, Joe...' Met broze stem beschrijft Mary Pereira de daaropvolgende woede van Joseph D'Costa, die haar zei: 'Je weet van niks niet, Mary, de lucht komt uit het noorden, en hij is van sterven vervuld. De onafhankelijkheid is alleen voor de rijken; de armen worden gedwongen elkaar als vliegen af te maken. In de Punjaab, in Bengalen. Relletjes relletjes, armen tegen armen. Het zit in de wind.'

En Mary: 'Je praat als een idioot, Joe, waarom maak je je zorgen over zulke erge dingen. We kunnen toch rustig leven, niet?'

'Het maakt niets uit, je weet helemaal niks.'

'Maar Joseph, zelfs als het waar is van dat moorden, het zijn toch maar Hindoes en Moslems, waarom goeie Christelijke mensen in hun gevecht verwikkeld laten raken? Die lui hebben elkaar al eeuwig en altijd afgemaakt.'

'Jij en je Christus. Ik kan je maar niet aan je verstand brengen dat dat de godsdienst van de blanke mensen is? Laat blanke goden aan blanke mensen. Op dit ogenblik sterven onze eigen mensen. We moeten terugvechten; de mensen laten zien tegen wie ze moeten vechten in plaats van tegen elkaar, begrijp je?'

En Mary: 'Daarom heb ik naar de kleur gevraagd, eerwaarde ... en ik heb het tegen Joseph gezegd, ik heb hem gezegd en nog eens gezegd, vechten is slecht, laat die wilde ideeën varen; maar dan praat hij niet meer met me, en begint rond te hangen met gevaarlijke types, en er beginnen geruchten over hem de ronde te doen, eerwaarde, dat ie stenen naar grote auto's gooit blijkbaar, en ook brandende flessen, hij is gek aan het worden, eerwaarde, ze zeggen dat hij meehelpt bussen in brand te steken en trams op te blazen, en ik weet niet wat. Wat moet ik doen, eerwaarde, ik heb het allemaal aan mijn zuster verteld. Mijn zuster Alice, werkelijk een braaf meisje, eerwaarde. Ik zei: "Die Joe, hij woont vlakbij een slachthuis, misschien is dat de lucht die in zijn neus is gekomen en hem helemaal in de war heeft gemaakt." Dus is Alice hem gaan opzoeken: "Ik zal het woord voor je doen," zegt ze, maar dan, O God, wat is er aan de hand met de wereld... Ik zeg u eerlijk, eerwaarde... O, baba...' En haar woorden verdrinken in tranen, haar geheimen lekken zilt uit haar ogen, want Alice was teruggekomen om te zeggen dat het naar haar mening Mary's schuld was omdat ze Joseph had getreiterd tot hij niets meer van haar wilde weten, in plaats van hem te steunen in zijn vaderlandslievende zaak om het volk wakker te schudden. Alice was jonger dan Mary en mooier; en daarna waren er nog meer geruchten, verhalen over Alice-en-Joseph, en Mary was ten einde raad.

'Die,' zei Mary, 'wat weet zij van die politiek-politiek? Alleen om mijn Joseph in haar klauwen te krijgen herhaalt ze alle onzin die hij uitkraamt, als een stomme mynah-vogel. Ik zweer, eerwaarde...'

'Voorzichtig, dochter. Je bent bijna godslasterlijk.'

'Nee, eerwaarde, ik zweer bij God, ik weet niet wat ik niet zal doen om die man terug te krijgen. Ja, ondanks ... hindert niet wat hij ... ai-o-ai-ooo!'

Zout water maakt de vloer van de biechtstoel nat ... en staat de jonge priester nu voor een nieuw dilemma? Is hij, ondanks de pijnigingen van een maag die in de war is, op een onzichtbare weegschaal de heiligheid van de biechtstoel aan het afwegen tegen het gevaar voor de beschaafde maatschappij van een man als Joseph D'Costa? Zal hij Mary werkelijk om het adres van haar Joseph vragen, en dan onthullen... Kortom, zou deze door de bisschop beheerste jonge priester met zijn opstandige maag zich wel of niet hebben gedragen als Montgomery Clift in *I Confess*? (Toen ik die film een paar jaar geleden in de New-Empire-bioscoop zag, kon ik niet beslissen.) – Maar nee, nogmaals, ik moet mijn ongegronde verdenkingen onderdrukken.

Wat er met Joseph gebeurde, zou waarschijnlijk in elk geval zijn gebeurd. En naar alle waarschijnlijkheid is de enige betekenis die de jonge priester voor mijn verhaal heeft dat hij de eerste buitenstaander was die over Joseph D'Costa's felle haat jegens de rijken te horen kreeg, en van Mary Pereira's wanhopige verdriet.

Morgen ga ik een bad nemen en me scheren; ik zal een gloednieuwe kurta aantrekken, glanzend en gesteven, en een bijpassende pyjama. Ik zal pantoffels met lovertjes aantrekken, mijn haar zal keurig geborsteld zijn (hoewel niet met een scheiding in het midden), mijn tanden glinsteren ... in één zin Ik zal er op mijn best uitzien. ('Goddank' van de pruilende Padma.)

Morgen zal er ten slotte een eind komen aan de verhalen die ik (omdat ik niet bij hun ontstaan aanwezig ben geweest) uit de warrelende nissen van mijn geest heb moeten sleuren; want de metronoom muziek van Mountbattens aftelkalender kan niet langer worden genegeerd. In Methwolds Villapark tikt de oude Musa nog steeds als een tijdbom; maar hij is niet te horen omdat er nu een ander geluid aanzwelt; oorverdovend, aanhoudend; het geluid van seconden die voorbijgaan, van een naderende, onvermijdelijke middernacht.

Padma kan het horen: er gaat niets boven een aftelprocedure om de spanning op te bouwen. Ik heb vandaag naar mijn mestbloem gekeken toen ze aan het werk was, als een wervelwind in ketels roerend, alsof dat de tijd sneller voorbij zou doen gaan. (En misschien deed het dat wel; naar mijn ervaring is de tijd even variabel en onbestendig als Bombay's elektriciteitsvoorziening. U hoeft alleen maar de sprekende klok te bellen als u me niet gelooft – omdat die op elektriciteit loopt zit ie er gewoonlijk een paar uur naast. Tenzij wij degenen zijn die ernaast zitten ... van mensen wier woord voor 'gisteren' hetzelfde is als hun woord voor 'morgen' kan niet gezegd worden dat ze een vaste greep op de tijd hebben.)

Maar vandaag hoort Padma Mountbattens tiktak ... omdat hij van Engels fabrikaat is tikt hij met meedogenloze precisie. En nu is de fabriek leeg. Er hangen nog dampen, maar de ketels liggen stil; en ik heb woord gehouden. Piekfijn gekleed begroet ik Padma terwijl ze naar mijn bureau snelt, op de grond naast me neerploft, beveelt: 'Begin.' Ik glimlach haar even tevreden toe; voel de kinderen van middernacht in mijn hoofd in de rij gaan staan, duwend en dringend als visvrouwen uit Koli; ik zeg ze dat ze moeten wachten, het zal nu niet lang meer duren; ik schraap m'n keel, schud even met mijn pen; en begin.

Tweeëndertig jaar voor de machtsoverdracht stootte mijn grootvader zijn neus tegen Kasjmiri aarde. Er waren robijnen en diamanten. Er was het ijs van de toekomst, dat onder het vlies van het water wachtte. Er was een gelofte: niet te buigen voor God of mens. De gelofte schiep een gat, dat tijdelijk zou worden opgevuld door een vrouw achter een geperforeerd laken. Een vletterman die eens had voorspeld dat er dynastieën in mijn grootvaders neus huisden, voer hem nijdig over het meer. Er waren blinde landeigenaars en vrouwelijke worstelaars. En er was een laken in een somber vertrek. Op die dag begon mijn erfenis zich te vormen – het blauw van de hemel van Kasjmir dat in mijn grootvaders ogen droppelde: de lange lijdensweg van mijn overgrootmoeder die de verdraagzaamheid van mijn eigen moeder en de late onbuigzaamheid van Naseem Aziz zou worden; de gave van mijn overgrootvader om met vogels te praten die via kronkelige bloedlijnen in de aderen van mijn zuster de Brutale Aap zou overgaan; het conflict tussen grootvaderlijk scepticisme en grootmoederlijke goedgelovigheid; en bovenal de spookachtige essentie van dat laken met een gat, dat mijn moeder ertoe veroordeelde in segmenten van een man te leren houden, en dat mij veroordeelde ook mijn eigen leven – de betekenissen, de structuren ervan – in fragmenten te leren zien; zodat het, tegen de tijd dat ik het begreep, veel te laat was.

Jaren tikken weg – en mijn erfenis groeit, want nu heb ik de mythische gouden tanden van de vletterman Tai, en zijn cognacfles die mijn vaders alcoholische djinns voorspelde; ik heb Ilse Lubin voor zelfmoord en ingemaakte slangen voor viriliteit; en heb Tai-voor-onveranderlijkheid tegenover Aadam-voor-vooruitgang; en ook heb ik de geuren van de ongewassen vletterman die mijn grootouders naar het zuiden verdreven, en Bombay mogelijk maakte.

... En nu, gedreven door Padma en tiktak, ga ik verder en krijg Mahatma Gandhi en zijn hartal, ik neem duim-en-wijsvinger tot me, ik slik het ogenblik in waarop Aadam Aziz niet wist of hij een Kasjmiri of Indiër was; nu drink ik mercurochroom en vlekken in de vorm van handen die zich herhalen in gemorst betelsap, en ik werk Dyer naar binnen met snor en al; mijn grootvader wordt gered door zijn neus en een kneuzing verschijnt op zijn borst, die nooit zal vervagen, zodat hij en ik in zijn onophoudelijk kloppen het antwoord op de vraag vinden: Indiër of Kasjmiri? Bevlekt door de kneuzing van de knip aan een valies uit Heidelberg verbinden wij ons lot met India; maar de vreemdheid van blauwe ogen blijft. Tai sterft, maar zijn magie hangt nog boven ons, en maakt ons tot bijzondere mannen.

... Verder razend, houd ik even op om het spel raak-de-kwispedoor op te pakken. Vijf jaar voor de geboorte van een natie, groeit mijn erfenis, en zal een optimisme ziekte bevatten die in mijn eigen tijd opnieuw zou oplaaien en scheuren in de aarde die zullen-worden-zijn herboren in mijn huid, en de ex-goochelaar Kolibrie die de eerste was van een lange opeenvolging van straatartiesten die evenwijdig heeft gelopen aan mijn leven, en de wratten van mijn grootmoeder als heksentepels en afkeer van foto's en hoenoemjehet, en oorlogen gevoerd met honger en stilte, en de wijsheid van mijn tante Alia die in oudevrijsterschap en bitterheid verkeerde, en ten slotte in dodelijke wraak uitbarstte, en de liefde van Emerald en Zulfikar die mij in staat zou stellen een revolutie te beginnen, en sikkelvormige messen, fatale manen weerkaatst door mijn moeders koosnaam voor mij, haar onschuldige chand-ka-tukra, haar tedere stuk-van-de ... nu groter wordend, in het vruchtwater van het verleden drijvend, voed ik mij met een geneurie dat hogerhoger steeg tot de honden te hulp kwamen, aan een ontsnapping in een korenveld en een redding door Rashid de riksja-wallah met zijn Gai-Wallah-potsen terwijl hij geluidloos schreeuwend rende – IN

VOLLE VAART – terwijl hij de geheimen onthulde van sloten van Indiase makelij en Nadir Khan naar een toilet bracht waar een waskist stond; ja ik word met de seconde zwaarder, mij vetmestend met waskisten en de liefde onder-het-tapijt van Mumtaz en de rijmloze bard, opbollend terwijl ik Zulfikars droom inslik van een bad naast zijn bed en een ondergrondse Taj Mahal en een zilveren kwispedoor bezet met lapis lazuli; een huwelijk valt uiteen en voedt mij; een tante rent verraderlijk door de straten van Agra, zonder haar eer, en ook dat voedt mij; en nu zijn valse starts voorbij, en Amina is niet langer Mumtaz, en Ahmed Sinai is, in zekere zin, niet alleen haar man maar ook haar vader geworden ... mijn erfenis bevat deze gave, de gave om telkens wanneer dat nodig is nieuwe ouders voor mezelf te verzinnen. Het vermogen om vaders en moeders ter wereld te brengen: die Ahmed wilde hebben, maar nooit bezat.

Door mijn navelstreng, neem ik zwartrijders en de gevaren van het kopen van waaiers van pauweveren op. Amina's toewijding siepelt in mij, en onheilspellender dingen – klepperende voetstappen, de noodzaak van mijn moeder om om geld te vragen tot het servet in de schoot van mijn vader begon te trillen en een kleine tent te maken – en de gecremeerde as van Arjuna Indiabikes, en een kijkkastspul waarin Lifafa Das alles ter wereld probeerde te stoppen, en schurken die wandaden bedreven; veelkoppige monsters zwellen in mij – gemaskerde Ravana's, acht jaar oude meisjes die lispen en één doorlopende wenkbrauw hebben, menigten die Verkrachter schreeuwen. Openbare bekendmakingen voeden mij terwijl ik naar mijn tijd toegroei, en er zijn nog maar zeven maanden te gaan.

Hoeveel dingen mensen ideeën brengen wij met ons mee op de wereld, hoeveel mogelijkheden en ook beperkingen van dit alles waren de ouders van het kind dat die middernacht geboren werd, en voor elk van de middernachtskinderen waren er nog even zoveel meer. Onder de ouders van middernacht: de mislukking van het plan van de Regeringsmissie; de vastberadenheid van M.A. Jinnah, die stervende was en Pakistan tijdens zijn leven wilde zien ontstaan, en alles zou hebben gedaan om dit te waarborgen – diezelfde Jinnah die mijn vader, als gewoonlijk een afslag missend, weigerde te ontmoeten; en Mountbatten met zijn buitengewone haast en zijn kippeborst-etende vrouw; en nog meer – het Rode Fort en het Oude Fort, apen en aasgieren die handen laten vallen, en blanke travestieten, en bottenzetters en mongoestrainers en Shri Ramram Seth die te veel voorspelde. En de droom van mijn vader om de koran opnieuw in te delen had zijn plaats; en het afbranden van het pakhuis dat iemand in onroerend goed en niet leerdoek van hem maakte; en het deel van Ahmed waar Amina niet van kon houden. Om een enkel leven te begrijpen, moet je de hele wereld opslokken. Dat heb ik u verteld.

En vissers, en Catharina van Braganza, en Mumbadevi kokosnoten rijst; Sivaji's standbeeld en Methwolds Villapark; een zwembad in de vorm van Brits-Indië en een twee verdiepingen hoog heuveltje; een scheiding in het midden en een neus uit Bergerac; een niet werkende klokkentoren en een kleine circuspiste; de hang van een Engelsman naar een Indiase allegorie en de verleiding van de vrouw van een harmonikaspeler. Parkieten, plafondventilators, de *Times of India* maken alle deel uit van de bagage die ik op de wereld heb gebracht... verwondert het u dan dat ik een zwaar kind was? De blauwe Jezus lekte in mij; en Mary's wanhoop en Josephs revolutionaire bandeloosheid, en de wispelturigheid van Alice Pereira ... dat alles heeft mij ook gemaakt.

Als ik een beetje bizar lijk, herinner u dan de wilde overdaad van mijn erfenis... misschien dat je je grotesk moet maken als je een individu te midden van de krioelende massa's wilt blijven.

'Eindelijk,' zegt Padma met voldoening, 'heb je geleerd hoe je de dingen werkelijk vlug moet vertellen.'

13 augustus 1947: misnoegen in de hemel. Jupiter, Saturnus en Venus verkeren in een ruzieachtige stemming; bovendien bewegen de drie gedwarsboomde sterren zich in het ongunstigste huis van allemaal. Astrologen uit Benarsi noemen het angstig: 'Karamstan! Ze gaan Karamstan binnen!'

Terwijl astrologen heftig bij de bazen van de Congrespartij protesteren, gaat mijn moeder liggen om haar middagdutje te doen. Terwijl graaf Mountbatten betreurt dat zijn Generale Staf niet genoeg geschoolde astrologen heeft, strelen de langzaam wiekende schaduwen van een plafondventilator Amina in slaap. Terwijl M.A. Jinnah, in de veilige wetenschap dat zijn Pakistan over precies elf uur zal worden geboren, een volle dag voor het onafhankelijke India, waarvoor het nog vijfendertig uur zal duren, de spot drijft met de protesten van de horos-kooplieden, geamuseerd het hoofd schuddend, beweegt ook Amina's hoofd van de ene kant naar de andere.

Maar zij slaapt. En in deze tijd van haar zwerfkei-achtige zwangerschap, plaagt een raadselachtige droom over vliegenpapier haar uren van slaap... waarin ze nu rondzwerft, als tevoren, in een kristallen bol gevuld met bungelende stroken kleverig bruin materiaal, die in haar kleren blijven plakken en die stukscheuren, terwijl ze door het ondoordringbare papierachtige bos strompelt; en nu worstelt zij, trekt aan het papier, maar het grijpt naar haar, tot ze naakt is, terwijl de baby in haar schopt, èn lange tentakels van vliegenpapier stromen naar voren om haar aan haar golvende schoot vast te grijpen, papier kleeft zich aan haar haren neus tanden borsten dijen, en als ze haar mond opent om te schreeuwen vat een bruine plakkerige prop over haar zich openende lippen...

'Amina, begum,' zegt Musa. 'Word wakker. Boze droom, begum sahiba.'

Incidenten van die laatste paar uur – de laatste droesem van mijn erfenis: toen er nog vijfendertig uur te gaan waren, droomde mijn moeder dat ze als een vlieg tegen bruin papier aan zat geplakt en op het cocktailuur (nog dertig uur te gaan) bezocht William Methwold mijn vader in de tuin van Villa Buckingham. Terwijl middenscheiding naast en boven grote teen wandelde, haalde mijnheer Methwold herinneringen op. Verhalen over de eerste Methwold, die de stad in leven had gedroomd, vervulden de avondlucht in die op een na laatste zonsondergang. En mijn vader – Oxfordiaans lijzige toon naäpend, erop uit om indruk te maken op de vertrekkende Engelsman – antwoordde met: 'Eigenlijk, beste kerel, is onze familie ook vrij voornaam.' Methwold luistert: het hoofd schuin, rode roos in crèmekleurige lapel, breedgerande hoed die haar met scheiding verbergt, een verholen zweem van geamuseerdheid in zijn ogen... Ahmed Sinai, gesmeerd door whisky, voortgedreven door eigendunk, loopt warm voor zijn onderwerp. 'Mogolbloed eigenlijk.' Waarop Methwold: 'Nee toch! Werkelijk? Je houdt me voor de gek.' En Ahmed, die niet meer terug kan, is genoodzaakt door te gaan. 'Buitenechtelijk, natuurlijk, maar ongetwijfeld mogol.'

Op die manier demonstreert mijn vader, dertig uur voor mijn geboorte, dat ook hij naar fictieve voorouders verlangde ... hoe hij ertoe kwam een familiestamboom te bedenken die, in later jaren, toen whisky (de scherpte van) zijn geheugen had verdoezeld, en djinnflessen hem kwamen verwarren, alle sporen van de werkelijkheid zouden uitwissen ... en hoe hij, om zijn bewering erin te hameren, het idee van de familievloek in onze levens introduceerde.

'O ja,' zei mijn vader, terwijl Methwold een ernstig hoofd zonder ook maar een lachje schuinhield, 'vele oude families bezaten dergelijke vloeken. Bij ons geslacht gaat die van oudste zoon op oudste zoon over – alleen op schrift, want als je hem uitspreekt, wordt zijn macht al ontketend, weet u.' Nu Methwold: 'Verbazingwekkend! En u kent de woorden?' Mijn vader knikt, lip uitstekend, teen stil terwijl hij zich om het te benadrukken op het voorhoofd tikt. 'Allemaal hier binnenin; allemaal onthouden. Zijn niet gebruikt sinds een voorvader met keizer Babar twistte en de vloek over diens zoon Humayun bracht ... vreselijk verhaal dat – iedere schooljongen kent het.'

En de tijd zou aanbreken dat mijn vader, in de greep van zijn volledige terugtocht uit de realiteit, zich in een blauwe kamer opsloot om te proberen zich een vloek te herinneren die hij op een avond in de tuin van zijn huis had verzonnen terwijl hij naast de afstammeling van William Methwold op zijn voorhoofd stond te tikken.

Nu opgezadeld met dromen over vliegenpapier en denkbeeldige voorouders, ben ik nog ruim een dag van mijn geboorte verwijderd... maar doet zich het meedogenloze tiktak weer gelden: nog negenentwintig uur, achtentwintig, zevenentwintig...

Welke andere dromen werden er die laatste nacht gedroomd? Was het toen – ja, waarom niet – dat dokter Narlikar, die niets afwist van het drama dat op het punt stond zich in zijn Kraamkliniek af te spelen, voor het eerst van vierpoten droomde? Was het op die laatste avond – terwijl Pakistan ten noorden en westen van Bombay werd geboren – dat mijn oom Hanif, die (evenals zijn zuster) naar Bombay was gekomen, en die verliefd was geworden op een actrice, de goddelijke Pia ('Haar gezicht is haar fortuin', schreef de *Illustrated Weekly* eens), zich voor het eerst de filmische kunstgreep voorstelde die hem weldra de eerste van zijn drie succesfilms zou opleveren?... Het lijkt waarschijnlijk; mythen, nachtmerries, fantasieën in de lucht. Maar dit is zeker: op die laatste avond werd mijn grootvader, Aadam Aziz, alleen nu in het grote oude huis aan Cornwallis Road – met uitzondering van een vrouw wier wilskracht scheen toe te nemen naarmate Aziz door ouderdom werd vermalen, en een dochter, Alia, wier verbitterde maagdelijkheid zou voortduren tot een bom haar meer dan achttien jaar later in tweeën zou splijten – plotseling gevangen door grote metalen hoepels van nostalgie, en lag wakker terwijl ze zwaar op zijn borst drukten; tot hij ten slotte, om vijf uur op de ochtend van 14 augustus – nog negentien uur – door een onzichtbare kracht uit bed werd geduwd en naar een oude tinnen koffer werd getrokken. Toen hij die opende vond hij: oude exemplaren van Duitse tijdschriften. Lenins *Wat te doen?*; een opgevouwen bidkleedje; en eindelijk datgene wat hij met een onweerstaanbare aandrang nog eens had willen zien – wit en opgevouwen en vaag glanzend in de dageraad – haalde mijn grootvader uit de tinnen koffer van zijn verleden een bevlekt en geperforeerd laken, en ontdekte dat het gat groter was geworden; dat er andere, kleinere gaten in de stof rondom zaten; en in de greep van een onbeheerste nostalgische woede schudde hij zijn vrouw wakker en ontstelde haar door te gillen, terwijl hij met haar geschiedenis onder haar neus zwaaide.

'Door de motten aangevreten! Kijk, begum: door de motten aangevreten! Je bent vergeten er motteballen in te doen!'

Maar nu laat het aftellen zich niet loochenen ... achttien uur; zeventien; zestien ... en in Dokter Narlikars Kraamkliniek kan men de kreten van een vrouw in barensweeën al horen. Kleine Willie Winkie is er; en zijn vrouw Vanita; zij heeft nu al acht uur lang weeën zonder dat er iets is gekomen. De eerste pijnscheuten troffen haar net toen, honderden kilometers ver weg, M.A. Jinnah aankondigde dat er om middernacht een moslemnatie was geboren ... maar zij wriggelt nog op een bed op de 'kosteloze zaal'(gereserveerd voor de baby's van de armen) ... haar ogen puilen halverwege uit haar hoofd; haar lichaam glinstert van het zweet, maar er is nog geen teken dat de baby op komst is, en evenmin is de vader aanwezig; het is acht uur in de ochtend, maar het is nog altijd mogelijk dat, gezien de omstandigheden, de baby wachtte op middernacht.

Geruchten in de stad: 'Het standbeeld heeft gisteravond gegaloppeerd!'... 'en de sterren staan ongunstig!' ...Maar ondanks deze slechte voortekenen was de stad rustig, terwijl een nieuwe mythe in haar ogen schitterde. Augustus in Bombay: een maand van feesten, de maand van Krishna's geboorte en Kokosnootdag; en dit jaar – met nog veertien uur te gaan, dertien, twaalf – stond er een extra feest op de kalender, een nieuwe mythe om te vieren, omdat een natie die niet eerder had bestaan op het punt stond haar vrijheid te verkrijgen, ons een wereld in lancerend die, hoewel die een geschiedenis van vijfduizend jaar had, hoewel die het schaakspel had uitgevonden en handel had gedreven in Egypte, niettemin helemaal denkbeeldig was; een mythisch land in dat nooit anders zou bestaan dan door de inspanningen van een fenomenale collectieve wil – dan in een droom die we allen hadden afgesproken te dromen; het was een massafantasie die in verschillende mate werd gedeeld door Bengali en Punjabi, Madrasi en Jat, en periodiek de heiliging en vernieuwing nodig zou hebben die alleen door bloedrituelen kunnen worden verschaft. India de nieuwe mythe – een collectieve fictie waarin alles mogelijk was, een fabel die alleen werd geëvenaard door de twee andere machtige fantasieën: geld en God.

Ik ben, in mijn tijd, het levende bewijs geweest van de fabuleuze aard van die collectieve droom; maar voor het ogenblik zal ik me afwenden van deze gegeneraliseerde macrocosmische ideeën om me te concentreren op een meer particulier ritueel; ik zal niet het massale bloedvergieten beschrijven dat aan de gang was aan de grenzen van de verdeelde Punjaab (waar de gedeelde naties zich in elkaars bloed wassen, en een zekere majoor Zulfikar met een jan-klaassengezicht huizen van vluchtelingen tegen belachelijk lage prijzen koopt en daarmee de grondslag legt voor een fortuin dat dat van de Nizam van Haiderabad zal evenaren); ik zal mijn ogen afwenden van het geweld in Bengalen en de lange vredestichtende wandeling van Mahatma Ghandi. Egoïstisch? Bekrompen? Welnu, misschien; maar vergeeflijk, naar mijn mening. Per slot van rekening word je niet iedere dag geboren.

Nog twaalf uur. Amina Sinai, wakker geworden uit haar nachtmerrie over vliegenpapier, zal pas weer slapen nadat ...haar hoofd is vervuld van Ramram Seth, zij is op drift op een woelige zee waar golven van opwinding afgewisseld worden met diepe, duizelingwekkende, waterachtige dalen van angst. Maar er is ook nog iets anders aan de gang. Kijk naar haar handen – terwijl ze zich, zonder enige bewuste instructies, omlaag drukken, hard, op haar schoot; zie haar lippen, die zonder dat zij het weet mompelen: 'Schiet op, slome duikelaar, je wilt toch niet te laat komen voor de kranten!'

Nog acht uur ... om vier uur die middag rijdt William Methwold in zijn zwarte Rover model 1946 de twee verdiepingen hoge heuvel op. Hij parkeert in de circuspiste tussen de vier nobele villa's, maar vandaag bezoekt hij noch de goudvissenvijver noch de cactustuin; hij groet Lila Sabarmati niet met zijn gebruikelijke: 'Hoe gaat het met de pianola? Alles kits?' – en evenmin groet hij de oude baas Ibrahim die in de schaduw van een parterreveranda in een schommelstoel zit te schommelen en aan sisal denkt; zonder naar Catrack of Sinai te kijken, posteert hij zich pal in het midden van de circuspiste. Met een roos in de lapel, crèmekleurige hoed stijfjes tegen de borst gedrukt, de scheiding glanzend in de middagzon, staart William Methwold recht voor zich uit, langs klokketoren en Warden Road, voorbij het landkaartvormige zwembad van Breach Candy, over de gouden golven van vier uur, en brengt een groet; terwijl daarginds, boven de horizon, de zon aan haar lange duik naar zee begint.

Nog zes uur voordat het zover is. Het cocktailuur. De opvolgers van William Methwold zitten in hun tuinen – behalve dat Amina in haar torenkamer zit en de mild concurrerende blikken mijdt die door Nussie-van-hiernaast, die ook, misschien, haar Sonny aanspoort te zakken en tussen haar benen uit te komen, in haar richting werpt; nieuwsgierig slaan ze de Engelsman gade die stokstijf staat als de lineaal waarmee wij eerder zijn middenscheiding hebben vergeleken; tot ze worden afgeleid door een pas aangekomene. De sadhu, een lange, pezige man met drie rijen kralen om zijn nek en een gordel van kippebotten om zijn middel; zijn donkere huid bevlekt met as; zijn haar lang en los – op kralen en as na naakt – schrijdt tussen de huizen met de rode daken naar voren. Musa, de oude drager, komt op hem af om hem weg te jagen, maar aarzelt, niet wetende hoe hij een heilige man moet bevelen. Door de sluiers van Musa's besluiteloosheid klievend, betreedt desadhu de tuin van Villa Buckingham, loopt ijskoud langs mijn verbaasde vader, gaat met gekruiste benen naast de droppelende tuinkraan zitten.

'Wat wilt u hier, sadhuji?' – Musa, die wel eerbiedig moet zijn; waarop de sadhu kalm als een meer: 'Ik ben gekomen om op de komst van de Ene te wachten. De Mubarak – Hij die Gezegend is. Het zal zeer spoedig gebeuren.'

Geloof het of niet: ik werd twee keer voorspeld! En op die dag dat alles zo merkwaardig goed getimed was, liet mijn moeders tijdgevoel haar niet in de steek; het laatste woord van de sadhu was nog niet over zijn lippen gekomen of er klonk, uit een torenkamer op de eerste verdieping waar glazen tulpen op de ramen dansten, een doordringende gil, een cocktail die gelijke delen paniek, opwinding en triomf bevatte... 'Arré Ahmed!' gilde Amina Sinai, 'Janum, de baby! Hij komt – precies op tijd!'

Rimpelingen van opwinding door Methwolds Villapark ... en daar komt Homi Catrack, op een vieve, uitgeteerde, hologige draf, met het aanbod: 'Mijn Studebaker staat tot uw beschikking, Sinai sahib; neem hem nu – ga meteen!' ... en terwijl er nog vijf uur en dertig minuten resteren, rijden de Sinais, man en vrouw weg, de twee verdiepingen hoge heuvel af in de geleende auto; daar is mijn vaders grote teen die op het gaspedaal drukt; daar zijn de handen van mijn moeder die op haar maanbuik drukken; en nu zijn ze uit het gezicht verdwenen, de bocht om, voorbij de Band Box Wasserij en het Lezersparadijs, langs juwelier Fatboy en speelgoedwinkel Chimalker, langs Eén Meter Chocolaatjes en de hekken van Breach Candy, naar dr. Narlikars Kraamkliniek waar, op een armenzaal, Vanita van Kleine Willie nog zwoegt en perst, met gekromde ruggegraat, uitpuilende ogen, en een vroedvrouw, Mary Pereira genaamd, eveneens haar tijd beidt ... zodat noch Ahmed met de vooruitstekende lip en kneedbare buik en verzonnen voorouders, noch hun donkerhuidige door profetieën bezochte Amina aanwezig waren toen de zon ten slotte over Methwolds Villapark onderging, en precies op het ogenblik waarop ze voor de laatste keer verdween – met nog vijf uur en twee minuten te gaan – hief William Methwold een lange witte arm boven zijn hoofd. Witte hand bengelde boven gepommadeerd zwart haar; lange spits toelopende vingers bewogen zenuwachtig naar middenscheiding, en het tweede en laatste geheim werd onthuld, want vingers kromden zich en grepen het haar; toen ze zich van zijn hoofd terugtrokken, lieten ze hun prooi niet los; en in het ogenblik na de verdwijning van de zon stond mijnheer Methwold in het avondrood van zijn Villapark met zijn haarstukje in de hand.

'Een kaalkop!' riep Padma uit. 'Dat vette haar van 'm ... ik wist het; te mooi om waar te zijn!'

Kaal, kaal; glanzend kale knikker. Onthuld: het bedrog dat de vrouw van een harmonikaspeler erin had laten lopen. Net als Samson had William Methwolds kracht in zijn haar gescholen; maar nu, terwijl de kale plek in de schemering glanst, smijt hij zijn haardos door het raampje van zijn auto; brengt met schijnbare achteloosheid de getekende contracten bij zijn paleizen rond; en rijdt weg. Niemand in Methwolds Villapark heeft hem ooit weer gezien; maar ik, die hem nooit heb gezien, vind het onmogelijk hem te vergeten.

Plotseling is alles saffraankleurig en groen. Amina Sinai bevindt zich in een vertrek met oranjegele muren en groen houtwerk. In een aangrenzende kamer ligt Kleine Willie Winkies Vanita, met een groene huid, het wit van haar ogen met oranjegeel doorlopen, de baby begint eindelijk aan zijn afdaling door inwendige gangen die ongetwijfeld ook even kleurrijk zijn. Saffraankleurige minuten en groene seconden tikken op de klokken aan de muren. Buiten Dokter Narlikars Kraamkliniek wordt vuurwerk afgestoken en zijn menigten eveneens overeenstemmend met de kleuren van de nacht – oranjegele vuurpijlen, groene sterrenregen; de mannen in saffraankleurige hemden, de vrouwen in limoenkleurige sari's. Op een saffraan-met-groen tapijt praat dokter Narlikar met Ahmed Sinai. 'Ik zal je begum persoonlijk behandelen,' zegt hij op de vriendelijke toon die de kleur heeft van de avond: 'Je hoeft je nergens ongerust over te maken. Wacht hier maar; volop ruimte om te ijsberen.' Dokter Narlikar, die niet van zuigelingen houdt, is niettemin een uitermate bekwaam gynaecoloog. In zijn vrije tijd houdt hij lezingen schrijft pamfletten hekelt de natie op het punt van contracepte. 'Geboortebeperking,' zegt hij, 'is de Allerbelangrijkste Publieke Zaak. Er zal een tijd komen dat ik de mensen dat aan hun stomme verstand zal kunnen brengen, en dan zit ik zonder werk.' Ahmed Sinai glimlacht, verlegen, zenuwachtig. 'Alleen maar voor vanavond,' zegt mijn vader, 'laat de preken maar zitten – breng m'n kind ter wereld.'

Het is negenentwintig minuten voor middernacht. Dokter Narlikars Kraamkliniek functioneert met een kern van een staf; er zijn veel afwezigen, veel employés die er de voorkeur aan hebben gegeven de aanstaande geboorte van de natie te vieren, en vanavond niet zullen assisteren bij de geboorte van kinderen. In oranjegele hemden, in groene rokken, verdringen ze zich op de verlichte straten, onder de ontelbare balkons van de stad waarop kleine lantarens van aardewerk met geheimzinnige oliën zijn gevuld; pitten drijven in de lampen die ieder balkon en dak omzomen; en die pitten conformeren zich eveneens aan ons tweetintig kleurenschema: de helft van de lampen brandt saffraankleurig, de andere hebben groene vlammetjes.

Door het veelkoppige monster van de menigte slingert zich een politieauto, het geel en blauw van de uniformen van de inzittenden door onaards lamplicht tot geel en groen getransformeerd. (Wij bevinden ons nu op de autoweg naar Coloba, heel even maar, om uit de doeken te doen dat de politie, om zevenentwintig minuten voor middernacht, een gevaarlijke misdadiger achternazit. Zijn naam: Joseph D'Costa. De ziekenverpleger is al enkele dagen weggebleven van zijn werk in de Kraamkliniek, van zijn kamer bij het abattoir, en uit het leven van een bezorgde Mary.)

Er verlopen twintig minuten met aaah's van Amina Sinai, die met de minuut harder en veelvuldiger worden, en zwakke vermoeide aah's van Vanita in de aangrenzende kamer. Het monster op straat is al begonnen met feestvieren; de nieuwe mythe stroomt door zijn aderen, zijn bloed vervangend door oranjegele en groene bloedlichaampjes. En in Delhi zit een pezige ernstige man in de zaal van de Assemblee en bereidt zich voor op een toespraak. In Methwolds Villapark drijven goudvissen onbeweeglijk in vijvers terwijl de bewoners van huis tot huis gaan met pistachiosnoepjes, elkaar kussend en omhelzend – er wordt groene pistachio gegeten en oranjegele laddooballen. Twee kinderen bewegen zich door geheime gangen terwijl in Agra een bejaarde dokter bij zijn vrouw zit, die twee wratten op haar gezicht heeft als heksentepels, en te midden van slapende ganzen en door motten aangevreten herinneringen zijn ze om de een of andere reden met stomheid geslagen, en weten niet wat ze moeten zeggen. En in alle steden alle plaatsen alle dorpen, branden de kleine dialampen op vensterbanken veranda's, terwijl in de Punjaab treinen branden met de groene vlammen van bladderende verf en het schreeuwende saffraangeel van aangestoken brandstof, als de grootste dia's ter wereld.

En de stad Lahore brandt eveneens.

De pezige ernstige man komt overeind. Gezalfd met heilig water uit de Rivier de Tanjore staat hij op; zijn voorhoofd ingewreven met geheiligde as, schraapt hij zijn keel. Zonder geschreven rede in de hand, zonder enige voorbereide woorden uit het hoofd te hebben geleerd, begint Jawaharlal Nehru: '... Lange jaren geleden hebben wij een verbond gesloten met het lot; en nu komt de tijd waarop wij onze belofte zullen inlossen – niet helemaal of ten volle, maar in aanzienlijke mate...'

Het is twee minuten voor twaalven. In Dokter Narlikars Kraamkliniek spreekt de donkere enthousiaste dokter, vergezeld van een vroedvrouw, Flory genaamd, een magere vriendelijke vrouw van geen belang, Amina Sinai moed in: 'Persen! Harder!... Ik kan het hoofdje al zien!...' terwijl in de aangrenzende kamer ene dokter Bose – met juffrouw Mary Pereira aan zijn zijde – de leiding heeft tijdens de laatste stadia van Vanita's vierentwintig uur durende bevalling... 'Ja; nu; nog één keer proberen, vooruit; eindelijk, en dan is het voorbij!...' Vrouwen jammeren en gillen, terwijl in een andere kamer de mannen zitten te zwijgen. Kleine Willie Winkie – niet tot zingen in staat – hurkt in een hoek en wiegt heen en weer, heen en weer... en Ahmed Sinai zoekt een stoel. Maar er zijn geen stoelen in dit vertrek; het is een kamer die bestemd is om in te ijsberen; dus opent Ahmed Sinai een deur, vindt een stoel bij het verlaten bureau van een gedeserteerde receptioniste, pakt hem op, en draagt hem terug naar de ijsbeerkamer, waar Kleine Willie Winkie wiegt; wiegt, zijn ogen even leeg als die van een blinde ... zal ze blijven leven? zal ze niet?... en nu, eindelijk, is het middernacht.

Het monster op straat is begonnen te brullen, terwijl in Delhi een pezige man zegt: '...Om klokslag middernacht, terwijl de wereld slaapt, ontwaakt India tot het leven en de vrijheid...' En het gebulder van het monster overstemt nog twee gillen, kreten, gebrul, het gehuil van kinderen die ter wereld komen, terwijl hun nutteloze protesten zich vermengen met de herrie van de onafhankelijkheid die oranjegeel-en-groen aan de nachtelijke hemel hangt – 'Er breekt een ogenblik aan dat zich in de geschiedenis slechts zelden voordoet, waarop wij uit het oude naar het nieuwe stappen; waarop een era eindigt; en waarop de ziel van een lang onderdrukte natie zich kan uiten ...' terwijl in een kamer met een oranjegeel-en-groen tapijt Sinai nog steeds met een stoel in zijn handen staat als dokter Narlikar binnenkomt om hem mee te delen: 'Om klokslag middernacht, Sinai, broeder, heeft je begum sahiba het leven geschonken aan een groot, gezond kind; een zoon!' Nu begon mijn vader aan mij te denken (niet wetende ...); terwijl het beeld van mijn gezicht zijn gedachten vervulde, vergat hij de stoel; bezeten van liefde voor mij (ook al ...), ervan vervuld van zijn hoofd tot zijn vingertoppen, liet hij de stoel vallen.

Ja, het was mijn schuld (ondanks alles) ... het was de macht van mijn gezicht, het mijne en van niemand anders, die maakte dat Ahmed Sinais handen de stoel loslieten; waardoor de stoel viel, met zo'n tien meter per seconde accelererend, en terwijl Jawaharlal Nehru de Assemblee vertelde: 'Wij sluiten vandaag een ongelukkige periode af,' terwijl trompethorens het nieuws van de vrijheid uit schetterden, kwam het door mij dat mijn vader het ook uitschreeuwde, want de vallende stoel verbrijzelde zijn teen.

En nu komen we aan het moment: door het lawaai begon iedereen te rennen; mijn vader en zijn blessure namen heel even de aandacht van de twee pijn lijdende moeders weg, de twee, synchrone middernachtelijke geboortes – omdat Vanita eindelijk bevallen was van een opmerkelijk grote baby: 'Je zou het niet hebben geloofd,' zei dokter Bose, 'er kwam geen einde aan, er werd almaar meer van de jongen naar buiten geperst, het is wat je noemt een kanjer.' En Narlikar, terwijl hij zich stond te wassen: 'Die van mij ook.' Maar dat was iets later – op dit ogenblik verzorgden Narlikar en Bose Ahmed Sinais teen; vroedvrouwen hadden de opdracht gekregen het pas geboren stel te wassen en in te bakeren; en nu leverde juffrouw Pereira haar bijdrage.

'Ga, ga,' zei ze tegen de arme Flory, 'kijk of je kunt helpen. Ik kan het hier alleen wel af.'

En toen ze alleen was – twee babies in haar handen – twee levens in haar macht – deed ze het voor Joseph, haar eigen privé-revolutionairedaad, denkend Hij zal me hier zeker om liefhebben, terwijl ze de naamlabels aan de twee enorme zuigelingen verwisselde, en de arme baby een bevoorrecht leven gaf en het rijk geboren kind tot harmonika's en armoede veroordeelde... 'Hou van me, Joseph!' dacht Mary Pereira, en toen was het gebeurd. Aan de enkel van een kanjer van een baby met ogen even blauw als de Kasjmiri hemel – die ook ogen waren even blauw als die van Methwold – en een even dramatische neus als van een Kasjmiri grootvader – die ook de neus van een grootmoeder uit Frankrijk was – bevestigde ze deze naam: *Sinai.*

Saffraan bakerde mij in toen ik, dank zij het misdrijf van Mary Pereira, het uitverkoren middernachtskind werd, wiens ouders niet zijn ouders waren, wiens zoon niet zijn eigen zoon zou zijn... Mary pakte het kind uit mijn moeders schoot, dat niet haar zoon zou zijn, een tweede braam van tien spie, maar met ogen die al bruin begonnen te worden, en even knokige knieën als die van Ahmed Sinai, wikkelde hem in groen, en bracht hem naar Kleine Willie Winkie – die haar met blinde ogen aanstaarde, die zijn nieuwe zoon nauwelijks zag, die niets van middenscheidingen afwist... Kleine Willie Winkie die net had gehoord dat Vanita geen kans had gezien haar bevalling te overleven. Om drie minuten na middernacht, terwijl de artsen zich druk maakten om een gebroken teen, had Vanita een bloeding gekregen en was gestorven.

Dus werd ik naar mijn moeder gebracht; en zij twijfelde geen ogenblik aan mijn authenticiteit. Ahmed Sinai, zijn teen gespalkt, zat op haar bed toen ze zei: 'Kijk, janum, het arme wurm, hij heeft de neus van zijn grootvader.' Hij keek verbijsterd toe terwijl zij zich ervan overtuigde dat er maar één hoofd was; en toen ontspande ze zich volledig, en begreep dat zelfs waarzeggers slechts beperkte gaven hebben.

'Janum,' zei mijn moeder opgewonden, 'je moet de kranten bellen. Bel de *Times of India*. Wat heb ik je gezegd? Ik heb gewonnen.'

'... Dit is geen tijd voor kleingeestige of vernietigende kritiek,' hield Jawaharlal Nehru de Assemblee voor. 'Geen tijd voor kwaadwilligheid. Wij moeten het nobele huis van een vrij India bouwen, waar al haar kinderen in kunnen wonen.' Een vlag ontplooit zich: ze is saffraankleurig, wit en groen.

'Een Anglo?' roept Padma met afschuw uit.'Wat vertel je me nou? Jij bent een Engels-Indiër? Je naam is niet je eigen naam?'

'Ik ben Saleem Sinai,' zei ik haar. 'Snotneus, Vlekporum, Snuiver, Kaalkop, Stuk-van-de-Maan. Wat bedoel je eigenlijk – niet mijn eigen naam?'

'Al die tijd,' jammert Padma boos, 'heb je me beduveld. Je moeder, noemde je haar; je vader, je grootvader, je tantes. Wat ben jij voor iets dat het je niet eens kan schelen om de waarheid te vertellen over wie je ouders waren? Kan het je niet schelen dat je moeder gestorven is toen ze je ter wereld bracht? Dat je vader misschien nog ergens leeft, berooid, arm? Ben je een monster of wat?'

Nee: ik ben geen monster. En ik heb me ook niet schuldig gemaakt aan bedrog. Ik heb aanwijzingen gegeven ... maar er is nog iets belangrijkers. Namelijk: toen we Mary Pereira's misdrijf ten slotte ontdekten, merkten we allemaal dat het *geen verschil uitmaakte*! Ik was nog steeds hun zoon: zij bleven mijn ouders. In een soort collectief falen van de verbeelding, ontdekten wij dat we ons eenvoudig niet uit ons verleden konden wegdenken ... als je mijn vader (zelfs hem, ondanks alles dat er was gebeurd!) zou hebben gevraagd wie zijn zoon was, zou niets op aarde hem ertoe hebben kunnen bewegen om in de richting van de ongewassen jongen met de X-benen van de harmonikaspeler te wijzen. Ook al zou hij, deze Shiva, opgroeien en min of meer een held worden.

Dus; er waren knieën en een neus, een neus en knieën. Feitelijk overal in het nieuwe India, de droom die wij allen deelden, werden kinderen geboren die slechts ten dele het kroost van hun ouders waren – de middernachtskinderen waren ook de kinderen *van de tijd*: verwekt, begrijp je, door de geschiedenis. Dat kan gebeuren. Vooral in een land dat zelf een soort droom is.

'Genoeg,' zegt Padma pruilend. 'Ik wil het niet horen.' Omdat ze een soort tweehoofdig kind verwachtte, is ze uit haar hum omdat ze een ander aangeboden krijgt. Niettemin, of ze luistert of niet, ik heb dingen vast te leggen.

Drie dagen na mijn geboorte werd Mary Pereira door wroeging verteerd. Joseph D'Costa, op de loop voor de speurende politieauto's, had duidelijk niet alleen haar zuster Alice maar ook Mary verlaten; en de kleine gezette vrouw – niet in staat, in haar angst, om haar misdrijf op te biechten – besefte dat ze stom was geweest. 'Driedubbel overgehaalde ezel!' schold ze tegen zichzelf; maar ze bewaarde haar geheim. Ze gaf haar baan bij de Kraamkliniek op en benaderde Amina Sinai met: 'Mevrouw, ik heb uw baby maar één keer gezien, en ik ben dol op hem geworden. Hebt u soms een ayah nodig?' En Amina, wier ogen van moederschap straalden: 'Ja.' Mary Pereira ('Je zou *haar* evengoed je moeder kunnen noemen,' valt Padma me in de rede, en bewijst daarmee dat ze nog geïnteresseerd is, 'zij heeft je gemaakt, weet je'), wijdde van dat ogenblik af haar leven aan mijn opvoeding, en verbond op die manier de rest van haar levensdagen aan de herinnering aan haar misdrijf.

Op 20 augustus volgde Nussie Ibrahim mijn moeder naar de Kraamkliniek aan Pedder Road, en de kleine Sonny volgde mij de wereld in – maar hij had niet zo'n zin om eruit te komen; er was een verlostang voor nodig om hem te halen; dr. Bose, in de opwinding van dat ogenblik, drukte een beetje te hard, en Sonny arriveerde met kleine deuken aan elk van zijn slapen, ondiepe verlostangholten die hem even onweerstaanbaar aantrekkelijk zouden maken als het haarstukje van William Methwold de Engelsman had gemaakt; meisjes (Evie, de Brutale Aap, en anderen) staken de handen uit om zijn kleine valleien te strelen ... het zou zelfs tot moeilijkheden tussen ons leiden.

Maar ik heb het interessantste nieuwtje voor het laatst bewaard. Dus laat mij nu onthullen dat, op de dag na mijn geboorte, mijn moeder en ik in een oranjegeel en groene slaapkamer werden bezocht door twee lieden van de *Times of India* (editie voor Bombay). Ik lag in een groen wiegje, ingebakerd in oranjegeel, en keek naar hen op. Er was een verslaggever die zijn tijd doorbracht met mijn moeder te interviewen; en een lange fotograaf met een haviksneus die zijn aandacht op mij richtte. De volgende dag verschenen woorden èn foto's in de krant...

Nog vrij kort geleden heb ik een cactustuin bezocht waar ik eens, vele jaren geleden, een blikken speelgoedaardbol had begraven, die zwaar gedeukt was en bijeen werd gehouden door kleefband; en haalde uit het binnenste de dingen die ik daar al die jaren geleden in had gestopt. Nu ik ze, terwijl ik zit te schrijven, in mijn linkerhand houd, kan ik – ondanks vergeling en schimmel – nog zien dat het ene een brief is, een persoonlijke brief aan mijzelf gericht, ondertekend door de Eerste Minister van India; maar het andere is een kranteknipsel.

De kop luidt: MIDDERNACHTSKIND.

En een tekst: 'Een lieftallige pose van baby Saleem Sinai, die gisteravond werd geboren, precies op het ogenblik waarop ons land onafhankelijk werd – het gelukkige Kind van dat roemruchte Uur.'

En een grote foto: een babyfoto van voortreffelijke kwaliteit in reuzeformaat op de voorpagina, waarop het nog mogelijk is een kind te onderscheiden met moedervlekken die zijn wangen smetten en een druiperige glimmende neus. (Het onderschrift bij de foto luidt: *Foto: Kalidas Gupta*.)

Ondanks kop, tekst en foto, moet ik onze bezoekers beschuldigen van de misdaad trivialisering; als journalisten die niet verder kijken dan de krant van de volgende dag lang is, hadden ze geen idee van het belang van de gebeurtenis die ze versloegen. Voor hen was dat niet meer dan een drama met een menselijk element.

Hoe ik dat weet? Omdat de fotograaf mijn moeder aan het eind van het interview een cheque overhandigde – van honderd roepies.

Honderd roepies! Kun je je een pietluttiger, belachelijker bedrag voorstellen? Het is een bedrag waardoor je je, als je dat zou willen, beledigd zou kunnen voelen. Ik zal hun echter alleen maar bedanken dat ze mijn komst hebben gevierd, en hen hun gebrek aan echt historisch gevoel vergeven.

'Wees niet ijdel,' zegt Padma knorrig. 'Honderd roepies is niet zo weinig; per slot van rekening wordt iedereen geboren, zoiets bijzonders is dat niet.'

Boek twee

Is het mogelijk om jaloers te zijn op het geschreven woord? Om aanstoot te nemen aan nachtelijk geschrijf alsof het 't vlees en bloed was van een seksuele rivaal? Ik kan geen andere reden voor Padma's bizarre gedrag bedenken; en deze verklaring heeft in elk geval de verdienste dat hij even vreemdsoortig is als de aanval van woede die ze kreeg toen ik, vanavond, de vergissing beging een woord te schrijven (en hardop uit te spreken) dat niet gesproken had moeten worden ... sinds de episode van het bezoek van de kwakzalver heb ik een vreemde ontevredenheid bij Padma bespeurd, die een raadselachtig spoor uit haar eccrine (of apocriene) klieren afscheidde. Van streek, wellicht, door de futiliteit van haar middernachtelijke pogingen om mijn 'andere potlood' te doen herleven, de nutteloze komkommer die in mijn broek verborgen is, is ze humeurig geworden. (En dan was er ook nog haar slecht gehumeurde reactie, gisteravond, op mijn onthulling van de geheimen van mijn geboorte, en haar ergernis vanwege mijn lage dunk van het bedrag van honderd roepies.) Ik geef mezelf de schuld: verdiept in mijn autobiografische onderneming, heb ik geen rekening gehouden met haar gevoelens en begon vanavond met een hoogst ongelukkige valse noot.

'Door een laken met een gat veroordeeld tot een leven in fragmenten,' schreef en las ik hardop, 'heb ik het er niettemin beter van afgebracht dan mijn grootvader; want terwijl Aadam Aziz het slachtoffer van het laken bleef, ben ik het de baas geworden – en Padma is degene die nu in de ban ervan is gekomen. Terwijl ik in mijn betoverde schaduwen zit, verwaardig ik mij dagelijks af en toe een glimp van mij te laten zien – terwijl zij, mijn hurkende kijkster, gevangen is, hulpeloos als een mongoes die door de zwaaiende knipperloze ogen van een cobra tot onbeweeglijkheid is verstijfd, verlamd – ja! – door liefde.'

Dat was het woord: liefde. Geschreven-en-gesproken bracht het haar stem tot een ongebruikelijk schrille hoogte; het ontketende van haar lippen een heftigheid die mij zou hebben gewond als ik nog kwetsbaar voor woorden zou zijn geweest. 'Van *jou* houden?' piepte Padma verontwaardigd, 'Waarvoor, mijn God? Wat ben jij voor nut, prinsje,' – en nu kwam haar poging tot een *coup de grâce* 'als *minnaar*?' Met uitgestrekte arm, waarvan de haren in het lamplicht glansden, stak ze een verachtelijke wijsvinger in de richting van mijn, inderdaad, niet functionerende lenden; een lange, dikke vinger, stijf van jaloezie, die er ongelukkigerwijs alleen maar toe diende mij aan een andere, lang geleden verloren vinger te herinneren ... zodat zij, toen ze zag dat haar pijl zijn doel miste, gilde: 'Gek uit de hel! Die dokter had gelijk!' en radeloos de kamer uit rende. Ik hoorde voetstappen de metalen trap af kletteren naar de fabriek; voeten die tussen de donker omwikkelde pekelvaten renden; en een deur die eerst werd ontgrendeld en daarna dichtgeslagen.

Op die manier achtergelaten, ben ik, omdat ik geen andere keus had, weer tot mijn werk teruggekeerd.

De wijzende vinger van de visser: onvergetelijk middelpunt van de plaat die aan een hemelsblauwe muur in Villa Buckingham hing, vlak boven de hemelsblauwe wieg waarin ik, als Baby Saleem, het middernachtskind, mijn prilste tijd doorbracht. De jonge Raleigh – en wie anders? – zat, in teakhout ingelijst, aan de voeten van een oude, knokige, netten boetende zeeman – had hij een walrussnor? – wiens rechterarm, helemaal recht, zich naar een waterige horizon uitstrekte, terwijl zijn vloeibare verhalen om de geboeide oren van Raleigh rimpelden – en wie nog meer? Want er stond beslist nog een jongen op de plaat, die met gekruiste benen en een geplooide kraag en dichtgeknoopte tuniek zat... en nu komt er een herinnering bij me op: aan een verjaardagsfeestje toen een trotse moeder en een even trotse ayah een kind met een gargantuaanse neus uitdosten met precies zo'n kraag en precies zo'n tuniek. Een kleermaker zat in een hemelsblauwe kamer, onder de wijzende vinger en maakte de kleding van de Engelse milords na... 'Kijk eens hoe *lief*!' riep Lila Sabarmati tot mijn eeuwige vernedering uit. 'Het is precies alsof hij net uit de *prent* is gestapt.'

Op een prent die aan de muur van een slaapkamer hing, zat ik naast Walter Raleigh en volgde de wijzende vinger van de visser met mijn ogen; ogen die ingespannen naar de horizon keken, waarachter – wat? – mijn toekomst lag, misschien; mijn speciale noodlot, waarvan ik mij van meet af aan bewust was als een schemerende grijze aanwezigheid, aanvankelijk onduidelijk, maar onmogelijk om te negeren ... omdat de vinger nog verder dan die schemerende horizon wees, hij wees voorbij de teakhouten lijst, over een klein stuk hemelsblauwe muur, en stuurde mijn ogen naar een tweede lijst, waarin mijn onontkoombare noodlot hing, voor altijd achter glas gefixeerd: daar was een reuzegrote babyfoto met zijn profetische onderschrift, en daar, ernaast, een brief op velijnpapier van eerste kwaliteit met in reliëf het zegel van staat – de leeuwen van Sarnath stonden boven de dharma-chakra van de missive vande Eerste Minister die, via Vishwanath de postbode, was gekomen, een week nadat mijn foto op de voorpagina van de

Times of India had gestaan.

Dagbladen huldigden mij; politici ratificeerden mijn positie. Jawaharlal Nehru schreef: 'Beste Baby Saleem, Mijn ietwat late felicitaties met het gelukkige gevoel van het ogenblik van je geboorte! Jij bent de nieuwste drager van dat oude gezicht van India dat ook eeuwig jong is. Wij zullen je leven met de grootste aandacht volgen; het zal, in zekere zin, de spiegel van ons eigen leven zijn.'

En Mary Pereira, met ontzag vervuld: 'De Regering, mevrouw? Die zal een oogje op de jongen houden? Maar waarom, mevrouw? Wat is er met hem aan de hand?' – En Amina, die de toon van paniek in de stem van haar ayah niet begrijpt: 'Het is alleen maar bij wijze van spreken, Mary; het betekent niet echt wat er staat.' Maar dit stelt Mary niet gerust; en steeds, telkens wanneer ze de kamer van de baby binnenkomt, schieten haar ogen schichtig naar de brief in zijn lijst; haar ogen dwalen rond en proberen te zien of de Regering toekijkt; ogen die zich afvragen: wat weten zij? Heeft iemand het gezien? ... Wat mij betrof, toen ik opgroeide aanvaardde ik de verklaring van mijn moeder ook niet helemaal; maar die gaf mij een bedrieglijk gevoel van veiligheid; zodat, ook al was er iets van Mary's vermoedens in mij gelekt, ik toch werd overrompeld toen...

Misschien wees de vinger van de visser niet naar de brief in de lijst; want als je hem nog verder volgde, voerde hij je buiten het raam, omlaag langs de twee verdiepingen hoge heuvel, over Warden Road, voorbij het Breach Candy Zwembad, en naar een andere zee die niet de zee was op de plaat; een zee waarop de zeilen van Koli dhows scharlaken glansden in de ondergaande zon ... een beschuldigende vinger dus, die ons noopt naar de misdeelden van de stad te kijken.

Of misschien – en dit idee maakt dat ik me ondanks de hitte wat huiverig voel – was het een waarschuwende vinger, die ten doel had de aandacht op *zichzelf* te vestigen; ja, het had, waarom niet, een voorspelling van een andere vinger kunnen zijn, een vinger die niet veel van deze verschilde, welks intrede in mijn verhaal de afschuwelijke logica van Alfa en Omega zou doorbreken ... mijn God, wat een idee! Hoeveel van mijn toekomst hing boven mijn wiegje te wachten tot ik die zou begrijpen? Hoeveel waarschuwingen kreeg ik – hoeveel negeerde ik er?... Maar nee. Ik wil geen 'gek uit de hel' zijn, om Padma's welsprekende frase te gebruiken. Ik zal niet bezwijken voor getikte uitweidingen; niet zolang ik de kracht heb om me tegen de barsten te verzetten.

Toen Amina Sinai en Baby Saleem in een geleende Studebaker thuiskwamen, had Ahmed Sinai op die rit een manilla envelop bij zich. In de envelop: een inmaakpot, waarin limoenkasaundy had gezeten, gewassen, gekookt, gesteriliseerd – en nu opnieuw gevuld. Een goed afgesloten pot met een stuk rubber over het blikken deksel gespannen en op zijn plaats gehouden door een verdraaid elastiekje. Wat was er onder het rubber verzegeld, geconserveerd in glas, verborgen in manilla? Dit: met vader, moeder, baby reed een hoeveelheid pekelwater mee naar huis, waarin, rustig drijvend, een navelstreng hing. (Maar was het die van mij of van die Andere? Dat is iets dat ik u niet kan vertellen.) Terwijl de pas aangenomen ayah, Mary Pereira, per bus naar Methwolds Villapark reed, reisde een navelstreng voornaam in het handschoenenkastje van de Studebaker van een filmmagnaat. Terwijl Baby Saleem tot een man opgroeide, hing het weefsel van de navelstreng onveranderlijk in een potje met pekel, achter in een teakhouten almirah. En toen onze familie, jaren later, in het Land van de Zuiveren in ballingschap ging, toen ik mijn best deed om zuiver te worden, zouden navelstrengen korte tijd hoogtij vieren.

Er werd niets weggegooid; baby en nageboorte werden allebei behouden; beiden kwamen in Methwolds Villapark aan; alle twee beidden hun tijd.

Ik was geen mooie baby. Babyfoto's laten zien dat mijn grote maangezicht te groot was; te volmaakt rond. Er ontbrak iets in de buurt van de kin. Blanke huid welfde zich over mijn gelaatstrekken – maar moedervlekken ontsierden die; donkere vlekken verspreidden zich langs mijn westelijke haargrens, een donkere plek kleurde mijn oostelijk oor. En mijn slapen: te vooruitstekend: bolle byzantijnse koepels. (Sonny Ibrahim en ik waren ervoor in de wieg gelegd om vrienden te worden – toen we onze voorhoofden stootten, maakten Sonny's verlostangholten het voor mijn bolle slapen mogelijk zich erin te nestelen, even goed passend als messing en groef van de timmerman.) Amina Sinai, onnoemelijk opgelucht door mijn enkele hoofd, keek ernaar met verdubbelde moederlijke liefde, en zag het door een verfraaiende mist, waarbij ze de ijsachtige excentriciteit van mijn hemelsblauwe ogen, de slapen als afgeknotte horens en zelfs de weelderige komkommer van de neus negeerde.

De neus van Baby Saleem: hij was monsterlijk; en hij liep.

Intrigerende kenmerken van mijn prilste tijd: groot en lelijk als ik was, het schijnt dat ik niet tevreden was. Van mijn eerste dagen begon ik aan een heldhaftig programma van zelfvergroting. (Alsof ik wist dat ik, om de lasten van mijn toekomstige leven te dragen, behoorlijk groot zou moeten zijn.) Tegen half september had ik de niet onaanzienlijke borsten van mijn moeder leeggedronken. Een min werd tijdelijk in dienst genomen, maar zij trok zich, uitgedroogd als een woestijn, na veertien dagen terug, en beschuldigde Baby Saleem ervan dat hij probeerde met zijn tandeloze mond haar tepels af te bijten. Ik ging over op de fles en werkte enorme hoeveelheden voeding naar binnen: de spenen van de fles hadden ook te lijden, en stelden de klagende min in het gelijk. Er werd nauwkeurig een babyboek bijgehouden; dat onthult dat ik bijna zichtbaar uitdijde, met de dag groter werd; maar ongelukkigerwijs werd mijn neus niet opgemeten, dus kan ik niet zeggen of mijn ademhalingsorgaan even snel, of sneller dan de rest groeide. Ik moet zeggen dat ik een gezonde stofwisseling had. Afvalstoffen werden overdadig uit de daarvoor bestemde lichaamsopening afgevoerd; uit mijn neus vloeide een glanzende waterval van snot. Legers handdoeken, regimenten luiers kwamen in de grote waskist in de badkamer van mijn moeder terecht ... terwijl ik uit vele openingen troep afscheidde, hield ik mijn ogen volkomen droog. 'Zo'n zoete baby, mevrouw,' zei Mary Pereira, 'huilt nooit.'

De zoete Baby Saleem was een rustig kind; ik lachte vaak, maar geluidloos. (Evenals mijn eigen zoon, begon ik met te inventariseren, te luisteren voor ik tot gekir en, later, in spreken overging.) Een tijdlang waren Amina en Mary bang dat de jongen stom was; maar net toen ze op het punt stonden het aan zijn vader te vertellen (voor wie zij hun zorgen geheim hadden gehouden – geen vader wil een kind waar iets aan mankeert), begon hij geluiden uit te stoten en werd, in dat opzicht althans, volkomen normaal. 'Het is alsof hij besloten heeft ons gerust te stellen,' fluisterde Amina tegen Mary.

Er was één ernstiger probleem. Amina en Mary hadden er enkele dagen voor nodig om het op te merken. Terwijl ze bezig waren met de machtige, complexe processen om zich tot een tweehoofdige moeder te maken, en hun blik verduisterd werd door een mist van stinkend ondergoed, merkten ze niet op dat mijn oogleden niet bewogen. Amina, die zich herinnerde dat, tijdens haar zwangerschap, het gewicht van haar ongeboren kind de tijd even stil had gehouden als een dode groene vijver, begon zich af te vragen of het omgekeerde nu niet aan de gang was – of de baby een magische macht over alle tijd in zijn onmiddellijke omgeving had, en die versnelde, zodat moeder-en-ayah nooit genoeg tijd hadden om alles te doen dat er gedaan moest worden, zodat de baby met een blijkbaar fantastische snelheid kon groeien; terwijl ze in dergelijke chronologische dagdromen opging, merkte ze mijn probleem niet op. Pas toen ze het denkbeeld met een schouderophalen verwierp, en zich voorhield dat ik een fijne flinke jongen met een grote eetlust was, een vrolijk kind, weken de sluiers van moederliefde ver genoeg om haar en Mary tegelijk te doen uitroepen: 'Kijk, baap-re-baap! Kijk, mevrouw! Kijk, Mary! De kleine jongen knippert helemaal niet met zijn ogen!'

De ogen waren te blauw: Kasjmiri-blauw, wisselkind-blauw, blauw van de zwaarte van onvergoten tranen, te blauw om te knipperen. Als ik gevoed werd, knipperden mijn ogen niet; als de maagdelijke Mary me tegen haar schouder legde, terwijl ze uitriep: 'Oeps, wat zwaar, lieve Jezus!' boerde ik zonder te knipperen. Wanneer Ahmed Sinai met gespalkte teen de kamer binnen strompelde, gaf ik mij met scherpe en fladderloze blik aan vooruitstekende lippen over... 'Misschien een vergissing, mevrouw,' opperde Mary. 'Misschien doet de kleine sahib ons na – knippert hij wanneer wij knipperen.' En Amina: 'We zullen om beurten knipperen en kijken.' Terwijl hun oogleden beurtelings open-en-dichtgingen, keken ze naar mijn ijzige blauwheid; maar er was niet de minste trilling; tot Amina de zaak zelf in handen nam en in de wieg reikte om mijn oogleden naar beneden te strijken. Ze gingen dicht: mijn ademhaling veranderde op slag in de tevreden ritmen van de slaap. Daarna wisselden moeder en ayah elkaar af om mijn oogleden te openen en te sluiten. 'Hij zal het wel leren, mevrouw,' stelde Mary Amina gerust. 'Hij is een lief, gehoorzaam kind en hij zal het zeker onder de knie krijgen.' Ik leerde de eerste les van mijn leven: niemand kan de wereld onder ogen zien met zijn ogen voortdurend open.

Nu, terugblikkend door baby-ogen, kan ik het allemaal volmaakt zien – het is verbazingwekkend hoeveel je je kunt herinneren wanneer je het probeert. Wat ik kan zien: de stad die zich als een bloedzuigende hagedis in de zomerhitte koestert. Ons Bombay: het ziet eruit als een hand, maar eigenlijk is het een mond, die altijd open staat, altijd honger heeft, voedsel en talent uit alle andere delen van India opslokt. Een betoverende bloedzuiger die niets anders produceert dan films bushjackets vis... in de nasleep van de Verdeling, zie ik Vishanath de postbode naar ons twee verdiepingen hoge heuveltje fietsen, velijnen envelop in zijn zadeltas, zijn bejaarde Arjuna Indiabike langs een rottende bus sturend – verlaten, hoewel het niet 't regenseizoen is, omdat de chauffeur plotseling besloot naar Pakistan te gaan, de motor afzette en vertrok, een volle buslading gestrande passagiers achterlatend, die uit de ramen hingen, zich aan het imperiaal vasthielden, en, uit de deuropening puilden... Ik kan hen horen vloeken, zoon van een varken, broer van een jakhals; maar ze zullen zich nog twee uur aan hun moeizaam verworven plaatsen vastklampen voor ze de bus aan zijn lot overlaten. En, en: hier is de eerste Indiase zwemmer die het Engelse Kanaal is overgezwommen, de heer Pushpa Roy, die bij het hek van het Breach Candy Zwembad aankomt. Met een oranjegele badmuts op het hoofd, groene zwembroek omwikkeld met een vlagkleurige handdoek, heeft deze Pushpa de oorlog verklaard aan de alleen-voor-blanken-politiek van het bad. Hij heeft een stuk Mysore sandelhoutzeep in de hand, richt zich op; loopt door het hek ... waarop gehuurde Pathanen hem vastgrijpen, Indiërs redden zoals gewoonlijk Europeanen uit een Indiase muiterij, en hij moet eruit; terwijl hij zich dapper verzet, wordt hij bij de armen beetgepakt en Warden Street in geduwd en in het stof gegooid. Kanaalzwemmer duikt de straat in, en mist ternauwernood taxi's kamelen fietsen (Vishwanath zwenkt opzij om zijn stuk zeep te ontwijken) ... maar hij is niet ontmoedigd; krabbelt overeind; slaat het stof van zich af; en belooft morgen terug te komen. Heel mijn kinderjaren werden de dagen geaccentueerd door de aanblik van Pushpa de zwemmer, met saffraankleurige badmuts en vlagkleurige handdoek die onvrijwillig Warden Road in dook. En ten slotte liep zijn onverzettelijke campagne op een overwinning uit, want vandaag de dag staat het Zwembad bepaalde Indiërs – 'het betere soort' – toe zijn landkaartvormige wateren te betreden. Maar Pushpa behoort niet tot het betere soort; oud nu en vergeten slaat hij het Zwembad van ver gade ... en nu stroomt meer en meer van de menigte mij binnen – zoals Bano Devi, de beroemde vrouwelijke worstelaar uit die tijd, die alleen met mannen wilde worstelen en dreigde met de eerste de beste te trouwen die haar versloeg, als gevolg van welke belofte zij nooit een wedstrijd verloor; en (dichter bij huis nu) de sadhu onder onze tuinkraan, wiens naam Purushottam was en die wij (Sonny, Oogsnee, Haarolie, Cyrus en ik) altijd Poeroe-de-goeroe noemden – omdat hij geloofde dat ik de Mubarak, de Gezegende, was, wijdde hij er zijn leven aan een oogje op me te houden, en bracht zijn dagen door met mijn vader handwaarzeggerij te leren en mijn moeders wratten weg te toveren; en dan is er de rivaliteit tussen de oude drager Musa en de nieuwe ayah Mary, die zal toenemen tot het tot een uitbarsting komt; kortom, aan het eind van 1947 was het leven in Bombay even krioelend, even veelvoudig, even onmetelijk vormloos als altijd ... behalve dat ik was gearriveerd; ik begon mijn plaats in het midden van het universum al in te nemen; en tegen de tijd dat ik klaar was, zou ik het alles zin geven. Gelooft u mij niet? Luister: bij mijn wieg zingt Mary Pereira een liedje:

Alles dat je wilt zijn, kun je zijn:
je kunt zo maar zijn wat je wilt!

Tegen de tijd van mijn besnijdenis door een barbier met een gespleten verhemelte van het Koninklijke Barbiershuis aan Gowalia Tank Road (ik was iets ouder dan twee maanden), was ik al erg in trek in Methwolds Villapark. (Tussen twee haakjes, wat het onderwerp besnijdenis betreft: ik zweer nog steeds dat ik me de grijnzende barbier kan herinneren, die mij bij mijn voorhuid hield terwijl mijn lid verwoed wiebelde als een glibberende slang; en het mes dat omlaag ging, en de pijn; maar ze zeggen dat ik toentertijd niet eens met de ogen knipperde.)

Ja, ik was een populair knaapje: mijn twee moeders, Amina en Mary, konden niet genoeg van me krijgen. In alle praktische aangelegenheden waren zij de nauwste bondgenoten. Na mijn besnijdenis baadden ze mij samen; en giechelden samen terwijl mijn verminkte orgaan nijdig in het badwater wiebelde. 'We mogen deze jongen wel in de gaten houden, mevrouw,' zei Mary ondeugend, 'Zijn ding heeft een eigen leven!' En Amina: 'Tsst, tsst, Mary, je bent verschrikkelijk, echt waar...' Maar toen te midden van snikkend, hulpeloos gelach: 'Kijk nou eens, mevrouw, zijn arme kleine soo-soo!' Omdat het weer aan het wiebelen was, heen en weer slingerde, als een kip met een doorgesneden strot... Samen zorgden ze geweldig goed voor me; maar wat het gevoelsleven betrof waren ze dodelijke rivalen. Eens, toen ze mij mee uit namen in de kinderwagen naar de Hangende Tuinen op de Malibarheuvel, hoorde Amina Mary tegen de andere ayah's zeggen: 'Kijk, hier is mijn eigen grote zoon' – en voelde zich vreemd bedreigd. Baby Saleem werd daarna het gevechtsterrein van hun liefdes; ze probeerden elkaar te overtreffen in betuigingen van genegenheid; terwijl hij, tegen deze tijd met de ogen knipperend, hardop kirrend, zich voedde met hun emoties en die gebruikte om zijn groei te versnellen, uitdijend en oneindige omhelzingen kussen aaien-onder-de-kin slikkend, naar het ogenblik toe hollend waarop hij het wezenlijke kenmerk van menselijke wezens zou krijgen: iedere dag, en slechts op die zeldzame ogenblikken dat ik met de wijzende vinger van de visser alleen werd gelaten, probeerde ik mezelf in mijn wieg overeind te hijsen.

(En terwijl ik vruchteloze pogingen deed om te staan, was Amina ook in de greep van een nutteloos voornemen – zij probeerde de droom van haar onnoembare echtgenoot, die in de nacht na mijn geboorte in de plaats was gekomen van de droom van vliegenpapier uit haar geest te bannen; een droom van zo'n overweldigende werkelijkheid dat die haar gedurende alle uren dat zij wakker was bijbleef. Daarin kwam Nadir Khan naar haar bed en drong in haar door; de boosaardige perversiteit van die droom was zodanig dat hij Amina in verwarring bracht over de afkomst van haar kind, en mij, het kind van middernacht, een vierde vader verschafte naast Winkie en Methwold en Ahmed Sinai. Opgewonden maar hulpeloos in de greep van die droom, begon mijn moeder Amina in die tijd de mist van schuld te vormen die, in later jaren, haar hoofd zou omgeven als een donkere zwarte krans.)

Ik heb Kleine Willie Winkie nooit in zijn beste jaren gehoord. Na zijn onzichtbare verlies, keerde zijn gezicht langzaam terug; maar er sloop iets rauws en bitters in zijn stem. Hij vertelde ons dat het astma was, maar bleef eens per week naar Methwolds Villapark komen om liedjes te zingen, die, evenals hijzelf, overblijfselen waren van het tijdperk Methwold. 'Good Night, Ladies', zong hij; en, om bij de tijd te blijven, voegde hij 'The Clouds Will Soon Roll By' aan zijn repertoire toe, en enige tijd later 'How Much Is That Doggie in the Window?' Na een flinke zuigeling met angstwekkende X-benen op een matje naast zich in de circuspiste te hebben neergezet, zong hij liederen die vervuld waren van weemoed, en niemand kon het over zijn hart verkrijgen hem weg te sturen. Winkie en de vinger van de visser waren twee van de weinige overlevenden uit de tijd van William Methwold, want na de verdwijning van de Engelsman ontdeden zijn opvolgers zijn paleizen van hun in de steek gelaten inhoud. Lila Sabarmati behield haar pianola; Ahmed Sinai behield zijn whiskykastje; de oude heer Ibrahim wende aan zijn plafondventilatoren; maar zijn goudvissen gingen dood, sommige van de honger, andere omdat ze zo enorm overvoerd waren dat ze in kleine wolken van schubben en onverteerd visvoer uit elkaar barstten; de honden verwilderden en zwierven ten slotte niet langer door het Villapark; en de verschietende kleren in de oude almirah's werden onder de werksters en de andere bedienden in het Villapark verdeeld, zodat de erfgenamen van William Methwold nog jaren daarna werden verzorgd door mannen en vrouwen die de steeds havelozer hemden en bedrukte katoenen jurken van hun vroegere meesters droegen. Maar Winkie en de prent aan mijn muur overleefden het; zanger en visser werden gevestigde instellingen in onze levens, zoals het cocktailuur, dat al een onuitroeibare gewoonte was geworden. 'Ieder traantje en verdriet,' zong Winkie, 'brengt je alleen maar nader tot mij...' En zijn stem werd slechter en slechter, tot hij klonk als een sitar waarvan de klankkast, gemaakt van een gelakte pompoen, door muizen was opgevreten; 'Het is astma,' hield hij koppig vol. Voor hij stierf raakte hij zijn stem helemaal kwijt; artsen veranderden zijn diagnose in keelkanker; maar zij hadden het ook bij het verkeerde eind, want Winkie stierf niet aan een ziekte maar aan de bitterheid dat hij een vrouw had verloren wier ontrouw hij nooit had vermoed. Zijn zoon, Shiva genaamd naar de God van voortplanting en vernietiging, zat in die eerste tijd aan zijn voeten, en droeg de last dat hij de oorzaak was van de langzame achteruitgang van zijn vader (of dat meende hij althans) in stilte; en geleidelijk, door de jaren heen, zagen wij dat zijn ogen zich vulden met een boosheid die niet kon worden uitgesproken; wij zagen hoe zijn vuisten zich om kiezelstenen sloten en hoe hij ze, aanvankelijk vruchteloos, gevaarlijker naarmate hij groter werd, in de omringende leegte gooide. Toen Lila Sabarmati's oudste zoon acht jaar was, nam hij het op zich om de jonge Shiva met zijn norsheid, zijn ongesteven korte broek, zijn knokige knieën te plagen; waarop de jongen, door Mary's misdrijf tot armoede en harmonika's gedoemd, een platte steen gooide, met een rand zo scherp als een scheermes, en zijn kwelgeest aan het rechteroog blind maakte. Na Oogsnees ongeluk, kwam Kleine Willie Winkie alleen naar Methwolds Villapark, zijn zoon achterlatend om de donkere labyrinten binnen te gaan waaruit slechts een oorlog hem zou redden.

Waarom Methwolds Villapark Kleine Willie Winkie bleef gedogen, ondanks het verval van zijn stem en de gewelddadigheid van zijn zoon: hij had hun eens een belangrijke aanwijzing omtrent hun levens gegeven. 'De eerste geboorte,' had hij gezegd, 'zal jullie echt maken.'

Als rechtstreeks gevolg van Winkies aanwijzing was ik in mijn vroegste tijd erg in trek. Amina en Mary dongen naar mijn aandacht; maar in elk huis in het Villapark waren mensen die me wilden leren kennen; en ten slotte stemde Amina, die haar trots op mijn populariteit het liet winnen van haar weerzin om mij uit het oog te verliezen, erin toe mij op basis van een soort rooster aan de diverse gezinnen op de heuvel uit te lenen. Door Mary Pereira in een hemelsblauwe kinderwagen geduwd, begon ik een triomftocht langs de paleizen met de rode daken, elk op hun beurt met mijn aanwezigheid begunstigd, en de eigenaren de indruk gevend dat ze echt waren. En dus kan ik, nu terugblikkend door de ogen van Baby Saleem, de meeste geheimen van mijn omgeving onthullen, omdat de volwassenen hun levens in mijn aanwezigheid leefden zonder angst te worden gadegeslagen, niet wetende dat, jaren later, iemand door baby-ogen zou terugblikken en besluiten om uit de school te klappen.

Dus hier is de oude baas Ibrahim, die sterft van de zorgen omdat ver weg in Afrika, regeringen zijn sisalplantages nationaliseren; hier zit zijn oudste zoon Ishaq te kniezen over zijn hotelbedrijf dat in de schulden zit, zodat hij genoodzaakt is geld te lenen van plaatselijke gangsters; hier zijn Ishaqs ogen, die begerig kijken naar de vrouw van zijn broer, hoewel het mij een raadsel is waarom Nussie-de-eend bij iemand seksuele belangstelling kon hebben gewekt; en hier is Nussies echtgenoot, Ismail de advocaat, die een belangrijke les heeft getrokken uit de tanggeboorte van zijn zoon: 'Niets komt er goed uit in het leven,' zegt hij tegen zijn eend van een vrouw, 'als het er niet uit gehaald wordt.' Deze filosofie op zijn rechtskundige loopbaan toepassend, begint hij aan een carrière waarin hij rechters smeergelden betaalt en juries omkoopt; alle kinderen hebben de macht om hun ouders te veranderen, en Sonny veranderde zijn vader in een uitermate geslaagde boef. En, overstekend naar Villa Versailles, daar is mevrouw Dubash met haar schrijn voor de god Ganesha, neergezet in de hoek van een zo bovennatuurlijk rommelige flat dat, bij ons thuis, het woord 'dubash' een werkwoord werd dat 'rommel maken' betekende... 'O, Saleem, heb je je kamer weer gedubasht, smeerpoets die je bent!' placht Mary uit te roepen. En nu de oorzaak van die rommel, die zich over de kap van mijn kinderwagen buigt om me onder de kin te kietelen: Adi Dubash, de natuurkundige, genie op het gebied van atomen en rotzooi. Zijn vrouw, die Cyrus-de-grote al in zich draagt, houdt zich afzijdig, terwijl haar kind groeit en er iets fanatieks helemaal binnen in de hoeken van haar ogen glinstert dat zijn tijd afwacht; het zal pas te voorschijn komen wanneer mijnheer Dubash, die dag in, dag uit met de gevaarlijkste stoffen ter wereld werkte, sterft doordat hij stikt in een sinaasappel waaruit zijn vrouw was vergeten de pitjes te verwijderen. Ik ben nooit uitgenodigd om de flat van dokter Narlikar, de gynaecoloog die het land had aan kinderen, te bezoeken; maar in de huizen van Lila Sabarmati en Homi Catrack werd ik een voyeur, een heel kleine deelhebber aan Lila's duizend en één gevallen van ontrouw, en ten slotte getuige van het begin van een verhouding tussen de vrouw van de marineofficier en de filmmagnaat-en-eigenaar-van-renpaarden; hetgeen mij, na verloop van tijd, goed van pas zou komen toen ik een bepaalde wraakoefening beraamde.

Zelfs een baby ziet zich gesteld tegenover het probleem om zichzelf te bepalen; en ik moet wel zeggen dat er aan mijn vroege populariteit problematische aspecten zaten, daar ik op dit punt met een verwarrende veelheid van meningen werd gebombardeerd, want voor een goeroe onder een kraan was ik een Gezegende; in de ogen van Nussie-de-eend was ik een rivaal, en een nog geslaagder rivaal, van haar eigen Sonny (hoewel het haar tot eer strekt dat ze haar wrok nooit toonde, en mij net als iedereen te leen vroeg); voor mijn tweehoofdige moeder was ik allerlei babyachtige dingen – ze noemden me joonoo-moonoo, en putch-putch, en klein-stuk-van-de-maan.

Maar wat kan een baby uiteindelijk anders doen dan het allemaal slikken en hopen er later uit wijs te worden? Geduldig, met droge ogen, zoog ik de brief van Nehru en Winkies voorspelling in; maar de diepste indruk werd gemaakt op de dag dat Homi Catracks idiote dochter haar gedachten naar de andere kant van de circuspiste in mijn zuigelingenhoofd zond.

Toxy Catrack, met het te grote hoofd en de kwijlende mond; Toxy, die voor een betralied raam op de bovenste verdieping stond, spiernaakt, masturberend met de gebaren van volmaakte walging van zichzelf; die hard en vaak door haar tralies sprong, en ons soms op het hoofd sloeg ... zij was eenentwintig jaar oud, een brabbelende halve gare, het produkt van jaren inteelt; maar in mijn gedachten was ze mooi, omdat zij de gaven niet verloren had waarmee iedere zuigeling wordt geboren en die het leven vervolgens uitholt. Ik kan mij niets herinneren van wat Toxy zei toen ze mij haar gedachten liet influisteren; waarschijnlijk alleen maar gekir en gespuug; maar ze gaf een deur in mijn geest een duwtje, zodat, toen er een ongeluk gebeurde in een waskist, Toxy waarschijnlijk degene was die het mogelijk had gemaakt.

Dat is voor het ogenblik genoeg over de eerste tijd van Baby Saleem – alleen al het feit van mijn aanwezigheid heeft zijn uitwerking op de geschiedenis; Baby Saleem brengt veranderingen teweeg in de mensen om hem heen; en in het geval van mijn vader ben ik ervan overtuigd dat ik degene was die hem tot de buitensporigheden bracht die, wellicht onvermijdelijk, leidden tot die angstaanjagende vorstperiode.

Ahmed Sinai vergaf het zijn zoon nooit dat hij zijn teen had gebroken. Zelfs nadat de spalk was verwijderd bleef hij enigszins kreupel lopen. Mijn vader boog zich over mijn wieg en zei: 'Zo, mijn zoon: je begint zoals je van plan was verder te gaan. Je bent nu al begonnen met je arme vader een dreun te geven!' Naar mijn mening was dit min of meer als grapje bedoeld, want met mijn geboorte was alles voor Ahmed Sinai veranderd. Zijn positie in het huis was door mijn komst ondermijnd. Plotseling had Amina's toewijding verschillende doeleinden gekregen: ze troggelde hem nooit meer geld af, en het servet op zijn schoot aan de ontbijttafel voelde droeve steken van nostalgie naar vroeger. Nu was het: 'Je zoon heeft zus-en-zo nodig,' of 'Janum, je moet geld geven voor dit-en-dat.' Geen stijl, dacht Ahmed Sinai. Mijn vader was een opgeblazen man.

En zo kwam het door mij dat Ahmed Sinai, in die tijd na mijn geboorte, verviel tot de twee fantasieën die tot zijn ondergang zouden leiden, tot de onwerkelijke werelden van de djinns en van het land onder de zee.

Een herinnering aan mijn vader op een avond in het koele jaargetij, die op mijn bed zit (ik was zeven jaar oud) en mij, met een lichtelijk dikke tong, het verhaal vertelt van de visser die de djinn in een fles vond die op het strand was aangespoeld... 'Hecht nooit geloof aan de beloften van de djinn, mijn zoon! Laat ze uit de fles en ze zullen je opeten!' En ik, schuchter – omdat ik gevaar in de adem van mijn vader kon ruiken: 'Maar, abba, kan een djinn werkelijk in een fles leven?' Waarop mijn vader, met een kwikzilverachtige wisseling van stemming, brulde van het lachen en de kamer uitging, en terugkwam met een donkergroene fles met een wit etiket. 'Kijk,' zei hij met sonore stem, 'wil je de djinn hier binnen zien?' 'Nee!' gilde ik doodsbang; maar mijn zuster, de Brutale Aap, gilde 'Ja!' uit het bed ernaast ... en terwijl wij opgewonden van angst tegen elkaar aankropen, keken wij hoe hij de dop losschroefde en de hals van de fles dramatisch met zijn hand bedekte; en nu verscheen er in de andere hand een sigarettenaansteker. 'Mogen alle boze djinns vergaan!' riep mijn vader uit; en, terwijl hij zijn handpalm wegnam, bracht hij de vlam bij de hals van de fles. Met ontzag vervuld zagen de Aap en ik een griezelige vlam, blauw-geel-groen, die (traag) langs de binnenkant van de fles naar omlaag kringelde; tot hij, op de bodem, heel even opflakkerde en doofde. De volgende dag veroorzaakte ik een onbedaarlijk gelach toen ik het aan Sonny, Oogsnee en Haarolie vertelde: 'Mijn vader vecht met djinns; hij verslaat ze; het is waar!'... En het was waar. Ahmed Sinai, beroofd van geflikflooi en aandacht, begon, kort na mijn geboorte, een levenslange strijd tegen djinnflessen. Maar ik vergiste mij in één ding: hij won niet.

Cocktailkastjes hadden zijn begeerte opgewekt; maar het was mijn komst die hem ertoe dreef... In die tijd was Bombay tot een drooggelegde staat verklaard. De enige manier om aan een borrel te komen was je alcoholist te laten verklaren; en daardoor ontstond een nieuw soort dokters, djinndokters, van wie er een, dokter Sharabi, door buurman Homi Catrack aan mijn vader werd voorgesteld. Daarna, op de eerste van iedere maand, stonden mijn vader en mijnheer Catrack, en velen van de eerbiedwaardigste mensen uit de stad, in de rij voor de matglazen deur van de spreekkamer van dokter Sharabi, gingen naar binnen, en kwamen naar buiten met de kleine roze briefjes van het alcoholisme. Maar het toegestane rantsoen was te klein voor de behoeften van mijn vader; dus stuurde hij zijn bedienden ook, en tuinlieden, dragers, chauffeurs (wij hadden nu een auto, een Rover van 1946 met treeplanken, net als die van William Methwold), zelfs de oude Musa en Mary Pereira brachten meer en meer roze briefjes voor mijn vader mee terug, die hij naar de Vijay Stores nam tegenover de besnijdende barbierszaak aan Gowalia Tank Road, en inwisselde voor de bruine papieren zakken van het alcoholisme, waarin de rinkelende groene flessen zaten, vol djinn. En ook whisky: Ahmed Sinai benevelde zich door de groene flessen en rode etiketten van zijn bedienden te drinken. De armen, die weinig anders te verkwanselen hadden, verkochten hun identiteit op kleine stukjes roze papier; en mijn vader zette ze om in vloeistof en dronk ze op.

Iedere avond om zes uur ging Ahmed Sinai de wereld van de djinns binnen; en iedere morgen kwam hij, met rode ogen en bonzend hoofd door de vermoeidheid van zijn nachtelijke gevecht, ongeschoren aan de ontbijttafel; en met het voorbijgaan van de jaren werd het goede humeur van de tijd voor hij zich schoor, ingenomen door de geïrriteerde uitputting van zijn oorlog tegen de geesten in de flessen.

Na het ontbijt ging hij naar beneden. Hij had twee kamers op de parterre als kantoor bestemd, omdat zijn richtingsgevoel even slecht was als altijd, en het idee om in Bombay op weg naar zijn werk verdwaald te raken hem niet aantrok; zelfs hij kon zijn weg de trap af vinden. Lichtelijk beneveld deed mijn vader zijn makelaarstransacties; en zijn groeiende boosheid om mijn moeders aandacht voor haar kind vond een nieuwe uitlaat achter de deur van zijn kantoor – Ahmed Sinai flirtte met zijn secretaresses. Na nachten waarin zijn ruzie met flessen soms in ruwe taal uitbarstte – 'Wat een vrouw heb ik gevonden! Ik had een zoon voor mezelf moeten kopen en een verpleegster in dienst moeten nemen – wat is het verschil?' En dan tranen, en Amina: 'O, janum – kwel me niet!' hetgeen weer uitlokte: 'Kwellen, 't mocht wat! Vind jij het kwellen als een man zijn vrouw om aandacht vraagt? God bewaar me voor stomme vrouwen!'– mijn vader hinkte naar beneden om verliefde blikken op meisjes uit Colaba te werpen. En na een tijdje begon Amina op te merken dat zijn secretaresses nooit lang bleven, dat ze plotseling weggingen en zonder op te zeggen onze oprijlaan af stoven; en u moet zelf maar oordelen of ze blind wilde zijn, of het als een straf beschouwde, maar ze deed er niets aan en ging door met haar tijd aan mij te wijden; haar enige daad van erkenning was de meisjes een collectieve naam te geven. 'Die Anglo's,' zei ze tegen Mary, en verried een zweem van snobisme, 'met hun rare namen, Fernanda en Alonso en zo, en achternamen, mijn God! Sulaca en Colaco en weet ik wat al niet meer. Waarom zou ik me druk om ze maken? Goedkoop soort vrouwmensen. Ik noem ze allemaal zijn Coca-Cola-meisjes – zo klinken ze allemaal.'

Terwijl Ahmed in billen kneep, werd Amina lijdzaam; maar hij zou misschien blij zijn geweest als ze er blijk van had gegeven dat het haar wel kon schelen.

Mary Pereira zei: 'Het zijn niet zulke rare namen, mevrouw; neem me niet kwalijk, maar het zijn goede christelijke woorden.' En Amina herinnerde zich Ahmeds nicht Zohra die de spot dreef met een donkere huid – en niet wetende wat ze moest doen om zich te verontschuldigen, verviel ze in Zohra's fout: 'O, niet *jij*, Mary, hoe kon je denken dat ik de spot met jou dreef?'

Met slapen als horens en een neus als een komkommer, lag ik in mijn wieg te luisteren; en alles wat er gebeurde, gebeurde vanwege mij... Op een dag in januari 1948, 's middags om vijf uur, kreeg mijn vader bezoek van dr. Narlikar. Er waren, zoals gebruikelijk, omhelzingen, en klappen op de rug. 'Een partijtje schaak?' luidde de rituele vraag van mijn vader, want deze bezoeken begonnen een gewoonte te worden. Ze zouden schaak spelen op de oude Indiase manier, het shatranj-spel, en, door de eenvoud van het schaakbord bevrijd van de verwikkelingen van zijn leven, placht Ahmed een uur lang te dagdromen over de herindeling van de koran; en dan werd het zes uur, cocktailtijd, tijd voor de djinns ... maar die avond zei Narlikar: 'Nee.' En Ahmed: 'Nee? Wat bedoel je, *nee*? Kom, ga zitten, speel, roddel...' Narlikar, die hem in de rede viel: 'Vanavond, broeder Sinai, moet ik je iets laten zien.' Ze zitten nu in een Rover van 1946 en Narlikar draait aan de slinger en springt erin; ze rijden noordwaarts langs Warden Road, langs de Mahalaxmi-tempel links van de golfbaan van de Willingdon Club rechts, laten de renbaan achter zich, koersen langs Hornby Vellard naast de strandmuur; het Vallabhbhai-Patel-stadion komt in het zicht, met zijn reusachtige uit karton geknipte platen van worstelaars, Bano Devi, de Onoverwinnelijke Vrouw en Dara Singh, de machtigste van allemaal ... er zijn channaverkopers en hondenuitlaters die langs de zee wandelen. 'Stop,' gelast Narlikar, en ze stappen uit. Ze staan tegenover de zee; zeebries verkoelt hun gezichten; en daar, aan het eind van een smal cementen pad te midden van de golven, is het eiland waarop het graf van Haji Ali de mysticus staat. Pelgrims slenteren tussen Vellard en graf.

'Daar,' wijst Narlikar, 'wat zie je?' En Ahmed, gemystificeerd: 'Niets. Het graf. Mensen. Wat heeft dit te betekenen, beste kerel?' En Narlikar: 'Dat niet. *Daar*!' En nu ziet Ahmed dat Narlikars wijzende vinger op het cementen pad is gericht... 'De promenade?' vraagt hij. 'Wat kan jou die schelen? Over enkele minuten komt de vloed en staat ie onder water; iedereen weet dat...' Narlikar, wiens huid gloeit als een baken, wordt filosofisch. 'Zo is het broeder Ahmed; zo is het. Land en zee; zee en land; de eeuwige strijd, nietwaar?' Ahmed, die niet weet wat hij ervan moet denken, blijft zwijgen. 'Eens waren er zeven eilanden,' herinnert Narlikar hem, 'Worli, Mahim, Salsette, Matunga, Colaba, Mazagaon, Bombay. De Britten maakten er een van. Zee, broeder Ahmed, werd land. Land verrees en verzonk niet onder de getijden!' Ahmed verlangt naar zijn whisky; zijn lip begint vooruit te steken terwijl de pelgrims haastig het smaller wordende pad af lopen. 'Waar gaat het om?' wil hij weten. En Narlikar, verblindend stralend: 'Waar het om gaat, Ahmed bhai, is dit!'

Het komt uit zijn zak: een klein gipsmodel, vijf centimer hoog: de vierpoot! Als een driedimensionaal Mercedes-Benz-embleem, dat met drie poten op zijn handpalm staat, terwijl een vierde als een fallisch symbool in de avondlucht omhoog steekt, nagelt het mijn vader aan de grond. 'Wat is dat?' vraagt hij; en nu vertelt Narlikar het hem: 'Dit is de baby die ons rijker zal maken dan Hyderabad, bhai! De kleine vondst die jou, jou en mij, *daar* de meesters van zullen maken!' Hij wijst naar de plaats waar de zee over het verlaten cementen pad spoelt... 'Het land onder de zee, mijn vriend! Wij moeten deze met duizenden – met tienduizenden maken! Wij moeten inschrijven op landaanwinningscontracten; er ligt een fortuin te wachten; laat het niet lopen, broeder, dit is de kans van je leven!'

Waarom stemde mijn vader in om de ondernemersdroom van een gynaecoloog te dromen? Waarom kreeg het visioen van levensgrote, vierpotige veroveraars die over de zee triomfeerden hem, stukje bij beetje, even vast in zijn greep als de glimmende dokter? Waarom wijdde Ahmed zich in de volgende jaren aan de fantasie van iedere eilandbewoner – de mythe van de golven te veroveren? Misschien omdat hij bang was nog een afslag te missen; misschien vanwege de kameraadschap van spelletjes shatranj; of misschien was het Narlikars geloofwaardigheid – 'Jouw kapitaal en mijn contacten, Ahmed bhai, wat kan er misgaan? Iedere man van gewicht in deze stad heeft een zoon die door mij ter wereld is gebracht; er zullen geen deuren dicht worden geslagen. Jij fabriceert; ik zorg voor het contract! Fifty-fifty; eerlijk is eerlijk!' Maar naar mijn mening is er een eenvoudiger verklaring. Mijn vader, wie de aandacht van zijn vrouw werd onthouden, verdrongen door zijn zoon, beneveld door whisky en djinn, probeerde zijn positie in de wereld te herstellen; en de droom van vierpoten gaf hem daar de kans voor. Van ganser harte stortte hij zich in die grote dwaasheid; er werden brieven geschreven, er werd op deuren geklopt, zwart geld verwisselde van eigenaar; hetgeen er allemaal toe leidde dat Ahmed Sinai een bekende naam werd in de wandelgangen van de Sachivalaya – in de gangen van het Staatssecretariaat kregen ze de lucht van een moslem die met zijn roepies smeet als water. En Ahmed Sinai, die zichzelf in slaap dronk, was zich niet bewust van het gevaar waarin hij verkeerde.

In deze periode werden onze levens gevormd door correspondentie. De Eerste Minister schreef me toen ik precies zeven dagen oud was – nog voor ik mijn eigen neus kon afvegen, ontving ik bewonderende brieven van lezers van de *Times of India*; en op een ochtend in januari ontving Ahmed Sinai ook een brief die hij nooit zou vergeten.

Rode ogen aan het ontbijt werden gevolgd door de geschoren kin van een werkdag; voetstappen die de trap af gingen; verontrust gegiechel van het Coca-Cola-meisje. Het gekras van een stoel die naar een bureau werd geschoven dat overtrokken was met groen leerdoek. Metaalachtig geluid van een metalen briefopener die werd opgepakt, en heel even met telefoon in botsing kwam. Het korte gerasp van metaal dat envelop opensnijdt; en een minuut later rende Ahmed terug de trap op, riep om mijn moeder, en schreeuwde:

'Amina! Kom hier, vrouw! De schoften hebben mijn ballen in een ijsemmer gestopt!'

In de dagen nadat Ahmed de officiële brief waarin hem werd meegedeeld dat al zijn activa waren bevroren had ontvangen, praatte de hele wereld tegelijk... 'In hemelsnaam, janum, wat een taal!' zegt Amina – en verbeeld ik het me maar, of bloost er een baby in een hemelsblauwe wieg?

En Narlikar, die arriveert met schuim van transpiratie op zijn gezicht: 'Ik wijt het helemaal aan mezelf; we zijn te veel in de openbaarheid getreden. Dit is een slechte tijd, Sinai bhai – bevries de activa van een moslem, zeggen ze, en je maakt dat hij 'm smeert naar Pakistan en al zijn rijkdommen achterlaat. Pak de hagedis bij de staart en hij zal die afbreken! Deze zogenaamde wereldlijke staat krijgt van die verdomd uitgekookte ideeën.'

'Alles,' zegt Ahmed Sinai, 'bankrekening; spaarcertificaten; de huur van de bezittingen in Kurla – allemaal geblokkeerd, bevroren. Per order staat er in de brief. Per order willen ze me nog geen vier anna's geven, vrouw – nog geen chavanni om het kijkkastspul te zien!'

'Het komt door die foto's in de krant,' beslist Amina. 'Hoe zouden die parvenuachtige knappe jongens anders weten wie ze moeten vervolgen? Mijn God, janum, het is mijn schuld...'

'Nog geen tien spie voor een zakje channa,' voegt Ahmed Sinai eraan toe, 'nog geen anna om als aalmoes aan een bedelaar te geven. Bevroren – als in de koelkast!'

'Het is mijn schuld,' zegt Ismail Ibrahim, 'ik had je moeten waarschuwen, Sinai bhai. Ik heb van die bevriezing gehoord – alleen bemiddelde moslems worden natuurlijk uitgekozen. Je moet vechten...'

'...Met hand en tand!' dringt Homi Catrack aan, 'als een leeuw! Als Aurangzeb – je voorvader, nietwaar? – als de Rani van Jhansi! Laten we dan eens zien in wat voor land we terecht zijn gekomen!'

'Er zijn gerechtshoven in deze Staat,' voegt Ismail Ibrahim eraan toe; Nussie-de-eend glimlacht stompzinnig terwijl ze Sonny zoogt; haar vingers bewegen, en strelen afwezig zijn holtes, omhoog en rond, omlaag en rond, in een gestadig, onveranderlijk ritme... 'Je moet mijn rechtskundige bijstand aanvaarden,' zegt Ismail tegen Ahmed. 'Helemaal gratis, mijn goede vriend. Nee, nee, ik wil er niet van horen. Hoe dat kan? We zijn buren.'

'Blut,' zegt Ahmed, 'bevroren, als water.'

'Kom mee nu,' valt Amina hem in de rede; terwijl haar toewijding naar nieuwe hoogten stijgt, brengt ze hem naar haar slaapkamer... 'Janum, je moet een tijdje gaan liggen.' En Ahmed: 'Wat is dit vrouw? Op een tijd als deze – uitgeschud; finito; vergruizeld als ijs – en jij denkt aan...' Maar ze heeft de deur dicht gedaan; pantoffels zijn uitgeschopt; armen reiken naar hem; en enkele ogenblikken later strekken haar handen zich omlaag omlaag omlaag; en dan: 'O, lieve hemel, janum, ik dacht dat je alleen maar smerige taal uitsloeg maar het is waar! Zo koud, Allah, zo kouououd, als kleine ronde ijsblokjes!'

Dergelijke dingen gebeuren; nadat de staat de activa van mijn vader bevroor begon mijn moeder te voelen dat ze kouder en kouder werden. Op de eerste dag werd de Brutale Aap verwekt – net op tijd, want daarna, hoewel Amina iedere avond met haar echtgenoot naar bed ging om hem warm te maken, hoewel ze zich dicht tegen hem aan nestelde wanneer ze hem voelde huiveren terwijl de ijzige vingers van woede en machteloosheid zich van zijn lendenen naar boven verspreidden, kon ze het niet langer verdragen haar hand uit te strekken en hem aan te raken want zijn kleine ijsblokjes waren te koud geworden om vast te houden.

Zij – wij – hadden moeten weten dat er iets ergs zou gebeuren. Die januari waren het Chowpatty-strand, en ook Juhu en Trombay, bezaaid met de omineuze lijken van dode braam, die zonder enige verklaring, met de buik naar boven, als geschubde vingers naar de kust toe dreven.

En andere voortekenen: men zag kometen boven de Back-baai uiteenspatten; er werd gemeld dat men bloemen had gezien waaruit echt bloed was gevloeid; en in februari ontsnapten de slangen uit het Instituut Schaapsteker. Het gerucht deed de ronde dat een krankzinnige Bengaalse slangenzweerder, een Tubriwallah, door het land reisde en slangen uit gevangenschap bezweerde, en ze door de verleiding van zijn fluit uit slangenboerderijen (zoals het Instituut Schaapsteker, waar de medicinale functies van slangegif werden bestudeerd en tegengif werd gemaakt) lokte, als vergelding voor de verdeling van zijn geliefde Gouden Bengalen. Na enige tijd voegden de geruchten eraan toe dat de Tubriwallah twee meter tien lang was, en een felblauwe huid had. Hij was Krishna die gekomen was om zijn volk te kastijden; hij was de Jezus-met-de-hemelsblauwe-huid van de missionarissen.

Het schijnt dat, in de nasleep van mijn geboorte als wisselkind, terwijl ik mezelf met halsbrekende snelheid vergrootte, alles mis begon te gaan dat mogelijkerwijze maar mis kon gaan. In de slangenwinter van 1948, en in de daarop volgende hete en natte seizoenen, volgde de ene gebeurtenis na de andere, zodat wij tegen de tijd dat de Brutale Aap in september geboren werd, ons allemaal uitgeput voelden en toe waren aan een paar jaar rust.

Ontsnapte cobra's verdwenen in de rioleringen van de stad; in bussen werden geringde kraits gezien. Godsdienstige leiders beschreven de ontsnapping van de slangen als een waarschuwing – de god Naga was losgelaten, zongen zij, als straf voor het feit dat de natie haar godheden officieel had verloochend. ('Wij zijn een wereldlijke staat,' kondigde Nehru aan, en Morarji en Patel en Menon waren het er allemaal mee eens; maar toch rilde Ahmed Sinai onder de invloed van de bevriezing.) En op een dag, toen Mary had gevraagd: 'Hoe moeten wij nu leven, mevrouw?' bracht Homi Catrack ons in kennis met dr. Schaapsteker zelf. Hij was eenentachtig; zijn tong schoot voortdurend tussen zijn papierachtige lippen naar binnen en naar buiten; en hij was bereid om contant huur te betalen voor een appartement op de bovenste verdieping dat uitkeek over de Arabische Zee. Ahmed Sinai had in die tijd zijn toevlucht in bed gezocht; de ijzige kou van de bevriezing drong in zijn beddelakens door; hij nam grote hoeveelheden whisky in voor medicinale doeleinden, maar die slaagden er niet in hem te warmen ...

dus was het Amina die erin toestemde de bovenste verdieping van Villa Buckingham aan de oude slangendokter te verhuren. Aan het eind van februari kwam slangegif onze levens binnen.

Dokter Schaapsteker was een man die wilde verhalen veroorzaakte. De bijgeloviger bodes van zijn Instituut zwoeren dat hij het vermogen had om iedere nacht te dromen dat hij door slangen gebeten werd, en op die manier immuun bleef voor hun beten. Anderen fluisterden dat hij zelf half slang was, het kind van een onnatuurlijke verbintenis tussen een vrouw en een cobra. Zijn bezetenheid van het venijn van de geringde krait – *bungarus fasciatus* – begon legendarisch te worden. Er is geen tegengif bekend tegen de beet van *bungarus*: maar Schaapsteker had er zijn leven aan gewijd om het te vinden. Hij kocht afgetobde paarden van de Catrack-stallen (onder andere) en spoot die in met kleine doses gif; maar de paarden, onbehulpzaam, ontwikkelden geen tegenstoffen, schuimbekten, stierven staande en moesten in lijm worden veranderd. Er werd gezegd dat dokter Schaapsteker – 'Sharpsticker sahib' – nu de macht had verkregen om paarden te doden eenvoudig door met een injectienaald naar ze toe te gaan ... maar Amina schonk geen aandacht aan deze krasse verhalen. 'Hij is een oude gentleman,' zei ze tegen Mary Pereira; 'waarom zouden wij ons iets aantrekken van de mensen die hem zwart maken? Hij betaalt zijn huur, en stelt ons in staat te leven.' Amina was de Europese slangendokter dankbaar, vooral in die tijd van de bevriezing toen Ahmed niet de moed scheen te hebben om te vechten.

'Mijn lieve vader en moeder,' schreef Amina, 'ik zweer bij mijn ogen en hoofd dat ik niet weet waarom zulke dingen ons overkomen... Ahmed is een goede man, maar deze zaak heeft hem hard getroffen. Als u raad voor uw dochter hebt, zij heeft die hard nodig.' Drie dagen nadat ze deze brief ontvingen arriveerden Aadam Aziz en Eerwaarde Moeder per posttrein op het Centraal Station van Bombay; en Amina, die hen in onze Rover van 1946 naar huis reed, keek uit een zijraampje en zag de Mahalaxmi-renbaan; en kwam het roekeloze idee voor het eerst bij haar op.

'Deze moderne inrichting is goed voor jullie jongelui, hoenoemjehet,' zei Eerwaarde Moeder. 'Maar geef mij maar een ouderwetse takht om op te zitten. Deze stoelen zijn zo zacht, hoenoemjehet, ze geven me het gevoel alsof ik val.'

'Is hij ziek?' vroeg Aadam Aziz. 'Zal ik hem niet eens onderzoeken en medicijnen voorschrijven?'

'Dit is geen tijd om je in bed te verstoppen,' verklaarde Eerwaarde Moeder. 'Nu moet hij een man zijn, hoenoemjehet, en handelen als een man.'

'Wat zien jullie er allebei goed uit, mijn ouders,' riep Amina uit, die vond dat haar vader een oude man begon te worden die met het verstrijken van de jaren scheen te krimpen; terwijl Eerwaarde Moeder zo breed was geworden dat leunstoelen, hoewel zacht, onder haar gewicht kreunden ... en soms, door een speling van het licht, meende Amina midden in haar vaders lichaam een donkere schaduw, als een gat, te zien.

'Wat is er in dit India nog over?' vroeg Eerwaarde Moeder, terwijl haar hand door de lucht sneed. 'Ga weg, laat het allemaal achter, ga naar Pakistan. Kijk eens hoe goed het die Zilfikar gaat – hij zal jullie op weg helpen. Wees een man, mijn zoon en begin opnieuw!'

'Hij wil nu niet praten,' zei Amina, 'hij moet rusten.'

'Rusten?' brulde Aadam Aziz. 'Die man is een gelatinepudding!'

'Zelfs Alia, hoenoemjehet,' zei Eerwaarde Moeder, 'helemaal alleen naar Pakistan gegaan – zelfs zij heeft een behoorlijk leven, geeft les op een mooie school. Ze zeggen dat ze binnenkort hoofdonderwijzeres zal worden.'

'Sssst, moeder, hij wil slapen ... laten we hiernaast gaan...'

'Er is een tijd om te slapen, hoenoemjehet, en een tijd om wakker te zijn! Luister: Mustapha verdient vele honderden roepies per maand, hoenoemjehet, in overheidsdienst. Wat is je man? Te goed om te werken?'

'Moeder, hij is in de war. Zijn temperatuur is zo laag...'

'Wat geef je hem te eten? Van nu af aan, hoenoemjehet, zal ik in je keuken staan. Jonge mensen van vandaag – net baby's, hoenoemjehet!'

'Zoals u wilt, moeder.'

'Ik zal je hoenoemjehet vertellen, het komt door die foto's in de krant. Ik heb geschreven – heb ik het niet geschreven? – dat daar niets goeds van zou komen. Mijn God, hoenoemjehet, toen ik je foto zag, was je zo doorzichtig geworden dat ik het schrift van de andere kant dwars door je gezicht kon zien komen!'

'Maar dat is alleen maar...'

'Bespaar me je verhalen, hoenoemjehet! Ik dank God dat je van die fotografie bent hersteld!'

Na die dag was Amina bevrijd van de noodzaak om haar huishouden te doen. Eerwaarde Moeder zat aan het hoofd van de eettafel, en deelde het eten uit (Amina bracht borden aan Ahmed, die in bed bleef, af en toe klagend: 'Kapotgemaakt, vrouw! Afgeknapt – als een ijspegel!'); terwijl, in de keukens, Mary Pereira de tijd nam om voor hun bezoekers enkele van de lekkerste en verfijndste mangopickles, limoenchutneys en komkommerkasaundies ter wereld te bereiden. En nu, weer tot de status van dochter in haar eigen huis hersteld, begon Amina de emoties van het eten van andere mensen in zich te voelen siepelen – want Eerwaarde Moeder deelde de kerries en gehaktballetjes van onverzoenlijkheid uit, schotels doordrongen van de persoonlijkheid van degene die ze gemaakt had; Amina at de vis salans van koppigheid en de biriani's van vastberadenheid. En hoewel Mary's pickles ten dele een tegengestelde uitwerking hadden – omdat zij er de schuld van haar hart en de angst te worden ontdekt in had geroerd, zodat ze, hoe lekker ze ook smaakten, de macht hadden om hen die ze aten aan naamloze onzekerheden en dromen van beschuldigende vingers te onderwerpen – het dieet dat Eerwaarde Moeder verschafte, vervulde Amina met een soort woede, en leidde zelfs tot enige tekenen van beterschap in haar verslagen echtgenoot. Zodat ten slotte de dag aanbrak dat Amina, die had toegekeken hoe ik onhandig met speelgoedpaarden van sandelhout in bad speelde, de zoete geuren van sandelhout inademend die het badwater vrijmaakte, plotseling in zichzelf opnieuw de avontuurlijke karaktertrek ontdekte die zij van haar verkwijnende vader had geërfd, de karaktertrek die Aadam Aziz uit zijn bergdal naar omlaag had gebracht; Amina wendde zich tot Mary Pereira en zei: 'Ik heb er genoeg van. Als niemand hier in huis de zaken gaat rechtzetten, dan zit er niets anders op dan dat ik het doe!'

Speelgoedpaarden galoppeerden achter Amina's ogen toen ze het aan Mary overliet om me af te drogen en naar haar slaapkamer ging. Vluchtige indrukken die zij zich van de Mahalaxmi-renbaan herinnerde renden in korte galop in haar hoofd terwijl ze sari's en onderjurken opzij schoof. De koorts van een roekeloos plan bracht een blos op haar wangen toen ze het deksel van een oude tinnen koffer opende ... haar beurs vullend met de geldstukken en roepiebiljetten van dankbare patiënten en bruiloftsgasten, ging mijn moeder naar de rennen.

Terwijl de Brutale Aap binnen in haar groeide, liep mijn moeder langs de paddocks van de renbaan die naar de godin van de rijkdom was genoemd; zwangerschapsmisselijkheid en spataderen trotserend, stond ze in de rij voor het totoloket, en zette geld op trio's en hoog genoteerde outsiders. Daar ze niets, maar dan ook niets van paarden afwist, zette ze geld op merries waarvan bekend was ze het op de lange afstand niet volhielden; ze wedde op jockeys omdat hun glimlach haar aanstond. Met een beurs in de hand geklemd die gevuld was met de bruidsschat die onaangeraakt in zijn koffer had gelegen sinds haar eigen moeder die had ingepakt, gokte ze wild op hengsten die geschikt leken voor het Instituut Schaapsteker ... en won, en won, en won.

'Goed nieuws,' zegt Ismail Ibrahim, 'ik heb altijd gevonden dat je tegen die schoften moest vechten. Ik zal meteen gerechtelijke stappen ondernemen ... maar daar is geld voor nodig, Amina. Heb je geld?'

'Het geld zal er zijn.'

'Niet voor mezelf,' legt Ismail uit. 'Mijn diensten zijn, zoals ik zei, gratis, helemaal gratis. Maar, vergeef mij, je weet hoe het gaat, je moet cadeautjes geven aan mensen om de weg te effenen...'

'Hier,' Amina overhandigt hem een envelop, 'is dat voorlopig genoeg?'

'Mijn God,' Ismail Ibrahim laat het pakje verbaasd vallen en roepiebiljetten in grote coupures liggen over de hele vloer van de zitkamer verspreid, 'hoe ben je aan zoveel geld ge...' En Amina: 'Dat moet je maar liever niet vragen – en ik zal niet vragen hoe jij het uitgeeft.'

Het geld van Schaapsteker betaalde voor ons eten; maar paarden vochten onze oorlog uit. De periode dat het mijn moeder op de renbaan meezat duurde zo lang, was zo'n rijke ader, dat het niet geloofwaardig zou zijn geweest als het niet was gebeurd ... want maand na maand zette ze haar geld op het keurig geknipte haar van een jockey, of de mooie bonte kleur van een hengst; en ze verliet de renbaan nooit zonder een grote envelop propvol bankbiljetten.

'Het gaat goed,' zei Ibrahim Ismail tegen haar, 'maar Amina, zuster, God weet waar je mee bezig bent. Is het fatsoenlijk? Is het wettig?' En Amina: 'Maak je geen kopzorg. Wat men niet kan verhelpen, moet men verdragen. Ik doe wat er gedaan moet worden.'

In al die tijd schiep mijn moeder niet een keer behagen in haar machtige overwinningen; want zij werd door meer dan alleen maar een baby bezwaard – door de kerries van Eerwaarde Moeder gevuld met aloude vooringenomenheden te eten, was ze ervan overtuigd geraakt dat gokken op een na het ergste op de wereld was, op alcohol na; dus, hoewel ze geen misdadigster was, voelde zij zich verteerd door zonde.

Wratten kwelden haar voeten, hoewel Purushottam de sadhu, die onder onze tuinkraan zat tot het druipende water een kale plek midden in het weelderig aaneenklevende haar op zijn hoofd veroorzaakte, die wonderlijk goed wegtoverde; maar die hele slangenwinter en het warme seizoen vocht mijn moeder de strijd van haar echtgenoot.

U vraagt: hoe is dat mogelijk? Hoe kon een huisvrouw, hoe toegewijd, hoe vastberaden ook, fortuinen op de paarden winnen, dag na rendag, maand na maand? U denkt bij uzelf: aha, die Homi Catrack, hij bezit renpaarden; en iedereen weet dat de meeste rennen afgesproken werk zijn; Amina vroeg haar buurman om tips uit de eerste hand! Een zeer plausibele gedachte; maar mijnheer Catrack verloor zelf even vaak als hij won; hij zag mijn moeder op de renbaan en haar succes verbaasde hem. ('Alsjeblieft,' vroeg Amina hem, 'Catrack sahib, laat dit een geheim tussen ons zijn. Gokken is iets vreselijks; het zou zo beschamend zijn als mijn moeder erachter kwam. 'En Catrack zei, terwijl hij verbluft knikte: 'Zoals je wilt.') Dus was het niet de Parsi die erachter zat – maar misschien kan ik een andere verklaring aan de hand doen. Hier komt ie, in een hemelsblauwe wieg in een hemelsblauwe kamer met de wijzende vinger van de visser aan de muur; hier is, telkens wanneer zijn moeder weggaat met een beurs vol geheimen in de hand geklemd, Baby Saleem, die een uitdrukking van uiterste concentratie heeft gekregen, wiens ogen zijn gegrepen door zo'n enorm krachtige doelgerichte toewijding dat die ze heeft verdonkerd tot diep marineblauw, en wiens neus vreemd jeukt terwijl hij een of andere gebeurtenis in de verte schijnt gade te slaan, die van een afstand schijnt te leiden, net zoals de maan de getijden beheerst.

'De zaak komt zeer binnenkort voor,' zei Ismail Ibrahim. 'Ik denk dat je goede hoop kunt hebben ... mijn God, Amina, heb je de mijnen van koning Salomo gevonden?'

Zodra ik oud genoeg was om gezelschapsspelletjes te spelen, werd ik verliefd op Slangen en Ladders. O, volmaakt evenwicht tussen beloningen en straffen! O schijnbaar toevallige keuzen gemaakt door rollende dobbelstenen! Ladders opklimmend, langs slangen naar beneden glibberend, bracht ik enkele van de gelukkigste dagen van mijn leven door. Toen mijn vader mij, in mijn tijd van beproeving, uitdaagde om het shatranj-spel onder de knie te krijgen, wekte ik zijn woede door er de voorkeur aan te geven hem in plaats daarvan uit te nodigen zijn geluk te beproeven te midden van de ladders en peuzelende slangen.

Alle spelletjes hebben een moraal; en het spel Slangen en Ladders omvat, als geen andere activiteit kan hopen te doen, de eeuwige waarheid dat er voor iedere ladder die je beklimt een slang vlak om de hoek ligt te wachten; en voor iedere slang, zal een ladder compensatie bieden. Maar het is meer dan dat; niet alleen maar een kwestie van dreigementen en lokmiddelen; want de onveranderlijke tweeheid van de dingen ligt in het spel besloten, de dualiteit van omhoog tegen omlaag, goed tegen kwaad; de solide rationaliteit van ladders houdt de occulte kronkelingen van het serpent in evenwicht; in de tegenstelling van trap en cobra kunnen wij, metaforisch gesproken, alle denkbare tegenstellingen zien, Alfa tegenover Omega, vader tegenover moeder; hier is de oorlog tussen Mary en Musa, en de polariteiten van knieën en neus ... maar ik ontdekte, heel vroeg in mijn leven, dat het spelletje één beslissende dimensie ontbeerde, die van tweeslachtigheid – want, het is zoals de gebeurtenissen weldra zullen aantonen, ook mogelijk om langs een ladder naar omlaag te glijden en tot triomf te stijgen op het gif van een slang... Om de zaak voor het ogenblik echter eenvoudig te houden, leg ik vast dat zodra mijn moeder de ladder naar de overwinning had ontdekt, vertegenwoordigd door haar geluk op de renbaan, zij eraan werd herinnerd dat de goten van het land nog krioelden van slangen.

Amina's broer Hanif was niet naar Pakistan gegaan. De droom van zijn kinderjaren volgend, die hij Rashid de riksjajongen in een korenveld in Agra had toegefluisterd, was hij in Bombay aangekomen en had een baan gezocht bij de grote filmstudio's. Met vroegrijp zelfvertrouwen was hij er niet alleen in geslaagd de jongste man te worden in de geschiedenis van de Indiase filmindustrie die een film te regisseren kreeg; hij had ook een van de mooiste sterren van die hemel van celluloid het hof gemaakt en getrouwd, de goddelijke Pia, wier gezicht haar fortuin was, en wier sari's waren gemaakt van stoffen waarmee de ontwerpers zich duidelijk ten doel hadden gesteld te bewijzen dat het mogelijk was om iedere aan de mens bekende kleur in een enkel patroon te verwerken. De goddelijke Pia kon de goedkeuring van Eerwaarde Moeder niet wegdragen, maar van mijn hele familie was Hanif de enige die vrij was van haar begrenzende invloed; als de vrolijke, zware man met de schallende lach van de vletterman Tai en de explosieve, onschuldige boosheid van zijn vader Aadam Aziz die hij was, had hij met haar zijn intrek genomen in een eenvoudig klein onfilmachtig appartement aan Marine Drive, en had gezegd: 'Volop tijd om als keizers te leven wanneer ik eenmaal naam heb gemaakt.' Zij berustte erin; zij was de ster in zijn eerste speelfilm, die gedeeltelijk door Homi Catrack en gedeeltelijk door D.W. Rama Studios (Pvt.) Ltd. werd gefinancierd – hij heette *The Lovers of Kashmir*; en op een avond midden in haar renbaandagen ging Amina Sinai naar de première. Haar ouders gingen niet mee, vanwege Eerwaarde Moeders afkeer van de bioscoop, waartegen Aadam Aziz niet langer de kracht had zich te verzetten – evenals hij, die met Mian Abdullah tegen Pakistan had gevochten, niet langer met haar bekvechtte wanneer zij het land prees, maar nog net sterk genoeg was om voet bij stuk te houden en te weigeren te emigreren; maar Ahmed Sinai, die was opgeleefd door de kookkunst van zijn schoonmoeder, maar wrokte om haar voortdurende aanwezigheid, stond op en vergezelde zijn vrouw. Zij namen hun plaatsen in, naast Hanif en Pia en de mannelijke ster van de film, een van India's geslaagdste 'minnaars', I.S. Nayyar. En hoewel ze het niet wisten, wachtte er een slang in de coulissen ... maar laat ons ondertussen Hanif Aziz toestaan zijn grote ogenblik te beleven; want *The Lovers of Kashmir* bevatte een idee dat mijn oom een spectaculair, hoewel kort, ogenblik van triomf zou verschaffen. In die tijd was het minnaars en hun hoofdrolspeelsters niet veroorloofd elkaar op het witte doek aan te raken, uit vrees dat hun kussen de jeugd van de natie zouden corrumperen ... maar drieëndertig minuten na het begin van *The Lovers* begon het première-publiek een zacht gechoqueerd gezoem te produceren, omdat Pia en Nayyar waren begonnen te kussen – niet elkaar – maar voorwerpen.

Pia kuste een appel, sensueel, met heel de rijke volheid van haar geschilderde lippen; gaf hem toen aan Nayyar; die, op de andere kant, er een viriel hartstochtelijke mond tegenaan drukte. Dit was het ontstaan van wat bekend zou worden als de indirecte kus – en hoeveel verfijnder was die dan iets anders in onze huidige filmkunst; hoe bezwangerd van verlangen en erotiek! Het bioscooppubliek (dat vandaag de dag schor zou juichen bij het zien van een jong stel dat achter een struik duikt, die dan belachelijk zou beginnen te schudden – zo laag zijn we gezonken in ons vermogen om te suggereren) keek, met de ogen afgewend op het doek, hoe de liefde van Pia en Nayyar, tegen een achtergrond van het Dalmeer en de ijsblauwe Kasjmiri hemel, zich uitte in kussen die werden gedrukt op kopjes roze Kasjmiri thee; bij de fonteinen van Shalimar drukten zij hun lippen op een zwaard ... maar nu, op het toppunt van Hanif Aziz' triomf, weigerde de slang te wachten; onder haar invloed gingen de lichten in de bioscoop aan. Tegen de meer dan levensgrote figuren van Pia en Nayyar, die mango's kusten terwijl ze hun monden op playback-muziek bewogen, zag men de gestalte van een schuchtere man met een armetierig baardje, die met een microfoon in de hand onder het doek het toneel op liep. De Slang kan de meest onverwachte gedaanten aannemen; nu, in de vermomming van deze onbekwame bedrijfsleider van de bioscoop, liet zij haar gif de vrije loop. Pia en Nayyar vervaagden en stierven weg; en de versterkte stem van de gebaarde man zei: 'Dames en heren, neem mij niet kwalijk; maar er is vreselijk nieuws.' Zijn stem stokte – een snik van de Slang, om zijn tanden kracht te verlenen! – en vervolgde toen: 'Vanmiddag, in Birla House, in Delhi, is onze geliefde Mahatma gedood. Een of andere krankzinnige heeft hem in de maag geschoten, dames en heren – onze Bupa is niet meer!'

Het publiek was nog voor hij was uitgesproken begonnen te schreeuwen; het gif van zijn woorden kwam in hun aderen – er waren volwassen mannen die in de gangpaden lagen te rollen terwijl ze hun buiken vasthielden, niet lachend maar huilend: *Hai Ram! Hai Ram!* – en vrouwen die aan hun haren trokken: waarbij de fraaiste kapsels van de stad om de oren van de vergiftigde dames vielen – er waren filmsterren die gilden als viswijven en er was iets verschrikkelijks in de lucht te ruiken – Hanif fluisterde: 'Maak dat je hier wegkomt, grote zuster – als een moslem dit heeft gedaan zul je de poppen aan het dansen hebben.'

Voor iedere ladder is er een slang ... en gedurende achtenveertig uur na het ontijdige einde van *The Lovers of Kashmir* bleef onze familie binnen de muren van Villa Buckingham ('Zet meubelen tegen de deuren, hoenoemjehet!' gelastte Eerwaarde Moeder. 'Als er Hindoe-bedienden zijn, laat ze dan naar huis gaan!'); en Amina durfde de renbaan niet te bezoeken.

Maar voor iedere slang is er een ladder: en ten slotte noemde de radio ons een naam. Nathuram Godse. 'Goddank,' barstte Amina uit, 'het is geen moslem-naam!'

En Aadam, op wie het nieuws van Gandhi's dood een nieuwe last van de ouderdom had gelegd: 'Die Godse is niets om dankbaar voor te zijn!'

Amina was echter vervuld van de lichtzinnigheid van opluchting, ze snelde duizelig de lange ladder van opluchting op... 'Waarom niet, per slot van rekening? Door Godse te zijn heeft hij ons leven gered!'

Ahmed Sinai bleef zich, na van zijn zogenaamde ziekbed te zijn opgestaan, gedragen als een patiënt. Met een stem als beslagen glas vertelde hij Amina: 'Dus je hebt Ismail gezegd er een rechtszaak van te maken; goed dan, goed; maar we zullen verliezen. In deze gerechtshoven moet je rechters omkopen...' En Amina, zich naar Ismael haastend: 'Nooit – nooit, onder geen omstandigheden – mag je Ahmed van het geld vertellen. Een man moet zijn trots behouden.' En later: 'Nee, janum, ik ga verder nergens naartoe; nee, de baby is helemaal niet vermoeiend; rust jij maar, ik moet alleen maar gaan winkelen – misschien ga ik bij Hanif langs – wij vrouwen, weet je, moeten onze dagen vullen!'

En toen ze thuiskwam met enveloppen die barstensvol zaten met roepiebiljetten... 'Neem, Ismael, nu hij op is moeten we snel en voorzichtig handelen!' En terwijl ze plichtsgetrouw 's avonds naast haar moeder zit: 'Ja, natuurlijk heb je gelijk, en Ahmed zal binnenkort zo rijk worden, je zult het zien!'

En eindeloos oponthoud in het hof; en enveloppen, die leeg worden; en de groeiende baby, die het punt nadert waarop Amina niet in staat zal zijn zich achter het stuur van de Rover uit 1946 te wringen; en kan haar geluk standhouden?; en Musa en Mary, ruziënd als oude tijgers.

Waardoor beginnen ruzies?

Welke resten van schuld angst schaamte, door de tijd in Mary's ingewanden ingemaakt, bracht haar er willig? onwillig? toe de bejaarde drager op een dozijn verschillende manieren te provoceren – door haar neus in de lucht te steken om haar superieure status aan te duiden; door het agressief tellen van de kralen van de rozenkrans onder de neus van de vrome moslem; door de titel mausi, kleine moeder, te aanvaarden die haar door de andere bedienden van het Villapark werd gegeven, die Musa als een bedreiging van zijn status beschouwde; door overdreven familiariteit met de Begum Sahiba – kleine giechelende fluisteringen in hoeken, net luid genoeg dat de vormelijke, stijve, correcte Musa ze kon horen en zich min of meer bedrogen voelde?

Welk korreltje zand zat in deze zee van de ouderdom die de oude drager nu overspoelt tussen zijn lippen en dijde uit tot de donkere parel van haat – tot wat voor ongewone apathie verviel Musa, wiens handen en voeten loodzwaar werden, zodat vazen werden gebroken, asbakken omgegooid, en een bedekte aanduiding van aanstaand ontslag – van Mary's bewuste of onbewuste lippen – tot een bezeten angst uitgroeide, die zijn weerslag had op degene die het begonnen was?

En (om sociale factoren niet weg te laten) wat was het verdierlijkende gevolg van de status van bediende, van een bediendenkamer achter een keuken met een zwart fornuis, waarin Musa verplicht was samen met de tuinman, klusjesjongen en hamal te slapen – terwijl Mary in stijl op een biezen mat naast een pasgeboren kind sliep?

En was Mary vrij van blaam of niet? Maakte het feit dat ze niet naar de kerk kon gaan – omdat je in kerken biechtstoelen aantrof, en in biechtstoelen geen geheimen konden worden bewaard – haar innerlijk bitter, en maakte dat haar een beetje scherp, een beetje beledigend?

Of moeten we verder kijken dan de psychologie lang is – ons antwoord zoeken in verklaringen als, er lag een slang voor Mary op de loer, en Musa was gedoemd te leren dat ladders tweeslachtig zijn? Of nog verder, achter slang-en-ladder, moeten wij de Hand van het Noodlot zien in de ruzie – en zeggen, opdat Musa kon terugkeren als een explosieve geest, opdat hij de rol van Bom-in-Bombay kon aannemen, dat het nodig was een vertrek te ensceneren ... of, van dergelijke verhevenheden afdalend naar het belachelijke, kon het zijn dat Ahmed Sinai – die door whisky werd opgehitst, die door djinns tot buitensporige grofheid werd aangezet – de oude drager zo woedend had gemaakt dat zijn misdrijf, waarmee hij dat van Mary evenaarde, werd begaan uit de gekwetste trots van een beledigde oude bediende – en helemaal niets met Mary te maken had?

Ik houd op met vragen, en beperk mij tot feiten: Musa en Mary leefden voortdurend op gespannen voet. En ja: Ahmed beledigde hem, en Amina's vredestichtende pogingen zijn wellicht niet erg geslaagd geweest; en ja: de benevelende pogingen van de ouderdom hadden hem ervan overtuigd dat hij zonder waarschuwing, op ieder ogenblik kon worden ontslagen, en zo kwam het dat Amina op een ochtend in augustus ontdekte dat er in huis was ingebroken.

De politie kwam. Amina vertelde wat er was gestolen: een zilveren kwispedoor ingelegd met lapis lazuli; gouden munten, met juwelen bezette samovaars en zilveren theeserviezen; de inhoud van een groene tinnen koffer. Bedienden werden in de hal opgesteld en onderworpen aan de dreigementen van inspecteur Johnny Vakeel. 'Vooruit, beken nu maar' – met een lathi-stok tegen zijn been tikkend – 'of jullie zullen zien wat we niet allemaal met jullie kunnen doen. Willen jullie de hele dag en nacht op één been staan? Willen jullie dat er water over jullie heen wordt gegooid, soms kokend heet, soms ijskoud? We hebben een heleboel methoden bij de politie...' En nu een kakofonie van herrie van de bedienden: Ik niet, inspecteur sahib, ik ben een eerlijke jongen; in 's hemelsnaam, doorzoek m'n spullen, sahib! En Amina: 'Dit is te erg, mijnheer, u gaat te ver. Ik weet in ieder geval dat mijn Mary onschuldig is. Ik wil niet dat ze ondervraagd wordt.' Onderdrukte ergernis van politie-officier. Er wordt een onderzoek van de bezittingen gelast – 'Je kunt nooit weten, mevrouw. Dit soort lieden heeft een beperkte intelligentie – en misschien hebt u de diefstal zo vlug ontdekt dat de schurk er niet met de buit vandoor is kunnen gaan!'

De huiszoeking slaagt. In het opgerolde beddegoed van Musa de oude drager: een zilveren kwispedoor. In zijn armzalige bundeltje kleren: gouden munten, een zilveren samovaar. Verborgen onder zijn charpoy-bed: een ontbrekend theeservies. En nu heeft Musa zich aan de voeten van Ahmed Sinai geworpen; Musa smeekt: 'Vergeving, sahib! Ik was gek; ik dacht dat u me op straat zou zetten!' maar Ahmed Sinai weigert te luisteren; de vorst heeft hem in zijn greep; 'ik voel me zo zwak,' zegt hij en gaat de kamer uit; en Amina vraagt verbijsterd: 'Maar Musa, waarom heb je die vreselijke verwensing uitgesproken?'

...Want, tussen het opstellen in de gang en ontdekkingen in de bediendenkwartieren, had Musa tegen zijn meester gezegd: 'Ik ben het niet geweest, sahib. Moge ik in een melaatse veranderen als ik u bestolen heb! Moge mijn oude huid overlopen van zweren!'

Amina, met afgrijzen op haar gezicht, wacht op Musa's antwoord. Het oude gezicht van de drager vertrekt zich in een masker van woede; woorden worden uitgespuugd. 'Begum sahiba, ik heb alleen uw kostbare bezittingen genomen, maar u en uw sahib, en zijn vader, hebben mijn hele leven genomen; en op mijn oude dag hebt u mij vernederd met christelijke ayah's.'

Er heerst stilte in Villa Buckingham – Amina heeft geweigerd een aanklacht in te dienen, maar Musa gaat weg. Met zijn bundeltje beddegoed op de rug loopt hij een ijzeren wenteltrap af en ontdekt dat ladders niet alleen omhoog gaan maar ook naar beneden; hij loopt het heuveltje af, en laat een vloek op het huis achter.

En (kwam het door die vloek?) Mary Pereira staat op het punt te ontdekken dat je zelfs wanneer je een slag wint, zelfs wanneer trappen in je voordeel werken, een slang niet kunt vermijden.

Amina zegt: 'Ik kan je geen geld meer bezorgen, Ismail; heb je genoeg gehad?' En Ismail: 'Ik hoop het – maar je weet het nooit – is er enige kans op...?' Maar Amina: 'De moeilijkheid is, ik ben zo zwaar en zo, ik kan de auto niet meer in komen. Het zal zo genoeg moeten zijn.'

...De tijd vertraagt opnieuw voor Amina; opnieuw kijken haar ogen door het glas in lood, waarin rode tulpen met groene stelen eendrachtig dansen; voor een tweede keer blijft haar blik dralen op een klokketoren die sinds de regens van 1947 niet meer heeft gewerkt; opnieuw regent het. Het renseizoen is voorbij.

Een bleekblauwe klokketoren: laag, afschilferend, buiten bedrijf. Hij stond op zwart geteerd beton aan het eind van de circuspiste – het platte dak van de bovenste verdieping van de gebouwen langs Warden Road, die grensden aan ons twee verdiepingen hoge heuveltje, zodat je als je over de grensmuur van Villa Buckingham klom, glad, zwart teer onder je voeten had. En onder zwart teer, de Breach Candy Kleuterschool, waaruit tijdens het schoolkwartaal iedere middag de tinkelende muziek van juffrouw Harrisons piano opklonk die de onveranderlijke jeugdwijsjes speelde; en daar beneden de winkels, het Lezersparadijs, de Juwelierswinkel Fathboy, Chimalkers Speelgoedwinkel en de winkel van Bombelli, met etalages vol Eén-Meter-Chocolaatjes. De deur van de klokketoren werd verondersteld op slot te zijn, maar het was een goedkoop slot van een soort dat Nadir Khan zou hebben herkend: made in India. En op drie achtereenvolgende avonden onmiddellijk voorafgaande aan mijn eerste verjaardag, merkte Mary Pereira, die 's avonds voor het raam stond, een schimmige figuur op die over het dak zweefde, zijn handen vol vormloze voorwerpen, een schaduw die haar met een onherkenbare angst vervulde. Na de derde nacht vertelde zij het aan mijn moeder; de politie werd erbij gehaald; en inspecteur Vakeel keerde naar Methwolds Villapark terug, vergezeld van een speciale ploeg uitgelezen officieren – 'allemaal scherpschutters, begum sahiba; laat het allemaal gerust aan ons over!' – die, vermomd als straatvegers, met revolvers onder hun vodden verborgen, de klokketoren in het oog hielden, terwijl ze het stof in de piste opveegden.

De avond viel. Achter gordijnen en rolluiken tuurden de bewoners van Methwolds Villapark angstig in de richting van de klokketoren.

Straatvegers verrichtten, belachelijk, hun werk in het donker. Johnny Vakeel posteerde zich op onze veranda, zijn geweer net uit het gezicht ... en om middernacht viel er een schaduw over de muur van de Breach Candy School en ging naar de toren, met een zak over een schouder... 'Hij moet naar binnen gaan,' had Vakeel tegen Amina gezegd; 'Moeten zeker weten dat we de goeie kerel pakken.' De kerel, die over het platte geteerde dak liep, kwam bij de toren; ging naar binnen.

'Inspecteur, sahib, waar wacht u op?'

'Ssst, begum, dit is de zaak van de politie; ga alstublieft een eindje naar binnen. We zullen hem pakken wanneer hij naar buiten komt; let op mijn woorden. Gevangen,' zei Vakeel zelfvoldaan, 'als een rat in de val.'

'Maar wie is het?'

'Wie zal het zeggen?' Vakeel haalde de schouders op. 'Stellig een of andere badmaash. Er zijn tegenwoordig overal lieden die niet deugen.'

...En dan wordt de nachtelijke stilte als melk gescheiden door een enkele korte gil; iemand duwt tegen de binnenkant van de deur van de klokketoren; die wordt open gewrikt; er klinkt een beng; en er schiet iets naar buiten op het zwarte macadam. Inspecteur Vakeel komt met een sprong in actie, zwaait zijn geweer omhoog en schiet van de heup als John Wayne; straatvegers halen scherpschutterswapens uit hun bezems en knallen erop los ... gekrijs van opgewonden vrouwen, gegil van bedienden ... stilte.

Wat ligt, bruin en zwart, gestreept en slangachtig op het zwarte macadam? Wat is het waar zwart bloed uit lekt en dat dokter Schaapsteker ertoe brengt om van zijn gunstige positie op de bovenste verdieping te krijsen: 'Driedubbel overgehaalde idioten die jullie zijn! Broers van kakkerlakken. Zonen van travestieten!' ... wat sterft, met snel heen en weer schietende tong, terwijl Vakeel het geteerde dak op rent?

En binnen in de klokketoren? Welk zwaar voorwerp dat viel, gaf zo'n allemachtige klap? Wiens hand wrikte een deur open; in wiens hiel zijn de twee rode, vloeiende gaten zichtbaar, gevuld met een gif waarvoor geen tegengif bekend is, een gif dat stallen vol afgeleefde paarden heeft gedood? Wiens lichaam wordt door politiemannen in burger in een dodenmars de toren uit gedragen, zonder kist, met namaakstraatvegers als slippedragers? Waarom valt Mary Pereira, wanneer het maanlicht op het dode gezicht schijnt, als een zak aardappelen op de vloer, de ogen in hun kassen naar boven rollend, in een plotselinge en dramatische flauwte?

En langs de binnenmuren van de klokketoren: wat zijn dat voor vreemde mechanismen, verbonden met goedkope uurwerken – waarom zijn er zoveel flessen met lappen die in de halzen zijn gepropt?

''n Verdomd geluk dat u mijn jongens hebt laten komen, begum sahiba,' zegt inspecteur Vakeel. 'Dat was Joseph D'Costa – op onze lijst van Meest Gezochte Personen. Hebben hem een jaar of daaromtrent achter de vodden gezeten. Door en door snode badmaash. U moest de muren in die klokketoren eens zien! Planken van onderen tot aan het plafond vol met eigengemaakte bommen. Genoeg explosieve kracht om deze heuvel in zee te blazen!'

Het ene melodrama stapelt zich op het andere; het leven krijgt de valse schijn van een sprekende film uit Bombay; slangen die ladders volgen, ladders die achter slangen aangaan; te midden van te veel gebeurtenissen werd Baby Saleem ziek. Alsof hij niet in staat was om zoveel gedoe te volgen, sloot hij zijn ogen en werd rood en verhit. Terwijl Amina de resultaten van Ismails proces tegen de regeringsautoriteiten afwachtte; terwijl de Brutale Aap in haar schoot groeide; terwijl Mary in een staat van shock verkeerde waar ze alleen maar volledig uitkwam wanneer Josephs geest terugkeerde om haar te kwellen; terwijl navelstreng in pekelpot hing en Mary's chutneys onze dromen met wijzende vingers vervulden; terwijl Eerwaarde Moeder de keukens bestierde, onderzocht mijn grootvader mij en zei: 'Ik ben bang dat er geen twijfel aan is; de arme jongen heeft tyfus.'

'O God in de hemel,' riep Eerwaarde Moeder uit, 'wat voor donkere duivel komt, hoenoemjehet, dit huis bezoeken?'

Zo heb ik het verhaal gehoord van de ziekte die bijna een einde aan mij maakte voor ik begonnen was: dag en nacht verzorgden mijn moeder en grootvader mij, aan het einde van augustus 1948; Mary maakte zich moeizaam los van haar schuldgevoel en hield koude washandjes tegen mijn voorhoofd; Eerwaarde Moeder zong slaapliedjes en lepelde eten in mijn mond; zelfs mijn vader, die zijn eigen kwalen tijdelijk vergat, stond zich hulpeloos in de deuropening op te vreten van de zenuwen. Maar de avond brak aan dat dokter Aziz, die er even gebroken uitzag als een oud paard, zei: 'Ik kan verder niets meer doen. Tegen de ochtend zal hij dood zijn.' En te midden van jammerende vrouwen en de ophanden zijnde weeën van mijn moeder, werd er geklopt; een bediende kondigde dr. Schaapsteker aan, die mijn grootvader een klein flesje overhandigde en zei: 'Ik zal er geen doekjes omwinden: dit betekent erop of eronder. Precies twee droppels; daarna is het afwachten geblazen.'

Mijn grootvader, die met de handen in het puin van zijn medische kennis zat, vroeg: 'Wat is het?' En dr. Schaapsteker, bijna tweeëntachtig, wiens tong bij zijn mondhoeken naar binnen en buiten schoot: 'Verdund gif van de koningscobra. Het is bekend dat het heeft gewerkt.'

Slangen kunnen tot triomf leiden, evenals men van ladders kan afdalen: mijn grootvader, die wist dat ik in elk geval zou sterven, diende het cobragif toe. De familie stond toe te kijken terwijl het gif zich door het kinderlichaam verspreidde ... en zes uur later was mijn temperatuur weer normaal geworden. Daarna verloor mijn groeisnelheid zijn fenomenale aspecten; maar er werd iets in ruil gegeven voor wat er verloren was gegaan: leven, en een vroeg bewustzijn van de dubbelzinnigheid van slangen.

Terwijl mijn temperatuur daalde, werd mijn zuster geboren in Narlikars Kraamkliniek. Het was 1 september; en de geboorte verliep zo rustig, zo moeiteloos, dat die nauwelijks werd opgemerkt in Methwolds Villapark; omdat Ismail Ibrahim mijn ouders diezelfde dag in de kliniek bezocht en aankondigde dat het proces gewonnen was... Terwijl Ismail feestvierde, greep ik de spijlen van mijn ledikant vast: terwijl hij schreeuwde: 'En dat was dan de vorstperiode! Je activa zijn weer van jou! Op bevel van het Hoge Gerechtshof!', hees ik me met een rood gezicht tegen de zwaartekracht in overeind; en terwijl Ismail met een effen gezicht verkondigde: 'Sinai bhai, het recht heeft een beroemde overwinning behaald,' en mijn moeders verrukte triomfantelijke blik vermeed, hees ik, Baby Saleem, precies één jaar, twee weken en een dag oud, mij rechtovereind in mijn kinderledikantje.

De gevolgen van de gebeurtenissen van die dag waren tweeledig: ik groeide op met benen die onherstelbaar krom waren, omdat ik te vroeg was gaan staan; en de Brutale Aap (die zo werd genoemd vanwege haar dikke bos roodgoud haar, dat pas donker zou worden toen ze negen werd) leerde dat zij, als ze enige aandacht in haar leven wilde krijgen, een heleboel lawaai zou moeten maken.

Ongeluk in een waskist

Het is twee hele dagen geleden sinds Padma mijn leven uit stormde. Twee dagen lang is haar plaats bij de kuip met mango-kasaundy door een andere vrouw ingenomen – eveneens met een dik middel, eveneens met behaarde onderarmen; maar in mijn ogen allesbehalve een plaatsvervangster! – terwijl mijn eigen mestlotus naar ik weet niet waar verdwenen is. Een evenwicht is verstoord; ik voel de barsten zich over de hele lengte van mijn lichaam verwijden; want plotseling ben ik alleen, zonder mijn noodzakelijke toehoorster, en dat is niet genoeg. Ik word aangegrepen door een plotselinge aanval van woede: waarom moet ik door mijn ene discipel zo onredelijk worden behandeld? Andere mannen voor mij hebben verhalen ten gehore gebracht; andere mannen werden niet zo onstuimig in de steek gelaten. Toen Valmiki, de schrijver van de *Ramayana*, zijn meesterwerk aan Ganesha met de olifantskop dicteerde, liet de god hem toen halverwege zitten? Zeker niet. (Merk op dat ik, ondanks mijn moslem-achtergrond, genoeg Bombayiet ben om goed op de hoogte te zijn met Hindoeverhalen, en eigenlijk ben ik verzot op het beeld van Ganesha met de olifantsslurf en flaporen die ernstig opschreef wat hem gedicteerd werd!)

Hoe kan ik het zonder Padma stellen? Hoe kan ik haar onwetendheid en bijgelovigheid opgeven, noodzakelijke tegenwichten tegen mijn door wonderen beladen alwetendheid? Hoe kan ik het zonder haar paradoxale aardsheid van geest stellen die mij met beide benen op de grond houden – hielden? Het schijnt me toe dat ik de top van een gelijkbenige driehoek ben geworden, die in gelijke mate door tweelinggodheden wordt ondersteund, de wilde god van de herinnering en de lotusgodin van het heden ... maar moet ik mij nu verzoenen met de ene smalle dimensie van een rechte lijn?

Misschien verschuil ik mij achter al deze vragen. Ja, misschien is dat wel zo. Ik moet duidelijke taal spreken, zonder de dekmantel van een vraagteken: onze Padma is vertrokken, en ik mis haar. Ja, dat is het.

Maar er is nog werk te doen: bijvoorbeeld:

In de zomer van 1956, toen de meeste dingen op de wereld nog altijd groter waren dan ikzelf, kreeg mijn zuster de Brutale Aap de rare gewoonte om schoenen in brand te steken. Terwijl Nasser schepen in Suez tot zinken liet brengen, en op die manier de beweging van de wereld vertraagde door haar te verplichten rond Kaap de Goede Hoop te gaan, probeerde mijn zuster ook onze vooruitgang te belemmeren.

Gedwongen om aandacht te vechten, bezeten van haar behoefte om het middelpunt van gebeurtenissen te zijn, zelfs van onaangename (ze was per slot van rekening mijn zuster; maar geen eerste minister schreef brieven aan haar, geen sadhu's sloegen haar vanaf hun plaats onder tuinkranen gade; niet-voorspeld, niet-gefotografeerd, was haar leven van meet af aan een strijd), bracht ze haar oorlog naar de wereld van schoeisel, in de hoop, misschien, dat zij ons, door onze schoenen te verbranden, lang genoeg zou laten stilstaan om op te merken dat ze er was ... ze probeerde niet haar misdrijven te verbergen. Toen mijn vader zijn kamer binnenkwam en zag dat er een paar zwarte lage schoenen in brand stond, stond de Brutale Aap eroverheen gebogen, met een lucifer in de hand. Zijn neusgaten werden aangerand door de ongekende geur van ontvlamd schoenleer, vermengd met Kersebloesemschoensmeer en wat Drie-in-Eén-olie... 'Kijk, abba!' zei de Aap allerliefst, 'kijk eens hoe mooi – precies de kleur van mijn haar!'

Ondanks alle voorzorgen bloeiden de vrolijke rode bloemen van de obsessie van mijn zuster die zomer overal in het Villapark, bloesemend in de sandalen van Nussie-de-eend en het schoeisel van de filmmagnaat Homi Catrack; haarkleurige vlammen lekten aan de afgetrapte suède schoenen van mijnheer Dubash en de naaldhakken van Lila Sabarmati. Ondanks het verstoppen van lucifers en de waakzaamheid van bedienden vond de Brutale Aap haar wegen, niet afgeschrikt door straf en dreigementen. Een jaar lang werd Methwolds Villapark nu en dan overvallen door de rook van in brand gestoken schoenen; totdat haar haar verdonkerde tot een anoniem bruin, en ze haar belangstelling voor lucifers scheen te verliezen.

Amina Sinai, die het idee om haar kinderen slaag te geven verafschuwde, en van nature niet in staat was haar stem te verheffen, was bijna ten einde raad; en de Aap werd, dag na dag, veroordeeld tot zwijgen. Dit was de disciplinaire methode die mijn moeder verkoos: niet in staat ons te slaan, gelastte ze ons onze mond te houden. Ongetwijfeld klonk een of andere echo van de grote stilte waarmee haar eigen moeder Aadam Aziz had gekweld nog in haar oren na – want ook stilte heeft een echo, holler en langer aanhoudend dan de weerkaatsingen van enig geluid – en met een nadrukkelijk *'Tsjup'* legde ze dan de vinger op haar lippen en gelastte onze tongen stil te zijn. Het was een straf die mij zonder mankeren tot onderwerping dwong; de Brutale Aap was echter van minder buigzaam materiaal gemaakt. Geluidloos, achter lippen die even vast opeen waren geklemd als die van haar grootmoeder, beraamde zij de verbranding van leer – net zoals eens, lang geleden, een andere aap in een andere stad de daad had verricht die het afbranden van een leerdoekpakhuis onvermijdelijk had gemaakt...

Ze was even mooi (hoewel enigszins schriel) als ik lelijk was; maar ze was van meet af aan ondeugend als een wervelwind en lawaaiig als een menigte. Tel de ruiten en vazen die per-ongeluk-expres werden gebroken; tel, als u kunt, de maaltijden die op de een of andere manier van haar verraderlijke borden vlogen en vlekken maakten op kostbare Perzische kleden! Zwijgen was inderdaad de ergste straf die ze maar had kunnen krijgen; maar ze droeg die opgewekt, terwijl ze onschuldig tussen de jammerlijke resten van gebroken stoelen en verbrijzelde ornamenten stond.

Mary Pereira zei: 'Die! Die Aap! Had met vier benen geboren moeten worden!' Maar Amina, in wier geest de herinnering dat ze ternauwernood aan het ter wereld brengen van een zoon met twee hoofden was ontsnapt koppig had geweigerd te vervagen, riep: 'Mary! Wat zeg je? Je mag dat soort dingen niet eens denken!'... Ondanks mijn moeders tegenwerpingen was het waar dat de Brutale Aap evenveel dier als mens was; en zoals alle bedienden en kinderen in Methwolds Villapark wisten, bezat ze de gave dat ze met vogels, en met katten, kon praten. Met honden ook: maar nadat ze op zesjarige leeftijd door een vermoedelijk dolle zwerfhond was gebeten en schoppend en schreeuwend naar het Breach Candy Ziekenhuis moest worden gesleurd, om drie weken lang iedere middag een injectie in de buik te krijgen, schijnt het dat zij of hun taal vergat, of anders weigerde verder nog iets met ze te maken te hebben. Van de vogels leerde ze hoe ze moest zingen; van katten leerde ze een vorm van gevaarlijke onafhankelijkheid. De Brutale Aap was nooit zo woedend als wanneer iemand liefdevolle woorden tegen haar sprak; wanhopig verlangend naar genegenheid, daarvan beroofd door mijn overweldigende schaduw, had ze de neiging zich tegen iedereen te keren die haar gaf wat ze wilde, alsof ze zich verdedigde tegen de mogelijkheid dat ze zou worden bedrogen.

...Zoals die keer toen Sonny Ibrahim zijn moed verzamelde om tegen haar te zeggen: 'Hé, luister, Saleems zuster – jij bent een degelijk type. Ik ben, eh, weet je, stapelgek op je...' En onmiddellijk liep ze naar de plek waar zijn vader en moeder lassi zaten te drinken in de tuinen van Sans Souci en zei: 'Tante Nussie, ik weet niet wat uw Sonny aan het uitspoken is. Alleen heb ik hem en Cyrus net achter een struik gezien, en ze deden zulke rare wrijvende dingen met hun soo-soos!'...

De Brutale Aap had slechte tafelmanieren; ze vertrapte bloembedden; ze kreeg het etiket van probleemkind opgeplakt; maar zij en ik waren zo dik met elkaar als maar mogelijk was, ondanks ingelijste brieven uit Delhi en sadhu-onder-de-kraan. Van meet af aan besloot ik haar als een bondgenoot te behandelen, niet als een concurrent; en dientengevolge verweet ze mij nooit of te nimmer mijn superieure positie in ons huishouden, en zei: 'Wat valt er te verwijten? Is het jouw schuld als ze je zo geweldig vinden?' (Maar toen ik, jaren later, dezelfde fout beging als Sonny, behandelde ze mij precies eender.)

En het was ook Aap die, door een bepaald telefoongesprek aan te nemen met iemand die een verkeerd nummer bleek te hebben gedraaid, het proces op gang bracht dat leidde tot mijn ongeval in een witte waskist van latwerk.

Op negenjarige leeftijd wist ik dit: iedereen wachtte op me. Middernacht en babyfoto's, profeten en eerste ministers hadden een stralende en onontkoombare mist van verwachting rondom mij geschapen ... waarin mijn vader mij in de koelte van het cocktailuur in zijn zachte buik trok en dan zei: 'Grote dingen! Mijn zoon, wat is er niet voor jou weggelegd? Grote daden, een groot leven!' Terwijl ik, wriggelend tussen uitstekende lip en grote teen, zijn hemd met mijn eeuwig lekkende neusslijm nat makend, vuurrood werd en gilde: 'Laat me los, abba! Iedereen zal het zien!' En hij, die me ongelooflijk in verlegenheid bracht, bulderde: 'Laat ze maar kijken! Laat de hele wereld maar zien hoeveel ik van mijn zoon houd!' ... en mijn grootmoeder, die ons een winter bezocht, gaf mij de raad: 'Ga er tegenaan, hoenoemjehet, en je zult beter zijn dan wie ook in de hele wijde wereld!' ... Losgeslagen in deze nevel van verwachting, had ik de eerste bewegingen al in mij gevoeld van dat vormloze dier dat, in deze Padmaloze nachten, nog in mijn maag bijt en krabt: vervloekt door een heleboel verwachtingen en bijnamen (Snuiver en Snotneus had ik al gekregen), werd ik bang dat iedereen het mis had – dat mijn veelvuldig uitgebazuinde bestaan misschien volkomen nutteloos zou blijken, waardeloos en zonder enig doel. En om aan dit beest te ontsnappen, begon ik mij al van heel jongs af aan, te verstoppen in de grote witte waskist van mijn moeder; want hoewel het wezen binnenin mij was, scheen de geruststellende aanwezigheid van vuil wasgoed het in slaap te sussen.

Buiten de waskist, omringd door mensen die een verschrikkelijk heldere doelbewustheid schenen te hebben, begroef ik me in sprookjes. Hatim Tai en Batman, Superman en Sinbad hielpen mij de bijna negen jaar door. Als ik met Mary Pereira boodschappen ging doen – geïntimideerd door haar vermogen om de leeftijd van een kip vast te stellen door naar zijn nek te kijken, door de loutere vastberadenheid waarmee ze dode bramen in de ogen keek – werd ik Alladin en reisde door een fabelachtige grot; toekijkend hoe bedienden vazen afstoften met een toewijding die even majesteitelijk was als obscuur, stelde ik mij Ali Baba's veertig rovers voor die zich in de afgestofte urnen schuilhielden; in de tuin, terwijl ik naar Purushottam de sadhu staarde die door water werd uitgehold, veranderde ik in de geest van de lamp en ontweek op die manier, grotendeels, het verschrikkelijke idee dat ik, alleen in het heelal, er geen notie van had wat ik moest worden of hoe ik mij moest gedragen. Doel: het besloop mij van achteren wanneer ik uit mijn raam naar omlaag keek naar Europese meisjes die in het landkaartvormige zwembad aan het stoeien waren. 'Hoe kom je eraan?' schreeuwde ik luid; de Brutale Aap, die mijn hemelsblauwe kamer met mij deelde, sprong halverwege uit haar vel. Ik was toen bijna acht; zij was bijna zeven. Het was een zeer jeugdige leeftijd om door zin van de dingen verbijsterd te zijn.

Maar bedienden worden in waskisten niet toegelaten; schoolbussen zijn er eveneens afwezig. In mijn bijnanegende jaar was ik naar de Cathedral and John Connon Jongensschool gegaan in de Oude-Fortwijk; iedere ochtend stond ik, gewassen en geborsteld, aan de voet van ons twee-verdiepingen-hoge heuveltje, in witte korte broek, met een blauwgestreepte elastische riem voorzien van een slangegesp en de schooltas over mijn schouder, terwijl mijn machtige komkommer van een neus zoals gewoonlijk droop; Oogsnee en Haarolie, Sonny Ibrahim en de vroegrijpe Cyrus-de-grote wachtten daar ook. En in de bus, te midden van rammelende stoelen en de nostalgische barsten van de ruiten, wat een zekerheden! Wat een bijnanegen-jaar-oude zekerheden wat de toekomst betreft! Grootspraak van Sonny: 'Ik word stierevechter; Spanje! Chiquita's! Hé, toro, toro!' Terwijl hij zijn schooltas voor zich uit hield als de muleta van Manolete, speelde hij zijn toekomst terwijl de bus rammelend Kemp's Corner om ging, langs Thomas Kemp en Co (Apotheek), onder de affiche met de radja van Air-India ('See you later, alligator! Ik ga naar Londen met Air India!') en het andere reclamebord waarop tijdens mijn hele kindertijd het Kolynos Joch, een kabouter met schittertanden met een groene, elfachtige hoed van chlorofyl, de verdiensten van Kolynos Tandpasta verkondigde: 'Houd een schoon, blinkend gebit! Houd Tanden Kolynos *Superwit*!' De knaap op deze schutting, de kinderen in de bus: eendimensionaal, vervlakt door zekerheid, wisten ze waar ze voor waren. Hier is Klierige Keith Colaco, een schildvormige ballon van een kind met haar dat al in bosjes op zijn lip spruitte: 'Ik ga de bioscopen van mijn vader exploiteren; als jullie schoften films willen zien, zullen jullie bij mij om kaartjes moeten komen smeken!'... En de Dikke Perce Fishwala, wiens zwaarlijvigheid aan niets anders dan te veel eten te wijten is en die, samen met Klierige Keith, de bevoorrechte positie van klassebullebak inneemt: 'Poeh! Dat is niks! Ik zal diamanten en smaragden en maanstenen hebben! Parels zo groot als mijn ballen!' De vader van Dikke Perce is eigenaar van de andere juwelierszaak in de stad; zijn grote vijand is de zoon van mijnheer Fathboy, die er, omdat hij klein en intellectueel is, slecht van afkomt in de oorlog van de kinderen met de testikels van parels... En Oogsnee, die zijn toekomst als internationale cricketspeler aankondigt, gemakshalve met voorbijzien van zijn ene lege oogkas; en Haarolie, die even gladgekamd en netjes is als zijn broer krullebollig en slordig, zegt: 'Wat zijn jullie toch 'n egoïstische schooiers! Ik ga net als mijn vader bij de Marine; ik zal mijn land verdedigen!' Waarop hij met linealen, passers, inktpropjes wordt bekogeld ... in de schoolbus, terwijl die langs Chowpatty Beach rammelde, terwijl hij links de Marine Drive afsloeg naast het appartement van mijn lievelingsoom Hanif en langs Victoria Terminus naar de Flora Fontein reed, langs het Churchgate Station en Crawford Markt, hield ik mijn mond; ik was de zachtaardige Clark Kent en beschermde mijn geheime identiteit; maar wat was die in vredesnaam? 'Hé, Snotneus!' schreeuwde Klierige Keith, 'Hé, wat denken jullie dat onze Snuiver zal worden als ie groot is?' En het gegilde antwoord hierop van Dikke Perce Fishwala: 'Pinokkio!' En de rest, meedoend, zingt een ruw refrein uit 'Er zitten aan mij geen touwtjes vast!' ... terwijl Cyrus-de-grote zo rustig als een genie de toekomst van het meest vooraanstaande atoomonderzoekslaboratorium van de natie zit te beramen.

En thuis was er de Brutale Aap met haar schoenenverbranding; en mijn vader, die uit de diepten van zijn inzinking omhoog was gekomen om, nogmaals, in de dwaasheid van vierpoten te vervallen... 'Waar vind je het?' smeekte ik voor mijn raam; de wijsvinger van de visser wees, misleidend, naar zee.

Verbannen uit waskisten: kreten van 'Pinokkio! Komkommerneus! Snotkop!' Verborgen in mijn schuilplaats was ik veilig voor de herinnering aan juffrouw Kapadia, de onderwijzeres op de Breach Candy Kleuterschool die zich, op mijn eerste schooldag, van het bord had omgedraaid om mij te begroeten, mijn neus had gezien, en ontsteld de wisser had laten vallen en de nagel van haar grote teen had verbrijzeld, in een krijserige maar kleine echo van mijn vaders beroemde ongeluk; bedolven onder vuile zakdoeken en verfrommelde pyjama's, kon ik mijn lelijkheid een tijdje vergeten.

Tyfus attaqueerde me; kraitgif genas me; en mijn vroegere oververhitte groeisnelheid koelde af. Tegen de tijd dat ik bijnanegen was, was Sonny Ibrahim drie en een halve centimeter langer dan ik. Maar één stuk van Baby Saleem scheen immuun te zijn voor ziekte en slangenextract. Tussen mijn ogen verspreidde het zich buitenwaarts en benedenwaarts, alsof al mijn expansionistische krachten, die uit de rest van mijn lichaam waren gedreven, hadden besloten zich op deze ene onvergelijkbare uitval te concentreren ... tussen mijn ogen en boven mijn lippen bloeide mijn neus als een bekroonde pompoen. (Maar mij werden dan ook verstandskiezen bespaard; je moet proberen tevreden te zijn met wat je hebt.)

Wat zit er in een neus? Het gebruikelijke antwoord: 'Dat is eenvoudig. Een ademhalingsapparaat; reukorganen; haartjes.' Maar in mijn geval was het antwoord nog eenvoudiger, hoewel ik moet toegeven, enigszins afstotelijk: wat er in mijn neus zat was snot. Met excuses, ongelukkigerwijze moet ik hier wel dieper op ingaan: verstopping van de neus dwong mij door mijn mond te ademen, waardoor ik het aanzien had van een hijgende goudvis; voortdurende verstoppingen veroordeelden mij tot een jeugd zonder geuren, tot dagen die de geuren van muskus en chambeli en mangokasaundy en zelfgemaakt ijs negeerden: en ook vuil wasgoed. In de wereld buiten waskisten kan een handicap een positief voordeel zijn wanneer je er eenmaal in bent opgenomen. Maar alleen voor de duur van je verblijf.

Bezeten van een doel, maakte ik me zorgen om mijn neus. Gekleed in de bittere kleren die regelmatig van mijn tante Alia de hoofdonderwijzeres arriveerden, ging ik naar school, speelde informeel cricket, vocht, ging op in sprookjes ... en piekerde. (In die tijd was mijn tante Alia begonnen ons een eindeloze stroom kinderkleren te sturen, in de zomen waarvan zij haar oude-vrijster-gal had genaaid; Brutale Aap en ik waren gekleed in haar gaven en droegen eerst de babyspullen van bitterheid, daarna de kruippakken van wrok; ik groeide op in witte korte broeken gesteven met een stijfsel van jaloezie, terwijl de Aap de leuk gebloemde jurkjes droeg van Alia's onverflauwde afgunst ... ons er niet van bewust dat onze garderobe ons in de webben van haar wraak bond, leidden we onze goed geklede levens.) Mijn neus: olifantachtig als de slurf van Ganesha had hij, vond ik, een voortreffelijke ademer behoren te zijn; een weergaloze ruiker, zoals wij zeggen; in plaats daarvan was hij voortdurend verstopt, en even nutteloos als een houten sikh-kabab.

Genoeg. Ik zat in de waskist en vergat mijn neus; vergat de beklimming van de Mount Everest in 1953 – toen de groezelige Oogsnee giechelde: 'Hé, mannen! Denken jullie dat Tenzing Snuivers gezicht zou kunnen beklimmen?' – en de ruzies tussen mijn ouders over mijn neus, waar Ahmed Sinai strijk en zet Amina's vader de schuld van gaf: 'Nooit eerder is er in mijn familie zo'n neus voorgekomen! Wij hebben voortreffelijke neuzen; trotse neuzen; vorstelijke neuzen, vrouw!' Ahmed Sinai was, in die tijd, al gaan geloven in de fictieve voorouders die hij ter wille van William Methwold had geschapen; doortrokken van djinns zag hij mogolbloed in zijn aderen vloeien... Ook vergeten, de avond toen ik acht en een half was, en mijn vader, wiens adem naar djinns rook, naar mijn slaapkamer kwam om de lakens van me af te rukken en te vragen: 'Wat voer je uit? Varken! Hels varken?' Ik keek slaperig; onschuldig; in de war. Hij brulde verder. '*Chhi-chhi!* Vunzig! God straft jongens die dat doen! Hij heeft je neus al even groot gemaakt als populieren. Hij zal je groei belemmeren; hij zal maken dat je soo-soo verschrompelt!' En mijn moeder, die in haar nachtjapon de verbijsterde kamer binnenkomt: 'Janum, in godsnaam; de jongen sliep alleen maar.' De djinn brulde door mijn vaders lippen, had volledig bezit van hem genomen: 'Kijk zijn gezicht eens! Wie heeft ooit zo'n neus gekregen door te slapen?'

Er zijn geen spiegels in een waskist; smerige moppen komen er niet in, evenmin als wijzende vingers. De woede van vaders wordt gesmoord door gebruikte lakens en afgedankte bustehouders. Een waskist is een gat in de wereld, een plaats die de beschaving buiten zich heeft gesteld, ver weg van alles. In de waskist was ik net als Nadir Khan in zijn onderwereld, veilig voor alle druk, verborgen voor de eisen van ouders en de geschiedenis...

...Mijn vader die mij in zijn weke buik trekt, spreekt met een stem die verstikt is van kant-en-klare ontroering: 'Goed, goed, stil maar, stil maar, je bent een lieve jongen; jij kunt alles worden wat je wilt; je moet het alleen maar genoeg willen! Ga nu maar slapen...' En Mary Pereira, die hem nadoet in haar rijmpje: 'Alles dat je wilt worden kun je worden; je kunt alles worden wat je wilt!' Het was al bij me opgekomen dat onze familie onvoorwaardelijk in goede zakelijke beginselen geloofde; ze verwachtten een aardige winst op hun investering in mij. Kinderen krijgen eten onderdak zakgeld langevakanties en liefde, allemaal ogenschijnlijk gratis voor niets, en de meesten van de kleine stommelingen denken dat het een soort compensatie is voor het feit dat ze zijn geboren. 'Er zitten aan mij geen touwtjes vast,' zingen ze; maar ik, Pinokkio, zag de touwtjes. Ouders worden gedreven door het winstmotief – niet meer, niet minder. Voor hun attenties verwachtten ze, van mij, het enorme dividend van grootheid. Begrijp me niet verkeerd. Het kon mij niet schelen. Ik was, in die tijd, een plichtsgetrouw kind. Ik verlangde ernaar hun te geven wat ze wensten, wat waarzeggers en ingelijste brieven hun hadden beloofd; ik wist alleen maar niet hoe. Waar kwam grootheid vandaan? Hoe kreeg je daar iets van? *Wanneer?*... Toen ik zeven jaar oud was, kwamen Aadam Aziz en Eerwaarde Moeder ons bezoeken. Op mijn zevende verjaardag liet ik me, plichtsgetrouw, opdirken als de jongens op de plaat van de visser; warm en ingesnoerd in de zonderlinge kledij glimlachte ik aan een stuk door. 'Kijk, mijn-stukje-van-de-maan!' riep Amina uit terwijl ze een taart aansneed die bedekt was met suikerbeestjes. 'Zo ssjoet! Laat nooit een traan!' Terwijl ik de stroom van tranen die vlak onder mijn ogen schuilgaat indamde, de tranen van hitte onbehagen en de afwezigheid van Een-Meter-Chocolaatjes in mijn stapel cadeaus, bracht ik een stuk taart naar Eerwaarde Moeder, die ziek te bed lag. Ik had een doktersstethoscoop gekregen; die hing om mijn nek. Ze gaf me toestemming haar te onderzoeken; ik schreef meer lichaamsbeweging voor. 'U moet een keer per dag door de kamer lopen, naar de almirah, en terug. U mag op mij leunen; ik ben de dokter.' Bestethoscoopte Engelse milord leidde beheksmoedervlekte grootmoeder door de kamer; hobbelend, krakerig gehoorzaamde ze. Na deze behandeling drie maanden te hebben gevolgd, was ze volledig genezen. De buren kwamen om het te vieren en brachten rasgulla's en galub-jamans en andere zoetigheden mee. Eerwaarde Moeder, vorstelijk op een takht in de woonkamer gezeten, verkondigde: 'Zien jullie mijn kleinzoon? Hij heeft me genezen, hoenoemjehet. Genie! Genie, hoenoemjehet: het is een gave Gods.' Was dat het dan? Moest ik ophouden met me zorgen te maken? Was genialiteit iets dat helemaal niets te maken had met willen, of leren hoe, of weten van, of in staat zijn om? Iets dat, ter bestemder ure, om mijn schouders neer zou zweven als een onberispelijke, fijn bewerkte pashimina-sjaal? Grootheid als een vallende mantel: die nooit naar de dhobi hoefde te worden gestuurd. Men slaat geen genie op een steen... Die ene aanwijzing, dat ene toevallige zinnetje van mijn grootmoeder, was mijn enige hoop; en naar zou blijken zat ze er niet ver naast. (Het ongeluk overkomt mij bijna; en de kinderen van middernacht wachten.)

Jaren later, in Pakistan, op dezelfde nacht dat het dak op haar hoofd zou neerstorten en haar platter zou drukken dan een rijstepannekoek, zag Amina Sinai de oude waskist in een visioen. Toen die binnen haar oogleden opdook, begroette ze hem als een niet bepaald welkome neef. 'Dus jij bent het weer,' zei ze tegen hem, 'nou ja, waarom niet. Alles komt tegenwoordig weer bij me terug. Het schijnt dat je eenvoudig niets kunt achterlaten.' Ze was voortijdig oud geworden zoals alle vrouwen in onze familie; de kist herinnerde haar aan het jaar waarin de ouderdom haar voor het eerst had beslopen. De grote hitte van 1956 – die, zo vertelde Mary Pereira mij, werd veroorzaakt door kleine gloeiende onzichtbare insekten – gonsde opnieuw in haar oren. 'Mijn eksterogen begonnen me toen vreselijk pijn te doen,' zei ze hardop, en de ambtenaar van de burgerbescherming die was gekomen om de hand te houden aan de verduistering glimlachte treurig in zichzelf en dacht: Oude mensen hullen zich tijdens een oorlog in het verleden; op die manier zijn ze klaar om wanneer dat vereist wordt te sterven.

Hij sloop weg langs de bergen sleetse badstof handdoeken die het grootste deel van het huis vulden, en liet Amina achter om haar vuile was in afzondering te bespreken... Nussie Ibrahim – Nussie-de-eend – placht Amina te bewonderen: 'Je hebt zo'n *houding*, liefje! Zo'n *toon*! Ik zweer, het is een wonder voor me: je zweeft rond alsof je op een onzichtbaar *wagentje* staat!' Maar in de zomer van de hitte-insekten, verloor mijn elegante moeder ten slotte haar strijd tegen de wratten, want de sadhu Purushottam verloor plotseling zijn toverkracht. Het water had een kale plek op zijn hoofd uitgesleten; het gestage droppelen van de jaren had hem afgemat. Was hij teleurgesteld in zijn gezegende kind, zijn Mubarak? Was het mijn schuld dat zijn mantra's hun macht verloren? Met een uiterst zorgelijke gelaatsuitdrukking, zei hij tegen mijn moeder: 'Hindert niet; wacht maar; ik zal uw voeten vast en zeker beter maken.' Maar Amina's eksterogen werden erger; ze ging naar artsen die ze met kooldioxide tot het absolute nulpunt bevroren; maar dat bracht ze slechts met verdubbelde hevigheid terug, zodat ze begon te strompelen en de dagen waarop ze zweefde voor altijd tot het verleden behoorden; en ze herkende de onmiskenbare komst van de oude dag. (Stikvol fantasie, veranderde ik haar in iets verleidelijks – 'Amma, misschien ben je in werkelijkheid een zeemeermin, die een menselijke gedaante aanneemt uit liefde voor een man – dus is iedere stap alsof je op scheermessen loopt!' Mijn moeder glimlachte, maar lachte niet hardop.)

1956. Ahmed Sinai en dr. Narlikar speelden schaak en redetwistten – mijn vader was een bittere tegenstander van Nasser, terwijl Narlikar hem openlijk bewonderde. 'De man is slecht voor het zakenleven,' zei Ahmed; 'maar hij heeft stijl,' antwoordde Narlikar, hartstochtelijk gloeiend, 'niemand hoeft hem te vertellen wat hij moet doen of laten.' Tegelijkertijd raadpleegde Jawaharlal Nehru astrologen over het vijfjarenplan van het land, om een tweede Karamstan te voorkomen; en terwijl de wereld aggressie met het occulte combineerde, lag ik verborgen in een waskist, die eigenlijk niet groot genoeg meer was om gerieflijk te zijn; en Amina Sinai begon schuldgevoelens te krijgen.

Ze probeerde haar avontuur op de renbaan al uit haar geest te bannen; maar aan het besef van zonde dat de kookkunst van haar moeder haar had gegeven viel niet te ontkomen; dus was het niet moeilijk voor haar om de wratten als een straf te beschouwen ... niet alleen voor de escapade van jaren geleden op Mahalaxmi, maar voor het feit dat ze er niet in was geslaagd haar man te redden van de roze briefjes van het alcoholisme; voor de ongetemde, onvrouwelijke manieren van de Brutale Aap; en voor de grootte van de neus van haar enige zoon. Nu op haar terugziende, schijnt het mij toe dat een mist van schuld zich om haar hoofd was begonnen te vormen – haar zwarte huid wasemde een zwarte wolk uit die voor haar ogen hing. (Padma zou het geloven; Padma zou weten wat ik bedoel!) En naarmate haar schuldgevoel toenam, werd de mist dichter – ja, waarom niet? – er waren dagen dat je haar hoofd nauwelijks boven haar nek kon zien!... Amina was een van die zeldzame mensen geworden die de lasten van de wereld op hun eigen schouders nemen; zij begon het magnetisme van de gewillige schuldigen uit te stralen; en van toen af aan voelde iedereen die met haar in aanraking kwam een bijzonder sterke aandrang om zijn eigen, diepste schuldgevoelens op te biechten. Wanneer ze bezweken voor de krachten van mijn moeder, placht ze hen toe te lachen met een lieve, droevige, nevelige glimlach en dan gingen ze opgelucht weg en lieten hun lasten op haar schouders achter; en de nevel van schuld werd nog dichter. Amina hoorde van bedienden die werden geslagen en ambtenaren die werden omgekocht; toen mijn oom Hanif en zijn vrouw de goddelijke Pia op bezoek kwamen, vertelden zij hun ruzies tot in de kleinste bijzonderheden; Lila Sabarmati vertrouwde mijn moeders bevallige, toegenegen, geduldige oor haar ontrouw toe; en Mary Pereira moest voortdurend vechten tegen de bijna onweerstaanbare verleiding om haar misdaad op te biechten.

Gesteld tegenover de schuldgevoelens van de wereld glimlachte mijn moeder mistig en kneep haar ogen stijf dicht; en tegen de tijd dat het dak boven haar hoofd instortte, was haar gezichtsvermogen ernstig aangetast, hoewel ze de waskist nog kon zien.

Wat stak er werkelijk achter mijn moeders schuldgevoel? Ik bedoel echt, achter wratten en djinns en bekentenissen? Het was een onbeschrijflijke malaise, een bezoeking waar niet eens een naam voor was, en die zich niet langer beperkte tot dromen over een echtgenoot in de onderwereld ... mijn moeder was aan de betovering van de telefoon ten prooi gevallen (zoals mijn vader ook weldra zou overkomen).

Op de middagen van die zomer, middagen heet als handdoeken, placht de telefoon te rinkelen. Wanneer Ahmed Sinai in zijn kamer sliep, met zijn sleutels onder zijn kussen en navelstrengen in zijn almirah, drong telefonisch gesnerp door het gegons van de hitte-insekten heen; en mijn moeder, strompelend door wratten, ging naar de hal om op te nemen. En wat voor uitdrukking is dat nu die haar gezicht de kleur van opdrogend bloed geeft? ...Niet wetend dat ze wordt gadegeslagen, wat voor visachtige trillingen van lippen zijn dit, wat voor geworgde mondbewegingen? ...En waarom zegt mijn moeder, na vijf minuten lang te hebben geluisterd, met een stem als gebroken glas: 'Spijt me, verkeerd verbonden?' Waarom glinsteren er diamanten op haar oogleden?... De Brutale Aap fluisterde tegen mij: 'De volgende keer dat hij belt, zullen we erachter proberen te komen.'

Vijf dagen later. Opnieuw is het middag; maar vandaag is Amina weg, op bezoek bij Nussie-de-eend, wanneer de telefoon aandacht vereist. 'Vlug! Vlug, anders wordt hij er wakker van!' De Aap, behendig als haar naam, pakt de hoorn op voor Ahmed Sinai ook maar de kans heeft het patroon van zijn gesnurk te veranderen... 'Hallo? Jaaa? Dit is zeven nul vijf zes één; hallo?' We luisterden, met gespannen zenuwen; maar een ogenblik lang is er helemaal niets. Dan, net als we op het punt staan het op te geven, klinkt de stem. '...O ... ja ... hallo...' En de Aap, die bijna schreeuwt: 'Hallo? Met wie?' Opnieuw stilte; de stem, die er niet in is geslaagd zich het spreken te beletten, denkt over zijn antwoord na; en dan: '...Hallo... Is dit de Shanti Praasad Vrachtwagen Verhuuronderneming?...' En de Aap, vlug als de weerlicht: 'Ja, wat wilt u?' Opnieuw een stilte; de stem, die verlegen, bijna verontschuldigend klinkt, zegt: 'Ik wil een vrachtwagen huren.'

O zwak excuus van telefoonstem! O doorzichtige poppenkasterij van geesten: De stem aan de telefoon was niet de stem van iemand die een vrachtwagen huurt; hij was zacht, ietwat vlezig, de stem van een dichter ... maar daarna rinkelde de telefoon geregeld; soms nam mijn moeder aan, luisterde in stilte terwijl haar mond vissebewegingen maakte, en zei ten slotte, veel te laat: 'Spijt me, verkeerd verbonden'; andere keren klitten de Aap en ik eromheen, twee oren aan de hoorn, terwijl de Aap bestellingen voor vrachtwagens opnam. Ik vroeg mij af: 'Hé, Aap, wat vind jij? Vraagt die kerel zich nooit eens af waarom de vrachtwagens niet *komen*?' En zij, met wijdopen ogen, en zenuwachtige stem: 'Man, denk je ... misschien komen ze *wel*!'

Maar ik zag niet in hoe; en een zaadje van achterdocht werd in mij geplant, de kleine flikkering van een idee dat onze moeder misschien een geheim had – onze amma! Die altijd zei: 'Als je geheimen bewaart zullen ze in je bederven; vertel de dingen niet, en ze zullen je buikpijn bezorgen!' – een kleine vonk die mijn ervaring in de waskist zou doen oplaaien tot een bosbrand. (Want deze keer, ziet u, leverde ze me het bewijs.)

En nu, eindelijk, is het tijd voor de vuile was. Mary Pereira hield me altijd graag voor: 'Als je een grote man wilt zijn, baba, moet je heel schoon zijn. Schone kleren aantrekken,' ried zij aan, 'geregeld in bad gaan. Vooruit, baba, anders stuur ik je naar de wasman, en hij zal je op zijn steen kletsen.' Ze dreigde mij ook met beestjes: 'Goed, blijf maar vuil, niemand anders zal van je houden dan de vliegen. Ze zullen op je zitten terwijl je slaapt; ze zullen eieren onder je huid leggen!' De keus van mijn schuilplaats was ten dele een daad van verzet. Dhobi's en vliegen trotserend verschool ik mij in de onreine kist; ik ontleende kracht en soelaas aan lakens en handdoeken; mijn neus liep vrijelijk in het tot steen gedoemde wasgoed; en altijd wanneer ik uit mijn houten walvis in de wereld opdook, bleef de treurige rijpe wijsheid van vuile was bij mij hangen, en leerde mij zijn filosofie van koelte en waardigheid-ondanks-alles en de vreselijke onvermijdelijkheid van zeep.

Op een middag in juni liep ik op mijn tenen door de gangen van het slapende huis naar mijn uitverkoren schuilplaats; glipte langs mijn slapende moeder naar de wit betegelde stilte van haar badkamer; lichtte het deksel van mijn doel op; en dook in zijn zachte continuum van (overwegend witte) textiel, wiens enige herinneringen mijn eerdere bezoeken waren. Zacht zuchtend trok ik het deksel omlaag, en liet onderbroekjes en hemdjes de pijnen wegmasseren van het in leven zijn, doelloos en bijna negen jaar oud.

Spanning in de lucht. Hitte, gonzend als bijen. Een mantel, die ergens in de hemel hing, klaar om zacht om mijn schouders te vallen ... ergens strekt een vinger zich naar een kiesschijf uit; een schijf snort rond en rond, elektrische impulsen snellen langs kabel, zeven, nul, vijf, zes, één. De telefoon rinkelt. Gedempt gesnerp van een bel dringt in de waskist door waarin een bijnanegenjaar oude jongen ongemakkelijk verborgen ligt... Ik, Saleem, werd stijf van de angst ontdekt te worden, want nu kwamen nog meer geluiden de kist binnen: gepiep van matrasveren; zacht geklepper van pantoffels door de gang; de telefoon, halverwege gerinkel tot zwijgen gebracht; en – of is dit verbeelding? Was haar stem te zacht om het te horen? – de woorden, als gewoonlijk te laat gesproken: 'Spijt me, verkeerd verbonden.'

En nu keren hinkende voetstappen terug naar de slaapkamer; en de ergste angsten van de zich verstoppende jongen worden vervuld. Deurknoppen, die worden omgedraaid, schreeuwen hem waarschuwingen toe; messcherpe stappen snijden diep door hem heen terwijl ze over koele witte tegels gaan. Hij blijft bevroren als ijs, stokstijf; zijn neus droppelt geluidloos op vuile kleren. Een pyjamakoord – slangachtige voorbode van het noodlot! – dringt zijn linkerneusgat binnen. Snuiven zou gelijk staan met sterven: hij weigert eraan te denken.

...Stevig vastgeklemd in de greep van de angst merkt hij dat zijn oog door een spleet in vuile was kijkt ... en hij ziet een vrouw huilen in een badkamer. Regen druppelt uit een dikke zwarte wolk. En nu meer geluiden, meer beweging: zijn moeders stem is nu aan het spreken, twee lettergrepen, telkens en telkens weer; en haar handen bewegen nu. Oren verstopt door ondergoed spitsen zich om de geluiden op te vangen – dat ene: *dir? Bir? Dil?* – en het andere: *Ha? Ra?* Nee – Na. Ha en Ra zijn verbannen; Dil en Bir verdwijnen voor altijd; en de jongen hoort, in zijn oren, een naam die niet is uitgesproken sinds Mumtaz Aziz Amina Sinai werd: Nadir. Nadir. Na. Dir. Na.

En haar handen bewegen. Verloren in hun herinnering aan andere dagen, aan wat er gebeurde in een kelder in Agra na raak-de-kwispedoor-spelletjes, fladderen ze vrolijk naar haar wangen; ze omspannen haar boezem steviger dan bustehouders; en nu strelen ze haar blote middenrif, ze dwalen benedendeks af... ja, dit deden we vroeger altijd, mijn liefste, het was genoeg, genoeg voor mij, ook al dwong mijn vader ons, en liep jij weg, en nu de telefoon, Nadirnadirnadirnadirnadirnadir... handen die de telefoon vasthielden houden nu vlees vast, terwijl op een andere plaats, wat doet die andere hand? Wel, na de telefoon op de haak te hebben gelegd, is die andere hand van plan?... Hindert niet, want hier, in haar bespiedde afzondering, herhaalt Amina Sinai een oude naam, telkens en telkens weer, tot ze ten slotte uitbarst met: 'Arré Nadir Khan, waar ben je nu vandaan gekomen?'

Geheimen. De naam van een man. Nooit eerder geziene bewegingen van de handen. Een jongensgeest vervuld met gedachten die geen vorm hebben, gekweld door ideeën die weigeren woorden te worden; en in een linkerneusgat wurmt zich een pyjamakoord omhoog omhoog omhoog, en weigert genegeerd te worden...

En nu – O schaamteloze moeder! Onthuller van dubbelhartigheid, van emoties waarvoor geen plaats is in het gezinsleven; en meer: O onbeschaamde ontsluieraar van Zwarte Mango! – Amina Sinai, die haar ogen droogt, wordt gedrongen door een trivialere behoefte; en terwijl het rechteroog van haar zoon door het houten latwerk aan de bovenkant van de waskist kijkt, wikkelt mijn moeder haar sari los! Terwijl ik, stil in de waskist denk: 'Niet doen niet doen niet doen!'... maar ik kan mijn oog niet sluiten. Knipperloze pupil neemt omgekeerde beeld op van sari die op de grond valt, een beeld dat, zoals gewoonlijk, door de hersenen wordt omgekeerd; door ijsblauwe ogen zie ik een onderbroekje de sari achterna gaan; en dan – O afschuwelijk! – mijn moeder, ingelijst in wasgoed en houten latwerk, buigt zich voorover om haar kleren op te rapen! En daar is het, mijn netvlies verscheurend – de aanblik van mijn moeders romp, zwart als de nacht, rond en gewelfd, die op niets ter wereld zoveel lijkt als op een gigantische zwarte Alfonso-mango! In de waskist, van mijn stuk gebracht door die aanblik, worstel ik met mezelf... zelfbeheersing wordt tegelijkertijd dwingend en onmogelijk... onder de invloed van de donderslag van de Zwarte Mango ontzinkt mij de moed; pyjamakoord behaalt zijn overwinning; en terwijl Amina Sinai op een stilletje gaat zitten, doe ik... wat? Niet niezen; het was nog minder dan een nies. En ook geen beweging; het was meer dan dat. Het is tijd om duidelijke taal te spreken:

verpletterd door tweelettergrepige stem en fladderende handen, vernietigd door Zwarte Mango, bezweek de neus van Saleem Sinai, die reageert op het bewijs van moederlijke dubbelhartigheid, bevend vanwege de aanwezigheid van moederlijke romp, voor een pyjamakoord, en werd bevangen door een cataclysmisch – een wereldvervormend – een onstuitbaar *gesnuif*. Pyjamakoord gaat pijnlijk nog een centimeter verder het neusgat in. Maar andere dingen gaan ook omhoog: opgehaald door die koortsachtige inademing, worden neusvochten meedogenloos omhoog omhoog omhoog gezogen, neusslijm stroomt omhoog, tegen de zwaartekracht in, tegen de natuur in. Neusholten worden onderworpen aan ondraaglijke druk ... tot er, binnenin het bijnanegenjaar oude hoofd, iets barst. Snot schiet door een doorgebroken dam donker nieuwe kanalen in. Snot stijgt hoger dan snot ooit bedoeld was te stijgen. Overtollig vocht dat, misschien, wel zo ver reikt als de grenzen van de hersenen ... er is kortsluiting. Iets elektrisch is vochtig geworden.

Pijn.

En dan lawaai, oorverdovend veeltonig angstaanjagend, *binnen in zijn hoofd*!... In een witte houten waskist, binnen het verduisterde auditorium van zijn schedel, begon zijn neus te zingen.

Maar nu op dit moment is er geen tijd om te luisteren; want één stem is werkelijk heel dichtbij. Amina Sinai heeft de onderste deur van de waskist geopend; ik tuimel omlaag met wasgoed als helm om mijn hoofd gewikkeld. Pyjamakoord komt met een ruk uit mijn neus; en nu flitst er bliksem door de donkere wolken rondom mijn moeder – en er is een toevluchtsoord voor altijd verloren gegaan.

'Ik heb niet gekeken!' gilde ik door sokken en lakens omhoog. 'Ik heb helemaal niets gezien, ammi, ik zweer het!'

En jaren later, in een rieten stoel te midden van afgedankte handdoeken en een radio die overdreven oorlogsoverwinningen meldde, zou Amina zich herinneren hoe ze haar liegende zoon, met duim en wijsvinger om zijn oor, naar Mary Pereira bracht, die als gewoonlijk op een rieten mat in een hemelsblauwe kamer lag te slapen; dat ze zei: 'Deze jonge ezel; deze drommelse nietsnut mag een hele dag lang niet spreken.' ... En net voor het dak op haar viel, zei ze hardop: 'Het was mijn schuld. Ik heb hem te slecht opgevoed.' Toen de explosie van de bom door de lucht scheurde, voegde zij er, mild maar beslist aan toe, haar laatste woorden op aarde richtend tot de geest van een waskist: 'Ga nu weg, ik heb genoeg van je gezien.'

Op de berg Sinai hoorde de profeet Musa of Mozes van het lichaam ontdane geboden; op de berg Hira sprak de profeet Muhammad (ook bekend als Mohammed, Mahomet, de Voorlaatste, en Mahound) tot de Aartsengel. (Gabriël of Jibreël, al naar u wilt.) En op het toneel van de Cathedral and John Connon Middelbare Jongensschool, opgezet 'onder auspiciën' van de Engels-Schotse onderwijsraad, hoorde mijn vriend, Cyrus-de-grote, die als gewoonlijk een vrouwenrol speelde, de stemmen van Jeanne d'Arc die de zinnen van Bernard Shaw sprak. Maar Cyrus is degene die hier niet thuishoort: anders dan Jeanne, wier stemmen in een veld werden gehoord, maar als Musa of Mozes, als Muhammad de Voorlaatste, hoorde ik stemmen op een heuvel.

Muhammad (vrede zij met zijn naam, wil ik erbij zeggen; ik wil niemand beledigen) hoorde een stem die zei: 'Zeg!' en dacht dat hij gek aan het worden was; ik hoorde, aanvankelijk, een hoofdvol snaterende stemmen, als een onafgestemde radio; en met lippen die krachtens moederlijk bevel verzegeld waren, was ik niet in staat om troost te vragen. Muhammad zocht, op veertigjarige leeftijd, geruststelling van vrouw en vrienden en kreeg die ook: 'Waarlijk,' zeiden ze tegen hem, 'jij bent de boodschapper van God'; ik, die mijn straf onderging toen ik bijnanegen was, kon noch de hulp van de Brutale Aap inroepen, noch naar vertederende woorden van Mary Pereira dingen. Gedurende een avond en een nacht en een ochtend tot zwijgen gebracht, deed ik, alleen, mijn best om te begrijpen wat er met mij gebeurd was; tot ik tenslotte de sjaal van een genie omlaag zag zeilen, als een geborduurde vlinder, en de mantel van grootheid om mijn schouders gleed.

In de hitte van die stille nacht (ik was stil; buiten mij ritselde de zee als papier in de verte; kraaien krasten midden in hun gevederde nachtmerries; de pruttelende geluiden van trage taxi's dreven van Warden Road aan; voor ze in slaap viel met haar gezicht bevroren tot een hard masker van nieuwsgierigheid, smeekte de Brutale Aap: 'Toe nou, Saleem; niemand luistert; wat heb je gedaan? Vertel het vertel het vertel het!' ... terwijl, binnen in mij, de stemmen tegen de wanden van mijn schedel terugkaatsten, werd ik gegrepen door hete vingers van opwinding – de geagiteerde insekten van opwinding dansten in mijn maag – want, ten langen leste, op een manier die ik niet volledig begreep, was de deur waar Toxy Catrack in mijn hoofd zachtjes tegenaan had gestoten, open gedwongen; en daardoorheen kon ik heel even, schimmig nog, onbepaald, raadselachtig – de reden zien waarom ik was geboren.

Gabriël of Jibreël zei tegen Muhammad: 'Spreek!' En toen begon De Les, in het Arabisch bekend als Al-Quran: 'Spreek: In de naam van de Heer uw Schepper, die de Mens schiep uit klonters bloed...' Dat gebeurde op de berg Hira buiten Mecca Sharif; op een twee verdiepingen hoog heuveltje tegenover het Breach Candy Zwembad gaven stemmen mij ook opdracht om te spreken: 'Morgen!' dacht ik opgewonden.

'Morgen!'

Tegen zonsopgang had ik ontdekt dat de stemmen te regelen waren – ik was een radio-ontvanger, en ik kon het geluid harder of zachter zetten; ik kon afzonderlijke stemmen kiezen; ik kon zelfs, door het te willen, mijn pas ontdekte innerlijke oor uitschakelen. Het was verbazingwekkend hoe gauw ik mijn angst kwijt was; tegen de ochtend dacht ik: 'Man, dit is beter dan Radio All-India; beter nog dan Radio Ceylon!'

Om de trouw van zusters aan te tonen: toen de vierentwintig uur om waren, rende de Brutale Aap, op de minuut, naar de slaapkamer van mijn moeder. (Het was, denk ik, zondag: geen school. Of misschien ook niet – dat was de zomer van de taaldemonstraties, en de scholen waren vaak dicht vanwege het gevaar van geweld op de busroutes.)

'De tijd is om!' riep ze, terwijl ze mijn moeder wakker schudde. 'Amma, word wakker: het is tijd: mag hij nu weer praten?'

'Goed,' zei mijn moeder en kwam een hemelsblauwe kamer in om me te omhelzen, 'je bent nu vergeven. Maar verschuil je daar nooit meer...'

'Amma,' zei ik verlangend, 'mijn ammi, luister alsjeblieft. Ik moet je iets vertellen. Iets groots. Maar alsjeblieft alsjeblieft, maak eerst abba wakker.'

En na enig 'Wat?' 'Waarom?' en 'Zeker niet,' zag mijn moeder iets bijzonders in mijn ogen en ging Ahmed Sinai ongerust wakker maken met: 'Janum, kom alsjeblieft. Ik weet niet wat er in Saleem is gevaren.'

Familieleden en ayah verzamelden zich in de zitkamer. Te midden van geslepen vazen en dikke kussens, staande op een Perzisch kleedje onder de wiekende schaduwen van de plafondventilatoren, glimlachte ik hun ongeruste ogen toe en bereidde mijn openbaring voor. Dit was het; het begin van de oplossing van hun investering; mijn eerste dividend – het eerste, wist ik zeker, van vele ... mijn zwarte moeder, vader met uitstekende lip, Aap van een zuster en misdrijf-verbergende-aya wachtten in geagiteerde verwarring.

Voor de draad ermee. Op de man af, zonder franje. 'Jullie moeten de eersten zijn om het te weten,' zei ik, en probeerde mijn toespraak de cadenzen van volwassenheid te geven. En toen vertelde ik het hun. 'Ik heb gisteren stemmen gehoord. Stemmen spreken tegen mij in m'n hoofd. Ik denk – ammi, abboo, ik denk werkelijk – dat aartsengelen tegen mij zijn gaan spreken.'

Zo! dacht ik. Zo! Het is eruit! Nu komen er schouderklopjes, snoep, publieke bekendmakingen, misschien nog meer foto's; nu zal hun borst opzwellen van trots. O blinde onschuld van de kinderjaren! Door mijn eerlijkheid – door mijn openhartige wanhoop om te behagen – kreeg ik van alle kanten de volle laag. Zelfs de Aap: 'O *god*, Saleem, al die tamasha, deze hele vertoning, voor een van je stomme *grappen*?' En Mary Pereira was nog erger dan de Aap: 'Jezus Christus! Red ons, Heer! Heilige Vader in Rome, wat 'n godslastering heb ik vandaag moeten aanhoren!' En nog erger dan Mary Pereira was mijn moeder Amina Sinai: De Zwarte Mango nu verborgen, met haar eigen onnoemelijke namen nog warm op haar lippen, riep ze uit: 'De hemel verhoede het! Het kind zal het dak boven onze hoofden doen instorten!' (Was dat ook mijn schuld?) En Amina vervolgde: 'Jij zwarte man! Goonda! O Saleem, ben je niet goed bij je hoofd geworden? Wat is er gebeurd met mijn lieve kleine jongen – ben je een waanzinnige aan het worden? – een *kweller*!?' En erger dan Amina's gegil was het zwijgen van mijn vader; erger dan haar angst was de wilde woede die op zijn voorhoofd stond; maar het ergste van alles was mijn vaders hand, die zich plotseling uitstrekte, met dikke vingers, met zware gewrichten, sterk als een os, om me een enorme dreun tegen de zijkant van mijn hoofd te geven, zodat ik na die dag nooit meer goed met mijn linkeroor kon horen; zodat ik zijwaarts door de verbijsterde kamer vloog door de geshockeerde lucht en een groen tafelblad van ondoorzichtig glas verbrijzelde; zodat ik, na voor het eerst van mijn leven zeker van mezelf te zijn geweest, in een groene, door glas bewolkte wereld vol vlijmscherpe kantjes werd gegooid, een wereld waarin ik de mensen die het belangrijkst voor mij waren niet langer kon vertellen wat er in mijn hoofd omging; groene scherven sneden mijn handen open toen ik dat wervelende universum binnenging waarin ik gedoemd was, totdat het al veel te laat was, om te worden geplaagd door voortdurende twijfels aan mijn bestemming.

In een wit betegelde badkamer, naast een waskist, besmeerde mijn moeder me met mercurochroom; gaas versluierde mijn snijwonden, terwijl mijn vaders stem door de deur beval: 'Vrouw, laat niemand hem vandaag eten geven. Hoor je me? Laat hem maar met een lege maag van zijn grap genieten!'

Die nacht zou Amina van Ramram Seth dromen, die vijftien centimeter boven de grond zweefde, zijn oogkassen gevuld met eiwit, en psalmodieerde: 'Wasgoed zal hem verbergen ... stemmen zullen hem leiden' ... maar toen ze na een paar dagen waarin de droom waar ze ook ging op haar schouders zat, de moed verzamelde om haar in ongenade gevallen zoon wat meer over zijn schandalige bewering te vragen, antwoordde hij, met een stem die even ingehouden was als de ongeplengde tranen van zijn kinderjaren: 'Het was maar flauwekul, amma. Een stomme grap, zoals u zei.'

Ze stierf, negen jaar later, zonder achter de waarheid te zijn gekomen.

Realiteit is een kwestie van perspectief; hoe verder je van het verleden af komt, des te concreter en plausibeler het lijkt – maar als je het heden nadert, lijkt die al maar onwaarschijnlijker. Stel je voor dat je in een grote bioscoop bent, en eerst op de achterste rij zit, en geleidelijk, rij voor rij, naar voren gaat, tot je je neus bijna tegen het doek gedrukt hebt. Geleidelijk lossen de gezichten van de sterren op in dansende korrels; heel kleine details nemen groteske afmetingen aan; de illusie lost op – of liever, het wordt duidelijk dat de illusie zelf realiteit *is* ... wij zijn van 1915 naar 1956 gegaan, dus zitten we een heel eind dichter bij het doek ... mijn metafoor nu in de steek latend, herhaal ik, zonder enig gevoel van schaamte, mijn ongelooflijke bewering: na een vreemd voorval in een waskist, werd ik een soort radio.

...Maar vandaag voel ik me in de war. Padma is niet teruggekomen – moet ik de politie waarschuwen? Is zij een Vermiste Persoon? – en in haar afwezigheid vallen mijn zekerheden uiteen. Zelfs mijn neus levert me streken – overdag, terwijl ik tussen de pekelvaten loop die verzorgd worden door ons legertje sterke, geweldig competente vrouwen met harige armen, heb ik gemerkt dat ik niet in staat was de geur van citroen van die van limoen te onderscheiden. Het personeel giechelt achter zijn handen: de arme sahib is gedwarsboomd in – wat? – toch zeker niet *liefde?* ... Padma, en de barsten die zich over mijn hele lichaam verspreiden, als een spinneweb van mijn navel uitwaaierend; en de hitte ... enige verwarring is onder deze omstandigheden toch wel gepermitteerd. Toen ik mijn werk herlas, ontdekte ik dat de chronologie niet klopte. De moord op Mahatma Gandhi vindt, op die bladzijden, op de verkeerde datum plaats. Maar ik kan nu niet meer zeggen hoe de eigenlijke opeenvolging van gebeurtenissen wellicht is geweest; in mijn India zal Gandhi op de verkeerde datum blijven sterven.

Maakt één vergissing het hele samenstel ongeldig? Ben ik zo ver heen, in mijn wanhopige behoefte aan zin, dat ik bereid ben alles te verdraaien – om de hele geschiedenis van mijn tijd te herschrijven enkel en alleen om mezelf in een centrale rol te plaatsen? Vandaag, in mijn verwarring, kan ik niet oordelen. Ik zal dat aan anderen moeten overlaten. Voor mij kan er geen weg terug zijn; ik moet afmaken waarmee ik begonnen ben, ook als datgene wat ik afmaak onvermijdelijkerwijze, niet datgene blijkt te zijn dat ik begon...

Yé Akashvani hai. Dit is Radio All-India.

Na de snikhete straat op te zijn gegaan om vlug wat te eten in een naburig Iraans café, ben ik teruggekomen en zit nu in mijn avondlijke poel van licht van mijn bureaulamp met alleen een goedkope transistorradio als gezelschap. Een hete avond; borrelende lucht vervuld met de dralende geuren van de tot zwijgen gekomen pekelvaten; stemmen in het donker. Pekeldampen, zwaar drukkend in de hitte, stimuleren de sappen van het geheugen, overeenkomsten en verschillen tussen nu en toen accentuerend ... het was toen heet; het is (abnormaal voor het jaargetij) nu heet. Toen, evenals nu, was er iemand wakker in het donker, en hoorde onlichamelijke stemmen. Toen, evenals nu, dat ene dove oor. En angst, die in de hitte gedijde ... het waren niet de stemmen (toen of nu) die angstaanjagend waren. Hij, de jonge-Saleem-van-toen, was bang van een idee – het idee dat de boosheid van zijn ouders misschien een vervreemding van hun liefde tot gevolg zou hebben; dat ze zijn gave, zelfs als ze hem gingen geloven, zouden zien als een soort schandelijke mismaaktheid ... terwijl ik nu, zonder Padma, deze woorden de duisternis in stuur en vrees niet geloofd te worden. Hij en ik, ik en hij ... Ik bezit zijn gave niet langer; hij bezat de mijne nooit. Er zijn tijden dat hij een vreemde lijkt, bijna ... hij had geen barsten. Geen spinnewebben verspreiden zich door hem in de hitte.

Padma zou mij geloven; maar er is geen Padma. Toen, evenals nu, is er honger. Maar van een andere soort; niet, nu, de honger-van-toen omdat mij mijn avondeten werd ontzegd, maar omdat ik mijn kokkin ben kwijtgeraakt.

En een ander, duidelijker, verschil: toen kwamen de stemmen niet door de oscillerende buizen van een transistor (die, in ons deel van de wereld, voor altijd impotentie zal symboliseren – van de tijd af van het beruchte sterilisatielokkertje, de gratis transistor, heeft dit schetterende apparaat vertegenwoordigd wat mannen konden doen voor scharen klikten en knopen werden gelegd) ... toen had de jongen van bijnanegen in zijn middernachtelijk bed geen behoefte aan apparaten.

Anders en eender, worden wij verenigd door hitte. Een zinderende hittenevel, toen en nu, doet zijn tijd-van-toen tot de mijne vervagen ... mijn verwarring, die door de hittegolven trekt, is ook de zijne.

Wat groeit het beste in de hitte: suikerriet; de kokosnootpalm; bepaalde gierstsoorten zoals bajra, ragi en jowar; lijnzaad, en (als er water is) thee en rijst. Ons hete land is ook de op een na grootste producent ter wereld van katoen – tenminste, dat was het toen ik aardrijkskunde leerde onder het waanzinnige oog van mijnheer Emil Zagallo, en de nog staalachtiger blik van een ingelijste Spaanse conquistador. Maar de tropische zomer brengt ook vreemde vruchten voort:

de exotische bloemen van de verbeeldingsbloesem, om de benauwende zwetende nachten te vervullen met geuren zwaar als muskus, die mensen duistere dromen van ontevredenheid geven... toen evenals nu, was er onbehagen in de lucht. Taaldemonstranten eisten de verdeling van de staat Bombay volgens taalkundige grenzen – de droom van Maharashtra liep aan het hoofd van sommige optochten, de luchtspiegeling van Gujarat leidde de andere voorwaarts. Hitte, knagend aan de scheidingen in de geest tussen fantasie en werkelijkheid, maakte dat alles mogelijk scheen; de half wakende chaos van middagsiësta's vertroebelde de geest van mensen, en de lucht was vervuld van de klefheid van opgewekte begeerten.

Wat groeit het beste in de hitte: fantasie; redeloosheid; wellust.

In 1956 dus marcheerden talen overdag militant door de straten; 's nachts muitten ze in mijn hoofd. *We zullen je leven met de grootst mogelijke aandacht gadeslaan; het zal, in zekere zin, de spiegel van ons eigen leven zijn.*

Het is tijd om over de stemmen te praten.

Was alleen onze Padma maar hier...

Ik had het natuurlijk helemaal mis met de Aartsengelen. De hand van mijn vader – die mijn oor een optater gaf in (bewuste? onbedoelde?) navolging van een andere, lichaamloze hand, die hem eens midden in het gezicht sloeg – had in elk geval een heilzame uitwerking: hij noopte mij om opnieuw over mijn oorspronkelijke, profeet-naäpende positie, na te denken, en die ten slotte te laten varen. In bed op die avond van mijn ongenade, trok ik me diep in mezelf terug, ondanks de Brutale Aap, die onze blauwe kamer met haar getreiter vervulde: 'Maar *waarom* heb je het gedaan, Saleem? Jij die altijd veel te aardig bent en zo?'... tot ze ontevreden in slaap viel terwijl haar mond nog zwijgend bewoog, en ik alleen was met de echo's van mijn vaders gewelddadigheid, die in mijn linkeroor gonsde, dat fluisterde: 'Michael noch Anael; niet Gabriël; vergeet Cassiel, Sachiël en Samael! Aartsengelen spreken niet langer met stervelingen; de Recitatie was lang geleden in Arabië voltooid; de laatste profeet zal alleen maar komen om het Einde te verkondigen.' Die nacht, toen ik begreep dat de stemmen in mijn hoofd de scharen engelen in aantal verre overtroffen, besloot ik, niet zonder opluchting, dat ik toch niet was uitverkoren om het einde van de wereld te leiden. Mijn stemmen, die verre van bang waren, bleken even profaan, even menigvuldig te zijn als stof.

Telepathie dus; het soort geval waar je in de sensatieblaadjes altijd over leest. Maar ik vraag om geduld – wacht. Wacht maar. Het was telepathie; maar ook meer dan telepathie. Schrijf me niet te gemakkelijk af.

Telepathie dus: de inwendige monologen van alle zogenoemde krioelende miljoenen, van hoog tot laag, verdrongen zich om ruimte in mijn hoofd. Aanvankelijk, toen ik me ermee tevreden stelde hen aan te horen – voor ik begon te *handelen* – was er een taalprobleem. De stemmen babbelden in alles, van Malayalam tot Naga-dialecten, van de zuiverheid van het Lucknow Oerdoe, tot het zuidelijk gebrabbel van het Tamil. Ik begreep slechts een fractie van de dingen die binnen de wanden van mijn schedel werden gezegd. Pas later, toen ik begon te onderzoeken, ontdekte ik dat onder de oppervlakkige uitzendingen – alle dingen die voor in de geest lagen, die ik oorspronkelijk had opgevangen – de taal vervaagde en werd vervangen door universeel begrijpelijke gedachtenvormen die ver boven woorden uitstegen ... maar dat was nadat ik, onder de veeltalige razernij in mijn hoofd, die andere waardevolle signalen had gehoord, die volkomen verschilden van alle andere, de meeste ervan vaag ver, als trommels heel ver weg waarvan het aanhoudende gedreun uiteindelijk door de vismarktkakofonie van mijn stemmen heen brak ... die geheime nachtelijke roepen, alsof ze riepen naar ... de onbewuste bakens van de middernachtskinderen, die alleen maar hun bestaan uitseinden, eenvoudig zendend: 'Ik.' Van ver in het noorden: 'Ik.' En het zuiden oosten westen: 'Ik.' 'Ik.' 'En ik.'

Maar ik moet niet op mezelf vooruitlopen. In het begin, voor ik doorbrak naar meer-dan-telepathie, stelde ik me tevreden met luisteren; en weldra was ik in staat mijn inwendige oor 'af te stemmen' op die stemmen die ik kon begrijpen; en het duurde ook niet lang voor ik, uit de menigte, de stemmen van mijn eigen familie eruit kon halen; en van Mary Pereira; en van vrienden, klasgenoten, leraren. Ik leerde hoe ik de gedachtenstroom van voorbijgaande vreemden moest identificeren – de wetten van het dopplereffect bleven in deze paranormale gebieden van kracht, en de stemmen werden luider en namen af naarmate de vreemdelingen langstrokken.

Hetgeen ik allemaal op de een of andere manier voor mezelf hield. Dagelijks herinnerd (door het gonzen in mijn linker, of sinistere, oor) aan mijn vaders woede, en angstvallig mijn rechteroor goed functionerend wilde houden, verzegelde ik mijn lippen. Voor een negen jaar oude jongen zijn de moeilijkheden om wetenschap te verbergen vrijwel onoverkomelijk; maar gelukkig waren zij die mij het naast en liefst waren even verlangend om mijn uitbarsting te vergeten als ik het was om de waarheid te verbergen.

'O, Saleem toch! De dingen die je gisteren zei! Schaam je, jongen; ik zou m'n mond maar liever met zeep gaan uitspoelen als ik jou was!' ... De ochtend na mijn schande, fluisterde Mary Pereira, die trilde van verontwaardiging als een van haar geleipuddingen, mij de volmaakte manier om mij te rehabiliteren in. Terwijl ik mijn hoofd berouwvol boog, ging ik, zonder een woord te zeggen, naar de badkamer en onder de verbaasde blik van ayah en Aap, borstelde ik daar tanden tong verhemelte tandvlees met een tandenborstel die overdekt was met het bijtende smerige schuim van een stuk teerzeep. Het nieuws van mijn dramatische boetedoening ging als een lopend vuurtje door het huis, overgebriefd door Mary en Aap; en mijn moeder omhelsde me: 'Nu dan, brave jongen; we zullen er geen woord meer over zeggen,' en Ahmed Sinai knikte nors aan de ontbijttafel: 'In elk geval heeft de jongen het fatsoen toe te geven dat hij te ver is gegaan.'

Naarmate mijn door glas toegebrachte sneden verbleekten, was het alsof mijn bekendmaking ook werd uitgewist; en tegen de tijd dat ik negen werd herinnerde niemand behalve ikzelf zich iets over de dag toen ik de naam van de aartsengelen ijdel had gebruikt. De smaak van ontsmettingsmiddel bleef nog vele weken op mijn tong achter, en herinnerde mij aan de noodzaak van geheimhouding.

Zelfs de Brutale Aap was tevreden met mijn vertoon van berouw – in haar ogen was ik weer de oude geworden, en was opnieuw de Brave Hendrik van de familie geworden. Om haar bereidwilligheid te tonen de oude orde te herstellen, stak ze mijn moeders lievelingspantoffels in brand, en herkreeg haar rechtmatige plaats in het verdomhoekje van de familie. Onder buitenstaanders, hetgeen meer is – een conservatisme tentoon spreidend dat je bij zo'n robbedoes nooit zou hebben verwacht – trok ze een lijn met mijn ouders, en hield mijn ene misstap voor haar vrienden en de mijne geheim.

In een land waar iedere lichamelijke of geestelijke eigenaardigheid bij een kind een bron van diepe schaamte voor de hele familie is, weigerden mijn ouders, die gewend waren geraakt aan moedervlekken in het gezicht, komkommerneus en o-benen, eenvoudig om nog meer pijnlijks aan me te zien; en ik van mijn kant, sprak niet een keer over het gonzen in mijn oren, de af en toe rinkelende bellen van doofheid, de wisselende pijn. Ik had geleerd dat geheimen niet altijd iets slechts waren.

Maar stel u de verwarring in mijn hoofd eens voor! Waar, achter het lelijke gezicht, boven de tong die naar zeep smaakte, vlak bij het geperforeerde trommelvlies, een niet-erg-nette geest schuilging, even vol snuisterijen als de zakken van een negenjarige ... stelt u zich voor dat u op de een of andere manier in me zit, en door mijn ogen naar buiten kijkt, de herrie, de stemmen hoort, en nu de verplichting om het de mensen niet te laten weten, het moeilijkste was om te doen alsof ik verbaasd was, zoals die keer toen mijn moeder zei Hé, Saleem je raadt het nooit we gaan naar de Aarey Milk Colony om te picknicken, en ik Ooo, wat spannend! moest zeggen, terwijl ik het allang wist omdat ik haar ongesproken innerlijke stem had gehoord En op mijn verjaardag wanneer ik alle cadeautjes in de geesten van de gevers zag nog voor ze waren uitgepakt En de vossejacht die bedorven werd omdat de plaats van iedere aanwijzing elke prijs in mijn vaders hoofd aanwezig was En nog veel moeilijker dingen zoals mijn vader gaan opzoeken in zijn kantoor op de benedenverdieping, we zijn er, en hetzelfde ogenblik dat ik naar binnen ben zit mijn hoofd vol met godweetwat voor gore onzin omdat hij aan zijn secretaresse denkt, Alice of Fernanda, zijn nieuwste Coca-Cola-meisje, hij kleedt haar in zijn gedachten langzaam uit en het gebeurt ook in mijn hoofd, ze zit spiernaakt op een stoel met een rotan zitting en staat nu op, afdrukken kriskras op haar billen, dat is mijn vader die denkt, MIJN VADER, nu kijkt hij mij heel raar aan Wat is er zoon voel je je niet goed Ja prima abba, moet nu gaan MOET WEG-GAAN heb huiswerk te doen, abba, en weg, wegwezen voor hij het op je gezicht kan zien (mijn vader zei altijd dat er een rood lichtje op mijn voorhoofd flitste wanneer ik loog)... U ziet hoe moeilijk het is, mijn oom Hanif komt me halen om naar het worstelen te gaan, en nog voor we bij het Vallabhbhai Patel Stadion op Hornby Vellard zijn aangekomen voel ik me treurig. We lopen met de menigte langs reusachtige kartonnen uitsneden van Dara Singh en Tagra Baba en de rest en zijn droefenis, de droefenis van mijn lievelingsoom stroomt mij binnen, ze leeft als een hagedis vlak onder de haag van zijn joligheid, verborgen door zijn schallende lach die eens de lach van de vletterman Tai was, we zitten op uitstekende plaatsen terwijl de schijnwerpers dansen op de ruggen van de verstrengelde worstelaars en ik gevangen ben in de onlosmakelijke greep van het verdriet van mijn oom, het verdriet om zijn mislukkende filmcarrière, het ene fiasco na het andere, hij zal waarschijnlijk nooit meer een film te maken krijgen Maar ik moet de droefheid niet uit mijn ogen laten lekken Hij mengt zich in mijn gedachten, hé phaelwan, hé kleine worstelaar, waarom zet je zo'n lang gezicht, het lijkt nog langer dan een slechte film, wil je channa? pakora's? wat? En ik schud mijn hoofd: Nee, niets, Hanif mamu, zodat hij zich ontspant, zich afwendt, begint te gillen Ohé vooruit Dara, zo moet het, geef hem op zijn lazer, Dara *yara*! En weer thuis mijn moeder die in de gang hurkt bij de ijsemmer en met haar echte uitwendige stem zegt: Wil je me meehelpen om het te maken, zoon, de pistachiosmaak waar je zo dol op bent, en ik draai aan de zwengel, maar haar inwendige stem kaatst tegen de binnenkant van mijn hoofd, ik kan zien dat ze probeert haar gedachten tot in alle uithoeken met alledaagse dingen op te vullen, de prijs van braam, de lijst van huishoudelijke karweitjes, moet de elektricien laten komen om de plafondventilator in de eetkamer te laten repareren, dat ze zich wanhopig concentreert op delen van haar man waarvan ze moet houden, maar de onuitspreekbare woorden duiken almaar op, de twee lettergrepen die die dag in de badkamer uit haar lekten, Na Dir Na Dir Na, het valt haar steeds moeilijker de telefoon neer te leggen wanneer de verkeerde nummers komen MIJN MOEDER ik vertel u wanneer een jongen binnen in de gedachten van volwassenen komt kunnen ze hem werkelijk volledig in de war maken En zelfs 's nachts, geen respijt, ik word om klokslag middernacht wakker met Mary Pereira's dromen in mijn hoofd Nacht in nacht uit Altijd op mijn eigen spookuur, dat ook betekenis heeft voor haar Haar dromen worden geplaagd door het beeld van een man die al jarenlang dood is, Joseph D'Costa, de droom vertelt mij de naam, hij is bedekt met een laagje schuldgevoel dat ik niet kan begrijpen, hetzelfde schuldgevoel dat ons allen binnensiepelt telkens wanneer we haar chutneys eten, er is hier een geheim maar omdat het geheim niet vooraan in haar geest zit kan ik er niet achter komen, en ondertussen is Joseph daar, iedere nacht, soms in menselijke gedaante, maar niet altijd, soms is hij een wolf, of een slak, een keer een bezemsteel, maar wij (zij-dromend, ik-naar binnen kijkend) weten dat hij het is, onheilspellend onverzoenlijk beschuldigend, haar in de taal van zijn incarnaties vervloekend, tegen haar huilend wanneer hij Joseph-de-wolf is, haar bedekkend met de slijmsporen van Joseph-de-slak, haar ranselend met het harde uiteinde van zijn bezemsteelincarnatie... en in de ochtend wanneer ze mij zegt dat ik me moet baden wassen klaarmaken voor school moet ik de vragen verbijten, ik ben negen jaar oud en verloren in de verwarring van de levens van andere mensen die in de hitte in elkaar overlopen.

Om dit verslag van de begintijd van mijn veranderde leven te eindigen, moet ik er één pijnlijke bekentenis aan toevoegen: ik kreeg het idee dat ik mijn ouders een betere opinie over mij kon geven door mijn nieuwe vermogen te gebruiken om bij mijn werk op school te helpen – kortom, ik begon in de klas te spieken. Dat wil zeggen, ik stemde af op de inwendige stemmen van mijn leraren en ook van mijn knappere klasgenoten, en haalde informatie uit hun brein. Ik ontdekte dat slechts enkele van mijn leraren een proefwerk konden opgeven zonder de ideale antwoorden in hun gedachten te repeteren – en ik wist ook dat bij die zeldzame gelegenheid dat de leraar in beslag werd genomen door andere dingen, zijn eigen liefdesleven of financiële moeilijkheden, de oplossingen altijd te vinden waren in de vroegrijpe, wonderbaarlijke geest van het genie van onze klas, Cyrus-de-grote. Mijn cijfers begonnen op dramatische wijze te verbeteren – maar niet al te zeer, want ik zorgde ervoor mijn versies anders te maken dan hun gestolen originelen; zelfs wanneer ik telepathisch een heel Engels opstel van Cyrus overschreef, voegde ik er een paar middelmatige dingen van mezelf aan toe. Mijn doel was achterdocht te vermijden; dat lukte niet, maar ik werd niet ontdekt. Onder Emil Zagallo's furieuze ondervragende ogen bleef ik onschuldig-engelachtig; onder de verbijsterde, hoofdschuddende onthutsing van mijnheer Tandon, de leraar Engels, beoefende ik mijn verraad in stilte – wetend dat ze de waarheid niet zouden geloven, zelfs niet als ik, door toeval of stommiteit, zou doorslaan.

Laat mij het samenvatten: op een beslissend punt in de geschiedenis van onze kindnatie, op een tijdstip dat vijfjarenplannen werden opgesteld en verkiezingen naderden en taaldemonstranten om Bombay vochten, kreeg een negen jaar oude jongen Saleem Sinai genaamd een wonderbaarlijke gave. Ondanks de vele nuttige manieren waarop zijn vermogens door zijn verarmde, onderontwikkelde land hadden kunnen worden gebruikt, verkoos hij zijn talenten verborgen te houden, ze verspillend aan onbelangrijk voyeurisme en kleingeestig gespiek. Dit gedrag – niet, ik beken het, het gedrag van een held – was het rechtstreeks gevolg van een verwarring in zijn geest, die de moraliteit – het verlangen om het goede te doen – en de populariteit – het veeleer twijfelachtiger verlangen om datgene te doen wat goed wordt gevonden – steevast in de war gooide. Omdat hij vreesde door zijn ouders te worden uitgebannen, onderdrukte hij het nieuws van zijn transformatie; omdat hij uit was op ouderlijke complimenten, misbruikte hij zijn talenten op school. Deze smet op zijn karakter valt gedeeltelijk te verontschuldigen op grond van zijn jeugdige leeftijd; maar slechts gedeeltelijk. Verward denken zou een groot deel van zijn loopbaan verknoeien.

Ik kan heel hard zijn in mijn oordeel over mezelf wanneer ik dat wil.

Wat stond op het platte dak van de Breach Candy Kleuterschool – een dak, zoals u zich zult herinneren, dat van de tuin van Villa Buckingham te bereiken was, eenvoudig door over een scheidsmuur te klimmen? Wat was hetgene dat, niet langer in staat de functie te vervullen waarvoor het was bedoeld, dat jaar over ons waakte toen zelfs de winter vergat om af te koelen – wat sloeg Sonny Ibrahim, Oogsnee, Haarolie en mijzelf gade, als we kabaddi speelden, en informeel cricket, en hinkelden, waaraan af en toe ook Cyrus-de-grote en andere vriendjes die op bezoek waren meededen: Dikke Perce Fishwala en Klierige Keith Colaco? Wat was aanwezig bij de veelvuldige gelegenheden dat Toxy Catracks verpleegster Bi-Appah van de bovenste verdieping van Homi's huis naar omlaag schreeuwde: 'Schavuiten! Losbandige nietsnutten! Hou op met die herrie!' ... zodat we allemaal wegrenden, en terugkwamen (wanneer ze uit ons blikveld verdwenen was) om stomme gezichten te trekken tegen het raam waarvoor ze gestaan had? Kortom, wat was hetgene dat, hoog en blauw en afschilferend, toezicht hield op onze levens, dat, een poos lang, de pas scheen te markeren, niet alleen wachtend op de nabije tijd dat we lange broeken zouden aantrekken, maar ook, misschien, op de komst van Evie Burns? Misschien zou u graag aanwijzingen willen hebben: wat had eens bommen verstopt? Waarin was Joseph D'Costa gestorven aan een slangebeet?... Toen ik, na een paar maanden van innerlijke kwelling, ten slotte een plaats zocht waar ik me tegen volwassen stemmen kon beschermen, vond ik die in een oude klokketoren, die niemand de moeite nam af te sluiten; en hier, in de eenzaamheid van de roestende tijd, deed ik, paradoxaal, mijn eerste aarzelende stappen in de richting van die betrokkenheid met machtige gebeurtenissen en publieke levens waarvan ik nooit meer vrij zou zijn ... nooit, tot de Weduwe...

Uit waskisten verbannen begon ik, wanneer dat maar mogelijk was, onopgemerkt in de toren van verminkte uren te kruipen. Wanneer de circuspiste door hitte of toeval of nieuwsgierige ogen leeg was; wanneer Ahmed en Amina naar de Willingdon Club gingen voor canasta-avondjes; wanneer de Brutale Aap weg was en rondhing bij haar pas verkregen heldinnen, de zwem- en duikploeg van de Walsingham Meisjesschool ... dat wil zeggen, wanneer de omstandigheden het toestonden, ging ik mijn geheime schuilplaats binnen, strekte me uit op de strooien mat die ik uit het bediendenverblijf had gestolen, deed mijn ogen dicht, en liet mijn pas ontwaakte innerlijke oor (als alle oren met mijn neus verbonden) vrij door de stad ronddwalen – en verder, in het noorden en zuiden, oosten en westen – alle mogelijke dingen afluisterend. Om aan de ondraaglijke druk van het luistervink spelen bij mensen die ik kende te ontsnappen, beoefende ik mijn kunst op vreemden. Op die manier maakte ik om volkomen verachtelijke redenen mijn intrede in de openbare aangelegenheden van India – in de war gebracht door teveel vertrouwelijkheid, gebruikte ik de wereld buiten ons heuveltje om wat opluchting te krijgen.

De wereld zoals die werd ontdekt vanuit een vervallen klokketoren: in het begin was ik niet meer dan een toerist, een kind dat door de wonderbaarlijke kijkgaten van een particuliere 'Dilli-dekho'-machine gluurde. Dugdugee-trommels roffelden in mijn linker (beschadigde) oor toen ik mijn eerste glimp van de Taj Mahal opving door de ogen van een dikke Engelse, die last had van buikloop; waarna ik, om het zuiden met het noorden in evenwicht te brengen, naar Madurai's Meenakshi tempel omlaag sprong en mij tussen de vage, mystieke voorstellingen van een zingende priester nestelde. Ik reed over Connaught Place in New Delhi in de vermomming van een auto-riksja-chauffeur, bitter tegen mijn klanten klagend over de stijgende prijs van benzine; in Calcutta sliep ik primitief in een stuk rioleerbuis. Omdat ik ondertussen grondig hartstikke enthousiast was geworden voor reizen, wipte ik naar Kaap Comorin en werd een vissersvrouw wier sari even strak was als haar zeden los waren ... staande op het rode zand dat door drie zeeën wordt overspoeld, flirtte ik met Dravidiaanse strandjutters in een taal die ik niet kon verstaan; daarna omhoog naar het Himalajagebergte, in de met mos begroeide Neanderthaler hut van een lid van een Goojarstam, onder de glorie van een volledig ronde regenboog en de vallende morene van de Kolahoigletsjer. Bij het gouden fort van Jaisalmer proefde ik het innerlijke leven van een vrouw die jurken met lovertjes maakte en in Khajuharo was ik een opgroeiende dorpsjongen, zwaar in verlegenheid gebracht door het erotische Tantrische beeldhouwwerk op de Chandelatempels die op de velden stonden, maar niet in staat mijn ogen ervan af te houden ... in de exotische simpelheden van het reizen kon ik een beetje vrede vinden. Maar ten slotte bevredigde het toerisme niet langer; de nieuwsgierigheid begon te zeuren; 'Laten we erachter zien te komen,' zei ik tegen mezelf, 'wat er hier werkelijk gebeurt.'

Met de eclectische geest van mijn negen jaren die me aanspoorde, sprong ik in de hoofden van filmsterren en cricketspelers – ik vernam de waarheid achter de roddel in *filmfanfare* over de danser Vyjayantimala, en ik was erbij toen Polly Umrigar in het Brabourne Stadion werd uitgeschakeld; ik was Lata Mangeshkar, de playback-zangeres en Bubu de clown in het circus achter het Civiele Front... en onvermijdelijk ontdekte ik de politiek door het willekeurige proces van mijn geestjeverwisselen.

Op een keer was ik een grondbezitter in Utttar Pradesh, en mijn buik puilde over mijn pyjamakoord toen ik slaven gelastte mijn overtollige graan in brand te steken ... een andere keer verhongerde ik in Orissa, waar zoals altijd een tekort aan voedsel heerste: ik was twee maanden oud en mijn moeder had geen borstvoeding meer. Gedurende korte tijd huisde ik in de geest van een medewerker van de Congrespartij en bracht ik een dorpsonderwijzer er door omkoping toe zich in de aanstaande verkiezingscampagne helemaal achter de partij van Gandhi en Nehru te stellen; ook de gedachten van een boer uit Kerala die besloten had voor de communistische partij te stemmen. Mijn durf nam toe: op een middag drong ik welbewust het hoofd van onze eigen eerste minister binnen en daardoor ontdekte ik, meer dan twintig jaar voordat het een nationale grap werd, dat Morarji Desai dagelijks 'zijn eigen water' dronk... Ik zat in hem, en proefde de warmte toen hij een schuimend glas urine naar binnen sloeg. En ten slotte bereikte ik mijn hoogtepunt: ik werd Jawaharlal Nehru, minister-president en schrijver van ingelijste brieven: ik zat met de grote man te midden van een stel astrologen met spleten tussen de tanden en verwarde baarden en stelde het vijfjarenplan bij om het harmonisch in overeenstemming te brengen met de muziek der sferen ... het hogere leven is een koppig iets. 'Kijk naar mij!' riep ik in stilte uit. 'Ik kan overal gaan en staan waar ik wil!' In die toren, die eens afgeladen was geweest met de explosieve middelen van Joseph D'Costa's haat, plofte deze zin (begeleid door het passende tiktak-geluidseffect) volledig gevormd in mijn gedachten: 'Ik ben de tombe in Bombay ... kijk hoe ik ontplof!'

Want het gevoel was over mij gekomen dat ik op de een of andere manier een wereld schiep; dat de gedachten waar ik in sprong de *mijne* waren, dat de lichamen waar ik bezit van nam op mijn bevel handelden; dat, terwijl actuele aangelegenheden, kunsten, sport, de hele rijke verscheidenheid van een eerstklas radiostation in mij stroomde, ik op de een of andere manier *maakte dat ze gebeurden* ... dat wil zeggen, ik was de illusie van de kunstenaar binnengegaan, en beschouwde de menigvuldige werkelijkheden van het land als het ruwe ongevormde materiaal voor mijn gave. 'Ik kan goddomme overal achter komen!' zei ik triomfantelijk, 'er is niets dat ik niet te weten kan komen!'

Nu, met de wetenschap achteraf van de verloren, verspilde jaren, kan ik zeggen dat de geest van zelfexpansie die mij toen aangreep een reflex was, die voortkwam uit een instinct tot zelfbehoud. Als ik niet geloofd had dat ik de oeverloze massa's beheerste, zouden hun gezamenlijke persoonlijkheden de mijne hebben vernietigd ... maar daar in mijn klokketoren, vervuld van mijn eigenwijze vrolijkheid, werd ik Sin, de oude maangod (nee, niet Indiaas: ik heb hem uit het voormalige Hadhramaut geïmporteerd), in staat om op afstand te handelen en de getijden van de wereld te veranderen.

Maar het lukte de dood, toen die Methwolds Villapark bezocht, toch mij te overrompelen.

Ook al was de bevriezing van zijn activa vele jaren geleden geeïndigd, toch was de zone onder Ahmed Sinais middel zo koud als ijs gebleven. Vanaf de dag dat hij had geroepen: 'De schoften stoppen mijn ballen in een ijsemmer!' en Amina ze in haar handen had genomen om ze te warmen, zodat haar vingers er door de kou aan werden vastgeplakt, was zijn geslachtsdrift latent geweest, een wollige olifant in een ijsberg, zoals die welke in '56 in Rusland was gevonden. Mijn moeder Amina, die was getrouwd om kinderen te krijgen, voelde de ongeschapen levens in haar schoot rotten en maakte zich verwijten dat ze onaantrekkelijk voor hem was geworden, met haar likdoorns en zo. Ze sprak met Mary Pereira over haar ongelukkige gevoel, maar de ayah zei haar alleen maar dat er geen geluk van 'de mens' te krijgen was; ze maakten samen zoetzuur terwijl ze praatten, en Amina roerde haar teleurstellingen in een hete limoenchutney die steevast tranen in haar ogen bracht.

Hoewel Ahmed Sinais kantooruren waren gevuld met fantasieën over secretaresses die naakt waren terwijl ze opschreven wat hij dicteerde, visioenen van zijn Fernanda's of Poppy's die spiernaakt door de kamer liepen met kriskras rotan afdrukken op hun billen, weigerde zijn apparaat te reageren; en op een dag, toen de echte Fernanda of Poppy naar huis was gegaan, speelde hij schaak met dokter Narlikar, zijn tong (evenals zijn spel) wat losser gemaakt door djinns, en hij vertrouwde hem verlegen toe: 'Narlikar, ik schijn geen interesse meer te hebben in je-weet-wel-wat.'

Een vergenoegde glans straalde van de lichtende gynaecoloog af; de geboortebeperkingsfanaat in de donkere, glimmende dokter sprong er door zijn ogen uit en sprak de volgende woorden: 'Bravo!' riep dokter Narlikar uit, 'Broeder Sinai, *verdomd goed gedaan*! Jij – en, mag ik eraan toevoegen, ikzelf – ja, jij en ik, Sinai bhai, zijn personen van zeldzame geestelijke waarde! Niet voor ons de hijgende vernederingen van het vlees – is het niet veel mooier, vraag ik je, om af te zien van voortplanting – te vermijden dat er nog een ellendig menselijk leven wordt toegevoegd aan de enorme massa's die ons land op het ogenblik tot de bedelstaf brengen – en in plaats daarvan onze energie te richten op de taak *om ze meer land te geven om op te staan*? Ik zeg je, mijn vriend: jij en ik en onze vierpoten: uit de oceanen zullen we land voortbrengen!' Om deze oratie te wijden schonk Ahmed Sinai drank in; mijn vader en de dokter Narlikar brachten een toast uit op hun vierpotige betonnen droom.

'Land, ja! Liefde, nee!' zei dokter Narlikar, ietwat onvast; mijn vader schonk zijn glas nog eens vol.

Tegen de laatste dagen van 1956 scheen de droom om met behulp van duizenden en duizenden grote betonnen vierpoten land uit zee te winnen – dezelfde droom die de oorzaak van de vorstperiode was geweest – en die nu, voor mijn vader, een soort surrogaat was voor de seksuele activiteit die de nasleep van de vorstperiode hem ontzegde – werkelijk bijna vruchten af te gaan werpen. Deze keer gaf Ahmed Sinai zijn geld echter voorzichtig uit; deze keer bleef hij helemaal op de achtergrond, en zijn naam verscheen ditmaal op geen enkel document; hij had lering getrokken uit de vorstperiode en was vastbesloten zo min mogelijk aandacht op zichzelf te vestigen; zodat toen dokter Narlikar hem verried door dood te gaan, en geen gegevens achterliet van de betrokkenheid van mijn vader bij het vierpotenplan, Ahmed Sinai (die, zoals we hebben gezien, meestal slecht reageerde wanneer hij met een ramp werd geconfronteerd) werd opgeslokt door de muil van een lange, sluipende aftakeling waaruit hij pas weer zou opduiken toen hij, helemaal aan het einde van zijn leven, eindelijk verliefd werd op zijn eigen vrouw.

Dit is het verhaal dat Methwolds Villapark te horen kreeg: dokter Narlikar had vrienden bij Marine Drive bezocht; na het bezoek had hij besloten naar Chowpatty Beach te wandelen en wat bhel-puri en wat kokosmelk te kopen. Terwijl hij kwiek over het trottoir langs de zeemuur liep, haalde hij het staartstuk van een taalmars in, die zich langzaam voortbewoog, en vredig zong. Dokter Narlikar naderde de plaats waar hij, met toestemming van het gemeentebestuur, een enkele symbolische vierpoot op de zeemuur had laten plaatsen, als een soort ikoon die de weg naar de toekomst wees; en hier zag hij iets waardoor hij zijn verstand verloor. Een groep bedelaressen had zich om de vierpoot verzameld en voltrok de rite van puja. Ze hadden olielampen aan de voet van het voorwerp ontstoken; een van ze had het OM-symbool op de opgeheven punt geschilderd; ze zongen gebeden terwijl ze de vierpoot een grondige en eerwaardige wasbeurt gaven. Technologisch wonder was getransformeerd tot Shivalingam; dokter Narlikar, de tegenstander van vruchtbaarheid, werd wild bij deze aanblik, waarin, zo scheen het hem toe, alle donkere priapische krachten van het oude, zich voortplantende India waren losgelaten op de schoonheid van steriel twintigste eeuws beton ... terwijl hij voortrende schreeuwde hij scheldwoorden tegen de in aanbidding verzonken vrouwen, fel glimmend in zijn woede; toen hij ze had bereikt, schopte hij in het wilde weg tegen hun kleine olielampen; men zegt dat hij zelfs probeerde de vrouwen te duwen. En hij werd door de ogen van de deelnemers aan de taaloptocht gezien.

De oren van de taaldemonstranten hoorden de grofheid van zijn taal; de voeten van de demonstranten bleven stilstaan, hun stemmen verhieven zich ter berisping. Er werd met vuisten gedreigd; vloeken werden gevloekt. Waarop de brave dokter, door woede onvoorzichtig gemaakt, zich tegen de menigte keerde en afgaf op hun zaak, hun opvoeding en zusters. Er viel een stilte die zich deed gelden. Stilte leidde de voeten van de demonstranten naar de glimmende gynaecoloog, die tussen de vierpoot en de jammerende vrouwen stond. Zwijgend strekten de handen van de demonstranten zich naar Narlikar uit en in een diepe stilte hield hij zich aan het vierpotige beton vast toen ze probeerden hem naar zich toe te trekken. In volkomen geluidloosheid gaf angst dokter Narlikar de kracht van patella's; zijn armen bleven de vierpoot vasthouden en lieten die niet los. De demonstranten namen de vierpoot onderhanden ... zwijgend begonnen ze eraan te schudden; geluidloos won de macht van hun aantal het van zijn gewicht. Op een avond die in de greep was van een demonische rust helde de vierpoot en bereidde zich erop voor de eerste van zijn soort te worden die het water in zou gaan en het grote landaanwinningsproject zou beginnen. Dokter Suresh Narlikar, wiens mond zich opende in een stemloze A, klampte zich eraan vast als een lichtgevend weekdier ... man en vierpotig beton vielen zonder enig geluid. Het spatten van het water verbrak de betovering.

Men zegt dat toen dokter Narlikar viel en dodelijk werd verpletterd door het gewicht van zijn geliefde obsessie, niemand enige moeite had om de plaats van het lichaam te bepalen omdat het gloeiend licht als vuur door het water omhoog zond.

'Weet je wat er gebeurt?' 'Hé, man, wat is er?' – kinderen, met inbegrip van mezelf, stonden in een groep om de tuinhaag van Villa Escoriaal, waarin dokter Narlikar zijn vrijgezellenflat had; en een hamal van Lila Sabarmati, die een houding van ernstige waardigheid aanneemt, deelde ons mee: 'Ze hebben zijn dood naar huis gebracht, gewikkeld in zijde.'

Ik mocht de dood van dokter Narlikar zoals die bekranst met oranjegele bloemen op zijn harde eenpersoonsbed lag niet zien; maar ik kwam er toch alles over te weten, omdat het nieuws erover zich ver buiten de grenzen van de kamer verspreidde. Ik kreeg het meeste te horen van de bedienden van het Villapark, die het volkomen natuurlijk vonden om openlijk over een sterfgeval te praten, maar zelden veel over het leven zeiden, omdat in het leven alles voor de hand liggend was. Van dokter Narlikars eigen drager hoorde ik dat de dode, door grote hoeveelheden zee in te slikken, de eigenschappen van water had aangenomen: hij was iets vloeibaars geworden, en zag er gelukkig, droevig of onverschillig uit, al naar gelang hoe het licht erop viel. Homi Catracks tuinman merkte op: 'Het is gevaarlijk te lang naar de dood te kijken; anders ga je weg met iets ervan in je, en zijn er gevolgen.' Wij vroegen: gevolgen? wat voor gevolgen? welke gevolgen? hoe dan? En Purushottam, de sadhu, die zijn plaats onder de tuinkraan van Villa Buckingham voor het eerst in jaren had verlaten, zei: 'Een dode maakt dat de levenden zich te duidelijk zien; nadat ze in zijn tegenwoordigheid hebben verkeerd, worden ze overdreven.' Deze buitengewone bewering werd, in feite, door de gebeurtenissen bevestigd, want Toxy Catracks verpleegster Bi-Appah, die had geholpen het lijk te wassen, werd daarna schriller, twistzieker, angstaanjagender dan ooit; en het scheen dat iedereen die de dode dokter Narlikar opgebaard had zien liggen, erdoor werd beïnvloed: Nussie Ibrahim werd nog dwazer en leek nog meer op een eend, en Lila Sabarmati, die boven de dode woonde en had meegeholpen zijn kamer in orde te maken, gaf zich daarna over aan een promiscuïteit die altijd in haar had gesluimerd, en sloeg een weg in die zou eindigen met kogels, en met haar man kapitein-luitenant-ter-zee Sabarmati die het verkeer in Colaba regelde met een hoogst ongebruikelijke baton...

Onze familie bleef echter weg van de dode. Mijn vader weigerde zijn laatste eerbied te gaan betuigen, en zou wijlen zijn vriend nooit bij name noemen, maar hem eenvoudig met 'die verrader' aanduiden.

Twee dagen later, toen het nieuws in de kranten had gestaan, kreeg dokter Narlikar ineens een enorme familie van vrouwelijke verwanten. Na zijn leven lang vrijgezel en vrouwenhater te zijn geweest werd hij, in de dood, verzwolgen door een zee van reusachtige, omnicompetente vrouwen, die uit vreemde hoeken van de stad kwamen krioelen, van baantjes als melkster bij de Amul-melkfabriek en van de kassa's van bioscopen, van frisdrankstalletjes op straat en ongelukkige huwelijken; in een jaar van optochten vormden de vrouwen van Narlikar hun eigen parade, een enorme stroom van buitenmodel vrouwelijkheid die ons twee verdiepingen hoge heuveltje op stroomde en dokter Narlikars flat zo propvol maakte dat je beneden van af de straat hun ellebogen uit het raam zag steken en hun achtersten op de veranda kon zien uitpuilen. Een week lang deed niemand een oog dicht omdat het gejammer van de Narlikar-vrouwen de lucht vervulde; maar ondanks hun gehuil bleken de vrouwen even competent als ze eruit zagen. Ze namen de leiding van de Kraamkliniek over; ze onderzochten al Narlikars zakelijke transacties; en ze schakelden mijn vader even ijskoud uit van de vierpootzaak als u maar wilt. Na al die jaren had mijn vader niets anders over dan een gat in zijn zak, terwijl de vrouwen Narlikars lijk naar Benares brachten om het daar te laten verbranden, en de bedienden van het Villapark mij toefluisterden dat ze hadden gehoord dat de as van de dokter tegen zonsondergang op het water van de heilige Ganges bij Manikarnika-ghat was gestrooid, en dat die niet was gezonken, maar als kleine gloeiende glimwormen op de oppervlakte van het water was blijven drijven, en naar zee was meegevoerd waar hun vreemde lichtgevendheid de scheepskapiteins de schrik op het lijf moet hebben gejaagd.

Wat Ahmed Sinai betreft: ik zweer dat het na Narlikars dood en de komst van de vrouwen was dat hij, letterlijk, begon te vervagen... geleidelijk werd zijn huid lichter, zijn haar verloor zijn kleur, tot hij binnen enkele maanden helemaal wit was geworden, met uitzondering van zijn donkere ogen. (Mary Pereira zei tegen Amina: 'Die man heeft kou in het bloed; dus nu heeft zijn huid ijs gemaakt, wit ijs als een koelkast.') Ik moet, in alle eerlijkheid, zeggen dat hij, hoewel hij deed alsof hij ongerust was over zijn transformatie in een blanke man, en artsen bezocht enzovoort, heimelijk nogal in zijn nopjes was toen ze het probleem niet konden verklaren of een geneesmiddel konden voorschrijven, want hij benijdde Europeanen allang om hun pigment. Op een dag, toen er weer grapjes mochten worden gemaakt (er was een behoorlijke tijd verlopen na dokter Narlikars dood), zei hij tegen Lila Sabarmati tijdens het cocktailuur: 'Alle beste mensen zijn onderhuids blank; ik doe alleen maar niet langer alsof.' Zijn buren, die allemaal donkerder waren dan hij, lachten beleefd en voelden zich vreemd beschaamd.

Indirecte bewijzen duiden erop dat de schok van Narlikars dood er verantwoordelijk voor was dat ik een sneeuwwitte vader kreeg om naast mijn zwarte moeder te stellen; maar (hoewel ik niet weet hoeveel u van plan bent voor waar aan te nemen) ik zal het erop wagen een alternatieve verklaring te geven, een theorie die werd ontwikkeld in de abstracte afzondering van mijn klokketoren ... want gedurende mijn veelvuldige paranormale reizen ontdekte ik iets nogal vreemds: gedurende de eerste negen jaren na de Onafhankelijkheid, werden grote aantallen leden van de zakengemeenschap van de natie door een dergelijke pigmentatiestoornis getroffen (de Rhani van Cooch Naheen zou best wel eens het eerste geboekstaafde slachtoffer kunnen zijn geweest.) Overal in India kwam ik goede Indiase zakenlieden tegen, wier fortuinen gedijden dank zij het eerste vijfjarenplan, dat erop gericht was geweest de handel op te bouwen... zakenlieden die werkelijk heel, heel erg bleek waren geworden of werden! Het schijnt dat de gargantuaanse (zelfs heroïsche) inspanningen die het vergde om de zaken van de Britten over te nemen en meester van hun eigen lot te worden de kleur uit hun wangen had weggenomen ... in welk geval mijn vader misschien een laat slachtoffer van een wijdverbreid, hoewel over het algemeen onopgemerkt verschijnsel was. De zakenlieden van India werden blank.

Dat is genoeg voor een dag om over na te denken. Maar Evelyn Lilith Burns komt eraan; Café de Pionier komt pijnlijk dichtbij; en – nog belangrijker – de andere middernachtskinderen, onder wie mijn alter ego Shiva, hij met de dodelijke knieën, staan bijzonder hard te dringen. Weldra zullen de barsten zo groot zijn dat ze kunnen ontsnappen...

Tussen twee haakjes: ergens aan het eind van 1956 kwam, naar alle waarschijnlijkheid, de zanger en hoorndrager Kleine Willie Winkie ook aan zijn einde.

Gedurende Ramzàn, de vastenmaand, gingen wij zo vaak mogelijk naar de bioscoop. Na om vijf uur 's morgens door mijn moeders toegewijde hand wakker te zijn geschud; na ontbijten voor zonsopgang van meloen en gezoet limoenwater, en vooral op zondagochtenden, herinnerden de Brutale Aap en ik Amina er om beurten (en soms eendrachtig) aan: 'De ochtendvoorstelling van half elf! Het is de clubdag van de Metro Welpen Club, amma, alsjeblie-ieft!' Dan de rit met de Rover naar de bioscoop waar we noch Coca-Cola, noch chips noch Kwality-roomijs noch samosa's in vetpapier zouden proeven; maar in elk geval was er klimaatregeling, en we kregen Welpen Clubinsignes op onze kleren gespeld, en er waren wedstrijden, en aankondigingen van verjaardagen door een conferencier met een miezerig snorretje; en ten slotte de film, na de trailers waarin de titels werden aangekondigd: 'Volgende Attractie' en 'Binnenkort in dit theater', en de tekenfilm ('Over Enkele Ogenblikken De Hoofdfilm; Maar Eerst...!'): *Quentin Durward*, misschien, of *Scaramouche*. 'Verpletterend!' zeiden wij dan achteraf tegen elkaar, voor filmcriticus spelend; en 'Een lawaaiig, ontuchtig gedartel!' – hoewel we niets van vechtersbazen en ontucht af wisten. Er werd in onze familie niet veel gebeden (behalve op Eid-ul-Fitr, wanneer mijn vader mij op vrijdag meenam naar de moskee om de feestdag te vieren door een zakdoek om mijn hoofd te binden en mijn voorhoofd tegen de grond te drukken) ... maar wij waren altijd bereid om te vasten, want we gingen graag naar de bioscoop.

Evie Burns en ik waren het erover eens: de grootste filmacteur ter wereld was Robert Taylor. Ik hield ook van Jay Silverheels als Tonto; maar zijn kemo-sabay, Clayton Moore, was naar mijn mening te dik voor de Eenzame Zwerver.

Evelyn Lilith Burns arriveerde op nieuwjaarsdag 1957, om bij haar vader die weduwnaar was te gaan wonen in een appartement in een van de twee lage, lelijke betonnen flatgebouwen die, bijna zonder dat we er erg in hadden gehad, op het lage gedeelte van ons heuveltje waren verrezen, en die vreemd afgescheiden waren: Amerikanen en buitenlanders woonden (net als Evie) in Noor Ville; Indiase succesverhalen over mensen die het gemaakt hadden, eindigden altijd in Laxmi Vilas. Van de hoogten van Methwolds Villapark keken wij op hen allen neer, zowel blank als bruin; maar niemand keek ooit neer op Evie

Burns – behalve een keer. Slechts een keer werd iemand haar de baas.

Voor ik mij in mijn eerste lange broek hees, werd ik verliefd op Evie; maar liefde was dat jaar een vreemd, kettingreactieachtig geval. Om tijd te besparen zal ik ons allen op dezelfde rij van de Metro-bioscoop neerzetten; Robert Taylor wordt in onze ogen weerspiegeld terwijl we in flikkerende trance zitten – en ook in symbolische volgorde: Saleem Sinai zit naast-en-verliefd-op Evie Burns die naast-en-verliefd-op Sonny Ibrahim zit die naast-en-verliefd-op de Brutale Aap zit die naast het gangpad zit en zich uitgehongerd voelt... Ik ben ongeveer zes maanden van mijn leven verliefd geweest op Evie Burns; twee jaar later was ze weer in Amerika, waar ze een oude vrouw met een mes stak en naar een verbeteringsgesticht werd gestuurd.

Een korte uitdrukking van mijn dankbaarheid is hier op zijn plaats: als Evie niet onder ons was komen wonen, zou mijn verhaal misschien nooit verder zijn gekomen dan toerisme-in-een-klokketoren en spieken in de klas... en dan zou er geen climax zijn geweest in een pension voor weduwen, geen duidelijk bewijs van mijn betekenis, geen coda in een dampende fabriek waar de knipogende, saffraan-met-groene dansende gestalte van de neongodin Mumbadevi de scepter zwaait. Maar Evie Burns (was ze een slang of een ladder? Het antwoord ligt voor de hand: *beide*) kwam wel, compleet met de zilveren fiets die mij niet alleen in staat stelde de middernachtskinderen te ontdekken, maar ook de verdeling van de staat Bombay te verzekeren.

Om bij het begin te beginnen: haar haar was gemaakt van het stro van vogelverschrikkers, haar huid was bezaaid met sproeten en haar tanden woonden in een metalen kooi. Die tanden waren, scheen het, de enige dingen op aarde waarover ze niets te zeggen had – ze groeiden wild, schots en scheef als fantasiebestrating, en deden haar vreselijk pijn wanneer ze ijs at. (Ik sta mezelf deze ene generalisering toe: Amerikanen hebben het heelal overmeesterd, maar hebben geen macht over hun monden; terwijl India onmachtig is, maar haar kinderen hebben meestal voortreffelijke tanden.)

Gefolterd door kiespijn, steeg mijn Evie schitterend boven de pijn uit. Weigerend zich door bot en tandvlees de wet te laten voorschrijven, at ze gebakjes en dronk ze Cola wanneer ze die kon krijgen; en klaagde nooit. Een taai meisje, die Evie Burns: haar overwinning op het lijden bevestigde haar soevereiniteit over ons allemaal. Er is opgemerkt dat alle Amerikanen een grens nodig hebben: pijn was de hare, en ze was vastbesloten er zich van te ontdoen.

Op een keer gaf ik haar verlegen een halsketting van bloemen (koningin-van-de-nacht voor mijn lelie-van-de-avond), die ik met mijn eigen zakgeld van een straatventster bij Scandal Point had gekocht. 'Ik draag geen bloemen,' zei Evelyn Lilith, en gooide de ongewenste ketting in de lucht, en doorboorde die voor hij viel met een kogel uit haar onfeilbare Daisy-luchtdrukpistool. Door bloemen met een luchtdrukpistool te vernietigen gaf ze te kennen dat ze niet geboeid wenste te worden, zelfs niet door een halsketting: zij was onze grillige, wispelturige Lill-van-de-Heuvel. En ook Eva. Mijn adamsoogappel.

Hoe ze arriveerde: Sonny Ibrahim, Oogsnee en Haarolie Sabarmati, Cyrus Dubash, de Aap en ik waren informeel cricket aan het spelen in de circuspiste tussen Methwolds vier paleizen. Een spelletje op nieuwjaarsdag: Toxy applaudisseerde voor haar getraliede raam; zelfs Bi-Appah had een goede bui en schold ons nu eens niet uit. Cricket – ook informeel cricket, en zelfs wanneer het door kinderen wordt gespeeld – is een rustig spel: vrede gezalfd met lijnzaadolie. Leer dat wilgenhout kust; gesprenkeld applaus; af en toe de kreet – 'Shot! Shot, meneer!' – 'Hoe kan dat??' maar Evie op haar fiets moest daar niets van hebben.

'Hé jullie! Allé jullie! Hé, wattisser? Zijn jullie soms allemaal doof?'

Ik was aan het batten (elegant als Ranji, krachtig als Vinoo Mankad) toen ze de heuvel opstormde op haar tweewieler, haar strokleurige haar wapperend, sproeten gloeiend, mondmetaal dat boodschappen seinde in het zonlicht, een vogelverschrikker die op een zilveren kogel zat... 'Hé, jij met die sjnotneus! Hou op met naar die sjtomme bal te kijken, flapdrol! Ik zal je iets laten zien dat de moeite waard is om naar te kijken!'

Onmogelijk om Evie Burns af te schilderen zonder ook een fiets te voorschijn te toveren; en niet zo maar een willekeurige tweewieler, maar een van de laatste van de grote oudgedienden, een Arjuna Indiafiets in piekfijne staat, met een sportstuur omwikkeld met afplakband en vijf versnellingen en een zadel van leerdoek jachtluipaardvel. En een zilveren frame (dezelfde kleur, dat hoef ik u niet te vertellen, als het paard van de Eenzame Zwerver) ... de slonzige Oogsnee en de nette Haarolie, Cyrus het genie en de Aap en Sonny Ibrahim en ikzelf – de beste maatjes, de ware zonen van het Villapark, zijn erfgenamen krachtens ons geboorterecht – Sonny met de trage onschuld die hij altijd had gehad van het ogenblik af dat de verlostang zijn brein had ingedeukt en ik met mijn gevaarlijke geheime kennis – ja, wij allemaal, toekomstige stierevechters en marinebevelhebbers en zo, stonden verstijfd met open monden toen Evie Burns op haar fiets begon te rijden, snellerensnellerensneller, rond en rond de randen van de circuspiste. 'Moet je mij nu 'ns zien: moet je mij zien gaan, sufferds!'

Evie gaf een vertoning, op en uit het luipaardzadel. Met een voet op het zadel, een been achter haar uitgestrekt, wervelde ze om ons heen; ze meerderde vaart en maakte toen een hoogstandje op het zadel! Ze kon schrijlings op het voorwiel zitten, achterstevoren, en de pedalen achteruit trappen ... de zwaartekracht was haar slaaf, snelheid haar element, en wij wisten dat er een macht onder ons was gekomen, een heks op wielen, en de bloemen van de heggen wierpen hun blaadjes af, het stof van de circuspiste rees op in wolken van ovatie, want de circuspiste had ook haar meesteres gevonden: het was het doek onder de aanraking van het penseel van haar ronddraaiende wielen.

Nu zagen we dat onze heldin een Daisy-luchtdrukpistool op haar linkerheup greep... 'D'r komt nog meer, nullen!' schreeuwde ze, en trok het wapen. Haar kogels schonken stenen de gave van het vliegen; wij gooiden anna's in de lucht en zij schoot ze neer, morsdood. 'Doelwitten. Meer doelwitten!' – en Oogsnee offerde zonder morren zijn geliefde spel rummykaarten, zodat ze de hoofden van de koningen af kon schieten. Annie Oakley met een beugel in haar mond – niemand durfde haar scherpschieten in twijfel te trekken, behalve een keer, en dat was het einde van haar bewind, tijdens de grote katteninvasie; en er waren verzachtende omstandigheden.

Blozend, zwetend, stapte Evie Burns af en kondigde aan: 'Van nu af aan is er hier een nieuwe grote baas. Okay, Indiërs? Heeft iemand nog iets te zeggen?'

Geen commentaar; ik wist toen dat ik verliefd was geworden.

Op Juhu Beach met Evie: zij won de kamelenrennen, kon meer kokosmelk drinken dan een van ons, kon haar ogen openen onder het scherpe zoute water van de Arabische Zee.

Maakten zes maanden zo'n verschil? (Evie was een half jaar ouder dan ik.) Gaf dat je het recht om als een gelijke met volwassenen te praten? Men zag Evie roddelen met de oude man Ibrahim Ibrahim; ze beweerde dat Lila Sabarmati haar leerde hoe ze zich moest opmaken; ze bezocht Homi Catrack om over revolvers te praten. (Het was de tragische ironie van Homi Catracks leven dat hij, op wie eens een revolver zou worden gericht, een ware *aficionado* van vuurwapens was... In Evie vond hij een medeschepsel, een moederloos kind dat, in tegenstelling tot zijn eigen Toxy, even scherp was als een mes, en zo pienter als wat. Tussen twee haakjes, Evie Burns verspilde geen medelijden aan de arme Toxy Catrack. 'Niet goed bij d'r hoofd,' gaf ze als haar mening onverschillig tegen ons allemaal, 'horen als ratten te worden afgemaakt.' Maar Evie: ratten zijn niet zwak! Er was meer knaagdierachtigs in jouw gezicht dan in het hele lichaam van je verachte Tox.)

Dat was Evelyn Lilith; binnen drie weken na haar komst had ik de kettingreactie in werking gesteld met gevolgen waarvan ik nooit helemaal zou herstellen.

Het begon met Sonny Ibrahim, Sonny-van-hiernaast, Sonny van de vérlostangholten, die geduldig in de coulissen van mijn verhaal heeft zitten wachten op zijn claus. In die tijd was Sonny een erg gekrenkte jongen: meer dan alleen verlostangen hadden hem gedeukt. Om verliefd te zijn op de Brutale Aap (zelfs in de negenjarige betekenis van het woord) was niet gemakkelijk.

Zoals ik al zei, mijn zuster, die als tweede en onaangekondigd werd geboren, was geweldddadig gaan reageren op betuigingen van genegenheid. Hoewel men geloofde dat ze de talen van vogels en katten kon spreken, wekten de lieve woorden van minnaars een bijna dierlijke woede in haar op; maar Sonny was te simpel om zich te laten afschrikken. Maandenlang had hij haar nu al lastig gevallen met verklaringen als: 'Saleems zuster, je bent een toffe meid!' of: 'Luister, wil je mijn meisje zijn? We zouden misschien met jouw ayah naar de bioscoop kunnen gaan...' En even zovele maanden had ze hem voor zijn verliefdheid laten boeten – ze speldde z'n moeder leugens op de mouw; ze duwde hem per ongeluk-expres in modderplassen; een keer viel ze hem zelfs fysiek aan en liet hem achter met lange harkende klauwsporen op zijn gezicht en de uitdrukking van een droeve, geslagen hond in zijn ogen achter; maar hij wilde niet leren. En dus had ze ten slotte haar vreselijkste wraak beraamd.

De Aap bezocht de Walsingham Meisjesschool aan de Nepean Zeeweg; een school vol lange, schitterend gespierde Europeanen, die zwommen als vissen en doken als onderzeeërs. In hun vrije tijd kon je ze vanuit ons slaapkamerraam in het landkaartvormige bad van de Breach Candy Club, waar wij natuurlijk van waren uitgesloten, zien ravotten ... en toen ik ontdekte dat de Aap zich op de een of andere manier bij deze aparte zwemmers had aangesloten, als een soort mascotte, voelde ik mij misschien voor het eerst oprecht door haar gekrenkt... maar er viel niet met haar te praten; zij ging haar eigen weg. Potige vijftien jaar oude blanke meisjes lieten haar met de schoolbus naar Walsingham meerijden. Drie van dergelijke vrouwspersonen wachtten iedere ochtend met haar op dezelfde plaats waar Sonny, Oogsnee, Haarolie, Cyrus-de-grote en ik op de bus van de Cathedral School wachtten.

Op een ochtend waren Sonny en ik, om een of andere reden die ik ben vergeten, de enige jongens bij de halte. Misschien heerste er een virus of iets dergelijks. De Aap wachtte tot Mary Pereira ons in de hoede van de gespierde zwemsters had achtergelaten; en toen ik zonder een bepaalde reden op haar gedachten afstemde, flitste de waarheid van wat zij van plan was ineens in mijn hoofd, en ik gilde 'Hé!' – maar te laat. De Aap schreeuwde: 'Bemoei je er niet mee!' en toen waren zij en de drie gespierde zwemsters bovenop Sonny Ibrahim gesprongen, dakloze zwervers, bedelaars en fietsende klerken stonden met onverholen geamuseerdheid te kijken, want ze scheurden hem de kleren finaal van het lijf... 'Verdomme, man, blijf je daar doodleuk staan kijken?' – Sonny schreeuwde om hulp, maar ik kon me niet verroeren, hoe kon ik partij kiezen tussen mijn zuster en mijn beste vriend, en hij: 'Ik zal het aan mijn vader vertellen!', in tranen nu, terwijl de Aap zegt: 'Dat zal je leren om te lullen – en dat zal je leren', zijn schoenen, uit; geen overhemd meer; zijn hemdje uitgetrokken door een hoge-plank-duikster, 'En dat zal je leren om truttige liefdesbrieven te schrijven'; geen sokken nu, en volop tranen, en 'Ziezo!' schreeuwde de Aap; de bus van Walsingham kwam eraan en de aanvalsters en mijn zuster sprongen erin en spoedden zich weg: 'Ta-ta-ba-ta; meisjesgek!' gilden ze en Sonny bleef op straat achter, op het trottoir tegenover Chimalkers speelgoedwinkel en het Lezersparadijs, naakt als op de dag dat hij geboren werd; zijn verlostangholten glinsterden als plassen tussen de rotsen, want er was vaseline van zijn haar in gedropen; en zijn ogen waren eveneens nat, terwijl hij: 'Waarom heeft ze dat gedaan, man? Hemeltje, ik heb alleen maar tegen haar gezegd dat ik haar...'

'Ik zou het niet weten,' zei ik, en wist niet waar ik moest kijken. 'Zo is ze nu eenmaal, dat is alles.' En ik wist ook niet dat de tijd zou komen dat ze mij iets ergers zou aandoen.

Maar dat was negen jaar later ... ondertussen waren, begin 1957, de verkiezingscampagnes begonnen: de Jan Sangh ijverde voor rusthuizen voor heilige koeien; in Kerala beloofde E.M.S. Namboodiripad dat het communisme iedereen eten en werk zou geven; in Madras wakkerde de Anna-D.M.K.-partij van C.N. Annadurai het vuur van het regionalisme aan; het Congres vocht terug met hervormingen zoals de Hindoe-Erfrecht-Wet, die Hindoevrouwen gelijke rechten op overerving gaf ... kortom, iedereen was druk bezig zijn eigen zaak te bepleiten; maar ik stond met de mond vol tanden tegenover Evie Burns, en benaderde Sonny Ibrahim om hem te vragen een goed woordje voor me te doen.

In India zijn wij altijd kwetsbaar geweest voor Europeanen ... Evie was pas enkele weken in ons midden, en nu reeds werd ik in een groteske nabootsing van de Europese literatuur gezogen. (Wij hadden op school *Cyrano* gedaan, in een vereenvoudigde versie; ik had ook het stripboek uit de reeks *Classics Illustrated* gelezen.) Misschien zou het eerlijk zijn om te zeggen dat Europa zich in India herhaalt, als een klucht... Evie was Amerikaans. Net eender.

'Maar hé, man, da's nie' eerlijk man, waarom doe je het zelf niet?'

'Luister, Sonny,' pleitte ik, 'jij bent m'n vriend, nietwaar?'
'Ja, maar je hebt niet eens geholpen...'
'Dat was mijn zuster, Sonny, dus hoe had ik dat kunnen doen?'
'Nee, dus moet jij je eigen vuile...'
'Hé, Sonny, man, denk na. Denk eens na. Die meisjes moeten voorzichtig worden aangepakt, man. Je ziet hoe de Aap opstuift! Jij bezit de ervaring, yaar, jij hebt het meegemaakt. Jij zult weten hoe je het deze keer rustig moet aanpakken. Wat weet ik, man? Misschien mag ze me niet eens. Wil je dat mijn kleren me ook van het lijf worden gerukt? Zou je je daardoor beter voelen?'
Een onschuldige, goedaardige Sonny: '...Nou, nee...'
'Okay dan. Jij gaat. Steek mijn loftrompet een beetje. Zeg dat ze zich niks van m'n neus moet aantrekken. Karakter, daar komt het op aan. Kun je dat doen?'
'...Nouweh ... ik ... okay, maar jij praat dan ook met je zus, yah?'
'Ik zal praten, Sonny. Wat kan ik beloven? Je weet hoe ze is. Maar ik zal zeker met haar praten.'
Je kunt je strategie zo zorgvuldig uitstippelen als je wilt, maar vrouwen doen haar in een keer teniet. Tegenover iedere gewonnen verkiezingscampagne staan twee keer zoveel mislukte ... van de veranda van Villa Buckingham, door de spleten van de zonwering, bespiedde ik Sonny Ibrahim toen hij mijn uitverkoren kiesdistrict bewerkte ... en hoorde de stem van het kiezersvolk, de luider wordende nasaliteit van Evie Burns, die de lucht met verachting deed splijten: 'Wie? *Hij*? Waarom ga je hem niet zeggen dat ie beter z'n neus kan snuiten? Die snuiver? Hij kan nog niet eens *fietsen*!'
Hetgeen waar was.
En het ergste moest nog komen; want zag ik nu niet (hoewel een jaloezie het toneel in smalle strookjes verdeelde) hoe de uitdrukking op Evies gezicht milder begon te worden en veranderde? – strekte Evies hand, overlangs doorgesneden door de zonwering, zich niet naar mijn vertegenwoordiger uit? – en waren dat niet Evies vingers (de nagels tot op het leven afgekloven) die Sonny's deuken aan de slaap aanraakten en werden bedekt met uitgelopen vaseline? – en zei Evie wel of niet: 'Nou, jij bevobbeeld: jij bent *aardig*?' Laat mij bedroefd bevestigen dat ik dat deed; dat die 't deed; dat ze dat deden; dat zij dat deed.
Saleem is verliefd op Evie Burns; Evie is verliefd op Sonny Ibrahim; Sonny is stapel op de Brutale Aap; maar wat zegt de Aap?
'Maak me niet misselijk, Allah', zei mijn zuster toen ik probeerde – nogal nobel, als je nagaat hoe hij jegens mij was te kort geschoten – Sonny's zaak te bepleiten. De kiezers hadden ons beiden weggestemd.

Maar ik gaf het nog niet op. De betoverende verlokkingen van Evie Burns – die nooit om mij gaf, dat moet ik toegeven – leidden mij onverbiddelijk naar mijn val. (Maar ik verwijt haar niets, want mijn val leidde naar een opkomst.)

Alleen, in mijn klokketoren, nam ik vrij van mijn transsubcontinentale omzwervingen om na te gaan hoe ik mijn sproeterige Evie het hof kon maken. 'Vergeet bemiddelaars maar,' ried ik mezelf aan, 'Je zult dit persoonlijk moeten doen.' Ten slotte maakte ik mijn plan: ik zou haar interesses moeten delen, haar hartstochten de mijne moeten maken ... revolvers hebben mij nooit aangetrokken. Ik besloot te leren fietsen.

Evie had in die tijd toegegeven aan de vele verzoeken van de kinderen op het heuveltje om ze haar fietskunsten te leren; dus was het een eenvoudige zaak voor mij om me bij de rij van wachtenden voor lessen aan te sluiten. We verzamelden ons in de circuspiste; Evie, de opperpikeur, stond in het midden van vijf wankele, zich furieus concentrerende fietsers ... terwijl ik naast haar stond, zonder fiets. Voor Evies komst had ik geen enkele belangstelling voor rijwielen getoond, dus had ik er nooit een gekregen ... nederig onderging ik de zweepslagen van Evies tong.

'Waar heb jij uitgehangen, dikke neus? Ik veronderstel dat je de mijne wilt lenen?'

'Nee,' loog ik boetvaardig, en zij liet zich vermurwen. 'Okay, okay,' zei Evie onverschillig, 'ga op het zadel zitten en la-sien wat voor iemand je bent.'

Laat mij meteen onthullen dat ik, toen ik op de zilveren Arjuna Indiafiets klom, vervuld was van de reinste verrukking, dat ik mij, terwijl Evie al maar in het rond liep, de fiets bij het stuur vasthoudend, terwijl ze uitriep: 'Heb je je evenwicht al gevonden? *Nee*? Jeetje, ik heb geen jaren de tijd!' – terwijl Evie en ik ronddarden voelde ik mij ... wat is het woord? ... gelukkig.

Rondenrondenrond... Ten slotte stotterde ik, om haar een plezier te doen: 'Okay ... ik denk dat ik ... laat me maar,' en meteen was ik op mezelf aangewezen, ze had me ten afscheid een duw gegeven, en het zilveren ding vloog glanzend en onbestuurbaar door de circuspiste... Ik hoorde haar schreeuwen: 'De rem! Gebruik de rem, verdomme, stommeling!' – maar ik kon mijn handen niet bewegen, ik was stijf geworden als een plank, en daar KIJK UIT voor me was de blauwe tweewieler van Sonny Ibrahim, botsing onvermijdelijk, UIT DE WEG BEN JE GEK, Sonny in het zadel, proberend uit te wijken en te ontwijken, maar blauw bleef naar het zilver snellen. Sonny zwenkte naar rechts, maar ik ging dezelfde kant uit OEI M'N FIETS en zilveren wiel raakte blauw, frame kuste frame, ik vloog omhoog over het stuur naar Sonny toe die een zelfde boog naar mij toe beschreef KRAK fietsen stortten onder ons ter aarde, verstrengeld in een intieme omhelzing KRAK midden in de lucht kwamen Sonny en ik elkaar tegen, Sonny's hoofd begroette het mijne... Meer dan negen jaar geleden was ik geboren met bolle slapen, en Sonny had door de verlostang deuken gekregen; alles heeft een reden, schijnt het, want nu kwamen mijn bollende slapen in Sonny's deuken terecht. Volmaakte vorm. Terwijl onze hoofden in elkaar pasten, begonnen we aan onze afdaling naar de aarde, gelukkig naast de fietsen vallend, WHOEMM en een ogenblik was de wereld verdwenen.

Toen raasde Evie met de sproeten: 'O, kleine ellendeling, snothoop, je hebt mijn fiets...' Maar ik luisterde niet, want het ongeluk in de circuspiste had voltooid wat de calamiteit in de waskist in gang had gezet, en ze waren in mijn hoofd, voorin nu, niet langer een gedempt geluid op de achtergrond dat ik nooit had opgemerkt, en stuurden allemaal hun hier-ben-ik-signalen, uit het noorden, zuiden oosten westen ... de andere kinderen die gedurende dat middernachtelijke uur geboren waren riepen: 'Ik,' 'Ik,' 'Ik' en 'Ik.'

'Hé! Hé, snotteraar! Ben je okay?... Hé, waar is z'n *moeder*?'

Onderbrekingen, niets anders dan onderbrekingen! De verschillende delen van mijn enigszins gecompliceerde leven weigeren, met een volkomen onredelijke koppigheid, netjes in hun afzonderlijke compartimenten te blijven. Stemmen lopen uit hun klokketoren over en dringen de circuspiste binnen, die verondersteld wordt Evies domein te zijn ... en nu, op hetzelfde ogenblik dat ik de wonderbaarlijke kinderen van tiktak zou moeten beschrijven, word ik door de posttrein weggevoerd – weggegoocheld naar de in verval zijnde wereld van mijn grootouders, zodat Aadam Aziz het natuurlijke verloop van mijn verhaal in de weg staat. Nou ja. *Wat men niet kan verhelpen, moet men verdragen.*

Die maand januari, terwijl ik herstelde van de ernstige hersenschudding die ik tijdens mijn fietsongeluk had opgelopen, namen onze ouders ons mee naar Agra voor een familiereünie die erger zou blijken dan het beruchte (en betwistbare) Zwarte Gat van Calcutta. Twee weken lang waren we verplicht naar Emerald en Zulfikar (die nu generaal-majoor was en erop stond generaal te worden genoemd) te luisteren, die kwistig met belangrijke namen strooiden en ook met zinspelingen op hun fabuleuze rijkdom, die intussen tot het op zes na grootste privé-fortuin in Pakistan was aangegroeid; hun zoon Zafar probeerde (hoewel slechts één keer) aan de verblekende rode paardestaart van de Aap te trekken. En wij waren verplicht met stille afschuw toe te kijken, terwijl mijn oom de ambtenaar Mustapha en zijn half-Iraanse vrouw Sonia hun nest naamloze, geslachtsloze schoffies tot volmaakte anonimiteit sloegen en ranselden; en het bittere aroma van Alia's oude vrijsterdom vervulde de lucht en bedierf ons eten; en mijn vader trok zich vroeg terug om zijn geheime nachtelijke oorlog tegen de djinns te voeren; en erger, en erger, en erger.

Op een nacht werd ik om klokslag twaalf uur wakker en merkte dat mijn grootvaders droom in mijn hoofd zat, en kon derhalve niet voorkomen dat ik hem zag zoals hij zichzelf zag – als een aftakelende oude man waar middenin, wanneer het licht goed was, een reusachtige schaduw viel te onderscheiden. Naarmate de overtuigingen die zijn jeugd kracht hadden verleend verschrompelden onder de gezamenlijke invloed van de ouderdom, Eerwaarde Moeder en de afwezigheid van gelijkgestemde vrienden, verscheen er weer een oud gat midden in zijn lichaam, dat hem tot gewoon nog een verschrompelde, lege oude man maakte over wie de God (en ander bijgeloof) waar hij zolang tegen had gevochten Zijn heerschappij opnieuw begon te doen gelden ... ondertussen bracht Eerwaarde Moeder de hele veertien dagen door met maniertjes te zoeken waarop ze de verachte vrouw, de filmactrice, van mijn oom Hanif kon beledigen. En dat was eveneens de tijd toen mij de rol van geest in een kindertoneelstukje was toebedeeld, en ik in een oud leren valies boven op mijn grootvaders almirah een laken vond dat door de motten was aangevreten, maar waarvan het grootste gat door de mens was gemaakt: voor welke ontdekking ik werd beloond (zoals u zich zult herinneren) met gebrul van grootouderlijke woede.

Maar er werd een ding bereikt. Ik werd vriendje met Rashid de riksja-wallah (dezelfde jongen die, in zijn jeugd, geluidloos had gegild in een korenveld en Nadir Khan in Aadam Aziz' toilet had geholpen): hij nam mij onder zijn hoede – en zonder het aan mijn ouders te vertellen, die het zo spoedig na het ongeluk zouden hebben verboden – leerde hij mij fietsen. Tegen de tijd dat we weggingen had ik dit geheim met al mijn andere weggestopt: alleen was ik niet van plan dit ene erg lang geheim te houden.

...En in de trein naar huis bleven er almaar stemmen buiten de coupé hangen: 'Ohé, maharadja! Doe open, grote heer!' – stemmen van zwartrijders die vochten met degene waar ik naar wilde luisteren, de nieuwe in mijn hoofd – en toen terug op het centraal station van Bombay, en de rit naar huis langs renbaan en tempel, en nu eist Evelyn Lilith Burns dat ik eerst haar aandeel afmaak voor ik mij op hogere dingen concentreer.

'Weer thuis!' roept de Aap uit. 'Hoera... Terug in Bom!' (Ze is in ongenade. In Agra had zij de laarzen van de generaal in brand gestoken.)

Het is een vaststaand feit dat de Reorganisatiecommissie voor de Staten haar rapport al in oktober 1955 bij de heer Nehru had ingediend; een jaar later waren haar aanbevelingen ten uitvoer gelegd. India was opnieuw verdeeld, in veertien staten en zes centraal bestuurde 'gebieden'. Maar de grenzen van die staten werden niet gevormd door rivieren, of bergen, of natuurlijke kenmerken van het terrein; het waren, in plaats daarvan, muren van woorden. Taal verdeelde ons: Kerala was voor hen die Malayalam spraken, de enige palindromische taal op aarde; in Karnataka werd je verondersteld Kanarees te spreken; en de geamputeerde staat Madras – heden ten dage bekend als Tamil Nadu – omvatte de *aficionados* van Tamil. Door een of ander abuis was er echter niets met de staat Bombay gedaan; en in de staat Mumbadevi werden de taalmarsen langer en luidruchtiger en veranderden plotseling in politieke partijen, de Samyukta Maharashtra Samiti ('Verenigde Maharashtra-partij') die de Marathi-taal voorstond en de schepping eiste van de Dekkaanse staat Maharashtra, en de Maha Gujarat Parishad ('Grote Gujarat-partij') die marcheerde onder de banier van de Gujarati-taal en droomde van een staat ten noorden van de stad Bombay, die zich helemaal uitstrekte naar het schiereiland Kathiawar en de Rann van Kutch... Ik begin warm te lopen voor heel deze koude geschiedenis, deze oude dode strijd tussen de onvruchtbare hoekigheid van Marathi die geboren werd in de dorre hitte van Dekkan en Gujarati's drassigheid, Kathiawari-zachtheid, om te verklaren waarom op die dag in februari 1957 onmiddellijk na onze terugkeer uit Agra, Methwolds Villapark van de stad werd afgesneden door een stroom leuzen scanderende mensen die Warden Road vollediger overstroomde dan het water van de moesson, een parade zo lang dat ze er twee dagen voor nodig had om voorbij te komen, en waarvan werd gezegd dat het standbeeld van Sivaji tot leven was gekomen en aan het hoofd ervan reed. De demonstranten droegen zwarte vlaggen met zich mee; velen van hen waren stakende winkeliers; velen waren textielarbeiders uit Mazagaon en Matunga die het werk hadden neergelegd; maar op ons heuveltje wisten wij niets van hun werk af; voor ons kinderen scheen het eindeloze mierenspoor van taal in Warden Road even magnetisch boeiend als een gloeilamp voor een mot. Het was een zo immense demonstratie, zo intens in zijn hartstochten, dat zij alle eerdere marsen uit de geest liet verdwijnen alsof ze nooit hadden plaatsgevonden – en ons allen was verboden de heuvel af te gaan om ook maar heel even te kijken. Dus wie was de stoutmoedigste van ons allen? Wie spoorde ons aan om ten minste halverwege omlaag te sluipen, naar het punt waar de heuvelweg een bocht beschreef en met een steile, scherpe bocht op Warden Road uitkwam? Wie zei: 'Waar zijn jullie bang voor? We gaan immers maar halverwege voor een *kijkje*'?... Met wijdopen ogen volgden ongehoorzame Indiërs hun sproetige Amerikaanse leidster. ('Zij hebben dokter Narlikar gedood – demonstranten,' waarschuwde Haarolie ons met een bevende stem. Evie spoog op zijn schoenen.)

Maar ik, Saleem Sinai, had wel wat anders te doen. 'Evie,' zei ik, met rustige nonchalance, 'hoe zou je het vinden om mij te zien fietsen?' Geen antwoord. Evie ging helemaal op in het schouwspel ... en was dat haar vingerafdruk in Sonny Ibrahims linker verlostangholte, omgeven door vaseline, waar iedereen het kon zien? Een tweede keer, en met iets meer nadruk, zei ik: 'Ik kan het, Evie. Ik zal het op de fiets van de Aap doen. Wil je kijken?' En nu Evie, gemeen: 'Ik kijk hiernaar. Dit is mooi. Waarom zou ik naar *jou* willen kijken?' En ik, een beetje grienerig nu: 'Maar ik heb het *geleerd*, Evie, je *moet*.' Gebrul van Warden Road beneden ons doet mijn woorden verloren gaan. Haar rug is naar mij toegekeerd; en Sonny's rug, de ruggen van Oogsnee en Haarolie, de intellectuele achterkant van Cyrus-de-grote ... mijn zuster, die de vingerafdruk ook gezien heeft, en ontstemd kijkt, hitst me op: 'Vooruit. Vooruit, laat het haar zien. Wie denkt ze dat ze is?' En ik zit op haar fiets... 'Ik kan het, Evie, kijk!' En ik fiets rondjes, al maar om het groepje kinderen heen. 'Zie je? *Zie* je wel?' Een ogenblik van opgetogenheid; en dan Evie, kleinerend ongeduldig mij-'n-zorg: 'Wil je in godsnaam ophoepelen? Ik wil *dat* zien!' Vinger, afgekloven nagel en al, schiet omlaag in de richting van de taalmars; ik ben aan de kant gezet ter wille van de parade van de Samyukta Maharashtra Samiti! En ondanks de Aap, die loyaal zegt: 'Da's niet eerlijk! Hij is werkelijk hartstikke *goed*!' – en ondanks de opwinding van het fietsen op-zichzelf – raak ik de kluts kwijt; en ik rijd om Evie heen, snellersnellersneller, onbeheerst huilend snuivend: 'En wat kan het jou trouwens schelen? Wat moet ik doen om te...' En dan neemt iets anders het over, want ik besef dat ik het haar niet hoef te vragen, ik kan eenvoudig dat sproeterige metaalmondige hoofd binnengaan en erachter komen, voor één keer kan ik werkelijk te weten komen wat er aan de hand is ... en ik ga naar binnen, nog steeds fietsend, maar de voorkant van haar brein zit al vol met Marathi-taaldemonstranten, er zitten Amerikaanse popsongs in de hoeken van haar gedachten, maar niets dat mij interesseert; en nu, nu pas, voor de allereerste keer, voortgedreven door de tranen van onbeantwoorde liefde, begon ik te sonderen ... ik merk dat ik aan het duwen, duiken ben, me een weg baan achter haar verdedigingslinie ... naar de geheime plaats waar een beeld van haar moeder is die een roze jurk draagt en een kleine vis bij de staart vasthoudt, en ik fret dieperdieperdieper, waar is het, wat beweegt haar, wanneer ze een soort ruk geeft en zich omdraait om me aan te staren terwijl ik rondenrondenrondenrondenrond fiets...

'Donder op!' gilt Evie Burns. Handen naar haar voorhoofd opgeheven. Ik die fiets, met natte ogen, naar binnenbinnen duikend: naar waar Evie in de deuropening van een met hout betimmerde slaapkamer staat en iets vasthoudt, iets scherps en glimmends vasthoudt waar rood afdruipt, in de deuropening van een, mijn God en op het bed een vrouw die, in een roze, mijn God, en Evie met het, en het rood dat het roze bevlekt, en een man die eraan komt, mijn God, en nee nee nee nee nee...

'DONDER OP DONDER OP DONDER OP!' Verbijsterde kinderen staan te kijken terwijl Evie gilt, de taaldemonstratie vergeten, maar plotseling weer herinnerd, want Evie heeft de achterkant van de fiets van de Aap gegrepen WAT DOE JE EVIE terwijl ze die duwt VOORUIT DONDER OP SCHOOIER VOORUIT LOOP NAAR DE HEL! – Ze heeft me zo hard geduwd als ze kon, en ik verlies de macht over het stuur en dender de helling af om het eind van de scherpe bocht omlaagomlaag, MIJN GOD DE DEMONSTRATIE langs wasserij de Band Box, langs Noor Ville en Laxmi Vilas, AAAAA en omlaag naar de kop van de stoet, hoofden voeten lichamen, de golven van de betogers wijken uiteen terwijl ik eraan kom, moord en brand schreeuwend, de geschiedenis in op de op hol geslagen fiets van een jong meisje.

Handen grijpen het stuur terwijl ik in de boze menigte vaart minder. Glimlachende monden met goede tanden omringen me. Het zijn geen vriendelijke glimlachen. 'Kijk, kijk, een kleine knaap-sahib komt van de grote rijke heuvel naar beneden om met ons mee te doen!' In het Marathi dat ik nauwelijks versta, het is mijn slechtste vak op school, en de glimlachen vragen: 'Wil je je bij de SMS aansluiten, prinsje?' En ik, net min of meer wetend wat er wordt gezegd, maar zo versuft dat ik de waarheid spreek, schud mijn hoofd Nee. En de glimlachende gezichten: 'Oho! De jonge nawab houdt niet van onze taal! Waar houdt hij dan wel van?' En opnieuw een glimlach: 'Gujarati misschien! Spreekt u Gujarati, mijnheer?' Maar mijn Gujarati was even slecht als mijn Marathi; ik wist alleen een ding in de moerasachtige taal van Kathiawar; en de glimlachende gezichten, die aandringen en de vingers die priemen: 'Spreek, kleine meester! Zeg eens iets in het Gujarati!' – dus vertelde ik hun wat ik wist, een rijmpje dat ik van Klierige Keith Colaco op school had geleerd, dat hij gebruikte als hij Gujaratijongens pestte, een rijm dat bedoeld was om de spreekritmes van de taal belachelijk te maken:

Soo ché? Saru ché!
Danda lé ké maru ché!

Hoe gaat het met je? – Met mij gaat het goed! – Ik zal een stok pakken en je verrot slaan! Flauwekul; onzin; negen lege woorden ... maar toen ik ze had opgezegd begonnen de glimlachen te lachen; en toen begonnen de stemmen vlakbij mij en daarna verder en verder weg mijn rijmpje over te nemen: HOE GAAT HET MET JE? MET MIJ GAAT HET GOED!, en ze verloren hun belangstelling voor me. 'Ga ga met je fiets, meestertje,' hoonden ze, IK ZAL EEN STOK PAKKEN EN JE VERROT SLAAN, ik vluchtte tegen het heuveltje op terwijl mijn dreun heen en weer snelde, naar voren en weer terug naar het achterste deel van de twee-dagen-lange stoet, en groeide gaandeweg uit tot een oorlogslied.

Die middag botste de kop van de stoet van de Amyukta Maharashtra Samiti bij Kemp's Corner met de kop van een Maha Gujarat Parishad demonstratie; SMS-stemmen zongen 'Soo ché? Saru ché!' en MGP-kelen gingen woedend open; onder de affiches van de radja van Air-India en van het Kolynos Joch, vielen de twee partijen elkaar volijverig aan, en op de melodie van mijn rijmpje begonnen de eerste taalonlusten, vijftien doden, ruim driehonderd gewonden.

Op die manier werd ik rechtstreeks verantwoordelijk voor het ontstaan van de gewelddadigheid die eindigde met de verdeling van de staat Bombay, als gevolg waarvan de stad de hoofdstad van Maharashtra werd – dus ik bevond me in ieder geval aan de kant van de winnende partij.

Wat was het in Evies hoofd? Misdaad of droom? Ik ben er nooit achter gekomen; maar ik had iets anders geleerd: wanneer je diep iemands hoofd binnengaat, *kunnen ze je daar voelen.*

Evelyn Lilith Burns wilde na die dag niet veel meer met mij te maken hebben; maar vreemd genoeg was ik van haar genezen. (Vrouwen zijn altijd degenen geweest die veranderingen in mijn leven brachten: Mary Pereira, Evie Burns, de zangeres Jamila, Parvati-de-heks zijn verantwoordelijk voor wie ik ben; en de Weduwe, die ik tot het laatst bewaar; en na het laatste, Padma, mijn godin van de mest. Vrouwen hebben mij inderdaad gevormd maar misschien namen ze nooit een centrale positie in – misschien werd de plaats die ze hadden moeten vullen, het gat midden in mij dat mijn erfenis van mijn grootvader Aadam Aziz was, te lang door mijn stemmen ingenomen. Of misschien – je moet alle mogelijkheden nagaan – maakten ze me altijd een beetje bang.)

'O meneer, wat moet ik zeggen? Alles is mijn eigen stomme schuld.'

Padma is terug. En, nu ik van het gif ben hersteld en weer aan mijn bureau zit, is ze te zeer overstuur om stil te zijn. Telkens en telkens weer kastijdt mijn weergekeerde lotus zichzelf, slaat zich op de zware borsten, jammert luid. (In mijn zwakke toestand is dat nogal verontrustend; maar ik verwijt haar niets.)

'Geloof alleen, meneer, hoezeer jouw welzijn mij ter harte gaat! Wat voor schepselen zijn wij, wij vrouwen, nooit een ogenblik rust wanneer onze mannen ziek en neerslachtig zijn... Ik ben zo blij dat je het goed maakt, je weet het niet!'

Padma's verhaal (weergegeven in haar eigen woorden, en haar daarna voorgelezen te harer ogenrollende, hoog-jammerende, borst-bonzende bevestiging): 'Het was mijn eigen stomme trots en ijdelheid, Saleem baba, waardoor ik van je ben weggelopen, hoewel het werk hier goed is en je zo hard een oppasser nodig had! Maar al na korte tijd brandde ik van verlangen om terug te gaan.

'Dus toen dacht ik, hoe moet ik teruggaan naar die man die niet van me wil houden en alleen maar domweg zit te schrijven? (Vergiffenis, Saleem baba, maar ik moet het eerlijk zeggen. En voor ons vrouwen is liefde het grootste van alles.)

'Dus ben ik naar een heilige man geweest, die mij verteld heeft wat ik moest doen. Toen heb ik met mijn paar spie een bus naar buiten genomen om kruiden te zoeken waarmee je mannelijkheid uit zijn slaap kon worden gewekt... stel je voor, meneer, ik heb tovenarij gesproken met de volgende woorden: "Kruid ge zijt ontworteld door Stieren!" Daarna heb ik kruiden gemalen in water en melk en gezegd: "Gij krachtig en gezond kruid! Plant die Varuna door Gandharva voor zich liet opgraven! Geef mijn meneer Saleem uw macht. Geef hitte als die van het Vuur van Indra. Als de mannelijke antilope, O kruid, hebt ge alle kracht die Bestaat, gij bezit krachten van Indra, en de forse kracht van vee."

'Met dit preparaat ben ik teruggekeerd en heb je alleen aangetroffen als altijd en zoals altijd met je neus in de papieren. Maar van jaloezie, ik zweer het, heb ik geen last meer; zij is op het gezicht te lezen en maakt oud. O God vergeef me, stilletjes heb ik het preparaat in je eten gedaan!... En toen, hai-hai, moge de Hemel het mij vergeven, maar ik ben een eenvoudige vrouw, als heilige mannen het mij zeggen, wat zou ik dan redetwisten?... Maar nu ben je eindelijk beter, God zij dank, en misschien ben je niet boos.'

Onder invloed van Padma's drank ijlde ik een week lang. Mijn mestlotus zweert (door veel geknarste tanden) dat ik zo stijf was als een plank, met schuim op mijn mond. Ik had koorts. In mijn delirium brabbelde ik over slangen; maar ik weet dat Padma geen serpent is, en geen moment van plan was me kwaad te doen.

'Deze liefde, meneer,' jammert Padma, 'die kan een vrouw waanzinnig maken.'

Ik herhaal: ik verwijt Padma niets. Aan de voet van de Westelijke Ghats zocht ze naar de kruiden van de manbaarheid, *mucuna pruritus* en de wortel van *feronia elephantum*; wie weet wat ze gevonden heeft? Wie weet wat, gestampt met melk en door mijn eten gemengd, mijn ingewanden in die staat van 'opstand' brachten waaruit, zoals alle studenten van Hindoe-kosmologie zullen weten, Indra stof schiep door de oersoep in zijn eigen grote melkbus te karnen? Maar goed. Het was een nobele poging; maar ik ben niet meer te regenereren – de Weduwe heeft mij geruïneerd. De echte *mucuna* zou zelfs geen einde aan mijn onmacht hebben kunnen maken; *feronia* zou in mij nooit de 'forse kracht van vee' hebben opgewekt.

Maar toch, ik zit weer aan mijn tafel; opnieuw zit Padma aan mijn voeten, en spoort mij aan. Ik ben weer evenwichtig – de basis van mijn gelijkbenige driehoek is veilig. Ik zweef boven de apex, boven heden en verleden, en voel de vloeiendheid in mijn pen terugkeren.

Er is dus een soort magie toegepast; en Padma's excursie op zoek naar liefdesdranken heeft mij korte tijd verbonden met de wereld van oude wetenschap en de kennis van tovenaars die wij tegenwoordig zozeer verachten; maar (ondanks maagkrampen en koorts en schuim op de mond) ben ik blij dat die in mijn laatste dagen is binnengedrongen, want wanneer je erover nadenkt staat dat gelijk met het herwinnen van enig verloren gevoel voor verhouding.

Bedenk dit: de geschiedenis, in mijn versie, ging op 15 augustus 1947 een nieuw tijdperk binnen – maar in een andere versie is die onontkoombare datum niet meer dan een vluchtig ogenblik in de Eeuw van Duisternis, Kali-Yuga, waarin de koe van zedelijkheid is herleid tot een beest dat wankelend op één poot staat! Kali-Yuga – de verliezende worp in ons nationale dobbelspel; het ergste van alles; de era waarin bezit een mens aanzien geeft; waarin rijkdom gelijk wordt gesteld met deugd, waarin hartstocht de enige band wordt tussen mannen en vrouwen, waarin leugens succes opleveren (is het een wonder dat, in een dergelijke tijd, goed en kwaad ook mij hebben verbijsterd?)

... begon op vrijdag 18 februari 3102 v. Chr.; en zal een luttele 432 000 jaar duren! Omdat ik mij nu al enigszins klein voel, moet ik er niettemin aan toevoegen dat de Era van Duisternis slechts de vierde fase is; van de huidige Maha-Yuga-cyclus die, in het totaal, tien keer zo lang is; en wanneer u nagaat dat er duizend Maha-Yuga's voor nodig zijn om precies Eén Dag van Brahma te maken, ziet u wat ik bedoel met verhouding.

Enige nederigheid op dit punt (terwijl ik huiverend op het punt sta de Kinderen te introduceren) is, naar ik meen, niet misplaatst.

Padma schuift heen en weer, verlegen. 'Waar heb je het over?' vraagt ze, lichtelijk blozend. 'Dat is brahminpraat; wat heeft dat met mij te maken?'

...Geboren en grootgebracht volgens de moslemtraditie, ben ik ineens overweldigd door een oudere kennis; terwijl hier naast mij mijn Padma zit, naar wier terugkeer ik zo oprecht had verlangd ... mijn Padma! De Lotusgodin; Zij Die Mest Bezit; die op Honing Gelijkt, en is Gemaakt van Goud; wier zonen Vocht en Modder zijn...

'Je hebt zeker nog steeds koorts,' werpt ze giechelend tegen. 'Hoe van goud gemaakt, meneer? En je weet dat ik geen kin...'

...Padma, die naast de yaksa-geesten, die de heilige schat van de aarde vertegenwoordigen, en de heilige rivieren, Ganga Yamuna Sarasvati, en de drie godinnen, is een van de Beschermers van het Leven, die sterflijke mensen verlokken en troosten wanneer ze door het droomweb van Maya gaan ... Padma, de lotusbloemkelk, die uit Vishnu's navel groeide, en waaruit Brahma zelf werd geboren; Padma de Bron, de moeder van de Tijd!...

'Hé,' ze klinkt nu bezorgd, 'laat me je voorhoofd eens voelen!'

En waar sta ik in dit wereldplan? Ben ik (bekoord en gerustgesteld door haar terugkeer) alleen maar sterfelijk – of iets meer? Zoals – ja, waarom niet? – met mijn mammoetslurf, Ganeshaneus – misschien de Olifant. Die net als Sin de maan, de wateren beheerst, en de gave van regen brengt ... wiens moeder Ira was, koningin-gemalin van Kashyap, de Oude Schildpadman, heer en stamvader van alle schepselen op aarde ... de Olifant, die ook de regenboog en de bliksem is, en wiens symbolische waarde, dat moet er ook bij worden gezegd, hoogst problematisch en onduidelijk is.

Nu dan: ongrijpbaar als regenbogen, onvoorspelbaar als de bliksem, praatziek als Ganesha, komt het me voor dat ik toch mijn eigen plaats in de oude wijsheid heb.

'Mijn God.' Padma rent weg om een handdoek met koud water te bevochtigen, 'je voorhoofd is gloeiend heet! Ik zou maar gaan liggen als ik jou was; te vroeg voor al dat geschrijf! De ziekte praat; niet jij.'

Maar ik heb al een week verloren; dus, koorts of geen koorts, ik moet verder gaan; want nu ik (voorlopig) deze toon van ouderwets fabulisme heb uitgeput, kom ik aan het fantastische hart van mijn eigen verhaal, en moet op duidelijke onverhulde wijze over de middernachtskinderen schrijven.

Begrijp goed wat ik zeg: tijdens het eerste uur van 15 augustus 1947 – tussen middernacht en één uur v.m. – werden er maar liefst duizend-en-één kinderen geboren binnen de grenzen van de piepjonge staat India. Op zichzelf is dat geen ongewoon feit (hoewel de weerklanken van dat aantal vreemd literair zijn) – op dat tijdstip overtrof het aantal geboorten in ons deel van de wereld het aantal sterfgevallen met ongeveer zeshonderd achtenzeventig per uur. Wat die gebeurtenis opmerkelijk maakte (opmerkelijk! Dat is nog eens een emotieloos woord, nietwaar!) was de aard van die kinderen, die stuk voor stuk, door een speling van de biologie, of misschien dank zij een of andere bovennatuurlijke kracht van het ogenblik, of mogelijk alleen maar door louter toeval (hoewel synchroniciteit op een dergelijke schaal zelfs C.G. Jung zou verbijsteren), begiftigd met gelaatstrekken, talenten of vermogens die alleen maar wonderbaarlijk kunnen worden genoemd. Het was alsof – als u mij een ogenblik van fantasie wilt toestaan in wat overigens, ik beloof het, het soberste verhaal zal zijn waartoe ik in staat ben – alsof de geschiedenis, aanlandend op een punt van de grootste betekenis en belofte, had verkozen om op dat ogenblik het zaad uit te strooien van een toekomst die echt zou verschillen van alles waar de wereld tot aan dat tijdstip getuige van was geweest.

Als er zich een dergelijk wonder aan de andere kant van de grens voordeed, in het pas afgescheiden Pakistan, dan draag ik daar geen kennis van; mijn waarnemingen werden, zolang ze duurden, begrensd door de Arabische Zee, de Baai van Bengalen, het Himalayagebergte, maar ook door de kunstmatige grenzen die de Punjaab en Bengalen doorsneden.

Onvermijdelijkerwijze heeft een aantal van die kinderen het niet overleefd. Ondervoeding, ziekte en de tegenspoeden van het dagelijks leven hadden, tegen de tijd dat ik mij van hun bestaan bewust werd, er niet minder dan vierhonderd twintig voor hun rekening genomen; hoewel kan worden verondersteld dat ook deze sterfgevallen een doel hadden, want 420 is, sinds onheuglijke tijden, het getal geweest dat met fraude, misleiding en bedriegerij in verband is gebracht. Is het dan misschien zo dat de ontbrekende zuigelingen waren geëlimineerd omdat ze op de een of andere manier ontoereikend waren gebleken, en niet de echte kinderen van dat middernachtelijke uur waren? Welnu, in de eerste plaats, is dat nog een uitstapje in het rijk der fantasie; in de tweede plaats is het afhankelijk van een levensbeschouwing die zowel uitzonderlijk theologisch als barbaars wreed is. Het is ook een vraag die niet kan worden beantwoord; derhalve is het vruchteloos om haar nader te onderzoeken.

Tegen 1957 naderden de nog in leven zijnde vijfhonderdeenentachtig kinderen allen hun tiende verjaardag, voor het grootste deel zich geheel niet bewust van elkaars bestaan – hoewel er zeker uitzonderingen waren. In de stad Baud, aan de rivier de Mahanadi in Orissa, was een stel tweelingzusters die al een legende in die streek waren, want ondanks hun indrukwekkende lelijkheid bezaten ze beiden het vermogen om iedere man die hen zag hopeloos en vaak waanzinnig verliefd op hen te maken, zodat hun verwonderde ouders eindeloos werden geplaagd door een stroom van mannen die om de hand van een of zelfs beide verbijsterende kinderen vroegen; oude mannen die de wijsheid van hun baarden hadden verzaakt en jongelingen die smoorverliefd hadden behoren te worden op de actrices in de rondreizende bioscoop die Baud eens in de maand bezocht; en er was nog een andere, verontrustender stoet van rouwende families die de tweelingzusjes vervloekten omdat ze hun zonen zo hadden betoverd dat ze gewelddaden tegen zichzelf bedreven, fatale verminkingen en kastijdingen en zelfs (in één geval) zelfopoffering. Evenwel, met uitzondering van dergelijke vreemde gevallen waren de middernachtskinderen opgegroeid zonder zich bewust te zijn van hun ware bloedverwanten, hun mede-uitverkorenen over de hele lengte en breedte van India's ruwe en slecht geproportioneerde diamant.

En toen, ten gevolge van een schok die ik opliep bij een fietsongeluk, werd ik, Saleem Sinai, mij van hen allen bewust.

Aan iedereen wiens persoonlijke geestesgesteldheid te star is om deze feiten te aanvaarden, heb ik het volgende te zeggen. Zo was het; ik kan me niet aan de waarheid onttrekken. Ik zal de last van het ongeloof van de twijfelaars eenvoudig op me moeten nemen. Maar niemand in dit India van ons die kan lezen en schrijven, kan volledig immuun zijn voor het soort informatie dat ik nu aan het onthullen ben – iedere lezer van onze landelijke pers moet wel eens een reeks van – ik geef het toe, minder – magische kinderen en allerhande zonderlingen zijn tegengekomen. Vorige week nog was er die jongen uit Bengalen die beweerde dat hij de reïncarnatie van Rabindranath Tagore was en verzen van bijzondere kwaliteit begon op te zeggen, tot grote verbazing van zijn ouders; en ikzelf kan me kinderen herinneren met twee hoofden (soms een menselijk en een dierlijk), en andere vreemde kenmerken zoals de horens van een stier.

Ik moet er meteen bij zeggen dat niet alle gaven van die kinderen begeerlijk waren, of ook maar door de kinderen zelf werden begeerd; en in sommige gevallen leefden de kinderen nog, maar waren beroofd van hun door de middernacht geschonken eigenschappen. Bijvoorbeeld (als pendant van het verhaal van de Baudi-tweeling) moge ik een bedelaresje uit Delhi noemen, Sundari genaamd, die in een straat achter het hoofdpostkantoor was geboren, niet ver van het dak waarop Amina Sinai naar Ramram Seth had geluisterd, wier schoonheid zo overweldigend was dat die er binnen enkele ogenblikken na haar geboorte in slaagde haar moeder en de buurvrouwen die bij haar geboorte hadden geholpen, blind te maken; haar vader, die de kamer binnenstormde toen hij de vrouwen hoorde gillen, werd nog net op tijd door hen gewaarschuwd; maar de ene vluchtige blik die hij van zijn dochter opving verzwakte zijn gezichtsvermogen zozeer dat hij daarna Indiase en buitenlandse toeristen niet meer van elkaar kon onderscheiden: een handicap die zijn verdiensten als bedelaar ernstig aantastte. Daarna moest Sundari een tijdlang een vod over haar gezicht dragen; tot een oude en meedogenloze oudtante haar in haar knokige armen nam en haar gezicht negen keer met een keukenmes jaapte. Toen ik mij van haar bewust werd, verdiende Sundari goed haar brood, want iedereen die naar haar keek kon alleen maar medelijden hebben met een meisje dat duidelijk eens te mooi was geweest om naar te kijken en nu zo wredelijk verminkt was; zij kreeg meer aalmoezen dan welk ander lid van haar familie ook.

Omdat geen van de kinderen vermoedde dat de tijd van hun geboorte iets te maken had met wat zij waren, had ik er enige tijd voor nodig om erachter te komen. Aanvankelijk, na het fietsongeluk (en vooral toen de taaldemonstranten mij eenmaal van Evie Burns hadden genezen), stelde ik mij ermee tevreden de geheimen van de fabuleuze wezens die plotseling in mijn geestelijk blikveld waren opgedoken, een voor een te ontdekken, ze hongerig verzamelend, op dezelfde manier als waarop sommige jongens insekten verzamelen, en anderen naar spoortreinen uitkijken; terwijl ik mijn belangstelling voor autogrammenalbums en alle andere manifestaties van het verzamelinstinct verloor, dook ik wanneer dat maar mogelijk was in de afzonderlijke, en in alle opzichten levendiger realiteit van de vijfhonderdeenentachtig. (Tweehonderdzesenzestig van ons waren jongens; en we werden in aantal overtroffen door onze vrouwelijke tegenhangers – die met hun driehonderdvijftienen waren, met inbegrip van Parvati-de-heks.)

Middernachtskinderen!... Uit Kerala, een jongen die het vermogen bezat om spiegels in te stappen en er door ieder spiegelend oppervlak in het land weer uit te komen – door meren en (met grotere moeite) het gepoetste metalen koetswerk van automobielen ... en een Goanees meisje met de gave om vissen te vermenigvuldigen ... en kinderen die het vermogen bezaten zich te transformeren: een weerwolf uit de Nilgiri-heuvels, en van de grote waterscheiding van de Vindhyas een jongen die zijn grootte naar believen kon doen toe- of afnemen, en al (boosaardig) de oorzaak van wilde paniek en geruchten over de terugkeer van Reuzen was geweest ... uit Kasjmir was er een blauwogig kind van wiens oorspronkelijk geslacht ik nooit zeker ben geweest, omdat zij (of hij) dat door zich in water onder te dompelen kon veranderen naar het haar (of hem) beliefde. Sommigen van ons noemden dit kind Narada, anderen Markandaya, al naar gelang welk oud sprookje over geslachtsverandering we hadden gehoord ... in de buurt van Jalna in het hart van het verschroeide Dekkan vond ik een jongen die water kon opsporen, en in Budge-Budge buiten Calcutta een meisje met een scherpe tong wier woorden al de macht bezaten om fysieke wonden toe te brengen, zodat nadat enkele volwassenen hadden gemerkt dat ze onstelpbaar bloedden tengevolge van een of andere haak die achteloos van haar lippen was geworpen, ze besloten hadden haar in een bamboe kooi op te sluiten en haar op de Ganges naar de jungles van de Sundarbans te laten drijven (die de rechtmatige woonplaatsen zijn van monsters en fantasmagorieën); maar niemand durfde haar te naderen, en ze liep door de stad omringd door een vacuüm van angst; niemand had de moed haar voedsel te ontzeggen. Er was een jongen die metaal kon eten en een meisje wier vingers zo groen waren dat ze bekroonde aubergines in de Thar-woestijn kon kweken; en nog meer en meer en meer ... overweldigd door hun aantallen, en door de exotische menigvuldigheid van hun gaven, besteedde ik in die eerste tijd weinig aandacht aan hun gewone zelf; maar onvermijdelijk waren onze problemen, wanneer die zich voordeden, de alledaagse, menselijke problemen die voortkomen uit karakter-en-omgeving; in onze ruzies waren we gewoon een stel kinderen.

Eén opmerkelijk feit: hoe dichter bij middernacht het tijdstip van onze geboorte lag, des te groter waren onze gaven. De kinderen die in de laatste seconden van dat uur waren geboren waren (om eerlijk te zijn) weinig meer dan circusmonsters: meisjes met baarden, een jongen met de volledig werkende kieuwen van een zoetwater-mahaseerforel, Siamese tweelingen met twee lichamen die aan een enkel hoofd en hals bungelden – het hoofd kon met twee stemmen spreken, een mannelijk en een vrouwelijk, en iedere taal en dialect die op het subcontinent werd gesproken; maar ondanks de wonderbaarlijkheid waren dit de ongelukkigen, de levende slachtoffers van dat goddelijke uur. Tegen het halve uur kwamen de belangwekkender en nuttiger vermogens – in het Gir-woud woonde een meisjesheks die door middel van handoplegging kon genezen, en er was een rijke zoon van een theeplanter in Shillong die de zegen (of mogelijk de vloek) had om alles wat hij zag of hoorde niet te kunnen vergeten. Maar de kinderen die in de allereerste minuut waren geboren – voor deze kinderen had het uur de hoogste talenten gereserveerd waarvan mensen ooit hadden gedroomd. Als jij, Padma, toevallig een geboortenregister zou bezitten waarin de tijden tot op de seconde precies waren genoteerd, zou jij ook weten welke telg van een grote familie uit Lucknow (geboren om eenentwintig seconden na middernacht) toen hij tien jaar oud was zich de verloren kunst van de alchemie volkomen meester had gemaakt, waarmee hij het fortuin van zijn oude maar in verval geraakte huis volkomen herstelde; en welke dochter van een dhobi uit Madras (zeventien seconden over) hoger kon vliegen dan welke vogel ook eenvoudig door haar ogen dicht te doen; en aan welke zoon van een zilversmid uit Benarsi (twaalf seconden na middernacht) de gave was geschonken door de tijd te reizen en op die manier niet alleen de toekomst te voorspellen maar eveneens het verleden te verduidelijken ... een gave die wij, kinderen als wij waren, onvoorwaardelijk vertrouwden wanneer het over dingen ging die verdwenen en vergeten waren, maar bespotten wanneer hij ons waarschuwde voor ons eigen einde ... gelukkig bestaan dergelijke registers niet; en wat mij betreft, ik zal hun namen en zelfs hun woonplaatsen niet onthullen – of anders, door te doen alsof ik ze onthul, zal ik ze vervalsen; want hoewel dergelijk bewijsmateriaal mijn beweringen volkomen zou staven, verdienen de kinderen van middernacht toch nu, na alles, met rust gelaten te worden; misschien te worden vergeten; maar ik hoop (tegen hoop in) het mij te herinneren...

Parvati-de-heks werd in Oud-Delhi in een armoewijk geboren die om de trappen van de Vrijdagsmoskee lag. Dit was geen gewone armoewijk, hoewel de hutten die waren opgetrokken uit oude pakkisten en tinnen golfplaten en repen van jutezakken die schots en scheef in de schaduw van de moskee stonden er precies zo uitzagen als iedere andere krottenwijk ... want dit was het ghetto van de magiërs, ja dezelfde plaats die eens de Kolibrie had voortgebracht, die met messen was doorstoken en die zwerfhonden niet hadden kunnen redden ... de achterbuurt van de goochelaars, waar de grootste fakirs en prestidigateurs en illusionisten in het land voortdurend heen trokken, om hun geluk in de hoofdstad te zoeken. Ze troffen blikken hutten aan, en ratten en ondervonden hinder van de politie... Parvati's vader was eens de grootste goochelaar van Oudh geweest; zij was opgegroeid te midden van buiksprekers die stenen moppen konden laten vertellen, en slangemensen die hun eigen benen in hun keel konden steken en vuurvreters die vlammen uit hun gat konden blazen en tragische clowns die glazen tranen uit hun ooghoeken konden halen; zij had zachtmoedig te midden van verbijsterde menigten gestaan terwijl haar vader grote spijkers door haar hals sloeg; en al die tijd had ze haar eigen geheim bewaard, dat groter was dan dat van een van de illusionistische poppenkasterijen die haar omringden; want Parvati-de-heks, slechts zeven seconden na middernacht op 15 augustus geboren, had de macht gekregen van de ware adept, de illuminatus, de ware gaven van tovenarij en bezwering, de kunst waar geen kunstgrepen voor nodig waren.

Dus onder de middernachtskinderen waren zuigelingen met vermogens van verandering, vlucht, voorspelling en tovenarij ... maar twee van ons waren klokslag middernacht geboren. Saleem en Shiva, Shiva en Saleem, neus en knieën, knieën en neus ... aan Shiva had het uur de gaven van oorlog geschonken (van Rama, die de onspanbare boog kon spannen; van Arjuna en Bhima; de aloude dapperheid van Kurus en Pandavas te zamen, onstuitbaar, in hem!) ... en aan mij, het grootste talent van allemaal – het vermogen om in de harten en geesten van mensen te kijken.

Maar het is Kali-Yuga; de kinderen van het uur der duisternis werden, vrees ik, midden in een eeuw van duisternis geboren; zodat wij, hoewel het ons gemakkelijk viel om briljant te zijn, altijd verward waren wanneer het op goed zijn aankwam.

Zo; nu heb ik het gezegd. Dat is wie ik was – die wij waren.

Padma kijkt alsof haar moeder is gestorven – haar gezicht met zijn open en dichtgaande mond is het gezicht van een aangespoelde braam. 'O baba!' zegt ze ten slotte. 'O baba! Je bent ziek; wat heb je gezegd?'

Nee, dat zou te gemakkelijk zijn. Ik weiger om in mijn ziekte te vluchten. Bega niet de fout om hetgeen ik heb onthuld als louter delirium af te doen; of zelfs als de krankzinnig overdreven fantasieën van een eenzaam , lelijk kind. Ik heb al eerder gezegd dat ik niet in metaforen spreek; wat ik net heb geschreven (en hardop aan een verbijsterde Padma heb voorgelezen) is niets minder dan de letterlijke waarheid, bij-de-haren-op-mijn-moeders-hoofd.

Werkelijkheid kan metaforische inhoud hebben; dat maakt haar niet minder reëel. Duizend-en-één kinderen werden geboren; er waren duizend-en-één mogelijkheden die nooit eerder op een plaats en op een tijdstip aanwezig waren geweest; en er waren duizend-en-één doodlopende sloppen. Je kunt middernachtskinderen vele dingen laten vertegenwoordigen, al naar gelang je gezichtspunt: ze kunnen worden beschouwd als de laatste stuiptrekkingen van alles dat verouderd en in verval is in onze door mythen beheerste natie, wier nederlaag volledig wenselijk was in het verband van een zich moderniserende economie van de twintigste eeuw; of als de ware hoop op vrijheid, die nu voor altijd is uitgedoofd; maar wat ze niet moeten worden is de bizarre schepping van een verwarde, zieke geest. Nee: ziekte slaat nergens op.

'Goed, goed, baba,' probeerde Padma mij te sussen. 'Waarom maak je je zo nijdig? Rust nu, ga een tijdje rusten, dat is het enige dat ik vraag.'

Het was zeker een zinsbegoochelende tijd in de dagen voorafgaande aan mijn tiende verjaardag; maar de zinsbegoochelingen zaten niet in mijn hoofd. Mijn vader, Ahmed Sinai, die gedreven werd door de verraderlijke dood van dr. Narlikar en door de steeds krachtiger uitwerking van djinns-en-tonics, was in een droomwereld van verontrustende onwerkelijkheid gevlucht; en het verraderlijkste aspect van zijn langzame verval was dat de mensen het een zeer lange tijd hielden voor precies het tegenovergestelde van wat het was... Hier is Sonny's moeder, Nussie-de-eend, die op een avond in onze tuin tegen Amina zegt: 'Wat een geweldige tijd voor jullie allemaal, Amina zuster, nu je Ahmed in de bloei van zijn leven is! Zo'n geweldige man, en hij heeft zoveel succes voor zijn familie!' Ze zegt het zo luid dat hij het kan horen; en hoewel hij net doet alsof hij de tuinman vertelt wat hij met de kwijnende bougainvillea moet doen, hoewel hij een uitdrukking van nederige zelfontwaarding aanneemt, is het allerminst overtuigend, want zijn pafferige lichaam is, zonder dat hij het weet, gaan opzwellen en stapt trots heen en weer. Zelfs Purushottam, de terneergeslagen sadhu onder de tuinkraan, kijkt alsof hij in verlegenheid is gebracht.

Mijn kwijnende vader ... bijna tien jaar lang was hij altijd in een goed humeur geweest aan de ontbijttafel, voor hij zijn kin schoor; maar toen zijn gezichtsharen evenals zijn flets wordende huid wit werden, was dit vaste punt van geluk niet langer een zekerheid; en de dag kwam waarop hij voor de eerste keer aan het ontbijt zijn humeur verloor. Dat was de dag waarop de belastingen werden verhoogd en de belastingdrempels tegelijkertijd werden verlaagd; mijn vader smeet de *Times of India* met een heftig gebaar op de grond en keek om zich heen met de rode ogen die hij, naar ik wist, alleen kreeg wanneer hij een van zijn buien had. 'Het is net alsof je naar de wc gaat!' barstte hij kryptisch uit; ei toast thee trilden in de luchtdruk van zijn toorn. 'Je trekt je hemd op en laat je broek zakken! Vrouw, deze regering loopt helemaal over ons heen naar de wc!' En mijn moeder, die roze door het zwart bloosde: 'Janum, de kinderen, alsjeblieft,' maar hij was weggestampt, mij achterlatend met een duidelijk begrip van wat mensen bedoelden wanneer ze zeiden dat het land naar de bliksem ging.

De volgende weken bleef mijn vaders kin fletser worden, en er ging nog iets meer verloren dan de rust van de ontbijttafel: hij begon te vergeten wat voor soort man hij vroeger, voor Narlikars verraad, was geweest. De rituelen van ons huiselijk leven begonnen in verval te raken. Hij begon weg te blijven van de ontbijttafel, zodat Amina hem geen geld kon aftroggelen; maar bij wijze van compensatie werd hij zorgeloos met zijn contante geld, en zijn afgelegde kleren zaten vol roepiebiljetten en munten, zodat zij de eindjes aan elkaar kon knopen door zijn zakken te rollen. Maar een deprimerender aanwijzing dat hij zich van het gezinsleven terugtrok was dat hij ons nog maar zelden verhaaltjes-voor-het-slapen-gaan vertelde, en wanneer hij dat wel deed vonden wij er niets aan, want ze waren slecht verbeeld en niet overtuigend. Hun onderwerpen waren nog dezelfde, prinsen aardmannetjes vliegende paarden en avonturen in feeënrijken, maar in zijn machinale stem konden wij het gekraak en gekreun van een roestende, in verval geraakte verbeelding horen.

Mijn vader had zich aan verstrooidheid overgegeven. Het schijnt dat Narlikars dood en het einde van zijn vierpootdroom Ahmed Sinai de onbetrouwbare aard van menselijke betrekkingen had aangetoond; hij had besloten zich van al dat soort banden te ontdoen. Hij nam de gewoonte aan om voor zonsopgang op te staan en zich met zijn nieuwste Fernanda of Flory in zijn kantoor beneden op te sluiten, voor de ramen waarvan de twee altijd groene bomen die hij had geplant om mijn geboorte en die van de Aap te herdenken nu al hoog genoeg waren opgegroeid om het grootste deel van het daglicht buiten te sluiten wanneer dat kwam. Aangezien we hem vrijwel nooit durfden storen, ging mijn vader een diepe eenzaamheid binnen, een toestand die zo ongewoon is in ons overbevolkte land dat hij bijna aan het abnormale grenst; hij begon eten uit onze keuken te weigeren en te leven van goedkope rommel die dagelijks door zijn meisje in een lunchmandje werd meegebracht, lauwe paratha's en kleffe groentensamosa's en flessen frisdrank. Een vreemde geur dreef van onder de deur van zijn kantoor naar buiten; Amina dacht dat het geur van bedompte lucht en tweederangs eten was; maar ik denk dat een oude geur in een sterkere vorm was teruggekeerd, het oude aroma van mislukking die van zijn vroegste tijd af om hem heen had gehangen.

Hij deed de vele woonkazernes of chawls van de hand die hij bij zijn aankomst in Bombay goedkoop had gekocht, en waarop het fortuin van onze familie was gegrondvest. Na zich van alle zakenrelaties met menselijke wezens te hebben bevrijd – zelfs zijn anonieme huurders in Kurla en Worli, in Matunga en Mazagaon en Mahim – maakte hij al zijn bezittingen te gelde, en begaf zich in de ijle en abstracte sfeer van de financiële speculatie. Opgesloten in zijn kantoor was zijn enige contact met de buitenwereld in die tijd (behalve zijn arme Fernanda's) zijn telefoon. Hij bracht zijn dag diep in conferentie met dit apparaat door, terwijl het geld in die en die aandelen of die en die obligaties stak, terwijl het in regeringsobligaties investeerde of speculeerde op de baissemarkt, lang- of kortlopend al naar gelang hij gelastte ... waarbij het altijd de beste dagkoers kreeg. In een periode van geluk die alleen kon worden vergeleken met mijn moeders succes bij de paarderennen al die jaren daarvoor, veroverden mijn vader en zijn telefoon de effectenmarkt stormenderhand, een prestatie die des te opmerkelijker werd door Ahmed Sinais voortdurend verergerende drinkgewoontes. Door djinn beneveld slaagde hij er niettemin in zich mee te laten voeren op de abstracte fluctuaties van de geldmarkt, op de emotionele, onvoorspelbare veranderingen en wisselingen ervan te reageren zoals een minnaar dat doet op de kleinste gril van zijn geliefde ... hij kon voelen wanneer een aandeel zou gaan stijgen, wanneer de piek zou komen; en hij stapte er altijd voor de daling uit. Op die manier werd zijn duik in de abstracte eenzaamheid van zijn telefonische dagen vermomd, zo verduisterden zijn financiële coups zijn gestage scheiding van de werkelijkheid; maar onder dekking van zijn steeds toenemende rijkdom, werd zijn toestand geleidelijk aan slechter.

Ten slotte liep de laatste van zijn secretaresses met de gebloemde katoenen rokjes weg, omdat ze het leven in een atmosfeer die zo ijl en abstract was dat je er nauwelijks in kon ademen niet kon verduren; en nu liet mijn vader Mary Pereira komen en vleide haar met : 'Wij zijn vrienden, Mary, nietwaar, jij en ik?' waarop de arme vrouw antwoordde: 'Ja, sahib, ik weet het; u zult voor me zorgen wanneer ik oud ben,' en beloofde om een plaatsvervangster voor hem te zoeken. De volgende dag bracht ze hem haar zuster, Alice Pereira, die voor allerlei bazen had gewerkt en een vrijwel oneindige verdraagzaamheid voor mannen bezat. Alice en Mary hadden hun ruzie over Joe D'Costa al lang geleden bijgelegd; de jongere vrouw was aan het einde van de dag vaak boven bij ons en bracht haar eigenschappen van sprankeling en vrijpostigheid in de ietwat drukkende sfeer van ons huis. Ik was dol op haar, en het was door haar dat wij van mijn vaders grootste uitspattingen hoorden, waar een parkiet en een bastaardhond de slachtoffers van waren.

Tegen juli was Ahmed Sinai in een vrijwel permanente toestand van dronkenschap beland; op een dag, meldde Alice, was hij plotseling vertrokken om een eindje te gaan rijden, en had haar voor zijn leven doen vrezen, maar was op de een of andere manier teruggekeerd met een vogelkooi onder een dek waarin, zei hij, zijn nieuwste aanwinst zat, een buulbuul, of Indiase nachtegaal. 'God mag weten hoe lang al,' vertrouwde Alice ons toe, 'vertelt hij me alles over buulbuuls; alle sprookjes over zijn gezang en wat al niet meer; hoe die Calipha in de ban raakte van zijn lied, hoe het gezang de schoonheid van de nacht langer kon laten duren; God weet wat de arme man raaskalde, Perzisch en Arabisch citerend, ik kon er geen wijs uit worden. Maar toen nam hij de doek eraf, en in de kooi zit alleen maar een pratende parkiet; de een of andere oplichter in de Chor-bazaar moet de veren hebben geverfd! Hoe kon ik het de arme man nu vertellen, zo opgewonden over zijn vogel en zo, en hij zat maar te roepen: "Zing, kleine buulbuul! Zing!" ... en het is zo grappig, net voor hij doodging door de verf zei hij gewoon zijn zin na, heel duidelijk, niet pieperig als een vogel, weet je, maar met zijn eigen stem: *Zing! Kleine buulbuul, zing!*'

Maar er zou nog iets ergers komen. Een paar dagen later zat ik met Alice op de ijzeren wenteltrap van de bedienden toen ze zei: 'Baba, ik weet niet wat je pappie nu weer heeft. Zit daar de hele dag tegen de hond vloeken uit te kramen!'

De bastaardteef die wij Sherri noemden was eerder dat jaar het twee verdiepingen hoge heuveltje op komen lopen en had ons eenvoudigweg geadopteerd, niet wetend dat het leven in Methwolds Villapark een gevaarlijke aangelegenheid was voor dieren; en in zijn dronkenschap maakte Ahmed Sinai haar het proefkonijntje voor zijn experimenten met de familievloek.

Dit was dezelfde fictieve vloek die hij had bedacht om indruk te maken op William Methwold, maar nu brachten de djinns in de vloeibaar wordende kamers van zijn brein hem ertoe te geloven dat het geen fictie was, dat hij alleen maar de woorden vergeten was; dus bracht hij lange uren in zijn krankzinnig eenzame kantoor door met het experimenteren met formules... 'Hij vervloekt het arme dier met zulke erge dingen!' zei Alice, 'dat het me verbaast dat ze niet op slag dood neervalt!'

Maar Sherri zat daar maar in een hoekje en grijnsde hem dom toe, weigerend om paars te worden of steenpuisten te krijgen, tot hij op een avond zijn kantoor uitstormde en Amina gebood ons allemaal naar Hornby Vellard te rijden. Sherri ging ook mee. We wandelden, met een verbaasde uitdrukking op ons gezicht, heen en weer langs de Vellard, en toen zei hij: 'De auto in, allemaal.' Alleen wilde hij Sherri er niet in laten ... toen de Rover weg accelereerde met mijn vader aan het stuur begon ze ons achterna te rennen, terwijl de Aap gilde Pappapappa en Amina smeekte Janumalsjeblieft en ik van afgrijzen niets kon zeggen, moesten we mijlen ver rijden, bijna helemaal naar het vliegveld Santa

Cruz, voor hij wraak had genomen op de teef omdat ze had geweigerd zich aan zijn tovenarij over te geven ... er sprong een slagader terwijl ze rende en ze stierf terwijl het bloed uit haar bek en achterste spoot, onder de blik van een hongerige koe.

De Brutale Aap (die niet van honden hield) huilde een week lang; mijn moeder maakte zich ongerust over uitdroging en liet haar liters water drinken, die ze bij haar naar binnen goot alsof ze een grasveld was, zei Mary; maar ik was dol op het jonge hondje dat mijn vader mij voor mijn tiende verjaardag kocht, misschien omdat hij ergens iets van schuld voelde: haar naam was Barones Simki von der Heiden, en ze had een stamboom die barstte van bekroonde herdershonden, hoewel mijn moeder na enige tijd ontdekte dat die even vals was als de namaak-buulbuul, even denkbeeldig als mijn vaders vergeten vloek en mogolafkomst; en na zes maanden stierf ze aan een venerische ziekte. Daarna hadden we geen huisdieren meer.

Mijn vader was niet de enige die mijn tiende verjaardag benaderde met zijn hoofd in de wolken van zijn privé-dromen; want hier is Mary Pereira, die zich overgeeft aan haar voorliefde voor het maken van chutneys, kasaundies en allerlei zoetzuur, en ondanks de opgewekte aanwezigheid van haar zuster Alice kijkt ze alsof ze spoken ziet.

'Hallo, Mary!' Padma – die een zwak voor mijn misdadige ayah schijnt te hebben gekregen – begroet haar terugkeer op het midden van het toneel. 'En wat zit *haar* dwars?'

Dit, Padma: geplaagd door haar nachtmerries waarin ze aangevallen werd door Joseph D'Costa, vond Mary het al maar moeilijker om nachtrust te krijgen. Omdat ze wist wat dromen voor haar in petto hadden, dwong ze zich wakker te blijven; ze kreeg donkere kringen onder haar ogen waarover een dunne glazige blik lag; en geleidelijk deed de vaagheid van haar waarnemingen waken en dromen versmelten tot iets dat heel erg op elkaar leek ... een gevaarlijke toestand om in verzeild te raken, Padma. Niet alleen lijdt je werk eronder maar er beginnen dingen uit je dromen te ontsnappen ... Joseph D'Costa was er, feitelijk, in geslaagd die onduidelijke grens over te steken, en verscheen nu niet in Villa Buckingham als een nachtmerrie, maar als een heuse geest. Alleen zichtbaar voor Mary Pereira (in die tijd), begon hij haar in alle vertrekken van ons huis te achtervolgen die hij, tot haar afschuw en schaamte, even achteloos behandelde alsof ze van hem waren. Ze zag hem in de zitkamer tussen kristallen vazen en porseleinen figuurtjes en de ronddraaiende schaduwen van plafondventilatoren, lui in zachte fauteuils zittend met zijn lange haveloze benen over de armleuningen bengelend; zijn ogen waren gevuld met eiwit en er zaten gaten in zijn voeten waar de slang hem gebeten had. Een keer zag ze hem 's middags in Amina begums bed, terwijl hij ijskoud vlak naast mijn slapende moeder lag, en zij barstte uit met: 'Hé, jij! Kom daar eens uit! Wat denk je wel, dat je een of andere lord bent?' – maar ze slaagde er alleen maar in mijn verbaasde moeder wakker te maken. Josephs geest plaagde Mary zonder woorden; en het ergste ervan was dat ze merkte dat ze aan hem begon te wennen, ze merkte dat vergeten gewaarwordingen van tederheid haar inwendig begonnen te porren, en hoewel ze zich voorhield dat het iets krankzinnigs was, begon ze vervuld te raken van een soort nostalgische liefde voor de geest van de dode ziekenhuisportier.

Maar die liefde werd niet beantwoord; Josephs eiwitte ogen bleven zonder uitdrukking; zijn lippen bleven opeengeklemd in een beschuldigende, sardonische grijns; en ten slotte besefte ze dat deze nieuwe manifestatie niet verschilde van haar oude droom-Joseph (hoewel die haar nooit aanviel), en dat zij, als ze ooit vrij van hem wilde zijn, het ondenkbare zou moeten doen en de wereld haar misdaad zou moeten opbiechten. Maar ze biechtte niets op, hetgeen waarschijnlijk mijn schuld was – want Mary hield van mij als van haar eigen onverwekte en ondenkbare zoon, en als ze zou hebben gebiecht zou dat mij erg hebben geschaad, dus verduurde zij om mijnentwil de geest van haar geweten en stond gekweld in de keuken (mijn vader had de kok op een avond dat hij van djinns doordrenkt was ontslagen) ons avondeten te koken en werd, bij toeval, de belichaming van de eerste regel in mijn Latijnse leerboek: *Ora Maritima*: 'Bij de zeekant bereidde de ayah de maaltijd.' *Ora Maritima, ancilla cenam parat.* Kijk in de ogen van een kokende ayah, en u zult meer zien dan leerboeken ooit weten.

Op mijn tiende verjaardag, kreeg ik mijn trekken thuis.

Op mijn tiende verjaardag was het duidelijk dat het grillige weer – stormen, overstromingen, hagelstenen uit een onbewolkte hemel – dat op de ondraaglijke hitte van 1956 was gevolgd, het tweede vijfjarenplan de das had omgedaan. De regering was gedwongen – hoewel de verkiezingen voor de deur stonden – bekend te maken dat zij geen ontwikkelingsleningen meer kon aannemen tenzij de geldschieters bereid waren eindeloos lang te wachten op terugbetaling. (Maar laat mij de zaak niet overdrijven: hoewel de staalproduktie tegen het einde van het Plan in 1961 slechts 2,4 miljoen ton bedroeg, en hoewel in die vijf jaar het aantal mensen dat geen land bezat of werkeloos was eigenlijk toenam, zodat het groter was dan het ooit onder de Britse Raj was geweest, waren er ook aanzienlijke pluspunten. De produktie van ijzererts was bijna verdubbeld; de energievoorziening verdubbelde; de steenkoolproduktie sprong omhoog van achtendertig miljoen naar vierenvijftig miljoen ton. Jaarlijks werden vijf biljoen meter katoenen stoffen geproduceerd. Ook grote aantallen fietsen, machinewerktuigen, dieselmotoren, motorpompen en plafondventilatoren. Maar ik moet wel in mineur eindigen: het analfabetisme was nog even groot als eerst; de bevolking bleef snel toenemen.)

Op mijn tiende verjaardag kregen we bezoek van mijn oom Hanif, die zich in Methwolds Villapark buitengewoon onpopulair maakte door opgewekt te bulderen: 'De verkiezingen staan voor de deur! Pas op voor de communisten!'

Op mijn tiende verjaardag, toen mijn oom Hanif zijn flater beging, bloosde mijn moeder (die nu af en toe op geheimzinnige wijze verdween om te gaan winkelen) dramatisch en onverklaarbaar.

Op mijn tiende verjaardag kreeg ik een jong herdershondje met een valse stamboom dat weldra dood zou gaan aan syfilis.

Op mijn tiende verjaardag deed iedereen in Methwolds Villapark erg zijn best om opgewekt te doen, maar onder dit dunne laagje vernis was iedereen bezeten van dezelfde gedachte: 'Tien jaar, mijn god! Waar zijn ze gebleven? Wat hebben we gedaan?'

Op mijn tiende verjaardag kondigde de oude man Ibrahim aan dat hij de Maha Gujarat Parishad steunde; wat het bezit van de stad Bombay betrof, koos hij voor de verliezende partij.

Op mijn tiende verjaardag, toen mijn achterdocht werd gewekt door een blos, bespioneerde ik mijn moeders gedachten; en wat ik daar zag leidde ertoe dat ik haar begon te volgen, dat ik een even vermetele privé-detective werd als Bombays legendarische Dom Minto, en tot belangwekkende ontdekkingen in en in de omgeving van het Café de Pionier.

Op mijn tiende verjaardag gaf ik een feestje dat werd bijgewoond door mijn familie, die verleerd had hoe ze vrolijk moest zijn, door klasgenoten van de Cathedral School, die door hun ouders waren gestuurd, en door een aantal lichtelijk verveelde zwemstertjes van het Breach Candy Zwembad, die de Brutale Aap bij hen liet rondhangen en in hun opbollende spieren lieten knijpen; wat volwassenen betreft, waren er Mary en Alice Pereira, en de Ibrahims en Homi Catrack en oom Hanif en tante Pia, en Lila Sabarmati, van wie de schooljongens (en ook Homi Catrack), tot grote ergernis van Pia, geen oog konden afhouden. Maar het enige lid van de heuvelgroep was de trouwe Sonny Ibrahim, die een embargo dat de verbitterde Evie Burns tegen de festiviteiten had afgekondigd, aan zijn laars had gelapt. Hij gaf me de boodschap: 'Evie zegt dat ik je moet zeggen dat je uit de groep bent gezet.'

Op mijn tiende verjaardag bestormden Evie, Oogsnee, Haarolie en zelfs Cyrus-de-grote mijn eigen schuilplaats; ze bezetten de klokketoren, en beroofden mij van mijn beschutting.

Op mijn tiende verjaardag zag Sonny er verslagen uit, en de Brutale Aap liet haar zwemsters in de steek en werd hartstikke woedend op Evie Burns. 'Ik zal haar leren,' zei ze tegen me. 'Maak je geen zorgen, grote broer; ik zal haar wel eens een lesje leren.'

Op mijn tiende verjaardag, verlaten door één groep kinderen, vernam ik dat vijfhonderdeenentachtig anderen hun verjaardagen ook vierden; waardoor ik het geheim van het oorspronkelijke uur van mijn geboorte begreep; en nu ik uit die ene groep was gezet, besloot ik er zelf een te vormen, een groep die zich over de hele lengte en breedte van het land uitstrekte, en waarvan het hoofdkwartier achter mijn wenkbrauwen lag.

En op mijn tiende verjaardag stal ik de beginletters van de Metro Club van de welpen – die ook de beginletters waren van het rondreizende Engelse cricketteam – en gaf ze aan de nieuwe Middernachtskinderen Conferentie, mijn eigen M.C.

Zo stonden de zaken toen ik tien was: buiten mijn hoofd niets dan moeilijkheden, maar daarbinnen niets dan wonderen.

Geen andere kleuren dan groen en zwart de muren zijn groen de hemel is zwart (er is geen dak) de sterren zijn groen de Weduwe is groen maar haar haar is zwarter dan zwart. De Weduwe zit op een hoge hoge stoel de stoel is groen de zitting is zwart het haar van de Weduwe heeft een scheiding in het midden het is groen aan de linkerkant en zwart aan de rechterkant. Hoog als de hemel is de stoel is groen de zitting is zwart de arm van de Weduwe is lang als de dood zijn huid is groen de vingernagels zijn lang en scherp en zwart. Tussen de muren de kinderen groen de muren zijn groen de arm van de Weduwe komt als een slang naar omlaag de slang is groen de kinderen gillen de nagels zijn zwart ze krabben de arm van de Weduwe is op jacht de kinderen rennen en gillen de hand van de Weduwe krult zich rond hen groen en zwart. Nu worden de kinderen voor een mmff gesmoord stil de hand van de Weduwe tilt de kinderen een voor een op groen hun bloed is zwart bevrijd door snijdende nagels spettert het zwart op muren (van groen) terwijl de krommende hand een voor een kinderen hemelhoog optilt de hemel is zwart er zijn geen sterren de Weduwe lacht haar tong is groen maar haar tanden zijn zwart. En kinderen in tweeën gescheurd in Weduwehanden die rollen rollen helften van kinderen rollen ze in kleine balletjes de balletjes zijn groen de nacht is zwart. En kleine balletjes vliegen nacht in tussen de muren gillen de kinderen terwijl de hand van de Weduwe een voor een. En in een hoek de Aap en ik (de muren zijn groen de schaduwen zwart) ineen gehurkt kruipend brede hoge muren groen vervagend tot zwart er is geen dak en hand van Weduwe komt eenvooreen schreeuwen de kinderen en mmff en balletjes en hand en gil en mmff en spetterende zwarte vlekken. Nu alleen zij en ik en geen geschreeuw meer de hand van Weduwe komt zoekend zoekend de huid is groen de nagels zijn zwart naar de hoek zoekend zoekend de huid is groen de nagels zijn zwart naar de hoek zoekend zoekend terwijl wij dichter ineen hurken in de hoek onze huid is groen onze angst is zwart en nu komt de Hand zich uitstrekkend uitstrekkend en zij mijn zuster duwt me de hoek uit terwijl zij ineen gedoken blijft staren de hand de nagels krommen zich gil en mmff en gespat van zwart en hemelhoog en lachende Weduwe scheurend ik rol in kleine balletjes de balletjes zijn groen en buiten in de nacht is de nacht zwart...

Vandaag heb ik geen koorts meer. Twee dagen lang (wordt mij verteld) heeft Padma de hele nacht opgezeten en koude natte washandjes op mijn voorhoofd gelegd, en mij vastgehouden gedurende mijn geril en dromen over Weduwehanden; twee dagen lang heeft ze zichzelf haar drank van onbekende kruiden verweten. 'Maar,' stel ik haar gerust, 'deze keer had het daar helemaal niets mee te maken.' Ik herken deze koorts; die is van binnen in me opgekomen en van nergens anders; als een kwalijke stank is hij door mijn barsten gesiepeld. Op mijn tiende verjaardag kreeg ik precies zo'n koorts, en bracht twee dagen in bed door; nu, terwijl mijn herinneringen terugkeren en uit me lekken, is deze oude koorts ook teruggekomen. 'Maak je geen zorgen,' zeg ik, 'ik heb deze bacillen bijna eenentwintig jaar geleden opgelopen.'

We zijn niet alleen. Het is ochtend in de inmaakfabriek; ze hebben mijn zoon gebracht om mij te bezoeken. Iemand (doet er niet toe wie) staat naast Padma bij mijn bed en houdt hem in haar armen. 'Baba, God zij dank ben je beter, je weet niet wat je tijdens je ziekte allemaal hebt gezegd.' Iemand praat bezorgd, probeert zich voortijdig in mijn verhaal te dringen; maar het lukt niet ... iemand die deze inmaakfabriek en bijbehorende bottelfabriek is begonnen, die voor mijn ondoordringbare kind heeft gezorgd, net zoals eens ... wacht! Ze peuterde het toen bijna uit me los, maar gelukkig ben ik nog bij mijn verstand, koorts of geen koorts! Iemand zal eenvoudig achteruit moeten treden en in anonimiteit gehuld blijven tot ze aan de beurt is; en dat zal pas helemaal aan het einde zijn. Ik wend mijn blik van haar af om naar Padma te kijken. 'Denk niet,' waarschuw ik haar, 'dat hetgeen ik je heb verteld niet helemaal waar was omdat ik koorts had. Alles heeft zich precies zo afgespeeld als ik het heb beschreven.'

'O God, jij en je verhalen,' roept ze uit, 'de hele dag, de hele nacht – je hebt jezelf ziek gemaakt! Hou eens even op, nou, wat kan dat nou voor kwaad?' Ik klem mijn lippen obstinaat op elkaar; en nu zij, met een plotseling wisselende stemming: 'En vertel me nu eens, meneer, is er iets dat je wilt hebben?'

'Groene chutney,' vraag ik. 'Felgroen – groen als sprinkhanen.' En iemand die niet kan worden genoemd herinnert het zich en vertelt Padma (op de zachte toon sprekend die alleen aan een ziekbed en bij begrafenissen wordt gebruikt): 'Ik weet wat hij bedoelt.'

Waarom bracht ik op dit beslissende ogenblik, toen allerlei dingen erop wachtten te worden beschreven – toen het Café de Pionier zo dichtbij was, en de rivaliteit van knieën en neus – alleen maar een toekruid ter sprake? (Waarom verspil ik, in dit verhaal, tijd aan een nederig toekruid, terwijl ik de verkiezingen van 1957 zou kunnen beschrijven – toen heel India eenentwintig jaar geleden, zat te popelen om te stemmen?) Omdat ik de lucht insnoof; en achter de bezorgde uitdrukkingen van mijn bezoekers een scherpe geur van gevaar rook. Ik was van plan mezelf te verdedigen; maar ik had de hulp van chutney nodig...

Ik heb u nu pas de fabriek bij daglicht laten zien. Dit is wat onbeschreven is gebleven: door groen gekleurde glazen ruiten kijkt mijn kamer uit op een smal ijzeren looppad en dan omlaag naar de kookruimte, waar koperen ketels borrelen en zieden, waar vrouwen met sterke armen op houten trapjes staan en lange lepels door de scherpe lucht van pekeldampen roeren; terwijl (de andere kant uitkijkend, door een groen getint raam op de wereld) spoorbanen dof in de ochtendzon glanzen, op regelmatige afstanden overbrugd door de rommelige stellages van het elektrificatiesysteem. Bij daglicht danst onze oranje-geel-groene neongodin niet boven de fabrieksdeuren; we schakelen haar uit om energie te besparen. Maar de elektrische treinen gebruiken energie: geel-met-bruine treinen denderen naar het zuiden naar het station Churchgate van Dadar en Borivli, van Kurla en Bassein Road. Menselijke vliegen hangen in dichte witbebroekte trossen aan de treinen; ik ontken niet dat u binnen de muren van de fabriek misschien ook enkele vliegen zult zien. Maar er zijn ter compensatie ook hagedissen, die stil ondersteboven aan het plafond hangen en wier kaken aan het schiereiland Kathiawar doen denken ... geluiden hebben er ook op gewacht gehoord te worden: het geborrel van ketels, luid gezang, ruwe verwensingen, grove humor van vrouwen met donzige armen; de spitsneuzige, dunlippige berispingen van opzichters; het alles overstemmende gerinkel van pekelpotjes uit de aangrenzende bottelarij; en geraas van treinen en het gezoem (niet vaak, maar onvermijdelijk) van vliegen ... terwijl sprinkhaangroene chutney uit zijn vat wordt gehaald, om op een schoongeveegd bord met saffraangele en groene biezen langs de rand te worden opgediend, samen met nog een bord dat is opgetast met hapjes van de plaatselijke Irani-winkel; terwijl wat-nu-is-getoond als gewoonlijk doorgaat, en wat-nu-kan-worden-gehoord de lucht vervult (om te zwijgen van wat er te ruiken valt), besef ik, alleen in bed in mijn kantoor, met een schok van ongerustheid dat er uitstapjes worden voorgesteld.

'...Wanneer je sterker bent,' zegt iemand die niet kan worden genoemd, 'een dag in Elephanta, waarom niet, een leuk tochtje met een motorsloep, en al die grotten met zulk mooi snijwerk; of Juhu Beach om te zwemmen en kokosmelk, en kamelenrennen; of Aarey Milk Colony zelfs!...' En Padma: 'Frisse lucht, ja, en de kleine zal het leuk vinden om bij zijn vader te zijn.' En iemand, die mijn zoon op zijn hoofd klopt: 'Nou, natuurlijk gaan we allemaal. Gezellige picknick; gezellig dagje uit. Baba, het zal je goed doen...'

Wanneer de chutney, door een drager gebracht, in mijn kamer arriveert, haast ik me een eind aan deze voorstellen te maken. 'Nee,' weiger ik. 'Ik heb werk te doen.' En ik zie dat er een blik gewisseld wordt tussen Padma en iemand; en ik zie dat mijn achterdocht gerechtvaardigd was. Want ik ben eens eerder met aanbiedingen van picknicks bedrogen! Een keer eerder hebben valse glimlachjes en aanbiedingen van Aarey Milk Colony mij verlokt om uit te gaan en in een auto te stappen en toen, voor ik het wist, waren er handen die mij vastgrepen, er waren ziekenhuisgangen en doktoren en verpleegsters die mij vasthielden terwijl op mijn neus een masker een verdovend middel over mij goot en een stem zei: Tel nu, tel tot tien... Ik weet wat ze van plan zijn. 'Luister,' zeg ik tegen hen, 'ik heb geen doktoren nodig.'

En Padma: 'Doktoren? Wie heeft het over...' Maar zij maakt mij niets wijs; en met een lichte glimlach zeg ik: 'Hier: iedereen: neem wat chutney. Ik heb jullie een paar belangrijke dingen te vertellen.'

En terwijl de chutney – dezelfde chutney die, vroeger in 1957, mijn aya Mary Pereira zo volmaakt had bereid; de sprinkhaangroene chutney die voor altijd verbonden is met die tijd – hen terugvoerde in de wereld van mijn verleden, terwijl chutney hen mild en ontvankelijk maakte, sprak ik tegen hen, vriendelijk, overredend, en door een mengsel van toekruid en welsprekendheid hield ik mezelf uit handen van de verderflijke groene medicijnmannen. Ik zei: 'Mijn zoon zal het begrijpen. Ik vertel mijn verhaal evenzeer voor hem als voor ieder levend wezen, zodat hij het later, wanneer ik mijn strijd tegen barsten heb verloren, zal weten. Moraliteit, oordeel, karakter ... het begint allemaal met het geheugen ... en ik bewaar doorslagen.'

Groene chutney op chilli-pakora's, die door iemands slokdarm verdwijnen; sprinkhaangroen op lauwe chapati's die achter Padma's lippen verdwijnen. Ik zie dat ze beginnen te zwichten, en zet door. 'Ik heb jullie de waarheid verteld,' zeg ik nogmaals, 'het geheugen is waarheid, want het geheugen heeft zijn eigen speciale soort waarheid. Het selecteert, elimineert, verandert, overdrijft, bagatelliseert, verheerlijkt en belastert ook; maar uiteindelijk schept het zijn eigen werkelijkheid, zijn heterogene maar gewoonlijk samenhangende versie van gebeurtenissen; en geen enkel mens die bij zijn volle verstand is vertrouwt ooit de lezing van iemand anders meer dan die van hemzelf.'

Ja: ik zei 'bij zijn verstand.' Ik wist wat ze dachten: 'Een heleboel kinderen verzinnen denkbeeldige vriendjes; maar duizend-en-één! Dat is gewoonweg krankzinnig!' De middernachtskinderen schokten zelfs Padma's geloof in mijn verhaal; maar ik praatte haar om, en nu is er geen sprake meer van uitstapjes.

Hoe ik hen overhaalde: door over mijn zoon te praten, die mijn verhaal moest kennen; door licht te werpen op de werking van het geheugen; en door andere methoden, sommige naïef eerlijk, andere sluw als vossen. 'Zelfs Muhammad,' zei ik, 'dacht eerst dat hij krankzinnig was: denk je dat die gedachte nooit bij mij was opgekomen? Maar de Profeet had zijn Khadija, zijn Abu-Bakr om hem ervan te overtuigen dat zijn roeping echt was; niemand bracht hem door verraad in handen van artsen van een gekkenhuis.' De groene chutney vervulde hen inmiddels met gedachten van jaren geleden; ik zag schuld op hun gezichten verschijnen, en schaamte. 'Wat is waarheid?' Ik werd retorisch: 'Wat is gezond verstand? Is Jezus uit het graf verrezen? Aanvaarden Hindoes niet – Padma – dat de wereld een soort droom is; dat Brahma het universum droomde, en nog droomt; dat wij slechts vaag door dat droomweb heen zien, dat Maya is. Maya,' ik nam een hooghartige belerende toon aan, 'kan worden omschreven als alles dat denkbeeldig is; zoals bedriegerij, kunstgrepen en misleiding. Verschijningen, fantasmagorieën, luchtspiegelingen, vingervlugheid, de ogenschijnlijke vorm der dingen: die maken allemaal deel van Maya uit. Als ik zeg dat er bepaalde dingen zijn gebeurd die jullie, in Brahma's droom verloren, moeilijk te geloven vinden, wie van ons heeft dan gelijk? Neem nog wat chutney,' voegde ik er goedgunstig aan toe, terwijl ik mezelf royaal bediende. 'Het smaakt erg lekker.'

Padma begon te huilen. 'Ik heb nooit gezegd dat ik het niet geloofde,' zei ze huilend. 'Natuurlijk moet iedereen zijn verhaal op zijn eigen ware manier vertellen; maar...'

'Maar,' viel ik haar afdoend in de rede, 'jij wilt toch ook – nietwaar – weten wat er gebeurt? Van de handen die dansten zonder elkaar aan te raken, en de knieën? En later, de vreemde baton van overste Sabarmati, en natuurlijk de Weduwe? En de Kinderen – wat is er van hen geworden?'

En Padma knikte. Dit wat doktoren en krankzinnigengestichten betreft; ik ben met rust gelaten om te schrijven. (Alleen, behalve dat Padma aan mijn voeten zit.) Chutney en welsprekendheid, theologie en nieuwsgierigheid: dat zijn de dingen die redden. En nog een – noem het opvoeding, of klasse-afkomst; Mary Pereira zou het mijn 'opbreng' hebben genoemd. Door mijn vertoon van eruditie en door de zuiverheid van mijn accent, maakte ik dat zij zich onwaardig voelden om over mij te oordelen; niet zo'n nobele daad, maar wanneer de ambulance om de hoek staat te wachten, is alles geoorloofd. (Hij stond er: ik rook het.) Maar toch – ik heb een waardevolle waarschuwing gehad. Het is een gevaarlijke zaak om te proberen jouw kijk op de dingen aan anderen op te dringen.

Padma: als je je een beetje onzeker voelt wat mijn betrouwbaarheid betreft, welnu, een beetje onzekerheid kan geen kwaad. Zelfbewuste mannen doen vreselijke dingen. Vrouwen ook.

Ondertussen ben ik tien jaar oud, en ga ik na hoe ik mij in de kofferbak van mijn moeders auto kan verstoppen.

Dat was de maand waarin Purushottam de sadhu (die ik nooit van mijn innerlijke leven had verteld) uiteindelijk door zijn stationaire bestaan tot wanhoop werd gedreven en de suïcidale hik kreeg die hem een heel jaar teisterde, en hem herhaaldelijk lijfelijk vijf centimeter of meer van de grond tilde, zodat zijn door water kaal geworden hoofd verontrustend tegen de waterkraan botste, en hem ten slotte doodde, zodat hij op een avond tijdens het cocktailuur zijwaarts omviel met zijn benen nog verstrengeld in de lotushouding, en mijn moeders wratten zonder enige hoop op redding achterliet; waarin ik 's avonds vaak in de tuin van Villa Buckingham stond en naar de spoetniks keek die langs de hemel trokken, en mij even verrukt en tegelijkertijd geïsoleerd voelde als de kleine Laika, het eerste en tot nog toe enige hondje dat in de ruimte werd geschoten (Barones Simki von der Heiden, die weldra syfilis zou krijgen, zat naast mij en volgde de heldere stip van Spoetnik II met haar herdershondeogen – het was een tijd van grote hondse belangstelling voor de ruimtewedloop); waarin Evie Burns en haar bende mijn klokketoren bezetten, en waskisten verboden en te klein waren geworden, zodat ik ter wille van geheimhouding en gezond verstand genoodzaakt was mijn bezoeken aan de middernachtskinderen te beperken tot ons eigen, stille uur – ik communiceerde iedere middernacht met hen, en alleen om middernacht, gedurende het uur dat voor wonderen is gereserveerd, dat op de een of andere manier buiten de tijd ligt; en waarin ik – om ter zake te komen – met de getuigenis van mijn eigen ogen het vreselijke besloot te bewijzen dat ik gezien had toen ik voor in mijn moeders gedachten zat. Sinds ik mij in een waskist had verstopt en twee schandalige lettergrepen had gehoord, had ik mijn moeder aldoor van geheimen verdacht; mijn invallen in haar denkprocessen bevestigden mijn vermoedens; zo kwam het dat ik met een harde glans in mijn ogen en een onwrikbare vastberadenheid op een middag na schooltijd Sonny Ibrahim bezocht, met de bedoeling zijn hulp in te roepen.

Ik trof Sonny in zijn kamer aan, omringd door affiches van Spaanse stierevechters, terwijl hij gemelijk op zijn eentje kamercricket speelde. Toen hij me zag riep hij ongelukkig uit: 'Hé, man, ik vind het verdomd spijtig van Evie man ze wil naar niemand luisteren man wat heb je verdomme toch met 'r gedaan?'... Maar ik hield een waardige hand gebiedend omhoog, en verkreeg stilte.

'Daar is nu geen tijd voor, man,' zei ik. 'De kwestie is dat ik moet weten hoe ik sloten kan openen zonder sleutels.'

Een waar feit over Sonny Ibrahim: ondanks al zijn dromen over stierevechten, lag zijn talent op het gebied van mechanische dingen. Hij had nu al enige tijd de taak op zich genomen om alle fietsen in Methwolds Villapark te onderhouden in ruil voor stripverhalen en een gratis voorraad frisdranken. Zelfs Evelyn Lilith Burns vertrouwde haar geliefde Indiafiets aan zijn zorg toe. Alle rijwielen gaven zich, scheen het, gewonnen aan de onschuldige verrukking waarmee hij hun bewegende delen streelde; geen apparaat kon zijn goede zorgen weerstaan. Met andere woorden: Sonny Ibrahim was (uit een geest van pure nieuwsgierigheid) een deskundige geworden in het openen van sloten.

Nu hem een kans geboden werd zijn trouw aan mij te tonen, lichtten zijn ogen op. 'Laat me dat slot maar eens zien, man! Breng me erheen!'

Toen we er zeker van waren dat niemand ons zag, slopen we langs de oprijlaan tussen Villa Buckingham en Sonny's Sans Souci; we stonden achter onze oude Rover; en ik wees op de kofferruimte. 'Dat is 'm,' zei ik. 'Ik moet hem van buiten kunnen openen, maar van binnen ook.'

Sonny's ogen werden groter. 'Hé, wat ben je van plan, man? Loop je van huis weg, zonder dat iemand het weet of zo?'

Met mijn vinger op de lippen trok ik een geheimzinnig gezicht. 'Kan het niet uitleggen, Sonny,' zei ik plechtig. 'Uiterst geheime informatie.'

'Oei, man,' zei Sonny, en liet me in dertig seconden zien hoe je de kofferruimte openmaakt met behulp van een strookje dun roze plastic. 'Neem maar, man,' zei Sonny Ibrahim, 'jij hebt het harder nodig dan ik.'

Er was eens een moeder die er, om moeder te worden, in had toegestemd haar naam te veranderen; die het zich ten doel stelde om stukje-bij-beetje verliefd te worden op haar echtgenoot, maar die er nooit in slaagde om van een deel te houden, dat deel, vreemd genoeg, dat haar moederschap mogelijk maakte; wier voeten strompelden vanwege de wratten en wier schouders gebogen waren onder de toenemende schuld van de wereld; wier mans onbeminnelijke orgaan niet herstelde van de gevolgen van een vorstperiode; en die, evenals haar echtgenoot, ten slotte bezweek voor de geheimen van telefoons en minutenlang naar de woorden luisterde van hen die verkeerde nummers hadden gedraaid... kort na mijn tiende verjaardag (toen ik was hersteld van de koorts die kortgeleden is teruggekomen om mij na een tussenpoos van bijna eenentwintig jaar te teisteren), hervatte Amina Sinai haar recente gewoonte om ineens uit te gaan, en altijd onmiddellijk na een verkeerd nummer, om dringend boodschappen te gaan doen. Maar nu, verscholen in de kofferruimte van de Rover, reisde er een verstekeling met haar mee, die verborgen en beschermd werd door gestolen kussens, met een dun strookje roze plastic in de hand geklemd.

O, het lijden dat je doormaakt in naam van de rechtschapenheid! De kneuzingen en de schokken! Het inademen van rubberachtige kofferruimtelucht door rammelende tanden! En die voortdurende angst ontdekt te worden... 'Veronderstel dat ze werkelijk gaat winkelen? Zal het kofferdeksel plotseling open springen? Zullen er levende kippen in worden gegooid, met samengebonden poten, gekortwiekte vleugels, fladderende, pikkende vogels die mijn schuilplaats binnenvallen? Zal ze het zien, mijn God, ik zal een hele week moeten zwijgen!' Met mijn knieën opgetrokken onder mijn kin – die tegen de botsingen van mijn knieën door een oud verschoten kussen werd beschermd – reed ik in het voertuig van moederlijke perfiditeit het onbekende tegemoet. Mijn moeder was een voorzichtige chauffeuse; ze reed langzaam en nam haar bochten behoedzaam; maar naderhand was ik bont en blauw en Mary Pereira gaf me een uitbrander ondat ik gevochten had: 'Arré God wat een toestand 't is een wonder dat ze je niet helemaal in mekaar hebben geslagen mijn God wat moet er van jou worden jij slechte zwarte jongen jij haddi-phaelwan jij miezerige worstelaar!'

Om mijn gedachten van de schokkende duisternis af te leiden ging ik, uiterst behoedzaam, dat deel van mijn moeders geest binnen dat belast was met chaufferen, en dientengevolge kon ik onze route volgen. (En ook kon ik in mijn moeders meestal nette geest een alarmerende mate van wanorde waarnemen. Ik begon in die tijd de mensen al in te delen aan de hand van hun innerlijke netheid en te ontdekken dat ik de voorkeur gaf aan het rommeliger type, wier gedachten, die voortdurend in elkaar overgingen zodat vóór–beelden van eten de ernstige zaak van de kost verdienen verstoorden en seksuele fantasieën over hun politieke mijmeringen heen werden geprojecteerd, meer verwant waren aan mijn eigen warwinkel van een brein waarin alles in al het andere overliep en de witte stip van bewustzijn als een wilde vlo van het een op het ander oversprong ... Amina Sinai, wier toegewijde ordende instincten haar een brein van bijna abnormale netheid hadden geschonken, was een vreemde rekruut in het leger van verwarring.)

We reden naar het noorden, langs het Breach Candy Ziekenhuis en de Mahalaxmi-tempel, naar het noorden langs Hornby Vellard, langs het Vallabhbhai Patel Stadion en Haji Ali's tombe op een eiland, ten noorden van wat eens (voor de droom van William Methwold-de-eerste werkelijkheid werd) het eiland Bombay was geweest. We waren op weg naar de anonieme massa kazernewoningen en vissersdorpen en textielfabrieken en filmstudio's die de stad in deze noordelijke delen werd (niet ver van hier! Helemaal niet ver van waar ik zit binnen het gezicht van plaatselijke treinen!)... een gebied dat mij in die tijd volkomen onbekend was; ik raakte al snel gedesoriënteerd en moest mezelf toen bekennen dat ik verdwaald was. Eindelijk, in een ongunstig uitziende straat vol met slapers in rioolbuizen en rijwielherstellerszaken en haveloze mannen en jongens, hielden we stil. Groepjes kinderen bestormden mijn moeder toen ze uitstapte; zij, die nog geen vlieg kon verjagen, deelde kleine geldstukken uit, waardoor ze de menigte nog veel groter maakte. Uiteindelijk maakte ze zich van hen los en liep de straat door; een jongetje vroeg: 'Auto poessen, begum? Prima eersteklas poes, begum? Ik pas op auto tot u komt, begum? Ik hele goeie bewaker, vraag maar aan wie u wilt!'... Lichtelijk in paniek wachtte ik op haar antwoord. Hoe kon ik onder de ogen van een bewakend straatjongetje uit deze kofferruimte komen? Het zou hoogst pijnlijk zijn; en bovendien, mijn verschijning zou een sensatie op straat veroorzaken... mijn moeder zei: 'Nee.' Ze liep nu de straat uit; de poetser en bewaker in spe gaf het ten slotte op; er was een ogenblik dat alle ogen zich afwendden om naar een tweede auto te kijken die voorbijreed, voor het geval die ook zou stoppen om een dame uit te laten stappen die geldstukken weggaf alsof het noten waren; en op dat ogenblik (ik had door verschillende ogenparen gekeken om mij te helpen m'n ogenblik te kiezen) volvoerde ik mijn truc met het roze plastic en stond in een oogwenk op straat naast een dicht kofferdeksel. Mijn lippen grimmig opeen klemmend en alle uitgestrekte handpalmen negerend, ging ik de richting uit die mijn moeder was gegaan, een speurder in zakformaat met de neus van een bloedhond en een luide trommel roffelend op de plaats waar mijn hart had behoren te zitten... en kwam enkele ogenblikken later bij Café de Pionier.

Smerige glazen pui; vuile glazen op de tafeltjes – Café de Pionier was niet veel soeps wanneer je het vergeleek met Gaylords en Kwalitys in de chiquere wijken van de stad; een echte gribus met beschilderde borden waarop stond LIEVE LASSI en GRAPPULEUZE FALOODA en BHELPURI BOMBAY MODE, met playback-filmmuziek die uit een goedkope radio bij de kassa schetterde, een lange smalle groenachtige ruimte verlicht door flikkerend neon, een verboden wereld waarin aan met kunstleer overtrokken tafeltjes mannen met afgebroken tanden, verkreukelde kaarten en uitdrukkingsloze ogen zaten. Maar ondanks heel zijn smoezelige gammelheid, was Café de Pionier een schatkamer van vele dromen. Iedere morgen vroeg zat het vol met de best uitziende mislukkingen in de stad, alle goonda's en taxichauffeurs en kleine smokkelaars en tipgevers voor de paarderennen die eens, lang geleden, in de stad waren aangekomen dromend van filmsterrendom, van grotesk vulgaire huizen en betalingen met zwart geld; want de belangrijke studio's stuurden iedere ochtend om zes uur ondergeschikte functionarissen naar Café de Pionier om figuranten voor de opnamen van die dag te engageren. Een halfuur lang iedere morgen, wanneer D.W. Rama Studio's en Filmistan Talkies en R K Films hun keuze maakten, was de Pionier het middelpunt van alle ambities en hoop van de stad; daarna gingen de studioronselaars weg, en het Café liep weer leeg tot zijn gebruikelijke door neon verlichte apathie. Tegen lunchtijd liep een ander stel dromen het Café binnen om de middag over kaarten en Lieflijke Lassi en wrange biri's gebogen door te brengen – andere mensen met andere hoop: ik wist het toen nog niet, maar de Pionier was 's middags een beruchte communistische stamkroeg.

Het was middag; ik zag mijn moeder Café de Pionier binnengaan; omdat ik haar niet durfde volgen, bleef ik op straat staan en drukte mijn neus tegen een hoek met spinnewebben van de smerige vensterruit; de vreemde blikken die op mij werden geworpen negerend – want mijn witte kleren, hoewel ze door de kofferruimte waren bevlekt, waren niettemin gesteven; mijn haar, hoewel door de kofferruimte in de war gemaakt, was goed ingevet; mijn schoenen, stoffig als ze waren, waren toch de gymnastiekschoenen van een welvarend kind – volgde ik haar met mijn ogen terwijl ze aarzelend en door wratten hobbelend, langs gammele tafeltjes en mannen met harde ogen liep; ik zag mijn moeder aan een tafeltje in de schaduw helemaal aan het einde van de smalle grot gaan zitten; en toen zag ik de man die opstond om haar te begroeten.

De huid op zijn gezicht hing neer in plooien die onthulden dat hij eens te zwaar was geweest; zijn tanden waren aangeslagen met paan. Hij droeg een schone witte kurta met Lucknow-werk om de knoopsgaten. Hij had lang haar, dichterlijk lang, dat sluik over zijn oren hing; maar zijn hoofd was bovenop kaal en glanzend. Verboden lettergrepen echoden in mijn oren: Na. Dir. Nadir. Ik besefte dat ik wanhopig wenste dat ik nooit had besloten hier te komen.

Er was eens een ondergrondse echtgenoot die vluchtte, en liefdevolle boodschappen over echtscheiding achterliet; een dichter wiens verzen niet eens rijmden, wiens leven door straathonden werd gered. Na een verloren decennium dook hij van god-weet-waar op, met een huid die loshing ter herinnering aan zijn vroegere corpulentie; en evenals zijn vrouw-die-er-eens-was, had hij een nieuwe naam aangenomen ... Nadir Khan heette nu Qasim Khan, officieel kandidaat van de officiële Communistische Partij van India. Lal Qasim. De Rooie Quasim. Niets is zonder betekenis: blossen zijn niet zonder reden rood. Mijn oom

Hanif zei: 'Pas op voor de communisten!' en mijn moeder werd vuurrood; politiek en emoties waren in haar wangen verenigd ... door het vuile, vierkante glazige filmscherm van het raam van Café de Pionier zag ik hoe Amina Sinai en de niet-langer-Nadir hun liefdesscène acteerden; ze speelden met de absurditeit van oprechte amateurs.

Op de tafel met blad van leerdoek een pakje sigaretten: State Express 555. Getallen hebben ook betekenis: 420, de naam die aan bedriegers wordt gegeven; 1001, het getal van de nacht, van magie, van alternatieve werkelijkheden – een getal geliefd bij dichters, maar verafschuwd door politici, voor wie alle alternatieve versies van de wereld bedreigingen zijn; èn 555, waarvan ik jarenlang geloofde dat het 't sinisterste van alle getallen was, het cijfer van de Duivel, het grote Beest, Shaitan zelf! (Cyrus-de-grote had me dat verteld, en het kwam niet in mijn hoofd op dat hij het mis had. Maar hij had het wel mis: het ware demonische getal is niet 555, maar 666: toch vind ik tot vandaag de dag dat er om de drie vijven een duister aura hangt.)... Maar ik laat me meeslepen. Het is genoeg om te zeggen dat Nadir Qasims geliefde merk de eerder genoemde State Express was; dat het cijfer vijf drie keer op het pakje herhaald werd; en dat de fabrikant ervan W.D. & H.O. Wills was. Daar ik niet in staat was mijn moeder in het gezicht te kijken, concentreerde ik mij op het sigarettenpakje, en ging toen over van halftotaalopname van geliefden naar deze uiterste close-up van nicotine.

Maar nu worden er handen in het beeld zichtbaar – eerst de handen van Nadir-Qasim, hun poëtische zachtheid tegenwoordig enigszins vereelt; handen die flikkeren als kaarsvlammen, naar voren kruipen over het leerdoek, zich dan met een ruk terugtrekken; vervolgens de handen van een vrouw, gitzwart, die langzaam naar voren kruipen als elegante spinnen; handen die omhoog gaan, van tafelblad van leerdoek, handen die boven drie vijven zweven, die hoogst vreemd beginnen te dansen, omhoog, omlaag, om elkaar heen draaien, tussen elkaar door weven, handen die verlangen om aan te raken, handen die zich uitstrekken verstrakken trillen vragen om – maar zich altijd op het laatste ogenblik met een ruk terugtrekken, vingertoppen die vingertoppen vermijden, want waar ik op mijn vuile glazen bioscoopscherm naar kijk is per slot van rekening een Indische film waarin lichamelijk contact verboden is om de kijkende bloem van de Indische jeugd niet te corrumperen; en er zijn voeten onder de tafel en gezichten erboven, voeten die naar voeten toeschuiven, gezichten die zacht naar andere toe buigen, maar ineens met een ruk teruggaan doordat een wrede censor erin heeft geknipt ... twee vreemden, die ieder een filmnaam dragen die niet de naam van hun geboorte is, acteren hun half-ongewilde rollen. Ik verliet de film voor hij was afgelopen om in de kofferbak van de ongepoetste onbewaakte Rover terug te glippen, en wenste dat ik hem niet was gaan zien, niet in staat weerstand te bieden aan het verlangen hem weer helemaal opnieuw te zien.

Wat ik helemaal aan het eind zag: mijn moeders handen die een halfvol glas Lovely Lassi ophief; mijn moeders handen die het glas aan Nadir-Qasim gaven; die ook, aan de andere kant van het glas, zijn eigen dichterlijke mond ertegen drukte. Zo gebeurde het dat het leven slechte kunst navolgde, en de zuster van mijn oom Hanif de erotiek van de indirecte kussen in de groene neon-goorheid van Café de Pionier bracht.

Om de zaak samen te vatten: in de midzomer van 1957, op het hoogtepunt van een verkiezingscampagne, bloosde Amina Sinai onverklaarbaar toen toevallig de Communistische Partij van India werd genoemd. Haar zoon – in wiens turbulente gedachten ruimte over was voor nog een obsessie, omdat een tien jaar oud brein wat voor fixaties ook kan bevatten – volgde haar naar het noorden van de stad, en bespiedde een met pijn gevulde scène van onmachtige liefde. (Nu Ahmed Sinai bevroren was, was Nadir-Qasim seksueel niet eens in het nadeel; in tweestrijd tussen een echtgenoot die zich opsloot in een kantoor en bastaardhonden vervloekte, en een ex-man die eens, liefdevol, spelletjes raak-de-kwispedoor had gespeeld, werd Amina Sinai herleid tot glas-kusserij en hand-dansen.)

Vragen: heb ik, na die keer, ooit nog gebruik gemaakt van de diensten van roze plastic? Ben ik naar het café van figuranten en marxisten teruggegaan? Heb ik mijn moeder geconfronteerd met de snode aard van haar misdrijf – want welke moeder haalt het in haar hoofd – afgezien van wat er eens – onder de ogen van haar enige zoon, hoe kon ze, hoe kon ze, hoe kon ze? Antwoorden: nee; nee; nee.

Wat ik wel deed: als ze 'uit winkelen ging', sloot ik me in haar gedachten. Daar ik er niet meer naar verlangde het bewijs van mijn eigen ogen te verkrijgen, reed ik in mijn moeders hoofd naar het noorden van de stad; in dit onwaarschijnlijke incognito zat ik in Café de Pionier en hoorde gesprekken over de electorale vooruitzichten van Qasim de Rooie; lichaamloos maar volledig aanwezig ging ik achter mijn moeder aan terwijl ze Qasim op zijn ronden vergezelde, naar alle kazernewoningen van het district (waren dat dezelfde chawls die mijn vader kortgeleden had verkocht, zijn huurders aan hun lot overlatend?), terwijl ze hem hielp waterkranen gerepareerd te krijgen en huiseigenaren achter de vodden zat om herstelwerkzaamheden en ontsmettingen in gang te helpen zetten. Amina Sinai bewoog zich onder de armen namens de Communistische Partij – een feit dat nooit naliet haar te verbazen. Misschien deed zij het vanwege de groeiende verarming van haar eigen leven; maar op tienjarige leeftijd was ik niet geneigd veel medeleven te voelen; en op mijn eigen manier begon ik wraakzuchtige dromen te dromen.

Men zegt dat de legendarische kalief Haroen al Rashid zich graag incognito onder de bevolking van Bagdad bewoog; ik, Saleem Sinai, heb ook in het geheim door de achterafstraten van mijn stad gereden, maar ik kan niet zeggen dat ik veel plezier had.

Feitelijke beschrijvingen van het buitenissige en bizarre, en hun omgekeerde, namelijk verhoogde, gestileerde versies van het alledaagse – deze technieken die ook geesteshoudingen zijn, heb ik gelicht – of misschien ingezogen – uit de geduchtste van alle middernachtskinderen, mijn rivaal, mijn mede-wisselkind, de veronderstelde zoon van Kleine Willie Winkie: Shiva-met-de-knieën. Het waren technieken die, in zijn geval, geheel zonder bewust te denken werden toegepast, en dientengevolge schiepen ze een beeld van de wereld van een verbijsterende eenvormigheid, waarin men terloops, in het voorbijgaan als het ware, de afgrijselijke moorden op prostituées kon noemen waar de schandaalpers in die tijd vol van stond (terwijl de lijken de goten vulden), terwijl ze hartstochtelijk stil bleven staan bij de ingewikkelde bijzonderheden van een bepaalde hand kaarten. De dood en verliezen met rummy was voor Shiva allemaal een pot nat; vandaar zijn angstaanjagende, onverschillige gewelddadigheid, die ten slotte ... maar laat ik bij het begin beginnen.

Hoewel ik toegeef dat het mijn eigen schuld is, moet ik zeggen dat u, als u mij zuiver als een radio ziet, slechts de halve waarheid zult begrijpen. Het denken is even vaak beeldend of louter emblematisch als verbaal; en in elk geval, om met mijn collega's in de Middernachtskinderen Conferentie te kunnen communiceren, en hen te kunnen begrijpen, moest ik het verbale stadium snel achter me laten. Wanneer ik in hun oneindig verschillende breinen belandde, was ik genoodzaakt onder het oppervlakkige vernis van gedachten-voor-in-de geest in onbegrijpelijke talen te komen, met het voor de hand liggende (en eerder aangetoonde) gevolg dat ze zich bewust werden van mijn aanwezigheid. Omdat ik mij het dramatische effect herinnerde dat een dergelijk bewustzijn op Evie Burns had gehad, deed ik enige moeite om de schok van mijn intrede te verlichten. In alle gevallen was mijn vaste eerste programma een beeld van mijn gezicht, dat, naar ik hoopte, op een geruststellende, vriendelijke vertrouwenwekkende en leiderachtige manier glimlachte, en van een hand die in vriendschap was uitgestrekt. Er waren, echter, kinderziekten.

Het duurde enige tijd voor ik besefte dat het beeld dat ik van mezelf had zwaar vertekend was door mijn eigen verlegenheid met mijn uiterlijk; zodat het portret dat ik over de gedachtengolven van de natie zond, grijnzend als de Cheshire-kat uit Alice in Wonderland, bijna even afzichtelijk was als een portret maar kon zijn, met een wonderlijk vergrote neus, een volledig niet-bestaande kin en reuzevlekken op iedere slaap. Het is geen wonder dat ik vaak werd begroet door gilletjes van geestelijke consternatie. Ik was ook vaak op dezelfde manier bang van denkbeelden die mijn tien jaar oude medekinderen van zichzelf hadden. Toen we ontdekten wat er gebeurde, moedigde ik de leden van de Conferentie aan, een voor een, om in een spiegel of in een stille waterplas te gaan kijken; en toen lukte het ons erachter te komen hoe we er werkelijk uitzagen. De enige problemen waren ons lid uit Kerala (die, zoals u zich kunt herinneren, door spiegels kon gaan) er per ongeluk door de spiegel van een restaurant in het chiquere deel van New Delhi uit kwam, en haastig de aftocht moest blazen; terwijl het blauwogige lid uit Kasjmir in een meer viel en toevallig van geslacht veranderde, er als meisje ingaand en eruit komend als een mooie jongen.

Toen ik mezelf voor de eerste keer aan Shiva voorstelde, zag ik in zijn geest het angstaanjagende beeld van een kleine jongeman met een rattegezicht met afgevijlde tanden en twee van de grootste knieën die de wereld ooit heeft gezien.

Geconfronteerd met een beeld van dergelijke groteske verhoudingen, liet ik de glimlach op mijn stralende uiterlijk enigszins wegkwijnen; mijn uitgestrekte hand begon te aarzelen en te beven. En Shiva, die mijn aanwezigheid voelde, reageerde eerst met grote razernij; grote ziedende golven van boosheid schroeiden de binnenkant van mijn hoofd; maar toen: 'Hé – kijk – ik ken jou! Jij bent die rijke knaap van Methwolds Villapark, nietwaar?' En ik, even verbaasd: 'Winkies zoon – degene die Oogsnee blind heeft gemaakt!' Zijn zelfbeeld werd opgeblazen van trots. 'Jaaa, jawel, dat ben ik. Niemand rotzooit met mij, man!' Herkenning herleidde mij tot banaliteiten: 'Zo! Hoe gaat het eigenlijk met je vader? Hij komt niet meer...' En hij, met wat sterk als opluchting aanvoelde: 'Hij, man? Mijn vader is dood.'

Heel even stilte; daarna verwondering – geen woede nu – en Shiva: 'Luister, yaar, dit is verdomd goed – hoe doe je dat?' Ik begon aan mijn gebruikelijke verklaring, maar na enkele ogenblikken viel hij me in de rede: 'Zo! Luister, mijn vader zei dat ik ook precies om middernacht geboren ben – dus dat maakt dat wij met ons tweeën de baas zijn van die troep van je vind je ook niet; Middernacht is het beste, akkoord? Dus – die andere kinderen moeten doen wat wij hun zeggen!' Voor mijn ogen rees het beeld op van een tweede, sterkere Evelyn Lilith

Burns ... terwijl ik dit onaardige idee opzij schoof, legde ik uit: 'Dat was niet precies mijn idee voor de Conferentie; ik dacht meer aan een, weet je, een soort losse federatie van gelijken, waar alle gezichtspunten zich vrij kunnen uiten...' Iets dat op een hevig gesnork leek weerkaatste tegen de wanden van mijn hoofd. 'Dat, man, is niets dan flauwekul. Wat moeten we beginnen met zo'n troep? Een troep moet een baas hebben. Neem mij bijvoorbeeld – '(weer die opgeblazen trots) 'ik heb hier in Matunga nou al meer dan twee jaar aan het hoofd van een troep gestaan. Sinds ik acht was. Oudere kinderen en zo. Wat vind je daarvan?' En zonder dat ik het van plan was: 'Wat doet die troep van jou? – heeft ie regels en zo?' Shiva-gelach in mijn oren... 'Ja, kleine rijke jongen: één regel. Iedereen doet wat ik zeg of ik knijp met mijn knieën de stront uit hun lijf!' Wanhopig probeerde ik Shiva tot mijn standpunt over te halen: 'De zaak is dat wij hier moeten zijn met een *doel*, vind je niet? Ik bedoel, er moet een *reden* zijn, daar moet je het toch mee eens zijn? Dus ik dacht, we moeten proberen erachter te komen wat het is, en dan, weet je, onze levens min of meer wijden aan...' 'Rijkeluis jochie,' gilde Shiva, 'je weet nergens ene moer van! Wat voor *doel*, man? Wat voor iets in de hele kolere wereld heeft een *reden*, yara? Om welke reden ben jij rijk en ik arm? Wat voor redelijks zit er in hongerlijden, man? God weet hoeveel miljoenen verdomde stommelingen er in dit land leven, man, en jij denkt dat er een doel is! Man, ik zeg je – je moet zien te krijgen wat je krijgen kunt, ermee doen wat je kunt, en dan moet je sterven. Dat is reden, rijke jongen. Al het andere is alleen maar gelul.'

En nu begon ik, in mijn middernachtelijke bed, te beven... 'Maar de geschiedenis,' zeg ik, 'en de Eerste Minister heeft me een brief geschreven ... en jij gelooft niet eens in ... wie weet wat we zouden kunnen...' Hij, mijn alter ego, Shiva, interrumpeerde: 'Luister jochie – je zit zo vol met kletskoek, dat ik wel zie dat ik het heft in handen moet nemen. Zeg dat maar tegen al die andere verknipte kinderen!'

Neus en knieën en knieën en neus ... aan de rivaliteit die die nacht begon zou nooit een eind komen, tot twee messen jaapten, omlaagomlaagomlaag ... of de geest van Mian Abdullah, die messen jaren eerder hadden gedood, in mij gesiepeld was, en mij had doordrenkt met het idee van ongebonden federalisme en mij kwetsbaar voor messen maakte, weet ik niet; maar op dat punt vond ik een beetje moed en zei tegen Shiva: 'Jij kunt de Conferentie niet zonder mij leiden, ze zullen niet eens naar je kunnen luisteren!'

En hij, de oorlogsverklaring bevestigend: 'Rijkeluisjongen, ze zullen van mij willen weten; probeer me maar eens tegen te houden!'

'Ja,' zei ik tegen hem, 'dat zal ik proberen.'

Shiva, de god van vernietiging, die ook de machtigste godheid is; Shiva, de grootste van alle dansers; die op een stier rijdt; die door geen macht kan worden weerstaan ... de jongen Shiva, vertelde hij ons, had van zijn jeugd af aan moeten vechten om in leven te blijven. En toen zijn vader, ongeveer een jaar daarvoor, zijn zangstem helemaal had verloren, had Shiva zich moeten verdedigen tegen de ouderlijke ijver van Kleine Willie Winkie. 'Hij blinddoekte me, man! Hij bond een vod om mijn ogen en nam me mee naar het dak van de chawl, man! Weet je wat ie in z'n hand had? Een godvergeten hamer, man! Een hamer. De schoft was van plan me m'n benen te breken, man – dat komt voor, rijkeluis jongen, ze doen het kinderen aan opdat ze altijd geld kunnen verdienen met bedelen – je krijgt meer als je helemaal in mekaar geslagen bent, man! Dus word ik omver gegooid tot ik plat op het dak lig, man; en dan – ' En dan zwaait hamer neer naar knieën groter en knobbeliger dan die van welke politieagent ook, een gemakkelijk doelwit, maar nu kwamen de knieën in actie, sneller dan de weerlicht gingen de knieën uit elkaar – voelden de adem van de neerkomende hamer en spreidden zich wijd uit; en toen dook de hamer tussen knieën, nog steeds in de hand van zijn vader; en toen sloten de knieën zich ineens als vuisten. De hamer kletterde onschuldig op beton. De pols van Kleine Willie Winkie, tussen de knieën van zijn geblinddoekte zoon geklemd. Hese ademtochten die van de lippen van de gepijnigde vader ontsnapten. En nog steeds drukken de knieën, drukken, drukken, harder en harder, tot er iets kraakt. 'Brak zijn godvergeten pols, man! Net goed voor hem – verdomd goed, niet? Ik zweer het!'

Shiva en ik werden geboren onder de opkomende Steenbok; het sterrenbeeld liet mij met rust, maar het schonk Shiva zijn gave. De Steenbok is, zoals iedere astroloog u zal vertellen, het hemellichaam met macht over de knieën.

Op de verkiezingsdag, 1957, was het All-India Congres diep geschokt. Hoewel het de verkiezingen had gewonnen, maakten twaalf miljoen kiezers de communisten tot de grootste afzonderlijke oppositiepartij; en in Bombay zetten grote aantallen kiezers, ondanks de pogingen van Boss Patil, hun kruisjes niet voor het congressymbool van heilige-koe-en-zogend-kalf, maar gaven de voorkeur aan de minder op het gemoed werkende afbeeldingen van de Samyukta Maharashtra Samiti en Maha Gujarat Parishad. Toen het communistische gevaar op ons heuveltje besproken werd, bleef mijn moeder blozen; en wij legden ons neer bij de verdeling van de staat Bombay.

Een lid van de Conferentie van de Middernachtskinderen speelde een kleine rol in de verkiezingen. Winkies zogenaamde zoon Shiva werd gerekruteerd door – welnu, misschien zal ik die partij niet noemen; maar er was slechts een partij die werkelijk grote bedragen te besteden had – en op de dag van de verkiezingen kon men hem en zijn groep, die zich de Cowboys noemden, voor een stemlokaal in het noorden van de stad zien staan, sommigen met lange dikke stokken in de hand, anderen jonglerend met stenen, en weer anderen hun tanden met messen schoonmakend, allen het electoraat aanmoedigend om zijn stem met wijsheid en zorg te gebruiken ... en nadat de stembureaus waren gesloten, werden er toen zegels van stembussen verbroken? Werd er met de stembiljetten geknoeid? In elk geval, toen de stemmen werden geteld, ontdekte men dat Qasim de Rooie op een haar na de zetel had gewonnen; en de zetbazen van mijn rivaal waren zeer in hun nopjes.

...Maar nu zegt Padma, mild: 'Welke datum was dat?' En, zonder te denken antwoord ik: 'Ergens in het voorjaar.' En dan komt het bij me op dat ik nog een fout heb begaan – dat de verkiezingen van 1957 vóór en niet na mijn verjaardag werden gehouden; maar hoewel ik mijn hersens heb gepijnigd, weigert mijn geheugen koppig de volgorde van de gebeurtenissen te veranderen. Dit baart mij zorgen. Ik weet niet wat er mis is gegaan.

Zij zegt, in een vergeefse poging om mij te troosten: 'Waarom trek je zo'n lang gezicht? Iedereen vergeet wel eens kleinigheden, voortdurend!'

Maar als kleine dingen verdwijnen, zullen grote dingen daar dan ver bij achterblijven?

Alfa en Omega

Er was beroering in Bombay in de maanden na de verkiezingen; er is beroering in mijn gedachten nu ik die dagen in mijn herinnering terugroep. Mijn vergissing heeft me erg in de war gemaakt; dus zal ik mij nu, om mijn evenwicht te herkrijgen, stevig op het vertrouwde terrein van Methwolds Villapark planten; enerzijds de geschiedenis van de Middernachtskinderen Conferentie, en anderzijds de pijn van Café de Pionier terzijde latend, zal ik u vertellen van de val van Evie Burns.

Ik heb deze episode een wat vreemde titel gegeven. 'Alfa en Omega' staart mij van de bladzijde aan, en vraagt om een verklaring – een wat vreemde titel voor het punt waarop mijn verhaal ten halve zal zijn voltooid, een die riekt naar begin en einde, terwijl je zou kunnen zeggen dat hij meer op het midden betrekking zou moeten hebben; maar zonder berouw te voelen, ik ben niet van plan hem te veranderen, hoewel er vele alternatieve titels zijn, zoals bijvoorbeeld 'Van Aap tot Resus', of 'Vinfer Redux', of – in een dubbelzinniger stijl – 'De Gent', duidelijk een verwijzing naar de mythische vogel, de hamsa of parahamsa, symbool van het vermogen om in twee werelden te leven, de stoffelijke en de geestelijke, de wereld van land-en-water en de wereld van lucht, of vlucht. Maar 'Alfa en Omega' is het en 'Alfa en Omega' blijft het. Omdat er hier dingen beginnen en alle mogelijke dingen eindigen; maar u zult weldra zien wat ik bedoel.

Padma klakt geërgerd met haar tong. 'Je praat weer raar,' kritiseert ze. 'Ga je me nou van Evie vertellen of niet?'

...Na de algemene verkiezingen bleef de centrale regering weifelen over de toekomst van Bombay. De staat zou verdeeld worden; toen weer niet verdeeld; toen weer wel. En wat de stad zelf betrof – die zou de hoofdstad van Maharashtra worden; of zowel van Maharashtra als Gujarat; of een eigen onafhankelijke staat ... terwijl de regering probeerde te beslissen wat zij in hemelsnaam moest doen, besloten de inwoners van de stad haar tot spoed aan te zetten. Onlusten verspreidden zich (en je kon nog altijd het oude strijdlied van de Mahratta's horen – *Hoe maakt u het? Ik maak het goed. Ik zal een stok pakken en je de hel in timmeren!* – dat boven het gekrakeel uitsteeg); en om de zaak nog erger te maken begon het weer ook een woordje mee te spreken. Er heerste een ernstige droogte; wegen scheurden; in de dorpen werden boeren gedwongen hun eigen koeien af te maken; en op eerste kerstdag (welks betekenis geen enkele jongen die een missieschool bezocht en door een katholieke ayah werd verzorgd kon ontgaan) was er een reeks luide explosies in het Walkeshwar-reservoir en de hoofdwaterleidingen, die de levensaders van de stad waren, begonnen als enorme stalen walvissen fonteinen de lucht in te spuiten. De kranten stonden bol van verhalen over saboteurs; speculaties over de identiteit van de misdadigers en hun politieke banden, wedijverden om ruimte met berichten over de aanhoudende golf van hoerenmoorden. Het interesseerde me vooral te vernemen dat de moordenaar zijn eigen vreemde 'signatuur' had. De lijken van de vrouwen van de nacht waren alle gewurgd; er zaten kneuzingen op de nek, kneuzingen die te groot waren om duimafdrukken te zijn, maar geheel in overeenstemming met de afdrukken die door een paar reusachtige, onnatuurlijk sterke knieën zouden worden achtergelaten.)

Maar ik dwaal af. Wat, vraagt Padma's frons, heeft dit allemaal met Evelyn Lilith Burns te maken? Terwijl ik als het ware ogenblikkelijk in de houding spring, geef ik het antwoord: in de dagen na de vernietiging van de drinkwatervoorziening van de stad, begonnen de zwerfkatten van Bombay zich in die gebieden van de stad te verzamelen waar water nog betrekkelijk overvloedig was; dat wil zeggen, de welgesteldere wijken, waar elk huis zijn eigen boven- of ondergrondse watertank had. En dientengevolge kreeg het twee verdiepingen hoge heuveltje van Methwolds Villapark een invasie van een leger dorstige katachtigen; katten zwermden door de hele circuspiste, katten klommen in bougainvillearanken en sprongen zitkamers binnen, katten gooiden bloemvazen omver om het door planten verschaalde water te drinken, katten bivakkeerden in badkamers, vocht uit wc's slurpend, katten teugelloos in de keukens van de paleizen van William Methwold. De bedienden van het Villapark werden overmeesterd bij hun pogingen om de grote katteninvasie af te slaan; de dames van het Villapark konden slechts hulpeloze uitroepen van afgrijzen slaken. Harde droge wormen van kattenuitwerpselen lagen overal; tuinen werden louter door het aantal katten geruïneerd: en het werd onmogelijk om 's nachts te slapen wanneer het leger zijn stem verhief en zijn dorst tegen de maan uitzong. (Barones Simki von der Heiden weigerde de katten te bestrijden; zij vertoonde al tekenen van de ziekte die weldra tot haar verdelging zou leiden.)

Nussie Ibrahim belde mijn moeder om aan te kondigen: 'Amina, zuster, dit is het einde van de wereld.'

Ze had het mis; want op de derde dag na de grote katteninvasie, ging Evelyn Lilith Burns alle huizen in het Villapark langs, haar Daisy luchtdrukpistool losjes in een hand houdend, en bood aan tegen betaling van een premie ogenblikkelijk een einde aan de poesjesplaag te maken.

Die hele dag weerschalde Methwolds Villapark van de geluiden van Evies luchtdrukpistool en het hartverscheurende gekrijs van katten, terwijl Evie het hele leger een voor een besloop en zich verrijkte. Maar (zoals de geschiedenis zo vaak aantoont) het ogenblik van je grootste triomf bevat tevens de kiem voor je grootste val; en dat bleek ook zo te zijn, want Evies achtervolging van de katten was, voor zover het de Brutale Aap betrof, absoluut de druppel die de emmer deed overlopen.

'Broer,' zei de Aap grimmig tegen me, 'ik heb je gezegd dat ik dat meisje nog wel zou krijgen; nu, op dit moment, is de tijd gekomen.'

Niet te beantwoorden vragen: was het waar dat mijn zuster zich zowel de taal van katten als van vogels eigen had gemaakt? Was het haar liefde voor het katachtige leven die haar dat laatste duwtje gaf? ... ten tijde van de grote katteninvasie was het haar van de Aap tot bruin verkleurd; ze had gebroken met haar gewoonte om schoenen te verbranden; maar toch, en om welke reden ook, school er een felheid in haar die geen van (de anderen van) ons ooit bezat; en ze ging naar de circuspiste en gilde zo hard ze kon: 'Evie! Evie Burns! Kom hier, nu meteen, waar je ook zit!'

Omringd door vluchtende katten, wachtte de Aap op Evelyn Burns. Ik ging naar buiten op de veranda van de eerste verdieping om te kijken; van hun veranda's keken Sonny en Oogsnee en Haarolie en Cyrus ook. Wij zagen Evie Burns uit de richting van de keukens van Villa Versailles komen; ze blies de rook weg van de loop van haar pistool.

'Jullie Indiërs mogen wel dankbaar zijn dat ik in de buurt ben,' verklaarde Evie, 'anders zouden jullie gewoon door die katten zijn opgevreten!'

We zagen dat Evie ineens zweeg toen ze dat onbestemde iets gespannene in de ogen van de Aap zag; en toen ging de Aap, als een waas, op Evie af en er begon een gevecht dat, zo leek het, uren duurde (hoewel het slechts een paar minuten kunnen zijn geweest). Gehuld in het stof van de circuspiste rolden schopten krabden beten ze, plukjes haar vlogen uit de stofwolk omhoog en er waren ellebogen en voeten in bevuilde witte sokken en knieën en flarden jurk die uit de wolk vlogen; volwassenen kwamen aanrennen, bedienden konden hen niet uit elkaar trekken, en ten slotte richtte de tuinman van Homi Catrack zijn slang op hen om hen te scheiden ... de Brutale Aap stond een beetje krom op en schudde de kletsnatte zoom van haar jurk, en schonk geen aandacht aan de kreten van vergelding die over de lippen van Amina Sinai en Mary Pereira kwamen; want daar in het drijfnat gespoten stof van de piste lag Evie Burns, haar tandbeugel gebroken, haar haar plakkerig van stof en spuug, haar geest en heerschappij over ons voor eens en voor altijd gebroken.

Een paar weken later stuurde haar vader haar voorgoed naar huis: 'Om een behoorlijke opvoeding te krijgen weg van deze wilden,' hoorde men hem opmerken; ik hoorde slechts een keer van haar, zes maanden later, toen ze mij volkomen onverwacht de brief schreef om mij mee te delen dat ze een oude dame, die haar afkeuring had doen blijken toen ze een kat had aangevallen, met een mes had gestoken. 'Ik heb haar er behoorlijk van langs gegeven,' schreef Evie, 'zeg maar tegen je zuster dat ze puur geluk heeft gehad.' Ik groet die onbekende oude vrouw: zij betaalde de rekening van de Aap.

Belangwekkender dan Evies laatste boodschap is een gedachte die nu bij me opkomt terwijl ik door de tunnel van de tijd terugblik. Wanneer ik me het beeld van Aap en Evie die in het stof liggen te rollen voor ogen houd, schijn ik de stuwende kracht achter hun strijd op leven en dood te onderscheiden, een drijfveer die veel dieper gaat dan alleen maar de vervolging van katten: ze vochten om mij. Evie en mijn zuster (die in vele opzichten helemaal niet zo sterk verschilden) schopten en krabden zogenaamd vanwege het lot van een stelletje dorstige zwerfkatten; maar misschien waren Evies schoppen wel voor mij bedoeld, misschien vertegenwoordigden zij de hevigheid van haar woede dat ik haar hoofd was binnengevallen; en dan was de kracht van de Aap misschien wel de kracht van zusterlijke trouw en haar oorlogsdaad was eigenlijk een daad van liefde.

Er vloeide dus bloed in de circuspiste. Nog een afgekeurde titel voor deze bladzijden – u mag dat gerust weten – was 'Het Bloed Kruipt Waar Het Niet Gaan Kan'. In die tijd van waterschaarste vloeide er iets dat dikker was dan water langs het gezicht van Evie Burns; de trouw van het bloed motiveerde de Aap; en in de straten van de stad vergoten oproerkraaiers elkaars bloed. Er werden bloedige moorden gepleegd, en misschien is het niet gepast om een einde aan deze bloedige catalogus te maken door, opnieuw, het bloed te noemen dat naar mijn moeders wangen steeg. Twaalf miljoen stemmen waren dat jaar rood gekleurd, en rood is de kleur van bloed. Weldra zal er nog meer bloed vloeien: de bloedsoorten A en O, Alfa en Omega – en nog een mogelijkheid, een derde – moet in gedachten worden gehouden. Ook andere faktoren: zygose, en Kell-antistoffen, en het geheimzinnigste van alle bloederige attributen bekend als resus, dat ook een soort aap is.

Alles heeft vorm, als je ernaar zoekt. Aan vorm valt niet te ontkomen.

Maar voordat bloed aan de beurt komt, zal ik opwieken (als de parahamsa gent die van het ene element in het andere kan zweven) en, heel even, terugkeren naar de zaken van mijn innerlijke wereld; want hoewel de val van Evie Burns een eind maakte aan mijn doodverklaring door de kinderen van de heuveltop, vond ik het nog steeds moeilijk om te vergeven; en een tijdlang, terwijl ik op mijn eentje bleef en me afzijdig hield, dompelde ik mij onder in de gebeurtenissen in mijn hoofd, in de vroegste geschiedenis van het verbond van de middernachtskinderen.

Eerlijk gezegd mocht ik Shiva niet. Ik hield niet van de ruwheid van zijn taal, de grofheid van zijn denkbeelden; en ik begon hem te verdenken van een reeks vreselijke misdaden – hoewel ik met geen mogelijkheid enig bewijs in zijn gedachten kon vinden, omdat hij, als ènige van de middernachtskinderen, elk deel van zijn gedachten dat hij voor zich wilde houden voor mij kon afsluiten – hetgeen op zichzelf mijn groeiende afkeer voor en verdenking jegens die jongen met het rattegezicht er niet minder op maakte. Je kon echter niet van me zeggen dat ik niet eerlijk was; en het zou niet eerlijk zijn geweest om hem afzijdig te hebben gehouden van de andere leden van de Conferentie.

Ik moet uitleggen dat ik, naarmate mijn geestelijke vermogen toenam, merkte dat het niet alleen mogelijk was om de uitzendingen van de kinderen op te vangen; het was niet alleen mogelijk om mijn eigen boodschappen uit te zenden; maar ook (aangezien ik aan deze radiobeeldspraak schijn vast te zitten) dat ik als een soort nationale zender kon fungeren, zodat ik, door mijn getransformeerde geest voor alle kinderen open te stellen, die tot een soort forum kon maken waarin ze door middel van mij met elkaar konden spreken. Dus, aan het begin van 1958, plachten de vijfhonderdtachtig kinderen gedurende een uur, tussen middernacht en één uur v.m., bijeen te komen in de lok sabha of het parlement van mijn brein.

We waren even bont, rauw, en ongedisciplineerd als welk stel vijfhonderdeenentachtig tienjarigen ook; en behalve onze natuurlijke uitbundigheid, was er de opwinding dat we elkaar ontdekt hadden. Na een uur van keihard gegil gekakel getwist gegiechel, viel ik dan uitgeput in een slaap die te diep was voor nachtmerries, en toch werd ik wakker met hoofdpijn; maar dat vond ik niet erg. Wakker was ik genoodzaakt het hoofd te bieden aan de meervoudige ellenden van moederlijke trouweloosheid en vaderlijk verval, van de wispelturigheid van de vriendschap en de verschillende tirannieën op school; slapend was ik het middelpunt van de opwindendste wereld die een kind ooit ontdekt heeft. Ondanks Shiva was het prettiger om in slaap te zijn.

Shiva's overtuiging dat hij (of hij-en-ik) de natuurlijke leider van onze groep was vanwege zijn (en mijn) geboorte om klokslag middernacht had, ik kon niet anders dan het toegeven, één sterk argument dat daarvoor pleitte. Het scheen mij toen toe – het schijnt mij nu toe – dat het middernachtelijke wonder werkelijk opmerkelijk hiërarchisch van aard was geweest, dat de vermogens van de kinderen opvallend afnamen naarmate de afstand tussen het tijdstip van hun geboorte en middernacht groter was; maar zelfs dit was een gezichtspunt dat hevig omstreden werd... 'Watbedoeljehoekunjedatzeggen,' zeiden ze in koor, de jongen uit het Gir-woud wiens gezicht volkomen uitdrukkingsloos en vlak was (met uitzondering van ogen neusgaten ruimtevoormond) en zich elk gezicht kon aanmeten dat hij wilde, en Harilal die kon hardlopen met de snelheid van de wind, en God weet hoevele anderen... 'Wie zegt dat het beter is om het ene of het andere te doen?' En: 'Kun jij vliegen? Ik kan *vliegen*!' En: 'Jaaa, en ik, kun jij van één vis vijftig vissen maken?' En· 'Vandaag ben ik morgen gaan bezoeken. Kun jij dat? Nou dan – '... tegenover zo'n storm van protest sloeg zelfs Shiva een andere toon aan; maar hij zou een nieuwe vinden, die veel gevaarlijker zou zijn – gevaarlijker voor de Kinderen, en voor mij.

Want ik had gemerkt dat ik niet immuun was voor de verlokkingen van het leiderschap. Trouwens, wie had de Kinderen gevonden? Wie had de Conferentie opgericht? Wie verschafte hun hun vergaderruimte? Was ik niet een van de twee oudsten, en behoorde ik niet de eerbied en hulde te krijgen die mij vanwege mijn anciënniteit toekwamen? En was het niet zo dat degene die het clubhuis verschafte de club ook leidde?... Waarop Shiva zei: 'Vergeet dat allemaal maar, man. Dat clubgedoe is alleen voor jullie rijke jongens!' Maar – een tijdlang – werd hij overstemd. Parvati-de-heks, de goochelaarsdochter uit Delhi, nam het voor mij op (net zoals zij, jaren later, mij het leven zou redden), en deelde mee: 'Nee, luister nu, iedereen: zonder Saleem zijn we nergens, we kunnen niet praten of iets, hij heeft gelijk. Laat hem de baas zijn!' En ik: 'Nee, laat dat *baas* maar, beschouw me alleen maar als een ... een grote broer, misschien. Ja; wij zijn een soort familie. Ik ben alleen de oudste, ik.' Waarop Shiva minachtend, maar zonder te kunnen tegenspreken, zei: 'Goed dan, broer: vertel ons dan nu maar wat we moeten doen.'

Op dit punt bracht ik de Conferentie op de hoogte van de ideeën die mij al die tijd bezighielden: de ideeën van doel en betekenis. 'Wij moeten nadenken over waarvoor wij bestaan,' zei ik.

Ik leg, getrouw, de meningen vast van een typische selectie van de leden van de Conferentie (met uitzondering van de circusmonstertjes en degenen die, zoals Sundari het bedelaresje met de littekens van het mes, hun vermogens hadden verloren, en geneigd waren te zwijgen tijdens onze debatten, als arme bloedverwanten op een feest): tot de filosofieën en doelstellingen die werden voorgesteld behoorden collectivisme – 'We zouden allemaal moeten samenkomen en ergens wonen, niet? Wat zouden wij van iemand anders nodig hebben?' – en individualisme 'Jij zegt wij; maar wij samen zijn onbelangrijk; wat erop aankomt is dat elk van ons een gave bezit die hij of zij ten eigen bate moet gebruiken' – kinderplicht – 'Hoe wij onze vader en moeder kunnen helpen, dat is hetgene dat wij moeten doen' – en kinderrevolutie – 'Nu moeten alle kinderen eindelijk laten zien dat het mogelijk is om je van je ouders te ontdoen!' – kapitalisme – 'Denk je eens in wat voor zaken we zouden kunnen doen! Hoe rijk, Allah, we zouden kunnen worden! – en altruïsme – 'Ons land heeft begaafde mensen nodig; we moeten de regering vragen hoe zij onze vaardigheden wenst te gebruiken' – wetenschap – 'We moeten onszelf bestuderen' en religie – 'Laten we ons zelf aan de wereld verkondigen, zodat allen zich mogen verheerlijken in God' – moed – 'We zouden Pakistan moeten binnenvallen!' – en lafheid – 'O hemel, we moeten ons bestaan geheim houden, denk je eens in wat ze ons zullen aandoen, ons stenigen vanwege hekserij of wat-al-niet!'; er waren declaraties over de rechten van de vrouw en pleidooien voor de verbetering van het lot van de onreinen; kinderen zonder land droomden van land en stamleden uit de heuvels van jeeps; en er waren ook fantasieën over macht. 'Ze kunnen ons niet tegenhouden, man! Wij kunnen beheksen, en vliegen, en gedachtenlezen, en ze in kikkers veranderen, en goud en vissen maken, en ze zullen verliefd op ons worden, en wij kunnen door spiegels verdwijnen en ons geslacht veranderen ... hoe zullen ze kunnen vechten?'

Ik zal niet ontkennen dat ik teleurgesteld was. Dat had ik niet behoren te zijn; er was behalve hun gaven niets ongewoons aan de kinderen; hun hoofden zaten vol met al de gebruikelijke zaken, vaders moeders geld eten land bezittingen roem macht God. Nergens kon ik in de gedachten van de Conferentie iets vinden dat zo nieuw was als wij zelf ... maar ik zat dan ook op het verkeerde spoor; ik kon niet duidelijker zien dan iemand anders; en zelfs toen Soumitra, de tijdreiziger, zei: 'Ik zeg je – dit alles heeft geen zin – ze zullen een eind aan ons maken voor we beginnen!' schonk geen van ons aandacht aan hem; met het optimisme van de jeugd – hetgeen een gevaarlijker vorm is van dezelfde ziekte die eens mijn grootvader Aadam Aziz aanstak – weigerden wij de schaduwzijde te zien, en niet een van ons opperde dat het doel van de Middernachtskinderen vernietiging zou kunnen zijn; dat wij pas iets zouden betekenen als wij vernietigd waren.

Ter wille van hun privacy weiger ik de stemmen van elkaar te onderscheiden; en ook om andere redenen. Enerzijds zou mijn verhaal geen vijfhonderdeenentachtig volledig afgeronde persoonlijkheden kunnen bevatten; anderzijds bleven de kinderen, ondanks hun wonderbaarlijke afzonderlijke en uiteenlopende gaven, naar mijn mening, een soort veelkoppig monster, dat in de myriaden talen van Babel sprak; zij waren de volstrekte essentie van menigvuldigheid, en ik zie er het nut niet van in om hen nu te verdelen. (Maar er waren uitzonderingen. In het bijzonder was er Shiva; en er was Parvati-de-heks.)

...Noodlot, historische rol, scheppend vermogen: dit waren happen die te groot waren voor tien jaar oude slokdarmen. Zelfs, misschien, voor de mijne; ondanks de altijd aanwezige waarschuwingen van de wijzende vinger van de visser en de brief van de Eerste Minister, werd ik voortdurend van mijn door snuiven geschonken wonderen door de kleine gebeurtenissen van alledag afgeleid, doordat ik me hongerig of slaperig voelde, door apestreken uit te halen met de Aap, of naar de bioscoop te gaan om *Cobravrouw* of *Vera Cruz* te zien, door mijn groeiende verlangen naar een lange broek en door de onverklaarbare hitte-onder-de-gordel die werd opgewekt door het naderende schoolfeest waarop wij, de jongens van de Cathedral and John Connon Jongensschool de box-step en de Mexicaanse Hoedendans zouden mogen dansen met de meisjes van onze zusterinstelling – zoals Masha Miovic, de kampioen borstslagzwemster ('Hi hi,' zei Klierige Keith Colaco) en Elizabeth Purkiss en Janey Jackson – Europese meisjes, mijn God, met wijde rokken en een manier van kussen! – kortom, mijn aandacht werd voortdurend in beslag genomen door de pijnlijke, alles beheersende marteling van het opgroeien.

Zelfs een symbolische gent moet, ten slotte, naar de aarde neerdalen; dus is het bij lange na niet genoeg voor me (zoals het toen was) om mijn verhaal tot zijn wonderbaarlijke aspecten te beperken; ik moet terugkeren (zoals ik placht terug te keren) tot het alledaagse; ik moet toestaan dat er bloed vloeit.

De eerste verminking van Saleem Sinai, die snel door de tweede werd gevolgd vond plaats op een woensdag aan het begin van 1958 – de woensdag van het met gespannen verwachtingen tegemoet geziene schoolfeest – onder auspiciën van de Anglo-Schotse Onderwijsvereniging. Dat wil zeggen, het gebeurde op school.

Saleems aanvaller: knap, fanatiek, met de verwilderde snor van een barbaar: ik stel u voor aan de springerige, aan de haren trekkende figuur van mijnheer Emil Zagallo, die ons aardrijkskunde en gymnastiek onderwees en die, op die ochtend, onbedoeld de crisis van mijn leven verhaastte. Zagallo beweerde dat hij Peruviaan was, en noemde ons graag jungle-Indiërs, kralenliefhebbers; hij hing een plaat van een ernstige, bezwete soldaat met een puntige tinnen helm en metalen spanbroek boven zijn schoolbord en had er een handje van om er in tijden van spanning en geschreeuw met een vinger naar te wijzen, terwijl hij uitriep: 'Zien jullie 'm, jullie wilden? Die man ies beschaving! Betonen 'm eerbied, jullie; hij heeft een *zwaard*!' En dan zwiepte hij met zijn rottinkje door de door stenen wanden omsloten lucht. Wij noemden hem Pagal-Zagal, gekke Zagallo, omdat wij, ondanks al zijn gepraat over lama's en conquistadores en de Stille Oceaan, met de absolute zekerheid van het gerucht wisten dat hij in een kazerneflat in Mazagao was geboren en zijn Goanese moeder door een scheepsagent die zijn biezen had gepakt in de steek was gelaten; dus was hij niet alleen een 'Anglo' maar waarschijnlijk ook een bastaard. Dit wetende begrepen wij waarom Zagallo zich een Latijns accent had aangemeten, en ook waarom hij altijd woedend was, waarom hij met zijn vuisten tegen de stenen muren van het klaslokaal sloeg; maar die wetenschap belette ons niet bang te zijn. En deze woensdagmorgen wisten we dat ons moeilijkheden te wachten stonden, aangezien Kathedraal Facultatief was afgelast.

Het dubbele uur op woensdagmorgen was Zagallo's aardrijkskundeles; maar alleen idioten en jongens met dweperige ouders gingen er heen, omdat het ook de tijd was waarop wij als we dat wilden twee aan twee naar de St.-Thomaskathedraal konden gaan, een lange sliert jongens van alle denkbare geloofsrichtingen, die van school ontsnapten naar de boezem van de zorgzame facultatieve God van de Christenen. Het maakte Zagallo woest, maar hij kon er niets aan veranderen; vandaag echter was er een donkere glans in zijn ogen, omdat de Krasser (dat wil zeggen, mijnheer Crusoe de hoofdonderwijzer) op de ochtendbijeenkomst had aangekondigd dat Kathedraal was afgelast. Met een dorre, krasserige stem die uit zijn gezicht als dat van een genarcotiseerde kikvors kwam, veroordeelde hij ons tot een dubbele aardrijkskundeles en Pagal-Zagal, wat ons allen overrompelde, omdat wij niet hadden beseft dat het God ook was toegestaan een keus te maken. Somber marcheerden we Zagallo's hol binnen; een van die arme idioten die van zijn ouders nooit naar de Kathedraal mocht, fluisterde venijnig in mijn oor: 'Wacht maar jij: hij zal jullie vandaag goed te grazen nemen.'

Padma: hij deed het werkelijk.

Sip in de klas zittend: Klierige Keith Colaco, Dikke Perce Fishwala, Jimmy Kapadia, de jongen met de studiebeurs wiens vader taxichauffeur was, Haarolie Sabarmati, Sonny Ibrahim, Cyrus-de-grote en ik. En nog anderen, maar daar is nu geen tijd voor, want met ogen die zich van verrukking tot spleten vernauwen, roept gekke Zagallo ons tot de orde.

'Menselijke aardrijkskunde,' kondigt Zagallo aan. 'Diet ies *wat*? Kapadia?'

'Neem me niet kwalijk meneer weet niet meneer.' Handen vliegen de lucht in – vijf behoren toe aan idioten die niet naar de kerk mogen, de zesde onvermijdelijk aan Cyrus-de-grote. Maar Zagallo wil vandaag bloed zien: de vromen zullen boeten. 'Vuns uit de jungle,' bijt hij Jimmy Kapadia toe, en begint dan achteloos aan een oor te draaien. 'Blijf maar eens na en zorg dat je erachter komt!'

'Au au au ja meneer spijt me meneer...' Zes handen wuiven maar Jimmy's oor loopt het gevaar los te raken. Ik word door heldhaftigheid overmand... 'Meneer hou op alsjeblieft hij heeft het aan zijn hart meneer!' Hetgeen waar is; maar de waarheid is gevaarlijk, want nu keert Zagallo zich plotseling tegen mij: 'Zo, een kleine tegenspreker, ies het?' En ik word bij mijn haar voor de klas geleid. Onder de opgeluchte blikken van mijn medeleerlingen – *god zij dank dat hij het is en niet wij* – kronkel ik in helse pijn onder gevangen plukjes haar.

'Beantwoord de vraag dan maar. Weet jij wat ies menselieke aardrijkskunde?'

Pijn vervult mijn hoofd, en wist alle denkbeelden aan telepathisch bedrog uit. 'Ai meneer nee meneer au!'

...En nu kun je zien dat Zagallo een grap invalt, een grap die zijn gezicht uit elkaar trekt ter nabootsing van een glimlach; men kan zijn hand naar voren zien schieten, duim en wijsvinger uitgestrekt; zien hoc duim-en-wijsvinger zich om mijn neus sluiten en naar beneden trekken ... waar de neus voorgaat moet het hoofd volgen, en ten slotte hangt de neus omlaag en mijn ogen moeten wel vochtig naar de in sandalen gestoken voeten van Zagallo met hun vuile teennagels kijken terwijl Zagallo zijn geestigheid de vrije loop laat.

'Kijk, jongens – zie je wat we hier hebben? Bekijk, alsjeblieft, het afziechtelijke gezicht van diet primitieve schepsel. Waar doet het jullie aan denken?'

En de enthousiaste antwoorden: 'Meneer de duivel meneer' 'Meneer een neef van me!' 'Nee meneer een soort groente meneer, ik weet niet wat.' Tot Zagallo boven de herrie uit schreeuwt: 'Stilte! Bavianenzonen! Diet voorwerp hier' – een ruk aan mijn neus – '*diet* ies menselijke aardrijkskunde!'

'Hoe bedoelt u meneer wat meneer?'

Zagallo lacht nu. 'Zien jullie het niet?' brult hij van het lachen. 'Zien jullie in het gezicht van deze lelijke aap niet de hele landkaart van *India*?'

'Ja meneer nee meneer laat ons eens zien meneer.'

'Kijk hier – het schiereiland Deccan dat omlaag hangt!' Opnieuw aumeneus.

'Meneer meneer als dat de landkaart van India is wat zijn die vlekken dan meneer?' Het is Klierige Keith Colaco die zich stoutmoedig voelt. Gegrinnik, gegiechel van mijn vriendjes. En Zagallo, die de vraag terloops afdoet: 'Die vlekken,' roept hij uit, 'zijn Pakistan! Deze moedervlek op het rechteroor ies het Oostelijk Deel; en deze afschuwelijk gevlekte linkerwang het Westelijke! Vergeet niet, stomme jongens: Pakistan ies een vlek op het gezicht van India.'

'Ha ha,' lacht de klas, 'absoluut meesterlijke grap, meneer!'

Maar nu heeft mijn neus genoeg te verduren gehad; hij organiseert zijn eigen niet aangemoedigde revolutie tegen de grijpende duim-en-wijsvinger en lanceert een eigen wapen ... een grote bel glanzend snot komt uit de linkerneusvleugel te voorschijn en ploept in de handpalm van meneer Zagallo. De Dikke Perce Fishwala gilt: 'Kijk dat 'ns, meneer! Die droppel aan zijn neus, meneer! Moet die misschien *Ceylon* voorstellen?'

Nu zijn handpalm met slijm is besmeurd, verliest Zagallo zijn snaakse humeur. 'Beest,' vloekt hij tegen me, 'zie je wat je doet?' Zagallo's hand laat mijn neus los; gaat terug naar het haar. Neusvuil wordt in mijn keurig gescheiden lokken gewreven. En nu wordt mijn haar opnieuw beetgepakt, opnieuw trekt de hand ... maar nu omhoog, en mijn hoofd is overeind gerukt, mijn voeten gaan op hun tenen staan, en Zagallo: 'Wat ben je? Zeg me wat je bent!'

'Meneer een beest meneer!'

De hand trekt harder en hoger. 'Nog eens!' Nu op de nagels van mijn tenen staande, piep ik: 'Ai meneer een beest een beest alsjeblieft meneer ai!'

En nog harder en nog hoger... 'Nog eens!' Maar plotseling komt er een eind aan; mijn voeten staan weer plat op de grond; en de klas is in een doods zwijgen vervallen.

'Meneer,' zegt Sonny Ibrahim, 'u hebt zijn haar uitgetrokken, meneer.'

En nu de kakofonie: 'Kijk meneer, bloed.' 'Hij bloedt meneer.' 'Zal ik hem naar de verpleegster brengen, meneer?'

Meneer Zagallo stond als een standbeeld met een bosje van mijn haar in zijn vuist. Terwijl ik – te geschokt om enige pijn te voelen – de plek op mijn hoofd bevoelde waar meneer Zagallo een monniksachtige tonsuur had gemaakt, een cirkel waar nooit meer haar zou groeien, en besefte dat de vloek van mijn geboorte, die mij aan mijn land verbond, erin was geslaagd zich nog een keer onverwacht uit te drukken.

Twee dagen later maakte Krasser Crusoe bekend dat meneer Emil Zagallo helaas om persoonlijke redenen het lerarencorps zou verlaten; maar ik wist wat die redenen waren. Mijn ontwortelde haren waren aan zijn handen blijven kleven als bloedvlekken die niet konden worden weggewassen, en niemand wil een leraar met haar op zijn handpalmen, 'Het eerste teken van waanzin,' zoals Klierige Keith graag zei, 'en het tweede teken is wanneer je ernaar zoekt.'

Zagallo's erfenis: de tonsuur van een monnik; en, nog erger, een hele reeks nieuwe spotternijen die mijn klasgenoten me toeslingerden terwijl zij op schoolbussen wachtten om ons naar huis te brengen om ons te kleden voor het schoolfeest: 'Snotneus is een kaalkop!' en 'Snuiver heeft een landkaartgezicht!' Toen Cyrus in de rij voor de bus arriveerde, probeerde ik de menigte tegen hem op te zetten, door te pogen een lied aan te heffen van 'Cyrus-de-grote klier, Geboren op een schotel In negentientachtig en vier,' maar niemand ging erop in.

Zo komen we bij de gebeurtenissen van het feest van de Cathedral School. Waarop bullebakken werktuigen van het noodlot werden, en vingers veranderden in fonteinen, en Masha Miovic, de legendarische borstslagzwemster, een diepe flauwte kreeg... Ik kwam op het feest aan met het verband van de zuster nog op mijn hoofd. Ik was laat, want het was niet gemakkelijk geweest mijn moeder over te halen mij te laten gaan; dus tegen de tijd dat ik de aula binnenkwam, onder guirlandes en ballonnetjes en de beroepsmatige achterdochtige blikken van magere vrouwelijke chaperonnes, waren al de beste meisjes al aan het box-steppen en de Mexicaanse Hoedendans aan het doen met belachelijk zelfingenomen partners. Natuurlijk hadden de oudere jongens de dames maar voor het kiezen; ik sloeg hen met intense afgunst gade, Guzder en Joshi en Stevenson en Rushdie en Talyarkhan en Tayabali en Jussawalla en Waglé en King; ik probeerde ertussen te komen tijdens het aftikken, maar wanneer ze mijn verband en mijn komkommer van een neus en de vlekken op mijn gezicht zagen, lachten ze alleen maar en keerden mij de rug toe ... terwijl haat in mijn boezem ontbotte, at ik chips en dronk Bubble-Up en Vimto en hield mezelf voor: 'Die zakken; als ze wisten wie ik was zouden ze verdomd vlug maken dat ze uit mijn buurt kwamen!' Maar toch was de angst om mijn ware aard te onthullen sterker dan mijn enigszins abstracte verlangen naar de ronddwarrelende Europese meisjes.

'Hé, Saleem, nietwaar? Hé man, wat is er met jou gebeurd?' Ik werd uit mijn bittere, eenzame overpeinzingen gehaald (zelfs Sonny had iemand om mee te dansen; maar goed, hij had zijn verlostangholten, en hij droeg geen onderbroek – er waren redenen voor zijn aantrekkelijkheid) door een stem achter mijn linkerschouder, een diepe, hese stem, vol beloften – maar ook dreiging. Een meisjesstem. Ik draaide me met een soort sprongetje om en staarde naar een visioen met goud haar en een vooruitstekende en beroemde borst ... mijn God, ze was veertien jaar oud, waarom praatte ze met mij?... 'Ik heet Masha Miovic,' zei het visioen, 'ik ken je zuster.'

Natuurlijk! De heldinnen van de Aap, de zwemsters van de Walsinghamschool zouden zeker de kampioen borstslagzwemster van die school kennen!... 'Ik weet ... stotterde ik, 'ik weet hoe je heet.'

'En ik weet hoe jij heet,' ze trok mijn das recht, 'dus dat is eerlijk.' Over mijn schouder zag ik dat Klierige Keith en Dikke Perce met kwijlende aanvallen van jaloezie naar ons keken. Ik ging rechtop staan en zette mijn schouders naar achteren. Masha Miovic vroeg naar mijn verband. 'Het is niets,' zei ik met wat naar ik hoopte een diepe stem was, 'een ongelukje bij het sporten.' En toen, terwijl ik koortsachtig mijn best deed mijn stem in bedwang te houden: 'Zou je willen ... eh dansen?'

'Okay', zei Masha Miovic, 'maar geen gezoen of zo.'

Saleem begeeft zich met Masha Miovic op de dansvloer en zweert niet te zullen zoenen. Saleem en Masha doen de Mexicaanse Hoedendans; Masha en Saleem zijn aan het box-steppen met de besten! Ik vergun mijn gezicht een superieure uitdrukking aan te nemen; je hoeft geen klasse-ordonnans te zijn om een meisje te krijgen!... De dans eindigde; en, nog altijd op de top van mijn golf van verrukking, zei ik: 'Heb je soms zin om te wandelen, weet je, op de binnenplaats?'

Masha Miovic glimlacht geheimzinnig 'Nou, ja, even dan; maar handen thuis, okay?'

Handen thuis, bezweert Saleem. Saleem en Masha, een luchtje scheppend ... man, dit is schitterend. Dit is het leven. Vaarwel Evie, hallo borstslag... Klierige Keith Colaco en Dikke Perce Fishwala stappen uit de schaduwen van het binnenplein. Ze giechelen: 'Hi hi.' Masha Miovic kijkt verbaasd als ze ons de weg versperren. 'Ho ho,' zegt Dikke Perce. 'Masha, ho ho. Mooie vriend heb je daar.' En ik: 'Hou je kop, jij.' Waarop Klierige Keith zegt: 'Wil je weten hoe hij aan z'n oorlogswond is gekomen, Mashy?' En Dikke Pierce: 'Hi ho ha.' Masha zegt: 'Doe niet zo *grof*; hij heeft die verwonding met sporten opgelopen!' Dikke Perce en Klierige Keith vallen bijna om van de lol; dan onthult Fishwala de hele zaak. 'Zagallo heeft zijn haren uitgetrokken in de klas!' Hi ho. En Keith: 'Snotneus heeft een kale kiet!' En beiden tezamen: 'Snuiver heeft een gezicht als een landkaart!' Er staat verwondering op Masha Miovics gezicht te lezen. En nog iets meer, een ontluikende geest van seksuele schalksheid... 'Saleem, wat praten ze gemeen over je!'

'Ja,' zeg ik, 'neem geen notitie van ze.' Ik probeer haar weg te loodsen. Maar ze gaat verder: 'Je laat het er toch zeker niet bij zitten?' Er staan kraaltjes van opwinding op haar bovenlip; haar tong is in haar mondhoek, de ogen van Masha Miovic zeggen: '*Wat ben je? Een man of een muis* ... en onder de betovering van de kampioen borstslagzwemster komt er iets anders in mijn hoofd bovendrijven: het beeld van twee onweerstaanbare knieën; en nu ren ik op Colaco en Fishwala af; terwijl zij door gegiechel worden afgeleid, boort mijn knie zich in het kruis van Klierige Keith; voor hij is neergevallen heeft een dergelijke kniebuiging Dikke Perce gevloerd. Ik wend me tot mijn meesteres; zij applaudisseert zacht. 'Hé man, heel goed.'

Maar nu is mijn ogenblik voorbij; en Dikke Perce krabbelt overeind en Klierige Keith komt al op mij af... alle pretentie van mannelijkheid overboord gooiend, draai ik me om en zet het op een lopen. En de twee kwelgeesten zitten achter me aan en achter hen komt Masha Miovic die roept: 'Waar ren je naar toe, held op sokken?' Maar ik heb nu geen tijd voor haar, moet zorgen dat ze me niet te pakken krijgen, het dichtstbijzijnde klaslokaal in en ik probeer de deur op slot te doen, maar de voet van Dikke Perce zit nu in de weg en nu zijn ze alle twee ook binnen en ik spurt naar de deur, ik pak hem met mijn rechterhand en probeer hem met geweld open te krijgen, *ga er maar uit als je kunt*, ze duwen de deur dicht, maar ik trek met de kracht van mijn angst, ik krijg hem enkele centimeters open, mijn hand kromt zich eromheen, maar nu gooit Dikke Perce heel zijn gewicht tegen de deur en die gaat zo snel dicht dat ik mijn hand niet weg kan krijgen, en hij is dicht. Een bons. En buiten komt Masha Miovic aan lopen en kijkt omlaag naar de grond; en ziet het bovenste kootje van mijn middelvinger daar liggen als een prop fijngekauwd klapkauwgom. Dat was het punt waarop ze flauwviel.

Geen pijn. Alles ver weg. Dikke Perce en Klierige Keith vluchten, om hulp te gaan halen of zich te verstoppen. Ik kijk louter uit nieuwsgierigheid naar mijn hand. Mijn vinger is een fontein geworden: rode vloeistof spuit eruit op het ritme van mijn hartslag. Nooit geweten dat er zoveel bloed in een vinger zat. Mooi. En daar is de zuster, maak je geen zorgen, zuster. Alleen maar een schrammetje. *Je ouders worden gebeld; meneer Crusoe haalt zijn autosleuteltjes.* De zuster legt een grote prop watten over het stompje. Die zich volzuigt als een rode suikerspin. En nu Crusoe. Stap in de auto, Saleem, je moeder gaat rechtstreeks naar het ziekenhuis. Ja, meneer. En het topje, heeft iemand het *topje*? Ja meneer, hier is het. Dank je zuster. Waarschijnlijk van geen nut, maar je kunt nooit weten. Hou dit vast terwijl ik rijd, Saleem ... en met het afgeknelde topje van mijn vinger in mijn onverminkte linkerhand word ik door de weergalmende nachtelijke straten naar het Breach Candy Ziekenhuis gereden.

In het ziekenhuis: witte muren brancards iedereen tegelijk aan het praten. Woorden klateren rondom me als fonteinen. 'O God bewaar ons, mijn kleine stuk-van-de-maan, wat hebben ze met je gedaan?' Waarop de oude Crusoe: 'Heh heh, mevrouw Sinai. Ongelukken zijn niet te vermijden. U weet hoe jongens zijn.' Maar mijn moeder, woedend: 'Wat voor soort school, meneer Caruso? Ik sta hier met mijn zoons vinger in stukken en u zegt maar wat. Dat neem ik niet. Nee, meneer.' En nu, terwijl Crusoe zegt: 'Eigenlijk is de naam – net als Robinson, weet u wel – heh heh,' komt de dokter eraan en wordt er een vraag gesteld, en het antwoord erop zal de wereld veranderen.

'Mevrouw Sinai, uw bloedgroep alsjeblieft? De jongen heeft bloed verloren. Misschien heeft hij een transfusie nodig.' En Amina: 'Ik heb A; maar mijn man O.' En nu huilt ze, stort in, en de dokter nog steeds: 'Ah; in dat geval, weet u ook wat die van uw zoon is...' Maar zij, de doktersdochter, moet erkennen dat ze die vraag niet kan beantwoorden: Alfa of Omega? 'Welnu, in dat geval een snelle proef; maar wat resus betreft?' Mijn moeder, door haar tranen heen: 'Zowel mijn man als ik zijn resus-positief.' En de dokter: 'Nou, mooi, dat weten we dan tenminste.'

Maar wanneer ik op de operatietafel zit – 'Blijf daar rustig zitten, jongeman, ik zal je een plaatselijke verdoving geven, nee, mevrouw, hij heeft shock, een algehele narcose is onmogelijk, goed jongen, hou je vinger maar omhoog en stil, help hem zuster, en het zal in een oogwenk gepiept zijn' – terwijl de chirurg het stompje eraan naait en het wonder van de transplantatie van de nagelwortels verricht, is er ineens opwinding op de achtergrond, een miljoen mijl ver weg, en 'Hebt u nog een ogenblikje, mevrouw Sinai' en ik kan niet goed horen ... woorden drijven over de oneindige afstand... Mevrouw Sinai, weet u dat zeker? O en A? A en O? En resus-negatief, u allebei? Heterozygeen of homozygeen? Nee, er moet een vergissing in het spel zijn, hoe kan hij... Het spijt me, volkomen duidelijk ... positief ... en A noch ... neem me niet kwalijk, mevrouw, maar is hij uw ... niet geadopteerd of... De ziekenhuiszuster stelt zich tussen mij en mijlenver gepraat, maar het haalt niets uit, want mijn moeder roept nu schril: 'Maar natuurlijk moet u mij geloven, dokter; *mijn God, natuurlijk is hij onze zoon*!'

A noch O. En de resusfactor: onmogelijk negatief. En zygonese biedt geen aanwijzingen. En aanwezig in het bloed: zeldzame Kell-antistoffen. En mijn moeder, aan het huilen, huilen-huilen, huilen... 'Ik begrijp het niet. Een doktersdochter, en ik begrijp het niet.'

Hebben Alfa en Omega me ontmaskerd? Wijst resus met zijn onweerlegbare vinger? En zal Mary Pereira genoodzaakt worden om...

Ik word wakker in een koele witte kamer met jaloezieën met RadioAll-India als gezelschap. Tony Brent zingt: 'Red Sails in the Sunset'.

Ahmed Sinai, wiens gezicht is geteisterd door whisky en nu door iets ergers, staat naast de jaloezie. Amina praat op fluistertoon. Opnieuw fragmenten over een afstand van miljoenen mijlen. Janumtoenou. Iksmeekje. Nee, wat zeg je. Natuurlijk wel. Natuurlijk ben jij de. Hoe kun je denken dat ik dat zou. Wie zou het hebben kunnen. O God sta daar niet zo te kijken. Ik zweer bijhethoofdvanmijnmoeder. Nu sst is hij...

Een nieuw lied van Tony Brent wiens repertoire griezelig veel lijkt op dat van Kleine Willie Winkie: 'How Much Is That Doggie In The Window?' hangt in de lucht, zweeft op radiogolven. Mijn vader loopt naar mijn bed toe, torent boven mij, ik heb hem nog nooit zo gezien. 'Abba...' En hij: 'Ik had het moeten weten. Kijk maar, waar ben ik in dat gezicht. Die neus, ik had...' Hij draait zich op zijn hiel om en loopt de kamer uit; mijn moeder gaat hem achterna, te zeer in de war om nu te fluisteren: 'Nee, janum. Ik wil niet dat je dergelijke dingen over mij gelooft! Ik maak mezelf van kant! Ik', en de deur zwaait achter hen dicht. Er is een geluid buiten: als een slag. Of een klap. De meeste dingen die erop aankomen in je leven gebeuren in je afwezigheid.

Tony Brent begint zijn laatste hit in mijn goede oor te croonen; en geeft mij, melodieus, de verzekering dat 'The Clouds Will Soon Roll By' en dat achter de wolken de zon schijnt.

...En nu ben ik, Saleem Sinai, van plan mezelf heel even te begiftigen met de voordelen van wijsheid achteraf; de eenheden en conventies van mooischrijverij vernietigend, maak ik hem bekend met wat er komen gaat, enkel en alleen opdat hem kan worden vergund de volgende gedachten te hebben: 'O eeuwige tegenstelling tussen binnen en buiten! Omdat een mens, binnen in zichzelf, allesbehalve iets heels is, allesbehalve homogeen; alle soorten van alleswatdanook zijn in hem door elkaar gehusseld, en hij is de ene minuut een persoon en de volgende minuut een andere. Het lichaam is, aan de andere kant, zo homogeen als wat. Ondeelbaar, een eendelig pak, een heilige tempel, zo u wilt. Het is heel belangrijk deze eenheid te bewaren. Maar het verlies van mijn vinger (dat mogelijk was voorspeld door de wijzende vinger van Raleighs visser), om van de verwijdering van bepaalde haren van mijn hoofd maar te zwijgen, heeft dat alles ongedaan gemaakt. Zo gaan wij een toestand binnen die niet minder dan revolutionair is; en de uitwerking ervan op de geschiedenis kan niet anders dan verdomd verbijsterend zijn. Haal de kurk van het lichaam, en God weet wat je eruit laat rollen. Plotseling ben je voor altijd anders dan je was; en de wereld wordt zodanig dat ouders kunnen ophouden ouders te zijn, en liefde in haat kan verkeren. En dit, let wel, zijn alleen de gevolgen voor het privé-leven. De gevolgen voor de sfeer van publieke handelingen zoals zal worden aangetoond zijn, zijn – waren – worden niet minder diepgaand.

Tenslotte, mijn gave van voorwetenschap intrekkend, laat ik u achter met het beeld van een tien jaar oude jongen met een verbonden vinger die in een ziekenhuisbed zit en peinst over bloed en geluidenalsklappen en de uitdrukking op het gezicht van zijn vader; langzaam uitzoomend in een totaalopname, laat ik de muziek van de geluidsband mijn woorden overstemmen, want Tony Brent komt aan het einde van zijn potpourri, en ook zijn finale is dezelfde als van Winkie: 'Good Night, Ladies' is de naam van het lied. Vrolijk deint het verder, deint verder, deint verder...

(Uitvloeien.)

Van ayah tot Weduwe ben ik zo'n figuur geweest *wie dingen zijn aangedaan*; maar Saleem Sinai, eeuwig slachtoffer, blijft zichzelf als hoofdfiguur zien. Ondanks Mary's misdaad; tyfus en slangegif buiten beschouwing latend; twee ongevallen, in waskist en circuspiste, van zich afzettend (toen Sonny Ibrahim, meester slotforceerder, mijn uitbottende horens van slapen zijn verlostangholten liet binnendringen, en door deze combinatie de deur tot de middernachtskinderen ontsloot); voorbijgaand aan de gevolgen van Evies duw en mijn moeders ontrouw; ondanks dat ik mijn haar verloor aan de bittere gewelddadigheid van Emil Zagallo en mijn vinger aan de verlekkerende aanmoediging van Masha Miovic; een strak gezicht trekkend tegen alle aanwijzingen van het tegendeel, zal ik nu op de manier van en met de passende ernst van een man van de wetenschap, mijn aanspraak op een plaats in het middelpunt van de dingen uiteenzetten.

'...Je leven dat, in zekere zin, de spiegel van ons eigen leven zal zijn,' schreef de Eerste Minister, mij wetenschappelijk verplichtend de vraag onder ogen te zien: *In welke betekenis*? Hoe, in welke bewoordingen, kan gezegd worden dat de loopbaan van een enkel individu invloed heeft op het lot van een natie? Ik moet antwoorden in bijwoorden en koppeltekens: ik was zowel letterlijk en metaforisch, als actief en passief aan de geschiedenis verbonden in wat onze (bewonderenswaardig moderne) wetenschappers wellicht 'relatievormen' zouden noemen bestaande uit dualistisch-gecombineerde formaties van de bovengenoemde twee paren tegengestelde bijwoorden. Dat is de reden waarom koppeltekens nodig zijn: op actief-letterlijke, passief-metaforische, actief-metaforische en passief-letterlijke wijze, was ik onlosmakelijk met mijn wereld verweven.

Omdat ik Padma's onwetenschappelijke verbijstering voel, keer ik terug naar de onnauwkeurigheden van de gewone taal: Met de combinatie van 'actief' en 'letterlijk' bedoel ik natuurlijk al mijn handelingen die rechtstreeks – *letterlijk* – de loop van toekomstige historische gebeurtenissen beïnvloedden of veranderden, bijvoorbeeld de manier waarop ik de taaldemonstranten aan hun oorlogskreet hielp. De verbinding van 'passief' en 'metaforisch' omvat alle socio-politieke stromingen en gebeurtenissen die mij, louter door te bestaan, metaforisch beïnvloedden – bijvoorbeeld door tussen de regels van de episode getiteld 'De wijzende vinger van de visser' te lezen, zult u het onvermijdelijke verband zien tussen de pogingen van de jonge staat om naar volslagen volwassenheid te snellen en mijn eigen eerste explosieve pogingen om te groeien ... Vervolgens, wanneer 'passief' en 'letterlijk' door een koppelteken worden verbonden, dekken ze alle ogenblikken waarop nationale gebeurtenissen een rechtstreekse invloed op het leven van mijzelf en mijn familie hadden – onder dit hoofdje moet u ook de bevriezing van de bezittingen van mijn vader opbergen, en ook de explosie in het Walkeshwar-reservoir, dat de grote katteninvasie ontketende. En ten slotte is er de 'vorm' van het 'actief-metaforische', dat die gelegenheden bijeenbrengt waarop dingen die door mij werden gedaan, of mij werden aangedaan, weerspiegeld werden in de macrokosmos van openbare aangelegenheden, en werd aangetoond dat mijn privé-bestaan symbolisch samenviel met de geschiedenis. De verminking van mijn middelvinger was hiervan een illustratie, want toen ik van mijn vingertopje werd gescheiden en het bloed er als een fontein uitspoot (Alfa noch Omega), gebeurde er iets dergelijks met de geschiedenis en allerlei soorten vanalleswat begonnen over ons uit te stromen; maar daar de geschiedenis op een grootsere schaal werkt dan enig individu, duurde het heel wat langer om de boel weer aan elkaar te naaien en de rommel op te dweilen.

'Passief-metaforisch', 'passief-letterlijk', 'actief-metaforisch': de Middernachtskinderen Conferentie was alle drie; maar zij werd nooit wat ik het liefst wilde dat zij zou zijn; wij werkten nooit in het eerste, belangrijkste 'relatieverband'. Het 'actief-letterlijke' ging aan ons voorbij.

Transformatie zonder einde: de negenvingerige Saleem is door een gedrongen blonde verpleegster wier gezicht is bevroren tot een glimlach van angstaanjagende onoprechtheid naar de deur van het Breach Candy Ziekenhuis gebracht. Hij staat te knipperen in de hete glans van de buitenwereld, en probeert zijn blik te richten op twee zwevende schaduwgedaanten die uit het zonlicht naar hem toe komen; 'Kijk?' kirt de verpleegster. 'Kijk nou eens wie je komen halen?' En Saleem beseft dat er iets verschrikkelijk mis is met de wereld, want zijn moeder en vader, die hem hadden moeten komen halen, zijn blijkbaar onderweg veranderd in zijn ayah Mary Pereira en zijn oom Hanif.

Hanif Aziz brulde als de horens van schepen in de haven en rook als een oude tabaksfabriek. Ik hield erg veel van hem, vanwege zijn vrolijke lach, zijn ongeschoren kin, zijn nogal slungelige voorkomen, zijn gebrek aan coördinatie dat maakte dat ieder ogenblik vol gevaar was. (Wanneer hij Villa Buckingham bezocht borg mijn moeder de kristallen vazen weg.) Volwassenen vertrouwden er nooit op dat hij het decorum in acht zou nemen ('Pas op voor de communisten!' bulderde hij, en ze bloosden), hetgeen een band tussen hem en alle kinderen vormde – de kinderen van andere mensen, want hij en Pia waren kinderloos. Oom Hanif die op een dag, zonder enige waarschuwing, van het dak van zijn huis af zou lopen.

...Hij geeft me een klap op mijn rug, zodat ik voorover in Mary's armen tuimel. 'Hé, kleine worstelaar! Je ziet er prima uit!' Maar Mary zegt haastig: 'Maar zo mager, Jezus! Hebben ze je niet behoorlijk te eten gegeven? Wil je maïzenapudding? Geprakte banaan met melk? Heb je patat gehad?' ... terwijl Saleem rondkijkt naar deze nieuwe wereld waarin alles te snel schijnt te gaan; zijn stem, wanneer die komt, klinkt heel hoog, alsof iemand hem had versneld: 'Amma-Abba?' vraagt hij. 'De Aap?' En Hanif buldert: 'Ja, alles kits! De jongen is in tip-top conditie! Vooruit phaelwan: een ritje in mijn Packard, okay?' En Mary Pereira praat tegelijkertijd: 'Chocoladecake,' belooft ze, 'laddoos, pista-ki-lauz, vlees-samosa's, kulfi. Je bent zo mager geworden, baba, de wind zal je wegblazen.' De Packard rijdt weg; hij slaat niet van Warden Road af, het twee verdiepingen hoge heuveltje op; en Saleem: 'Hanif mamu, waar gaan we...' Geen tijd om de zin af te maken; Hanif brult: 'Je tante Pia zit te wachten! Mijn God, wacht maar eens hoe heerlijk we het zullen hebben!' Hij begint op zachte toon als een samenzweerder te praten: 'Een heleboel *plezier*' En Mary: 'Arré baba ja! Zó'n biefstuk! En groene chutney!'...

'Niet die donkere,' zeg ik, eindelijk geboeid; opluchting verschijnt op de wangen van mijn kapers. 'Nee nee nee,' tatert Mary, 'lichtgroen, baba. Precies zoals je het graag hebt.' En: '*Licht*groen!' buldert Hanif. 'Mijn God, zo groen als sprinkhanen!'

Al te snel ... we zijn nu bij Kemp's Corner, auto's razen rond als kogels ... maar een ding is niet veranderd. Op zijn reclamebord grijnst het Kolynos Joch, de eeuwige ondeugende grijns van de jongen met de groene chlorofiel pet, de waanzinnige glimlach van het tijdloze Joch, die eindeloos een onuitputtelijke tube tandpasta op een felgroene borstel uitknijpt: *Houdt Tanden Schoon en Houdt Tanden Fonkelend, Houdt Tanden Kolynos Superwit*! ... en misschien wilt u ook mij zien als een Kolynos Joch tegen wil en dank, die crises en transformaties uit een bodemloze tube knijpt, tijd op mijn metaforische tandenborstel perst; schone, witte tijd met groene chlorofiel in de strepen.

Dit was dan het begin van mijn eerste verbanning. (Er zullen een tweede en een derde volgen.) Ik verdroeg die zonder klagen. Ik had natuurlijk geraden dat er een vraag was die ik nooit moest stellen; dat ik voor een onbepaalde periode was uitgeleend, als een stripverhaal uit de Uitleenbibliotheek van Tweedehandsboeken van Scandal Point; en dat mijn ouders mij zouden laten halen wanneer ze mij terug wilden hebben. Wanneer, of zelfs als; want ik weet de verbanning voor een groot deel aan mezelf. Had ik mij niet nog een verminking op de hals gehaald terwijl ik al X-benen komkommerneus horenslapen vlekkerige wangen had? Was het niet mogelijk dat mijn verminkte vinger voor mijn beproefde ouders (net zoals mijn aankondiging van mijn stemmen bijna was geweest) de laatste druppel was? Dat ik niet langer een veilig zakelijk risico was, de investering van hun liefde en bescherming niet langer waard?... Ik besloot mijn oom en tante te belonen voor hun vriendelijkheid dat ze zo'n ellendig schepsel als ik in huis hadden gehaald, door de modelneef te spelen en de gebeurtenissen af te wachten. Er waren tijden waarop ik wenste dat de Aap me zou komen opzoeken, of zelfs zou opbellen; maar te veel nadenken over dergelijke dingen prikte alleen maar de ballon van mijn gelijkmoedigheid door, dus deed ik mijn best om niet aan hen te denken. Bovendien, bij Hanif en Pia Aziz wonen bleek precies te zijn wat mijn oom had beloofd: geweldig plezierig.

Ze maakten alle drukte van mij die kinderen van kinderloze volwassenen verwachten en aanvaarden. Hun flat, die over de Marine Drive uitkeek, was niet groot, maar had wel een balkon vanwaar ik pindadoppen op de hoofden van passerende voetgangers kon gooien; er was geen logeerkamer, maar ik kreeg een verrukkelijk zachte groen met wit gestreepte sofa aangeboden (een vroeg bewijs van mijn transformatie tot het Kolynos Joch); ayah Mary, die mij blijkbaar in ballingschap was gevolgd, sliep op de grond naast me. Overdag vulde zij mijn maag met de beloofde gebakjes en zoetigheden (die, denk ik nu, door mijn moeder werden betaald); ik had enorm dik moeten worden, behalve dat ik opnieuw andere kanten uit was gaan groeien, en aan het eind van het jaar van versnelde geschiedenis (toen ik pas elf en een half was) had ik eigenlijk mijn volle volwassen lengte bereikt, alsof iemand me bij de plooien van mijn babyvet had gepakt en daar harder in had geknepen dan in een tube tandpasta, zodat er onder de druk vele centimeters uit me schoten. Door het Kolynos-effect van diklijvigheid gered, koesterde ik mij in de verrukking van mijn oom en tante dat ze een kind in huis hadden. Wanneer ik 7-Up op het tapijt morste of in mijn eten nieste, was het ergste dat mijn oom dan met zijn bulderende scheepsstem zei: 'Hela! Zwarte man!' de uitwerking bedervend door breeduit te grijnzen. Ondertussen werd mijn tante Pia de volgende in de lange reeks vrouwen die mij hebben behekst en mij ten slotte voor eens en altijd te gronde hebben gericht.

(Ik moet zeggen dat mijn testikels, terwijl ik in de flat aan de Marine

Drive verbleef, de bescherming van het bekkenbeen verzakend, voortijdig en zonder waarschuwing besloten in hun zakjes te vallen. Ook die gebeurtenis speelde zijn rol in wat er volgde.)

Mijn mumani – mijn tantetje – de goddelijke Pia Aziz: bij haar te wonen stond gelijk met te bestaan in het warme kleverige hart van een sprekende film uit Bombay. In die tijd was mijn ooms carrière in de filmwereld duizelingwekkend achteruitgegaan en, want zo gaat het in de wereld, was Pia's ster met de zijne gedaald. In haar aanwezigheid waren gedachten aan mislukking echter onmogelijk. Nu ze geen filmrollen meer kreeg, had Pia haar leven tot een hoofdfilm gemaakt, waarin ik een steeds groter aantal bijrollen kreeg toebedeeld. Ik was de Trouwe Lijfknecht: Pia in onderjurk, zachte heupen die zich naar mijn wanhopig afgewende ogen rondden, giechelend terwijl haar ogen, fel van antimoon, gebiedend flitsten – 'Vooruit, jongen, waarom doe je zo verlegen, hou deze plooien in mijn sari vast terwijl ik ze vouw.' Ik was ook haar Vertrouweling. Terwijl mijn oom op chlorofiel gestreepte sofa scenario's zat uit te tikken die niemand ooit zou verfilmen, luisterde ik naar de nostalgische alleenspraak van mijn tante, terwijl ik mijn ogen probeerde af te houden van twee onmogelijke rondingen, bolvormig als meloenen, goudkleurig als mango's: ik heb het, u zult het al hebben geraden, over de aanbiddelijke borsten van Pia mumani. Terwijl ze, op bed gezeten, met een arm over haar voorhoofd geslagen, uitriep: 'Jongen, weet je, ik ben een groot actrice; ik heb verscheidene hoofdrollen gespeeld! Maar zie, wat het noodlot uitricht! Eens, jongen, smeekte god mag weten wie allemaal om deze flat te mogen bezoeken; eens betaalden de verslaggevers van *Filmfare* en *Screen Goddess* zwart geld om binnen te komen! Ja, en dansen, en ik was erg bekend in Restaurant Venetië – alle grote jazzmusici kwamen aan mijn voeten zitten, zelfs die Braz. Jongen, wie was er een grotere ster na *Kasjmiri Liefdespaar*? Niet Poppy; niet Vyayantimala; niemand!' En ik, heftig knikkend, nee-natuurlijk-niemand, terwijl haar wonderbaarlijke in vel verpakte meloenen zwoegden en... Met een dramatische uitroep vervolgde ze: 'Maar ook toen, in de tijd dat we wereldberoemd waren en iedere film een gouden jubileum was, wilde die oom van je als een kantoorbediende in een tweekamerflat wonen! Dus ik maak geen drukte; ik ben niet zoals sommigen van die goedkope actricetjes; ik leef eenvoudig en vraag niet om Cadillacs of luchtverversers of Dunlopillo-bedden uit Engeland; geen zwembaden in de vorm van bikini's als die van Roxy Vishwanatham! Hier ben ik gebleven, als een vrouw van de massa; hier zit ik nu weg te rotten! Te rotten, absoluut! Maar ik weet dit: mijn gezicht is mijn fortuin; wat heb ik verder nog voor rijkdom nodig?' En ik val haar ongerust bij: 'Mumani, niets; helemaal niets.' Ze schreeuwde onstuimig; zelfs tot mijn doof geslagen oor drong het door.' 'Ja, natuurlijk, jij wilt ook dat ik arm ben! De hele wereld wil Pia in vodden zien! Zelfs die daar, je oom, met zijn stomvervelende scenario's. O mijn God, zeg ik tegen hem, las er dansscènes in, of exotische lokaties! Maak je schurken schurkachtig, waarom niet, maak helden als mannen! Maar, nee zegt hij, dat is allemaal niks, hij ziet dat nu in – hoewel hij eens niet zo trots was! Nu moet hij met alle geweld over gewone mensen en sociale problemen schrijven! En ik zeg, ja, Hanif, doe dat maar, dat is best; maar doe er ook wat humor in, een dansje dat je Pia kan uitvoeren, en ook tragedie en drama; dat is wat het Publiek wil!' Haar ogen vulden zich met tranen. 'Dus weet je wat hij nu aan het schrijven is? Over ...' ze keek alsof haar hart op het punt stond om te breken ... 'het Gewone Leven in een Zoetzuurfabriek!'

'Sst, mumani, sst,' smeek ik, 'Hanif mamu zal het horen!'

'Laat hem het maar horen!' tierde ze, nu overvloedig huilend; 'Laat zijn moeder in Agra het ook maar horen; ze zullen mij van schaamte doen sterven.'

Eerwaarde Moeder had haar schoondochter de actrice nooit gemogen. Ik heb haar eens tegen mijn moeder horen zeggen: 'Door met een actrice te trouwen, hoenoemjehet, heeft mijn zoon zijn bed in de goot gespreid, het zal niet lang duren of ze zal hem alcohol laten drinken en ook varkensvlees laten eten.' Ten slotte legde zij zich met tegenzin tegen de onvermijdelijkheid van het huwelijk neer, maar ze begon stichtelijke epistels aan Pia te schrijven. 'Luister, dochter,' schreef ze, 'hou op met dat actrice-rige gedoe. Waarom zou je je zo schaamteloos gedragen? Werken, ja, jullie meisjes hebben moderne ideeën, maar om naakt op het scherm te dansen! Terwijl je voor een klein bedrag een concessie op een goeie benzinepomp zou kunnen krijgen. Uit mijn eigen zak zou ik die in twee minuten voor je kopen. In een kantoor zitten, bedienden huren; dat is echt werk.' Geen van ons heeft ooit geweten waar Eerwaarde Moeder haar droom van benzinepompen vandaan had, die de groeiende obsessie van haar ouderdom zou worden; maar ze bestookte Pia ermee, tot afschuw van de actrice.

'Waarom vraagt dat mens me niet om typiste te worden?' klaagde Pia tegen Hanif en Mary en mij aan het ontbijt. 'Waarom geen taxichauffeur, of wever aan een handweefgetouw? Ik moet je zeggen, dit stompzinnige pompgedoe maakt me woest.'

Mijn oom beefde (voor een keer in zijn leven) op het punt in woede uit te barsten. 'Er is een kind bij,' zei hij, 'en ze is je moeder, betoon haar eerbied.'

'Eerbied kan ze krijgen.' Pia stoof de kamer uit, 'maar ze wil *benzine*.'

...En mijn meest gewaardeerde bijrol van alle werd gespeeld wanneer ik, tijdens Pia en Hanifs geregelde kaartspelletjes met vrienden, werd gepromoveerd om de heilige plaats van de zoon in te nemen die ze nooit had gehad. (Als kind uit een onbekende verbintenis heb ik meer moeders gehad dan de meeste moeders kinderen hebben; het leven schenken aan ouders is een van mijn vreemdere talenten geweest – een vorm van omgekeerde vruchtbaarheid die aan de regeling van voorbehoedsmiddelen ontsnapt, en zelfs aan de Weduwe zelf.) In het gezelschap van visite riep Pia Aziz meestal uit: 'Kijk, vrienden, dit is mijn eigen kroonprins! Het juweel in mijn ring! De parel in mijn halsketting!' En dan trok ze mij naar zich toe, en bakerde mijn hoofd zodat mijn neus tegen haar borst omlaag werd gedrukt en heerlijk tussen de zachte kussens van haar onbeschrijflijke... niet in staat dergelijke verrukkingen te verwerken, trok ik mijn hoofd terug. Maar ik was haar slaaf; en ik weet nu waarom ze zich zo'n vertrouwelijkheid met mij permitteerde. Prematuur van testikels voorzien, snel groeiend, droeg ik niettemin (bedrieglijk) het distinctief van seksuele onschuld: tijdens zijn verblijf in het huis van zijn oom droeg Saleem Sinai nog altijd een korte broek. Blote knieën bewezen Pia dat ik een kind was; misleid door enkelsokken hield ze mijn gezicht tegen haar borsten terwijl haar volmaakte sitarstem in mijn goede oor fluisterde: 'Kind, kind, wees niet bang; jouw wolken zullen spoedig voorbij drijven.'

Zowel voor mijn oom als voor mijn theatrale tante speelde ik (met steeds meer glans) de rol van de surrogaatzoon. Hanif Aziz was overdag op de gestreepte sofa te vinden, met potlood en schrift in de hand, terwijl hij zijn pekelepos aan het schrijven was. Hij droeg zijn gebruikelijke lungi losjes om zijn middel geslagen, bevestigd met een enorme veiligheidsspeld; zijn benen staken harig onder de plooien uit. De nagels van zijn vingers droegen de vlekken van een levenlang Gold Flakes roken; de nagels van zijn tenen leken evenzeer verkleurd. Ik zag hem in mijn gedachten sigaretten met zijn tenen roken. Ten zeerste onder de indruk van dit visioen vroeg ik hem of hij dit kunstje werkelijk kon uithalen; en zonder een woord te spreken stak hij een Gold Flake tussen zijn grote teen en de teen ernaast en wrong zich in bizarre bochten. Ik klapte enthousiast, maar hij scheen er gedurende de rest van de dag last van te hebben.

Ik voorzag in zijn behoeften zoals het een goede zoon betaamt: ik leegde asbakken, sleep potloden, bracht water om te drinken; terwijl hij, die zich na zijn fabelachtige begin had herinnerd dat hij de zoon van zijn vader was en onverzettelijk tegen alles inging dat naar het onwerkelijke zweemde, zijn noodlottige scenario neerpende.

'Ouwe jongen,' zei hij tegen me, 'dit verdomde land is vijfduizend jaar lang aan het dromen geweest. Het is onderhand tijd dat het wakker wordt.' Hanif vond het heerlijk om tegen prinsen en demonen, goden en helden te keer te gaan, eigenlijk tegen de hele iconografie van de filmwereld van Bombay; in de tempel van illusies was hij de hogepriester van de werkelijkheid geworden; terwijl ik me, mij bewust van mijn wonderbaarlijke aard, die mij onverminderd bij het (door Hanif verachte) mythische leven van India betrok, op de lip beet en niet wist waar ik het moest zoeken.

Hanif Aziz, de enige realistische schrijver die in de filmindustrie van Bombay werkzaam was, schreef het verhaal van een zoetzuurfabriek die geheel door vrouwen was opgezet, werd geleid en bemand. Er waren lange scènes die de oprichting van een vakbond beschreven; er waren gedetailleerde beschrijvingen van het inmaakprocédé. Hij placht Mary Pereira over recepten uit te horen; ze zaten dan urenlang te praten over de volmaakte melange van citroen, limoen en garam masala. Het is ironisch dat deze aartsdiscipel van het naturalisme zo'n bekwame (hoewel onbewuste) profeet van het fortuin van zijn eigen familie was; met de indirecte kussen van de *Minnaars van Kasjmir* voorspelde hij de ontmoetingen van zijn moeder met haar Nadir-Qasim in Café de Pionier; en in zijn onverfilmde chutney-scenario loerde eveneens een dodelijk juiste profetie.

Hij belegerde Homi Catrack met scenario's. Catrack produceerde er niet een van; ze lagen in het kleine appartement aan de Marine Drive, en namen alle beschikbare ruimte in beslag; zodat je ze van het deksel van de w.c. moest nemen voor je dat kon oplichten; maar Catrack (uit liefdadigheid? Of om een andere weldra-te-onthullen reden?) betaalde mijn oom een salaris vanwege de studio. Op die manier bleven ze in leven, Hanif en Pia, dank zij de vrijmoedigheid van de man die, te zijner tijd, het tweede menselijke wezen zou worden dat vermoord werd door de als een paddestoel omhoog schietende Saleem.

Homi Catrack smeekte hem: 'Misschien dan één liefdesscènetje?' En Pia: 'Denk je werkelijk dat dorpsvrouwen hun roepies zullen uitgeven om vrouwen Alfonso's te zien inleggen?' Maar Hanif, koppig: 'Dit is een film over werken, niet over kussen. En niemand legt Alfonso's in. Je moet mango's met grotere pitten gebruiken.'

De geest van Joe D'Costa volgde, voorzover ik weet, Mary Pereira niet in ballingschap; zijn afwezigheid maakte echter alleen dat haar ongerustheid toenam. Ze begon, in deze tijd aan Marine Drive, te vrezen dat hij ook voor anderen dan zijzelf zichtbaar zou worden, en tijdens haar afwezigheid de vreselijke geheimen zou onthullen van wat er in de nacht van de Onafhankelijkheid in de kraamkliniek van dr. Narlikar was gebeurd. Dus iedere ochtend verliet ze het appartement in een toestand van sidderende bezorgdheid, en arriveerde in bijna overspannen toestand bij Villa Buckingham; pas wanneer ze merkte dat Joe niet alleen onzichtbaar maar ook stom was gebleven, ontspande ze zich. Maar nadat ze naar Marine Drive was teruggekeerd, overladen met samosa's en gebakjes en chutneys, begon haar ongerustheid opnieuw toe te nemen ... maar aangezien ik had besloten (omdat ik zelf al genoeg moeilijkheden had) om uit alle hoofden behalve die van de Kinderen weg te blijven, begreep ik niet waarom.

Paniek trekt paniek aan; op haar tochten in volgepropte bussen (de trams waren net opgeheven), hoorde Mary allerlei geruchten en geroddel, die ze als vaststaande feiten aan mij overbracht. Volgens Mary bevond het land zich in de greep van een soort bovennatuurlijke invasie. 'Ja, baba, ze zeggen in Kurukshetra dat een oude Sikh-vrouw in haar hut wakker werd en buiten voor haar ogen zag hoe de vroege oorlog tussen de Kuru's en Pandava's zich afspeelde! Het heeft in de kranten en zo gestaan, ze wees de plaats aan waar ze de strijdwagens van Arjun en Karna had gezien, en er zaten echte wielsporen in de modder! Baap-re-baap, zulke erg-slechte dingen: in Gwalior hebben ze de geest van de Rani van Jhansi gezien; rakshasa's zijn waargenomen, veelkoppig als Ravana, terwijl ze dingen met vrouwen uithaalden en met één vinger bomen om duwden. Ik ben een goede christelijke vrouw, baba; maar het jaagt me de stuipen op het lijf wanneer ze me vertellen dat het graf van de Here Jezus in Kasjmir is gevonden. Op de grafstenen staan twee doorboorde voeten gebeeldhouwd en een plaatselijke vissersvrouw heeft gezworen dat ze ze heeft zien bloeden – echt bloed, God beware ons! – op Goede Vrijdag ... wat is er aan de hand, baba, waarom kunnen deze oude dingen niet dood blijven in plaats van eerlijke mensen lastig te vallen?' En ik luisterde met wijdopen ogen; en hoewel mijn oom Hanif bulderend lachte, ben ik tot op de dag van heden half overtuigd dat in die tijd van versnelde gebeurtenissen en ziekelijke uren het verleden van India opstond om haar heden te beschamen; de pasgeboren wereldlijke staat werd op ontzagwekkende manier herinnerd aan zijn fabuleuze oudheid, waarin democratie en vrouwenstemrecht irrelevant waren ... zodat mensen door atavistische verlangens werden gegrepen en, terwijl ze de nieuwe mythe van vrijheid vergaten, in hun oude gewoonten vervielen, hun oude regionale banden van trouw en vooroordelen, en de staat begon te splijten. Zoals ik zei: je hoeft maar een vingertopje af te hakken en je weet niet welke fonteinen van verwarring je ontketent.

'En koeien, baba, zijn plotseling verdwenen; poef! en in de dorpen moeten de boeren verhongeren.'

Het was in deze tijd dat ook ik bezeten werd door een vreemde demon; maar opdat u mij goed zult begrijpen, moet ik mijn verhaal van die episode beginnen op een onschuldige avond toen Hanif en Pia een stelletje vrienden op bezoek hadden om te kaarten.

Mijn tante had er een handje van te overdrijven; want hoewel *Filmfare* en *Screen Goddess* afwezig waren, was het huis van mijn oom erg in trek. Op kaartavondjes barstte het er van de jazzmusici die roddelden over ruzies en kritieken in de Amerikaanse tijdschriften, en zangeressen die met keelverstuivers in hun handtas rondliepen, en leden van de dansgroep Uday Shankar, die probeerde een nieuwe dansstijl te ontwikkelen door het westerse ballet met bharatanatyam te versmelten; musici die waren gecontracteerd om in het Radio All-India Festival op te treden, de Sangeet Sammelan; er waren kunstschilders die het hevig met elkaar aan de stok hadden. De lucht was bezwangerd met politiek en ander gepraat. 'Eigenlijk ben ik de enige kunstenaar in India die met een echt gevoel van ideologisch engagement schildert!' – 'O, het is heel erg voor Ferdy, hij zal hierna nooit meer een andere band krijgen' – 'Menon? Praat me niet over Krishna. Ik heb hem nog gekend toen hij er beginselen op nahield. Ikzelf heb nooit... '...Ohé, Hanif, yaar, waarom zien we Lal Qasim hier tegenwoordig nooit meer?' En mijn oom, die ongerust in mijn richting kijkt: 'Sst... welke Qasim? Ik ken niemand die zo heet.'

...En het geroezemoes in het appartement vermengde zich met de kleur van de avond en de herrie van Marine Drive: wandelgangers met honden die chambeli en channa van straatventers kochten; de kreten van bedelaars en bhel-puri-verkopers; en de lichten die in een grote ronde halsketting rondom en omhoog naar Malabar Hill worden ontstoken... Ik stond met Mary Pereira op het balkon en keerde mijn slechte oor naar de gefluisterde geruchten, de stad in mijn rug en de zich verdringende, kletsende kaartcolleges voor mijn ogen. En op een dag herkende ik onder de kaartspelers de ascetische gestalte van mijnheer Homi Catrack met de diepliggende ogen. Die mij met verlegen hartelijkheid begroette: 'Hé daar, jongeman! Gaat het goed? Natuurlijk, natuurlijk gaat het goed met je!'

Mijn oom Hanif speelde rummy met toewijding; maar hij was in de ban van een vreemde obsessie – namelijk dat hij vastbesloten was nooit een spel op tafel te leggen voor hij dertien opeenvolgende harten bij elkaar had. Altijd harten; alle harten en alleen maar harten moesten het zijn. In zijn zoeken naar deze onbereikbare volmaaktheid deed mijn oom volmaakte series van drie weg, en hele reeksen schoppen, klaveren, ruiten, tot het schorre vermaak van zijn vrienden. Ik hoorde de befaamde shenai-speler Ustad Changez Khan (die zijn haar verfde, zodat de puntjes van zijn oren op warme avonden werden verkleurd door uitlopende zwarte vloeistof) tegen mijn oom zeggen: 'Vooruit, meneer, hou nu toch eens op met dat hartengedoe, en speel net als wij allemaal.' Mijn oom zag de verleiding onder ogen; toen bulderde hij boven de herrie uit: 'Nee, verdomme, loop naar de duivel en laat mij maar spelen zoals ik het wil!' Hij kaartte als een idioot; maar ik, die nooit zo'n doelgerichte toewijding had gezien, had zin om te applaudisseren.

Een van de twee vaste bezoekers van Hanif Aziz' legendarische kaartavondjes was een fotograaf die aan de *Times of India* verbonden was; hij zat vol sterke verhalen en schunnige geschiedenissen. Mijn oom stelde me aan hem voor: 'Hier is de man die jou op de voorpagina heeft gezet, Saleem. Dit is Kalidas Gupta. Een vreselijke fotograaf; een echt badmaash type. Praat maar niet te lang met hem; hij zal je hoofd dol maken met schandaaltjes!' Kalidas had een kop met zilverhaar en een neus als een adelaar. Ik vond hem geweldig. 'Kent u werkelijk schandalen?' vroeg ik hem; maar het enige dat hij zei was: 'Jongen, als ik ze zou vertellen, zouden ze je oren roodgloeiend maken.' Maar hij is er nooit achter gekomen dat de kwade genius, de *éminence grise* achter het grootste schandaal dat de stad ooit had gekend niemand anders was dan Saleem Snotneus... Ik moet niet doordraven. De zaak van de vreemde baton van kapitein-luitenant-ter-zee Sabarmati moet op de juiste plaats worden verteld. Gevolgen mogen niet (ondanks de afvallige aard van de tijd in 1958) aan de oorzaken voorafgaan.

Ik stond alleen op het balkon. Mary Pereira hielp Pia in de keuken de sandwiches en kaas-pakora's klaar te maken; Hanif Aziz ging helemaal op in zijn zoeken naar dertien harten; en nu kwam mijnheer Homi Catrack buiten naast me staan. 'Luchtje aan 't scheppen,' zei hij. 'Ja, mijnheer,' gaf ik ten antwoord. 'Zo,' hij ademde diep uit. 'Zo, zo. En, is het leven goed voor je? Prima kereltje. Laat me je een hand geven.' Tien-jaar-oude hand wordt opgeslokt door vuist van filmmagnaat (de linkerhand; de verminkte rechterhand hangt onschuldig langs mijn zijde) ... en nu een schok. Linkerhand voelt dat er papier in wordt gestopt – onheilspellend papier, ingebracht door handige vuist! Catracks greep verstevigt zich; zijn stem wordt zacht, maar ook als van een cobra, lispelend; onhoorbaar in de kamer met de groen gestreepte sofa, dringen zijn woorden mijn ene goede oor binnen: 'Geef dit aan je tante. Zonder dat iemand het merkt. Kun je dat? En mondje dicht; anders laat ik de politie komen om je tong uit je mond te snijden.' En nu luid en opgewekt: 'Mooi! Blij je zo opgewekt te zien!' Homi Catrack geeft me een paar klopjes op mijn hoofd; en gaat terug naar zijn kaartspel.

Bedreigd door politie heb ik twee decennia lang gezwegen; maar nu niet meer. Nu moet alles in de openbaarheid komen.

Het kaartcollege ging vroeg uiteen: 'De jongen moet slapen,' fluisterde Pia. 'Morgen gaat hij weer naar school.' Ik had geen gelegenheid om met mijn tante alleen te zijn; ik werd op mijn sofa ingestopt terwijl het briefje nog in mijn linkervuist zat. Mary sliep op de grond... Ik besloot te doen alsof ik een nachtmerrie had. (Slinksheid was me niet vreemd.) Ongelukkigerwijs was ik echter zo moe dat ik in slaap viel; en het toeval wilde dat ik niet hoefde te doen alsof: want ik droomde dat mijn klasgenoot Jimmy Kapadia werd vermoord.

...Wij spelen voetbal in het hoofdtrapportaal op school, op rode tegels, uitglijdend, glippend. Een zwart kruis staat op de bloedrode tegels. Meneer Crusoe boven aan de trap: 'Jullie moeten niet van de trapleuning glijden, jongens, dat kruis geeft aan waar een van de jongens is gevallen.' Jimmy speelt voetbal op het kruis. 'Het kruis is gelogen,' zegt Jimmy. 'Ze vertellen je leugens om je plezier te bederven.' Zijn moeder is aan de telefoon. 'Niet voetballen, Jimmy, je zieke hart.' De bel. De telefoon, weer op de haak, en nu de bel... Inktproppen bevlekken de lucht in het klaslokaal. Dikke Perce en Klierige Keith hebben lol. Jimmy wil een potlood hebben, port me in de ribben. 'Hé man, jij hebt een potlood, geef op. En een beetje vlug, man.' Ik geef het. Zagallo komt binnen. Zagallo maant met de hand tot stilte: kijk, mijn haar groeit in zijn handpalm! Zagallo met een kleine puntige tinnen soldaatjeshelm... Ik moet mijn potlood terug hebben. Ik steek mijn vinger uit en geef Jimmy een por. 'Meneer, alstublieft, kijk eens naar Jimmy. Hij is gevallen!' 'Meneer, ik zag Snotneus porren, meneer!' 'Snotneus heeft op Kapadia geschoten, meneer!' 'Niet voetballen Jimmy, je zieke hart!' 'Rustig zijn jullie,' schreeuwt Zagallo, 'smerige bavianen, hou je kop dicht.'

Jimmy in een hoopje op de grond. 'Meneer alstublieft meneer gaan ze een kruis neerzetten?' Hij leende een potlood, ik gaf een por, hij viel. Zijn vader is taxichauffeur. Nu rijdt de taxi de klas in; een dhobibundel wordt op de achterbank neergezet, Jimmy exit. Ding, een bel. Jimmy's vader klapt het taxivlaggetje neer. Jimmy's vader kijkt me aan: 'Snotneus, jij moet voor de rit betalen.' Maar alsjeblieft, meneer, ik heb geen geld, meneer.' En Zagallo: 'We zullen het op je rekening zetten.' Let op mijn haar in Zagallo's hand. Vlammen stromen uit Zagallo's ogen. 'Vijfhonderd miljoen, wat betekent één dode?' Jimmy is dood; vijfhonderd miljoen zijn nog in leven. Ik begin te tellen: een twee drie. Getallen marcheren over Jimmy's graf. Een miljoen twee miljoen drie miljoen vier. Wie kan het iets schelen of er iemand, iemand sterft. Een honderd miljoen en een twee drie. Getallen marcheren nu door het klaslokaal. Vertrappen stampen tweehonderd miljoen drie vier vijf. Vijfhonderd miljoen nog in leven. En slechts een ik...

...In het donker van de nacht ontwaakte ik uit de droom van Jimmy Kapadia's dood die een droom werd van uitroeiing-door-getallen, gillend jankend schreeuwend, maar nog steeds met het stukje papier in mijn vuist; en een deur vloog open, waardoor mijn oom Hanif en tante Pia zichtbaar werden. Mary Pereira probeerde me te troosten, maar Pia was gebiedend, zij was een goddelijke werveling van onderrokken en dupatta, ze wiegde me in haar armen: 'Stil maar! Mijn diamant, alles is goed nu!' En oom Hanif slaperig: 'Hé phaelwan! Het is nu okay; vooruit, jij komt bij ons; neem de jongen mee, Pia!' En nu lig ik veilig in Pia's armen; 'Alleen maar voor vannacht, m'n parel, mag je bij ons slapen!' – en daar lig ik dan, tussen mijn tante en oom genesteld, me tegen de geparfumeerde welvingen van mijn mumami aan drukkend.

Stelt u zich, als u kunt, mijn plotselinge vreugde voor; stel u voor met welke snelheid de nachtmerrie uit mijn gedachten vluchtte toen ik mij tegen de onderrokken van mijn bijzondere tante nestelde! Toen ze ging verliggen om het zich behaaglijk te maken, en een gouden meloen mijn wang streelde! Toen Pia's hand de mijne zocht en die stevig vastgreep ... nu kweet ik mij van mijn plicht. Toen de hand van mijn tante zich om de mijne sloeg, ging het stukje papier van palm tot palm. Ik voelde haar verstijven, stil; toen, hoewel ik mij dichter dichter dichter tegen haar aan vleide, was ze voor mij verloren; ze was in het donker aan het lezen, en haar lichaam werd nog strammer; en toen plotseling wist ik dat ik bedrogen was, dat Catrack mijn vijand was; en alleen het dreigen met de politie belette mij het aan mijn oom te vertellen.

(Op school, de volgende dag, kreeg ik te horen van Jimmy Kapadia's tragische dood, plotseling thuis, door een hartaanval. Is het mogelijk een mens te doden door zijn dood te dromen? Mijn moeder zei dat altijd; en in dat geval was Jimmy Kapadia het slachtoffer van mijn eerste moord. Homi Catrack zou het volgende zijn.)

Toen ik van de eerste dag dat ik weer op school terug was thuisgekomen, na mij te hebben gekoesterd in de ongebruikelijke schaapachtigheid van Dikke Perce en Klierige Keith ('Luister, yaar, hoe konden wij nou weten dat je vinger in de ... hé, man, we hebben vrijkaartjes voor een film morgen, wil je mee?') en mijn even onverwachte populariteit ('Geen Zagallo meer! Mieters, man! Jij hebt je haar werkelijk voor een goed doel verloren!'), was tante Pia uit. Ik zat rustig bij oom Hanif terwijl Mary Pereira in de keuken de maaltijd bereidde. Het was een vredig familietafereeltje; maar de vrede werd ineens verstoord door de klap van een dichtslaande deur. Hanif liet zijn potlood vallen terwijl Pia, na de voordeur te hebben dichtgegooid, de deur van de zitkamer met even grote kracht opendeed. Toen bulderde hij opgewekt: 'En vrouw: wat voor dramatisch is er aan de hand?'... Maar Pia liet de lont niet uit haar kruitvat halen. 'Schrijf maar,' zei ze, terwijl haar hand door de lucht sneed, 'Allah, hou niet op omwille van mij! Zoveel talent, je kunt hier in dit huis niet naar de doos gaan zonder op jouw genialiteit te stuiten. Ben jij gelukkig, man? Verdienen we een hoop geld? Is God goed voor je?' Hanif bleef nog steeds opgewekt. 'Kom, Pia, onze kleine gast is hier. Ga zitten, drink thee...' Actrice Pia verstijfde in een houding van ongeloof. 'O God! In wat voor familie ben ik terechtgekomen! Mijn leven ligt in puin, en jij biedt thee aan; je moeder biedt benzine aan! Het is een gekkenboel...' En oom Hanif, nu met opgetrokken wenkbrauwen: 'Pia, de jongen...!' Een kreet. 'Ahaaa! De jongen – maar de jongen heeft geleden; hij lijdt nu; hij weet wat het betekent om te verliezen, je verloren te voelen! Ik ben ook in de steek gelaten: ik ben een groot actrice, en ik zit hier omringd door verhalen over fietsende postbodes en ezelwagenvoerders! Wat weet jij van het verdriet van een vrouw? Zit, zit daar maar, laat een of andere rijke Parsi producent je liefdadigheid betonen, wat kan het jou schelen dat je vrouw imitatiejuwelen draagt en al in twee jaar geen nieuwe sari's heeft gehad; een vrouw heeft een brede rug, maar, lieve man, jij hebt van mijn dagen woestijnen gemaakt! Vooruit, neem maar geen notitie van me, laat me nu maar met rust om uit het raam te springen! Ik ga nu naar de slaapkamer,' besloot ze, 'en als je niets meer van me hoort komt dat omdat mijn hart gebroken is en ik dood ben!' Er werden nog meer deuren dichtgeslagen; het was een geweldig aftreden.

Oom Hanif brak, afwezig, een potlood doormidden. Hij schudde verbaasd zijn hoofd. 'Wat is er met haar?' Maar ik wist het. Ik, drager van geheimen, bedreigd door politie, ik wist het en beet op mijn lip. Want, verstrikt als ik was in de huwelijkscrisis van mijn oom en tante, had ik mijn onlangs gemaakte regel gebroken en was Pia's hoofd binnengegaan; ik had haar bezoek aan Homi Catrack gezien en wist dat zij al jarenlang zijn minnares was; ik had hem tegen haar horen zeggen dat hij haar charmes moe was geworden, en dat er nu iemand anders was; en ik, die hem al genoeg zou hebben gehaat alleen maar omdat hij mijn lievelingstante had verleid, haatte hem nu twee keer zo hartstochtelijk omdat hij haar de smaad aandeed haar aan de kant te zetten.

'Ga naar haar toe,' zei mijn oom. 'Misschien kun jij haar opvrolijken.'

De jongen Saleem loopt herhaaldelijk-dichtgeslagen deuren door naar het heiligdom van zijn tragische tante; en gaat naar binnen en ziet haar allerlieflijkste lichaam in wonderbaarlijke nonchalance languit op het echtelijke bed uitgespreid – waar, gisteravond nog, lichamen tegen elkaar aan nestelden – waar papier van hand tot hand ging... een hand fladdert naar haar hart; haar borst zwoegt; en de jongen Saleem stamelt: 'Tante, O tante, het spijt me.'

Een banshie-klacht van het bed. Armen van tragédienne strekken zich als een wiekslag naar mij uit. 'Hai! Hai, hai! *Ai*-hai-hai!' Zonder een verdere uitnodiging te behoeven, vlieg ik naar die armen toe, ik gooi me ertussen, en lig bovenop mijn treurende tante. De armen sluiten zich om mij heen, nauwernauwer, nagels steken door mijn schoolwitte hemd, maar het kan mij niet schelen! – Want onder mijn riem met de S-gesp is zich iets gaan roeren. Tante Pia woelt onder mij in haar wanhoop en ik woel met haar mee, waarbij ik eraan denk om mijn rechterhand vrij te houden van het gebeuren. Ik houd hem stijf boven het strijdgewoel uit. Met een hand begin ik haar te strelen, niet wetende waar ik mee bezig ben, ik ben pas tien jaar en draag nog altijd een korte broek, maar ik huil omdat zij huilt, en de kamer is vervuld van het lawaai – en op het bed terwijl twee lichamen woelen, beginnen twee lichamen een soort ritme aan te nemen, onnoembaar, ondenkbaar, heupen die zich naar me omhoog duwen, terwijl ze gilt: 'O! O God, O God, O!' En misschien gil ik ook wel, ik weet het niet, van dit punt af neemt iets het verdriet over, terwijl mijn oom potloden zit te breken op een gestreepte sofa, iets begint sterker te worden terwijl ze onder mij kronkelt en draait, en ten slotte in de greep van een kracht die groter is dan mijn eigen kracht, breng ik mijn rechterhand naar beneden, ik denk niet meer aan mijn vinger, en wanneer die haar borst aanraakt, drukt wond tegen huid...

'Jaaauuuw!' Ik schreeuw het uit van de pijn; en mijn tante, die zich net uit de macabere betovering van die paar ogenblikken losrukt, duwt me van zich af en geeft me een klinkende klap in mijn gezicht. Gelukkig is het de linkerwang; er is geen gevaar voor schade aan mijn nog overgebleven goede oor. '*Badmaash*!' krijst mijn tante, 'een familie van maniakken en geperverteerden, wee mij, welke vrouw heeft ooit zo diep geleden?'

Er klinkt een kuch in de deuropening. Ik kom nu overeind, rillend van pijn. Pia staat ook, haar haar van haar hoofd af druipend als tranen. Mary Pereira staat in de deuropening, hoestend, een felrode blos van verwarring over haar hele huid, met een bruin papieren pak in de handen.

'Kijk, baba, wat ik heb vergeten,' brengt ze ten slotte met moeite uit, 'je bent nu een grote man: kijk, je moeder heeft je twee mooie witte lange broeken gestuurd.'

Nadat ik zo indiscreet in vervoering raakte terwijl ik mijn tante probeerde op te vrolijken, werd het moeilijk voor me om in het appartement aan Marine Drive te blijven. De volgende dagen werden er geregeld lange intensieve telefoongesprekken gevoerd; Hanif probeerde iemand te overreden, terwijl Pia gebaarde dat misschien nu, na vijf weken ... en op een namiddag toen ik van school thuiskwam haalde mijn moeder me op met onze oude Rover, en mijn eerste verbanning nam een einde.

Noch gedurende onze rit naar huis, noch op enig ander tijdstip, werd mij enige verklaring voor mijn verbanning gegeven. Ik besloot derhalve dat ik geen moeite zou doen om het te vragen. Ik droeg nu een lange broek; ik was daarom een man, en moest mijn zorgen dienovereenkomstig dragen. Ik zei tegen mijn moeder: 'De vinger is niet zo erg. Hanif mamu heeft me geleerd de pen anders vast te houden, dus ik kan goed schrijven.' Zij scheen zich intens op de weg te concentreren. 'Het was een leuke vakantie,' voegde ik er beleefd aan toe. 'Dank u wel dat u me erheen gestuurd hebt.'

'O kind,' barstte ze uit, 'met je gezicht dat straalt als de zon die te voorschijn komt, wat kan ik je zeggen? Wees lief voor je vader; hij is de laatste tijd niet gelukkig.' Ik zei dat ik zou proberen om braaf te zijn; zij scheen de macht over het stuur te verliezen en wij schoten gevaarlijk dicht langs een bus heen. 'Wat een wereld,' zei ze na een tijdje. 'Er gebeuren vreselijke dingen, en je weet niet hoe.'

'Ik weet het,' stemde ik in. 'Ayah heeft het me verteld.' Mijn moeder keek me angstig aan, wierp toen Mary achterin een boze blik toe. 'Jij zwarte vrouw,' riep ze uit, 'wat heb je allemaal gezegd?' Ik legde uit over Mary's verhalen over miraculeuze gebeurtenissen, maar die akelige geruchten schenen mijn moeder te kalmeren. 'Wat weet jij,' zei ze met een zucht, 'je bent nog maar een kind.'

Wat ik weet, amma? Ik weet het van Café de Pionier! Plotseling, terwijl we naar huis toe reden, was ik opnieuw vervuld van mijn zucht naar wraak op mijn perfide moeder, een zucht die in de heldere glans van mijn verbanning was vervaagd, maar die nu terugkwam en werd verenigd met mijn pas ontstane walging van Homi Catrack. Deze tweekoppige zucht was de duivel die mij bezat, en me ertoe dreef het ergste te doen dat ik ooit gedaan had... 'Alles komt in orde,' zei mijn moeder, 'wacht maar, je zult het zien.'

Ja, moeder.

Ik denk ineens dat ik, in dit hele stuk, niets over de Conferentie van Middernachtskinderen heb gezegd; maar, om u de waarheid te vertellen, ze leken me in die tijd niet erg belangrijk. Ik had andere dingen aan mijn hoofd.

Enkele maanden later, toen Mary Pereira haar misdrijf ten slotte bekende, en de geheimen van haar elf-jaar-lange bezoeking door de geest van Joseph D'Costa onthulde, vernamen we dat zij, na haar terugkeer uit ballingschap, diep geschokt was door de toestand waarin de geest tijdens haar afwezigheid was geraakt. Hij begon af te takelen, zodat er nu stukken aan ontbraken: een oor, verscheidene tenen aan iedere voet, de meeste van zijn tanden; en er zat een gat in zijn buik groter dan een ei. Verontrust door die afbrokkelende geest vroeg ze hem (wanneer er niemand in de buurt was die haar kon horen): 'O God, Joe, wat heb je met jezelf gedaan?' Hij antwoordde dat de verantwoordelijkheid voor haar misdrijf hem vierkant op de schouders was gelegd totdat zij bekende, en dat het zijn gestel aantastte. Van dat ogenblik af werd het onvermijdelijk dat ze zou opbiechten; maar telkens wanneer ze naar mij keek was er iets dat haar ervan weerhield. Maar toch, het was alleen nog maar een kwestie van tijd.

Ondertussen, en volkomen onwetend van hoe gauw ik als een bedrieger zou worden ontmaskerd, probeerde ik het op een akkoordje te gooien met een Methwolds Villapark waarin zich ook enkele veranderingen hadden voorgedaan. In de eerste plaats scheen mijn vader niets meer met me te maken te willen hebben, een geesteshouding die ik kwetsend vond maar (mijn verminkte lichaam in aanmerking genomen) volkomen begrijpelijk. In de tweede plaats was er de opmerkelijke verandering in het lot van de Brutale Aap. 'Mijn positie in dit huishouden,' was ik genoodzaakt tegenover mezelf toe te geven, 'is zich door iemand wederrechtelijk toegeëigend.' Want nu was het de Aap die hij in het abstracte heiligdom van zijn kantoor toeliet, de Aap die hij in zijn verende buik smoorde, en die de lasten van zijn toekomstdromen moest dragen. Ik hoorde Mary Pereira zelfs het deuntje dat altijd mijn lijfliedje was geweest voor de Brutale Aap zingen: 'Alles dat je wilt worden,' zong Mary, 'kun je worden; Je kunt alles worden wat je wilt!' Zelfs mijn moeder scheen erdoor besmet te zijn; want nu was het mijn zuster die altijd de grootste portie patat aan tafel kreeg, en de extra nargisi kofta en de lekkerste pasandra. Terwijl ik me – telkens wanneer iemand thuis toevallig naar me keek – bewust was van een steeds dieper wordende groef tussen hun wenkbrauwen, en een sfeer van verwarring en wantrouwen. Maar hoe kon ik klagen? De Aap had mijn speciale plaats jarenlang getolereerd. Mogelijk met uitzondering van die keer dat ik uit een boom in onze tuin viel nadat zij me een duwtje had gegeven (hetgeen, per slot van rekening, een ongeluk had kunnen zijn), aanvaardde ze mijn primaat op een hoogst fatsoenlijke manier en zelfs met loyaliteit. Nu was het mijn beurt; nu ik een lange broek droeg werd er van mij verlangd dat ik mijn degradatie als een man zou dragen. 'Dit opgroeien,' zei ik tegen mezelf, 'is moeilijker dan ik verwachtte.'

Het moet gezegd worden dat de Aap niet minder verbaasd was dan ik over haar verheffing tot de rol van lievelingskind. Ze deed haar best om uit de gratie te raken, maar het scheen dat ze geen kwaad kon doen. Dit was de tijd van haar geflirt met het christendom, dat ten dele toe te schrijven was aan de invloed van haar Europese schoolvriendinnen en ten dele aan de aanwezigheid van de Mary Pereira met haar rozenkrans in de vingers (die ons, omdat ze vanwege haar angst voor de biechtstoel niet naar de kerk kon gaan, in plaats daarvan placht te onthalen op bijbelse vertellingen); maar ik geloof dat het vooral een poging van de Aap was om haar oude, geriefelijke positie in het hondehok van de familie te herwinnen (en, over honden gesproken, barones Simki had men toen ik weg was laten inslapen, gedood door promiscuïteit).

Mijn zuster gaf hoog op van de zachtaardige en vriendelijke Jezus; mijn moeder glimlachte flauw en aaide haar over het hoofd. Ze liep gezangen neuriënd door het huis; mijn moeder leerde de melodieën en zong mee. Ze vroeg om nonnenkleren in plaats van haar geliefde verpleegstersuniform; ze kreeg ze ook. Ze reeg erwten aan een draad en gebruikte ze als rozenkrans, weesgegroetjes prevelend, en mijn ouders prezen haar handvaardigheid. Gekweld doordat ze er niet in slaagde te worden gestraft, steeg ze tot uitersten van godsdienstijver, 's morgens en 's avonds het Onze Vader opzeggend, in de weken van de vastentijd vastend in plaats van tijdens Ramzàn, en legde een onvermoede fanatieke karaktertrek aan de dag die haar persoonlijkheid later zou gaan overheersen; maar toch, zo bleek het, werd ze getolereerd. Ten slotte besprak ze de zaak met mij. 'Nou, broer,' zei ze, 'het ziet ernaar uit dat ik van nu af aan de brave Hendrik zal moeten uithangen, en dat jij alle lol mag hebben.'

Waarschijnlijk had ze gelijk; het klaarblijkelijke verlies van belangstelling van mijn ouders voor mij had me een grotere mate van vrijheid behoren te geven; maar ik werd gebiologeerd door de veranderingen die er in ieder aspect van mijn leven plaatsgrepen, en onder dergelijke omstandigheden scheen het moeilijk om plezier te hebben. Ik was lichamelijk aan het veranderen; te vroeg verscheen er dons op mijn kin, en mijn stem schoot, onbeheerst, langs het vocale register omhoog en omlaag. Ik had sterk het gevoel dat ik lachwekkend was: mijn langer wordende ledematen maakten me plomp, en ik moet er clownesk hebben uitgezien toen ik uit hemden en broek groeide en slungelig en te ver uit mouwen en broekspijpen stak. Ik had het gevoel alsof die kleren, die komisch om mijn enkels en polsen flapten, op de een of andere manier tegen mij samenzweerden; en zelfs toen ik mij binnenwaarts tot mijn geheime Kinderen richtte, trof ik veranderingen aan, en ik vond het niet prettig.

De geleidelijke desintegratie van de Middernachtskinderen Conferentie – die ten slotte uiteenviel op de dag dat de Chinese legers over het Himalayagebergte omlaag kwamen om de Indiase fauj te vernederen – was al een heel eind gevorderd. Wanneer de nieuwigheid van iets af is, moeten verveling, en daarna onenigheid, onvermijdelijk volgen. Of (met andere woorden) wanneer een vinger verminkt is, en er fonteinen bloed uit stromen, wordt allerlei laagheid mogelijk ... of de scheuren in de Conferentie al of niet het (actief-metaforische) resultaat waren van het verlies van mijn vinger, ze werden stellig groter. Ginds in Kasjmir verviel Narada-Markandaya in de solipsistische droom van de ware narcist, en hield zich alleen bezig met de erotische geneugten van voortdurende seksuele veranderingen; terwijl Soumitra, de tijdreiziger, beledigd door onze weigering om te luisteren naar zijn beschrijvingen van een toekomst waarin (zo zei hij) het land zou worden geregeerd door een urine drinkende grijsaard die weigerde dood te gaan, en mensen alles zouden vergeten wat ze ooit hadden geleerd, en Pakistan als een amoebe zou worden gedeeld, en de eerste minister van elke helft door zijn opvolger zou worden vermoord, die beiden – zwoer hij, ondanks ons ongeloof – dezelfde naam zouden dragen ... de gekrenkte Soumitra ontbrak nu geregeld op onze nachtelijke vergaderingen en verdween gedurende lange perioden in de spinnewebachtige doolhoven van de Tijd. En de zusters uit Baud waren tevreden met haar vermogen om jonge en oude dwazen te beheksen. 'Wat kan deze Conferentie uitrichten?' vroegen ze. 'We hebben al te veel minnaars.' En ons lid de alchimist was druk bezig in een laboratorium dat zijn vader (wie hij zijn geheim had onthuld) voor hem had laten bouwen; geheel in beslag genomen door de Steen der Wijzen had hij erg weinig tijd voor ons. Wij hadden hem verloren aan de verlokking van het goud.

En bovendien waren er ook nog andere factoren in het spel. Kinderen, hoe magisch ook, zijn niet immuun voor hun ouders; en toen zij de vooroordelen en wereldbeschouwingen van volwassenen begonnen over te nemen, merkte ik dat kinderen uit Maharashtra een hekel hadden aan Gujarati's, en lichtgekleurde inwoners van het noorden Dravidiaanse 'zwartjes' beschimpten; er was godsdienstige wedijver; en klassenverschillen deden zich nu bij onze beraadslagingen gelden. De rijke kinderen haalden hun neus ervoor op dat ze in zulk nederig gezelschap verkeerden; brahmanen voelden zich al onbehaaglijk als zij zelfs hun gedachten toestonden de gedachten van de onreinen aan te raken; terwijl onder de laaggeborenen de druk van armoede en communisme zich duidelijk begonnen te manifesteren en bovendien waren er botsingen tussen persoonlijkheden, en de honderden kijfpartijen die onvermijdelijk zijn in een parlement dat geheel bestaat uit halfvolwassen blagen.

Op die manier vervulde de Conferentie van Middernachtskinderen de voorspelling van de Eerste Minister, en werd eigenlijk een spiegel van de natie; de passief-letterlijke modus was aan het werk, hoewel ik mij er met toenemende wanhoop tegen verzette, en ten slotte met steeds grotere berusting...

'Broeders, zusters!' riep ik om, met een geestelijke stem die even onbeheerst was als zijn lichamelijke tegenhanger, 'laat dit niet gebeuren! Sta niet toe dat de eindeloze dualiteit van massa's-en-klassen, kapitaal-en-arbeid, zij-en-wij tussen ons komt! Wij,' riep ik hartstochtelijk uit, 'moeten een derde beginsel vormen, wij moeten de macht zijn die zich tussen de horens van het dilemma boort; want alleen door anders, door nieuw te zijn kunnen wij de belofte van onze geboorte waarmaken!' Ik had medestanders, en geen groter dan Parvati-de-heks; maar ik voelde dat ze me ontglipten, elk afgeleid door zijn of haar eigen leven ... net zoals ik eigenlijk door het mijne werd afgeleid. Het was alsof ons roemruchte congres niet meer bleek te zijn dan een willekeurig stuk speelgoed uit de kinderjaren, alsof lange broeken vernietigden wat middernacht had gemaakt... 'Wij moeten het eens worden over een programma,' pleitte ik, 'ons eigen vijfjarenplan, waarom niet?' Maar ik kon, achter mijn ongeruste uitzending, het geamuseerde lachen van mijn grootste rivaal horen; en daar was Shiva in al onze hoofden, die minachtend zei: 'Nee, kleine rijke jongen; er is geen derde beginsel; er is alleen maar geld-en-armoede, en bezit-en-gebrek, en rechts-en-links; er is alleen ik-tegen-de-wereld! De wereld bestaat niet uit ideeën, rijkeluis jongen; de wereld is geen plaats voor dromers of hun dromen; de wereld, kleine Snotneus, bestaat uit dingen. Dingen en hun makers regeren de wereld; neem Birla, en Tata, en alle machtigen; die maken dingen. Voor dingen wordt het land bestuurd. Niet voor mensen. Voor dingen. Amerika en Rusland sturen hulp; maar vijf miljoen lijden nog steeds honger. Wanneer je dingen hebt, dan is er tijd om te dromen; wanneer je die niet hebt, vecht je.' De Kinderen, die geboeid luisterden terwijl wij bekvechtten ... of misschien niet, misschien boeide onze dialoog hen niet. En nu ik: 'Maar mensen zijn geen dingen; als wij samenkomen, als we elkaar liefhebben, als we laten zien dat dit, alleen maar dit, dit bij-elkaar-zijn van mensen, deze Conferentie, deze kinderen-die-door-dik-en-dun bij elkaar blijven, dat derde beginsel kunnen zijn...' Maar Shiva, snuivend: 'Kleine rijke jongen, dat is allemaal gelul. Al die drukte over het belang-van-het-individu. Al dat gezwets over de mogelijkheden-van-de-mensheid. Tegenwoordig zijn mensen gewoon dingen. 'En ik, Saleem, aangeslagen: 'Maar... vrije wil ... hoop ... de grote ziel, ook bekend als *mahatma*, van de mensheid ... en poëzie, en kunst dan, en...' Waarop Shiva zijn overwinning greep: 'Zie je wel? Ik wist dat je zo zou worden. Papperig, als te lang gekookte rijst. Sentimenteel als een grootmoeder. Ga weg, wie wil jouw onzin? We moeten allemaal ons eigen leven leiden. Verdorie, komkommerneus, ik ben kotsmisselijk van je Conferentie. Die slaat helemaal nergens op.'

U vraagt: er zijn tienjarigen? Ik antwoord: Ja, maar. U zegt: bespraken tienjarigen, of bijna-elfjarigen zelfs, de rol van het individu in de samenleving? En de wedijver tussen kapitaal en arbeid? Werden de interne spanningen tussen agrarische en geïndustrialiseerde gebieden duidelijk gemaakt? En conflicten in socio-culturele erfgoederen? Bespraken kinderen van nog geen vierduizend dagen de identiteit en de inherente conflicten van het kapitalisme? Maakten ze, na nog geen honderdduizend uur te hebben bestaan, onderscheid tussen Gandhi en Marxlenin, macht en onmacht? Werd de collectiviteit tegenover de individualiteit gesteld? Werd God door kinderen gedood? Ook al houden we er rekening mee dat die zogenaamde wonderen echt zijn, kunnen wij dan geloven dat kwajongens spraken als oude mannen met baarden?

Ik zeg: misschien niet met deze woorden; misschien helemaal niet met woorden, maar in de zuiverder taal van het denken; maar ja, zeker, dit was hetgeen aan dit alles ten grondslag lag; want kinderen zijn de vaten waarin volwassenen hun gif gieten, en het was het gif van volwassenen dat ons de das omdeed. Gif, en na een hiaat van vele jaren, een Weduwe met een mes.

Om kort te gaan: na mijn terugkeer naar Villa Buckingham verloor zelfs het zout van de middernachtskinderen zijn smaak; er waren nu nachten dat ik niet eens de moeite nam om mijn landelijke omroep te installeren; en de duivel die in mij school (hij had twee koppen) was vrij om door te gaan met zijn duivelsstreken. (Ik heb nooit geweten van Shiva's schuld of onschuld aan hoerenmoorden; maar de invloed van Kali-Yuga was zodanig dat ik, de brave knaap en het natuurlijke slachtoffer, ongetwijfeld verantwoordelijk was voor twee doden. De eerste was Jimmy Kapadia; de tweede was Homi Catrack.)

Als er een derde beginsel is, dan heet dat jeugd. Maar die sterft; of liever, wordt vermoord.

Wij hadden in die tijd allemaal onze moeilijkheden. Homi Catrack had zijn idiote Toxy, en de Ibrahims hadden andere zorgen: Sonny's vader Ismail liep, na jaren rechters en jury's te hebben omgekocht, het gevaar voor de Orde van Advocaten te moeten verschijnen; en van Sonny's oom Ishaq, die directeur van het tweederangs Embassy Hotel bij de Florafontein was, werd gezegd dat hij zwaar in het krijt stond bij plaatselijke gangsters, en zich voortdurend zorgen maakte dat hij zou worden 'koudgemaakt' (in die tijd begonnen moordaanslagen even alledaags te worden als de hitte) ... dus misschien valt het niet te verwonderen dat wij allemaal het bestaan van professor Schaapsteker waren vergeten. (Indiërs worden groter en krachtiger naarmate ze ouder worden; maar Schaapsteker was een Europeaan, en zijn soort kwijnt ongelukkigerwijze met de jaren weg, en verdwijnt vaak helemaal.)

Maar nu, gedreven door mijn demon wellicht, voerden mijn voeten mij naar de bovenste verdieping van Villa Buckingham, waar ik een krankzinnige oude man aantrof, ongelooflijk klein en verschrompeld, wiens smalle tong voortdurend tusussen zijn lippen naar buiten en naar binnen schoot – flitsend, likkend: de vroegere zoeker naar antistoffen, moordenaar van paarden, Scherpsteker sahib, nu tweeënnegentig en niet langer verbonden aan het instituut dat zijn naam droeg, maar teruggetrokken in een donkere bovenste verdieping afgestampt met tropische vegetatie en slangen ingemaakt in brijn. Ouderdom, die er niet in was geslaagd zijn tanden en gifzakjes uit te trekken, had hem in plaats daarvan tot de incarnatie van het slangendom gemaakt; evenals bij andere Europeanen die te lang blijven, hadden de oude krankzinnigheden van India zijn hersens gepekeld, zodat hij was gaan geloven in het bijgeloof van de bodes van het Instituut, volgens wie hij de laatste van een geslacht was dat begon toen een koningscobra paarde met een vrouw die een menselijk (maar slangachtig) kind ter wereld bracht ... het schijnt dat ik mijn hele leven alleen maar een hoek heb hoeven omslaan om weer in een nieuwe en fabelachtig gemetamorfoseerde wereld te tuimelen. Bestijg een ladder (of zelfs een trap) en je wordt opgewacht door een slang.

De gordijnen waren altijd dicht; in Schaapstekers kamers ging de zon nooit op of onder, en er tikten geen klokken. Wat is de demon, of ons gemeenschappelijk gevoel van isolement dat ons bij elkaar bracht?... Want in die tijd van de opkomst van de Aap en de achteruitgang van de Conferentie, begon ik wanneer dat mogelijk was de trap te bestijgen, en naar het geraaskal van de krankzinnige, sissende oude man te luisteren.

Zijn eerste begroeting, toen ik zijn onafgesloten leger binnenstommelde, was: 'Zo, kind – ben je van de tyfus hersteld?' Het zinnetje bracht de tijd in beroering als een trage stofwolk en bracht me weer samen met mijn één jaar oude ik; ik herinnerde me het verhaal dat Schaapsteker mijn leven had gered met slangegif. En daarna zat ik verscheidene weken aan zijn voeten, en hij onthulde mij de cobra die binnen in mezelf lag opgerold.

Wie somde, ter wille van mij, de occulte vermogens van slangen op? (Hun schaduwen doden koeien; als ze de droom van een man binnenkomen, raakt zijn vrouw in verwachting; als ze worden gedood, krijgt de familie van de moordenaar twintig jaar lang geen mannelijke afstammelingen.) En wie beschreef voor mij – met behulp van boeken en opgezette lijken – de onveranderlijke vijanden van de cobra? 'Bestudeer je vijanden, kind,' siste hij, 'want anders zullen ze je zeker doden'... Aan Schaapstekers voeten bestudeerde ik de mongoes en het zwijn, de maraboe met zijn snavel als een dolk en het barasinha-hert dat de koppen van slangen onder zijn poten vertrapt; en de Egyptische sluipwesp, en de ibis; de één meter twintig hoge secretarisvogel, onbevreesd en met een kromme snavel, wiens verschijning en naam mij achterdochtige gedachten over mijn vaders Alice Pereira ingaf; en de jakhalsbuizerd, de stinkkat, de honingdas uit de heuvels; de renkoekoek, het bisamzwijn en de geduchte cangamba-vogel. Van uit de diepten van zijn seniliteit gaf Schaapsteker mij les in het leven. 'Wees wijs, kind. Boots het gedrag van de slang na. Wees heimelijk; val aan van uit de dekking van een struik.'

Eens zei hij: 'Je moet me zien als een tweede vader. Heb ik jou je leven niet geschonken toen het verloren was?' Met deze verklaring bewees hij dat hij evenzeer onder mijn bekoring was als ik onder de zijne; hij had aanvaard dat ook hij deel uitmaakte van die eindeloze reeks ouders die alleen ik in staat was te scheppen. En hoewel ik de sfeer in zijn kamer na een tijdje te deprimerend begon te vinden, en hem opnieuw aan de afzondering overliet waarin hij nooit meer zou worden gestoord, had hij me laten zien hoe ik verder moest. Verteerd door de tweekoppige wraakduivel, gebruikte ik mijn telepathische vermogens (voor de eerste keer) als wapen; en op die manier ontdekte ik de bijzonderheden van de verhouding tussen Homi Catrack en Lila Sabarmati. Lila en Pia waren altijd rivalen op het gebied van de schoonheid geweest; het was de vrouw van de opvolger voor de titel van Admiraal van de Vloot die de nieuwe vriendin van de filmmagnaat was geworden. Terwijl overste Sabarmati op zee was voor vlootoefeningen, deden Lila en Homi hun eigen oefeningen; terwijl de leeuw van de zeeën op de dood van de toenmalige admiraal wachtte, maakten Homi en Lila ook een afspraak met de Man met de Zeis. (Met behulp van mij.)

'Wees heimelijk,' had Scherpsteker sahib gezegd; in het geheim bespioneerde ik mijn vijand Homi, en de overspelige moeder van Oogsnee en Haarolie (die de laatste tijd erg van zichzelf vervuld waren, eigenlijk vanaf de tijd dat de kranten berichtten dat de promotie van overste Sabarmati louter een formaliteit was. *Een kwestie van tijd slechts...*) 'Loszinnige vrouw,' fluisterde de demon geluidloos in mij, 'bedrijfster van de ergste moederlijke trouweloosheden! Wij zullen je tot een afschuwelijk voorbeeld maken; door jou zullen we laten zien welk lot de wellustigen wacht. O onoplettende overspelige! Heb je niet gezien waar het vreemd gaan voor de illustere barones Simki von der Heiden op uit is gedraaid? – die, om het niet al te fijntjes te zeggen, een teef was, net als jijzelf.'

Mijn mening over Lila Sabarmati is met de jaren milder geworden; per slot van rekening hadden zij en ik een ding gemeen – haar neus bezat, evenals de mijne, enorme vermogens. De hare was echter zuiver werelds magisch: een rimpeling van het vel van de neus kon de meest gestaalde admiraal bekoren; een kleine trilling van de neusvleugels deed vreemde vuren in de harten van filmmagnaten oplaaien. Ik heb een beetje spijt dat ik die neus verraden heb; het was min of meer alsof je een nicht in de rug stak.

Wat ik ontdekte: iedere zondagmorgen om tien uur reed Lila Sabarmati naar de Metrobioscoop voor de wekelijkse bijeenkomst van de Metro Welpenclub. (Ze bood aan om de rest van ons ook mee te nemen; Sonny en Cyrus, de Aap en ik propten ons in haar in India gemaakte Hindoestaanse auto.) En terwijl we naar Lana Turner of Robert Taylor of Sandra Dee reden, bereidde mijnheer Homi Catrack zich ook voor op een wekelijks rendez-vous. Terwijl Lila's Hindoestaan langs de spoorbaan voorttufte, knoopte Homi een crêmekleurige zijden sjaal om zijn hals; terwijl zij bij de rode lichten bleef staan, trok hij een felkleurig safari-jasje aan; wanneer zij ons naar de duisternis van de zaal loodste, zette hij een goudomrande zonnebril op; en wanneer zij ons in de zaal achterliet, liet ook hij een kind achter. Toxy Catrack reageerde steevast op zijn vertrek door te jammeren schoppen spartelen-met-de-benen; ze wist wat er aan de hand was, en zelfs Bi-Appah kon haar niet beteugelen.

Eens waren er Radha en Krishna, en Rama en Sita, en Laila en Majnu; ook (daar we niet onberoerd zijn gebleven door het Westen) Romeo en Julia, Spencer Tracy en Katharine Hepburn. De wereld is vol liefdesverhalen, en alle minnaars en minnaressen zijn in zekere zin de incarnatie van hun voorgangers. Toen Lila haar Hindoestaan naar een adres aan de straatweg naar Colaba reed, was ze Julia die op haar balkon verscheen; toen de crème-besjaalde, met goud beschaduwde Homi wegspoot om haar te ontmoeten (in dezelfde Studebaker waarmee mijn moeder eens snel naar Dr. Narlikars Kraamkliniek was gebracht), was hij Leander die de Hellespont overzwom naar Hero's brandende kaars. Wat mijn rol in de zaak betrof – ik zal die geen naam geven.

Ik beken: wat ik deed was geen heldendaad. Ik streed niet tegen Homi te paard, met felle ogen en vlammend zwaard; in plaats daarvan, de handeling van de slang nabootsend, begon ik stukken uit dagbladen te knippen. Uit SPREKER OP E-PAK VERGADERING GEKAPITTELD haalde ik de letters 'KAPIT'; SATYAGRAHA CAMPAGNE LOOPT ALS EEN TREIN gaf mij de rest van mijn derde lettergreep 'EIN'. Nu mijn tweede woord; ik nam 'SAB' van RELLEN, MASSA-ARRESTATIES IN ROOD BESTUURDE KERALA: SABOTEURS MAKEN AMOK: GHOSH NOEMT CONGRES GOENDA'S, en kreeg 'ARM' van GRENSACTIVITEITEN VAN CHINESE ARMEE SPOTTEN MET AFSPRAKEN VAN BANDOENG. Om de naam te completeren knipte ik de letters 'ATI' uit DULLES' BUITENLANDSE POLITIEK IS INCONSEQUENT, ERRATISCH, BEWEERT CONGRESLID. De geschiedenis verknippend om mijn snode doeleinden te dienen, maakte ik mij meester van WAAROM INDIRA GANDHI NU VOORZITTER VAN CONGRES IS, en behield het 'WAAROM'; maar ik weigerde om me uitsluitend bij de politiek te houden, en ging over op de advertenties voor het 'GAAT UW' in GAAT DE SMAAK VAN UW KAUWGOM VERLOREN? P.K. BEHOUDT ZIJN FRISHEID! Een menselijk verhaal uit de sportwereld, MIDVOOR MOHUN BAGAN NEEMT VROUW, gaf me zijn laatste woord en 'NAAR' haalde ik uit MASSA GAAT NAAR ABUL KALAM AZADS BEGRAFENIS. Nu was ik genoodzaakt mijn woorden weer stukje bij beetje bijeen te zoeken: DOOD OP ZUID-COL – SHERPA VALT verschafte mij m'n noodzakelijke 'COL'; 'ABA' was moeilijk te vinden, maar dook eindelijk op in een bioscoopadvertentie: ALI-BABA, ZEVENTIENDE SUPERKOLOSSALE WEEK – WEES ER VLUG BIJ – LOOPT STORM!... Dit was de tijd dat sjeik Abdullah, de Leeuw van Kasjmir, een campagne voerde voor een volksstemming in zijn staat om de toekomst ervan te bepalen; zijn moed gaf mij de lettergreep 'STRAAT' omdat die naar deze kop leidde: ABDULLAH WEGENS 'OPHITSING' OP STRAAT GEARRESTEERD – REGERINGSWOORDVOERDER. Ook toen kondigde Acharya Vinobha Bhave, die tien jaar lang landeigenaars had overgehaald om stukken land aan de armen af te staan in zijn bhoodan-campagne aan dat donaties de één miljoen acres hadden overschreden, en lanceerde twee nieuwe campagnes, waarin hij om bijdragen van hele dorpen ('gramdan') vroeg en van individuele levens ('jivandan'). Toen J.P. Narayan aankondigde dat hij zijn leven aan Bhaves werk zou wijden, gaf de kop NARYAN VOLGT BHAVES WEG mij het naarstig gezochte 'WEG'. Ik was nu bijna klaar; OP en het lidwoord DE wegplukkend van PAKISTAN KOERST OP POLITIEKE CHAOS AF: FRACTIESTRIJD STUURT OPENBARE ZAKEN IN DE WAR, en een 'ZONDAG' van het impressum van *Blitz op Zondag*, had ik alleen nog maar een vraagteken nodig en vond dat aan het eind van de eeuwigdurende vraag uit die vreemde tijd: NA NEHRU, WIE?

In de verborgenheid van de badkamer lijmde ik mijn voltooide briefje – mijn eerste poging om de geschiedenis te herschikken – op een stuk papier; als een slang stak ik het document in mijn zak, als gif in een klier. Geraffineerd sprak ik af om een avond bij Oogsnee en Haarolie door te brengen. We speelden een spelletje: 'Moord in het Donker'... Tijdens een moordspelletje glipte ik overste Sabarmati's almirah binnen en stopte mijn dodelijke missieve in de binnenzak van zijn tweede uniform. Op dat ogenblik (het heeft geen zin er niet voor uit te komen) voelde ik de verrukking van de slang die zijn doel raakt en zijn giftanden de hiel van zijn slachtoffer voelt binnendringen...

KAPITEIN SABARMATI (aldus luidde mijn briefje)

WAAROM GAAT UW VROUW NAAR DE COLABA

STRAATWEG OP ZONDAG?

Nee, ik ben niet langer trots op wat ik deed; maar vergeet niet dat mijn wraakdemon twee koppen had. Door de slechtheid van Lila Sabarmati te ontmaskeren hoopte ik ook mijn eigen moeder een heilzame schok te geven. Twee vliegen in een klap; er moesten twee gestrafte vrouwen zijn, een vastgeprikt aan iedere giftand van de gespleten slangetong. Het is niet onwaar om te zeggen dat hetgeen bekend zou worden als de zaak Sabarmati zijn eigenlijke begin had in een sjofel café in het noorden van de stad, toen een verstekeling een ballet van elkaar omcirkelende handen gadesloeg.

Ik was heimelijk; ik sloeg toe uit de dekking van een bosje. Wat dreef mij? Handen in Café de Pionier; telefoongesprekken met verkeerde nummers; briefjes die mij op balkons in de hand werden gestopt, en onder dekking van beddelakens werden doorgegeven; mijn moeders huichelachtigheid en Pia's ontroostbare verdriet: 'Hai! *Ai*-hai! Ai-hai-*hai*!'... Mijn gif werkte traag; maar drie weken later had het zijn uitwerking.

Het bleek, naderhand, dat overste Sabarmati, na mijn anonieme briefje te hebben ontvangen, de diensten had ingeroepen van de befaamde Dom Minto, Bombays bekendste particuliere detective. (Minto, oud en bijna kreupel, had inmiddels zijn tarieven verlaagd.) Hij wachtte tot hij Minto's rapport had ontvangen. En toen:

Die zondagmorgen zaten er zes kinderen op een rij in de Metro Welpenclub naar *Francis de Pratende Muilezel En Het Spookhuis* te kijken. Ziet u, ik had mijn alibi; ik was niet eens in de buurt van het toneel van de misdaad. Evenals Sin, de maansikkel, beïnvloedde ik van een afstand de getijden van de wereld ... terwijl een muilezel op een filmdoek praatte, bezocht overste Sabarmati het marine-arsenaal. Hij tekende toen hij vertrok voor een goede revolver met een lange loop; ook voor munitie. Hij hield, in zijn linkerhand, een stuk papier waarop in het nette handschrift van een privé-detective een adres was geschreven; met zijn rechterhand omklemde hij de uit de holster gehaalde revolver. Per taxi arriveerde de overste bij de Colaba Straatweg. Hij betaalde de taxi, liep met de revolver in de hand een smal pad af langs overhemdenkraampjes en speelgoedwinkels, en ging de trap van een flatgebouw op dat een eindje van het pad achteraan een betonnen plein stond. Hij belde aan bij appartement 18C; dit werd in 18B gehoord door een Anglo-Indiase leraar die privé-lessen Latijn gaf. Toen overste Sabarmati's vrouw Lila de deur opendeed, schoot hij haar twee keer van vlakbij in de maag. Ze viel achterover; hij beende langs haar heen, en trof mijnheer Homi Catrack aan die net van de wc opstond, zijn billen onafgeveegd, en verwoed aan zijn broek stond te hijsen. Overste Vinoo Sabarmati schoot hem een keer in de genitaliën, een keer in het hart en een keer door het rechteroog. De revolver was niet gedempt; maar toen hij uitgesproken was, viel er een diepe stilte in het appartement. Mijnheer Catrack zat nadat hij was doodgeschoten op het toilet en scheen te glimlachen.

Overste Sabarmati liep het flatgebouw uit met de rokende revolver in zijn hand (hij werd door een spleet van een deur gezien door een doodsbange Latijnse leraar); hij wandelde langs de Colaba Straatweg tot hij een verkeersagent op zijn kleine podium zag. Overste Sabarmati zei tegen de politieman: 'Ik heb zonet mijn vrouw en haar minnaar met deze revolver gedood; ik geef mij over aan uw...' Maar hij had met de revolver onder de neus van de agent staan zwaaien; de agent was zo bang dat hij de stok waarmee hij het verkeer regelde liet vallen en vluchtte. Overste Sabarmati, die alleen op het voetstuk van een politieagent te midden van de plotselinge verkeerschaos was achtergebleven, begon het autoverkeer te regelen, waarbij hij de rokende revolver als stokje gebruikte. Zo werd hij door de troep van twaalf politiemannen aangetroffen die tien minuten later arriveerde, en die zich dapper op hem stortte en hem bij handen en voeten beetpakte, en hem het ongebruikelijke stokje afnamen waarmee hij op deskundige wijze het verkeer had geregeld.

Een krant zei over de zaak Sabarmati: 'Het is een toneelvoorstelling waarin India zal ontdekken wie het was, wat het is, en wat het wellicht zal worden'... Overste Sabarmati was slechts een marionet; ik was de poppenspeler, en de natie voerde mijn stuk op – alleen had ik het zo niet bedoeld! Ik had niet gedacht dat hij... ik wilde alleen maar... een schandaal, ja, een waarschuwing, een les voor alle ontrouwe vrouwen en moeders, maar dat niet, nooit, nee.

Ontsteld over het resultaat van mijn daden liet ik me meevoeren op de veelbewogen gedachtengolven van de stad... in het Algemene Parsi Ziekenhuis zei een dokter: 'Begum Sabarmati zal het overleven; maar ze zal moeten uitkijken met wat ze eet'... Maar Homi Catrack was dood... En wie werd aangetrokken als advocaat? – Wie zei: 'Ik zal hem gratis voor niks verdedigen?' – Wie, eens de overwinnaar in de Vorstzaak, was nu de voorvechter van de overste? Sonny Ibrahim zei: 'Als iemand hem vrij kan krijgen dan is het mijn vader.'

Overste Sabarmati was de populairste moordenaar in de geschiedenis van de Indiase jurisprudentie. Echtgenoten juichten toe dat hij een avontuurlijke vrouw had afgestraft; vrouwen die trouw waren voelden zich gerechtvaardigd in haar trouw. In Lila's eigen zonen trof ik de volgende gedachten aan: 'We wisten dat ze zo was. We wisten dat een marineman dat niet zou pikken.' Een columnist in het *Geïllustreerde Weekblad van India*, die een geschreven portret bijdroeg aan de 'Persoonlijkheid van de Week', een kleurenkarikatuur van de overste, zei: 'In de Zaak Sabarmati gaan de nobele gevoelens van de Ramayana samen met het goedkope melodrama van de Bombayse speelfilm; maar wat de hoofdpersoon betreft, iedereen is het eens over zijn oprechtheid; en hij is ongetwijfeld een sympathieke kerel.'

Mijn wraak op mijn moeder en Homi Catrack had een nationale crisis verhaast... want de marinevoorschriften verordonneerden dat niemand die in een civiele gevangenis had gezeten naar de rang van Admiraal van de Vloot kon streven. Dus eisten admiraals en stedelijke politici, en natuurlijk Ismail Ibrahim: 'Overste Sabarmati moet in een marinegevangenis blijven. Zolang zijn schuld niet bewezen is, is hij onschuldig. Zijn loopbaan mag niet worden geruïneerd als dat mogelijkerwijs kan worden voorkomen.' En de autoriteiten: 'Ja.' En overste Sabarmati, veilig in de eigen gevangenis van de Marine, ontdekte de nadelen van de roem – overstroomd met bijvalstelegrammen wachtte hij op zijn proces; zijn cel stond vol bloemen, en hoewel hij vroeg om op een ascetisch dieet van rijst en water te worden gesteld, overspoelden welmenenden hem met lunchbussen gevuld met birani's en pistaki-lauz en andere machtige gerechten. En omdat hij in de rechtbank voor strafzaken voor zijn beurt ging, begon zijn zaak twee keer zo vlug als normaal... De aanklager zei: 'De beschuldiging luidt moord met voorbedachten rade.'

Met een strak gezicht, krachtige blik, antwoordde overste Sabarmati: 'Niet schuldig.'

Mijn moeder zei: 'O mijn God, die arme man, het is zo droevig, vind je niet?'

Ik zei: 'Maar een ontrouwe vrouw is iets verschrikkelijks, amma...' en ze wendde haar hoofd af.

De aanklager zei: 'We hebben hier een overduidelijke zaak. Er is een motief, gelegenheid, bekentenis, lijk en voorbedachten rade: voor de revolver is getekend, de kinderen zijn naar de bioscoop gestuurd, het rapport van de detective. Wat valt er verder nog te zeggen? De staat staakt de verdere bewijsvoering.'

En de openbare mening: 'Zo'n goeie man, Allah!'

Ismail Ibrahim zei: 'Dit is een geval van een poging tot zelfmoord.'

Waarop de reactie van de openbare mening: '?????????'

Ismail Ibrahim verklaarde: 'Toen de overste Dom Minto's rapport ontving, wilde hij zelf gaan kijken of het waar was; en zo ja, zichzelf doden. Hij tekende voor de revolver; die was voor hemzelf. Hij ging alleen in een wanhopige stemming naar het adres in Colaba; niet als moordenaar, maar als een dode man! Maar toen hij zijn vrouw daar zag – leden van de jury! – toen hij haar daar half gekleed zag met haar schaamteloze minnaar! – leden van de jury, werd deze brave man, deze grote man, witheet van woede. Witheet, zeker, en terwijl hij in die toestand verkeerde, bedreef hij zijn daden. Dientengevolge is er geen sprake van voorbedachten rade, en geen moord in de eerste graad. Doodslag, ja, maar niet in koelen bloede. Leden van de jury, u mag hem niet schuldig bevinden in de zin van de aanklacht.'

En het gonsde in de stad van: 'Nee, te gek... Ismail Ibrahim is deze keer te ver gegaan... maar, maar... hij heeft een jury die voor het grootste deel uit vrouwen bestaat... en geen rijke... daarom twee keer zo ontvankelijk, voor de charme van de overste en de portefeuille van de advocaat... wie weet? Wie zal het zeggen?'

De jury verklaarde: 'Niet schuldig.'

Mijn moeder riep uit: 'O geweldig!... Maar, maar: is het *gerechtigheid*?' En de rechter, haar antwoord gevend: 'Gebruik makend van de bevoegdheden die mij zijn gegeven, wijzig ik deze belachelijke uitspraak. Schuldig overeenkomstig de aanklacht.'

O, de wilde furore van die tijd! Toen hoogwaardigheidsbekleders van de marine en bisschoppen en andere politici eisten: 'Sabarmati moet in de marinegevangenis blijven hangende het beroep van het Hof. En politie-autoriteiten, capitulerend: 'Uitstekend.' De zaak Sabarmati gaat hoger, schiet met een nog nooit eerder vertoonde vaart naar een zitting van het Gerechtshof ... en de overste zegt tegen zijn advocaat: 'Ik heb het gevoel alsof ik het noodlot niet langer beheers; alsof iets anders de zaak heeft overgenomen ... laten wij het 't Noodlot noemen.'

Ik zeg: 'Noem het Saleem, of Snotneus, of Snuiver of Vlekporum; noem het stukje-van-de-maan.'

De uitspraak van het Gerechtshof: 'Schuldig overeenkomstig de aanklacht.' De koppen in de kranten: SABARMATI EINDELIJK NAAR BURGERGEVANGENIS? Ismail Ibrahims verklaring: 'We gaan tot de hoogste instantie. Naar het Hooggerechtshof!' En nu de klap op de vuurpijl. Een uitspraak van de Eerste Minister van de staat zelf: 'Het is een gewichtige zaak om een uitzondering op de wet te maken; maar gezien de diensten die overste Sabarmati zijn land heeft bewezen, sta ik hem toe hangende de beslissing van het Hooggerechtshof in de marinegevangenis te blijven.'

En nog meer krantekoppen, stekend als muskieten: STAATSREGERING LAPT WET AAN HAAR LAARS! SABARMATI SCHANDAAL NU EEN OPENBARE SCHANDE!... Toen ik besefte dat de pers zich tegen de overste had gekeerd, wist ik dat hij verloren was.

De uitspraak van het Hooggerechtshof: 'Schuldig.'

Ismail Ibrahim zei: 'Gratie! We zullen de President van India om gratie verzoeken!'

En nu moeten in Rashtrapati Bhavan belangrijke zaken worden afgewogen – achter de hekken van de presidentswoning moet een mens beslissen of iemand boven de wet kan worden gesteld, of de moord op de minnaar van een vrouw kan worden geseponeerd ter wille van een marineloopbaan; en nog hogere zaken – moet India zijn goedkeuring hechten aan de rechtsgang, of aan het oude beginsel van het nog belangrijkere primaatschap van helden? Als Rama zelf nog leefde, zouden wij hem dan naar de gevangenis sturen omdat hij de ontvoerder van Sita had gedood? Gewichtige zaken; mijn wraakzuchtige binnendringen in de geschiedenis van mijn tijd was geen triviale aangelegenheid.

De president van India zei: 'Ik zal deze man geen gratie verlenen.'

Nussie Ibrahim (wier man zijn belangrijkste zaak verloren had) jammerde: 'Hai! Ai-hai!' En herhaalde een eerdere opmerking: 'Amina, zuster, dat die brave man naar de gevangenis gaat – ik zeg je, betekent het einde van de wereld!'

Een bekentenis, die vlak achter mijn lippen trilt: 'Het was allemaal door mijn toedoen, amma; ik wilde je een lesje geven, amma, maak geen afspraakjes met andere mannen met Lucknow-borduurwerk op hun overhemd; genoeg theekopjes-gekus, moeder van me! Ik draag nu een lange broek, en mag tegen je praten als een man.' Maar ik kreeg die woorden niet over mijn lippen, en dat hoefde ook niet, want ik hoorde mijn moeder een verkeerd-verbonden-telefoongesprek aannemen – en met een vreemde, gedempte stem als volgt in het mondstuk spreken: 'Nee; niemand hier die zo heet; gelooft u alstublieft wat ik u zeg, en bel me nooit meer op.'

Ja, ik had mijn moeder een lesje geleerd; en na de zaak Sabarmati zag ze Nadir-Qasim nooit meer in levenden lijve, nooit meer, zolang zij leefde; maar, van hem beroofd, viel zij ten offer aan het lot van alle vrouwen in onze familie, namelijk de vloek dat ze voortijdig oud werd; ze begon te krimpen, en haar gehobbel werd duidelijker, en er was ook de leegheid van de ouderdom in haar ogen.

Mijn wraak bracht een aantal onvoorziene ontwikkelingen met zich mee; de meest dramatische daarvan was de verschijning in de tuinen van Methwolds Villapark van vreemde bloemen, gemaakt van hout en blik, met felrode met de hand geschilderde letters erop ... de noodlottige borden met opschriften die in alle tuinen behalve de onze werden neergezet, een bewijs dat mijn vermogens zelfs mijn eigen begrip te boven gingen en dat ik, na een keer van mijn twee verdiepingen hoge heuvel verbannen te zijn geweest, er nu in was geslaagd alle anderen weg te sturen.

Borden in de tuinen van Villa Versailles, Villa Escoriaal en Sans Souci; borden die tegen elkaar knikten in de zeebries van het cocktailuur. Op ieder bord waren dezelfde zes letters te zien, alle felrood, alle vijfentwintig centimeter hoog: TE KOOP. Dat was de boodschap die er op de borden stond.

TE KOOP – Villa Versailles, waarvan de eigenaar de dood vond op een wc-bril; de verkoop werd geregeld door de meedogenloze verpleegster Bi-Appah namens de arme zwakzinnige Toxy, toen de verkoop eenmaal zijn beslag had gekregen verdwenen verpleegster en verpleegde voor altijd, en Bi-Appah hield, op haar schoot, een uitpuilende koffer gevuld met bankbiljetten ... ik weet niet wat er met Toxi gebeurde, maar gezien de gierigheid van de verpleegster weet ik zeker dat het niet veel goeds was... TE KOOP, het appartement van Sabarmati in Villa Escoriaal; Lila Sabarmati werd de voogdijschap over haar kinderen ontzegd en ze verdween uit onze levens, terwijl Oogsnee en Haarolie hun koffers pakten en werden toevertrouwd aan de zorg van de Indiase Marine, die zich *in loco parentis* had geplaatst tot hun vader zijn dertig jaar in de gevangenis had uitgezeten... TE KOOP ook de Villa Sans Souci van de Ibrahims, want Ishaq Ibrahims Embassy Hotel was op de dag van overste Sabarmati's uiteindelijke nederlaag door gangsters platgebrand, alsof de misdadige klassen van de stad de familie van de advocaat straften voor zijn mislukking; en vervolgens werd Ismail Ibrahim verboden zijn praktijk uit te oefenen, *vanwege bepaalde bewijzen van professioneel wangedrag* (om het rapport van de Orde van Advocaten van Bombay te citeren); financieel 'in verlegenheid' verdwenen ook de Ibrahims uit ons leven; en ten slotte TE KOOP, het appartement van Cyrus Dubash en zijn moeder, want tijdens het misbaar over de zaak Sabarmati vond de atoomfysicus, vrijwel onopgemerkt, de dood door te stikken in een sinaasappelpit waardoor de godsdienstige doordrijverij van zijn moeder op Cyrus werd losgelaten en de raderen van de periode van openbaringen in beweging werden gezet die het onderwerp van mijn volgende stukje zal zijn.

De borden knikten in de tuinen, die hun herinneringen aan goudvissen en cocktailuurtjes en binnendringende katten begonnen te verliezen; en wie haalde ze weg? Wie waren de erfgenamen van William Methwold?... Ze kwamen uit wat eens de woning van dokter Narlikar was geweest zwerven: dikbuikig en zwaar competente vrouwen, die dikker en competenter waren geworden dan ooit door hun door vierpoten verworven rijkdom (want dat waren de jaren van de grote landaanwinningen). De vrouwen van Narlikar – van de Marine kochten ze overste Sabarmati's flat, en van de vertrekkende mevrouw Dubash het tehuis van haar Cyrus; ze betaalden Bi-Appah met gebruikte bankbiljetten, en de schuldeisers van de Ibrahims werden gesust door de contacten van Narlikar.

Mijn vader was de enige van alle bewoners die weigerde te verkopen; men bood hem enorme bedragen aan, maar hij schudde het hoofd. Ze legden hun droom uit – een droom waarin ze de gebouwen met de grond gelijk maakten om op het twee verdiepingen hoge heuveltje een flatgebouw neer te zetten dat zich dertig verdiepingen hoog de hemel in zou verheffen, een triomfantelijke roze obelisk, een richtingwijzer voor hun toekomst; Ahmed Sinai, verloren in abstracties, moest er niets van hebben. Ze zeiden tegen hem: 'Wanneer je omringd wordt door puin zul je voor een appel en een ei moeten verkopen'; hij (die zich hun vierpotige trouweloosheid herinnerde) was onbewogen.

Nussie-de-eend zei toen ze vertrok: 'Ik heb het je gezegd, Amina, zuster – het einde! Het einde van de wereld!' Deze keer had ze het bij het goede en bij het verkeerde eind; na augustus 1958 bleef de wereld ronddraaien; maar de wereld van mijn kinderjaren was inderdaad geëindigd.

Padma – had jij, toen je klein was, een eigen wereld? Een blikken bol waarop de continenten en oceanen en poolijs stonden gedrukt? Twee goedkope metalen halfronden, samengelast in een plastic standaard? Nee, natuurlijk niet; maar ik wel. Het was een wereld vol etiketten: *Atlantische Oceaan* en *Amazone* en *Kreeftskeerkring*. En aan de noordpool stond: GEMAAKT ALS ENGELAND. Toen de augustus van de knikkende borden en de hebzucht van de vrouwen van Narlikar aanbrak had deze tinnen wereld zijn standaard inmiddels verloren; ik vond plakband en plakte de aarde bij de evenaar aan elkaar, en toen, omdat mijn drang om te spelen sterker was dan mijn eerbied, begon ik hem als voetbal te gebruiken. In die dagen en na de zaak Sabarmati, toen de lucht was vervuld met het berouw van mijn moeder en de privé-tragediën van Methwolds erfgenamen, schopte ik mijn blikken bol kletterend rond het Villapark, in de veilige wetenschap dat de wereld nog heel was (hoewel bijeengehouden door plakband) en ook aan mijn voeten lag... totdat, op de dag van Nussie-de-eends laatste eschatologische jammerklacht – op de dag dat Sonny Ibrahim ophield Sonny-van-hiernaast te zijn – mijn zuster de Brutale Aap in een onverklaarbare woedebui gillend tegen me uitvoer: 'O hou op met dat schoppen van je, broer; voel je je vandaag niet eens een beetje naar?' En hoog in de lucht springend, kwam ze met beide voeten op de noordpool neer, en plette de wereld onder haar woedende hielen in het stof van onze oprijlaan.

Het schijnt dat het vertrek van Sonny Ibrahim, haar gesmade bewonderaar, die ze naakt midden op de weg had uitgekleed, de Brutale Aap toch iets had gedaan, ondanks haar levenslange ontkenning van de mogelijkheid van verliefdheid.

Om Hare Khusro Hare Khusrovand Om

Weet, O ongelovigen, dat in de donkere Middernachten van de HEMELSE RUIMTE in een tijd voor de Tijd het domein van de Gezegende KHUSROVAND lag!!! Zelfs MODERNE WETENSCHAPPERS bevestigen nu dat zij *generaties* lang hebben GELOGEN om voor het Volk verborgen te houden wiens *recht het is om te weten* van het Ontwijfelbare WARE bestaan van dit HEILIGE HUIS VAN DE WAARHEID!!! Vooraanstaande Intellectuelen over de Hele Wereld, ook in Amerika, spreken van de ANTI-RELIGIEUZE SAMENZWERING van roden, JODEN, etc. om dit ESSENTIËLE NIEUWS te verbergen! De Sluier wordt nu opgelicht. De Gezegende HEER KHUSRO komt met Onweerlegbare Bewijzen. Lees en geloof!

Weet dat in het WAAR BESTAANDE Khusrovand Heiligen woonden wier Geestelijke Zuiverheids-Bevordering zodanig was dat zij, door middel van MEDITATIE &c. vermogens verkregen VOOR HET HEIL VAN ONS ALLEN, vermogens die Onvoorstelbaar zijn. Ze KEKEN DOOR STAAL heen, en konden BALKEN en TANDEN verbuigen!!!

* * * NU! * * *
Voor 1ste Keer kunnen dergelijke
vermogens worden gebruikt
ten Dienste van U! HEER KHUSRO is
* * * HIER! * * *

Hoor van de Val van Khusrovand: hoe de RODE DUIVEL *Bhimutha* (ZWART zij zijn naam) een vreselijke Hagel van Meteorieten ontketende (die goed geboekstaafd is door OBSERVATORIA op de hele wereld maar niet Verklaard)... zo'n afgrijselijke STEENREGEN, dat het mooie Khusrovand werd VERWOEST & zijn Heiligen VERNIETIGD.

Maar de nobele *Juraell* en de schone *Kahlila* waren wijs. ZICH OPOFFEREND in een extase van Kundalini-kunst, redden zij de ZIEL van hun ongeboren zoon HEER KHUSRO. Toen zij in een Opperste yogitrance (waarvan de vermogens nu in DE HELE WERELD ZIJN AANVAARD!) de Ware Eenheid binnengingen, veranderden zij hun Nobele Geesten in een Flitsende *Straal* van KUNDALINI LEVENSKRACHT ENERGIE LICHT, waarvan de hedendaagse bekende LASER gewoon een imitatie & *kopie* is. Langs deze STRAAL vloog de Ziel van de ongeboren Khusro door de BODEMLOZE DIEPTEN van Hemelse Ruimte-Eeuwigheid, tot hij tot ONS GELUK! in onze eigen Duniya (Wereld) kwam & zich nestelde in de Schoot van een nederige Parsi dame van Goede Familie.

Zo werd het Kind geboren & was waarlijk Goed en Ongeëvenaard van VERSTAND (de LEUGEN LOGENSTRAFFEND dat we allen Gelijk worden Geboren! Is een Schurk de gelijke van een Heilige? NATUURLIJK NIET!!) Maar gedurende enige Tijd bleef zijn ware aard Verborgen, tot hij, terwijl hij een Aardse Heilige in een TONEELPRODUKTIE uitbeeldde (waarvan vooraanstaande critici hebben gezegd: De Zuiverheid van zijn Vertolking Tartte Het Geloof), ONTWAAKTE hij & wist WIE hij WAS. Nu heeft hij zijn Ware Naam aangenomen,

HEER
KHUSRO
KHUSROVANI
* BHAGWAN *

& is nederig Op Weg gegaan met As op zijn Ascetenvoorhoofd om Ziekte te genezen en een Eind te maken aan Droogte & te STRIJDEN tegen de Legioenen van *Bhimutha* waar die ook mogen Komen. Want WEES BEVREESD! *Bhimutha's* STEENREGEN zal OOK tot ons komen! Schenk geen aandacht aan LEUGENS van politici dichters Roden &cetera. STEL UW VERTROUWEN in de Enige Ware Heer

KHUSRO KHUSRO KHUSRO
KHUSRO KHUSRO KHUSRO

& stuur Giften aan Postbus 555, Hoofdpostkantoor, Bombay-1.

ZEGENINGEN! SCHOONHEID!! WAARHEID!!!

Om Hare Khusro Hare Khusrovand Om

Cyrus de Grote had een atoomfysicus als vader, en als moeder een religieuze dweepster wier geloof was verzuurd omdat het zo vele jaren lang onderdrukt was geweest door de dominerende rationaliteit van haar Dubash; en toen Cyrus' vader stikte in een sinaasappel waar zijn moeder de pitten had vergeten uit te halen, wijdde mevrouw Dubash zich aan de taak om wijlen haar man uit de persoonlijkheid van haar zoon weg te wissen – om Cyrus naar haar eigen vreemde beeld te herscheppen, *Cyrus-de-grote klier, Geboren op een Schotel, In negentienhonderdtachtig en vier* – Cyrus het wonderkind op school – Cyrus als de Jeanne d'Arc in Shaws toneelstuk – al die Cyrusjes waaraan we gewend waren geraakt, met wie we waren opgegroeid, verdwenen nu; in hun plaats verscheen de opgeblazen, bijna rundachtig vreedzame figuur van Heer Khusro Khusrovand. Toen hij tien jaar was, verdween Cyrus van de Cathedral School en de meteorische opkomst van India's rijkste goeroe begon. (Er zijn evenveel versies van India als Indiërs; en wanneer die met het India van Cyrus worden vergeleken, lijkt mijn eigen versie bijna wereIds.)

Waarom liet hij het gebeuren? Waarom was de stad bezaaid met aanplakbiljetten, en stonden de kranten vol met advertenties, zonder dat het wonderkind zelf een kik gaf?... Omdat Cyrus (hoewel hij ons de les placht te lezen, niet zonder schalksheid, over de Delen van het Vrouwelijke Lichaam) eenvoudig een bijzonder kneedbare jongen was, en het zou niet in zijn hoofd zijn opgekomen om zijn moeder te dwarsbomen. Voor zijn moeder trok hij een soort brokaten rok aan en zette hij een tulband op; ter wille van zijn kinderplicht stond hij miljoenen aanbidders toe zijn pink te kussen. In naam van moederliefde werd hij waarlijk Heer Khusro, het geslaagdste heilige kind in de geschiedenis; in een mum van tijd werd hij ingehaald door menigten van een half miljoen, en werden wonderen aan hem toegeschreven. Amerikaanse gitaristen kwamen aan zijn voeten zitten, en ze brachten allen hun chequeboek mee. Heer Khusrovand verkreeg accountants, en belastingparadijzen, en een luxe passagiersschip het *Khusrovand Sterreschip* genaamd, en een vliegtuig – *Heer Khusro's Astrale Kist*. En ergens in de flauwglimlachende, zegeningen-uitdelende jongen... op een plaats die voor altijd verborgen bleef door zijn moeders angstaanjagend efficiënte schaduw (ze had per slot van rekening in hetzelfde huis gewoond als de vrouwen van Narlikar; hoe goed kende zij hen? Hoeveel van hun ontzaglijke bekwaamheid was in haar doorgelekt?), ging de geest schuil van een jongen die met mijn vriendje was geweest.

'Die Heer Khusro?' vraagt Padma, verbaasd. 'Bedoel je diezelfde mahagoeroe die vorig jaar in zee is verdronken?' Ja, Padma; hij kon niet op water lopen; en heel weinig mensen die met mij in aanraking zijn gekomen is een natuurlijke dood vergund geweest... laat me bekennen dat ik enigszins gepikeerd was over Cyrus' apotheose. 'Dat had ik moeten zijn,' dacht ik zelfs, 'ik ben het magische kind; niet alleen mijn eerste plaats thuis, maar zelfs mijn ware, diepste wezen is nu ontvreemd.'

Padma: ik ben nooit een 'mahagoeroe' geworden; miljoenen zijn nooit aan mijn voeten komen zitten; en dat was mijn eigen schuld, omdat ik eens, vele jaren geleden, naar Cyrus' lezing over de Delen van het Vrouwelijk Lichaam was gaan luisteren.

'Wat?' Padma schudt verbaasd het hoofd. 'Wat is dit nu?'

De atoomfysicus Dubash bezat een mooi marmeren beeldje – een vrouwelijk naakt – en met behulp van dit figuurtje gaf zijn zoon deskundige lezingen over de anatomie van de vrouw voor een gehoor van grinnikende jongens. Niet gratis; Cyrus-de-grote vroeg om betaling. In ruil voor anatomie, vroeg hij stripverhalen – en ik gaf hem in alle onschuld een exemplaar van het dierbaarste *Superman*-verhaal, dat met het kaderverhaal over de ontploffing van de planeet Krypton en het raketschip waar Jor-El zijn vader hem mee door de ruimte stuurde, om op aarde te landen en te worden aangenomen door die goede, aardige Kents... heeft niemand anders het gezien? Begreep in al die jaren dan niemand dat mevrouw Dubash niets anders had gedaan dan de krachtigste van alle moderne mythen opnieuw te bewerken en opnieuw te verzinnen – de legende van de komst van de supermens? Ik zag de reclameborden die de komst van Heer Khusro Khusrovand uitbazuinden; en voelde me, opnieuw, genoodzaakt, de verantwoordelijkheid voor de gebeurtenissen van mijn veelbewogen, fabuleuze wereld te aanvaarden.

Wat bewonder ik de beenspieren van mijn bezorgde Padma! Daar hurkt ze, nog geen meter van mijn tafel, haar sari op de manier van een vissersvrouw opgetrokken. Kuitspieren vertonen geen teken van spanning; dijspieren, die door de vouwen van de sari golven, vertonen hun prijzenswaardige uithoudingsvermogen. Sterk genoeg om voor altijd te hurken, tegelijkertijd zwaartekracht en kramp trotserend, luistert mijn Padma ongehaast naar mijn lange verhaal; O machtige pekelvrouw! Wat een geruststellende soliditeit, wat een vertroostend aanzien van duurzaamheid in haar biceps en triceps ... want mijn bewondering strekt zich ook uit tot haar armen, die de mijne in een oogwenk omlaag zouden kunnen drukken, en waaruit, wanneer ze mij iedere nacht in nutteloze omarmingen omvamen, niet valt te ontsnappen. Nu we onze crisis achter de rug hebben, bestaan we in volmaakte harmonie: ik vertel, zij is degene aan wie verteld wordt; zij verzorgt, en ik aanvaard haar verzorging genadiglijk. Ik ben eigenlijk volmaakt tevreden met de geduldige spieren van Padma Mangroli die, onverklaarbaar, meer belang stelt in mij dan in mijn verhalen.

Waarom ik een uiteenzetting van Padma's spierstelsel heb willen geven: in deze tijd vertel ik mijn verhaal evenzeer aan die spieren, als aan iets of iemand (bijvoorbeeld mijn zoon, die nog niet eens heeft leren lezen). Want ik snel met halsbrekende snelheid voort; vergissingen zijn mogelijk, en overdrijvingen, en onaangename veranderingen van toon; ik houd een wedloop met mijn barsten, maar ik blijf me ervan bewust dat er al fouten zijn gemaakt, en dat, naarmate mijn verval versnelt (mijn schrijfsnelheid heeft moeite om het tempo bij te houden), het risico van onbetrouwbaarheid groter wordt... in die toestand leer ik Padma's spieren als mijn gidsen te gebruiken. Wanneer ze zich verveelt, kan ik in haar vezels de rimpelingen van ongeïnteresseerdheid zien; wanneer ze niet overtuigd is, begint er een tic in haar wang. De dans van haar musculatuur helpt mij in het spoor te blijven; want in autobiografie is, evenals in alle literatuur, wat er feitelijk gebeurde minder belangrijk dan hetgeen de schrijver zijn lezers kan doen geloven... Dat Padma het verhaal van Cyrus-de-grote heeft aanvaard, geeft me de moed om me verder te haasten, naar de ergste tijd van mijn elf jaar oude leven (er staat, stond, nog erger te wachten) – naar die augustus-en-september toen openbaringen sneller stroomden dan bloed.

Knikkende borden waren nauwelijks weggehaald toen de sloopploegen van de vrouwen van Narlikar kwamen; Villa Buckingham was gehuld in het wervelende stof van de stervende paleizen van William Methwold. Aan het oog van de lager gelegen Warden Road onttrokken, waren we niettemin toch kwetsbaar voor de telefoon, en het was de telefoon die ons, in de trillende stem van mijn tante Pia, op de hoogte stelde van de zelfmoord van mijn lievelingsoom Hanif. Beroofd van het inkomen dat hij van Homi Catrack had ontvangen, had mijn oom zijn bulderende stem en zijn obsessie met harten en de werkelijkheid mee naar het dak van zijn flatgebouw aan Marine Drive genomen; hij was naar buiten gestapt in de avondlijke bries uit zee en had de bedelaars zoveel angst aangejaagd (toen hij viel) dat ze niet langer deden alsof ze blind waren en gillend wegrenden ... zowel in de dood als in het leven omhelsde Hanif Aziz de zaak van de waarheid en joeg de illusie op de vlucht. Hij was bijna vierendertig jaar oud. Moord verwekt dood: door Homi Catrack te doden, had ik mijn oom gedood. Het was mijn schuld; en dit was nog niet het einde van de sterfgevallen.

De familie verzamelde zich in Villa Buckingham; uit Agra Aadam Aziz en Eerwaarde Moeder; uit Delhi mijn oom Mustapha, de regeringsambtenaar die de kunst van het eens te zijn met zijn superieuren zo had verfijnd dat ze hem niet eens meer hoorden, hetgeen de reden is dat hij nooit werd bevorderd; en zijn half-Iraanse vrouw Sonia en hun kinderen die zo grondig tot onbenullen waren geranseld dat ik me niet eens kan herinneren hoeveel er waren; en uit Pakistan de verbitterde Alia, en zelfs generaal Zulfikar en mijn tante Emerald, die zevenentwintig stuks bagage en twee bedienden meebrachten, en aan een stuk door op hun horloges keken en vroegen welke dag het was. Hun zoon Zafar kwam ook. En, om de kring te completeren, haalde mijn moeder Pia bij ons in huis, 'in elk geval gedurende de rouwperiode van veertig dagen, mijn zuster.'

Veertig dagen lang werden we belegerd door het stof; dat onder de natte handdoeken doorkwam die we langs alle ramen legden, stof stof dat listig iedere rouwende die arriveerde volgde; stof dat zelfs door de muren filterde en als een vormloze krans in de lucht bleef hangen, stof dat de geluiden van vormelijke prevelingen en ook de dodelijke aanvallen van verdrietige verwanten dempte; de resten van Methwolds Villapark daalden neer op mijn grootmoeder en zetten haar aan tot grotere woede; ze irriteerden de toegeknepen neusgaten van generaal Zulfikar met het janklaassengezicht en dwong hem op zijn kin te niezen. In de spooknevel van het stof leek het soms alsof we de gedaanten van het verleden konden onderscheiden, de luchtspiegeling van Lila Sabarmati's verpulverde pianola of de gevangenistralies voor de ramen van Toxy Catracks cel, Dubash' naakte beeldje danste in de vorm van stof door onze vertrekken, en Sonny Ibrahims affiches van stieregevechten bezochten ons als wolken. De vrouwen van Narlikar waren weggetrokken terwijl bulldozers hun werk deden; wij waren alleen in de stofstorm, die ons allen er deed uitzien als verwaarloosd meubilair, alsof we stoelen en tafels waren die tientallen jaren ongebruikt hadden gestaan zonder dat er lakens overheen waren gehangen; we zagen eruit als de geesten van onszelf. Wij waren een dynastie geboren uit een neus, het arendsmonster op het gezicht van Aadam Aziz, en het stof, dat onze neuzen binnendrong in onze rouwperiode, richtte onze reserve te gronde, holde de barrières uit die het families mogelijk maakt te overleven; in de stofstorm van de stervende paleizen werden dingen gezegd, gezien en gedaan waarvan geen van ons ooit helemaal herstelde.

Eerwaarde Moeder begon ermee, misschien omdat de jaren haar dikker hadden gemaakt tot ze op de berg Sankara Acharya in haar geboorteplaats Srinagar leek, zodat zij het stof de grootste oppervlakte bood om aan te vallen. Uit haar bergachtige lichaam kwam een geluid als een lawine omhoog rommelen dat, toen het in woorden werd omgezet, een felle aanval op onze tante Pia, de bedroefde weduwe, werd. We hadden allen opgemerkt dat mijn mumani zich ongewoon gedroeg. Er was een onuitgesproken gevoelen dat een actrice van haar standing in grote stijl had moeten laten zien dat ze was opgewassen tegen de uitdaging van het weduweschap; wij hadden er onbewust naar verlangd haar te zien treuren, ons erop verheugend een bedreven tragédienne haar eigen calamiteit te zien orkestreren, een veertigdaagse raga verwachtend waarin bravoure en zachtaardigheid, jankende pijn en zachte neerslachtigheid alle zouden worden vermengd in de juiste kunstzinnige verhoudingen; maar Pia bleef stil, met droge ogen en ontgoochelend beheerst. Amina Sinai en Emerald Zulfikar huilden en trokken aan hun haar, in een poging Pia's talenten aan te wakkeren;

maar ten slotte, toen het ernaar uitzag dat niets Pia kon bewegen, verloor Eerwaarde Moeder haar geduld. Het stof drong haar teleurgestelde woede binnen en vergrootte zijn bitterheid. 'Die vrouw, hoenoemjehet,' rommelde Eerwaarde Moeder, 'heb ik je niet van haar verteld? Mijn zoon, Allah, hij had van alles kunnen zijn, maar nee, hoenoemjehet, zij moest hem zijn leven laten ruïneren; hij moest van een dak af springen, hoenoemjehet, om van haar bevrijd te zijn.'

Het was gezegd; kon niet ongedaan worden gemaakt. Pia zat als versteend; mijn ingewanden trilden als maïzenapudding. Eerwaarde Moeder ging grimmig verder; ze zwoer een eed op de haren van het hoofd van haar gestorven zoon. 'Zolang die vrouw niet enige eerbied betuigt aan de nagedachtenis van mijn zoon, hoenoemjehet, zolang ze de oprechte tranen van een echtgenote niet plengt, zal er geen eten over mijn lippen komen. Het is een schande en een schandaal, hoenoemjehet, zoals ze met antimoon in plaats van tranen in haar ogen zit!' Het huis dreunde van deze echo van haar vroegere oorlogen met Aadam Aziz. En tot de twintigste dag van de veertig vreesden wij allen dat mijn grootmoeder van de honger zou sterven en de veertig dagen weer helemaal opnieuw zouden moeten beginnen. Ze lag stoffig op haar bed; wij wachtten in vreze.

Ik verbrak de patstelling tussen grootmoeder en tante; dus kan ik met recht beweren dat ik een leven heb gered. Op de twintigste dag zocht ik Pia Aziz op die als een blinde vrouw in haar kamer op de parterreverdieping zat; als excuus voor mijn bezoek verontschuldigde ik mij onhandig voor mijn indiscreties in het appartement aan Marine Drive. Pia sprak na een afstandelijke stilte: 'Altijd melodrama,' zei ze toonloos, 'bij de leden van zijn familie en in zijn werk. Zijn afkeer voor melodrama is zijn dood geworden; dat is de reden waarom ik niet wilde huilen.' Toentertijd begreep ik het niet; nu weet ik zeker dat Pia Aziz de spijker op de kop had geslagen. Beroofd van een bestaan door de goedkope opwinding van de Bombayse film te versmaden, liep mijn oom van de rand van een dak af; melodrama inspireerde (en kleurde wellicht) zijn laatste duik naar de aarde. Pia's weigering om te huilen was om zijn nagedachtenis te eren... maar de inspanning die het kostte om dit toe te geven sloeg een bres in de muren van haar zelfbeheersing. Stof maakte haar aan het niezen; de niesbui bracht tranen in haar ogen; en nu waren de tranen niet meer te stuiten, en wij waren allen getuige van de voorstelling waarop we hadden gehoopt, want toen ze eenmaal vielen, vielen ze als de Florafontein, en kon ze geen weerstand aan haar eigen talent bieden; als de actrice die ze was gaf ze de vloed vorm, bracht er hoofdthema's en ondergeschikte motieven in aan, sloeg zich op haar verbijsterende borsten op een manier die oprecht pijnlijk was om te zien, nu knijpend dan kloppend ... ze trok aan haar kleren en haar haar. Het was een vervoering van tranen, en die bracht Eerwaarde Moeder ertoe om te eten. Dal en pistachionoten stroomden mijn grootmoeder binnen terwijl zout water uit mijn tante vloeide. Nu stortte Naseem Aziz zich op Pia, haar omhelzend, en de solo veranderde in een duet, de muziek van verzoening vermengend met de ondraaglijk mooie melodieën van verdriet. Onze handpalmen jeukten van ingehouden applaus. En het beste moest nog komen, want Pia, de kunstenares, bracht haar epische inspanningen tot een superlatief einde. Terwijl ze haar hoofd in de schoot van haar schoonmoeder legde, zei ze met een stem vervuld van onderworpenheid en leegte: 'Ma, laat uw onwaardige dochter eindelijk naar u luisteren; zeg mij wat ik moet doen, ik zal het doen.' En Eerwaarde Moeder, in tranen: 'Dochter, je vader Aziz en ik zullen spoedig naar Rawalpindi gaan; in onze ouderdom zullen wij in de buurt van onze jongste dochter, onze Emerald gaan wonen. Jij gaat ook mee, en er zal een benzinepomp worden verkocht.' En zo gebeurde het dat de droom van Eerwaarde Moeder werkelijkheid begon te worden, en Pia Aziz stemde erin toe de wereld van de film op te geven voor die van benzine. Mijn oom Hanif, dacht ik, zou het er waarschijnlijk mee eens zijn geweest.

Wij hadden allemaal last van het stof gedurende die veertig dagen; het maakte Ahmed Sinai onbehouwen en schor, zodat hij weigerde in het gezelschap van zijn aangetrouwde familie te verkeren en hij liet Alice Pereira boodschappen aan de rouwenden overbrengen, boodschappen, die hij ook van zijn kantoor uit schreeuwde: 'Maak niet zo'n kabaal! Ik zit midden in die herrie te werken!' Het maakte dat generaal Zulfikar en Emerald voortdurend naar kalenders en vluchtschema's van luchtvaartmaatschappijen keken, terwijl hun zoon Zafar tegen de Brutale Aap begon op te scheppen dat hij zijn vader een huwelijk tussen hen beiden zou laten regelen. 'Je behoort je gelukkig te achten,' zei deze verwaande neef tegen mijn zuster, 'mijn vader is een groot man in Pakistan.' Maar hoewel Zafar het uiterlijk van zijn vader had geërfd, had het stof het lef van de Aap verstopt, en ze had niet de moed om tegen hem in te gaan. Ondertussen verspreidde mijn tante Alia haar oude, stoffige teleurstelling door de lucht en mijn belachelijkste familieleden, het gezin van mijn oom Mustapha, zaten gemelijk in hoeken en werden, als gewoonlijk, vergeten; Mustapha Aziz' snor, trots ingevet en met omgekrulde punten toen hij aankwam, was al lang onder de depressieve invloed van het stof gaan hangen.

En toen, op de tweeëntwintigste dag van de rouwperiode, zag mijn grootvader, Aadam Aziz, God.

Hij was dat jaar achtenzestig – nog altijd een decennium ouder dan de eeuw. Maar zestien jaar zonder optimisme hadden een zware tol geëist; zijn ogen waren nog altijd blauw, maar zijn rug was gebogen. Terwijl hij met een geborduurd kalotje en een lange chugha-jas door Villa Buckingham rondschuifelde – die ook een jas van stof droeg – kauwde hij doelloos op rauwe wortelen en liet dunne straaltjes speeksel langs de grijsachtig witte contouren van zijn kin lopen. En naarmate hij achteruitging, werd Eerwaarde Moeder dikker en sterker; zij, die eens meelijwekkend had gejammerd bij het zien van mercurochroom, leek nu door zijn zwakte te gedijen, alsof hun huwelijk een van die mythische verbintenissen was waarin boze geesten als onschuldige maagden aan mannen verschijnen en, nadat ze hen het huwelijksbed hebben in gelokt, hun ware afschuwelijke voorkomen herkrijgen en hun zielen beginnen op te slokken ... mijn grootmoeder had in die tijd een snor gekregen die bijna even weelderig was als het stoffig neerhangende haar op de bovenlip van haar ene nog in leven zijnde zoon. Ze zat met gekruiste benen op haar bed, en smeerde een geheimzinnige vloeistof op haar lip die zich rondom de haren verhardde, en er dan door een krasse, heftige hand werd afgescheurd; maar de remedie maakte de kwaal alleen maar erger.

'Hij is weer net een kind geworden, hoenoemjehet,' zei Eerwaarde Moeder tegen de kinderen van mijn grootvader, en 'Hanif heeft hem de genadeslag gegeven.' Ze waarschuwde ons dat hij dingen was gaan zien. 'Hij praat tegen mensen die er niet zijn,' fluisterde ze hard terwijl hij door de kamer dwaalde en op zijn tanden zoog, 'Zoals hij ineens hard begint te praten, hoenoemjehet! In het holst van de nacht!' En ze deed hem na: 'Ho, Tai? Ben jij dat?' Ze vertelde ons kinderen over de vletterman, en de Kolibrie, en de Rani van Cooch Naheen. 'De arme man heeft te lang geleefd, hoenoemjehet; geen vader behoort zijn zoon voor hem te zien sterven'... En Amina, die luisterde, schudde haar hoofd uit medeleven, niet wetende dat Aadam Aziz haar deze erfenis zou nalaten – dat ook zij, in haar laatste dagen, zou worden bezocht door dingen die niet behoorden terug te komen.

Vanwege het stof konden we de plafondventilatoren niet gebruiken; zweet liep langs het gezicht van mijn geteisterde grootvader en liet modderstrepen op zijn wangen achter. Soms pakte hij iemand die in zijn buurt was beet en sprak hem met uiterste helderheid toe: 'Die Nehru's zullen niet gelukkig zijn voor ze zich tot erfelijke koningen hebben gemaakt!' Of, ten overstaan van een in verlegenheid gebrachte generaal Zulfikar kwijlend: 'Ach, dat ongelukkige Pakistan! Hoe slecht gediend door zijn regeerders!' Maar bij andere gelegenheden scheen hij zich in een winkel van edelstenen te wanen, en mompelde hij: '...Ja: er waren smaragden en robijnen...' De Aap fluisterde tegen mij: 'Denk je dat grootvader doodgaat?'

Wat van Aadam Aziz in mij lekte: een zekere kwetsbaarheid voor vrouwen, maar ook de oorzaak ervan, het gat midden in hem veroorzaakt door zijn falen (wat ook mijn falen is) om in God te geloven of niet in hem te geloven. En ook nog iets anders – iets dat ik, op elfjarige leeftijd, zag voor iemand anders het opmerkte. Mijn grootvader was barsten gaan vertonen.

'In het hoofd?' vraagt Padma. 'Je bedoelt in de bovenkamer?'

De vletterman Tai zei: '*Het ijs wacht altijd, Aadam baba, vlak onder het vlies van het water.*' Ik zag de barsten in zijn ogen – een fijn maaswerk van scheurtjes die zich onder zijn leerachtige huid verspreidden; en ik beantwoordde de vraag van de Aap: 'Ik denk het wel.' Voor de rouwperiode van veertig dagen om was, was de huid van mijn grootvader gaan splijten en afschilferen en loslaten; hij kon nauwelijks zijn mond opendoen om te eten vanwege de kloven in zijn mondhoeken; en zijn tanden begonnen uit te vallen als vliegen die met de flitspuit zijn bestoven. Maar een dood door barsten kan langzaam zijn; en het duurde een hele tijd voor wij van de andere barsten te horen kregen, over de ziekte die aan zijn botten knaagde, zodat zijn skelet ten slotte verpulverde binnen de verweerde zak van zijn huid.

Padma kijkt plotseling paniekerig. 'Wat zeg je? Jij, meneer: vertel je me dat jij ook ... wat voor naamloos iets kan iemands *botten* opvreten? Is het...'

Geen tijd om nu op te houden; geen tijd voor sympathie of paniek; ik ben al verder gegaan dan ik had behoren te doen. Een weinig in de tijd teruggaand moet ik zeggen dat er ook iets van mij in Aadam Aziz lekte; want op de drieëntwintigste dag van de rouwperiode vroeg hij de hele familie om in diezelfde kamer met glazen vazen bijeen te komen (we hoeven ze nu niet voor mijn oom te verbergen) en kussens en stilgezette ventilatoren, diezelfde kamer waarin ik mijn eigen visioenen had aangekondigd... Eerwaarde Moeder had gezegd: 'Hij is weer net een kind geworden'; als een kind kondigde mijn grootvader aan dat hij, drie weken nadat hij de dood had vernomen van een zoon van wie hij had gemeend dat hij levend en wel was, met zijn eigen ogen de God had gezien van wie hij zijn hele leven had geprobeerd te geloven dat hij dood was. En, evenals een kind, werd hij niet geloofd. Behalve door een persoon... 'Ja, luister,' zei mijn grootvader, wiens stem een zwakke imitatie van zijn vroegere bulderende geluid was, 'ja, Rani? Ben je daar? En Abdullah? Kom, ga zitten, Nadir, dit is nieuws – waar is Ahmed? Alia zal hem hier willen hebben... God, mijn kinderen; God, tegen wie ik mijn leven lang heb gevochten. Oskar? Ilse? – Nee, natuurlijk weet ik wel dat die dood zijn. Jullie denken dat ik oud ben, gek misschien; maar ik heb God gezien.' En het verhaal komt er traag, ondanks omzwervingen en omwegen, stukje bij beetje uit: om middernacht werd mijn grootvader in zijn verduisterde kamer wakker. Iemand anders aanwezig – iemand die niet zijn vrouw was. Eerwaarde Moeder, snurkend in haar bed. Maar iemand. Iemand met glanzend stof op zich, verlicht door de ondergaande maan. En Aadam Aziz zegt: 'Ho, Tai? Ben jij dat?' En Eerwaarde Moeder, in haar slaap mompelend: 'O, ga slapen, man, vergeet die...' Maar die iemand, dit iets, schreeuwt met een luide alarmerende (en gealarmeerde?) stem: 'Jezus Christus Allemachtig!' (Te midden van de kristallen vazen lacht mijn grootvader verontschuldigend, hi-hi, omdat hij de heidense naam noemt.) 'Jezus Christus Allemachtig!' (en mijn grootvader kijkt, en ziet, ja, er zitten gaten in handen, perforaties in de voeten zoals er eens waren in een... Maar hij wrijft zich de ogen, schudt zijn hoofd, en zegt: 'Wie? Hoe was de naam? Wat zei u?' En de verschijning, alarmerend-gealarmeerd: 'God! God!' En na een stilte: 'Ik dacht niet dat je me kon zien.'

'Maar ik zag Hem,' zei mijn grootvader onder bewegingloze ventilators. 'Ja, ik kan het niet ontkennen, zonder enige twijfel'... En de verschijning: 'Jij bent degene wiens zoon gestorven is'; en mijn grootvader, met een pijn in zijn borst: 'Waarom? Waarom is dat gebeurd?' Waarop het wezen, alleen zichtbaar gemaakt door het stof, zegt: 'God heeft zijn redenen, oude man; zo is het leven nu eenmaal, nietwaar?'

Eerwaarde Moeder stuurde ons allen weg. 'Oude man weet niet wat hij bedoelt, hoenoemjehet. Wat een toestand, dat grijze haren een man godslasterlijk maken!' Maar Mary Pereira liep met een gezicht zo bleek als beddelakens weg; Mary wist wie Aadam Aziz had gezien – wie, verteerd door zijn verantwoordelijkheid voor haar misdrijf, gaten in handen en voeten had; wiens hiel was doorboord door een slang; wie in een naburige klokketoren was gestorven, en ten onrechte voor God was aangezien.

Ik kan het verhaal van mijn grootvader maar beter hier en nu afmaken; ik ben al zover gekomen, en misschien doet de gelegenheid zich later niet meer voor... ergens in de diepten van mijn grootvaders seniliteit, die mij onvermijdelijk aan de krankzinnigheid van professor Schaapsteker boven herinnerde, schoot het bittere denkbeeld wortel dat God, door zijn onverschillige houding tegenover Hanifs zelfmoord, zijn eigen schuld in die zaak had bewezen; Aadam pakte generaal Zulfikar bij zijn militaire lapellen en fluisterde tegen hem: 'Omdat ik nooit heb geloofd, heeft hij mijn zoon van me weggenomen!' en Zulfikar: 'Nee, nee dokter sahib, u moet zich niet zo kwellen...' Maar

Aadam Aziz raakte zijn visioen nooit meer kwijt; hoewel de bijzonderheden over de specifieke godheid die hij had gezien in zijn geest vervaagden, en slechts een hartstochtelijk, zeverend verlangen naar wraak achterlieten (welke begeerte wij ook gemeen hebben)... aan het eind van de veertigdaagse rouwperiode weigerde hij naar Pakistan te gaan (zoals Eerwaarde Moeder van plan was geweest) omdat dat een land was dat speciaal voor God was gemaakt, en in de nog resterende jaren van zijn leven maakte hij zich vaak te schande door met zijn oude-mannenstok moskeeën en tempels binnen te strompelen, terwijl hij vervloekingen mompelde en tekeer ging tegen iedere gelovige of heilige man die binnen zijn bereik was. In Agra werd hij gedoogd om wille van de man die hij eens was geweest; de oudjes in de paanwinkel aan Cornwallis Road speelden raak-de-kwispedoor en haalden meewarig herinneringen op aan het verleden van de dokter sahib. Eerwaarde Moeder was genoodzaakt om deze reden zo niet om een andere hem zijn zin te geven – de beeldenstorm van zijn oude dag zou een schandaal hebben veroorzaakt in een land waar men hem niet kende.

Achter zijn dwaasheid en zijn woedeaanvallen verspreidden zijn barsten zich steeds verder; de ziekte knabbelde gestadig aan zijn beenderen terwijl haat wat nog van hem over was wegvrat. Hij stierf echter pas in 1964. Dat gebeurde als volgt: op woensdag 25 december, 1963 – op Eerste Kerstdag! – werd Eerwaarde Moeder wakker en merkte dat haar man verdwenen was. Toen ze op de binnenplaats van haar huis kwam, te midden van blazende ganzen en de lichte schaduwen van de dageraad, riep ze een bediende; en kreeg te horen dat de dokter sahib per riksja naar het station was gegaan. Tegen de tijd dat ze bij het station aankwam, was de trein vertrokken; en op die manier begon mijn grootvader, gehoor gevend aan een onbekende impuls, aan zijn laatste reis, zodat hij zijn verhaal kon eindigen waar het (en het mijne) was begonnen, in een stad omringd door bergen en gelegen aan een meer.

Het dal lag verscholen in een eierschaal van ijs; de bergen waren dichterbij gekomen, *om als nijdige kaken om de stad aan het meer te grauwen*... winter in Srinagar, winter in Kasjmir. Op vrijdag 27 december werd een man die voldeed aan de beschrijving van mijn grootvader, in een chughajas kwijlend in de buurt van de Hazratbalmoskee gezien. Op zaterdagmorgen om kwart voor vijf merkte Haji Muhammed Khalil Ghanai dat de dierbaarste relikwie van het dal uit het binnenste heiligdom van de moskee was gestolen: de heilige haar van de profeet Muhammed.

Had hij het gedaan? Had hij het niet gedaan? Als hij het was, waarom was hij dan de moskee niet binnen gegaan, met de stok in de hand, om de gelovigen ervan langs te geven zoals hij gewoon was te doen? Als hij het niet was, waarom was het dan gebeurd? Er gingen geruchten over een complot van de centrale regering om 'de Kasjmiri moslems te demoraliseren' door hun heilige haar te stelen; en tegengeruchten over Pakistani *agents provocateurs*, die de relikwie zogenaamd hadden gestolen om onrust te veroorzaken ... hadden ze dat gedaan? Of niet? Was dit bizarre voorval werkelijk politiek, of was het de voorlaatste poging tot wraak op een God door een vader die zijn zoon verloren had? Tien dagen lang werd er in geen enkel moslemhuis eten bereid; er waren opstootjes en er werden auto's in brand gestoken; maar mijn grootvader stond nu boven de politiek, en had voor zover bekend aan geen enkele optocht deelgenomen. Hij was een man met een enkele missie; en wat bekend is, is dat hij op 1 januari 1964 (een woensdag, precies een week na zijn vertrek uit Agra), zijn gezicht wendde naar de heuvel die moslems onjuist de Takht-e-Sulaiman, Salomo's zetel, noemden, waar een radiomast bovenop stond, maar ook de zwarte blaar van de tempel van de acharya Sankara. Zonder zich iets van de zorg van de stad aan te trekken, klom mijn grootvader; terwijl de barstenziekte in hem geduldig door zijn botten heen knaagde. Hij werd niet herkend.

Dokter Aadam Aziz (*uit Heidelberg teruggekeerd*) stierf vijf dagen voor de regering bekend maakte dat haar massale zoekactie naar de ene haar van het hoofd van de Profeet succes had opgeleverd. Toen de vroomste heiligen van de staat bijeenkwamen om de haar echt te verklaren, was mijn grootvader niet in staat hun de waarheid te vertellen. (Als ze het mis hadden ... maar ik kan de vragen die ik heb gesteld niet beantwoorden.) Voor die misdaad werd ene Abdul Rahim Bande gearresteerd – maar later om gezondheidsredenen vrijgelaten; maar misschien zou mijn grootvader, als hij nog had geleefd, een vreemder licht op de zaak hebben kunnen werpen ... 's middags op 1 januari kwam Aadam Aziz voor de tempel van Sankara Acharya aan. Men zag dat hij zijn wandelstok ophief; binnen in de tempel deinsden vrouwen terug die de rite van puja bij de Shiva-lingam voltrokken – zoals vrouwen eens waren teruggedeinsd voor de woede van een andere, van vierpoten bezeten dokter, en toen eisten de barsten hem op, en zijn benen zakten onder hem in elkaar terwijl de botten uiteenvielen, en het gevolg van zijn val was dat de rest van zijn skelet onherstelbaar werd verbrijzeld. Hij werd geïdentificeerd aan de hand van de papieren in de zak van zijn chugajas: een foto van zijn zoon, en een halfvoltooide (en gelukkig pas geadresseerde) brief aan zijn vrouw. Het lichaam, dat te broos was om te worden vervoerd, werd in de vallei waar hij geboren was begraven.

Ik kijk naar Padma; haar spieren waren verbijsterd gaan trillen. 'Ga eens na,' zeg ik. 'Is wat er met mijn grootvader gebeurde zo heel erg vreemd? Vergelijk het met het blote feit van de heilige drukte om die diefstal van een haar; want dat is tot in de kleinste details waar, en in vergelijking daarmee is de dood van een oude man toch volkomen normaal.' Padma ontspant zich; haar spieren geven mij het groene licht. Want ik heb te lang bij Aadam Aziz stilgestaan; misschien ben ik bang van wat vervolgens moet worden verteld; maar die onthulling zal niet worden achtergehouden.

Een laatste feit: na de dood van mijn grootvader werd Eerste Minister Jawaharlal Nehru ziek en werd nooit meer beter. Die fatale ziekte doodde hem ten slotte op 27 mei 1964.

Als ik geen held had willen zijn, zou mijnheer Zagallo nooit mijn haar hebben uitgetrokken. Als mijn haar intact was gebleven, zouden Klierige Keith en Dikke Perce me niet hebben getreiterd; Masha Miovic zou me er niet toe hebben aangezet mijn vinger te verliezen. En uit mijn vinger stroomde bloed dat Alfa-noch-Omega was, en mij in ballingschap zond; en in ballingschap werd ik vervuld van een wraakzucht die tot de moord op Homi Catrack leidde; en als Homi niet was gestorven, zou mijn oom misschien niet in de zeebries van een dak af zijn gelopen; en dan zou mijn grootvader niet naar Kasjmir zijn gegaan en zijn gebroken in de poging om de heuvel van Sankara Acharya te beklimmen. En mijn grootvader was de grondlegger van mijn familie, en mijn lot was door mijn verjaardag verbonden met dat van de natie, en de vader van de natie was Nehru. Nehru's dood; kan ik aan de conclusie ontkomen dat ook die helemaal aan mij te wijten was?

Maar nu zijn we terug in 1958; want op de zevenendertigste dag van de rouwperiode kwam de waarheid, die Mary Pereira – en daarom ook mij – meer dan elf jaar had beslopen, eindelijk uit; de waarheid in de vorm van een oude, oude man wiens helse stank zelfs tot mijn verstopte neusgaten doordrong, en die vingers en tenen miste en onder de steenpuisten en gaten zat, ons twee verdiepingen hoge heuveltje oplopen en verscheen door de stofwolk om door Mary Pereira te worden gezien die de jaloezieën op de veranda aan het schoonmaken was.

Hier was dus Mary's nachtmerrie bewaarheid geworden; hier, zichtbaar door de wolk van stof, kwam de geest van Joe D'Costa naar het kantoor van Ahmed Sinai op de benedenverdieping lopen! Alsof het niet genoeg was geweest om zich voor Aadam Aziz te vertonen... 'Arré, Joseph!' gilde Mary, terwijl ze haar stofdoek liet vallen, 'ga weg jij! Kom nu niet hier! Val de sahibs niet lastig met je trubbels! O God,

Joseph, ga, ga *na*, je zult vandaag mijn dood worden!' Maar de geest liep verder langs de oprijlaan.

Mary Pereira laat haar jaloezieën, die helemaal scheef hangen, in de steek, rent naar het hart van het huis en werpt zich aan de voeten van mijn moeder – kleine dikke handen smekend samengevouwen – 'Begum sahiba! Begum sahiba, vergeef me!' En mijn moeder, stomverbaasd: 'Wat heeft dit te betekenen, Mary? Wat zit je dwars?' Maar Mary is te ver heen voor een dialoog, ze huilt onbedaarlijk en roept: 'O mijn God, mijn uur heeft geslagen, mijn lieve mevrouw, laat me alleen maar in vrede gaan, stop me niet in de gevangenis!' En ook: 'Elf jaar, mijn mevrouw, zie of ik niet van u allemaal heb gehouden, o mevrouw, en die jongen met zijn gezicht als de maan; maar nu ga ik eraan, ik ben een slechte vrouw, ik zal branden in de hel! *Funtoosh*!' riep Mary, en opnieuw, 'Het is fini; *funtoosh*!'

Ik vermoedde nog steeds niet wat er ging komen; zelfs niet toen Mary zich op mij wierp (ik was nu groter dan zij; haar tranen bevochtigden mijn nek): 'O, baba, baba; vandaag moet je iets horen, ik heb zoiets ergs gedaan; maar kom nu ...' en het vrouwtje vermande zich met grote waardigheid, '...ik zal jullie alles vertellen voor die Joseph dat doet. Begum, kinderen, al u andere voorname heren en dames, kom nu naar sahibs kantoor, en ik zal het vertellen.'

Openbare bekendmakingen hebben mijn leven geaccentueerd; Amina in een steegje in Delhi, en Mary in een zonloos kantoor ... met mijn hele familie verbaasd achter ons aan, ging ik met Mary Pereira naar beneden, die mijn hand niet wilde loslaten.

Wat was er in de kamer bij Ahmed Sinai? Wat had mijn vader een gezicht gegeven waar djinns en geld van waren verjaagd en die waren vervangen door een blik van volslagen troosteloosheid? Wat zat in de hoek van de kamer in elkaar gedoken en vervulde de lucht met een zwavelachtige stank? Wat, in de gestalte van een mens, miste vingers en tenen, wiens gezicht scheen te borrelen als de hete bronnen van Nieuw-Zeeland (die ik in het *Wonderboek van Wonderen* had gezien)?... Geen tijd om het uit te leggen, want Mary Pereira was aan het praten, ze raffelde een geheim af dat meer dan elf jaar verborgen was geweest, haalde ons allen uit de droomwereld die zij had verzonnen toen ze de naamkaartjes had verwisseld, en drong de afgrijselijke waarheid aan ons op. En al die tijd hield ze me vast; als een moeder die haar kind beschermt, beschermde ze mij tegen mijn familieleden. (Die toen ze hoorden ... net als ik ... dat ze dat niet waren...)

...Het was vlak na middernacht en op straat was vuurwerk en drukte, het veelkoppige monster brulde, ik heb het voor mijn Joseph gedaan, sahib, maar stuur me alsjeblieft niet naar de gevangenis, kijk de jongen is een goeie jongen, sahib, ik ben een arme vrouw, sahib, één fout, één minuut in zoveel jaren, geen gevangenis sahib, ik zal gaan, elf jaren heb ik gegeven maar ik zal nu gaan, sahib, maar dit is een goeie jongen, sahib, u moet hem niet wegsturen, sahib, na elf jaar is hij uw zoon... O, jongen met je gezicht als de zon die te voorschijn komt, o Saleem, mijn stukje-van-de-maan, je moet weten dat je vader Winkie was en je moeder ook dood is...

Mary Pereira snelde de kamer uit.

Ahmed Sinai zei, met een stem even ver weg als een vogel: 'Dat, in de hoek, is mijn oude bediende Musa, die eens heeft geprobeerd me te bestelen.'

(Kan enig verhaal zo veel zo gauw verdragen? Ik werp een blik op Padma; ze lijkt met stomheid geslagen, als een vis.)

Er was eens een bediende die mijn vader bestal; die zwoer dat hij onschuldig was; die de vloek van melaatsheid over zichzelf afriep als hij een leugenaar zou blijken te zijn; en van wie werd bewezen dat hij loog. Hij was in ongenade vertrokken; maar ik heb u toen verteld dat hij een tijdbom was, en hij was teruggekomen om te ontploffen. Musa was inderdaad melaats geworden; en was door de stilte van de jaren teruggekomen om mijn vader om vergiffenis te smeken, zodat hij kon worden bevrijd van de vloek die hij over zichzelf had gebracht.

...Iemand werd God genoemd die God niet was; iemand anders werd voor een geest aangezien, maar was geen geest; en een derde figuur ontdekte dat hij, hoewel zijn naam Saleem Sinai was, niet de zoon van zijn ouders was...

'Ik vergeef je,' zei Ahmed Sinai tegen de melaatste. Na die dag was hij van een van zijn obsessies genezen; hij probeerde nooit meer achter zijn eigen (en geheel denkbeeldige) familievloek te komen.

'Ik kon het op geen enkele andere manier vertellen,' zeg ik tegen Padma. 'Te pijnlijk; ik moest het er gewoon uit flappen, hoe gek het allemaal ook klonk, zomaar.'

'O, baas,' snottert Padma hulpeloos, 'o baas, baas!'

'Kom nou,' zeg ik, 'het is een oud verhaal.'

Maar haar tranen zijn niet voor mij bestemd; voor het ogenblik is ze vergeten wat-er-aan-de-botten-onder-de-huid-knaagt; ze huilt om Mary Pereira, op wie ze, zoals ik heb gezegd, buitengewoon gesteld was geraakt.

'Wat is er met haar gebeurd?' vraagt ze met rode ogen. 'Die Mary?'

Ik word aangegrepen door een redeloze woede. Ik schreeuw: 'Vraag haar dat zelf maar!'

Vraag haar hoe ze naar huis ging naar de stad Panjim in Goa, hoe ze haar oude moeder het verhaal van haar schande vertelde! Vraag hoe haar moeder radeloos werd door het schandaal (toepasselijk genoeg: het was een tijd waarin oude mensen hun verstand kwijtraakten)! Vraag: gingen dochter en oude moeder de straat op om vergiffenis te zoeken? Was dat niet de enige keer in de tien jaar dat het gemummificeerde lijk van St. Franciscus Xavier (een even heilig relikwie als de haar van de Profeet) uit zijn grafkelder in de kathedraal van Bom Jezus wordt gehaald en door de stad wordt rondgedragen? Drukten Mary en de oude radeloze mevrouw Pereira zich tegen de katafalk aan; was de oude dame uitzinnig van verdriet om het misdrijf van haar dochter? Klom de oude mevrouw Pereira, die 'Hai! Ai-ai! Ai-ai-ai!' schreeuwde, op de lijkbaar om de voet van de Heilige te kussen? Kreeg mevrouw Pereira te midden van immense menigten een aanval van vrome razernij? Vraag het! Zette zij al of niet, in de greep van haar radeloze geest, haar lippen om de grote teen van de linkervoet van St. Franciscus? Vraag het zelf maar: beet Mary's moeder *die teen er finaal af*?

'Hoe?' jammert Padma, van haar stuk gebracht door mijn toorn. 'Hoezo, *vragen*?'

...En dit is eveneens waar: zogen de kranten het uit hun duim toen ze schreven dat de oude dame op wonderlijke wijze was gestraft; toen ze kerkbronnen en ooggetuigen aanhaalden die beschreven hoe de oude vrouw in massieve steen werd veranderd? Nee? Vraag haar of het waar is dat de kerk een stenen standbeeld van een oude vrouw door de steden en dorpen van Goa rondstuurde om te laten zien wat er gebeurt met hen die zich aan de heiligen vergrijpen. Vraag: werd dit standbeeld niet in verschillende dorpen tegelijk gezien – en bewijst dat het bedrog, of nog een wonder te meer?

'Je weet dat ik het aan niemand kan vragen,' jammert Padma ... maar ik, die mijn woede voel bedaren, doe vanavond geen verdere onthullingen.

Zonder opsmuk dan: Mary Pereira verliet ons en ging naar haar moeder in Goa. Maar Alice Pereira bleef; Alice Pereira bleef op Ahmed Sinais kantoor, en typte en haalde hapjes en frisdranken.

Aan het einde van de rouwperiode voor mijn oom Hanif ging ik voor de tweede keer in ballingschap.

Ik moest wel tot de conclusie komen dat Shiva, mijn rivaal, mijn wisselbroer, niet langer tot het forum van mijn geest kon worden toegelaten; en wel om redenen die, ik geef het toe, verachtelijk waren. Ik was bang dat hij datgene zou ontdekken wat ik, naar ik zeker wist, niet voor hem kon verbergen – de geheimen van onze geboorte. Shiva, voor wie de wereld uit dingen bestond, voor wie de geschiedenis alleen kon worden verklaard als de voortdurende strijd van jezelf-tegen-de-menigte, zou er zeker op staan zijn geboorterecht op te eisen; en, ontsteld door het idee dat mijn x-benige tegenstander mijn plaats zou innemen in de blauwe kamer van mijn kinderjaren terwijl ik, noodgedwongen, gemelijk het twee verdiepingen hoge heuveltje af zou lopen naar de noordelijke achterbuurten; weigerend te aanvaarden dat de voorspelling van Ramram Seth bedoeld was geweest voor Winkies jongen, dat Eerste Ministers aan Shiva hadden geschreven, en dat vissers voor Shiva naar zee hadden gewezen ... kortom, een veel hogere waarde aan mijn elf-jaar-oude positie als zoon hechtend dan alleen maar aan bloedverwantschap, besloot ik dat mijn vernietigende, gewelddadige alter ego nooit meer aan de steeds verdeeldere beraadslagingen van de Middernachtskinderen Conferentie moest deelnemen; dat ik mijn geheim – dat eens Mary's geheim was geweest – met mijn eigen leven zou beschermen.

Er waren in deze tijd nachten dat ik het helemaal vermeed om de Conferentie bijeen te roepen – niet vanwege de onbevredigende wending die zij had genomen, maar eenvoudig omdat ik wist dat er tijd en koelbloedigheid voor nodig zou zijn om een barrière op te werpen rondom mijn nieuwe kennis waardoor ik de Kinderen deze kon ontzeggen; ik was er zeker van dat ik daar uiteindelijk in zou slagen ... maar ik was bang van Shiva. Als woeste en machtigste van de Kinderen zou hij doordringen waar anderen niet konden komen... In elk geval, ik ontweek mijn mede-Kinderen; en toen plotseling was het te laat, want, na Shiva te hebben verbannen, ontdekte ik dat ikzelf in een ballingschap werd gestort van waaruit ik geen contact kon krijgen met mijn-meer-dan-vijfhonderd collega's: ik werd over de door de Verdeling geschapen grens Pakistan in gesmeten.

Aan het eind van september 1958 eindigde de rouwperiode voor mijn oom Hanif; en wonderbaarlijkerwijze werd de stofwolk die ons had omhuld neergeslagen door een weldadige regenbui. Toen wij hadden gebaad en pas gewassen kleren hadden aangetrokken en de plafondventilators hadden aangezet, kwamen we uit badkamers, voor korte tijd vervuld met het bedrieglijke optimisme van vers ingezeepte reinheid; en ontdekten een stoffige, ongewassen Ahmed Sinai, met een whiskyfles in de hand en rode randjes om zijn ogen, die in de manische greep van djinns van zijn kantoor naar boven wankelde. Hij had, in zijn eigen wereld van abstracties, met de onvoorstelbare realiteiten geworsteld die Mary's onthullingen hadden ontketend; en dank zij een ongerijmde werking van de alcohol was hij aangegrepen door een onbeschrijflijke woede die hij noch tegen Mary's vertrokken rug, noch tegen het wisselkind in zijn midden richtte, maar tegen mijn moeder – tegen Amina Sinai zou ik moeten zeggen. Misschien omdat hij wist dat hij haar om vergeving hoorde te vragen, maar het niet deed, ging Ahmed uren lang tegen haar tekeer in het geschokte bijzijn van haar familie; ik zal de scheldwoorden die hij haar toewierp niet herhalen, noch de walgelijke dingen die hij haar aanried met haar leven te doen. Maar ten slotte was het Eerwaarde Moeder die tussenbeide kwam.

'Een keer eerder, mijn dochter,' zei ze, Ahmeds onafgebroken geraaskal negerend, 'hebben je vader en ik, hoenoemjehet, gezegd dat het geen schande is een onvolkomen echtgenoot te verlaten. Nu zeg ik opnieuw: jij hebt, hoenoemjehet, een onuitsprekelijk walgelijke man. Ga van hem weg; ga vandaag nog, en haal je kinderen, hoenoemjehet, bij die vloeken vandaan die hij van zijn lippen spuugt als een beest, hoenoemjehet, uit de goot. Neem je kinderen, zeg ik, hoenoemjehet – *allebei* je kinderen,' zei ze, terwijl ze me tegen haar boezem drukte. Toen Eerwaarde Moeder mij eenmaal had gewettigd, was er niemand om tegen haar in te gaan; het komt mij nu, na al die jaren, voor dat zelfs mijn vloekende vader werd beïnvloed door de steun die zij de elf jaar oude snotjongen gaf.

Eerwaarde Moeder regelde alles; mijn moeder was als stopverf – als pottenbakkersklei! – in haar almachtige handen. In die tijd geloofde mijn grootmoeder (ik moet haar zo blijven noemen) nog altijd dat zij en Aadam Aziz binnenkort naar Pakistan zouden emigreren; dus gaf ze mijn tante Emerald opdracht ons allen met haar mee te nemen – Amina, de Aap, mijzelf, zelfs mijn tante Pia – en op haar komst te wachten. 'Zusters moeten voor zusters zorgen, hoenoemjehet,' zei Eerwaarde Moeder, 'in moeilijke tijden.' Mijn tante Emerald keek zeer misnoegd; maar zowel zij als generaal Zulfikar legden zich erbij neer. En, aangezien mijn vader een waanzinnig humeur had dat ons voor onze veiligheid deed vrezen, en de Zulfikars al plaats hadden besproken op een schip dat die avond zou afvaren, verliet ik nog diezelfde dag mijn levenslange tehuis, Ahmed Sinai alleen met Alice Pereira achterlatend; want toen mijn moeder haar tweede man verliet, gingen alle andere bedienden ook weg.

In Pakistan kwam er een eind aan mijn tweede periode van vliegende groei. En in Pakistan ontdekte ik dat het bestaan van een grens mijn gedachtenuitzendingen naar de meer-dan-vijfhonderd 'stoorde'; zodat ik, opnieuw uit huis verbannen, eveneens verbannen was van de gave die mijn zuiverste geboorterecht was: de gave van de Middernachtskinderen.

Wij lagen op een van hitte doortrokken middag voor de Rann van Kutch voor anker. De hitte gonsde in mijn slechte linkeroor; maar ik bleef liever aan dek om te kijken terwijl kleine, flauw onheilspellende roeiboten en vissersdhows een veerdienst onderhielden tussen ons schip en de Rann, voorwerpen in zeildoek verhuld heen en weer, heen en weer vervoerend. Op het benedendek waren de volwassenen aan het kienen; ik had er geen idee van waar de Aap was. Het was de eerste keer dat ik op een echt schip was (bezoeken aan Amerikaanse oorlogsschepen in de haven van Bombay af en toe telden niet mee, want dat was alleen maar toerisme; en er was altijd de pijnlijke situatie dat je je in het gezelschap bevond van tientallen hoogzwangere dames die altijd aan deze excursies deelnamen in de hoop dat de barensweeën zouden beginnen en ze het leven zouden schenken aan kinderen, die krachtens hun geboorte op zee, aanspraak konden maken op het Amerikaanse staatsburgerschap). Ik staarde door de zinderende hitte naar Rann. *De Rann van Kutch*... Ik had dat altijd een betoverende naam gevonden, en had half-gevreesd-half-verlangd die plaats te bezoeken, dat kameleontische gebied dat een half jaar lang land was en de andere helft van het jaar zee, en waarop, naar men zei, de terugtrekkende oceaan allerlei fabelachtig wrakgoed achterliet, zoals schatkisten, witte spookachtige kwallen, en zelfs af en toe de naar adem snakkende, monsterlijklegendarische figuur van een meerman. Terwijl ik voor het eerst naar dit amfibische terrein, dit nachtmerrieachtige moeras keek, had ik me opgewonden behoren te voelen; maar de hitte en de recente gebeurtenissen bezwaarden mij; mijn bovenlip was nog kinderachtig nat van neusvocht, maar ik voelde me bedrukt door het gevoel dat ik rechtstreeks van een al te lange en kwijlende kindertijd naar een voortijdige (hoewel nog steeds lekke) ouderdom was gevoerd. Mijn stem was dieper geworden; ik was gedwongen me te gaan scheren, en er zaten bloedvlekjes op mijn gezicht waar het mes de puistjes eraf had gesneden... De purser van het schip kwam langs en zei: 'Ik zou maar naar beneden gaan als ik jou was, jongeman. Het is nu op het heetst van de dag.' Ik informeerde naar de veerboten. 'Gewoon, bevoorrading,' zei hij en ging weg, en liet mij achter om na te denken over een toekomst die weinig bood om me op te verheugen, behalve de wrokkige gastvrijheid van generaal Zulfikar, het zelfvoldane gepraal van mijn tante Emerald, die het ongetwijfeld heerlijk zou vinden om met haar wereldse succes en status te pronken tegenover haar ongelukkige zuster en rouwende schoonzuster, en de stompzinnige eigenwijsheid van hun zoon Zafar... 'Pakistan,' zei ik hardop. 'Wat een volslagen puinhoop!' En we waren er nog niet eens... Ik keek naar de boten; die schenen door een duizelingwekkende nevel te drijven. Het dek scheen ook hevig te deinen, hoewel er vrijwel geen wind stond; en ofschoon ik de railing probeerde vast te grijpen, waren de boorden mij te vlug af: ze kwamen omhoog en klapten tegen mijn neus aan.

Zo kwam ik in Pakistan aan, niet alleen met mijn lege handen en de wetenschap over mijn geboorte maar ook nog een lichte zonnesteek; en wat was de naam van die boot? Welke twee zusterschepen voeren in die tijd voor de politiek een eind aan hun reizen maakte nog tussen Bombay en Karachi? Onze boot was het s.s. *Sabarmati*; het zusterschip dat ons voorbijvoer net voor we de haven van Karachi bereikten, was de *Sarasvati*. Wij stoomden op naar onze ballingschap aan boord van het schip dat een naamgenoot van de overste was, waarmee opnieuw werd bewezen dat je je niet aan de wederkeer van de dingen kunt onttrekken.

We bereikten Rawalpindi in een hete, stoffige trein. (De generaal en Emerald reisden in een coupé met klimaatregeling; ze kochten voor de rest van ons gezelschap gewone eersteklaskaartjes.) Maar het was koel toen we in 'Pindi arriveerden en ik voor het eerst in een noordelijke stad kwam... Ik herinner mij haar als een lage, anonieme plaats; legerbarakken, fruitwinkels, een sportartikelenfabriek; lange militairen op straat; jeeps; schrijnwerkers; polo. Een stad waarin je het heel, heel koud kon hebben. En in een nieuwe en dure woonwijk een enorm huis omringd door een hoge muur met prikkeldraad en bewaakt door schildwachten: daar woonde generaal Zulfikar. Er was een bad naast het tweepersoonsbed waarin de generaal sliep; er was een kreet die in dit huis vaak gebezigd werd: 'Geen gelummel!'; de bedienden droegen groene militaire truien en baretten; 's avonds woeien de geuren van bhang en chara's uit hun kwartieren aan. Het meubilair was kostbaar en verrassend mooi; op Emeralds smaak viel niets aan te merken. Het was een saai, dood huis, ondanks heel zijn militaire sfeer; zelfs het aquarium met de goudvissen dat in de muur van de eetkamer was aangebracht, scheen lusteloos te borrelen; de wellicht interessantste bewoner was niet eens een mens. U wilt me wel even toestaan dat ik de hond van de generaal, Bonzo, beschrijf. Neem me niet kwalijk: de oude brak teef van de generaal.

Dit aan krop lijdende dier van papierachtige oudheid was haar hele leven uitermate indolent en nutteloos geweest; maar terwijl ik nog van mijn zonnesteek herstellende was, veroorzaakte zij de eerste opwinding van ons verblijf – een soort voorproefje van 'de revolutie van de pepervaatjes'. Generaal Zulfikar had haar op een dag meegenomen naar het militaire oefenkamp, waar hij naar een ploeg mijnenopspoorders in een speciaal gemaakt mijnenveld zou kijken. (De generaal wilde graag langs de hele grens tussen India en Pakistan mijnen leggen. 'Geen gelummel meer!' placht hij uit te roepen. 'Laten we die Hindoes iets geven om zich zorgen over te maken! We zullen hun invallers in zoveel stukken opblazen dat er verdomme niets overblijft om te reïncarneren.' Hij was echter niet al te bezorgd over de grenzen van Oost-Pakistan, omdat hij van mening was dat 'die verdomde zwartjes wel voor zichzelf kunnen zorgen.')... En nu glipte Bonzo uit haar leiband, en terwijl ze op de een of andere manier de dolzinnig grijpende handen van jonge jawans wist te ontwijken, waggelde ze het mijnenveld in.

Blinde paniek. Mijnenopsporende soldaten die met waanzinnig vertraagde bewegingen voorzichtig een weg zochten door de explosieve zone. Generaal Zulfikar en andere hoge legeromes doken om dekking te zoeken achter hun tribune, wachtend op de ontploffing... Maar die kwam niet; en toen de bloem van het Pakistaanse leger uit vuilnisbakken of van achter banken naar het veld gluurde, zag die Bonzo voorzichtig door het veld met de dodelijke zaden lopen, met de neus vlak boven de grond, Bonzo-de-zorgeloze, volkomen op haar gemak. Generaal Zulfikar gooide zijn pet in de lucht. 'Bliksems mooi!' riep hij met de iele stem die tussen zijn neus en kin uit piepte, 'de ouwe dame kan de mijnen ruiken!' Bonzo werd onverwijld bij de gewapende macht ingelijfd als mijnendetector-op-vier-poten met de ererang van sergeant-majoor.

Ik maak gewag van Bonzo's prestatie omdat die de generaal een stok gaf om ons mee te slaan. Wij Sinais – en Pia Aziz – waren hulpeloze, onproduktieve leden van het huishouden van de Zulfikars, en de generaal wilde ons dat niet laten vergeten: 'Zelfs een verdomde stokoude brak kan haar eigen kost verdienen,' hoorde men hem mompelen, 'maar mijn huis zit vol met mensen die geen donder voor elkaar kunnen krijgen.' Maar voor het einde van oktober zou hij dankbaar zijn voor (in elk geval) mijn aanwezigheid ... en de transformatie van de Aap was niet veraf.

Wij gingen naar school met neef Zafar, die minder verlangend scheen om met mijn zuster te trouwen nu wij kinderen uit een stukgelopen huwelijk waren; maar zijn ergste daad kwam op een weekeinde toen wij naar het berghuisje van de generaal in Nathia Gali, achter Murree, gingen. Ik verkeerde in een staat van grote opwinding (mijn ziekte was net genezen verklaard): bergen! De mogelijkheid van panters! Koude, bijtende lucht! – zodat ik er niets achter zocht toen de generaal vroeg of ik het erg vond om een bed met Zafar te delen, en niet eens iets vermoedde toen ze de rubberonderlegger over de matras spreidden... Ik werd vroeg in de ochtend wakker in een zurige plas lauwe vloeistof en begon moord en brand te schreeuwen. De generaal verscheen aan ons bed en begon zijn zoon af te tuigen. 'Je bent nu een grote man! Godverdomme. Maar je doet het nog steeds! Organiseer jezelf! Nietsnut! Wie gedraagt zich op deze lullige manier? Lafaards, die doen dat! Ik mag verdomd zijn als ik een lafaard als zoon wil hebben...' Mijn neef Zafar bleef echter bedwateren, tot schande van zijn familie; ondanks aframmelingen bleef het vocht langs zijn been stromen; en op een dag gebeurde het toen hij wakker was. Maar dat was nadat, met mijn hulp, bepaalde bewegingen waren uitgevoerd met pepervaatjes, die mij bewezen dat hoewel de telepathische ethergolven in dit land gestoord werden, de verbindingsmethoden nog schenen te functioneren; zowel actief-letterlijk als metaforisch hielp ik het lot van het Land van de Zuiveren te veranderen.

De Brutale Aap en ik moesten in die tijd hulpeloos toezien hoe mijn moeder wegkwijnde. Zij, die in de hitte altijd toegewijd was geweest, was in de noordelijke kou gaan verdorren. Beroofd van twee echtgenoten was zij (in haar eigen ogen) ook beroofd van betekenis; en er was ook een verhouding die opnieuw moest worden opgebouwd, tussen moeder en zoon. Op een avond hield ze mij stevig vast en zei: 'Liefde, mijn jongen, is iets dat iedere moeder leert; het wordt niet met een baby geboren, maar gemaakt; en elf jaar lang heb ik geleerd je lief te hebben als mijn zoon.' Maar er was een afstand achter haar vriendelijkheid, alsof ze zichzelf probeerde te overtuigen ... en ook een afstand in de middernachtelijke fluisteringen van de Aap van: 'Hé, broer, waarom gooien we geen water over Zafar – ze zullen alleen maar denken dat hij in bed heeft geplast?' – en het was mijn besef van die kloof dat mij liet zien dat hun verbeelding, ondanks het feit dat ze *zoon* en *broer* zeiden, hard bezig was Mary's bekentenis te verwerken; toen niet wetende dat ze er niet in zouden slagen zich *broer* en *zoon* opnieuw voor te stellen, bleef ik doodsbang van Shiva; en werd dientengevolge nog dieper in het denkbeeldige hart van mijn begeerte gedreven om mij hun verwantschap waardig te betonen. Ondanks dat

Eerwaarde Moeder mij had erkend, voelde ik me nooit op mijn gemak, totdat mijn vader, op een meer dan drie jaar verre veranda zei: 'Kom, zoon; kom hier en laat mij je liefhebben.' Misschien gedroeg ik mij daarom wel zoals op die avond van de 7de oktober 1958.

...Een elf jaar oude jongen, Padma, wist heel weinig van de interne aangelegenheden van Pakistan; maar hij kon, op die dag in oktober, zien dat er plannen werden gemaakt voor een ongebruikelijk diner. Saleem als elfjarige wist niets van de Grondwet van 1956 en de geleidelijke uitholling ervan; maar zijn ogen waren scherp genoeg om de veiligheidsofficieren van het leger, de militaire politie, te zien die die middag aankwamen en geheimzinnig achter alle struiken in de tuin rondhingen. Partijstrijd en de vele incompetenties van Ghulam Mohammed waren een mysterie voor hem; maar het was duidelijk dat zijn tante Emerald haar mooiste juwelen omhing. De klucht van vier-eerste-ministers-in-twee-jaar had hem nooit aan het giechelen gemaakt; maar in de dramatische sfeer die over het huis van de generaal hing, voelde hij wel dat er zoiets als een laatste doek op komst was. Onbekend met de opkomst van de Republikeinse partij, was hij niettemin nieuwsgierig naar de lijst van gasten voor het diner van Zulfikar; hoewel hij zich in een land bevond waar namen niets betekenden – wie was Chaudhuri Muhammed Ali? Of Suhrawardy? Of Chundrigar, of Noen? – de anonimiteit van de gasten, die zorgvuldig door zijn oom èn tante werd bewaard, was iets raadselachtigs. Ook al had hij eens Pakistani koppen uit de kranten geknipt – SPREKER OP E-PAK VERGADERING GEKAPITTELD – had hij geen idee waarom er om zes uur n.m. een lange rij zwarte limousines door de bewaakte muur van het landgoed van de Zulfikars kwam; waarom er vlaggetjes op hun motorkappen wapperden; waarom de inzittenden weigerden te glimlachen; of waarom Emerald en Pia en mijn moeder achter generaal Zulfikar stonden met gezichten die beter zouden hebben gepast bij een begrafenis dan bij een gezellige bijeenkomst. Wie wat was aan het doodgaan? Wie waren zij die per limousine arriveerden en waarom? – ik had er geen flauw idee van; maar ik stond op mijn tenen achter mijn moeder naar de ruiten van gekleurd glas van de raadselachtige auto's te kijken.

Portieren gingen open; stalmeesters, adjudanten sprongen uit de voertuigen en openden achterportieren, salueerden stram; in de wang van mijn tante Emerald begon een spiertje te trillen. En toen, wie steeg er uit de bevlagde auto's? Welke namen moesten worden gegeven aan de fabelachtige verzameling snorren, rottinkjes, monocles, medailles en sterren die te voorschijn kwam? Saleem kende namen noch volgnummers; rangen konden evenwel worden onderscheiden. Decoraties en sterren, trots op borst en schouders gedragen, kondigden de komst aan van werkelijk zeer hoge omes. En uit de laatste wagen kwam een lange man met een verbazingwekkend rond hoofd, rond als een blikken aardbol hoewel niet getekend door lijnen van lengte en breedte; hoewel hij een hoofd had als een planeet, droeg hij niet het etiket van de bol die de Aap eens had geplet; niet GEMAAKT ALS ENGELAND (hoewel ongetwijfeld opgeleid op Sandhurst) bewoog hij zich tussen saluerende decoraties-en-sterren door; kwam bij mijn tante Emerald; en voegde zijn eigen groet bij de andere.

'Mijnheer de opperbevelhebber,' zei mijn tante, 'wees welkom in ons huis.'

'Emerald, Emerald,' klonk het uit de mond in het aardbol-vormige hoofd – de mond die zich vlak onder een keurige snor bevond, 'waarom zo vormelijk, waarom zo'n takalluf?' Waarop ze hem omhelsde met: 'Goed dan Ayub, je ziet er geweldig uit.'

Hij was toen generaal, hoewel het veldmaarschalkschap niet ver weg was... wij volgden hem het huis in; we keken hoe hij dronk (water) en lachte (luid); tijdens het diner keken we weer naar hem, zagen hoe hij at als een boer, zodat zijn snor onder de jus kwam te zitten... 'Luister, Em,' zei hij, 'altijd zo'n hoop drukte wanneer ik kom! Toch ben ik maar een eenvoudige militair; dal met rijst uit jouw keuken zou een feestmaal voor me zijn.'

'Een militair, mijnheer,' antwoordde mijn tante, 'maar eenvoudig – nooit! Nooit van je leven!'

Een lange broek gaf me het recht aan tafel te zitten, naast neef Zafar, omringd door decoraties-en-sterren; onze prille leeftijd legde ons beiden echter de verplichting op om te zwijgen. (Generaal Zulfikar siste mij met militaire strengheid toe: 'Eén kik van je, en je gaat naar het wachtlokaal. Als je wilt blijven, kop houden. Begrepen?' Zafar en ik waren vrij om te kijken en te luisteren, zolang we onze kaken op elkaar hielden. Maar in tegenstelling tot mij, deed Zafar niet zijn best om zich zijn naam waardig te betonen...)

Wat hoorden elfjarigen aan het diner? Wat begrepen zij van vrolijke militaire toespelingen op 'die Suhrawardy, die altijd tegen het idee van een zelfstandig Pakistan was' – of naar Noen, 'die Zonsondergang had moeten heten, wat?' En welke onderstroom van gevaar drong, door gesprekken over geknoei met verkiezingen en zwart geld, door hun huid heen en maakte dat het donzige haar op hun armen recht overeind ging staan? En toen de opperbevelhebber de koran aanhaalde, hoeveel van de betekenis daarvan werd toen door elf jaar oude oren begrepen?

'Er staat geschreven,' zei de man met het ronde hoofd, en de decoraties-en-sterren zwegen meteen, '*Aad en Thamoud hebben wij ook ge-*

dood. Satan had gemaakt dat hun weerzinwekkende daden hun mooi toeschenen, ook al hadden zij een scherpe blik.'

Het was alsof er een wachtwoord was gesproken; een wuivend handgebaar van mijn tante zond de bedienden weg. Ze stond op om zelf te gaan; mijn moeder en Pia gingen met haar mee. Zafar en ik stonden ook van onze stoelen op; maar *hij*, hij zelf riep van de andere kant van de rijk gedekte tafel: 'De kleine mannen moeten blijven. Per slot van rekening is het hun toekomst.' De kleine mannen, bang maar ook trots, gingen weer zitten en hielden hun mond, de bevelen opvolgend.

Alleen maar mannen nu. Een verandering in het gezicht van de rondkop; iets donkers, iets vlekkerigs en wanhopigs heeft er bezit van genomen... 'Twaalf maanden geleden,' zegt hij, 'heb ik u allen toegesproken. Geef de politici een jaar – heb ik dat niet gezegd?' Hoofden knikken; goedkeurend gemompel. 'Heren, wij hebben ze een jaar gegeven; de situatie is onhoudbaar geworden, en ik ben niet van plan het nog langer te tolereren!'

Decoraties-en-sterren nemen strenge, staatsmanachtige uitdrukkingen aan. Kaken worden vooruit gestoken, ogen staren scherp de toekomst in. 'Daarom,' – ja! Ik was erbij! Een paar meter van hem vandaan! – Generaal Ayub en ik, ikzelf en de oude Ayub Khan! – 'neem ik vanavond het roer van Staat in handen.'

Hoe reageren elfjarigen op de aankondiging van een staatsgreep? Wanneer zij die woorden horen... 'financiën van het land in schrikbarende wanorde ... overal corruptie en smerigheid ...' verstijven hun kaken dan ook? Richten hun ogen zich op een betere toekomst? Elfjarigen luisteren terwijl een generaal uitroept: 'De Grondwet wordt hierbij opgeheven! De centrale en provinciale wetgevende macht wordt ontbonden! Politieke partijen worden onmiddellijk afgeschaft!' – hoe denkt u dat zij zich voelen?

Toen generaal Ayub Khan zei: 'De staat van beleg is nu afgekondigd,' begrepen zowel mijn neef Zafar als ik dat zijn stem – die stem vervuld van macht en besluitvaardigheid en de rijke klankkleur van mijn tantes beste eten – iets uitsprak waarvoor wij maar een woord kenden: verraad. Ik kan met trots zeggen dat ik het hoofd koel hield; maar Zafar verloor de beheersing over een pijnlijker orgaan. Vocht bevlekte de voorkant van zijn broek; het gele vocht van de angst droppelde langs zijn been en maakte vlekken op Perzische tapijten; decoraties-en-sterren roken iets, en keken hem aan met blikken van oneindige walging; en toen (het ergst van alles) klonk er gelach.

Generaal Zulfikar was net begonnen te zeggen: 'Als u mij toestaat, mijnheer, zal ik de procedures voor vanavond uitstippelen,' toen zijn zoon in zijn broek plaste. Met ijzige woede gooide mijn oom zijn zoon de kamer uit; 'Nicht! Mie!' kwamen Zafar achterna uit de eetkamer, met de iele scherpe stem van zijn vader; 'Lafaard! Homo! Hindoe!' sprongen uit janklaassengezicht en joegen zijn zoon de trap op ... Zulfikars ogen werden op mij gericht. Ze keken me smekend aan. *Red de eer van de familie. Verlos mij van de incontinentie van mijn zoon.* 'Jij, jongen!' zei mijn oom, 'wil je hier komen en mij helpen?'

Natuurlijk knikte ik. Mijn mannelijkheid, mijn geschiktheid om een zoon te zijn bewijzend, assisteerde ik mijn oom toen hij de revolutie maakte. En door dat te doen, door zijn dankbaarheid te verdienen, door het gegrinnik van de verzamelde decoraties-en-sterren te doen ophouden, schiep ik een nieuwe vader voor mezelf; generaal Zulfikar werd de nieuwste in de rij mannen die mij 'jongen', of 'beste jongen' of eenvoudig 'mijn jongen' hebben willen noemen.

Hoe wij de revolutie maakten: Generaal Zulfikar beschreef troepenbewegingen; ik verplaatste symbolisch pepervaatjes terwijl hij sprak. In de greep van de actief-metaforische wijze van samenhang, verschoof ik zoutvaatjes en schaaltjes met chutney: Deze mosterdpot is Compagnie A die het Hoofdpostkantoor bezet; er staan twee pepervaatjes om een opscheplepel, hetgeen betekent dat Compagnie B het vliegveld heeft bezet. Met het lot van de natie in mijn handen, verschoof ik toekruiden en bestek, lege biriani-schalen met waterglazen veroverend, zoutvaatjes, op wacht, om waterkaraffen posterend. En toen generaal Zulfikar ophield met praten, kwam er ook een eind aan de opmars van het tafelservies. Ayub Khan scheen zich op zijn gemak in zijn stoel te vlijen; was de knipoog die hij mij gaf slechts verbeelding van me? – in elk geval zei dc Opperbevelhebber: 'Uitstekend, Zulfikar; goed gedaan.'

In de bewegingen die door pepervaten etcetera waren uitgevoerd, was er een tafelversiering niet veroverd: een roomkannetje van zuiver zilver dat bij onze tafelomwenteling het staatshoofd, president Iskander Mirza, vertegenwoordigde; gedurende drie weken bleef Mirza president.

Een elfjarige jongen kan niet beoordelen of een president werkelijk corrupt is, zelfs al zeggen decoraties-en-sterren dat hij dat is; het is niet aan elfjarigen om te zeggen of Mirza's binding met de zwakke Republikeinse partij hem had behoren uit te sluiten van een hoge post onder het nieuwe regime. Saleem Sinai waagde zich niet aan politieke oordelen; maar toen, onvermijdelijk, mijn oom mij op 1 november om middernacht wakker schudde en fluisterde: 'Kom, beste jongen, het is tijd dat je het nu eens in het echt meemaakt!' sprong ik kwiek uit bed; ik kleedde me aan en ging de nacht in, mij er trots van bewust dat mijn oom aan mijn gezelschap de voorkeur had gegeven boven dat van zijn eigen zoon.

Middernacht. Rawalpindi snelt ons met honderdvijftien kilometer per uur voorbij. Motorfietsen voor ons naast ons achter ons. 'Waar gaan we heen Zulfy – oom?' *Wacht maar af.* Zwarte limousine met getinte ruiten stopt bij een verduisterd huis. Schildwachten bewaken de deur met gekruiste geweren; die wijken om ons door te laten. Ik loop naast mijn oom, in de pas, door half verlichte gangen; tot we een donkere kamer binnenstormen met een straal maanlicht die op een hemelbed schijnt. Er hangt een muskietennet als een lijkwade over het bed.

Een man wordt wakker, verbijsterd, *wat voor de donder is er...* Maar generaal Zulfikar heeft een revolver met een lange loop; het uiteinde van het wapen wordt mmff in de openstaande mond van de man gedwongen. 'Kop houden,' zegt mijn oom overbodig. 'Vooruit, mee.' Naakte te zware man strompelt zijn bed uit. Zijn ogen vragen: *Gaan jullie me doodschieten*? Zweetdruppels rollen over zijn omvangrijke buik, vangen het maanlicht, vallen op zijn soo-soo; maar het is bitter koud; hij transpireert niet van de hitte. Hij ziet eruit als een witte lachende Boeddha; maar hij lacht niet. Rilt. Het pistool van mijn oom wordt uit zijn mond gehaald. 'Rechtsomkeert. Voorwaarts mars!'... En loop van revolver wordt tussen de plooien van een overvoede romp gestoken. De man schreeuwt: 'In Godsnaam, wees voorzichtig; de veiligheidspal is eraf!' Jawans giechelen terwijl naakt vlees in het maanlicht verschijnt, in zwarte limousine wordt geduwd... Die nacht zat ik naast een naakte man terwijl mijn oom hem naar een militair vliegveld reed; ik stond te kijken toen het wachtende vliegtuig taxiede, accelereerde, de lucht in ging. Wat, actief-metaforisch, begon met pepervaatjes, eindigde toen; niet alleen wierp ik een regering omver – ik zond ook een president in ballingschap.

Middernacht heeft vele kinderen; de nakomelingen van de Onafhankelijkheid waren niet allemaal menselijk. Geweld, corruptie, armoede, generaals, chaos, hebzucht en pepervaatjes ... ik moest in ballingschap gaan om te ervaren dat de kinderen van middernacht gevarieerder waren dan ik – zelfs ik – had gedroomd.

'Echt waar?' vraagt Padma. 'Was je daar echt?' Werkelijk waar. 'Men zegt dat Ayub een goeie kerel was voor hij slecht werd,' zegt Padma; het is een vraag. Maar op elfjarige leeftijd velde Saleem dergelijke oordelen niet. De bewegingen van pepervaatjes dwingen niet tot morele keuzen. Waar het Saleem om ging was: niet publieke opschudding, maar persoonlijke rehabilitatie. U ziet de paradox – mijn belangrijkste strooptocht in de geschiedenis tot op dat ogenblik werd ingegeven door het allerbekrompenste motief. In ieder geval was het niet 'mijn land' – of toen niet. Niet mijn land, hoewel ik er woonde – als vluchteling, niet als inwoner; bijgeschreven op mijn moeders paspoort zou ik mij heel wat achterdocht op de hals hebben gehaald en ik zou misschien zelfs wel als spion zijn gedeporteerd of gearresteerd, als ik niet zo jong was geweest en mijn voogd met het janklaassengezicht niet zoveel macht had gehad – vier jaar lang.

Vier jaar van niets.

Behalve dat ik opgroeide tot een tiener. Behalve dat ik zag hoe mijn moeder instortte. Behalve dat ik zag hoe de Aap, die een beslissend jaar jonger was dan ik, onder de bedrieglijke bekoring kwam van dat van God bezeten land; de Aap, eens zo opstandig en wild, die gedweeë en onderworpen houdingen aannam die zelfs haar aanvankelijk onecht moeten zijn voorgekomen; de Aap die leerde koken en het huishouden doen, hoe ze specerijen op de markt moest kopen; de Aap die definitief met de erfenis van haar grootvader brak door gebeden in het Arabisch te leren en ze op alle voorgeschreven tijden op te zeggen; de Aap die de karaktertrek van een puriteins fanatisme openbaarde waarop ze had gezinspeeld toen ze om nonnenkleren had gevraagd; zij die alle aanbiedingen van wereldse liefde afwees, werd verleid door de liefde van die God die genoemd was naar een gebeeldhouwde afgod in een heidense tempel die om een gigantische meteoriet was gebouwd: Al-Lah, in de Qa'aba, de tempel van de grote Zwarte Steen.

Maar verder niets.

Vier jaar verwijderd van de middernachtskinderen; vier jaar zonder Warden Road en Breach Candy en Scandal Point en de verlokkingen van Eén-Meter-Chocolaatjes; weg van de Cathedral School en het ruiterstandbeeld van Divali en Ganesha Chaturhi en Kokosnootdag; een vier jaar lange scheiding van een vader die alleen zat in een huis dat hij niet wilde verkopen; alleen, met uitzondering van professor Schaapsteker, die in zijn appartement bleef en het gezelschap van mensen schuwde.

Kan er in vier jaar werkelijk niet echt iets gebeuren? Blijkbaar niet helemaal. Mijn neef Zafar, wie zijn vader nooit vergeven had omdat hij in tegenwoordigheid van de geschiedenis in zijn broek had geplast, kreeg te verstaan dat hij in het leger moest zodra hij meerderjarig werd... 'Ik wil je zien bewijzen dat je geen vrouw bent,' zei zijn vader tegen hem.

En Bonzo ging dood; en generaal Zulfikar huilde mannentranen.

En Mary's bekentenis vervaagde totdat die, omdat niemand erover sprak, het gevoel begon te geven als van een nare droom; behalve voor mij.

En (zonder mijn hulp) verslechterden de betrekkingen tussen India en Pakistan; geheel zonder mijn hulp veroverde India Goa – 'de Portugese puist op het gezicht van Moedertje India'; ik zat langs de zijlijn en speelde geen rol bij de verwerving van grootscheepse Amerikaanse hulp aan Pakistan, en evenmin waren de schermutselingen langs de Chinees-Indiase grens in de streek Aksai Chin van Ladakh mijn schuld; de Indiase volkstelling van 1961 onthulde dat het percentage analfabeten 23,7 bedroeg, maar ik werd niet in de resultaten opgenomen. Het pariaprobleem bleef acuut; ik deed niets om het te verlichten; en bij de verkiezingen van 1962 won het All-India Congres 361 van de 494 zetels in de Lok Sabha, en ruim 61 procent van alle zetels in de Staatsvergadering. Zelfs hier kon men niet zeggen dat ik daar mijn onzichtbare hand in had gehad behalve, misschien, metaforisch: de status quo in India was gehandhaafd; in mijn leven veranderde evenmin iets.

Toen, op 1 september 1962, vierden we de veertiende verjaardag van de Aap. Wij hadden ons inmiddels (en ondanks het feit dat mijn oom mij nog steeds mocht) de reputatie van sociaal minderwaardigen verworven, de ongelukkige arme familieleden van de grote Zulfikars; dus was het maar een krenterig feestje. Maar de Aap scheen zich zo te zien te amuseren. 'Het is mijn plicht, broer,' zei ze. Ik kon mijn oren nauwelijks geloven ... maar misschien had mijn zuster een voorgevoel van haar lot; misschien kende zij de transformatie die haar nog te wachten stond; waarom zou ik aannemen dat alleen ik het vermogen van geheime kennis heb bezeten?

Misschien vermoedde zij dat op dat tijdstip, toen de gehuurde musici begonnen te spelen (shehnai en vina waren tegenwoordig; sarangi en sarod kregen hun beurt; tabla en sitar voerden hun virtuose kruisverhoren uit), Emerald Zulfikar met ongevoelige bevalligheid op haar zou afkomen, om te vragen: 'Vooruit, Jamila, zit daar niet als een meloen, wees eens aardig en zing een liedje voor ons!'

En dat mijn ijzige tante met deze zin, geheel onwetend, de transformatie van mijn zuster van aap tot zangeres in gang had gezet; want hoewel ze met de gemelijke onhandigheid van veertienjarigen protesteerde, werd ze door mijn organiserende tante zonder omhaal naar het podium van de musici gesleept; en hoewel ze eruit zag alsof ze wenste dat de vloer zich onder haar voeten zou openen, sloeg ze de handen ineen; en omdat ze zag dat er niet aan te ontkomen was, begon de Aap te zingen.

Ik ben, denk ik, niet goed geweest in het beschrijven van gevoelens – in de mening dat mijn gehoor in staat is om zich *in te leven*; om voor zichzelf te verbeelden wat ik niet heb kunnen her-verbeelden, zodat mijn verhaal ook het uwe wordt ... maar toen mijn zuster begon te zingen, werd ik stellig overvallen door een zo sterke emotie dat ik die pas kon begrijpen, toen ze mij, veel later, door de oudste hoer ter wereld werd uitgelegd. Want de Brutale Aap stroopte, met haar eerste noot, haar bijnaam af; zij, die met vogels gesproken had (net zoals, lang geleden, in een bergdal, haar grootvader placht te doen), moet van zangvogels de kunst van het zingen hebben geleerd. Met een goed oor en een slecht oor luisterde ik naar haar feilloze stem, die op veertienjarige leeftijd de stem van een volwassen vrouw was, vervuld met de zuiverheid van vleugels, en de pijn van ballingschap en de vlucht van adelaars en de schoonheid van het leven en de melodie van buulbuuls en de heerlijke alomtegenwoordigheid van God; een stem die, naderhand, werd vergeleken met die van Muhammeds muezzin Bilal, die uit de mond van een ietwat spichtig meisje kwam.

Wat ik niet begreep kan pas later worden verteld; laat mij hier boekstaven dat mijn zuster zich haar naam verwierf op het feestje ter gelegenheid van haar veertiende verjaardag, en daarna bekend stond als de Zangeres Jamila; en dat ik, toen ik naar 'Mijn Rode Dupatta van Mousseline' en 'Shahbaz Qalandar' luisterde, wist dat het proces dat tijdens mijn eerste ballingschap was begonnen, in mijn tweede zijn voltooiing naderde; dat Jamila, van nu af aan, het kind was waar alles om draaide, en dat ik bij haar talent altijd op de tweede plaats zou komen.

Jamila zong – ik boog, nederig, mijn hoofd. Maar voor zij haar koninkrijk helemaal kon binnengaan, moest er iets anders gebeuren: ik moest naar behoren aan mijn einde komen.

Drainage en de woestijn

Dat wat-op-botten-knaagt weigert op te houden ... het is slechts een kwestie van tijd. Dit houdt me op de been: ik hou me vast aan Padma. Padma is degene om wie het draait – Padma-spieren, Padma's behaarde onderarmen, Padma mijn eigen zuivere lotus ... die, in verlegenheid, beveelt: 'Genoeg. Begin. Begin nu.'

Ja, het moet beginnen met het telegram. Telepathie zonderde mij af; telecommunicatie maakte mij neerslachtig...

Amina Sinai was wratten uit haar voeten aan het snijden toen het telegram kwam ... op een dag. Nee, dat kan niet. Aan de datum valt niet te ontkomen: mijn moeder, met de rechterenkel op de linkerknie, was op 9 september 1962 bezig met een nagelvijl met een scherpe punt, eksteroogweefsel uit haar voetzool op te diepen. En de tijd? De tijd komt er ook op aan. Welnu: in de middag. Nee, het is van belang om nauwkeuriger ... klokslag drie uur, wat zelfs in het noorden de warmste tijd van de dag is, bracht een bediende haar een envelop op een zilveren schaal. Een paar seconden later, ver weg in New Delhi, nam de minister van Defensie Krishna Menon (op eigen initiatief handelend tijdens Nehru's afwezigheid op de Conferentie van Eerste Ministers van het Gemenebest) de gewichtige beslissing om zo nodig geweld te gebruiken tegen het Chinese leger aan het Himalayafront. 'De Chinezen moeten van de Thag-La-rug worden verdreven,' zei Menon terwijl mijn moeder een telegram openscheurde. 'Wij zullen geen zwakte tonen.' Maar zijn beslissing was niets vergeleken bij de gevolgen van mijn moeders telegram; want terwijl de verdrijvingsoperatie, onder de codenaam LIVORNO tot mislukking gedoemd was, en uiteindelijk een van de macaberste tonelen van India zou maken, het Oorlogstoneel, stortte het telegram mij heimelijk maar zeker in de crisis die zou uitlopen op mijn definitieve verdrijving uit mijn eigen innerlijke wereld. Terwijl het Indiase XXXIII-Corps handelde volgens orders die van Menon aan generaal Thapar waren gezonden, was ook ik in groot gevaar komen te verkeren; alsof onzichtbare krachten hadden uitgemaakt dat ik eveneens de grenzen had overschreden van wat ik mocht doen of weten of zijn; alsof de geschiedenis had besloten mij stevig terecht te wijzen. Ik had hierin helemaal niets te zeggen; mijn moeder las het telegram, barstte in tranen uit en zei: 'Kinderen, we gaan naar huis!' ... waarna, zoals ik in een ander verband al eens eerder had opgemerkt, het slechts een kwestie van tijd was.

Wat het telegram inhield: KOM ALSTUBLIEFT VLUG SINAISAHIB HEEFT HARTBEDERF ERNSTIG ZIEK, SALAAMS ALICE PEREIRA.

'Natuurlijk, ga meteen, lieveling,' zei mijn tante Emerald tegen haar zuster, 'maar wat, mijn God, kan dat *hartbederf* zijn?'

Het is mogelijk, waarschijnlijk zelfs, dat ik de eerste geschiedkundige ben die het verhaal van mijn onbetwistbaar uitzonderlijke leven-en-tijd schrijft. Zij die in mijn voetstappen treden zullen echter, onvermijdelijk, voor leiding en inspiratie bij het huidige werk terecht komen, dit bronnenboek, dit Hadith of Purana of *Grundrisse*. Toekomstige exegeten zeg ik het volgende: wanneer u de gebeurtenissen die voortvloeien uit het 'hartbederf-telegram' gaat onderzoeken, bedenk dan dat in het oog van de orkaan die boven mij werd ontketend – het zwaard, om een andere metafoor te gebruiken, waarmee de genadeslag werd toegebracht – een enkele eenmakende kracht lag. Ik heb het over telecommunicatie.

Telegrammen, en na telegrammen telefoons, waren mijn ondergang; edelmoedig als ik ben, zal ik echter niemand van samenzwering betichten; hoewel je gemakkelijk zou kunnen geloven dat de bazen van de verbindingen hadden besloten hun monopolie van de ethergolven van de natie te herkrijgen... Ik moet terugkeren: (Padma fronst het voorhoofd) naar de banale keten van oorzaak-en-gevolg: wij kwamen op 16 september per Dakota op het vliegveld Santa Cruz aan; maar om het telegram uit te leggen moet ik verder in de tijd teruggaan.

Zo Alice Pereira eens had gezondigd door Joseph D'Costa van haar zuster Mary af te nemen, had zij dat in deze latere jaren al een heel eind goedgemaakt; want vier jaar lang was zij Ahmed Sinais enige menselijke gezelschap geweest. Geïsoleerd op het stoffige heuveltje dat eens Methwolds Villapark was geweest had ze enorme aanspraken op haar inschikkelijke goedaardigheid te verduren gehad. Hij liet haar tot middernacht bij zich opzitten terwijl hij djinns dronk en tekeer ging over de onrechtvaardige dingen in zijn leven; hij herinnerde zich, na jaren van vergeetachtigheid, zijn oude droom om de koran te vertalen en opnieuw te ordenen, en verweet zijn gezin dat het hem ontkrachtte, zodat hij de energie niet had om aan een dergelijke taak te beginnen; bovendien richtte zijn woede zich, omdat zij er was, vaak tegen haar, en nam de vorm aan van lange tirades vol schuttingwoorden en de nutteloze vloeken die hij in de tijd van zijn diepste afgetrokkenheid had bedacht. Zij deed haar best vol begrip te zijn: hij was een eenzame man; zijn eens onfeilbare verhouding met de telefoon was tenietgedaan door de economische wisselvalligheden van de tijd; zijn gevoel voor financiële aangelegenheden begon hem in de steek te laten ... hij viel ook ten prooi aan vreemde angsten. Toen de Chinese weg in het gebied van Aksai Chin werd ontdekt, was hij ervan overtuigd dat de gele horden over enkele dagen in Methwolds Villapark zouden arriveren; en het was Alice die hem geruststelde met ijskoude Coca-Cola en zei: ' 't Heeft geen zin je zorgen te maken. Die Chineesjes zijn te klein om onze jawans te verslaan. Drink je Coke maar liever op; er zal niets veranderen.'

Uiteindelijk werd ze doodmoe van hem; ze bleef ten slotte alleen bij hem omdat ze grote salarisverhogingen vroeg, en kreeg, en ze stuurde een groot deel van het geld naar Goa, om haar zuster Mary te helpen; maar op 1 september bezweek ook zij voor de verlokkingen van de telefoon.

Tegen die tijd bracht zij evenveel tijd aan het apparaat door als haar werkgever, vooral wanneer de vrouwen van Narlikar opbelden. De ontzagwekkende Narlikars belegerden mijn vader in die periode, belden hem twee keer per dag op, flikflooiden en probeerden hem over te halen om te verkopen, waarbij ze hem eraan herinnerden dat zijn positie hopeloos was, en fladderden om zijn hoofd als roofvogels om een brandend pakhuis ... op 1 september gooiden zij, als een roofvogel lang geleden, een arm naar beneden die hem een klap in het gezicht gaf, want ze kochten Alice Pereira bij hem weg. Niet in staat hem nog langer te verdragen, riep ze uit: 'Neem je eigen telefoon maar aan! Ik ga weg.'

Die avond begon Ahmed Sinais hart uit te puilen. Boordevol met haat wrok zelfmedelijden verdriet, zwol het op als een ballon, het klopte te snel, miste slagen, en velde hem ten slotte als een os; in het Breach Candy Ziekenhuis ontdekten de artsen dat het hart van mijn vader eigenlijk van vorm veranderd was – een nieuwe zwelling was bobbelig uit de hartkamer linksonder komen zetten. Het was, om de woorden van Alice te gebruiken, 'bedorven'.

Alice vond hem de volgende dag toen ze, zo wilde het toeval, terugkwam om een vergeten paraplu op te halen; als een goede secretaresse riep ze de hulp in van de telecommunicatie: ze belde een ambulance en stuurde ons een telegram. Door toedoen van censuur van het postverkeer tussen India en Pakistan had het 'hartbederf-telegram' er een volle week voor nodig om Amina Sinai te bereiken.

'Terug-naar-Bom!' schreeuwde ik gelukkig, luchthavenkoelies alarmerend. 'Terug-naar-Bom!' juichte ik, ondanks alles, tot de pas ontnuchterde Jamila zei: 'O, Saleem, *eerlijk*, ksst!' Alice Pereira haalde ons van het vliegveld af (een telegram had haar gewaarschuwd); en toen zaten we in een echte Bombayse zwart-met-gele taxi, en ik zwolg in de geluiden van warme-channa-warme-vensters, het gedrang van kamelen fietsen en mensen mensen mensen en vond dat Rawalpindi vergeleken bij Mumbadevi's stad een dorp was, en herontdekte vooral de kleuren, de vergeten kleurigheid van gulmohr en bougainvillea, het lijkgroen van het water van het reservoir van de Mahalaxmi-tempel, het strakke zwart-met-wit van de parasols van de politieagenten en het blauw-met-geelachtig van hun uniformen; maar vooral het blauw blauw blauw van de zee ... alleen het grijs van het geteisterde gezicht van mijn vader leidde mij af van de regenboogorgie van de stad, en ontnuchterde mij.

Alice Pereira liet ons in het ziekenhuis achter en ging naar haar werk voor de vrouwen van Narlikar; maar nu gebeurde er iets opmerkelijks. Mijn moeder, Amina Sinai, schudde toen ze mijn vader zag haar lethargie en neerslachtigheid en schuldnevels en wrattenpijn van zich af, scheen op wonderbaarlijke wijze weer jong te worden; nu al haar oude gaven van toewijding waren hersteld, wijdde ze zich aan de revalidatie van Ahmed, gedreven door een onstuitbare wil. Ze bracht hem thuis naar de slaapkamer op de eerste verdieping waar ze hem de vorstperiode door had verpleegd; ze zat dag en nacht bij hem en goot haar kracht in zijn lichaam. En haar liefde werd beloond, want niet alleen herstelde Ahmed Sinai zo volledig dat de Europese artsen van het Breach Candy Ziekenhuis versteld stonden, maar er voltrok zich een nog veel wonderbaarlijker verandering, namelijk dat, toen Ahmed onder Amina's hoede tot zichzelf kwam, hij niet terugkeerde tot de ik die vloeken had uitgesproken en met djinns had geworsteld, maar tot de ik die hij altijd geweest had kunnen zijn, vervuld van berouw en vergeving en vrolijkheid en edelmoedigheid en het mooiste wonder van alle, en wel de liefde. Ahmed Sinai was, ten lange leste, verliefd geworden op mijn moeder.

En ik was het offerlam waarmee ze hun liefde zalfden.

Ze waren zelfs begonnen weer met elkaar naar bed te gaan; en hoewel mijn zuster, met een flits van haar oude Aap-wezen, zei: 'In hetzelfde bed, Allah, *chhi-chhi*, wat smerig!', was ik blij voor hen; en zelfs, korte tijd, blijer voor mijzelf, omdat ik terug was in het land van de Middernachtskinderen Conferentie. Terwijl de krantekoppen naar de oorlog marcheerden, hernieuwde ik mijn kennismaking met mijn wonderbaarlijke makkers, niet wetende hoeveel einden mij wachtten.

Op 9 oktober – INDIASE LEGER GEREED VOOR GROOTSCHEEPSE INSPANNING – voelde ik me in staat om de Conferentie bijeen te roepen (de tijd en mijn eigen inspanningen hadden de noodzakelijke barrière rond Mary's geheim opgericht). En ze kwamen in mijn hoofd terug; het was een gelukkige nacht, een nacht om oude meningsverschillen te begraven, om onze grootscheepse poging te ondernemen ons opnieuw te verenigen. Telkens opnieuw betuigden we onze vreugde over het feit dat we weer tezamen waren; de diepere waarheid negerend – dat we net zo waren als alle families, dat het vooruitzicht van familiereünies heerlijker is dan ze in werkelijkheid zijn, en dat de tijd komt waarop alle families afzonderlijk hun eigen weg moeten gaan. Op 15 oktober – ONUITGELOKTE AANVAL OP INDIA – begonnen de vragen die ik had gevreesd en had geprobeerd niet uit te lokken: *Waarom is Shiva er niet? Waarom heb je een deel van je geest afgesloten?*

Op 20 oktober werden de strijdkrachten van India door de Chinezen verslagen – in de pan gehakt – bij de bergrug Thag La. In een officiële bekendmaking van Peking werd gezegd: *Ter zelfverdediging waren Chinese grenswachten gedwongen vastberaden terug te slaan.* Maar toen, diezelfde nacht, de kinderen van middernacht een gezamenlijke aanval op mij deden, had ik geen verweer. Ze vielen aan over een breed front en van alle kanten, mij beschuldigend van achterbaksheid, dubbelzinnigheid, aanmatiging, egoïsme; mijn geest, niet langer een vergaderzaal, werd het gevechtsterrein waarop ze mij vernietigden. Niet langer 'grote broer Saleem', luisterde ik hulpeloos terwijl ze mij verscheurden; want ondanks al hun herrie en woede, kon ik niet deblokkeren wat ik had weggesloten; ik kon me er niet toe brengen hun Mary's geheim te vertellen. Zelfs Parvati-de-heks, die zo lang mijn liefste aanhangster was geweest, verloor ten slotte haar geduld met me. 'O Saleem,' zei ze, 'God weet wat Pakistan met je gedaan heeft; maar je bent heel erg veranderd.'

Eens, lang geleden, had de dood van Mian Abdullah een andere Conferentie kapot gemaakt, die louter door zijn wilskracht bijeen was gehouden; nu, terwijl de middernachtskinderen hun geloof in mij verloren, verloren ze ook het geloof in datgene wat ik voor hen had gemaakt. Tussen 20 oktober en 20 november bleef ik onze nachtelijke zittingen bijeenroepen – proberen ze bijeen te roepen; maar ze vluchtten voor mij, niet een voor een, maar met tientallen en twintigtallen tegelijk; iedere nacht waren er minder bereid op me af te stemmen; iedere week trokken er zich meer dan honderd in het eigen leven terug. In het hoge Himalayagebergte vluchtten Gurkha's en Rajputs in wanorde voor het Chinese leger; en in de bovenste regionen van mijn geest werd een ander leger ook vernietigd door dingen – geharrewar, vooroordelen, verveling, egoïsme – waarvan ik had gedacht dat ze te onbelangrijk, te pietluttig waren om hen te hebben beroerd.

(Maar het optimisme weigerde, als een slepende ziekte, te verdwijnen; ik bleef geloven – en dat doe ik nog – dat hetgeen-wij-gemeen hadden uiteindelijk zwaarder zou hebben gewogen dan hetgeen-ons-uit-elkaar dreef. Nee, ik weiger de uiteindelijke verantwoordelijkheid voor het einde van de Kinderconferentie te aanvaarden; want wat iedere mogelijkheid op vernieuwing teniet deed was de liefde van Ahmed en Amina Sinai.)

...En Shiva? Shiva die ik in koelen bloede zijn geboorterecht had ontzegd? In die laatste maand liet ik hem niet een keer door mijn gedachten zoeken; maar zijn bestaan, ergens op de wereld, bleef in mijn achterhoofd zeuren. Shiva-de-vernietiger, Shiva met de X-benen ... aanvankelijk werd hij een pijnlijke kwelling van schuld voor me; toen een obsessie, en ten slotte, toen de herinnering aan zijn werkelijkheid verflauwde, werd hij een soort principe; hij begon in mijn geest alle wraakzucht en gewelddadigheid en gelijktijdige-liefde-en-haat voor Dingen in de wereld te vertegenwoordigen; zodat het me ook nu nog, wanneer ik hoor van verdronken lichamen die als ballonnen op de Hooghly drijven en uit elkaar spatten wanneer ze door voorbijvarende boten worden aangeraakt; of treinen die in brand worden gestoken, of politici die worden gedood, of opstootjes in Orissa of de Punjaab, toeschijnt dat Shiva in al deze dingen de hand heeft gehad, ons ertoe doemend om eindeloos te stuntelen te midden van moord verkrachting hebzucht oorlog – kortom, dat Shiva ons heeft gemaakt die we zijn. (Ook hij werd om klokslag middernacht geboren; evenals ik was hij aan de geschiedenis verbonden. De verbindingswijzen stelden ook hem in staat – als ik het bij het rechte eind heb te denken dat ze op mij van toepassing waren – invloed uit te oefenen op het verloop van de tijd.)

Ik praat alsof ik hem nooit meer heb gezien; hetgeen niet waar is. Maar dat moet, natuurlijk, zijn beurt afwachten net als al het andere; ik ben niet sterk genoeg om dat verhaal nu te vertellen.

De ziekte van het optimisme nam in die tijd opnieuw epidemische vormen aan; ik werd ondertussen getroffen door een voorhoofdsholteontsteking. Vreemd genoeg op gang gebracht door de nederlaag op de bergrug van Thag La, werd het openbare optimisme over de oorlog even gezwollen (en even gevaarlijk) als een te hard opgeblazen ballon; mijn lankmoedige neuskanalen, die al hun dagen overvol waren geweest, gaven de strijd tegen de congestie echter ten slotte op. Terwijl parlementariërs de ene redevoering na de andere afstaken over 'Chinese agressie' en 'het bloed van onze jawans die de marteldood zijn gestorven', begonnen de tranen uit mijn ogen te stromen; terwijl de natie zich opblies in de overtuiging dat de vernietiging van de kleine gele mensen ophanden was, bliezen mijn sinussen zich eveneens op en verwrongen een gezicht dat al zo verbijsterend was dat Ayub Khan zelf er met onverholen verbazing naar had gestaard. In de klauwen van de optimismeziekte verbrandden studenten afbeeldingen van Mao-Tse-toeng en Tsjoe En-lai met optimismekoorts op hun voorhoofd viel gepeupel Chinese schoenmakers, handelaren in curiosa en restaurateurs aan. Gloeiend van optimisme interneerde de regering zelfs Indiase burgers van Chinese afkomst – nu 'vijandige vreemdelingen' – in kampen in Rajasthan. Birla Industries schonk de natie een miniatuurschietbaan; schoolmeisjes gingen militaire parades houden. Maar ik, Saleem, had het gevoel dat ik op het punt stond aan verstikking te sterven. De lucht, verdicht door optimisme, weigerde mijn longen binnen te gaan.

Ahmed en Amina Sinai behoorden tot de ergste slachtoffers van de hernieuwde ziekte van het optimisme; na de kwaal al te hebben opgelopen door middel van hun pasgeboren liefde, deden ze enthousiast mee met het publieke optimisme. Toen Morarji Desai, de urine drinkende minister van Financiën, zijn oproep deed om 'Sieraden voor Bewapening' te geven, stond mijn moeder gouden armbanden en smaragden oorhangers af; toen Morarji defensie-obligaties uitschreef, kocht Ahmed Sinai ze met bosjes. De oorlog, zo scheen het, had India een nieuwe dageraad geschonken; in de *Times of India* stond een spotprent met het onderschrift 'Oorlog met China' waarop Nehru te zien was die naar grafieken keek waarop 'Emotionele Integratie', 'Industriële Vrede' en 'Het Geloof van het Volk in de Regering' stond terwijl hij uitriep: 'We hebben het nog nooit zo goed gehad!' Op drift in deze zee van optimisme dobberden wij – de natie, mijn ouders, ik – blind in de richting van de klippen.

Als volk waren we bezeten van gelijkenissen. Overeenkomsten tussen dit en dat, tussen dingen die ogenschijnlijk geen verband met elkaar houden, maken dat we verrukt in onze handen klappen wanneer we die ontdekken. Het is een soort nationaal verlangen naar vorm – of misschien eenvoudig een uitdrukking van ons diepe geloof dat vormen in de werkelijkheid verborgen liggen; dat zin zich alleen in flitsen openbaart. Vandaar ons zwak voor voortekenen ... toen, bijvoorbeeld, de Indiase vlag voor het eerst werd gehesen, verscheen er een regenboog boven dat veld in Delhi, een regenboog van saffraan en groen; en wij voelden ons gezegend. Geboren te midden van gelijkenis, heb ik gemerkt dat die mij voortdurend achtervolgde ... terwijl Indiërs blind op een militair debâcle afgingen, naderde ook ik (en zonder er ook maar iets van te weten) zelf een catastrofe.

Spotprenten in de *Times of India* spraken van 'Emotionele Integratie'; in Villa Buckingham, het laatste overblijfsel van Methwolds Villapark, waren de emoties nog nooit zo geïntegreerd geweest. Ahmed en

Amina brachten hun dagen door als pas verloofde jongelui; en terwijl het *Volksdagblad* in Peking klaagde: 'De regering Nehru heeft eindelijk haar dekmantel van niet-gebondenheid laten vallen', klaagde noch mijn zuster noch ik, omdat wij voor de eerste keer in jaren niet hoefden te doen alsof wij niet-gebonden waren in de oorlog tussen onze ouders; wat de oorlog voor India had gedaan, had het staken van de vijandelijkheden voor ons twee verdiepingen hoge heuveltje bereikt. Ahmed Sinai had zelfs zijn nachtelijke strijd met de djinns opgegeven.

Tegen 1 november – INDIËRS VALLEN AAN ONDER DEKKING VAN ARTILLERIE – bevonden mijn neuskanalen zich in een staat van acute crisis. Hoewel mijn moeder mij dagelijks onderwierp aan de marteling van Vick's Inhaler en dampende kommen met in water opgeloste Vick's die ik, met een deken over mijn hoofd, moest proberen te inhaleren, weigerden mijn sinussen op de behandeling te reageren. Dit was de dag waarop mijn vader zijn armen naar me uitstrekte en zei: 'Kom, zoon – kom hier en laat me je liefhebben.' Uitzinnig van vreugde (misschien had de optimismeziekte mij uiteindelijk toch te pakken) liet ik me in zijn zijn zachte buik smoren; maar toen hij me losliet had neusvocht zijn safari-jasje besmeurd. Ik denk dat dat mijn definitieve vonnis voltrok; want die middag ging mijn moeder tot de aanval over. Terwijl ze het tegenover mij deed voorkomen dat ze een vriendin opbelde, voerde ze een zeker telefoongesprek. Terwijl Indiërs onder dekking van artillerie aanvielen, beraamde Amina Sinai mijn val, beschermd door een leugen.

Voor ik echter mijn intrede in de woestijn van mijn latere jaren beschrijf, moet ik toegeven dat het mogelijk is dat ik mijn ouders ernstig onrecht heb aangedaan. Sinds Mary Pereira's onthullingen deden ze, voor zover ik weet, geen enkele poging om naar hun bloedeigen zoon te zoeken; en ik heb, op verschillende punten in dit verhaal, deze nalatigheid aan een zeker gebrek aan verbeelding toegeschreven – ik heb min of meer gezegd dat ik hun zoon bleef omdat zij zich mij niet in een andere rol konden indenken. Maar er zijn ergere interpretaties mogelijk – zoals hun tegenzin om een joch dat zeven jaar in de goot had doorgebracht aan hun boezem te drukken; maar ik wil een nobeler motief opperen: ondanks alles, ondanks komkommerneus vlekporum kinloosheid horenslapen o-benen verloren vinger monnikstonsuur en mijn (ik geef het toe, hun onbekend) slechte linkeroor, zelfs ondanks middernachtelijke babyruil van Mary Pereira ... misschien dat, zeg ik, mijn ouders ondanks al die provocaties van mij hielden. Ik trok mij van hen terug in mijn geheime wereld; omdat ik hun haat vreesde, gaf ik niet toe dat het mogelijk was dat hun liefde sterker was dan lelijkheid, sterker zelfs dan bloed. Het is hoogst waarschijnlijk dat wat een telefoongesprek regelde, wat ten slotte op 21 november 1962 gebeurde, om de nobelste reden werd gedaan; dat mijn ouders mij uit liefde ruïneerden.

Die 20ste november was een vreselijke dag; die nacht was een vreselijke nacht ... zes dagen eerder, op Nehru's drieënzeventigste verjaardag, was de grote confrontatie met de Chinese strijdkrachten begonnen; het Indiase leger – JAWANS KOMEN IN ACTIE! – had de Chinezen bij Walong aangevallen. Nieuws van de ramp van Walong, en de totale nederlaag van generaal Kaul en vier bataljons, bereikte Nehru op zaterdag de achttiende; op maandag de twintigste stroomde het door radio en pers en arriveerde in Methwolds Villapark GROTE PANIEK IN NEW DELHI! INDIASE STRIJDKRACHTEN AAN FLARDEN! Die dag – de laatste dag van mijn oude leven – zat ik met mijn zuster en ouders om onze Telefunken radiogrammofoon, terwijl telecommunicaties onze harten met de vrees voor God en China vervulden. En mijn vader zei nu iets fatalistisch: 'Vrouw,' sprak hij ernstig, terwijl Jamila en ik beefden van angst, 'begum sahiba, dit land is op de fles. Bankroet. Funtoosh.' De avondbladen verkondigden het eind van de optimismeziekte: PUBLIEKE MORAAL EBT WEG. En na dat einde zouden er andere komen; andere dingen zouden ook wegebben.

Ik ging naar bed met mijn hoofd vol Chinese gezichten kanonnen tanks ... maar om middernacht was mijn hoofd leeg en stil, want de middernachts Conferentie was eveneens weggeëbd; het enige magische kind dat bereid was met me te praten was Parvati-de-heks, en wij, volkomen terneergeslagen door wat Nussie-de-eend 'het einde van de wereld' zou hebben genoemd, konden niets anders doen dan ons eenvoudig in stilte met elkaar onderhouden.

En andere, meer wereldse drainages: er verscheen een scheur in de machtige Bhakra Nanagal Hydro-Elektrische Dam, en het grote reservoir erachter stroomde door de spleet ... en het landaanwinningsconsortium van de vrouwen van Narlikar, ongevoelig voor optimisme of nederlaag of wat dan ook behalve de verlokking van rijkdom, bleef land uit de diepten van de zee winnen ... maar de laatste evacuatie, die waaraan dit hoofdstuk zijn titel werkelijk ontleent, vond de volgende ochtend plaats, net toen ik mij had ontspannen en dacht dat er per slot van rekening toch iets goed zou aflopen ... want wij hadden die ochtend het onwaarschijnlijk vreugdevolle nieuws gehoord dat de Chinezen, plotseling, zonder noodzaak niet verder oprukten; na het hoogland van de Himalaya in handen te hebben gekregen, waren ze blijkbaar tevreden; STAAKT HET VUREN! schreeuwden de kranten, en mijn moeder viel bijna in zwijm van opluchting. (Er was sprake van dat generaal Kaul gevangen was genomen; de president van India, dr. Radhakrishan, gaf als commentaar: 'Ongelukkigerwijs is dit bericht volkomen onwaar.')

Ondanks ogen waar het water uitstroomde en gezwollen neusholte, was ik gelukkig; ook ondanks het einde van de Kinderconferentie baadde ik me in de nieuwe gloed van geluk die Villa Buckingham doordrong; dus toen mijn moeder voorstelde: 'Laten we het gaan vieren! Een picknick, kinderen, zouden jullie dat leuk vinden?' stemde ik natuurlijk opgewekt in. Het was de ochtend van de 21ste november; wij hielpen mee sandwiches en paratha's te maken; wij hielden stil bij een frisdrankzaak en laadden ijs in een blikken emmertje en flesjes Coca-Cola in een krat in de kofferbak van onze Rover; ouders voorin, kinderen achterin, zo reden we weg. De zangeres Jamila zong voor ons terwijl we reden.

Door ontstoken neusholten vroeg ik: 'Waar gaan we heen? Juhu? Elephanta? Marvé? Waar?' En mijn moeder, pijnlijk glimlachend: 'Een verrassing; wacht maar af.' Door straten vol met opgeluchte, blije menigten reden wij... 'We rijden verkeerd,' riep ik uit. 'Dit is toch niet de weg naar een strand?' Mijn ouders spraken allebei tegelijk, geruststellend, opgewekt: 'Eerst nog een keer stoppen, en dan gaan we; heus.'

Telegrammen riepen me terug; radiogrammofoons joegen me angst aan; maar het was een telefoon die de datum tijd plaats voor mijn val besprak ... en mijn ouders logen tegen me.

...Wij hielden stil voor een onbekend gebouw aan Carnac Road. Het exterieur: in verval. Alle ramen: geblindeerd. 'Kom je mee, zoon?' Ahmed Sinai stapte uit de wagen; ik, gelukkig dat ik mijn vader op zijn afspraak mocht vergezellen, liep monter naast hem. Een koperen plaat op de deur: *Neus Keel Oor Kliniek*. En ik, plotseling ongerust: 'Wat is dit, abba?' Waarom zijn we...' En mijn vaders hand die zijn greep om mijn schouder verstevigt – en dan een man in een witte jas – en verpleegsters – en 'Ah ja, mijnheer Sinai, dus dit is de jonge Saleem – precies op tijd – mooi, mooi'; terwijl ik: 'Abba, nee – en de picknick dan –'; maar artsen loodsen mij nu verder, mijn vader blijft achter, de man in de witte jas roept hem toe: 'Ben zo terug – verdomd goed nieuws over de oorlog, niet?' En de verpleegster: 'Ga alsjeblieft met me mee voor verband en narcose.'

Bedrogen! Bedrogen, Padma! Ik heb het je gezegd: picknicks bedrogen me eens; en toen was er een ziekenhuis en een kamer met een hard bed en felle lampen aan het plafond en ik die 'Nee nee nee' riep en de zuster: 'Doe nou niet dom, je bent bijna een volwassen man, ga liggen,' en ik, me herinnerend hoe neuskanalen alles in mijn hoofd waren begonnen, hoe neusvocht opopop gesnoven was naar een plaats waar dat neusvocht niet behoorde te gaan, hoe de verbinding was gemaakt die mijn stemmen bevrijdden, was aan het schoppen gillen zodat ze me moesten vasthouden: 'Eerlijk waar,' zei de zuster, 'zo'n baby heb ik nog nooit gezien.'

En zo eindigde wat in een waskist was begonnen op een operatietafel, want ik werd bij mijn handen en mijn voeten vastgehouden en iemand zei: 'Je voelt er niets van, gemakkelijker dan je amandelen te laten knippen, krijgen die fistels in minder dan geen tijd in orde, radicale schoonmaak,' en ik: 'Nee alsjeblieft nee,' maar de stem vervolgde: 'Ik ga je nu dit masker opzetten, tel maar tot tien.'

Tellen. De getallen lopen een twee drie.

Gesis van vrijkomend gas. De getallen verpletteren me vier vijf zes.

Gezichten zweven in mist. En nog altijd de tumultueuze getallen. Ik was aan het huilen, denk ik, en de getallen dreunden zeven acht negen.

Tien.

'Goeie God, de jongen is nog bij bewustzijn. Buitengewoon. We moeten maar een ander – kun je me horen? Saleem, nietwaar? Beste knul, tel nog eens tot tien!' Mij krijgt hij niet klein. Menigten hebben in mijn hoofd gekrioeld. De meester van de getallen, ik. Daar gaat ie weer ellef, twaalf.

Maar ze zullen nooit ophouden voordat ... dertien veertien vijftien... O God O God de mist duizelig en achterover achterover achterover vallend, zestien, voorbij oorlog en pepervaatjes, achterover, zeventien achttien negentien.

Twin

Er was een waskist en een jongen die te hard snoof. Zijn moeder ontkleedde zich en onthulde een Zwarte Mango. Er kwamen stemmen, die niet de stemmen van aartsengelen waren. Een hand die het linkeroor doof maakte. En wat groeide het beste in de hitte: fantasie, irrationaliteit, wellust. Er was een klokketoren als toevlucht, en bedriegerij-in-de-klas. En liefde in Bombay veroorzaakte een fietsongeluk; horenslapen kwamen in verlostangholten, en vijfhonderdeenentachtig kinderen bezochten mijn hoofd. Middernachtskinderen: die misschien de belichaming van de hoop op vrijheid zijn geweest, kunnen ook monsters zijn geweest waaraan-een-eind-behoort-te-worden-gemaakt. Parvati, de heks, de trouwste van allen, en Shiva, die een levensbeginsel werd. Er was sprake van een doel, en het debat tussen ideeën en dingen. Er waren knieën en neus en neus en knieën.

Er begonnen ruzies, en de volwassen wereld drong die van de kinderen binnen; er waren egoïsme snobisme en haat. En de onmogelijkheid van een derde beginsel; de angst om uiteindelijk-op-niets-uit-te-lopen begon toe te nemen. En wat niemand zei: dat het doel van de vijfhonderdeenentachtig in hun vernietiging lag; dat ze gekomen waren, om nergens te komen. Profetieën werden genegeerd toen ze op die manier spraken.

En onthullingen, en een geest die zich afsloot; en ballingschap, en vier-jaar-later terugkeer; groeiende achterdocht, zich uitzaaiende tweedracht, vertrek met tien- en twintigtallen. En, ten slotte, nog maar één stem over; maar het optimisme bleef hangen – wat-we-gemeen hadden behield de mogelijkheid om dat-wat-ons-uiteen dreef te overmeesteren.

Totdat:

Stilte buiten mij. Een donkere kamer (jaloezieën dicht). Kan niets zien (er valt niets te zien).

Stilte binnen in mij. Een verbinding verbroken (voor altijd). Kan niets horen (er valt niets te horen).

Stilte, als een woestijn. En een schone, open neus (neuskanalen vol lucht). Lucht die, als een vandaal, mijn afgezonderde plaatsen binnendringt.

Gedraineerd. Ik ben gedraineerd. De parahamsa, aan de grond.

(Voorgoed.)

O, verklaar je nader, verklaar je nader: de operatie waarvan het doel zogenaamd was om mijn ontstoken neusholte te draineren en mijn neuskanalen voor eens en altijd open te maken, had het gevolg dat welke verbinding er ook in een waskist was gemaakt, verbroken werd; dat ik van door neus geschonken telepathie werd beroofd; dat ik van de mogelijkheid van middernachtskinderen werd verbannen.

In onze naam ligt ons lot besloten; daar wij in een land wonen waar namen niet de zinloosheid van het Westen hebben gekregen, en nog altijd meer zijn dan alleen maar klanken, zijn we ook de slachtoffers van onze benamingen. *Sinai* bevat Ibn Sina, meester tovenaar, soefiingewijde; en ook Sin de maan, de oude god van Hadhramaut, met zijn eigen wijze van verbinding, zijn vermogens om op-afstand de getijden van de wereld te beïnvloeden. Maar Sin is ook de letter S, even kronkelig als een slang; slangen liggen opgerold in die naam. En er is ook het toeval van transcriptie – Sinai is in Romeins schrift, hoewel niet in het Nastaliq, ook de naam van de plaats-van-openbaring, van trek-je-schoenen-uit, van geboden en gouden kalveren, maar uiteindelijk, wanneer Ibn Sina is vergeten en de maan onder is; wanneer slangen verscholen liggen en openbaringen eindigen, is het de naam van de woestijn – van schraalheid, onvruchtbaarheid, stof; de naam van het einde.

In Arabië – *Arabia Deserta* – ten tijde van de profeet Muhammad, preekten er ook andere profeten: Maslama van de stam van de Banu Hanifa in de Yamama, het hart van Arabië; en Hanzala ibn Safwan; en Khalid ibn Sinan. Maslama's God was ar-Rahman 'de Barmhartige'; heden ten dage bidden moslems tot Allah, ar-Rahman. Khalid ib Sinan werd naar de stam van 'Abs gezonden; een tijd lang volgde men hem, maar toen was hij verdwenen. Profeten zijn niet altijd vals alleen maar omdat ze door de geschiedenis worden ingehaald en opgeslokt. Verdienstelijke mannen hebben altijd door de woestijn rondgezworven.

'Vrouw,' zei Ahmed Sinai, 'dit land is naar de bliksem.' Na staakt-het-vuren en drainage, kwamen deze woorden terug en achtervolgden hem; en Amina begon hem ertoe over te halen naar Pakistan te emigreren, waar haar nog in leven zijnde zusters al woonden, en waar haar moeder na de dood van haar vader heen zou gaan. 'Een nieuw begin,' stelde ze voor, 'Janum, dat zou heerlijk zijn. Wat hebben wij hier nog op deze van God verlaten heuvel?'

Dus werd Villa Buckingham ten slotte toch overgeleverd aan de klauwen van de vrouwen van Narlikar; en meer dan vijftien jaar te laat verhuisde mijn familie naar Pakistan, het Land van de Zuiveren. Ahmed Sinai liet heel weinig achter; er zijn manieren om met behulp van multinationale ondernemingen geld over te maken, en mijn vader kende die manieren. En ik was, hoewel ik het droevig vond om mijn geboortestad te verlaten, niet ongelukkig dat ik weg moest uit de stad waarin Shiva zich ergens, als een zorgvuldig verborgen landmijn, schuilhield.

We verlieten Bombay, ten slotte, in februari 1963; en op de dag van ons vertrek nam ik een oude blikken aardbol mee naar de tuin en begroef die tussen de cactussen. Daarin: een brief van een Eerste Minister, en een sterk uitvergroot babyfotootje op een voorpagina met het onderschrift 'Middernachtskind'... Het mogen dan geen heilige relikwieën zijn – ik matig me niet aan om de triviale memorabilia van mijn leven te vergelijken met de haar van de profeet in Hazratbal, of het lichaam van St. Franciscus van Xavier in de Kathedraal van Bom Jezus – maar ze zijn het enige dat mijn verleden heeft overleefd: een platgetrapte blikken aardbol, een beschimmelde brief, een foto. Verder niets, niet eens een zilveren kwispedoor. Behalve een door de Aap vertrapte planeet zijn de enige annalen verzegeld in de gesloten boeken van de hemel, Dijeen en Illiyun, de Boeken van Goed en Kwaad; in elk geval, zo gaat het verhaal.

...Pas toen wij aan boord van het s.s. *Sabarmati* waren en bij de Rann van Kutch voor anker lagen, herinnerde ik mij de oude Schaapsteker; en vroeg me opeens af of iemand hem had verteld dat we weggingen. Ik durfde het niet te vragen, uit angst dat het antwoord misschien *nee* zou luiden; dus toen ik dacht aan de slopers die aan het werk gingen, en mij de vernietigingswerktuigen voorstelde die mijn vaders kantoor en mijn eigen blauwe kamer stuksloegen, de ijzeren wanteltrap van de bedienden neerhaalden en de keuken waarin Mary Pereira haar angsten in chutneys en augurken had geroerd, de veranda afslachtend waar mijn moeder met het kind in haar buik had gezeten als een steen, kreeg ik ook een beeld van een machtige, zwaaiende bal die het domein van Sharpsticker sahib platgooide, en van de oude gekke man zelf, bleek uitgeteerd met flitsende tong, die daar open en bloot bovenop een afbrokkelend huis zat, te midden van vallende torentjes en rode dakpannen, de oude Schaapsteker die verschrompeld verouderd stierf in het zonlicht dat hij in zoveel jaren niet had gezien. Maar misschien maak ik er een drama van; misschien heb ik dit allemaal ontleend aan een oude film *Lost Horizon* genaamd, waarin mooie vrouwen verschrompelden en stierven wanneer ze uit Shangri-La vertrokken.

Voor iedere slang is er een ladder; voor iedere ladder een slang. Wij kwamen op 9 februari in Karachi aan – en binnen enkele maanden was mijn zuster aan de carrière begonnen waarmee ze de namen 'Engel van Pakistan' en 'Buulbuul-van-het-Geloof' zou verwerven; wij hadden Bombay verlaten, maar wij verwierven weerkaatste glorie. En nog iets: hoewel ik was gedraineerd – hoewel er geen stemmen in mijn hoofd spraken, wat ook nooit meer zou gebeuren, stond daar iets tegenover: namelijk dat ik, voor de eerste keer in mijn leven, ontdekte hoe verbazingwekkend verrukkelijk het was om te kunnen ruiken.

Het bleek een zo scherp zintuig te zijn dat het in staat was de kleverige geur van huichelarij achter de glimlach te ruiken waarmee mijn ongetrouwde tante Alia ons in de haven van Karachi verwelkomde. Onherstelbaar verbitterd doordat mijn vader jaren geleden naar de armen van haar zuster was overgelopen, was mijn tante de hoofdonderwijzeres door ongebluste jaloezie zwaarvoetig corpulent geworden; de dikke donkere haren van haar wrok sproten door de meeste poriën van haar huid. En misschien slaagde ze erin mijn ouders en Jamila te misleiden met haar uitgespreide armen, haar waggelende drafje naar ons toe, haar kreet van 'Ahmed bhai, eindelijk! Maar beter laat dan nooit!', haar spinachtige – en onvermijdelijk geaccepteerde – aanbiedingen van gastvrijheid; maar ik, die een groot deel van mijn babytijd in de bittere wanten en verzuurde mutsen met kwastjes van haar afgunst had doorgebracht, die zonder het te weten met mislukking was besmet door de onschuldig uitziende babykleertjes waar ze haar haat had ingebreid, en die zich bovendien duidelijk kon herinneren wat het betekende om door wraakzucht te zijn bezeten, ik, Saleem, de gedraineerde, rook de wraakzuchtige geuren die uit haar klieren lekten. Ik was echter niet bij machte om te protesteren; wij werden in de Datsun van haar wraak gestopt en meegevoerd langs Bunder Road naar haar huis in Guru Mandir – als vliegen, alleen dwazer, want wij vierden onze gevangenschap.

...Maar wat een reukzin was het! De meesten van ons worden geconditioneerd, van de wieg af, om het kleinst mogelijke spectrum van geuren te herkennen; ik had echter mijn hele leven niets kunnen ruiken, en wist dientengevolge niets van alle reuktaboes. Dientengevolge had ik een neiging om mij niet van den domme te houden als er iemand een wind liet – waardoor ik wel eens last kreeg met mijn ouders; belangrijker echter was mijn nasale vrijheid om heel wat meer te inhaleren dan de geuren van louter fysieke oorsprong waarmee de rest van het menselijke ras zich tevreden had gesteld. Dus van het prille begin van mijn adolescentie in Pakistan begon ik de geheime aroma's van de wereld te leren, de koppige maar snel verflauwende geur van nieuwe liefde, en ook de diepere, langduriger prikkeling van de haat. (Het duurde niet lang na mijn aankomst in het Land van de Zuiveren dat ik in mezelf de uiteindelijke onzuiverheid van liefde-voor-een-zuster ontdekte; en de traag brandende vuren van mijn tante vervulden mijn neusgaten van meet af aan.) Een neus schenkt je kennis, maar geen macht-over-gebeurtenissen; mijn invasie van Pakistan, gewapend (als dat het juiste woord is) met slechts een nieuwe manifestatie van mijn nasale erfenis, gaf mij het vermogen om de-waarheid-te-ruiken, om te ruiken-wat-er-in-de-lucht-hing, om sporen te volgen; maar niet het enige vermogen dat een invaller nodig heeft – de kracht om mijn vijanden te overwinnen.

Ik zal het niet ontkennen: ik heb het Karachi nooit vergeven dat het geen Bombay was. Gelegen tussen de woestijn en naargeestig zoute kreken waarvan de oevers bezaaid waren met afgeknotte mangroves, scheen mijn nieuwe stad een lelijkheid te bezitten welke de mijne zelfs overschaduwde; omdat zij te snel was gegroeid – de bevolking was sinds 1947 verviervoudigd – had zij de misvormde knobbeligheid van een gigantische dwerg aangenomen. Op mijn zestiende verjaardag kreeg ik een Lambretta scooter; terwijl ik op mijn raamloze voertuig door de straten van de stad reed, ademde ik de fatalistische hopeloosheid van de sloppenbewoners en de zelfvoldane afwerendheid van de rijken in; ik werd langs de reuksporen van verarming en ook fanatisme gezogen, een lange onderwereldse gang in gelokt aan het eind waarvan de deur naar Tai Bibi was, de oudste hoer ter wereld ... maar ik draaf door. In het hart van mijn Karachi stond Alia Aziz' huis, een groot oud gebouw aan Clayton Road (ze moet er jarenlang in hebben rondgedwaald als een geest die niemand heeft om bij te spoken), een huis van schaduwen en vergeelde verf, waarover iedere middag de lange beschuldigende schaduw van de minaret van de plaatselijke moskee viel. Zelfs toen ik, jaren later in het goochelaarsghetto, in de schaduw van een andere moskee woonde, een schaduw die, in elk geval een tijdlang een beschermende, niet dreigende halfschaduw was, verloor ik nooit mijn in Karachi ontstane kijk op schaduwen van een moskee waarin ik, zo scheen het me toe, de bekrompen, vasthoudende beschuldigende geur van mijn tante kon opsnuiven. Die haar tijd beidde; maar wier wraak, toen die kwam, verpletterend was.

Het was in die tijd een stad van luchtspiegelingen; al was ze uit de woestijn gehakt, ze was er niet helemaal in geslaagd de macht van de woestijn te vernietigen. Oasen blonken in het asfalt van Elphinstonestraat, de karavanserais kon je te midden van de krotten rondom de zwarte brug, de Kala Pul, zien schitteren. In de regenloze stad (wier enige gemeenschappelijke factor met mijn geboorteplaats was dat zij haar leven ook begonnen was als een vissersdorp), behield de verborgen woestijn zijn oude vermogens om met verschijningen te sjacheren, met als gevolg dat de inwoners van Karachi slechts een uiterst glibberige greep op de werkelijkheid hadden, en derhalve bereid waren om hun leiders om raad te vragen over wat echt en wat niet echt was. Bestookt door denkbeeldige zandheuvels en de geesten van oude koningen, en ook door de wetenschap dat de naam van het geloof waarop de stad gevestigd was, 'onderwerping' betekende, scheidden mijn stadgenoten de verpieterde geuren van berusting af, die deprimerend waren voor een neus die – helemaal op het laatste, en hoe kort ook – de sterk gekruide nonconformiteit van Bombay had geroken.

Spoedig na onze aankomst – en, misschien, beklemd door de sfeer van het door de moskee overschaduwde huis aan Clayton Road – besloot mijn vader een nieuw huis voor ons te bouwen. Hij kocht een stuk land in de chicste van de 'gemeenschappen', de nieuwe woonwijken; en op mijn zestiende verjaardag verwierf Saleem meer dan een Lambretta – ik leerde de occulte krachten van navelstrengen kennen.

Wat stond, in brijn gedompeld, zestien jaar lang in mijn vaders almirah, op zo'n dag te wachten? Wat vergezelde ons, als een waterslang in een oud pekelpotje drijvend, op onze zeereis, en werd ten slotte begraven in de harde, dorre aarde van Karachi? Wat had eens leven in een schoot gevoed – wat schonk aarde nu wonderbaarlijk leven, en baarde een bungalow met halve verdiepingen in Amerikaanse stijl?... Deze cryptische vragen vermijdend, verklaar ik dat mijn familie (met inbegrip van tante Alia) zich op mijn zestiende verjaardag op ons stuk aarde aan Korangi Road verzamelde; gadegeslagen door een groep arbeiders en de baard van een mullah, overhandigde Ahmed Saleem een houweel; ik sloeg die ter inwijding in de grond. 'Een nieuw begin,' zei Amina, 'Inshallah, wij zullen allen nu nieuwe mensen zijn.' Aangespoord door haar nobele en onbereikbare verlangen, vergrootte een werkman snel mijn gat; en nu werd er een pekelpotje te voorschijn gehaald. Brijn werd op de dorstige grond gegoten; en wat-erin-achterbleef ontving de zegeningen van de mullah. Waarna een navelstreng – was het de mijne? Of die van Shiva? – in de aarde werd geplant; en meteen begon er een huis te groeien. Er waren zoetigheden en frisdranken; de mullah, die een opmerkelijke honger aan de dag legde, verorberde negenendertig laddoos; en Ahmed Sinai klaagde niet een keer over de kosten. De geest van de begraven streng inspireerde de werklui; maar hoewel de funderingen erg diep uitgegraven werden, zouden ze niet verhinderen dat het huis instortte nog voor we er ooit in woonden.

Wat ik van navelstrengen vermoedde: hoewel ze het vermogen bezaten om huizen te laten groeien, waren sommige daar blijkbaar beter in dan andere. De stad Karachi bewees mijn bewering; duidelijk boven op volkomen ongeschikte strengen gebouwd, stond zij vol met mismaakte huizen, de onvolgroeide gebochelde kinderen van ontoereikende vitale verbindingslijnen, huizen die op geheimzinnige wijze blind werden, zonder zichtbare ramen, huizen die eruitzagen als radio's of luchtverversingsapparaten of gevangeniscellen, idiote topzware gebouwen die met monotone regelmaat omvielen, als dronkaards; een wildgroei van krankjorume huizen, wier ongeschiktheid als woningen alleen werd overtroffen door hun hoogst uitzonderlijke lelijkheid. De stad verdoezelde de woestijn; maar of de strengen, of de onvruchtbaarheid van de grond maakte dat zij iets grotesks werd.

In staat om droefheid en vreugde te ruiken, om met mijn ogen dicht intelligentie en domheid op te snuiven, bereikte ik Karachi, en de adolescentie – natuurlijk begrijpend dat de nieuwe naties van het subcontinent en ik alle de kinderjaren achter ons hadden; dat groeipijnen en vreemde lastige veranderingen van stem voor ons allemaal in het verschiet lagen. Drainage censureerde mijn innerlijke leven; mijn gevoel van samenhang bleef ongedraineerd.

Saleem viel Pakistan binnen slechts gewapend met een hypergevoelige neus; maar het ergste van alles was dat hij het *van de verkeerde kant* binnenviel! Alle geslaagde veroveringen van dat deel van de wereld zijn in het noorden begonnen; alle veroveraars zijn over land gekomen. Onkundig tegen de winden van de geschiedenis in varend, bereikte ik Karachi vanuit het zuidoosten, en over zee. Wat volgde had, veronderstel ik, mij niet behoren te verrassen.

Achteraf gezien zijn de voordelen om van het noorden uit binnen te vallen vanzelfsprekend. Uit het noorden kwamen de Umayyad-generaals, Hajjaj bin Yusuf en Muhammad bin Qasim; de Ismailis eveneens. (Honeymoon Lodge, waar naar men zegt Aly Khan met Rita Hayworth verbleef, keek uit op ons stuk benavelstrengde aarde; het gerucht wil dat de filmster een groot schandaal veroorzaakte door in een reeks fantastische, doorzichtige negligés uit Hollywood in de tuin rond te lopen.) O onontkoombare superioriteit van noordelijkheid! Uit welke richting viel Mahmud van Ghazni deze Indusvlakten binnen, een taal met zich meebrengend die op niet minder dan drie vormen van de letter S kon bogen? Het onontkoombare antwoord: sé, sin en swad waren noordelijke indringers. En Muhammad bin Sam Ghuri, die de Ghaznavids omverwierp en het kalifaat Delhi stichtte? Sam Ghuri's zoon trok ook naar het zuiden tijdens zijn reis.

En Tughlaq, en de mogolkeizers ... maar ik heb mijn bedoeling duidelijk gemaakt. Er hoeft alleen nog maar aan te worden toegevoegd dat niet alleen ideeën maar ook legers van de noordelijke hoogvlakten naar het zuiden zuiden zuiden rolden: de legende van Sikandar But-

Shikan, de beeldenstormer uit Kasjmir, die aan het einde van de veertiende eeuw iedere Hindoetempel in het Dal vernietigde (en daarmee een precedent schiep voor mijn grootvader), kwam omlaag uit de heuvels naar de riviervlakten; en vijfhonderd jaar later volgde de mujahideen-beweging van Syed Ahmad Barilwi het veelbetreden pad. Barilwi's ideeën: zelfverloochening, haat jegens Hindoes, heilige oorlog... filosofieën en koningen (om dit verhaal kort te houden) kwamen van de andere kant op me af.

Saleems ouders zeiden: 'We moeten allen nieuwe mensen worden'; in het land van de zuiveren werd zuiverheid ons ideaal. Maar Saleem was voor altijd getekend door Bombay, zijn hoofd zat vol met allerlei soorten religies behalve die van Allah (als India's eerste moslems, de handeldrijvende Mopla's uit Malabar, had ik in een land gewoond welks bevolking aan goden het aantal van zijn inwoners evenaarde, zodat mijn familie, in onbewuste opstand tegen de claustrofobische menigte godheden, de ethiek van het zakendoen had omhelsd, niet het geloof); en zijn lichaam zou een duidelijke voorkeur voor het onzuivere aan de dag leggen. Als een Mopla was ik gedoemd een buitenbeentje te zijn, maar uiteindelijk vond de zuiverheid mij en zelfs ik, Saleem, werd van mijn wandaden gezuiverd.

Na mijn zestiende verjaardag studeerde ik geschiedenis aan de onderwijsinstelling van mijn tante; maar zelfs de studie maakte niet dat ik mij een deel voelde van dit land zonder middernachtskinderen, waarin mijn medestudenten optochten hielden om een strengere, meer Islamitische samenleving te eisen – bewijzend dat zij erin waren geslaagd de antithese te worden van studenten in alle andere delen van de wereld, door meer-regels-niet-minder te eisen. Mijn ouders waren echter vastbesloten om wortel te schieten; hoewel Ayub Khan en Bhutto een bondgenootschap met China aan het smeden waren (dat nog maar zo kort geleden onze vijand was geweest), wilden Ahmed en Sinai geen kritiek op ons nieuwe tehuis horen; en mijn vader kocht een badhanddoekenfabriek.

Er hing in die tijd een nieuwe schittering om mijn ouders; Amina's schuldmist was opgetrokken, haar wratten schenen haar geen last meer te geven; terwijl Ahmed, hoewel nog altijd verbleekt, de vorstperiode van zijn lendenen had voelen ontdooien onder de hitte van zijn opnieuw ontdekte liefde voor zijn vrouw. Op sommige ochtenden had Amina tandafdrukken in haar hals; ze giechelde af en toe onbedaarlijk, als een bakvis. 'Jullie tweeën, werkelijk,' zei haar zuster Alia, 'alsof je op de huwelijksreis bent of ik weet niet wat.' Maar ik kon ruiken wat er achter Alia's tanden verborgen was; wat daar binnen bleef wanneer de vriendelijke woorden eruit kwamen... Ahmed Sinai noemde zijn handdoeken naar zijn vrouw: Merk Amina.

'Wie zijn die multi-multi's? Die Dawoods, Saigols, Haroons?' riep hij vrolijk uit, de rijkste families in het land wegwuivend. 'Wie zijn Valika's of Zulfikars? Ik lust er wel tien tegelijk rauw. Wacht maar!' beloofde hij, 'over twee jaar zal de hele wereld zich met een Aminadoek afdrogen. De mooiste badstof! De modernste machines! We zullen de hele wereld schoon en droog maken; Dawoods en Zulfikars zullen smeken om mijn geheim te weten te komen; en ik zal zeggen, ja, die badhanddoeken zijn van prima kwaliteit; maar het geheim zit 'm niet in de fabricage; het was de liefde die alles heeft overwonnen.' (Ik bespeurde in de woorden van mijn vader de nog achtergebleven gevolgen van het optimismevirus.)

Veroverde Merk Amina de wereld in naam van reinheid (die komt na...)? Kwamen Valika's en Saigols Ahmed Sinai vragen: 'God, we staan voor een raadsel, yaar, hoe heb je dat gedaan?' Veegde badstof van prima kwaliteit, met patronen die door Ahmed zelf waren ontworpen – een beetje opzichtig, maar goed, ze waren uit liefde geboren – niet alleen het vocht van Pakistani's, maar ook van de uitvoermarkten af? Wikkelden Russen Engelsen Amerikanen zich in mijn moeders onsterflijk gemaakte naam?... Het verhaal van Merk Amina moet nog even wachten; want de carrière van de zangeres Jamila staat op het punt haar vlucht te nemen; het door de moskee beschaduwde huis aan Clayton Road is door Oom Puffs bezocht.

Zijn ware naam was majoor (b.d.) Alauddin Latif; hij had over mijn zusters stem gehoord van 'mijn donders goeie vriend generaal Zulfikar; heb in '47 met 'm bij de grenstroepen gezeten.' Hij verscheen in Alia Aziz' huis kort na Jamila's vijftiende verjaardag, stralend en actief, een mond vol massief gouden tanden onthullend. 'Ik ben een eenvoudige kerel,' legde hij uit, 'net als onze illustere President. Ik bewaar m'n geld op een veilige plaats. 'Evenals onze illustere President had de majoor een volmaakt rond hoofd; in tegenstelling tot Ayub Khan had Latif ontslag genomen uit het leger en was in het amusementsbedrijf gegaan. 'Absoluut de beste impresario van Pakistan, beste kerel,' zei hij tegen mijn vader. 'Er is niks aan, alleen maar een kwestie van organisatie; oude legergewoonte, is er bliksems moeilijk uit te krijgen.' Majoor Latif had een voorstel: hij wilde Jamila horen zingen. En als ze twee procent zo goed is als men mij heeft verteld, mijn waarde heer, zal ik haar beroemd maken! O ja, van de ene dag op de andere, zeker! Contacten: dat is alles wat er voor nodig is; contacten en organisatie; en ondergetekende majoor (b.d.) Latif heeft het allemaal. *Alauddin* Latif,' benadrukte hij, terwijl hij Ahmed Sinai gulden schitteringen toewierp, 'u kent het verhaal? Ik wrijf gewoon over mijn goeie ouwe lamp en de geest die roem en fortuin brengt komt te voorschijn. Uw dochter zal in bliksems goeie handen zijn. *Bliksems* goed.'

Het is een geluk voor het legioen van fans van de zangeres Jamila dat Ahmed Sinai een man was die verliefd was op zijn vrouw; mild geworden door zijn eigen geluk, smeet hij majoor Latif niet ter plekke de deur uit. Ik geloof ook nu nog dat mijn ouders al tot de slotsom waren gekomen dat de gave van hun dochter te bijzonder was om voor henzelf te houden; de sublieme magie van haar engelachtige stem was hun al de onvermijdelijke verplichtingen van talent gaan leren.Maar Ahmed en Amina hadden één zorg. 'Onze dochter,' zei Ahmed – hij was onder de oppervlakte altijd de ouderwetste van beiden – 'komt van een goeie familie; maar u wilt haar op een toneel zetten voor God mag weten hoeveel vreemde mannen...?' De majoor keek gekwetst. 'Mijnheer,' zei hij stijf, 'denkt u dat ik geen man met gevoel ben? Heb zelf dochters, beste kerel. Zeven, God zij dank. Ben een reisbureautje voor ze begonnen; maar uitsluitend via de telefoon. 't Zou niet in m'n hoofd opkomen om ze in een kantooretalage te laten zitten. Het is overigens het grootste telefonische reisbureau in deze stad. We sturen spoorwegmachinisten naar Engeland feitelijk; bus-wallahs ook. Wat ik wil zeggen,' voegde hij er haastig aan toe, 'is dat uw dochter evenveel eerbied zou worden bewezen als de mijne. Meer nog eigenlijk; zij zal een ster worden!'

Majoor Latifs dochters – Safia en Rafia en vijf andere -afia's – werden door de nog resterende Aap in mijn zuster bij elkaar 'de Puffia's' genoemd; hun vader kreeg eerst de bijnaam 'Vader Puffia' en toen oom – een beleefdheidstitel – Puffs. Hij hield woord; binnen zes maanden zou de zangeres Jamila platen hebben gemaakt die hits werden, ze zou een leger bewonderaars hebben, alles; en dit allemaal, zoals ik zo zal uitleggen, zonder haar gezicht te laten zien.

Oom Puffs werd een vast punt in ons leven; hij bezocht het huis aan Clayton Road bijna iedere avond, op wat ik als het cocktailuur beschouwde, om granaatappelsap te drinken en Jamila te vragen iets te zingen. Zij, die zich tot een uiterst zachtaardig meisje ontwikkelde, was altijd zo vriendelijk daaraan te voldoen ... naderhand schraapte hij meestal zijn keel alsof er iets in was blijven steken en begon dan joviaal met mij over trouwen te schertsen. Vierentwintigkaraat grijnzen verblindden me als hij zei: 'Tijd dat je een vrouw neemt, jongeman. Volg mijn raad op: kies een meisje met goede hersens en slechte tanden; dan heb je een vriendin en een safeloket in één!' Oom Puffs dochters, beweerde hij, voldeden allen aan de bovengenoemde beschrijving... Ik, in verlegenheid gebracht, ruikend dat het maar half als grap was bedoeld, riep dan uit: 'O oom *Puffs!*' Hij kende zijn bijnaam, en vond hem zelfs aardig. Terwijl hij mij op mijn dij sloeg, riep hij uit: 'Je doet alsof je moeilijk in te palmen bent, hè? En gelijk heb je. Okay, m'n jongen: neem een van mijn meisjes, en ik garandeer je dat ik al haar tanden laat trekken; tegen de tijd dat je trouwt, heeft ze een glimlach van een miljoen als bruidsschat!' Waarop mijn moeder er gewoonlijk in slaagde op een ander onderwerp over te gaan; ze was niet happig op oom Puffs' idee, hoe duur de gebitten ook waren ... op die eerste avond, als zo vaak daarna, zong Jamila voor majoor Alauddin Latif. Haar stem zweefde door het raam naar buiten en legde het verkeer het zwijgen op; de vogels hielden op met kwetteren, en in de hamburgerzaak aan de overkant van de straat werd de knop van de radio omgedraaid; de straat was vol stilstaande mensen, en de stem van mijn zuster spoelde over hen heen ... toen ze was uitgezongen zagen we dat oom Puffs huilde.

'Een juweel,' zei hij, luidruchtig in een zakdoek snuitend. 'Mijnheer en mevrouw, uw dochter is een juweel. Ik ben verootmoedigd, volkomen. Drommels verootmoedigd. Zij heeft mij bewezen dat een gouden stem zelfs te verkiezen is boven gouden tanden.'

En toen de roem van de zangeres Jamila het punt had bereikt waarop zij er niet langer onderuit kon komen om een openbaar concert te geven, was het oom Puffs die het gerucht de wereld inzond dat ze betrokken was geweest bij een vreselijk auto-ongeluk dat haar gezicht had misvormd; het was majoor (b.d.) Latif die haar beroemde, alles verhulllende, witte zijden chadar, het gordijn of de sluier, ontwierp, zwaar geborduurd met goudbrokaatwerk en godsdienstige calligrafie, waarachter ze zedig stond wanneer ze in het openbaar optrad. De chadar van de zangeres Jamila werd door twee onvermoeibare, gespierde figuren omhoog gehouden, eveneens (maar eenvoudiger) van top tot teen gesluierd – het officiële verhaal luidde dat het haar vrouwelijke bedienden waren, maar hun geslacht was door hun burqa's heen onmogelijk vast te stellen; en helemaal in het midden had de majoor een gat uitgesneden. Diameter: acht centimeter. Omtrek: geborduurd met de fijnste gouddraad. Op die manier werd de geschiedenis van onze familie opnieuw het lot van een natie, want wanneer Jamila zong met haar lippen tegen de brokaten opening aangedrukt, werd Pakistan verliefd op een vijftien jaar oud meisje van wie het nooit meer dan een glimp opving door een goud-met-wit geperforeerd laken.

Het gerucht over het ongeluk bezegelde haar populariteit voorgoed; haar concerten trokken volle zalen in het Bambinotheater in Karachi en vulde de Shalimar-bagh in Lahore; haar grammofoonplaten stonden voortdurend bovenaan de top-tien. En toen zij openbaar bezit werd, 'Pakistans Engel', 'De Stem van de Natie', de 'Buulbuul-e-Din' of wel 'nachtegaal-van-het-geloof' en duizend-en-één serieuze huwelijksaanzoeken per week begon te krijgen; terwijl ze de uitverkoren dochter van het hele land werd en groeide in een bestaan dat dreigde haar plaats in haar eigen familie te overweldigen, viel ze ten prooi aan de tweelingvirussen van de roem, waarvan het eerste haar het slachtoffer van haar eigen publieke imago maakte, want het gerucht over het ongeluk dwong haar te allen tijde een goud-met-witte burqa te dragen, zelfs op de school van mijn tante Alia waar ze naartoe bleef gaan; terwijl het tweede virus haar onderwierp aan de overdrijvingen en vereenvoudigingen van het eigen ik, die de onvermijdelijke neveneffecten van het leven van een ster zijn, zodat de blinde en verblindende vroomheid en het nationalisme-door-dik-en-dun die al bij haar naar boven waren gekomen, haar persoonlijkheid nu begonnen te overheersen en bijna al het andere uitsloten. De publiciteit zette haar gevangen in een vergulde tent; en omdat zij de nieuwe dochter-van-de-natie was, begon haar karakter meer te danken te hebben aan de schrilste aspecten van de nationale persona dan aan de kinderwereld van haar jaren als Aap.

De stem van zangeres Jamila was voortdurend op Radio Stem-van-Pakistan, zodat ze in de dorpen van Oost- en West-Pakistan op een supermenselijk wezen begon te lijken, dat onvermoeibaar was, een engel die dagen- en nachtenlang voor haar volk zong; terwijl Ahmed Sinai, wiens weinige nog overgebleven bedenkingen aangaande de carrière van zijn dochter meer dan gesust waren door haar enorme verdiensten (hoewel hij eens een echte man uit Delhi was geweest, was hij nu onderhand in zijn hart een echte Bombayse moslem geworden, die geldzaken boven de meeste andere dingen stelde), er een handje van had tegen mijn zuster te zeggen: 'Zie je wel, dochter, fatsoen, zuiverheid, kunst en zakeninstinct kunnen een en hetzelfde zijn; je ouwe vader is verstandig genoeg geweest om daar achter te komen.' Jamila glimlachte lief en was het ermee eens ... ze groeide uit van een mager robbedoesachtig meisje tot een slanke schoonheid met een gouden huid en spleetogen, wier haar bijna zo lang was dat je erop kon zitten; zelfs haar neus zag er goed uit. 'Bij mijn dochter,' zei Ahmed Sinai trots tegen oom Puffs, 'hebben de nobele gelaatstrekken van mijn familie de overhand gekregen.' Oom Puffs wierp een vragende, verlegen blik op mij en schraapte zijn keel. 'Drommels knappe meid om te zien,' zei hij tegen mijn vader, 'eersteklas, gompie.'

Het gedonder van applaus was nooit ver van mijn zusters oren; op haar eerste, nu legendarische Bambino-recital (wij zaten op plaatsen waar oom Puffs voor had gezorgd – 'Beste drommelse plaatsen in de zaal!' – naast zijn zeven Puffia's, allen gesluierd ... gaf oom Puffs me een por in de ribben: 'Hé, jongen – kies! Maak je keus! Denk erom: de bruidsschat!' en ik bloosde en staarde star naar het toneel), de uitroepen van '*Wah!*' '*Wah!*' waren soms luider dan Jamila's stem; en na de voorstelling troffen wij Jamila achter de coulissen overspoeld door een zee van bloemen, zodat wij ons een weg moesten banen door de bloesemende kamfertuin van de liefde van de natie, en merkten dat ze bijna bezwijmde, niet van vermoeidheid, maar van de overweldigend zoete geur van verering waarmee de bloemen de kamer hadden vervuld. Ik voelde ook dat mijn hoofd begon te duizelen; tot oom Puffs bloemen met grote bossen tegelijk uit een open raam begon te gooien – ze werden opgeraapt door een menigte bewonderaars – terwijl hij uitriep: 'Bloemen zijn mooi, wat drommel, maar zelfs een nationale heldin heeft lucht nodig!'

Er klonk ook applaus op de avond dat de zangeres Jamila (en familie) op de ambtswoning van de president was uitgenodigd om voor de bevelhebber van pepervaatjes te zingen. Ons niets aantrekkend van berichten in buitenlandse tijdschriften over verduisterd geld en Zwitserse bankrekeningen, schrobden we ons tot we glommen; een familie in de handdoekenbranche moet vlekkeloos schoon zijn. Oom Puffs poetste zijn gouden tanden extra zorgvuldig; en in een grote zaal die beheerst werd door omkranste portretten van Muhammad Ali Jinnah, de stichter van Pakistan, de Quaid-i-Azam, en van zijn vermoorde vriend en opvolger Liaquat Ali, werd er een geperforeerd laken omhoog gehouden en mijn zuster zong. Ten slotte zweeg Jamila's stem; de stem van goudgalon volgde op haar met brokaat omkranste lied. 'Jamila dochter,' hoorden we, 'jouw stem zal een zwaard voor zuiverheid zijn; hij zal een wapen zijn waarmee wij de zielen van de mensen zullen reinigen.' President Ayub was, zo gaf hij zelf toe, een eenvoudig militair; hij bracht mijn zuster de eenvoudige militaire deugden bij van geloof-in-leiders en vertrouwen-in-God; en zij: 'De wil van de president is de stem van mijn hart.' Door het gat in een geperforeerd laken wijdde de zangeres Jamila zich aan vaderlandsliefde; en in de diwan-i-khas, de zaal van deze particuliere audiëntie, weerschalde het applaus, beleefd nu, niet het wilde ge-wah-wah van de menigte in het Bambino, maar de geregimenteerde bijval van getreste decoraties-en-sterren en het verrukte klappen van huilerige ouders. 'Ik moet zeggen!' fluisterde oom Puffs, 'donders mooi, hè?'

Wat ik kon ruiken, kon Jamila zingen. Waarheid schoonheid geluk pijn: elk had een eigen geurigheid, en kon door mijn neus worden onderscheiden; elk kon, in Jamila's uitvoeringen, de ideale stem vinden. Mijn neus, haar stem: het waren gaven die elkaar precies aanvulden; maar ze groeiden uiteen. Terwijl Jamila vaderlandslievende liederen zong, scheen mijn neus er de voorkeur aan te geven te dralen bij de onaangenamere geuren die hem binnendrongen: de bitterheid van tante Alia, de harde onveranderlijke stank van de afgesloten gedachten van mijn medestudenten, zodat ik in de goot viel terwijl zij zich in de wolken verhief.

Wanneer ik echter terugblik, denk ik dat ik al verliefd op haar was, lang voordat ik dat te horen kreeg ... is er een bewijs voor Saleems onuitsprekelijke liefde voor zijn zuster? Dat is er. De zangeres Jamila had één hartstocht gemeen met de verdwenen Brutale Aap; ze was dol op brood. Chapati's, paratha's, tandoori nans? Ja, maar. Welnu dan: genoot gist haar voorkeur? Inderdaad; ondanks vaderlandsliefde hunkerde mijn zuster voortdurend naar gerezen brood. En wat was de enige bron van gistige kwaliteitsbroden in heel Karachi? Niet die van een bakker; het beste brood in de stad werd iedere donderdagochtend, door een luik in een overigens blinde muur, uitgedeeld door de zusters van de geheime orde van Santa Ignacia. Iedere week haalde ik op mijn Lambretta de warme verse broden van nonnen. Ondanks lange slingerende rijen wachtenden; mij niets aantrekkend van de al te kruidige, hete, met poep bezwangerde geur van de smalle straten rondom het klooster; alle andere aanspraken op mijn tijd negerend, haalde ik het brood. Kritiek was volkomen afwezig in mijn hart; niet één keer vroeg ik mijn zuster of deze laatste relikwie van haar oude flirt met het christendom niet slecht zou passen bij haar nieuwe rol van Buulbuul van het Geloof...

Is het mogelijk de oorsprongen van de onnatuurlijke liefde na te gaan? Werd Saleem, die had gehunkerd naar een plaats in het middelpunt van de geschiedenis, verdwaasd door wat hij in zijn zuster van zijn eigen hoop voor het leven zag? Werd de danig verminkte niet-langer-Snotneus, een even ontmoedigd lid van de Middernachtskinderen Conferentie als het door een mes getekende bedelaresje Sundari, verliefd op de nieuwe gaafheid van zijn zuster? Adoreerde ik, die eens de Mubarak, de Gezegende, was geweest in mijn zuster de vervulling van mijn geheimste dromen?... Ik zal alleen maar zeggen dat ik me niet bewust was van wat er met me was gebeurd totdat ik, met een scooter tussen mijn zestien jaar oude dijen, de sporen van hoeren begon te volgen.

Terwijl Alia smeulde; tijdens de begintijd van handdoeken Merk Amina; te midden van de apotheose van de zangeres Jamila; toen een huis met halve verdiepingen dat op bevel van een navelstreng verrees, nog verre van voltooid was; in de tijd van de laatbloeiende liefde van mijn ouders; omringd door de op de een of andere manier onvruchtbare zekerheden van het land van de zuiveren, kwam Saleem Sinai met zichzelf in het reine. Ik zal niet zeggen dat hij niet treurig was; weigerend om mijn verleden te censureren, geef ik toe dat hij even gemelijk, vaak even onbereidwillig was, zeker even puisterig als de meeste jongens van zijn leeftijd. Zijn dromen, nu de middernachtskinderen hun waren ontzegd, werden tot misselijk-wordens toe vervuld van nostalgie, zodat hij vaak wakker werd en kokhalsde van de zware muscus van spijt die zijn zintuigen overmeesterde; er waren nachtmerries over getallen die marcheerden een twee drie, en over een knellend, verstikkend paar grijpgrage knieën ... maar er was een nieuwe gave en een Lambretta-scooter en (hoewel nog onbewust) een nederige, onderworpen liefde voor zijn zuster ... terwijl ik mijn vertellersogen met een ruk afwend van het beschreven verleden, houd ik vol dat Saleem, toenzowel-als-nu, erin slaagde zijn aandacht op de nog-niet-beschreven toekomst te richten. Wanneer dat mogelijk was ontsnappend aan een huis waarin de bittere dampen van zijn tante's afgunst het leven ondraaglijk maakten, en ook van een school die vervuld was van andere even onaangename geuren, stapte ik op mijn gemotoriseerde ros en verkende de reukwegen van mijn nieuwe stad. En nadat wij van mijn grootvaders dood in Kasjmir hadden gehoord, werd ik nog vastbeslotener om het verleden in de dikke, borrelende reukstoofpot van het heden te verdrinken... O duizelingwekkende eerste dagen voor categorisatie! Vormloos, voordat ik ze begon te vormen, stroomden de geuren me binnen: de treurige ontbindende dampen van dierlijke uitwerpselen in de tuin van het museum aan Frere Road, de puistige lichaamsgeuren van jongemannen in losse pyjama's die elkaar op Sadar-avonden bij de hand hielden, de messcherpte van uitgekauwde betelnoten en de bitterzoete vermenging van betel en opium: 'raketpaans' werden opgesnoven in de steegjes vol vensters tussen Elphinstone Street en Victoria Road. Geuren van kamelen, geuren van auto's, de mugachtige irritatie van dampen van motor-riksja's, de aroma van gesmokkelde sigaretten en 'zwart geld', de wedijverende uitwasemingen van de buschauffeurs van de stad en het eenvoudige zweet van hun als sardines opeengepakte passagiers. (In die tijd was er een buschauffeur die zo nijdig werd toen hij door zijn rivaal van een andere maatschappij werd ingehaald – de misselijk makende geur van de nederlaag stroomde uit zijn klieren – dat hij zijn bus 's nachts naar het huis van zijn tegenstander reed, claxonneerde tot de arme kerel te voorschijn kwam, en over hem heen reed met wielen die, evenals mijn tante, naar wraak stonken.) Moskeeën goten de itr van devotie over me uit; ik kon de bombastische geuren van macht ruiken die werden uitgestoten door met vlaggetjes wuivende legerauto's; op de aanplakborden van de bioscopen kon ik de goedkope parfums onderscheiden van geïmporteerde spaghettiwesterns en de gewelddadigste knokfilms die ooit werden gemaakt. Ik was een tijdlang als iemand die bedwelmd was, mijn hoofd duizelend onder de ingewikkeldheden van de reuk; maar toen deed mijn overweldigende verlangen naar vorm zich gelden, en ik overleefde het.

Indo-Pakistani betrekkingen verslechterden; de grenzen werden gesloten, zodat we niet naar Agra konden gaan om mijn grootvader de laatste eer te bewijzen; de emigratie van Eerwaarde Moeder naar Pakistan werd ook enigszins vertraagd. Ondertussen werkte Saleem aan een algemene theorie over de reuk: classificatieprocedures waren begonnen. Ik zag deze wetenschappelijke benadering als mijn eigen, persoonlijke eerbewijs aan de geest van mijn grootvader ... allereerst vervolmaakte ik mijn bedrevenheid in het onderscheiden, tot ik de oneindige variëteiten van de betelnoot en (met mijn ogen dicht) de twaalf verschillende verkrijgbare merken frisdranken uit elkaar kon houden. (Lang voor de Amerikaanse commentator Herbert Feldman naar Karachi kwam om het bestaan te betreuren van een dozijn aan de lucht blootgestelde wateren in een stad die slechts drie leveranciers van melk in flessen had, kon ik geblinddoekt zitten en Pakola van Hoffman's Mission, Citra Cola van Fanta onderscheiden. Feldman zag deze dranken als een manifestatie van kapitalistisch imperialisme; ik, die opsnoof wat Canada Dry en wat 7-Up was, Pepsi onfeilbaar van Coke onderscheidend, stelde er meer belang in om voor hun subtiele reukproef te slagen. Double Kola en Koka Kola, Perri Cola en Bubble Up werden blindelings geïdentificeerd en benoemd.) Pas toen ik zeker wist dat ik de fysieke geuren beheerste, ging ik over op die andere aroma's die alleen ik kon ruiken: de geuren van gemoedstoestanden en alle duizend-en-één driften die ons menselijk maken: liefde en dood, hebzucht en nederigheid, bezitten en niet-bezitten werden van een etiket voorzien en in nette vakjes in mijn geest gezet.

Eerste pogingen tot ordening: ik probeerde geuren in te delen door middel van kleur – kokend ondergoed en de drukkersinkt van de *Daily Jang* hadden een bepaalde hoedanigheid van blauwheid gemeen, terwijl oud teakhout en verse scheten beide donkerbruin waren. Automobielen en kerkhoven deelde ik gezamenlijk onder grijs in ... er was ook indeling-naar-gelang-gewicht: vlieggewicht geuren (papier), bantamgeuren (lichamen die net met zeep waren gewassen, gras), weltergewichten (zweet, de 's nachts bloeiende cactus); shahi-korma en rijwielolie waren licht-zwaargewicht in mijn systeem, terwijl woede, patchouli, verraad en mest tot de zwaargewicht stanken van de aarde behoorden. En ik had ook een geometrisch systeem: de rondheid van vreugde en de hoekigheid van ambitie; ik had elliptische geuren, en ook ovale en vierkante ... als lexicograaf van de neus ging ik naar Bunder Road en de P.E.C.H.S.; als vlinderkenner verstrikte ik snufjes als vlinders in het net van mijn neusharen. O wonderbaarlijke reizen voor de geboorte van de filosofie!... Want ik begreep weldra dat mijn werk, wilde het van enige waarde zijn, een morele dimensie moest krijgen; dat de enige belangrijke indelingen de oneindig subtiele gradaties van goede en slechte geuren waren. Na de gewichtige aard van de moraliteit te hebben beseft, na te hebben opgesnoven dat geuren heilig of profaan konden zijn, verzon ik, in de afzondering van mijn scootertochtjes, de wetenschap van de ethiek van de neus.

Heilig: purdahsluiers, halalvlees, muezzintorens, bidkleedjes; profaan: westerse grammofoonplaten, varkensvlees, alcohol. Ik begreep nu waarom mullahs (heilig) weigerden zich aan de vooravond van Id-ul-Fitr in vliegtuigen (profaan) te begeven, en zelfs niet bereid waren zich in voertuigen te begeven waarvan de geheime geur de antithese van vroomheid was om er zeker van te zijn dat ze de nieuwe maan zouden zien. Ik leerde de olfactorische onverzoenlijkheid van de Islam en het socialisme, en de onvervreemdbare tegenstelling die er bestaat tussen de after-shave van leden van de Sindclub en de stank-van-de-armoede van de op straat slapende bedelaars bij het hek van die Club ... ik raakte echter meer en meer overtuigd van een afschuwelijke waarheid – namelijk dat het heilige of goede mij weinig interessants te bieden had, ook al omringden dergelijke aroma's mijn zuster wanneer zij zong; terwijl de stank van de goot een noodlottig onweerstaanbare aantrekkingskracht scheen te bezitten. Bovendien, ik was zestien; er waren zich dingen onder mijn gordel aan het roeren, achter mijn wit-linnen broek; en geen enkele stad die vrouwen wegsluit heeft ooit gebrek aan hoeren. Terwijl Jamila zong van heiligheid en liefde-voor-het-land, onderzocht ik profaniteit en wellust. (Aan geld ontbrak het mij niet; mijn vader was niet alleen liefdevol maar ook royaal geworden.)

Bij het eeuwig onvoltooide Jinna Mausoleum pikte ik de vrouwen van de straat op. Andere jongemannen kwamen daar om Amerikaanse meisjes weg te lokken en mee te nemen naar hotelkamers of zwembaden; ik gaf er de voorkeur aan mijn onafhankelijkheid te behouden en ervoor te betalen. En uiteindelijk snuffelde ik er de hoer der hoeren uit, wier gaven een spiegel voor de mijne waren. Zij heette Tai Bibi, en ze beweerde dat ze vijfhonderd twaalf jaar oud was.

Maar haar geur! Het rijkste spoor dat hij, Saleem, ooit had opgesnoven: hij voelde zich betoverd door iets dat het bevatte, iets van historische majesteit ... hij hoorde zich tegen het tandeloze schepsel zeggen: 'Je leeftijd kan me niet schelen; het gaat me om de geur.' ('Mijn God,' valt Padma me in de rede, 'hoe kon je dat doen?')

Hoewel ze nooit zinspeelde op enig verband met een vletterman uit Kasjmir, oefende haar naam een bijzonder sterke aantrekkingskracht uit; hoewel ze Saleem misschien naar de mond praatte toen ze zei: 'Jongen, ik ben vijfhonderd twaalf,' werd zijn gevoel voor geschiedenis niettemin opgewekt. Denk van me wat u wilt; ik bracht een warme, vochtige middag door in een kamer in een woonkazerne, met een matras vol vlooien en een kale elektrische lamp en de oudste hoer ter wereld.

Wat maakte Tai Bibi uiteindelijk onweerstaanbaar? Welke gave beheerste zijzelf die andere hoeren in de schaduw stelde? Wat maakte de pas gevoelig geworden neusgaten van onze Saleem uitzinnig? Padma, mijn oude prostituée bezat een zo volledig meesterschap over haar klieren dat ze haar lichaamsgeuren zodanig kon veranderen dat ze overeenstemden met die van wie ook op aarde. Exocriene en apocriene klieren gehoorzaamden aan de bevelen van haar oude wil; en hoewel ze zei: 'Verwacht niet van me dat ik het staande doe; dat zou veel te duur voor je zijn,' waren haar gaven van geur meer dan hij kon verdragen.

(...'*Chhi-chhi,*' Padma slaat de handen voor haar oren, 'mijn God, zo'n smerig-vieze man heb ik nog nooit meegemaakt!'...)

Daar was hij dus, deze vreemde lelijke jongen met een oud wijf dat zei: 'Ik wil niet staan; mijn eksterogen', en merkte toen dat het noemen van haar eksterogen hem geil scheen te maken; terwijl ze het geheim van haar exocriene en apocriene voorziening fluisterde, vroeg ze of hij wilde dat ze iemands geuren zou nabootsen, hij kon die beschrijven en zij kon het proberen, en met vallen-en-opstaan konden ze ... maar aanvankelijk trok hij zich terug. Nee nee nee, maar ze lijmde hem met haar stem van verfrommeld papier totdat hij, omdat hij alleen was, buiten de wereld en buiten alle tijd, alleen met deze onmogelijke mythologische oude helleveeg, met heel de spitsheid van zijn wonderbaarlijke neus geuren begon te beschrijven, en Tai Bibi begon de beschrijvingen na te bootsen, en deed hem versteld staan toen ze er, met vallen en opstaan, in slaagde de lichaamsgeuren van zijn moeder zijn tantes te imiteren, oho dat vind je lekker kleine sahibzada, ga door, hou je neus er maar zo dicht bij als je wilt, je bent een raar ventje, echt ... tot plotseling, per ongeluk, ja, ik zweer dat ik er haar niet toe gedwongen heb, ineens, tijdens het uitproberen de onuitsprekelijkste geur op aarde uit het gebarsten gerimpelde gelooide lichaam walmt, en nu kan hij niet verbergen wat zij ziet, oho, kleine sahibzada, wat heb ik nou ontdekt, je hoeft niet te vertellen wie ze is maar dit is zeker de echte.

En Saleem: 'Hou je kop hou je kop –' Maar Tai Bibi gaat verder met de meedogenloosheid van haar kakelende oudheid: 'Oho ja, zeker, je liefje, kleine sahibzada – wie? Je nichtje, misschien? Je zuster...' Saleems hand balt zich tot een vuist; de rechterhand overweegt gewelddadigheid ondanks verminkte vinger ... en nu Tai Bibi: 'Mijn God, ja! Je zuster! Vooruit, sla me maar, je kunt niet verbergen wat daar midden op je voorhoofd staat...' En Saleem die zijn kleren bijeenraapt en zich in zijn broek hijst Hou je kop ouwe heks Terwijl zij Ja ga, ga, maar als je me niet betaalt zal ik, zal ik, ik ben tot alles in staat, en nu vliegen roepies door de kamer en dwarrelen omlaag rond de vijfhonderdtwaalf-jaar-oude courtisane, Neem neem maar hou je lelijke kop dicht terwijl zij Pas op mijn prinsje je bent zelf ook niet zo mooi, aangekleed nu en het flatgebouw uit rennend, Lambretta-scooter wachtend maar straatjongens hebben op het zadel geürineerd, hij rijdt weg zo hard hij kan, maar hij voert de waarheid met zich mee, en nu schreeuwt Tai Bibi, uit het raam leunend: 'Hé, bhaenchud! Hé, kleine zusterschenner, waar ga je naar toe? Wat waar is, is waar is waar...!'

U mag terecht vragen: Is het precies zo gebeurd... Ze kon toch zeker geen vijfhonderd ... maar ik heb gezworen alles op te biechten, en ik houd vol dat ik het onuitsprekelijke geheim van mijn liefde voor de zangeres Jamila via de mond en de geur-klieren van die hoogst uitzonderlijke hoer ontdekte.

'Onze mevrouw Braganza heeft gelijk,' vaart Padma tegen me uit. 'Ze zegt dat er niets anders dan smerigheid in de hoofden van het manvolk zit.' Ik schenk geen aandacht aan haar; mevrouw Braganza, en haar zuster mevrouw Fernandes, zullen te zijner tijd ter sprake komen; op het ogenblik moet de laatstgenoemde tevreden zijn met de fabrieksboekhouding terwijl de eerstgenoemde voor mijn zoon zorgt. En terwijl ik, om weer de verrukte aandacht van mijn opstandige Padma Bibi, te krijgen, een sprookje vertel.

In het prinsdom Kif in het verre noorden woonde eens een prins die twee heel mooie dochters, een zoon die er even knap uitzag, een spiksplinternieuwe Rolls-Royce-automobiel, en voortreffelijke politieke contacten bezat. Deze prins, of nawab, geloofde hartstochtelijk in de vooruitgang, hetgeen de reden was waarom hij de verloving van zijn oudste dochter met de zoon van de rijke en bekende generaal Zulfikar had geregeld; voor zijn jongere dochter had hij goede hoop op een verbintenis met de zoon van de president zelf. Wat zijn auto betrof – de eerste die men in deze door bergen omringde vallei ooit had gezien – daar hield hij bijna evenveel van als van zijn kinderen; het verdroot hem echter dat zijn onderdanen, die er gewend aan waren geraakt om

de wegen van Kif te gebruiken voor hun sociale omgang, ruzies en raak-de-kwispedoor spelletjes, weigerden ervoor uit de weg te gaan. Hij vaardigde een bekendmaking uit waarin werd uitgelegd dat de auto de toekomst vertegenwoordigde en moest worden doorgelaten; het volk negeerde die bekendmaking, hoewel ze op de gevels van winkels en muren werd aangeplakt, en zelfs, zegt men, op de flanken van koeien. De tweede kennisgeving was gebiedender, gelastte de burgers van de straatwegen af te gaan wanneer ze de claxon van de auto hoorden; de Kifi's bleven echter op straat roken en spuwen en ruziën. De derde kennisgeving, die was verlucht met een bloederige tekening, hield in dat de auto van nu af aan iedereen die zijn claxon niet gehoorzaamde zou overrijden. De Kifi's voegden nieuwe, schandaliger tekeningen toe aan die op het aanplakbiljet; en toen deed de nawab, die een goede man was maar geen eindeloos geduld bezat, dat waarmee hij had gedreigd. Toen de beroemde zangeres Jamila met haar familie en impresario arriveerde om op de verlovingsplechtigheid van haar neef te zingen, reed de auto haar zonder moeilijkheden van de grens naar het paleis; en de nawab zei trots: 'Geen moeilijkheden; de auto wordt nu gerespecteerd. De vooruitgang is er.'
De zoon van de nawab, Mutasim, die in het buitenland had gereisd en zijn haar droeg in een zogenaamde 'beetle-cut', was een bron van zorg voor zijn vader; want hoewel hij zo knap was dat, telkens wanneer hij in Kif rondreisde, meisjes met zilveren neussieraden in de hitte van zijn schoonheid bezwijmden, scheen hij zich voor dergelijke dingen niet te interesseren, en was tevreden met zijn polo-pony's en de gitaar waarop hij vreemde westerse liedjes tokkelde. Hij droeg kleurige overhemden waarop muzieknoten en buitenlandse straatbordjes zich verdrongen met de halfgeklede lichamen van meisjes met een roze huid. Maar toen de zangeres Jamila, in een met goudbrokaat bewerkte burqa verborgen, op het paleis aankwam, werd Mutasim de Schone – die dank zij zijn buitenlandse reizen de geruchten over haar mismaaktheid nooit had gehoord – bezeten van het idee om haar gezicht te zien; hij viel hals over kop voor de korte blikken die hij van haar zedige ogen door het geperforeerde laken opving.

In die tijd had de president van Pakistan een verkiezing gelast; die zou gehouden worden op de dag na de verlovingsplechtigheid, krachtens een kiesstelsel dat Fundamentele Democratie werd genoemd. De honderd miljoen mensen van Pakistan waren in honderdtwintigduizend ongeveer gelijke delen verdeeld, en elk deel werd vertegenwoordigd door één Fundamentele Democraat. Het kiescollege van honderdtwintigduizend F.D.-en zou de president kiezen. In Kif omvatten de 420 Fundamentele Democraten mullahs, straatvegers, de chauffeur van de nawab, talloze mannen die gezamenlijk hasjiesj op de landgoederen van de nawab verbouwden, en andere trouwe burgers; de nawab had die allemaal voor de hennaceremonie van zijn dochter uitgenodigd. Hij had echter ook twee echte badmashes moeten uitnodigen, de verkiezingsambtenaren van de Verenigde Oppositiepartij. Deze badmashes hadden voortdurend ruzie met elkaar, maar de nawab was hoffelijk en gastvrij. 'Vanavond zijn jullie mijn geëerde vrienden,' zei hij tegen hen, 'en morgen is er weer een dag.' De badmashes aten en dronken alsof ze nog nooit eerder voedsel hadden gezien, maar iedereen – zelfs Mutasim de Schone, die minder geduld had dan zijn vader – was op het hart gedrukt hen goed te behandelen.

De Verenigde Oppositiepartij, u zult niet verbaasd zijn dat te horen, bestond uit een verzameling schurken en bedriegers van het zuiverste water, alleen verenigd in hun vastbeslotenheid om de president te wippen en terug te keren naar de slechte oude tijd waarin burgers, in plaats van soldaten, hun zakken uit de openbare schatkist spekten; maar om de een of andere reden hadden zij een formidabele leider gekregen. Die was vrouwe Fatima Jinnah, de zuster van de stichter van de natie, een vrouw van een zodanige uitgedroogde oudheid dat de nawab vermoedde dat ze lang geleden was gestorven en door een meester taxidermist was opgezet – een idee dat werd ondersteund door zijn zoon die een film, *El Cid* genaamd, had gezien waarin een dode man een leger in de strijd aanvoerde ... maar niettemin was ze er, doordat de president had nagelaten om het mausoleum van haar broer met marmer te voltooien, toe gebracht om aan de verkiezingen mee te doen, een geduchte vijand, die boven laster en verdenking stond. Er werd zelfs gezegd dat haar oppositie tegen de president het geloof van de mensen in hem had geschokt – was hij per slot van rekening niet de reïncarnatie van de grote islamitische helden uit het verleden? Van Muhammad bin Sam Ghuri, van Iltutmish en de mogols? Ook in Kif zelf had de nawab VOP-stickers op vreemde plaatsen zien opduiken; iemand had zelfs de brutaliteit om er een op de kofferdeksel van de Rolls te plakken. 'Slechte tijden,' zei de nawab tegen zijn zoon. Mutasim antwoordde: 'Dat krijg je met verkiezingen – latrineschoonmakers en goedkope kleermakers moeten stemmen om een regeerder te kiezen?'

Maar vandaag was een dag om gelukkig te zijn; in de zenana-vertrekken tekenden vrouwen met fijne lijntjes van henna figuren op de handen en voeten van de dochter van de nawab; weldra zouden generaal Zulfikar en zijn Zafar aankomen. De regeerders van Kif zetten de verkiezingen uit hun hoofd, en weigerden te denken aan de aftakelende figuur van Fatima Jinnah, de mader-i-millat of moeder van de natie die zo harteloos had verkozen het kiezen van haar kinderen te verwarren.

In de verblijven van het gezelschap van de zangeres Jamila vierde het geluk eveneens hoogtij. Haar vader, een fabrikant van badhanddoeken, die de zachte hand van zijn vrouw niet scheen te kunnen missen, riep uit: 'Zie je? Wiens dochter treedt hier op? Is het een Haroonmeisje? Een Valika-vrouw? Is het een Dawood van Saigol? Aan m'n nooit niet!'... Maar zijn zoon Saleem, een ongelukkige knaap met een gezicht als een spotprent, scheen door een of andere diepe malaise te zijn aangegrepen, misschien overweldigd door zijn aanwezigheid op het toneel van grote historische gebeurtenissen; hij keek naar zijn begaafde zuster met iets in zijn ogen dat op schaamte leek.

Die middag nam Mutasim de Schone Jamila's broer terzijde en deed erg zijn best om vriendschap aan te knopen; hij liet Saleem de pauwen zien die vóór de Verdeling uit Rajasthan waren geïmporteerd en de kostbare verzameling boeken van de nawab met toverspreuken, waaruit hij die talismannen en aanroepingen haalde die hem zouden helpen met wijsheid te regeren; en terwijl Mutasim (die niet een van de intelligentste of voorzichtigste jongelingen was) Saleem het poloveld liet zien, bekende hij dat hij een liefdesspreuk op een stuk perkament had geschreven, in de hoop het tegen de hand van de beroemde zangeres Jamila te drukken en haar verliefd te doen worden. Op dit punt kreeg Saleem het aanzien van een slecht gehumeurde hond en probeerde zich af te wenden; maar Mutasim vroeg smekend hoe de zangeres Jamila er werkelijk uitzag. Saleem hield echter zijn mond; tot Mutasim, in de greep van een wilde obsessie, verzocht zo dicht bij Jamila te worden gebracht dat hij zijn talisman tegen haar hand kon drukken. Nu zei Saleem wiens slinkse blik de door de liefde blinde Mutasim ontging: 'Geef mij het perkament'; en Mutasim, die, hoewel hij deskundig was op het gebied van de geografie van Europese steden, onschuldig was op het gebied van magische zaken, gaf zijn talisman aan Saleem, denkende dat het toch nog in zijn voordeel zou werken, zelfs wanneer het door iemand anders werd toegepast.

De avond naderde op het paleis; het konvooi auto's dat generaal en begum Zulfikar, hun zoon Zafar en vrienden aanvoerde, naderde eveneens. Maar nu draaide de wind, en begon uit het noorden te waaien: een koude wind, en ook een bedwelmende, want in het noorden van Kif bevonden zich de beste hasjiesjvelden van het land, en in deze tijd van het jaar waren de vrouwelijke planten rijp en tochtig. De lucht was vervuld met de geur van de koppige wellust van de planten, en allen die haar inademden werden enigermate bedwelmd. De wezenloze schoonheid van de planten had zijn uitwerking op de chauffeurs in het konvooi, die het paleis slechts door groot geluk bereikten, na een aantal stalletjes van straatkappers omver te hebben gereden en minstens één theewinkel te zijn binnengedrongen, waarbij de achtergebleven Kifi's zich afvroegen of de nieuwe paardloze voertuigen, na de straten te hebben gestolen, zich nu ook van hun huizen meester gingen maken.

De wind uit het noorden kwam in de enorme en hoogst gevoelige neus van Saleem, Jamila's broer, en maakte hem zo suf dat hij op zijn kamer in slaap viel; zodat hij de gebeurtenissen van een avond miste, gedurende welke, naar hij later vernam, de hashahin-wind het gedrag van de gasten op de verlovingsplechtigheid had veranderd, en ze verkrampt had doen giechelen en provocerend door lome half geloken ogen naar elkaar had doen staren; betreste generaals zaten met de benen wijd op vergulde stoelen en droomden van het paradijs. De mehndi-ceremonie vond plaats te midden van een zo diepe slaperige tevredenheid dat niemand het merkte toen de bruidegom zich zo volledig ontspande dat hij in zijn broek plaste; en zelfs de ruziemakende badmashes van de V.O.P. gaven elkaar een arm en zongen een volksliedje. En toen Mutasim de Schone, bezeten door de wellustigheid van hasjiesjplanten, probeerde achter het grote goud-en-zijden laken met dat ene gat te duiken, weerhield majoor Alauddin Latif hem met een gelukzalig goed humeur en belette hem het gezicht van de zangeres Jamila te zien zonder hem zelfs een bloedneus te slaan. De avond eindigde ermee dat alle gasten aan hun tafel in slaap vielen; maar de zangeres Jamila werd naar haar vertrekken begeleid door een slaperig-stralende Latif.

Om middernacht werd Saleem wakker en merkte dat hij het magische stuk perkament van Mutasim de Schone nog steeds in zijn rechterhand geklemd hield; en aangezien de wind uit het noorden nog altijd zachtjes door zijn kamer woei, besloot hij om, in chappals en kamerjas, door de donkere gangen van het prachtige paleis te sluipen, langs alle verzamelde brokstukken van een in verval zijnde wereld, roestende harnassen en oude tapijten die de ontelbare motten in het paleis eeuwenlang voedsel verschaften, reusachtige mahaseer-forellen die in glazen zeeën zwommen, en een overdaad van jachttrofeeën waaronder een aangeslagen gouden teetar-vogel op een teakhouten plankje ter herdenking van de dag waarop een vroegere nawab, in het gezelschap van lord Curzon en consorten, in een enkele dag, 111 111 teetars had geschoten; hij sloop langs de standbeelden van dode vogels in de zenana-kamers waar de vrouwen van het paleis sliepen, en toen, de lucht opsnuivend, koos hij een deur, draaide de knop om en ging naar binnen.

Er stond een reusachtig bed met een zwevend muskietennet gevangen in een stroom kleurloos licht van de gek makende middernachtelijke maan; Saleem liep ernaar toe, en bleef toen staan, want hij had bij het raam de gestalte van een man gezien die naar binnen probeerde te klimmen. Mutasim de Schone, schaamteloos gemaakt door zijn verliefdheid en de hashashin-wind, had besloten naar Jamila's gezicht te kijken, ongeacht de prijs... En Saleem, onzichtbaar in de schaduwen van het vertrek, riep: 'Handen hoog! Of ik schiet!' Saleem blufte; maar Mutasin, wiens handen op het raamkozijn lagen en zijn volle gewicht droegen, wist dat niet, en stond voor een dilemma: blijven hangen en worden doodgeschoten, of loslaten en vallen? Hij probeerde iets terug te zeggen: 'Jij hoort hier zelf niet te zijn,' zei hij, 'ik zal het aan Amina begum vertellen.' Hij had de stem van zijn onderdrukker herkend; maar Saleem wees op de zwakte van zijn positie en Mutasim smeekte: 'Okay, als je alleen maar niet schiet,' en mocht via de weg die hij was gekomen teruggaan. Na die dag haalde Mutasim zijn vader ertoe over een officieel huwelijksaanzoek aan Jamila's ouders te doen; maar zij, die geboren en getogen was zonder liefde, behield haar oude haat jegens allen die beweerden van haar te houden, en wees hem af. Hij verliet Kif en ging naar Karachi, maar ze ging niet in op zijn onwelkome aanzoeken; en ten slotte ging hij in het leger en werd een martelaar in de oorlog van 1965.

De tragedie van Mutasim de Schone is echter slechts een ondergeschikte intrige in ons verhaal; want nu waren Saleem en zijn zuster alleen, en zij, wakker geworden door het gesprek tussen de beide jongemannen, vroeg: 'Saleem, wat is er aan de hand?'

Saleem naderde het bed van zijn zuster; zijn hand zocht de hare; en perkament werd tegen huid aangedrukt. Pas nu liet Saleem, die spraakzaam was geworden door de maan en de met wellust bezwangerde bries, alle ideeën van zuiverheid varen en bekende zijn eigen liefde aan zijn stomverbaasde zuster.

Er viel een stilte; toen riep ze uit: 'O, nee, hoe kun je –', maar de toverkracht van het perkament was in een strijd met de kracht van haar haat of liefde verwikkeld; dus hoewel haar lichaam stijf en schokkerig werd als dat van een worstelaar, luisterde ze naar hem toen hij uitlegde dat er geen sprake van zonde was, hij had het allemaal uitgedacht, en per slot van rekening waren ze niet echt broer en zuster; het bloed in zijn aderen was niet hetzelfde als in de hare; in de bries van die krankzinnige nacht probeerde hij alle knopen te ontwarren die zelfs Mary Pereira's bekentenis niet hadden kunnen losmaken; maar terwijl hij sprak hoorde hij dat zijn woorden hol klonken, en hij besefte dat hoewel hetgeen hij zei letterlijk de waarheid was, er andere waarheden bestonden die belangrijker waren geworden omdat ze door de tijd waren geheiligd; en hoewel er geen noodzaak tot schaamte of afschuw was, zag hij beide emoties op haar voorhoofd, hij rook ze op haar huid, en wat erger was, hij kon ze in en aan zichzelf ruiken. Dus uiteindelijk was zelfs het magische perkament van Mutasim de Schone niet machtig genoeg om Saleem Sinai en de zangeres Jamila samen te brengen; hij verliet haar kamer met gebogen hoofd, gevolgd door haar verschrikte reeëogen; en na verloop van tijd vervaagde de werking van de toverformule helemaal, en zij nam op afschuwelijke wijze wraak. Toen hij de kamer verliet werden de gangen van het paleis plotseling vervuld van de kreet van een pas verloofde prinses, die was ontwaakt uit een droom over haar huwelijksnacht waarin haar bruidsbed plotseling en om onverklaarbare redenen was overstroomd door een zurige gele vloeistof; naderhand won ze inlichtingen in en toen ze de profetische waarheid van haar droom te horen kreeg, besloot ze zolang Zafar leefde nooit de puberteit te bereiken, zodat ze in haar paleisachtige slaapkamer kon blijven en de vies ruikende verschrikking van zijn zwakte kon vermijden.

De volgende morgen werden de twee badmashes van de Verenigde Oppositiepartij wakker en merkten dat ze weer in hun eigen bed lagen; maar toen ze zich hadden aangekleed, openden ze de deur van hun kamer en zagen daarbuiten twee van de grootste soldaten in Pakistan, die vreedzaam met gekruiste geweren stonden en de uitgang versperden. De badmashes schreeuwden en flikflooiden, maar de soldaten bleven daar staan tot de stembussen dicht waren; toen verdwenen ze rustig. De badmashes gingen op zoek naar de nawab, en troffen hem aan in zijn uitzonderlijke rozentuin; ze zwaaiden met hun armen en verhieven hun stemmen; er werd gesproken over een bespotting van de gerechtigheid, en electorale hokus-pokus; ook van chicanes; maar de nawab liet hun dertien nieuwe variëteiten Kifi-rozen zien, door hemzelf gekweekt. Ze gingen tekeer over dood-van-de-democratie, autocratische tirannie – tot hij uiterst vriendelijk glimlachte, en zei: 'Mijn vrienden, gisteren is mijn dochter verloofd met Zafar Zulfikar; weldra, hoop ik, zal mijn andere dochter met de eigen dierbare zoon van de president trouwen. Denk je dus eens in – welk een oneer voor mij, wat een schande over mijn naam, als er in Kif ook maar één stem tegen mijn toekomstige familielid zou worden uitgebracht! Vrienden, ik ben een man die op zijn eer gesteld is; dus blijf in mijn huis, eet, drink; maar vraag alleen niet om wat ik niet kan geven.'

En wij leefden allemaal nog ... in ieder geval, zelfs zonder de traditionele laatste zin van verzonnen sprookjes, eindigt mijn verhaal werkelijk met fantasie; want toen Fundamentele Democraten hun plicht hadden gedaan, kondigden de kranten – *Jang, Dageraad, Pakistan Times* – een overweldigende overwinning aan voor de Moslem

Liga van de president op de Mader-i-Millats Verenigde Oppositiepartij; en bewezen mij op die manier dat ik alleen maar een zeer bescheiden goochelaar-met-feiten ben geweest; en dat in een land waar de waarheid is wat wordt geleerd dat ze is, de werkelijkheid echt letterlijk ophoudt te bestaan, zodat alles mogelijk wordt behalve datgene waarvan ons verteld wordt dat het geval is; en misschien was dit het verschil tussen mijn Indiase jeugdjaren en mijn adolescentie in Pakistan – dat ik tijdens de eerste periode bestookt werd door een oneindig aantal alternatieve werkelijkheden, terwijl ik in de tweede op drift was, gedesoriënteerd, te midden van een even oneindig aantal onwaarheden, onwerkelijkheden en leugens.

Een vogeltje fluistert in mijn oor: 'Wees eerlijk! Niemand, geen enkel land, bezit het monopolie van de onwaarheid.' Ik aanvaard de kritiek; ik weet het, ik weet het. En, jaren later, wist de Weduwe het ook. En Jamila: voor wie dat wat-als-waarheid-was-geheiligd (door de Tijd, door gewoonten, door de uitspraak van een grootmoeder, door gebrek aan verbeelding, door de berusting van een vader), geloofwaardiger bleek dan wat zij als zodanig kende.

Wat wacht om verteld te worden: de terugkeer van tiktak. Maar nu telt de tijd af naar een einde, niet een geboorte; er is ook een weerzin om genoemd te worden, een zo volslagen algemene moeheid dat het einde, wanneer het komt, de enige oplossing zal zijn, omdat mensen, evenals naties en denkbeeldige personages, eenvoudig futloos kunnen worden, en dan zit er niets anders op dan ze aan de kant te zetten.

Hoe een stukje uit de maan viel, en Saleem zuiverheid bereikte... de klok tikt nu; en laat mij, omdat voor aftellen een nulpunt nodig is, verklaren dat het einde kwam op 22 september 1956; en dat het precieze ogenblik waarop dat nulpunt werd bereikt onvermijdelijk klokslag middernacht was. Hoewel de oude grootvaderklok in het huis van mijn tante Alia, die de tijd goed aangaf maar altijd twee minuten te laat sloeg, nooit een kans had om te slaan.

Mijn grootmoeder Naseem Aziz arriveerde midden 1964 in Pakistan, en liet een India achter waarin Nehru's dood een bittere strijd om de macht had verhaast. Morarji Desai, de minister van Financiën, en Jagjivan Ram, de machtigste van de onaanraakbaren, verenigden zich in hun vastbeslotenheid om de vestiging van een Nehru-dynastie te verhinderen; dus werd Indira Gandhi het leiderschap onthouden. De nieuwe eerste minister was Lal Bahadur Shastri, nog een lid van die generatie van politici die in onsterfelijkheid schijnen te zijn ingemaakt; in het geval van Shastri was dit echter slechts maya, illusie. Nehru en Shastri hebben beiden hun sterfelijkheid ten volle bewezen; maar van de anderen zijn er nog volop over, die de Tijd in hun gemummificeerde vingers vasthouden en weigeren die te laten bewegen ... in Pakistan tikten en takten de klokken echter.

Eerwaarde Moeder keurde de carrière van mijn zuster niet openlijk goed; die riekte te veel naar het filmsterrendom. 'Mijn familie, hoenoemjehet,' zei ze met een zucht tegen Pia mumani, 'is nog moeilijker in de hand te houden dan de prijs van benzine.' Diep in haar hart is ze echter misschien onder de indruk geweest, want ze had respect voor macht en aanzien en Jamila was nu zo verheven dat ze in de machtigste en voornaamte huizen van het land welkom was... mijn grootmoeder vestigde zich in Rawalpindi; met een vreemd vertoon van onafhankelijkheid verkoos ze echter niet in het huis van generaal Zulfikar te wonen. Zij en mijn tante Pia betrokken een bescheiden bungalow in het oude deel van de stad; en door hun spaarcentjes bij elkaar te leggen, kochten ze een concessie op de lang gedroomde benzinepomp.

Naseem sprak nooit over Aadam Aziz, en ze wilde ook niet om hem treuren; het was bijna alsof ze opgelucht was dat mijn twistzieke grootvader, die in zijn jeugd de Pakistaanse beweging had veracht en die, naar alle waarschijnlijkheid, de Moslem Liga de schuld gaf voor de dood van zijn vriend Mian Abdullah, haar door te sterven toestemming had gegeven alleen maar het Land van de Zuiveren te gaan. Haar gezicht van het verleden afwendend, concentreerde Eerwaarde Moeder zich op benzine en olie. De pomp stond op een prima plaats, aan de grote verkeersweg tussen Rawalpindi en Lahore; hij liep goed. Pia en Naseem brachten om beurten de dag door in het glazen kantoortje van de bedrijfsleider terwijl bedienden auto's en legervoertuigen bijvulden. Zij bleken een magische combinatie. Pia trok klanten aan met het baken van een schoonheid die koppig weigerde te verwelken; terwijl Eerwaarde Moeder, die door haar verlies was veranderd in een vrouw die meer belang stelde in de levens van andere mensen dan in haar eigen leven, de klanten van de pomp begon uit te nodigen in haar glazen hokje kopjes roze Kasjmiri thee te komen drinken; eerst gingen ze daar met enige aarzeling op in, maar toen ze beseften dat de oude dame niet van plan was hen met eindeloze herinneringen te vervelen, ontspanden ze zich, maakten boordjes en tongen los, en Eerwaarde Moeder kon zich baden in de gezegende vergetelheid van de levens van andere mensen. De pomp werd al gauw beroemd in die contreien, automobilisten begonnen omwegen te maken om er te tanken – vaak op twee opeenvolgende dagen, zodat ze zowel hun ogen tegoed konden doen aan mijn goddelijke tante als hun zorgen kwijt konden aan mijn eeuwig geduldige grootmoeder, die de absorberende eigenschappen van een spons had verworven, en altijd wachtte tot haar gasten helemaal waren uitgesproken voor ze enkele droppels eenvoudige, gedegen raad uit haar eigen lippen perste – terwijl hun auto's werden bijgevuld met benzine en door pompbedienden werden gepoetst, laadde en poetste mijn grootmoeder hun levens. Ze zat in haar glazen biechthokje en loste de problemen van de wereld op; haar eigen familie scheen in haar ogen evenwel aan belang te hebben ingeboet.

Besnord, matriarchaal, trots: Naseem Aziz had haar eigen manier gevonden de tragiek het hoofd te bieden; maar door die te vinden was zij het eerste slachtoffer van die geest van afstandelijke vermoeidheid geworden die het einde de enige mogelijke oplossing maakte. (Tik, tak.)... Oppervlakkig gezien echter bleek ze allerminst van plan te zijn haar echtgenoot naar de kamfertuin te volgen die aan de rechtvaardigen is voorbehouden; ze scheen meer gemeen te hebben met de stokoude leiders van haar verlaten India. Zij werd, met verontrustende snelheid, almaar omvangrijker, tot er aannemers werden ontboden om haar glazen hokje uit te breiden. 'Maak het groot groot,' droeg ze hun op, met een zeldzame opflikkering van humor, 'misschien zit ik hier over een eeuw nog, hoenoemjehet, en Allah weet hoe dik ik dan zal zijn geworden; ik wil jullie niet iedere tien, twaalf jaar lastig vallen.'

Pia Aziz was echter niet tevreden met het 'pompgedoe'. Ze ging een reeks verhoudingen aan met kolonels cricketspelers polospelers diplomaten die ze gemakkelijk verborgen kon houden voor Eerwaarde Moeder die haar belangstelling voor het doen en laten van iedereen behalve vreemden had verloren; maar die overigens hèt onderwerp van gesprek uitmaakte van wat per slot van rekening een kleine stad was. Mijn tante Emerald nam Pia onderhanden; ze antwoordde: 'Wil je dat ik voor eeuwig jank en aan mijn haren trek? Ik ben nog jong; jonge mensen moeten een beetje stappen.' Emerald, met smalle lippen: 'Maar hou het een beetje netjes ... de naam van de familie ...' Waarop Pia het hoofd in de nek gooide. 'Wees jij maar netjes, zuster,' zei ze. 'Ik, ik wil leven.'

Maar het komt me voor dat Pia's zelfverzekerdheid iets hols had; dat ook zij haar persoonlijkheid met de jaren voelde wegebben; dat haar koortsachtige zucht naar avontuurtjes een laatste wanhopige poging was om zich overeenkomstig haar reputatie te gedragen – zoals een vrouw als zij werd verondersteld te doen. Maar ze deed het niet van harte; ergens, binnenin wachtte ook zij op een einde... In mijn familie zijn we altijd kwetsbaar geweest voor dingen die uit de hemel vallen, vanaf het ogenblik dat Ahmed Sinai een klap kreeg van een hand die een aasgier had losgelaten; en donderslagen bij heldere hemel waren slechts een jaar ver weg.

Na het nieuws van de dood van mijn grootvader en de aankomst van Eerwaarde Moeder in Pakistan, begon ik herhaaldelijk van Kasjmir te dromen; hoewel ik nooit in Shalimar-bagh had gewandeld, deed ik dat bij nacht; ik dobberde in shikara's en beklom de heuvel van Sankara Acharya zoals mijn grootvader had gedaan; ik zag lotuswortels en bergen als boze kaken. Ook dit kan misschien als een aspect van de afstandelijkheid worden beschouwd die ons allen zou bezoeken (behalve Jamila, die God en het land had om haar op de been te houden) – een herinnering aan de verwijdering van mijn familie van zowel India als Pakistan. In Rawalpindi dronk mijn grootmoeder roze Kasjmiri thee, haar kleinzoon werd gewassen door de wateren van een meer dat hij nooit had gezien. Het zou niet lang duren of de droom van Kasjmir vloeide over in de geest van de overige bevolking van Pakistan; verbondenheid-met-geschiedenis weigerde mij los te laten, en ik merkte dat mijn droom, in 1965, het gemeengoed van de natie begon te worden, en een factor van het grootste belang bij het aanstaande einde, toen allerlei dingen uit de hemel kwamen vallen, en ik ten slotte gezuiverd werd.

Saleem kon niet dieper zinken: ik kon aan mezelf de beerputstank van mijn zondigheid ruiken. Ik was naar het Land van de Zuiveren gegaan, en zocht het gezelschap van hoeren – hoewel ik een nieuw, rechtschapen leven voor mezelf had horen te smeden, baarde ik in plaats daarvan een onuitsprekelijke (en ook onbeantwoorde) liefde. Bezeten door het begin van het grote fatalisme dat me zou overweldigen, reed ik op mijn Lambretta door de straten van de stad; Jamila en ik meden elkaar zoveel mogelijk, voor het eerst van ons leven niet in staat een woord tegen elkaar te zeggen.

Zuiverheid – dat allerhoogste ideaal! – die engelachtige deugd waaraan Pakistan zijn naam te danken had, en die van iedere noot van de liederen van mijn zuster afdroop! – scheen heel ver weg; hoe had ik kunnen weten dat de geschiedenis – die de macht bezit om zondaren te vergeven – op dat ogenblik aan het aftellen was naar een ogenblik waarop ze mij, in een klap, van top tot teen zou reinigen?

Ondertussen putten andere krachten zich uit; Alia Aziz was begonnen haar vreselijke oude vrijsterswraak te nemen.

Dagen in Guru Mandir: paan-geuren, kookluchtjes, de zwoele geur van de schaduw van de minaret, de lange wijzende vinger van de moskee: terwijl de haat van mijn tante Alia jegens de man die haar had verlaten en de zuster die met hem was getrouwd zich tot iets tastbaars, zichtbaars ontwikkelde, zat hij als een grote gekko op haar kleed in de zitkamer, en stonk naar braaksel; maar het scheen dat ik de enige was die het rook, want Alia's bedrevenheid in het veinzen was even snel gegroeid als de harigheid van haar kin en haar handigheid met de pleisters waarmee ze haar baard iedere avond met wortel en tak uitrukte.

De bijdrage van mijn tante Alia aan het lot van naties – door middel van haar school en college – moet niet worden gebagatelliseerd. Doordat zij haar oude-vrijster-frustraties in de leerplannen, de bakstenen en ook de leerlingen van haar twee onderwijsinrichtingen had laten sijpelen, had ze hele volksstammen kinderen en jeugdige volwassenen opgekweekt die zich bezeten voelden van een oude wraakzucht, zonder helemaal te weten waarom. O, alomtegenwoordige onvruchtbaarheid van ongehuwde tantes! Die verzuurde de verf van haar huis; haar meubilair werd bultig door de harde vulling van bitterheid; verdringingen van een oude vrijster waren in gordijnzomen genaaid. Als eens lang geleden in babykleertjes van. Bitterheid, die door de spleten in de aarde te voorschijn kwam.

Waar mijn tante Alia genoegen in schepte: koken. Wat zij, gedurende de eenzame waanzin van de jaren, tot het peil van een kunstvorm had verheven: de doordrenking van eten met emoties. Bij wie ze achterbleef in haar prestaties op dat gebied: mijn oude ayah, Mary Pereira. Door wie de twee oude kokkinnen heden zijn overtroffen: Saleem Sinai, opperinmaker van de Braganza zoetzuurfabriek ... niettemin, toen wij in haar landhuis in Guru Mandir woonden, voedde ze ons met de biriani's van tweedracht en de nargisi kofta's van onenigheid; en stukje bij beetje raakten zelfs de harmonieën van de najaarsliefde van mijn ouders ontstemd.

Maar er moeten ook goede dingen over mijn tante worden gezegd. In de politiek sprak ze zich heftig uit tegen regering-door-militaire-zeggenschap; als ze geen generaal als zwager zou hebben gehad, zouden haar school en college haar best eens kunnen zijn ontnomen. Ik moet haar niet helemaal door de donkere bril van mijn eigen vertwijfeling laten zien; ze had lezingen gehouden in de Sovjet-Unie en Amerika. Bovendien, haar eten smaakte goed. (Ondanks wat er doorheen zat.)

Maar de lucht en het eten in dat door de moskee beschaduwde huis begon zijn tol te eisen... Onder de tweevoudig ontwrichtende invloed van zijn vreselijke liefde en Alia's eten begon Saleem telkens wanneer zijn zuster in zijn gedachten verscheen te blozen als een kroot; terwijl Jamila, onbewust aangegrepen door een verlangen naar frisse lucht en eten ongekruid door duistere emoties, daar steeds minder tijd begon door te brengen, maar in plaats daarvan het land door reisde (hoewel nooit naar het Oostelijke deel) om haar concerten te geven. Bij die steeds zeldzamere gelegenheden wanneer broer en zuster in dezelfde kamer waren, sprongen ze, verschrikt, enkele centimeters van de grond op en dan, nadat ze waren neergekomen, staarden ze furieus naar de plek waar ze overheen gesprongen waren, alsof die plotseling even heet was geworden als een broodoven. Ook andere keren gingen ze zich te buiten aan gedrag waarvan de betekenis glashelder zou zijn geweest, ware het niet dat elke bewoner van het huis andere dingen aan zijn of haar hoofd had: Jamila nam bijvoorbeeld de gewoonte aan om haar goud-met-witte reissluier binnenshuis aan te houden totdat ze zeker wist dat haar broer uit was, zelfs al was ze duizelig van de hitte; terwijl Saleem – die, als een slaaf, gegist brood bij het nonnenklooster Santa Ignacia bleef halen – vermeed haar de broden zelf te overhandigen; af en toe vroeg hij zijn giftige tante om als tussenpersoon te dienen. Alia keek hem geamuseerd aan en vroeg: 'Wat is er met *jou* aan de hand, jongen – je hebt toch geen besmettelijke ziekte?' Saleem bloosde hevig en vreesde dat zijn tante vermoedens had wat zijn ontmoetingen met betaalde vrouwen betrof; en misschien was dat ook wel zo, maar zij was uit op groter wild.

...Hij ontwikkelde ook een neiging om in lange peinzende stilten te vervallen, die hij onderbrak door plotseling in een zinloos woord uit te barsten: Nee!' of 'Maar!' of nog geheimzinniger uitroepen, zoals 'Bang!' of 'Wham!' Onzinnige woorden te midden van bewolkte stilten: alsof Saleem een inwendige dialoog van zo grote heftigheid hield dat fragmenten ervan, de pijn daarvan, hem van tijd tot tijd over de lippen borrelden. Deze innerlijke tweedracht werd ongetwijfeld verergerd door de kerrieschotels van onrust die wij waren genoodzaakt te eten; en op het laatst, toen Amina alleen nog maar tegen onzichtbare waskisten sprak en Ahmed, in de wanhoop van zijn beroerte, tot weinig anders meer in staat was dan gekwijl en gegiechel, terwijl ik in mijn eigen privé-afzondering zwijgend boos zat te staren, moet mijn tante nogal in haar nopjes zijn geweest met de doeltreffendheid van haar wraak op de Sinai-clan; tenzij ook zij was gedraineerd door de vervulling van haar lang gekoesterde ambitie; in welk geval ook zij geen mogelijkheden meer over had, en er klonken holle boventonen in haar voetstappen als ze door het krankzinnige asiel van haar huis liep met haar kin onder de haar-pleisters, terwijl haar nicht over plotseling-hete plekken op de vloer sprong en haar neef uit het niets 'Yaa!' riep en haar vroegere vrijer kwijl langs zijn kin liet lopen en Amina de herrijzende geesten van haar verleden begroette: 'Zo, ben jij daar weer; nou ja, waarom ook niet? Niets schijnt ooit weg te gaan.'

Tik, tak... In januari 1956 ontdekte mijn moeder Amina Sinai dat ze weer zwanger was, na een tussentijd van zeventien jaar. Toen ze er zeker van was vertelde ze het goede nieuws aan haar oudere zuster Alia, en gaf mijn tante de gelegenheid om haar wraak te vervolmaken. Wat Alia tegen mijn moeder zei is niet bekend; wat ze in haar gekokkerel roerde moet een kwestie van raden blijven; maar de uitwerking ervan op Amina was verwoestend. Zij werd geplaagd door dromen van een monsterkind met een bloemkool in plaats van hersens; ze werd belaagd door spoken van Ramram Seth, en de oude profetie van een kind met twee hoofden begon haar weer helemaal in de war te maken. Mijn moeder was tweeënveertig jaar oud; en de angsten (zowel natuurlijk als door Alia opgewekt) om op een dergelijke leeftijd nog een kind te baren, bezoedelde de schitterende aura die om haar heen had gehangen sinds ze haar man naar zijn liefdevolk herfst had verpleegd; onder invloed van de korma's van mijn tante's wraak – gekruid met voorgevoelens en kardemon – werd mijn moeder bang van haar kind. Naarmate de maanden voorbijgingen, begonnen haar tweeënveertig jaren een verschrikkelijke tol te eisen; het gewicht van haar vier decennia werd dagelijks groter, haar onder haar leeftijd vermorzelend. In haar tweede maand werd haar haar wit. Tegen de derde was haar gezicht verschrompeld als een rottende mango. In haar vierde maand was ze al een oude vrouw, gegroefd en dik, opnieuw door wratten geplaagd, met de onvermijdelijkheid van haar dat over haar hele gezicht ontsproot; ze scheen opnieuw gehuld te zijn in een mist van schaamte, alsof de baby een schandaal was voor een dame van haar in het oog lopende oudheid. Naarmate het kind van die verwarde tijd in haar groeide, werd het contrast tussen de jeugd van het kind en haar leeftijd groter; het was op dit punt dat ze in een oude rieten stoel in elkaar zakte en bezocht werd door de geesten van haar verleden. De desintegratie van mijn moeder was ontstellend in zijn onverwachtheid; Ahmed Sinai, die hulpeloos toekeek, kwam tot de ontdekking dat hij, plotseling, van zijn stuk gebracht, op drift, ontmand was.

Ook nu nog vind ik het moeilijk om over die tijd van het eind van mogelijkheden te schrijven, toen mijn vader ontdekte dat de handdoekenfabriek onder zijn handen afbrokkelde. De gevolgen van Alia's culinaire hekserij (die zowel via zijn maag werkte, wanneer hij at, en via zijn ogen, wanneer hij zijn vrouw zag) waren nu al te duidelijk in hem: hij werd laks in het beheer van de fabriek, en opvliegend tegenover zijn arbeiders.

Om de ruïnering van de handdoeken Merk Amina samen te vatten: Ahmed Sinai begon zijn arbeiders even dictatoriaal te behandelen als hij eens, in Bombay, bedienden verkeerd had behandeld, en probeerde zowel meesterwevers als hulpverpakkers de eeuwige waarheden van de verhouding tussen meester-en-dienaar in te prenten. Het gevolg was dat zijn personeel met bosjes wegliep, met de woorden, bijvoorbeeld: 'Ik ben niet uw latrineschoonmaker, sahib; ik ben een gediplomeerde eersteklas wever'; en over het algemeen weigerden ze hem passende dankbaarheid te betonen voor zijn goedheid dat hij hen in dienst had genomen. In de greep van de verwarrende toorn van mijn tantes zware lunches, liet hij hen allen gaan, en nam een stelletje ongure lijntrekkers in dienst die katoenspoelen en machineonderdelen gapten maar bereid waren om te buigen en te flikflooien wanneer dat van hen verlangd werd; en het percentage onvolmaakte handdoeken schoot onrustbarend omhoog, contracten werden niet nagekomen, nabestellingen namen verontrustend af. Ahmed Sinai begon bergen mee naar huis te brengen – Himalaya's! – van afgekeurde handdoeken, want het pakhuis lag tot aan de nok toe vol met het ondermaatse produkt van zijn wanbeheer; hij begon weer te drinken, en tegen de zomer van dat jaar werd het huis in Guru Mandir overstroomd met de oude schunnigheden van zijn gevecht tegen de djinns, en wij moesten ons zijdelings langs de Everests en Nanga-Parbats van slecht gemaakte badstof wringen die langs de muren van de gangen en de hal stonden.

Wij hadden ons overgeleverd aan de schoot van de lang gesudderde toorn van mijn dikke tante; alleen op Jamila na, die er de minste last van had vanwege haar lange perioden van afwezigheid, kregen we allemaal behoorlijk ons vet. Het was een pijnlijke en verbijsterende tijd, waarin de liefde van mijn ouders uiteenviel onder het gezamenlijke gewicht van hun nieuwe baby en van de eeuwenoude grieven van mijn tante; en geleidelijk siepelde de verwarring en verwoesting uit de ramen van het huis en namen de harten en geesten van de natie over, zodat de oorlog, toen die uitbrak, in dezelfde benevelde mist van onwerkelijkheid was gehuld waarin wij waren gaan leven.

Mijn vader was gestaag op weg naar zijn beroerte; maar voor de bom in zijn brein ontplofte, werd er nog een lont aangestoken: in april 1965 hoorden wij over de vreemde gebeurtenissen in de Rann van Kutch.

Terwijl wij als vliegen in de webben van mijn tantes wraak spartelden, bleef de molen van de geschiedenis malen. President Ayubs reputatie ging achteruit; het gonsde van de geruchten over kwade praktijken tijdens de verkiezing van 1964, die zich niet de kop lieten indrukken. Er was ook de kwestie van de zoon van de president: Gauhar Ayub, wiens raadselachtige Ghandara Industries hem van de ene dag op de andere een 'multi-multi' maakten. O eindeloze opeenvolging van snode zonen-van-de-groten! Gauhar, met zijn gekoeieneer en geraas en getier; en later, in India, Sanjay Gandhi en zijn Maruti Automobielfabriek en zijn Congres jeugd; en het recentst van alle, Kanti Lal Desai... de zonen van de groten doen hun ouders teniet. Maar ook ik heb een zoon; Aadam Sinai, zich niets van precedenten aantrekkend, zal die tendens keren. Zonen kunnen niet alleen slechter zijn dan hun vaders, maar ook beter... in april 1965 gonsde de lucht echter van de feilbaarheid van zonen. En wiens zoon was het die op 1 april de muren van de ambtswoning van de president beklom – welke onbekende vader verwekte de vies-ruikende kerel die op de president af rende en een pistool op zijn maag afvuurde? Sommige vaders blijven genadiglijk onbekend aan de geschiedenis; in elk geval faalde de moordenaar, want zijn wapen bleef op wonderbaarlijke wijze steken. Iemands zoon werd door de politie weggevoerd en zijn tanden werden een voor een uitgetrokken, zijn nagels werden in brand gestoken en brandende sigarettepeuken werden ongetwijfeld tegen de punt van zijn penis gedrukt, het zou die nameloze, moordenaar in spe waarschijnlijk een schrale troost zijn om te weten dat hij eenvoudig was meegevoerd op een getij van de geschiedenis waarin men zag dat zonen (hoog en laag) zich vaak uitzonderlijk slecht gedroegen. (Nee: ik maak mezelf geen uitzondering.)

Scheiding tussen nieuws en werkelijkheid: kranten haalden buitenlandse economen aan – PAKISTAN EEN VOORBEELD VOOR IN OPKOMST ZIJNDE LANDEN – terwijl boeren (niet vermeld) de zogenaamde 'groene revolutie' vervloekten en beweerden dat de meeste pas geboorde waterbronnen nutteloos waren geweest, vergiftigd, en in elk geval op de verkeerde plaatsen zaten; terwijl hoofdartikelen de rechtschapenheid van de leiding van de natie prezen, maakten geruchten, als drommen vliegen, melding van Zwitserse bankrekeningen en de nieuwe Amerikaanse auto's van de zoon van de president. De Karachi *Dageraad* sprak van een nieuwe dageraad – GOEDE INDO-PAK BETREKKINGEN OP KOMST? – maar, in de Rann van Kutch, ontdekte weer een andere onbekwame zoon een heel ander verhaal.

In de steden, luchtspiegelingen en leugens; naar het noorden, in de hoge bergen, bouwden de Chinezen wegen en beraamden atoomexplosies; maar het is tijd om van het algemene naar het detail terug te keren; of, om nauwkeuriger te zijn, naar de zoon van de generaal, mijn neef, de bedwaterende Zafar Zulfikar. Die, tussen april en juli, het oertype werd van al die vele teleurstellende zonen in het land; de geschiedenis, wier werktuig hij was, wees ook met haar vinger naar Gauhar, naar de toekomstige Sanjay en de aanstaande Kanti-Lal; en natuurlijk, naar mij.

Dus – neef Zafar. Met wie ik veel gemeen had in die tijd... mijn hart was vervuld van verboden liefde; zijn broek vulde zich, ondanks al zijn inspanningen, voortdurend met iets tastbaarders, maar even verbodens. Ik droomde van mythische geliefden, zowel gelukkig als door de sterren gedwarsboomd – Shah Jehan en Mumtaz Mahal, maar ook Montague-en-Capulet; hij droomde van zijn verloofde uit Kif, wier onvermogen om zelfs na haar zestiende verjaardag de puberteit te bereiken haar in zijn gedachten een fantasie van een onbereikbare toekomst moet hebben doen schijnen... in april 1965 werd Zafar op manoeuvres gestuurd naar de door Pakistan beheerde zone van de Rann van Kutch.

Wreedheid van degenen met zelfbeheersing jegens hen met slappe blazen: hoewel Zafar luitenant was, was hij de risee van de militaire basis Abbottabad. Het verhaal ging dat hem was opgedragen een plastic onderbroek als een ballon om zijn genitaliën te dragen, opdat het glorievolle uniform van het Pak Leger niet zou worden ontheiligd;

gewone jawans plachten, wanneer hij voorbijkwam, hun wangen op te laten bollen, alsof ze een ballon opbliezen. (Dit alles werd later algemeen bekend, in de verklaring die hij aflegde, tranen met tuiten huilend, na zijn arrestatie wegens moord.) Het is mogelijk dat Zafars opdracht in de Rann van Kutch was bedacht door een tactvolle meerdere, die alleen probeerde hem uit de vuurlinie van de humor van Abbottabad te halen... Incontinentie doemde Zafar Zulfikar tot een misdaad die even afschuwelijk was als die van mij. Ik hield van mijn zuster; terwijl hij ... maar laat mij het verhaal met de goede kant boven vertellen.

Vanaf de Verdeling was de Rann al 'betwist gebied'; hoewel in de praktijk geen van beide partijen veel voor het geschil voelde. Op de heuveltjes langs de 23ste breedtegraad, de officieuze grens, had de regering van Pakistan een reeks grensposten ingericht, elk met z'n eenzame garnizoen van zes manschappen en een lichtbaken. Verscheidene van deze posten werden op 9 april 1965 door troepen van het Indiase leger bezet; een Pakistaanse strijdmacht, waar mijn neef Zafar deel van uitmaakte, die in het gebied op manoeuvre was geweest, vocht tweeëntachtig dagen lang om de grens. De oorlog in de Rann duurde tot 1 juli. Dit alles staat vast; maar al het andere ligt verborgen onder de dubbel nevelige lucht van onwerkelijkheid en fantasie die haar uitwerking had op alle gebeurtenissen in die dagen, en vooral alle voorvallen in de fantasmagorische Rann ... zodat het verhaal dat ik nu ga vertellen, en dat in wezen het verhaal is dat door mijn neef Zafar werd verteld, naar alle waarschijnlijkheid zo waar is als het maar zijn kan; als wat dan ook, dat wil zeggen, behalve wat wij officieel te horen kregen.

...Toen de jonge Pakistaanse soldaten het moerasachtige terrein van de Rann binnentrokken, brak het koude klamme zweet op hun voorhoofden uit, en ze werden afgeschrikt door de groene zeebodemachtige hoedanigheid van het licht; ze vertelden verhalen die hun nog meer angst aanjoegen, legenden van vreselijke dingen die zich in deze amfibische zone afspeelden, over demonische zeedieren met gloeiende ogen, van visvrouwen die met hun visachtige hoofden onder water lagen en ademhaalden, terwijl hun volmaakt gevormde en naakte menselijke onderlichamen op de kust lagen, de onvoorzichtigen verlokkend tot noodlottige seksuele daden, want het is overbekend dat niemand de liefde met een visvrouw kan bedrijven en toch kan blijven leven ... zodat ze tegen de tijd dat ze de grensposten bereikten en ten strijde trokken, een doodsbange troep zeventien jaar oude jongens waren, en ongetwijfeld zouden zijn uitgeroeid als de Indiase tegenstanders niet nog langer aan de groene lucht van de Rann waren blootgesteld dan zij; in die tovenaarswereld werd dus een krankzinnige oorlog gestreden waarin beide partijen meenden duivelsgeesten aan de zijde van zijn vijanden te zien vechten; maar ten slotte gaven de Indiase strijdkrachten zich over; velen van hen zakten in stromen van tranen in elkaar en huilden: God zij dank, het is voorbij; ze vertelden van de grote blubberige dingen die 's nachts om de grensposten heen gleden, en de geesten van verdronken mannen met kransen van zeewier en schelpen in hun navel die door de lucht zweefden.

Wat de capitulerende Indiase soldaten die zich binnen gehoorsafstand van mijn neef bevonden, zeiden: 'In elk geval waren die grensposten onbemand; we troffen ze gewoon leeg aan en trokken ze binnen.'

Het mysterie van de verlaten grensposten scheen aanvankelijk geen raadsel voor de jonge Pakistaanse soldaten die ze moesten innemen tot er nieuwe grenswachten werden gestuurd; mijn neef luitenant Zafar ontdekte dat zijn blaas en ingewanden zich gedurende de zeven nachten die hij tijdens de bezetting van een van die posten met slechts vijf jawans als gezelschap doorbracht zich met hysterische frequentie leegden. Gedurende nachten die waren vervuld met het gekrijs van heksen en het naamloze glibberige geschuifel van het duister, geraakten de zes jongelingen in een zo ellendige toestand dat niemand mijn neef nog langer uitlachte, ze hadden het allemaal te druk met in hun eigen broek te plassen. Een van de jawans fluisterde in doodsangst tijdens het spookachtige kwaad van hun op-een-na-laatste-nacht: 'Luister, jongens, als ik hier voor mijn brood moest zitten, zou ik verdomme ook de benen nemen!'

In een toestand van volkomen puddingachtige instorting zweetten de soldaten in de Rann; maar tot op de laatste avond werden hun ergste angsten bewaarheid; ze zagen een leger geesten uit de duisternis op zich af komen; ze zaten in de grenspost die het dichtst bij de kust lag, en in het groenachtige maanlicht konden ze de zeilen van spookschepen zien, van spook-dhows; en het spookleger kwam nader, meedogenloos, ondanks het gegil van de soldaten, geesten die met mos overgroeide kisten droegen en vreemde met lijkwaden bedekte draagbaren die hoog waren opgetast met onzichtbare dingen; en toen het spookleger door de deur naar binnen kwam, viel mijn neef Zafar aan hun voeten en begon afgrijselijk te brabbelen.

Het eerste spook dat de buitenpost binnenkwam miste verschillende tanden en er stak een krom mes in zijn riem; toen hij de soldaten in de hut zag, laaide er een vermiljoenen furie in zijn ogen. 'Godgeklaagd!' zei het hoofd van de spoken: 'Waarom zitten jullie bloedschenners hier? Hebben ze jullie niet allemaal behoorlijk omgekocht?'

Geen spoken; smokkelaars. De zes jonge soldaten ontdekten dat ze in belachelijke houdingen van verwerpelijke angst lagen, en hoewel ze het probeerden goed te maken, werden zij volledig door hun schaamte verzwolgen ... en nu zijn we er bijna. In wiens naam opereerden de smokkelaars? Wiens naam kwam over de lippen van de hoofdsmokkelaar en maakte dat de ogen van mijn neef zich van afgrijzen opensperden? Wiens fortuin, dat oorspronkelijk op de ellende van in 1947 vluchtende hindoefamilies was gegrondvest, werd nu aangevuld door deze voorjaars-en-zomer smokkelaarskonvooien door de onbewaakte Rann en vandaar naar de steden van Pakistan? Welke generaal met een janklaassen-gezicht en een stem zo dun als een scheermesje, voerde de spooktroepen aan? ...Maar ik zal mij op feiten concentreren. In juli 1965 keerde mijn neef Zafar met verlof terug naar het huis van zijn vader in Rawalpindi; en op een morgen ging hij langzaam op weg naar de slaapkamer van zijn vader, terwijl hij op zijn schouders niet alleen de herinnering aan duizend vernederingen en klappen uit zijn jeugd droeg; niet alleen de schande van zijn levenslange bedwateren; maar ook de wetenschap dat zijn eigen vader verantwoordelijk was geweest voor wat-er-bij-de-Rann was gebeurd, toen Zafar Zulfikar tot gebrabbel was vervallen. Mijn neef trof zijn vader aan in het bad naast zijn bed, en sneed hem met een lang, krom smokkelaarsmes de keel door.

Verborgen achter kranteberichten – LAFHARTIGE INDIASE INVASIE DOOR ONZE DAPPERE JONGENS AFGESLAGEN – werd de waarheid omtrent generaal Zulfikar iets spookachtigs, onzekers; de omkoping van grensbewakers werd in de kranten: ONSCHULDIGE SOLDATEN DOOR INDIASE FAUJ AFGESLACHT; en wie zou het verhaal van mijn ooms uitgebreide smokkelactiviteiten verspreiden? Welke generaal, welke politicus bezat niet de transistorradio's van mijn ooms illegaliteit, de luchtverversingsinstallaties en de geïmporteerde horloges van zijn zonden? Generaal Zulfikar stierf; neef Zafar ging naar de gevangenis en werd het huwelijk bespaard met een Kifi prinses die koppig weigerde te menstrueren, alleen maar om niet met hem te hoeven trouwen; en de gebeurtenissen in de Rann van Kutch werden de tondel, zogezegd, voor de grotere brand die in augustus uitbrak, de brand aan het eind waarvan Saleem eindelijk, en ondanks zichzelf, zijn vluchtige zuiverheid bereikte.

Wat mijn tante Emerald betreft: zij kreeg vergunning om te emigreren; ze had voorbereidingen getroffen om dat te doen, met het plan om naar Suffolk in Engeland te vertrekken, waar ze zou logeren bij de vroegere bevelvoerende officier van haar man, brigadegeneraal Dodson die, op zijn oude dag, zijn tijd was gaan doorbrengen in het gezelschap van even oude India-specialisten, om naar oude films van de

Delhi Durbar en de aankomst van George V bij de Poort van India te kijken... zij verheugde zich op de lege vergetelheid van heimwee en de Engelse winter toen de oorlog uitbrak en al onze problemen oploste.

Op de eerste dag van de 'onechte vrede' die slechts zevenendertig dagen zou duren, werd Ahmed Sinai door de beroerte getroffen. Die verlamde de hele linkerkant van zijn lichaam, en voerde hem terug naar het gekwijl en gegiechel van zijn kindertijd; hij brabbelde ook onzinnige woorden, waarbij hij een uitgesproken voorkeur aan de dag legde voor de stoute kinderwoordjes voor uitwerpselen. Terwijl hij 'Cacca!' en 'Soo-soo!' giechelde, kwam mijn vader aan het einde van zijn gevarieerde loopbaan, en raakte voor de laatste keer de weg kwijt, en verloor ook zijn gevecht met de djinns. Hij zat, verbijsterd en kakelend, te midden van de onvolkomen badhanddoeken van zijn leven; te midden van onvolkomen badhanddoeken boog mijn moeder, verpletterd onder het gewicht van haar monsterlijke zwangerschap, ernstig haar hoofd wanneer ze door Lila Sabarmati's pianola werd bezocht, of de geest van haar broer Hanif, of een stel handen dat als motten om een vlam rond en rond haar eigen handen danste... Overste Sabarmati kwam haar opzoeken met zijn vreemde stokje in de hand, en Nussie-de-eend fluisterde in mijn moeders verschrompelende oor: 'Het einde, zuster Amina! Het einde van de wereld!'... en nu, na me vechtend een weg te hebben gebaand door de verziekte realiteit van mijn jaren in Pakistan, deed ik mijn best om enige zin te geven aan wat (door de nevel van mijn tante Alia's wraak) op een verschrikkelijke occulte reeks represailles leek voor het ontwortelen van onze jaren in Bombay, ben ik op het punt aangekomen waar ik u over einden moet vertellen.

Laat mij dit volkomen ondubbelzinnig zeggen: het is mijn vaste overtuiging dat het geheime doel van de Indo-Pakistani oorlog van 1965 niet meer en niet minder was dan de verwijdering van de aardoppervlakte van mijn door de nacht overvallen familie. Om de recente geschiedenis van onze tijd te begrijpen, hoeft men alleen maar het bombardementspatroon van die oorlog met een analytisch, onbevooroordeeld oog te bekijken.

Zelfs einden hebben een begin; alles moet in volgorde worden verteld. (Ik heb Padma, per slot van rekening, die al mijn pogingen om het paard achter de wagen te spannen verijdelt.) Tegen 8 augustus 1965 was mijn familiegeschiedenis in een toestand geraakt waarvan datgene wat-werd-bereikt-door-bombardementspatronen een genadige verlichting bood. Nee: laat mij het belangrijke woord gebruiken: als wij moesten worden gezuiverd, was iets op de schaal van wat volgde waarschijnlijk nodig.

Alia Aziz, verzadigd van haar vreselijke wraak; mijn tante Emerald, weduwe geworden en wachtend op verbanning; de holle wulpsheid van mijn tante Pia en de terugtocht van mijn grootmoeder Naseem naar een glazen hok; mijn neef Zafar, met zijn eeuwig prepuberteitse prinses en zijn toekomst van bedwateren op matrassen in gevangeniscellen; de terugtocht in kindsheid van mijn vader en de gekwelde, versnelde veroudering van de zwangere Amina Sinai ... al deze verschrikkelijke toestanden zouden worden hersteld als gevolg van de overneming, door de regering, van mijn droom om Kasjmir te bezoeken. Ondertussen hadden de keiharde weigeringen van mijn zuster om mijn liefde onder ogen te zien mij in een diep fatalistische gemoedstoestand gestort; in de greep van mijn nieuwe zorgeloosheid omtrent mijn toekomst vertelde ik oom Puffs dat ik bereid was om met de eerste de beste Puffia te trouwen die hij voor mij koos. (Door dat te doen, verdoemde ik hen allemaal; iedereen die probeert banden te smeden met onze familie deelt uiteindelijk ons lot.)

Ik probeer niet langer raadselachtig te doen. Het is belangrijk om me op goede harde feiten te concentreren. Maar welke feiten? Een week voor mijn achttiende verjaardag, op 8 augustus, overschreden Pakistaanse troepen in burgerkleren de bestandslijn in Kasjmir en drongen in de Indiase sector door, of niet? In Delhi kondigde eerste minister Shastri 'grootscheepse infiltratie ... om de staat omver te werpen' aan; maar daar is Zulfikar Ali Bhutto, de minister van Buitenlandse Zaken van Pakistan, met zijn antwoord: 'Wij ontkennen categorisch iedere betrokkenheid bij de opstand tegen tirannie door de inheemse bevolking van Kasjmir.'

Als het gebeurde, wat waren dan de beweegredenen? Opnieuw een uitbarsting van mogelijke verklaringen: de voortdurende woede die door de Rann van Kutch was aangewakkerd; het verlangen om vooreens-en-altijd de oude strijdvraag van wie-de-Volmaakte-Vallei-zou-moeten-bezitten te beslissen?... Of eentje die niet in de krant kwam: de druk van interne politieke moeilijkheden in Pakistan – Ayubs regering wankelde, en in dergelijke tijden doet een oorlog wonderen. Deze reden of die, of die andere? Om de zaak te vereenvoudigen geef ik er twee van mezelf: er kwam oorlog omdat ik Kasjmir de fantasieën van onze regeerders in droomde; bovendien bleef ik onzuiver, en de oorlog zou mij van mijn zonden scheiden.

Jehad, Padma! Heilige oorlog!

Maar wie viel aan? Wie verdedigde? Op mijn achttiende verjaardag kreeg de werkelijkheid weer eens een vreselijke afstraffing. Van de borstwering van het Rode Fort in Delhi stuurde een Indiase eerste minister (niet dezelfde die mij lang geleden een brief had geschreven) mij deze verjaardagsgroet: 'Wij beloven dat geweld met geweld zal worden beantwoord, en wij zullen nooit toestaan dat agressie tegen ons zal slagen.' Terwijl jeeps met megafoons me in Guru Mandir begroetten, en me verzekerden: 'De Indiase agressors zullen volledig worden teruggeslagen! Wij zijn een ras van krijgers! Eén Pathaan; één Punjabi moslem is tien van die gewapende babu's waard!'

De zangeres Jamila werd naar het noorden geroepen om onze jawans die voor tien telden een serenade te brengen. Een bediende schildert verduisteringsverf op de ramen; 's nachts opent mijn vader, in de stupiditeit van zijn tweede kindertijd, de ramen en ontsteekt de lichten. Bakstenen en keien vliegen door de openingen: de cadeaus voor mijn achttiende verjaardag. En nog altijd worden de gebeurtenissen almaar verwarder: overschreden Indiase troepen op 30 augustus de bestandslijn bij Uri om 'de Pakistaanse overvallers eruit te gooien' – of om een aanval in te leiden? Toen onze tien-keer-betere soldaten op 30 augustus de linie bij Chamb overschreden, waren zij toen de agressors of waren ze dat niet?

Enkele zekerheden: dat de stem van de zangeres Jamila Pakistaanse troepen de dood in zong; en dat muezzins van hun minaretten – ja zelfs aan Clayton Road – ons beloofden dat iedereen die in de strijd het leven liet rechtstreeks naar de kamfertuin ging. De mujahid-filosofie van Syed Ahmad Barilwi was niet van de lucht; wij werden uitgenodigd 'als nooit tevoren' offers te brengen.

En op de radio, wat een vernietiging, wat een herrie! In de eerste vijf dagen van de oorlog kondigde de Stem van Pakistan de vernietiging van meer vliegtuigen aan dan India ooit had bezeten; in acht dagen roeide Radio All-India het hele Pakistaanse leger tot de laatste man uit, en nog een stuk verder. Volkomen verbijsterd door de dubbele waanzin van de oorlog en mijn privé-leven, begon ik wanhopige gedachten te koesteren...

Grote offers: bijvoorbeeld bij de slag om Lahore? – Op 6 september staken Indiase troepen de grens van Wagah over, en maakten op die manier het oorlogsfront, dat niet langer tot Kasjmir beperkt was, enorm veel breder; en werden er grote offers gebracht of niet? Was het waar dat de stad vrijwel onverdedigbaar was omdat het Pakistaanse leger en luchtmacht allemaal in de sector Kasjmir zaten? De Stem van Pakistan zei: O gedenkwaardige dag! O onweersprekelijke les in de noodlottigheid van uitstel! De Indiërs, vol vertrouwen dat ze de stad zouden veroveren, *hielden op om te ontbijten*. Radio All-India kondigde de val van Lahore aan; ondertussen nam een particulier vliegtuig de ontbijtende invallers waar. Terwijl de B.B.C. het verhaal van R.A.I. overnam, werd de burgerwacht van Lahore gemobiliseerd. Hoor de stem van Pakistan! – oude mannen, jonge jongens, boze grootmoeders vochten tegen het Indiase leger; brug voor brug streden ze met alle wapens die voorhanden waren! Kreupelen stopten hun zakken vol met granaten, haalden de pin eruit, wierpen zich voor oprukkende Indiase tanks; tandeloze oude dames ontdeden Indiase babu's met hooivorken van hun ingewanden! Tot de laatste man en kind stierven ze; maar ze redden de stad, door de Indiërs tegen te houden tot er steun van uit de lucht kwam! Martelaren, Padma! Helden, bestemd voor de geurende tuin! Waar de mannen vier prachtige hoeri's zouden krijgen, onaangeraakt door man of djinn; en de vrouwen op haar beurt vier even viriele mannen! *Welke van de zegeningen van de Heer zoudt ge weigeren?* Wat een toestand is die heilige oorlog waarin mensen met een hoogste offer voor al hun kwaad kunnen boeten. Geen wonder dat Lahore verdedigd werd; wat hadden de Indiërs te verwachten? Alleen reïncarnatie – als kakkerlakken, misschien, of schorpioenen, of groene-medicijn-wallahs – er is werkelijk geen vergelijking mogelijk.

Maar was het zo, of niet? Gebeurde het op die manier? Of sprak Radio All-India – *grote tankslag, enorme Pakistaanse verliezen, 450 tanks vernietigd* – de waarheid?

Niets was echt; niets zeker. Oom Puffs kwam op bezoek in het huis aan Clayton Road, en er zaten geen tanden in zijn mond. (Tijdens India's Chinese oorlog, toen onze banden anders lagen, had mijn moeder gouden armbanden en met juwelen bezette oorbellen aan de campagne 'Sieraden voor Bewapening' gegeven; maar wat betekende dat in vergelijking met een hele mondvol goud?) 'De natie,' zei hij onduidelijk door zijn tandeloze mond, 'mag, verdomme, geen geld te kort komen door de ijdelheid van een man!' – Maar deed hij het wel, of deed hij het niet? Werden tanden werkelijk opgeofferd in naam van de heilige oorlog, of lagen ze thuis in een kast? 'Ik ben bang,' zei oom Puffs, mummelend, 'dat je zult moeten wachten op die speciale bruidsschat die ik je heb beloofd.' – Nationalisme of krenterigheid? Was het ontbloten van zijn tandvlees het opperste bewijs van zijn vaderlandsliefde, of een smerige list om een Puffia-mond niet met goud te hoeven vullen?

En waren er wel parachutisten of niet? '... zijn boven alle grote steden gedropt,' kondigde de Stem van Pakistan aan. 'Allen die gezond van lijf en leden zijn moeten opblijven met wapens; schiet zodra je wat ziet na de avondklok.' Maar in India: 'Ondanks provocatie van Pakistaanse luchtaanval,' beweerde de radio, 'hebben we niet gereageerd!' Wie moest je geloven? Voerden Pakistani jachtbommenwerpers werkelijk die 'gedurfde aanval' uit waardoor een derde van de Indiase luchtmacht hulpeloos aan de grond op de startbaan bleef? Deden ze dat wel, of niet? En die nachtelijke dansen in de hemel, Pakistaanse Mirages en Mystères tegen India's minder romantisch genaamde MiGs: leverden Islamitische luchtspiegelingen en mysteries slag met hindoe invallers, of was het allemaal een of andere verbazingwekkende illusie? Vielen er bommen? Waren de ontploffingen echt? Kon men zelfs zeggen dat er sprake was van een dode?

En Saleem? Wat deed hij in de oorlog?

Het volgende: terwijl ik wachtte op mijn oproep, ging ik op zoek naar vriendelijke, vernietigende, slaap-schenkende, het paradijs-brengende bommen.

Het vreselijke fatalisme dat de laatste tijd over me was gekomen, had een nog verschrikkelijker vorm aangenomen; verdrinkend in de desintegratie van de familie, van beide landen waartoe ik had behoord, van alles dat redelijkerwijs echt kon worden genoemd, verloren in het verdriet van mijn obscene onbeantwoorde liefde, zocht ik de vergetelheid van – ik maak dat het te nobel klinkt; ik moet geen hoogdravende zinnen gebruiken. Sober dan: ik reed door de nachtelijke straten van de stad, op zoek naar de dood.

Wie stierf in de heilige oorlog? Wie vond, terwijl ik mij in helder witte kurta en pyjama op mijn Lambretta tijdens de avondklok op straat begaf, waar ik naar zocht? Wie, door oorlog afgeslacht, ging regelrecht naar een geurende tuin? Bestudeer het bombardementspatroon; leer de geheimen van geweerschoten.

In de nacht van 22 september werden er luchtaanvallen op iedere stad in Pakistan uitgevoerd. (Hoewel Radio All-India...) Vliegtuigen, echt of verzonnen, lieten echte of verzonnen bommen vallen. Dienovereenkomstig is het of een feit of een verzinsel van een verziekte verbeelding dat van de slechts drie bommen die op Rawalpindi vielen en ontploften, de eerste terechtkwam op de bungalow waarin mijn grootmoeder Naseem Aziz en mijn tante Pia onder een tafel schuilden; de tweede rukte een vleugel van de stadsgevangenis af, en bespaarde mijn neef Zafar een leven in gevangenschap; de derde verwoestte een groot donker landhuis omgeven door een muur die door schildwachten werd bewaakt; schildwachten stonden op hun post, maar konden niet verhinderen dat Emerald Zulfikar naar een veel verder af gelegen oord dan Suffolk werd verhuisd. Ze had die avond bezoek van de nawab van Kif en zijn halsstarrig niet rijpende dochter; die ook de noodzaak bespaard bleef om een volwassen vrouw te worden. In Karachi waren drie bommen eveneens voldoende. De Indiase vliegtuigen, die geen zin hadden om laag te vliegen, bombardeerden van een grote hoogte; de overgrote meerderheid van hun bommen viel zonder schade aan te richten in zee. Eén bom deed echter majoor (b.d.) Alauddin

Latif en al zijn zeven Puffia's teniet, en ontsloeg mij voor altijd van mijn belofte; en er waren twee laatste bommen. Ondertussen kwam, aan het front, Mutasim de Schone uit zijn tent om naar de wc te gaan; een geluid als van een muskiet suisde (of suisde niet) op hem af, en hij stierf met een volle blaas door de inslag van de kogel van een sluipschutter.

Maar ik moet u nog over twee-laatste-bommen vertellen.

Wie overleefde het? De zangeres Jamila, die bommen niet konden vinden; in India de familie van mijn oom Mustapha, om wie bommen zich niet druk konden maken; maar het vergeten verre familielid van mijn vader Zohra en haar man waren naar Amritsar verhuisd, en een bom kwam ook op hen af.

En er moet van nog-eens-twee-bommen worden verteld.

...Terwijl ik, me niet bewust van het nauwe verband tussen de oorlog en mezelf, zo dwaas was om bommen te gaan zoeken; ik reed tijdens de avondklok, maar waakzame kogels misten hun doel ... en vuurzeeën laaiden op uit een bungalow in Rawalpindi, vlammen als geperforeerde lakens met in het midden een geheimzinnig donker gat, dat uitgroeide tot een beeld in rook van een oude dikke vrouw met moedervlekken op haar wangen ... en een voor een vaagde de oorlog mijn gedraineerde, hopeloze familie van de aarde.

Maar nu was de aftelling afgelopen.

En ten slotte reed ik op mijn Lambretta naar huis, zodat ik bij de rotonde van Guru Mandir kwam met het gebrul van vliegtuigen boven mijn hoofd, luchtspiegelingen en mysteriën, terwijl mijn vader in de idiootheid van zijn beroerte lichten aanknipte en ramen openzette ook al had een ambtenaar van de burgerlijke verdediging hen net bezocht om zich ervan te vergewissen dat de verduistering volledig was; en toen Amina Sinai tegen de geest van een oude witte waskist zei: 'Ga weg nu – ik heb genoeg van je,' reed ik met mijn scooter langs jeeps van de burgerwacht waaruit boze vuisten me groetten; en voor bakstenen en kleine lichten in het huis van mijn tante Alia konden doven, begon het gejank, en ik had behoren te weten dat ik nergens anders naar de dood hoefde te zoeken, maar ik was nog op straat in de middernachtelijke schaduw van de moskee toen hij eraan kwam, naar de verlichte ramen van mijn vaders idiootheid neerstortend, de dood die jankte als straathonden, die zich veranderde in vallend metselwerk en lakens van vlammen en een zo grote drukgolf dat die mij van mijn Lambretta af deed tollen, terwijl in het huis van mijn tantes grote bitterheid mijn vader moeder tante en ongeboren broertje of zusje dat slechts een week van het begin van het leven af was, allemaal allemaal allemaal platter geslagen dan rijstpannekoeken, het huis boven hun hoofden instortend als een wafelijzer, terwijl op Korangi Road een laatste bom, bedoeld voor de olieraffinaderij, in plaats daarvan neerkwam op een in Amerikaanse stijl opgetrokken huis met halve verdiepingen dat een navelstreng niet helemaal had weten te voltooien; maar in Guru Mandir kwam er een einde aan vele verhalen, het verhaal van Amina en haar vroegere onderwereldse echtgenoot en haar toewijding en openbare bekendmaking en haar zoon-die-niet-haar-zoon-was en haar geluk met de paarden en wratten en dansende handen in café De Pionier en laatste nederlaag door haar zuster, en van Ahmed die altijd de weg kwijtraakte en een onderlip had die uitstak en een weke buik, en wit werd in een vorstperiode en zich overgaf aan verstrooidheid en honden op straat uit elkaar deed spatten en te laat verliefd werd en stierf vanwege zijn kwetsbaarheid voor wat-uit-de-hemel-valt; platter dan pannekoeken nu, en om hen heen het huis ontploffend instortend, een ogenblik van verwoesting van zulk een hevigheid dat dingen die diep in vergeten tinnen koffers begraven waren geweest omhoog de lucht in vlogen terwijl andere dingen mensen herinneringen onder puin begraven werden zonder hoop te worden teruggevonden; de vingers van de explosie reiken omlaag tot op de bodem van een almirah en openen een groene tinnen koffer, de grijpende hand van de explosie gooit de inhoud van koffer in de lucht, en nu cirkelt er iets in de nacht dat vele jaren ongezien verborgen is geweest als een carrouselachtig stuk van de maan, iets dat het licht van de maan opvangt en valt nu valt terwijl ik na de ontploffing duizelig overeind krabbel, iets dat wentelt draait en naar omlaag buitelt, zilver als maanlicht, een wonderbaarlijk mooi bewerkte zilveren kwispedoor ingelegd met lapis lazuli, het verleden dat naar mij omlaag stort als een hand die een aasgier heeft laten vallen en wordt wat-mij-zuivert-en-bevrijdt, want nu terwijl ik omhoog kijk is er een gevoel in mijn achterhoofd, en daarna is er slechts een heel klein maar oneindig ogenblik van volkomen helderheid terwijl ik languit voorover val voor de brandstapel van mijn ouders, een minuscuul maar eindeloos ogenblik van weten, voor ik ontdaan word van verleden heden herinnering tijd schaamte en liefde, een vluchtige maar ook tijdloze explosie waarin ik mijn hoofd buig ja ik berust ja in de noodzaak van de klap, en dan ben ik leeg en vrij, want alle Saleems stromen uit me, van de baby die op levensgrote babyfoto's op de voorpagina verscheen tot de achttien jaar oude met zijn onreine vieze liefde, naar buiten stroomt schaamte en schuld en verlangen-om-te-behagen en behoefte-aan-liefde en voornemens-om-een-historische-rol-te-vinden en te-snelle-groei, ik ben bevrijd van Snotneus en Vlekporum en Kaalkop en Snuiver en Landkaartgezicht en waskisten en Evie Burns en taaldemonstraties, bevrijd van Kolynos Joch en de borsten van Pia mumani en Alfa en Omega, vrijgesproken van de meervoudige moorden op Homi Catrack en Hanif en Aadam Aziz en eerste minister Jawaharlal Nehru, heb ik vijfhonderd-jaar-oude hoeren afgeschud en liefdesbekentenissen in het holst van de nacht, vrij nu, onverschillig, op het asfalt stortend, weer tot onschuld en zuiverheid herleid door een vallend stuk van de maan, schoongeveegd als een houten schrijfkist, op het hoofd getroffen (precies zoals voorspeld werd) door mijn moeders zilveren kwispedoor.

Op de ochtend van de 23ste september kondigden de Verenigde Naties het einde van de vijandelijkheden tussen India en Pakistan aan. India had nog geen 500 vierkante mijl Pakistaans gebied bezet; Pakistan had net 340 vierkante mijl van zijn Kasjmiri droom veroverd. Er werd gezegd dat het staakt-het-vuren werd afgekondigd omdat beide partijen geen munitie meer hadden, min of meer gelijktijdig; op die manier voorkwamen de eisen van de internationale diplomatie, en de door politiek gemotiveerde manipulaties van wapenleveranciers – de totale uitroeiing van mijn familie. Sommigen van ons overleefden het, omdat niemand onze toekomstige moordenaars de bommen kogels vliegtuigen verkocht die nodig waren om onze vernietiging te voltooien.

Zes jaar later echter was er nog een oorlog.

Boek drie

Het is heel duidelijk (want anders zou ik op dit punt een of andere fantastische verklaring hebben moeten geven waarom ik nog op dit 'ondermaanse' aanwezig ben), dat u mij kunt rekenen tot hen die de oorlog van '65 niet uitroeide. Doordat hij een kwispedoor tegen zijn hersens aan had gekregen, leed Saleem slechts aan een gedeeltelijke uitwissing, en werd alleen schoongeveegd terwijl anderen, die minder gelukkig waren, werden weggevaagd; bewusteloos in de nachtelijke schaduw van een moskee, werd ik gered doordat munitiedepots waren uitgeput.

Tranen – die, bij ontstentenis van de kou van Kasjmir, absoluut geen kans hadden om tot diamanten te verharden – glijden langs de boezemachtige contouren van Padma's wangen. 'O, baas, deze oorlog tamasha, doodt de besten en laat de rest over!' Terwijl ze kijkt alsof horden slakken pas van haar rood geworden ogen omlaag zijn gekropen, en hun kleverige glanzende sporen op haar gezicht hebben achtergelaten, rouwt Padma om mijn door bommen platgegooide clan. Mijn ogen blijven droog zoals gewoonlijk, en ik weiger minzaam in te gaan op de onbedoelde belediging die Padma's huilerige uitroep inhield.

'Treur om de levenden,' wijs ik haar vriendelijk terecht. 'De doden hebben hun kamfertuinen.' Treur om Saleem! Die, door het voortkloppen van zijn hart de toegang tot hemelse gazons wordt ontzegd, weer wakker werd te midden van de klamme metaalachtige geuren van een ziekenhuiszaal; voor wie er geen hoeri's waren, onaangeraakt door man of djinn, om hem de beloofde vertroostingen van de eeuwigheid te schenken – ik had het geluk dat ik de morrende, met ondersteken rammelende zorgen van een omvangrijke verpleger ontving die, terwijl hij mijn hoofd verbond, zuur mompelde dat de dokter sahibs, oorlog of geen oorlog, op zondag graag naar hun strandhuisjes gingen. 'Het zou beter zijn geweest als je nog een dag langer bewusteloos was gebleven,' mompelde hij, voordat hij naar de volgende zaal ging om nog meer opgewektheid te verspreiden.

Treur om Saleem – die, verweesd en gezuiverd, beroofd van de honderd dagelijkse speldeprikken van het familieleven, die als enige de grote opbollende fantasie van de geschiedenis konden doorprikken en tot een hanteerbaarder menselijke schaal reduceren, aan zijn wortels omhoog was getrokken en zonder plichtplegingen door de jaren was gesmeten, gedoemd geheugenloos in een volwassenheid te worden gestort waarvan elk aspect met de dag grotesker werd.

Verse slakkesporen op Padma's wangen. Genoodzaakt om een of ander 'Kom, kom' te proberen, neem ik mijn toevlucht tot voorfilms. Wat was ik daar dol op bij de oude Metro Club! O dat gesmak van lippen bij het zien van de woorden VOLGENDE ATTRACTIE, die over golvend blauw fluweel werd geprojecteerd! O verwachtingsvol gekwijl voor schermen die aankondigden BINNENKORT IN DIT THEATER! – Omdat de belofte van een exotische toekomst naar mijn mening altijd het volmaakte tegengif scheen tegen de teleurstellingen van het heden.) 'Hou op, hou op,' vermaan ik mijn treurig neerhurkende gehoor, 'ik ben nog niet klaar! Er komt nog een electrocutie en een regenwoud; een piramide van hoofden op een veld dat doortrokken is van lekkende mergpijpen; er zijn ontsnappingen-op-het-nippertje op komst, en een minaret die schreeuwde! Padma, er is nog volop dat het vertellen waard is: mijn verdere beproevingen, in de mand van onzichtbaarheid en in de schaduw van een andere moskee; wacht op de voorgevoelens van Resham Bibi en de pruillip van Parvati-de-heks! Vaderschap en ook verraad, en natuurlijk die onvermijdelijke Weduwe, die aan mijn geschiedenis van drainage-boven de laatste schande van ontlasting-beneden voegde ... kortom, er zijn nog volop volgende-attracties en binnenkort-te verwachten dingen; een hoofdstuk eindigt wanneer je ouders doodgaan, maar er begint ook een nieuw soort hoofdstuk.'

Enigszins getroost door mijn aanbod van nieuwigheden, haalt mijn Padma haar neus op; veegt weekdierslijm af, droogt ogen; haalt diep adem ... en, voor de met een kwispedoor op zijn hoofd geslagen kerel die we voor het laatst in zijn ziekenhuisbed hebben ontmoet, verlopen er ongeveer vijf jaar voor mijn mestlotus uitademt.

(Terwijl Padma, om te kalmeren, haar adem inhoudt, veroorloof ik mij een close-up in te lassen in de stijl van een Bombayse sprekende film – een kalender die wordt doorgebladerd door de wind, waar de blaadjes in snelle opeenvolging van af vliegen om het voorbijgaan van de jaren aan te duiden; ik projecteer daar overheen roerige totaalopnamen van straatrellen, halftotaalopnamen van brandende bussen en laaiende Engelse bibliotheken die het eigendom zijn van de British Council en de United States Information Service; door het versnelde geflikker van de kalender zien we de val van Ayub Khan, de overname van het presidentschap door generaal Yahya, de belofte van verkiezingen ... maar nu scheiden Padma's lippen zich, en er is geen tijd om stil te staan bij de nijdig tegenover elkaar staande beelden van Z.A. Bhutto en sjeik Mujib-ur-Rahman; uitgeademde lucht begint onzichtbaar uit haar mond te komen, en de droomgezichten van de leiders van de Pakistaanse Volkspartij en de Awami Liga flikkeren en vervagen; het vlagen van haar zich ledigende longen doet, paradoxaal, de bries verstillen die de pagina's van mijn kalender af blaast, die tot rust komt bij een datum aan het eind van 1970, vóór de verkiezingen die het land in tweeën deelden, vóór de oorlog van de Westelijke vleugel tegen de Oostelijke vleugel, PVP tegen Awami Liga, Bhutto tegen Mujib ... vóór de verkiezingen van 1970, en ver weg van het openbare toneel, komen drie jonge soldaten aan bij een geheimzinnig kamp in de heuvels van Murree.

Padma heeft haar zelfbeheersing herkregen. 'Okay, okay,' werpt ze tegen, terwijl ze met een arm haar tranen wegwuift, 'waar wacht je op? Begin,' beveelt mijn lotus mij hooghartig, 'begin helemaal opnieuw.'

Het kamp in de heuvels is op geen enkele landkaart te vinden; het ligt te ver van de weg naar Murree om het blaffen van zijn honden te kunnen horen, zelfs door een automobilist met een bijzonder scherp gehoor. De omheining van prikkeldraad is zwaar gecamoufleerd; op het hek staat symbool noch naam. Toch bestaat, bestond, het; hoewel het bestaan ervan gloedvol is ontkend – bij de val van Dacca bijvoorbeeld, toen Pakistans overwonnen Tijger Niazi hierover door zijn oude kameraad, India's zegevierende generaal Sam Maneksha werd ondervraagd, zei de Tijger spottend: 'Hondeneenheid voor Opsporings- en Inlichtingenactiviteiten? Nooit van gehoord; je bent misleid, ouwe jongen. Verdomd belachelijk idee, neem me niet kwalijk dat ik het zeg.' Ondanks wat de Tijger tegen Sam zei, houd ik vol: het kamp was daar echt...

...'In de houding!' schreeuwt brigadegeneraal Iskandar tegen zijn jongste rekruten, Ayooba Baloch, Farooq Rashid en Shaheed Dar. 'Jullie zijn nu een HEOIA-eenheid!' Terwijl hij met zijn rottinkje tegen zijn dij slaat, draait hij zich op zijn hakken om en laat hen op het exercitieplein staan, tegelijkertijd geroosterd door de bergzon en bevroren door de berglucht. Borst vooruit, schouders naar achteren, stram van gehoorzaamheid, horen de drie jongemannen de giechelende stem van de oppasser van de brigadegeneraal, Lala Moin: *'Dus jullie zijn die arme sukkels die de menshond krijgen!'*

In hun kooien die nacht: 'Opsporing en inlichtingen!' fluistert Ayooba Baloch trots. 'Spionnen, man! Net als O.S.S.! Laat ons maar eens los op die Hindoes – zou je 's zien wat we niet allemaal zouden doen! Ka-dang! Ka-pow! Wat een slappelingen, yara, die Hindoes! Allemaal vegetariërs. Groenten,' sist Ayooba, 'verliezen het altijd van vlees.' Hij is gebouwd als een tank. Zijn *en brosse* geknipte haar begint vlak boven zijn wenkbrauwen.

En Farooq: 'Denk je dat er oorlog komt?' Ayooba snuift. 'Wat anders? Hoe kan er geen oorlog komen? Heeft Bhutto sahib niet iedere boer een acre land beloofd? Waar moet dat anders vandaan komen? Voor zoveel land moeten we de Punjaab en Bengalen veroveren! Wacht maar; na de verkiezingen, wanneer de Volkspartij heeft gewonnen – dan Ka-pow! Ka-blooey!'

Farooq is ongerust: 'Die Indiërs hebben Sikh-troepen, man. Met zulke-lange baarden en haar, in de hitte prikt dat als een gek en worden ze allemaal krankzinnig en vechten als de hel...!'

Ayooba kirt geamuseerd. 'Vegetariërs, ik zweer het, yaar... hoe moeten die potige kerels als wij verslaan?' Maar Farooq is lang en mager.

Shaheed Dar fluistert: 'Maar wat bedoelde hij: menshond?'

...Ochtend. In een hut met een schoolbord wrijft brigadegeneraal Iskandar knokkels over lapellen terwijl ene sergeant-majoor Najmuddin nieuwe rekruten instrueert. Op de manier van vraag en antwoord; Najmuddin verschaft zowel de vragen als de antwoorden. Interrupties zijn niet toegestaan. Terwijl boven het schoolbord de omkranste portretten van president Yahya en Mutasim de Martelaar streng omlaag staren. En door de (gesloten) ramen, het aanhoudende geblaf van honden... Najmuddins vragen en antwoorden worden ook geblaft. Waarvoor zijn jullie hier? – Opleiding. Op welk gebied? – Achtervolging-en-gevangenneming. Hoe gaan jullie te werk? – In hondeneenheden van drie man en een hond. Wat voor ongewone kenmerken? – Afwezigheid van stafofficieren, noodzaak om zelf beslissingen te nemen, bijkomstig vereiste hoog Islamitisch gevoel van zelfdiscipline en verantwoordelijkheid. Doel van eenheden? – Ongewenste elementen uitroeien. Aard van dergelijke elementen? – Achterbaks, goed vermomd, kan-iedereen-zijn. Bekende bedoelingen van voorgenoemden? – Te verafschuwen: vernietiging van gezinsleven, vermoording van God, onteigening van landeigenaren, afschaffing van filmcensuur. Met welk doel? – Omverwerping van de staat, anarchie, buitenlandse overheersing. Reden van bijzondere bezorgdheid? – Aanstaande verkiezingen; en vervolgens burgerregering. (Politieke gevangen zijn worden vrijgelaten. Er lopen allerlei herrieschoppers rond.) Precieze taken van eenheden? – Onvoorwaardelijk gehoorzamen; onvermoeibaar zoeken; meedogenloos arresteren. Wijze van handelen? – Heimelijk, doeltreffend; snel. Wettelijke basis van dergelijke aanhoudingen? – Verdediging van de Wetten van Pakistan, die het oppakken van ongewenste elementen toestaat, en die gedurende een periode van zes maanden in eenzame opsluiting mogen worden gehouden. Noot: een verlengingsperiode van zes maanden. Vragen? – Nee. Goed. Jullie zijn HEOIA

-eenheid 22. Teefinsignes zullen op lapels worden genaaid. Het acroniem HEOIA betekent natuurlijk *teef*.

En de menshond?

Met de benen over elkaar geslagen, blauwe ogen, de ruimte in starend, zit hij onder een boom. Bodhibomen groeien niet op deze hoogte; hij behelpt zich met een chinar. Zijn neus: bol, komkommerachtig, puntje blauw van kou. En op zijn hoofd de tonsuur van een monnik waar eens mijnheer Zagallo's hand. En een verminkte vinger waarvan het ontbrekende kootje voor de voeten van Masha Miovic viel nadat Klierige Keith de deur had... En vlekken op zijn gezicht als een landkaart... 'Ekkkhhthoo!' (Hij spuwt.)

Zijn tanden zijn vlekkerig; betelsap kleurt zijn tandvlees rood. Een rode stroom uitgekauwd paanvocht komt over zijn lippen en raakt met prijzenswaardige nauwkeurigheid een prachtig bewerkte zilveren kwispedoor, die voor hem op de grond staat. Ayooba Shaheed Farooq staren met verbazing. 'Probeer niet hem dat ding af te pakken,' zegt sergeant-majoor Najmuddin op de kwispedoor wijzend, 'het maakt hem razend.' Ayooba begint: 'Meneer meneer ik dacht dat u zei drie man en een –', maar Najmuddin blaft: 'Geen vragen! Gehoorzaamheid zonder vragen! Dit is jullie speurder; dat is dat. Ingerukt.'

In die tijd waren Ayooba en Farooq zestien en een half jaar oud. Shaheed (die over zijn leeftijd had gelogen) was misschien een jaar jonger. Omdat ze zo jong waren, en geen tijd hadden gehad het soort herinneringen te verwerven dat mensen een vaste greep op de realiteit geeft, zoals herinneringen aan liefde of honger, waren de jeugdige soldaten ontvankelijk geworden voor de invloed van legenden en roddel. Binnen vierentwintig uur was de menshond, in de loop van gesprekken in de kantine met andere HEOIA-eenheden, volledig gemythologiseerd... 'Uit een werkelijk belangrijke familie, man!' – 'Dat idiote kind, ze hebben hem in het leger gestopt om een man van hem te maken!' – 'Heeft in '65 in de oorlog een ongeluk gehad, yaar, kan wil zich er niets van herinneren!' – 'Luister, ik heb gehoord dat hij de broer was van' – 'Nee, man, dat is krankzinnig, zij is goed, weet je, zo eenvoudig en heilig, hoe zou ze haar broer in de steek kunnen laten?' – 'In ieder geval weigert hij erover te praten.' – 'Ik heb iets vreselijks gehoord, ze haatte hem, man daarom heeft ze!' – Geen geheugen, niet geïnteresseerd in mensen, leeft als een hond! – 'Maar van dat speuren is echt waar! Zie je die neus van hem?' – 'Ja, man, hij kan ieder spoor op aarde volgen!' – 'Door water, baba, over rotsen! Zo'n speurder heb je nog nooit gezien!' – En hij kan niets voelen! Zo is het! Ongevoelig, ik zweer het; gevoelloos van top tot teen! Als je hem aanraakt merkt ie er niets van – alleen aan de reuk weet ie dat je er bent!' – 'Moet die wond uit de oorlog zijn!' – 'Maar die kwispedoor, man, wie weet? Neemt 'm overal mee naartoe als een liefdesaandenken!' – 'Ik zeg je, ik ben blij dat jullie drieën het zijn; ik krijg de rillingen van hem, yaar, het zijn die blauwe ogen.' – 'Weet je hoe ze erachter zijn gekomen over die neus van hem? Hij liep gewoon door een mijnenveld, man, ik zweer het, liep er gewoon door, alsof ie die koleremijnen kon ruiken!' – 'O, nee, man, waar heb je het over, dat is een oud verhaal, dat was die eerste hond in de hele HEOIA-operatie, die Bonzo, man, maak ons nou niet in de war!' – 'He, jij Ayooba, ik zou maar uitkijken als ik jou was, ze zeggen dat VIP's hem in het oog houden! – 'Ja, zoals ik je zei, de zangeres Jamila..." – 'O, hou je kop dicht, we hebben allemaal genoeg van je sprookjes gehoord!'

Toen Ayooba, Farooq en Shaheed zich eenmaal met hun vreemde gevoelloze speurder hadden verzoend (dat was na het incident in de latrines), gaven ze hem de bijnaam boeddha, 'oude man'; niet alleen maar omdat hij zeven jaar ouder dan zij moet zijn geweest, en daadwerkelijk had deelgenomen aan de zesjarige oorlog van '65, toen de drie jonge soldaten nog niet eens een lange broek droegen, maar omdat er een aura van hoge ouderdom om hem heen hing. De boeddha was oud vóór zijn tijd.

O fortuinlijke dubbelzinnigheid van transcriptie! In het Oerdoe wordt het woord 'boeddha', dat oude man betekent, met harde en ploffende d's uitgesproken. Maar er is ook boeddha, met zacht-tongige d's, dat betekent hij-die-verlichting-bereikte-onder-de-bodhiboom... Er was eens een prins, die het lijden van de wereld niet kon verdragen, en erin slaagde om zowel niet-in-deze-wereld te leven als er wel in te leven; hij was aanwezig, maar ook afwezig; zijn lichaam was op een plaats, maar zijn geest was ergens anders. In het oude India zat Gautama de Boeddha verlicht onder een boom in Gaya; in de hertenkamp in Sarnath leerde hij anderen zich te onttrekken aan werelds verdriet en innerlijke vrede te bereiken; en eeuwen later zat Saleem de boeddha onder een andere boom, niet in staat zich verdriet te herinneren, gevoelloos als ijs, schoongeveegd als een lei... Met enige gêne ben ik gedwongen toe te geven dat geheugenverlies zo'n foefje is dat regelmatig door onze sensationele filmmakers wordt toegepast. Mijn hoofd lichtelijk buigend, aanvaard ik dat mijn leven, opnieuw, de toon heeft aangenomen van een sprekende film uit Bombay; maar per slot van rekening, de hinderlijke kwestie van reïncarnatie terzijde stellend, is er slechts een eindig aantal methoden om wedergeboorte te bereiken. Dus, met verontschuldiging voor het melodrama, moet ik koppig volhouden dat ik, hij, opnieuw was begonnen; dat na jaren van verlangen naar belangrijkheid, hij (of ik) van de hele zaak was gezuiverd; dat ik (of hij), na wraakzuchtig verlaten te zijn door de zangeres Jamila, die mij in het leger wist te krijgen om me niet meer te hoeven zien, het lot aanvaardde dat mijn terugbetaling voor liefde was, en zonder klagen onder een chinarboom zat; dat de boeddha, ontdaan van geschiedenis, de kunst van de onderwerping leerde, en alleen nog maar deed wat er van hem verlangd werd. Kortom: ik werd een Pakistaans burger.

Het was aanwijsbaar onvermijdelijk dat de boeddha, tijdens de maanden van opleiding, Ayooba Baloch zou gaan irriteren. Misschien kwam het omdat hij verkoos op zichzelf te wonen, weg van de soldaten, in een met stro bekleed hokje helemaal aan het eind van de kennels; of omdat hij zo vaak werd aangetroffen terwijl hij met gekruiste benen onder zijn boom zat, de zilveren kwispedoor in de hand geklemd, met ogen die nergens naar keken en een dwaze glimlach om zijn lippen – alsof hij eigenlijk blij was dat hij zijn verstand had verloren! En wat meer is, Ayooba, de apostel van vlees, had zijn speurder misschien onvoldoende viriel gevonden. 'Als een brinjal, man,' sta ik Ayooba toe te klagen, 'ik zweer het – een stuk groente!'

(We mogen ook, de zaak ruimer beziend, beweren dat er rond de jaarwisseling ergernis in de lucht zat. Begonnen zelfs generaal Yahya en Bhutto niet geïrriteerd te raken vanwege het kribbige aandringen van sjeik Mujib op zijn recht de nieuwe regering te vormen? De ellendige Awami Liga van Bengalen had 160 van een mogelijke 162 zetels van de Oostelijke vleugel behaald; Bhutto's PVP had slechts 81 westelijke kiesdistricten veroverd. Ja, een ergerlijke verkiezing. Men kan zich gemakkelijk voorstellen hoe geprikkeld Yahya en Bhutto, beiden van de Westelijke vleugel, moeten zijn geweest! En wanneer zelfs de machtigen chagrijnig worden, hoe kan men het de kleine man dan kwalijk nemen? De ergernis van Ayooba Baloch, zo kunnen wij concluderen, plaatste hem in voortreffelijk, om niet te zeggen hoog gezelschap.)

Tijdens opleidingsmanoeuvres, wanneer Ayooba Shaheed Farooq de boeddha achterna klauterden terwijl hij uiterst vage sporen door struiken rotsen rivieren volgde, waren de drie jongens genoodzaakt toe te geven dat hij vaardig was; maar toch vroeg Ayooba, als een tank: 'Herinner je je het echt niet? Niets? Allah, voel je je niet *rot*? Ergens heb je misschien moeder vader zuster,' maar de boeddha viel hem zachtaardig in de rede: 'Je moet niet proberen mij met die geschiedenis aan m'n hoofd te komen. Ik ben die ik ben, dat is alles.' Zijn uitspraak was zo zuiver, 'Werkelijk 'n chic Lucknow-soort Oerdoe, *wah-wah*!' zei Farooq bewonderend, dat Ayooba Baloch, die grof sprak, als een stamlid, zweeg; en de drie jongens begonnen de geruchten nog stelliger te geloven. Ze werden tegen wil en dank geboeid door deze man met zijn neus als een komkommer en zijn hoofd dat herinneringen families geschiedenissen verwierp, dat absoluut niets anders dan geuren bevatte ... 'als een bedorven ei dat iemand heeft uitgeblazen,' mompelde Ayooba tegen zijn makkers, en voegde er toen, tot zijn centrale thema terugkerend, aan toe: 'Allah, zelfs zijn neus ziet er als een stuk groente uit.'

Hun onbehagen bleef hangen. Voelden zij, in de gevoelloze wezenloosheid van de boeddha, een spoor van 'ongewenstheid'? – Want was zijn verwerping van verleden-en-familie niet precies het soort subversieve gedrag dat hun was opgedragen 'uit te roeien'? De officieren van het kamp waren echter doof voor Ayooba's verzoeken van 'Meneer meneer kunnen we niet gewoon een echte hond krijgen meneer?' ... zodat Farooq, een geboren naloper die Ayooba al als zijn leider en held had geadopteerd, uitriep: 'Wat kun je eraan doen? Met de contacten van de familie van die vent moeten een paar hoge omes de generaal gezegd hebben dat hij hem maar moet dulden, dat is alles.'

En (hoewel geen van het trio het idee onder woorden zou hebben kunnen brengen) ik opper dat de angst voor schizofrenie, voor gespletenheid, die als een navelstreng in het hart van iedere Pakistani verborgen was, aan hun onbehagen ten grondslag lag. In die tijd waren de Oostelijke en Westelijke vleugels van het land gescheiden door de onoverbrugbare landmassa van India; maar verleden en heden worden ook gescheiden door een onoverbrugbare kloof. Godsdienst was de lijm van Pakistan, die de twee helften bijeen hield; net zoals bewustzijn, het bewustzijn van jezelf als een homogene eenheid in de tijd, een versmelting van verleden en heden, de lijm van de persoonlijkheid is die ons toen en ons nu tezamen houdt. Genoeg gefilosofeerd: wat ik zeg is dat de boeddha, door het bewustzijn op te geven, zich af te scheiden van de geschiedenis, het allerslechtste voorbeeld gaf – en dit voorbeeld werd gevolgd door niemand minder dan sjeik Mujib toen hij de Oostelijke vleugel naar de afscheiding leidde en het onafhankelijk verklaarde als 'Bangladesh'! Ja, Ayooba Shaheed Farooq voelden zich terecht slecht op hun gemak – want zelfs in die diepten waarin ik mij aan mijn verantwoordelijkheid onttrok, bleef ik verantwoordelijk, door de werking van de metaforische modus van verband, voor de strijdlustige gebeurtenissen van 1971.

Maar ik moet terugkeren naar mijn nieuwe metgezellen, opdat ik het incident in de latrines kan vertellen: daar was Ayooba, als een tank, die de eenheid leidde, en Farooq die tevreden volgde. De derde jongeman echter was een somberder, heimelijker type, en stond mij als zodanig nader. Op zijn vijftiende verjaardag had Shaheed Dar over zijn leeftijd gelogen en had dienst genomen. Op die dag had zijn vader, een deelpachter uit de Punjaab, Shaheed meegenomen naar een veld en op zijn nieuwe uniform gehuild. De oude Dar vertelde zijn zoon dat zijn naam 'martelaar' betekende, en sprak de hoop uit dat hij zich die waardig zou betonen, en misschien de eerste van hun familieleden zou worden die de geurende tuin binnenging, en deze meelijwekkende wereld zou achterlaten waarin een vader niet kon hopen zijn schulden te betalen en ook nog negentien kinderen te eten te geven. De overweldigende macht van namen, en de hieruit voortvloeiende nadering van het martelaarschap was zwaar op Shaheeds geest gaan drukken; in zijn dromen begon hij zijn dood te aanschouwen, die de vorm aannam van een keurige granaatappel, en midden in de lucht achter hem zweefde, hem overal volgde, en zijn tijd beidde. Het verontrustende en enigszins onheldhaftige visioen van een dood door een granaatappel maakte van Shaheed een naar binnen gekeerde, strak kijkende jongen.

Naar binnen gekeerd, strak kijkend, zag Shaheed dat verschillende HEOIA-eenheden van het kamp werden teruggestuurd, om in actie te komen; en raakte ervan overtuigd dat zijn tijd, en de tijd van de granaatappel, zeer dichtbij was. Uit het vertrek van eenheden van driemannen-en-een-hond in gecamoufleerde jeeps, trok hij de conclusie dat de politieke toestand aan het verslechteren was; het was februari, en de ergernissen van de hooggeplaatsten werden met de dag duidelijker. Ayooba-de-tank behield echter een plaatselijk gezichtspunt. Zijn ergernis steeg ook, maar het voorwerp ervan was de boeddha.

Ayooba was verliefd geworden op de enige vrouw in het kamp, een magere latrineschoonmaakster die geen dag ouder dan veertien kon zijn geweest, en wier tepels net tegen haar gerafelde hemd begonnen te drukken: een armzalig type, zeker, maar er was niemand anders, en voor een latrineschoonmaakster had ze erg mooie tanden en een aardige manier van onbeschaamd over-de-schouder-kijken... Ayooba begon haar overal achterna te lopen, en op die manier zag hij haar de met stro beklede hut van de boeddha binnengaan, en dat was de reden waarom hij een fiets tegen het gebouwtje aan zette en op het zadel ging staan, en zo kwam het dat hij er afviel, want wat hij zag stond hem niet aan. Naderhand sprak hij met het latrinemeisje, haar ruw bij de arm beetpakkend: 'Waarom doe je het met die idiote – waarom, terwijl ik, Ayooba – ?' en zij antwoordde dat ze de menshond aardig vond, hij is grappig, zegt dat ie helemaal niks kan voelen, hij wrijft met zijn tuinslang binnen in me, maar kan het niet eens voelen, maar het is lekker, en hij zegt dat hij mijn geur prettig vindt. De openhartigheid van het snaakse meisje, de eerlijkheid van latrineschoonmaaksters, maakte

Ayooba misselijk; hij vertelde haar dat ze een ziel van varkensuitwerpselen had, en een tong die was aangekoekt met excrementen; en in de pijn van zijn jaloezie bedacht hij de grap met de startkabels, de truc met het geëlektrificeerde urinoir. De plaats sprak hem aan; die had een zekere poëtische rechtvaardigheid.

'Kan niet voelen, hè?' sneerde Ayooba tegen Farooq en Shaheed. 'Nou wacht maar: ik zal hem wel eens laten dansen.'

Op 10 februari (toen Yahya, Bhutto en Mujib weigerden deel te nemen aan besprekingen op hoog niveau), voelde de boeddha de aandrang van de natuur. Een ietwat bezorgde Shaheed en een opgewekte Farooq hingen bij de latrines rond; terwijl Ayooba, die startkabels had gebruikt om de metalen voetsteunen van het urinoir met de accu van de jeep te verbinden, buiten het gezicht achter het latrinehuisje stond, naast de jeep waarvan de motor liep. De boeddha verscheen, met zijn ogen even groot als die van een charas-kauwer, en zijn gang alsof hij door-een-wolk-liep, en terwijl hij de latrine binnen zweefde riep Farooq: 'Ohé! Ayooba, yara!' en begon te giechelen. De kindsoldaten wachtten op het gehuil van gekastijde pijn dat het teken zou zijn dat hun wezenloze speurder was begonnen te plassen, zodat de elektriciteit de gouden stroom kon berijden en hem in zijn gevoelloze en meisjewrijvende tuinslang kon prikken.

Maar er kwam geen gil; Farooq, die zich beduusd en bedrogen voelde, begon te fronsen; en naarmate de tijd verstreek, werd Shaheed zenuwachtig en schreeuwde tegen Ayooba Baloch: 'Jij Ayooba! Wat doe je, man?' Waarop Ayooba-de-tank antwoordde: 'Wat denk je, yaar, ik heb de stroom vijf minuten geleden ingeschakeld!'... En nu rende Shaheed – IN VOLLE VAART – de latrine in, en zag daar de boeddha staan urineren met een uitdrukking van nevelig genoegen, een blaas ledigend die zich veertien dagen lang moest hebben gevuld, terwijl de stroom in hem omhoog ging door zijn onderste komkommer, blijkbaar onopgemerkt, zodat hij zich oplaadde met elektriciteit en er een blauw geknetter om het eind van zijn gargantueske neus speelde; en Shaheed die niet de moed had dit onmogelijke wezen aan te raken schreeuwde: 'Schakel uit, man, of anders wordt hij hier als een ui gebakken!' De boeddha kwam uit de latrine te voorschijn, onaangedaan, zijn gulp met zijn rechterhand dichtknopend, terwijl de linker een zilveren kwispedoor vasthield; en de drie kindsoldaten begrepen dat het werkelijk waar was, Allah, gevoelloos als ijs, zowel tegen gevoelens als herinneringen verdoofd... Gedurende een week na dit voorval kon de boeddha niet worden aangeraakt zonder dat men een elektrische schok kreeg, en zelfs het latrinemeisje kon hem niet in zijn hut bezoeken.

Vreemd genoeg had Ayooba Baloch, na de zaak met de startkabels, niet langer de pest aan de boeddha, en begon hem zelfs met eerbied te behandelen; de hondeneenheid werd door dat bizarre ogenblik tot een echt team gesmeed, en was bereid om er tegen de booswichten van deze aarde op uit te trekken.

Ayooba-de-tank slaagde er niet in de boeddha een schok te geven; maar waar de kleine mens faalt, triomferen de machtigen. (Toen Yahya en Bhutto besloten sjeik Mujib te laten schrikken, werden er geen fouten gemaakt.)

Op 15 maart 1971 verzamelden twintig eenheden van het HEOIA-bureau zich in een hut met een schoolbord. Het omkranste gezicht van de president keek neer op eenenzestig manschappen en negentien honden; Yahya Khan had Mujib net de olijftak van onmiddellijke besprekingen met hemzelf en Bhutto aangeboden om alle ergernissen uit de weg te ruimen; maar zijn portret behield een onberispelijk pokergezicht en gaf geen enkele aanwijzing omtrent zijn ware, schokkende bedoelingen ... terwijl brigadegeneraal Iskandar met knokkels over lapellen wreef, vaardigde sergeant-majoor Najmuddin bevelen uit: eenenzestig manschappen en negentien honden kregen opdracht hun uniformen uit te trekken. Een tumultueus geritsel in de hut: gehoorzamend zonder te vragen nemen negentien individuen identificerende halsbanden van hondenhalzen af. De honden, voortreffelijk getraind, trekken wenkbrauwen op maar maken geen geluid; en de boeddha begint zich plichtsgetrouw uit te kleden. Vijf dozijn medemensen volgen zijn voorbeeld; vijf dozijn staan in een oogwenk in de houding, huiverend in de kou, naast de nette stapeltjes militaire baretten broeken schoenen overhemden en groene pullovers met leren stukken op de ellebogen. Eenenzestig manschappen, op onvolkomen ondergoed na naakt, worden (door Lala Moin de oppasser) voorzien van door het Leger goedgekeurde mufti. Najmuddin blaft een bevel; en dan zijn ze er allemaal, sommigen met lungi's en kurta's, sommigen met Pathaanse turbans. Er zijn mannen in goedkope broeken van kunstzijde en mannen in gestreepte kantooroverhemden. De boeddha draagt een dhoti en kameez; hij voelt zich behaaglijk, maar om hem heen zwermen soldaten in slecht zittende burgerkleren. Dit is echter een militaire operatie, geen stem, van mens of hond, verheft zich om te klagen.

Op 15 maart werden, na kleermakersinstructies te hebben opgevolgd, twintig HEOIA-eenheden via Ceylon naar Dacca gevlogen; onder hen bevonden zich Shaheed Dar, Farooq Rashid, Ayooba Baloch en hun boeddha. Ook vlogen zestigduizend van de gehardste troepen van de Westvleugel via deze omweg naar de Oostvleugel: zestigduizend man waren, evenals eenenzestig, allemaal in mufti. De Algemeen Bevelvoerende Officier (in een keurig dubbelrij's kostuum) was Tikka Khan; de officier die verantwoordelijk was voor Dacca, voor het temmen en de uiteindelijke overgave van die stad, heette Tijger Niazi. Hij droeg een safari-jasje, een pantalon en een schalkse kleine slappe hoed op het hoofd.

Via Ceylon vlogen wij, zestigduizendeenenzestig onschuldige vliegtuigpassagiers, en vermeden over India heen te vliegen, en verspeelden daarmee onze kans om van een hoogte van zesduizend meter de feestvreugde van Indira Gandhi's Nieuwe Congrespartij te zien, die een verpletterende overwinning had behaald – 350 van een mogelijke 515 zetels in de Lok Sabha – in een andere recente verkiezing. Onbewust van Indira, niet in staat haar verkiezingsleus, GARIBI HATAO, Weg met de Armoede, die op muren en spandoeken over de grote diamant van India was tentoongespreid te zien, landden wij in het vroege voorjaar in Dacca, en werden in speciaal gevorderde burgerbussen naar een militair kamp gereden. In dit laatste stadium van onze reis konden we echter niet vermijden dat we een fragment van een lied hoorden dat uit een of andere onzichtbare grammofoon kwam. Het lied was getiteld 'Amar Sonar Bangla' ('Ons Gouden Bengalen', tekstdichter: R. Tagore) en ging gedeeltelijk: 'In het voorjaar maakt de geurigheid van jouw mangobosjes mijn hart gek van verrukking.' Geen van ons verstond echter Bengali, dus werden we tegen de arglistige subversie van deze woorden beschermd, hoewel onze voeten onwillekeurig (het moet worden toegegeven) op de maat van het liedje tikten.

Aanvankelijk kregen Ayooba Shaheed Farooq en de boeddha de naam van de stad waar ze naartoe waren gegaan niet te horen. Ayooba, die de vernietiging van vegetariërs voorzag, fluisterde 'Heb ik het je niet gezegd? Nu zullen we ze een poepje laten ruiken! Spionagegedoe, man! Burgerkleren en zo! Erop los, Eenheid nummer 22! Kabang! Ka-dang! Ka-pow!'

Maar wij waren niet in India; vegetariërs waren niet ons doelwit; en nadat we dagenlang hadden rondgehangen, werden er weer uniformen aan ons uitgedeeld. Deze tweede gedaanteverwisseling vond plaats op 25 maart.

Op 25 maart braken Yahya en Bhutto hun gesprekken met Mujib ineens af en keerden terug naar de Westelijke vleugel. De nacht viel; brigadegeneraal Iskandar, gevolgd door Najmuddin en Lala Moin, die wankelde onder het gewicht van eenenzestig uniformen en negentien hondehalsbanden, stormde de HEOIA-barak binnen. Nu Najmuddin: 'Vooruit, vlug! Geen woorden maar daden! Een-twee in de looppas!' Vliegtuigpassagiers trokken uniformen aan en namen wapens op; terwijl brigadegeneraal Iskandar eindelijk het doel van onze reis bekend maakte. 'Die Mujib,' onthulde hij, 'we zullen hem goed op z'n lazer geven. We zullen hem een schok geven, dat is zeker.'

(Het was op 25 maart, na het mislukken van de besprekingen met Bhutto en Yahya, dat sjeik Mujib-ur-Rahman de staat Bangladesh uitriep.)

HEOIA-eenheden kwamen uit barakken, werden in wachtende jeeps gestouwd terwijl door de luidsprekers van de militaire basis de op de plaat vastgelegde stem van de zangeres Jamila vaderlandslievende liederen zong. (En Ayooba zei, terwijl hij de boeddha aanstootte: 'Luister, vooruit, herken je haar niet – denk je eens in, man, is dat niet de stem van je eigen lieve – Allah, deze vent deugt voor niets anders dan ruiken!')

Om middernacht – kon het eigenlijk op enig ander tijdstip zijn geweest? – verlieten zestigduizend elitetroepen ook hun barakken; passagiers-die-als-burgers-hadden-gevlogen drukten nu de startknoppen van tanks in. Ayooba Shaheed Farooq en de boeddha werden echter persoonlijk uitgekozen om brigadegeneraal Iskandar op het grootste avontuur van die nacht te vergezellen. Ja Padma: toen Mujib werd gearresteerd was ik degene die hem met mijn neus opspoorde. (Ze hadden mij een van zijn oude overhemden gegeven; het is gemakkelijk wanneer je de lucht hebt.)

Padma is bijna buiten zichzelf van angst. 'Maar baas, je hebt toch niet, je kunt dat niet, hoe kon je zoiets doen...?' Padma: ik heb het gedaan. Ik heb gezworen dat ik alles zou vertellen; geen greintje van de waarheid zou verbergen. (Maar er zijn slakkesporen op haar gezicht, en ze moet een verklaring hebben.)

Dus – geloof me, of niet, maar zo is het geweest! – Ik moet nogmaals zeggen dat alles eindigde, alles weer opnieuw begon toen een kwispedoor mij op mijn achterhoofd trof. Saleem, met zijn wanhopige verlangen naar de zin van alles, naar een waardig doel, naar genialiteit-alseen-sjaal, was verdwenen; zou niet terugkeren voor dat een jungleslang – in elk geval, voor het ogenblik is was er alleen de boeddha; die geen zangstem als zijn bloedverwant erkent; die zich vaders noch moeders herinnert; voor wie middernacht niet belangrijk is; die enige tijd na een zuiveringsactie wakker werd in een militair hospitaalbed, en het Leger als zijn lot aanvaardde; die zich onderwerpt aan het leven waarin hij is terecht gekomen, en zijn plicht doet; die bevelen opvolgt; die zowel in-de-wereld als niet-in-de-wereld leeft; die noch weet, noch zich erom bekommert, hoe, onder wiens auspiciën, als gunst aan wie, op wiens wraakzuchtige instigatie, hij een uniform aankreeg; die, om kort te gaan, niet meer en niet minder dan de erkende speurder van HEOIA Eenheid 22 is.

Maar wat komt dit geheugenverlies goed gelegen, voor hoeveel dient het als excuus! Dus sta me toe mezelf te kritiseren: de filosofie van aanvaarding waar de boeddha zich aan hield had gevolgen die niet meer en niet minder ongunstig waren dan zijn eerdere verlangen-naar-centraliteit; en hier, in Dacca, werden die gevolgen geopenbaard.

Middernacht 25 maart 1971: langs de universiteit, die onder vuur lag, leidde de boeddha troepen naar de legerstede van sjeik Mujib. Studenten en docenten kwamen uit internaten rennen; ze werden door kogels begroet, en mercurochroom bevlekte grasvelden. Op sjeik Mujib echter werd niet geschoten; geboeid, ruw behandeld, werd hij door Ayooba Baloch naar een gereed staande bestelauto gevoerd. (Zoals eens eerder, na de revolutie van de pepervaatjes ... maar Mujib was niet naakt; hij had een groen-met-geel gestreepte pyjama aan.) En terwijl we door de straten van de stad reden, keek Shaheed uit de raampjes en zag dingen die niet-waar-waren-niet-waar-hadden-kunnen-zijn: soldaten die zonder kloppen vrouwenhospitiums binnengingen; vrouwen, die de straat op werden gesleurd, werden ook binnengegaan, en niemand nam de moeite om te kloppen. En krantengebouwen die brandden met de vuile geelzwarte rook van het goedkope papier van boulevardbladen, en de kantoren van vakbonden die waren neergehaald, en greppels langs de weg die zich vulden met mensen die niet alleen maar sliepen – er waren blote borsten te zien, en de holle pukkels van kogelgaten. Ayooba Shaheed Farooq keken zwijgend door bewegende raampjes terwijl onze jongens, onze soldaten-voor-Allah, onze tien-keer-zoveel-waard-zijnde jawans Pakistan bijeenhielden door vlammenwerpers machinegeweren handgranaten op de armoewijken van de stad te richten. Tegen de tijd dat we sjeik Mujib naar het vliegveld brachten, waar Ayooba hem een pistool tussen de ribben drukte en hem een vliegtuig induwde dat hem naar gevangenschap in de Westelijke vleugel voerde, had de boeddha zijn ogen gesloten. ('Vul mijn hoofd niet met al die geschiedenis,' had hij eens tegen Ayooba-detank gezegd, 'ik ben wat ik ben en dat is alles.')

En brigadegeneraal Iskandar, die zijn troepen verzamelde: 'Ook nu nog zijn er subversieve elementen die moeten worden uitgeroeid.'

Wanneer het denken uitzonderlijk pijnlijk wordt, is handelen de beste remedie ... hondsoldaten rukken aan de leiband en springen dan, losgelaten, blij op hun werk af. O jacht met wolfshonden op ongewensten! O vruchtbare arrestatie van professoren en dichters! O ongelukkige leden van de Awami Liga en modejournalisten die werden doodgeschoten terwijl ze zich tegen hun arrestatie verzetten! Oorlogshonden geven het signaal voor plundering in de stad; maar hoewel speurhonden onvermoeibaar zijn, zijn soldaten zwakker: Farooq Shaheed Ayooba kotsen om beurten wanneer hun neusgaten worden belaagd door de stank van brandende krottenwijken. De boeddha, in wiens neus de stank verschroeiend levendige beelden oproept, blijft gewoon zijn werk doen. Speur ze op: laat de rest aan de soldatenjongens over. HEOIA-eenheden sluipen door het smeulende puin van de stad. Geen enkele ongewenste is vannacht veilig; geen schuilplaats ondoordringbaar. Bloedhonden speuren de vluchtende vijanden van nationale eenheid op; wolfshonden, die niet achter willen blijven, zetten felle tanden in hun prooi.

Hoeveel arrestaties – tien, vierhondertwintig, duizendenéén? – verrichtte onze Eenheid Nummer 22 die nacht? Hoeveel intellectuele laffe Daccanen verscholen zich achter de sari's van vrouwen en moesten de straat op worden gesleurd? Hoe vaak liet brigadegeneraal Iskandar – 'Ruik eens! Dat is de stank van subversie!' – de oorlogshonden van eenheid los? Er zijn dingen die in die nacht van de 25ste maart gebeurden die permanent in een staat van verwarring moeten blijven.

Nutteloosheid van statistieken: in 1971 namen tien miljoen vluchtelingen de wijk over de grenzen van Oost Pakistan-Bangladesh naar India – maar tien miljoen (evenals alle getallen groter dan duizendenéén) gaat het begrip te boven. Vergelijkingen halen niets uit: 'de grootste migratie in de geschiedenis van de mensheid' – zinloos. Groter dan Exodus, groter dan de massa's tijdens de Verdeling, stroomde het veelkoppige monster India binnen. Aan de grens leidden Indiase soldaten de guerilla's op die bekend stonden als Mukti Bahini; in Dacca was Tijger Niazi de baas.

En Ayooba Shaheed Farooq? Onze jongens in het groen? Hoe vonden zij het om tegen mede-vleeseters te vechten? Muitten ze? Werden officieren – Iskandar, Najmuddin, zelfs Lala Moin – doorzeefd met misselijk geworden kogels? Dat was niet het geval. Onschuld ging verloren; maar ondanks een nieuwe grimmigheid rond de ogen, ondanks het onherroepelijke verlies van zekerheid, ondanks de uitholling van morele onbetwistbaarheden, ging de eenheid verder met zijn werk. De boeddha was niet de enige die deed wat hem gezegd werd ... terwijl ergens hoog boven het strijdgewoel de stem van de zangeres Jamila tegen anonieme stemmen streed die de liederen van R. Tagore zongen: 'Mijn leven verglijdt in de beschaduwde dorpshuizen vol rijst van jouw velden; ze maken mijn hart waanzinnig van verrukking.'

Met waanzinnige harten, maar niet van verrukking, volgden Ayooba en zijn compagnie de bevelen op; de boeddha volgde reuksporen. Naar het hart van de stad, die gewelddadig, krankzinnig, van bloed doordrenkt is geworden terwijl de soldaten van de Westelijke vleugel slecht reageren op hun kennis-van-wangedrag, gaat Eenheid Nummer 22; door de geblakerde straten concentreert de boeddha zich op de grond, sporen opsnuivend, de chaos op grondniveau van sigarettenpakjes koeiepoep omgevallen-fietsen achtergelaten-schoenen negerend; en dan met andere opdrachten, naar het platteland, waar hele dorpen worden platgebrand omdat ze collectief verantwoordelijk zijn voor het verbergen van Mukti Bahini, sporen de boeddha en drie jongens ondergeschikte functionarissen van de Awami Liga en bekende communisten op. Langs migrerende dorpelingen met bijeengepakte bezittingen op hun hoofd; langs opgebroken spoorbanen en uitgebrande bomen; en steeds voeren hun missies, alsof een onzichtbare kracht hun voetstappen leidde en hen in een duister hart van waanzin trok, naar het zuiden zuiden zuiden, steeds dichter naar zee, naar de monding van de Ganges en de zee.

En ten slotte – wie volgden ze toen? Kwamen namen er nog op aan? – ze kregen een prooi wiens vaardigheden de gelijke-en-tegengestelde van die van de boeddha zelf moeten zijn geweest, want waarom hadden ze er anders zo lang voor nodig om hem te pakken? Ten slotte – niet in staat om onder wat hun geleerd was uit te komen achtervolgmeedogenloos-arresteer-onbarmhartig; zitten ze midden in een missie zonder einde, en achtervolgen een vijand die hun eindeloos ontsnapt, maar ze kunnen niet met lege handen naar de basis terugkeren, en ze gaan verder, naar het zuiden zuiden zuiden, aangetrokken door het eeuwig-zich-terugtrekkende-reukspoor; en misschien door iets meer nog: want in mijn leven is het lot altijd bereid geweest een handje te helpen.

Ze hebben een boot in beslag genomen, want de boeddha zei dat het spoor rivierafwaarts ging; hongerig zonder te hebben geslapen uitgeput in een universum van verlaten rijstvelden, roeien ze hun onzichtbare prooi achterna; ze zakken de grote bruine rivier af, tot de oorlog te ver weg is om je te herinneren, maar toch voert de geur hen verder. De rivier heeft hier een vertrouwde naam: Padma. Maar de naam is een plaatselijke misleiding; in werkelijkheid is de rivier nog altijd Zij, het moederwater, de godin Ganga die door Shiva's haar naar de aarde omlaag stroomt. De boeddha heeft dagenlang niet gesproken; hij wijst alleen maar, daar, die kant op, en ze gaan verder, naar het zuiden zuiden zuiden naar de zee.

Een naamloze ochtend. Ayooba Shaheed Farooq ontwaken in de boot van hun belachelijke achtervolging, vastgelegd aan de oever van de Padma-Ganga – en merken dat hij verdwenen is. 'Allah-Allah,' gilt Farooq, 'pak je oren beet en bid om medelijden, hij heeft ons naar deze ondergelopen plek gebracht en is 'm gesmeerd, het is allemaal jouw schuld, jij Ayooba, die truc met de startkabels en dit is zijn wraak!'... De zon die opkomt. Vreemde onbekende vogels in de lucht. Honger en angst als muizen in hun buik: en watals, watals de Mukti Bahini ... ouders worden aangeroepen. Shaheed heeft zijn granaatappeldroom gedroomd. Wanhoop klotst tegen de randen van de boot. En in de verte bij de horizon, een onmogelijke eindeloze enorme groene muur, die zich rechts en links tot aan de einden van de aarde uitstrekt! Onuitgesproken angst: hoe kan dat, hoe kan wat wij zien waar zijn, wie bouwt muren dwars over de wereld heen?... En dan Ayooba: 'Kijk-kijk, Allah!' Want over de rijstvelden speelt zich met vertraagde bewegingen een bizarre achtervolging af: voorop de boeddha met die komkommerneus, die kon je op een mijl afstand zien, en achter hem aan, door rijstvelden spetterend, een gesticulerende boer met een zeis, een woedende Vader Tijd, terwijl langs een dijk een vrouw met haar sari tussen haar benen omhoog gehouden, los haar, stem die smeekt schreeuwt, terwijl de met de zeis gewapende wreker door de ondergelopen rijst strompelt, van top tot teen onder modder en water. Ayooba brult met zenuwachtige opluchting: 'Die ouwe bok! Kon z'n handen niet van de vrouwen afhouden! Vooruit, boeddha, laat 'm je niet pakken, hij zal allebei je komkommers afsnijden!' En Farooq: 'Maar wat dan? Als de boeddha in mootjes wordt gesneden, wat dan?' En nu haalt Ayooba-de-tank een pistool uit zijn holster. Ayooba legt aan: beide handen naar voren, doet zijn best om niet te beven, Ayooba haalt de trekker over: een zeis vliegt met een boog door de lucht. En langzaam langzaam gaan de armen van een boer als in gebed omhoog; knieën knielen in het water van het rijstveld; een gezicht dompelt zich onder de waterlijn om zijn voorhoofd tegen de aarde te drukken. Op de dijk jammert een vrouw. En Ayooba zegt tegen de boeddha: 'De volgende keer zal ik jou doodschieten.' Ayooba-de-tank trillend als een blad. En de Tijd ligt dood in een rijstveld.

Maar daar is nog steeds de zinloze jacht, de vijand die nooit gezien zal worden, en de boeddha: 'Ga die kant uit,' en met z'n vieren roeien ze verder, naar het zuiden zuiden zuiden, ze hebben de uren vermoord en zijn vergeten welke dag het is, ze weten niet langer of ze achterna jagen of wegrennen, maar wat het ook is dat hen voortdrijft, brengt hen dichter dichter bij die onmogelijke groene muur. 'Daarheen,' houdt de boeddha vol, en dan zitten ze erin, de jungle die zo dicht is dat de geschiedenis bijna nooit de weg naar binnen heeft gevonden. De Sundarbans: die verzwelgt hen.

Ik zal het maar bekennen: er was geen laatste ongrijpbare prooi, die ons naar het zuiden zuiden zuiden dreef. Ik zou tegenover al mijn lezers deze openhartige bekentenis willen doen: terwijl Ayooba Shaheed Farooq geen onderscheid konden maken tussen najagen en weglopen van, wist de boeddha wat hij deed. Hoewel ik mij er goed van bewust ben dat ik toekomstige commentatoren of critici met giftige ganzepennen (tegen wie ik zeg: twee keer eerder ben ik sterker gebleken dan giften) nog meer munitie in handen geef – door schuld-bekennen, onthulling-van-morele-verdorvenheid, bewijs-van-lafheid – moet ik zeggen dat hij, de boeddha, ten slotte niet in staat zijn plicht met onderworpenheid te vervullen, de hielen lichtte en vluchtte. Aangetast door de aan de ziel knagende maden van pessimisme, futiliteit en schaamte, deserteerde hij, naar de geschiedenisloze anonimiteit van regenwouden, en sleurde drie kinderen in zijn kielzog mee. Wat ik niet alleen in zoetzuur, maar ook in woorden onsterflijk hoop te maken: die geestestoestand waarin de gevolgen van aanvaarding niet konden worden ontkend, waarin een te grote dosis werkelijkheid een verpestend verlangen deed ontstaan om in de veiligheid van dromen te vluchten... Maar de jungle was, als alle toevluchtsoorden, volkomen anders – zowel minder als meer – dan hij had verwacht.

'Ik ben blij,' zegt mijn Padma. 'Ik ben blij dat je bent weggelopen.' Maar ik hou vol: niet ik. Hij. Hij, de boeddha. Die, tot aan de slang, niet-Saleem zou blijven; die, ondanks het feit dat hij ergens van wegliep, toch van zijn verleden gescheiden was; hoewel hij, in zijn slappe vuist, een zekere zilveren kwispedoor klemde.

De jungle sloot zich achter hem als een graf, en na uren van steeds vermoeiender, maar ook waanzinnig roeien, door onbegrijpelijk labyrintische zoutwaterkanalen waar de bomen met kathedraalbogen boven torenden, waren Ayooba Shaheed Farooq hopeloos verdwaald, en wendden zich keer op keer tot de boeddha die wees: 'Daarheen,' en dan: 'Hierlangs', maar hoewel ze koortsachtig roeiden, vermoeidheid negeerden, lijkt het alsof de mogelijkheid om ooit uit dit oord te komen voor hen terugweek als de lantaren van een spook; tot ze zich ten slotte woedend tot hun zogenaamd onfeilbare spoorzoeker wendden, en misschien een klein lichtje van schaamte of opluchting in zijn gewoonlijk melkblauwe ogen zagen; en nu fluisterde Farooq in de grafachtige groenheid van het woud: 'Je weet het niet. Je zegt maar wat.' De boeddha bleef zwijgen, maar in zijn zwijgen lazen zij hun lot, en nu hij ervan overtuigd was dat de wildernis hen had opgeslokt zoals een padde een muskiet inslikt, nu hij er zeker van was dat hij de zon nooit weer zou zien, stortte Ayooba Baloch, Ayooba-de-tank zelf, volledig in en huilde als een moesson. Het ongerijmde schouwspel van deze omvangrijke figuur met kortgeknipt haar die griende als een baby droeg ertoe bij dat Farooq en Shaheed buiten zinnen raakten; zodat Farooq de boot bijna omkiepte door de boeddha te lijf te gaan, die alle vuistslagen die op zijn borst schouders armen neer regenden goedaardig verduurde, tot Shaheed Farooq om wille van de veiligheid omlaag trok. Ayooba Baloch huilde drie hele uren of dagen of weken aan een stuk door, tot de regen begon en zijn tranen onnodig maakte; en Shaheed Dar hoorde zichzelf zeggen: 'Kijk nou eens wat je je hebt aangehaald met je gehuil,' bewijzend dat ze al begonnen te bezwijken voor de logica van de jungle, en dat was nog maar het begin, want toen het mysterie van de avond de onwerkelijkheid van de bomen vergrootte, begon de Sundarbans in de regen te groeien.

Aanvankelijk hadden ze het zo druk met hun boot leeg te hozen dat ze het niet merkten; en ook steeg het waterpeil, waardoor ze misschien in de war raakten; maar in het laatste licht kon er geen twijfel over bestaan dat de jungle steeds groter, machtiger en woester werd; je kon de enorme steltwortels van reusachtige oude wortelbomen dorstig als slangen in de schemering zien kronkelen en dikker worden dan olifantsslurfen, terwijl de wortelbomen zelf zo hoog werden dat, zoals Shaheed Dar naderhand zei, de vogels in de top tot God hebben moeten kunnen zingen. De bladeren in de hoogten van de grote nipapalmen begonnen zich uit te spreiden als immense komvormige handen, die in de nachtelijke stortregen zwollen tot het hele woud met riet scheen te zijn bedekt; en toen begonnen de nipavruchten te vallen, ze waren groter dan welke kokosnoten op aarde ook en kregen op verontrustende wijze al maar meer vaart toen ze van duizelingwekkende hoogten vielen om als bommen in het water uiteen te spatten. Regenwater vulde hun boot; ze hadden alleen hun zachte groene mutsen en een oud ghee-blikje om mee te hozen; en toen de nacht viel en de nipavruchten hen vanuit de lucht bombardeerden, zei Shaheed Dar: 'Er zit niets anders op – we moeten aan land gaan,' hoewel zijn gedachten waren vervuld van zijn granaatappeldroom, en het hem door het hoofd schoot dat dit de plek zou kunnen zijn waar hij bewaarheid zou worden, ook al waren de vruchten hier anders.

Terwijl Ayooba in een roodogige paniek zat en Farooq vernietigd scheen door de desintegratie van zijn held; terwijl de boeddha bleef zwijgen en het hoofd boog, bleef Shaheed als enige tot denken in staat, want hoewel hij doorweekt was en doodmoe en de nachtelijke wildernis rondom hem krijste, werd zijn hoofd telkens wanneer hij aan de granaatappel van zijn dood dacht gedeeltelijk helder; dus was het Shaheed die ons, hen, beval onze, hun, zinkende boot naar de oever te roeien.

Een nipavrucht miste de boot op een paar centimeter en veroorzaakte zo'n beroering in het water dat ze kapseisden; ze klauterden in het donker aan land terwijl ze geweren oliekleding ghee-blikje boven hun hoofd hielden, trokken de boot achter zich aan en tuimelden, zonder zich om bombarderende nipapalmen en slangachtige wortelbomen te bekommeren, in hun doorweekte boot en vielen in slaap.

Toen ze wakker werden, doorweekt-huiverend ondanks de hitte, was de regen overgegaan in een zware motregen. Ze zagen dat hun lichamen overdekt waren met tien centimeter lange bloedzuigers die bijna volkomen kleurloos waren vanwege de afwezigheid van direct zonlicht, maar die nu felrood waren geworden omdat ze vol zaten met bloed en die, een voor een, ontploften op de lichamen van de vier mensen, want ze waren te gulzig om op te houden met zuigen wanneer ze vol waren. Bloed druppelde langs hun benen en op de bodem van het woud; het oerwoud zoog het op, en wist hoe ze waren.

Toen de vallende nipavruchten op de vloer van het oerwoud kapotvielen scheidden ook zij een vocht af dat de kleur van bloed had, een rode melk die onmiddellijk werd bedekt door talloze insekten, waaronder reuzevliegen die even doorzichtig waren als de bloedzuigers. Ook de vliegen werden rood toen ze zich vulden met de melk van het fruit ... de hele nacht door, scheen het, was de Sundarbans blijven groeien. Het hoogst van alle waren de sundribomen die hun naam aan het oerwoud hadden gegeven; bomen zo hoog dat ze zelfs de flauwste hoop op zon uitsloten. Wij vieren, zij, klommen toen uit de boot; en pas toen ze een harde, kale aarde betraden, die krioelde van de roze schorpioenen en een kronkelende massa bruin gekleurde aardwormen, herinnerden ze zich dat ze honger en dorst hadden. Regenwater stroomde van bladeren rondom hen af, en ze hieven hun mond op naar het dak van de jungle en dronken; maar misschien had het water, omdat het via sundribladeren en wortelboomtakken en nipavarens tot hen kwam, onderweg iets van de krankzinnigheid van de jungle gekregen, zodat ze al drinkende steeds dieper en dieper in de slavernij van die felgroene wereld raakten waar de vogels stemmen hadden als krakend hout en alle slangen blind waren. In de warrige, ziekelijke geestestoestand die de jungle opwekte, bereidden ze hun eerste maaltijd, een combinatie van nipavruchten en gestampte aardwormen, die hun allen een zo hevige diarree bezorgde dat ze zich dwongen de excrementen te onderzoeken voor het geval hun ingewanden er in de rommel uit waren gevallen.

Farooq zei: 'We gaan dood.' Shaheed was bezeten van een machtig verlangen om te blijven leven; want nadat hij van de twijfels van de nacht was hersteld, was hij ervan overtuigd geraakt dat dit niet de manier was waarop hij werd verondersteld te sterven.

Verloren in het regenwoud, en zich ervan bewust dat de vermindering van de moesson slechts een tijdelijk respijt bood, besloot Shaheed dat het niet veel zin had te proberen een uitweg te zoeken wanneer de terugkerende moesson hun ondeugdelijke vaartuig ieder ogenblik tot zinken kon brengen; onder zijn leiding werd er van oliekleding en palmbladeren een schuilplaats gemaakt; Shaheed zei: 'Zolang we ons aan fruit houden, kunnen we het overleven.' Ze hadden allen het doel van hun reis lang geleden vergeten; de jacht, die ver weg in de echte wereld was begonnen, verkreeg in het veranderde licht van de Sundarbans een hoedanigheid van absurde fantasie die hen in staat stelde hem voor eens en altijd van zich af te zetten.

Zo kwam het dat Ayooba Shaheed Farooq en de boeddha zich overgaven aan de verschrikkelijke fantomen van het droomwoud. De dagen gingen voorbij, in elkaar overvloeiend onder de kracht van de terugkerende regen, en ondanks verkoudheden koorts diarree bleven ze in leven, en verbeterden hun schuilplaats door de langere takken van sundri's en wortelbomen naar omlaag te trekken, de rode melk van nipavruchten te drinken en zich de vaardigheden om te overleven eigen te maken, zoals het vermogen om slangen te worgen en scherpe stokken zo nauwkeurig te werpen dat ze veelkleurige vogels door de krop spietsten. Maar op een nacht werd Ayooba in het donker wakker en merkte dat de doorschijnende gestalte van een boer met een kogelgat in zijn hart en een zeis in de hand droevig op hem neer staarde, en toen hij probeerde uit de boot te klauteren (die ze aan land hadden getrokken, onder de bescherming van hun primitieve schuilplaats) lekte er uit de boer een kleurloze vloeistof die uit het gat in zijn hart stroomde en op Ayooba's schietarm neerkwam. De volgende ochtend kon Ayooba zijn rechterarm niet bewegen; hij hing stijf langs zijn zijde alsof hij in het gips zat. Hoewel Farooq Rashid hulp en medeleven bood, hielp het niets; de arm werd onbeweeglijk in de onzichtbare vloeistof van de geest gehouden.

Na deze eerste verschijning vervielen ze in een geestestoestand waarin ze het woud tot alles in staat zouden hebben geacht; iedere nacht zond het hun nieuwe straffen, de beschuldigende ogen van de vrouwen van mannen die ze hadden opgespoord en opgepakt, het schreeuwen en gebrabbel van kinderen die door hun werk vaderloos waren achtergebleven ... en in deze eerste tijd, de tijd waarin ze gestraft werden, moest zelfs de onaandoenlijke boeddha met zijn verstedelijkte stem bekennen dat ook hij tegenwoordig 's nachts wakker werd en dan merkte dat het woud hem als een bankschroef in zijn greep nam, zodat hij het gevoel had dat hij niet kon ademen. Toen het hen voldoende had gestraft – toen ze allen bevende schaduwen van de mensen waren die ze eens waren geweest – stond de jungle hun de tweeledige luxe van heimwee toe. Op een avond zag Ayooba, die sneller tot zijn kindsheid terugviel dan een van de anderen en op zijn ene beweegbare duim was gaan zuigen, zijn moeder op hem neerkijken en hem de fijne rijst bereide zoetigheden van haar liefde aanbieden; maar op hetzelfde ogenblik dat hij zijn hand naar de laddoos uitstrekte, schuifelde ze weg, en hij zag haar in een reusachtige sundriboom klimmen waar ze aan haar staart aan een hoge tak hing: een witte spookachtige aap met het gezicht van zijn moeder bezocht Ayooba nacht in nacht uit, zodat hij zich na enige tijd meer van haar moest herinneren dan haar zoetigheden: hoe ze graag te midden van de dozen met haar bruidsschat had gezeten, alsof ook zij eenvoudig een of ander ding was, gewoon een van de geschenken die haar vader aan haar echtgenoot had gegeven; in het hart van de Sundarbans begreep Ayooba Baloch zijn moeder voor het eerst van zijn leven, en hield op met op zijn duim te zuigen. Ook Farooq Rashid kreeg een visioen. Op een dag, bij het invallen van de schemering, meende hij dat hij zijn broer wild door het woud zag rennen, en raakte ervan overtuigd dat zijn vader was gestorven. Hij herinnerde zich een vergeten dag waarop zijn vader, die boer was, hem en zijn snelvoetige broer had verteld dat de plaatselijke pachtheer, die geld leende tegen 300 procent, zich bereid had verklaard zijn ziel te kopen in ruil voor de jongste lening. 'Wanneer ik sterf,' had de oude Rashid tegen Farooqs broer gezegd, 'moet jij je mond open doen en dan zal mijn geest er binnenvliegen; dan moet je rennen zo hard je kunt want de zamindar zal je achterna zitten!' Farooq, die ook onrustbarend achteruitging, putte uit de wetenschap dat zijn vader dood was en zijn broer was gevlucht de kracht om de kinderachtige gewoonten op te geven die de jungle aanvankelijk in hem had herschapen; hij huilde niet langer wanneer hij honger had en vroeg niet meer Waarom. Ook Shaheed Dar werd bezocht door een aap met het gezicht van een voorouder; maar het enige dat hij zag was een vader die hem had opgedragen zijn naam te verwerven. Dit droeg er echter ook toe bij hem het gevoel van verantwoordelijkheid terug te geven dat door de eis van de oorlog om alleen-maar-bevelen-op-te-volgen was ondermijnd; zo scheen het dat de magische jungle hen, na hen met hun wandaden te hebben gekweld, nu bij de hand naar een nieuwe volwassenheid leidde. En de geesten van hun hoop fladderden door het nachtelijke woud; die konden ze echter niet helder zien of begrijpen.

De boeddha echter kreeg eerst geen heimwee. Hij had de gewoonte aangenomen om met gekruiste benen onder een sundriboom te zitten; zijn ogen en geest schenen leeg, en hij werd 's nachts niet langer wakker. Maar ten slotte vond het woud een manier om tot hem door te dringen; op een middag toen de regen neerroffelde op de bomen en als stoom van hen afdampte, zagen Ayooba Shaheed Farooq de boeddha onder zijn boom zitten terwijl een blinde, doorschijnende slang in zijn hiel beet en er gif in uitstortte. Shaheed Dar verbrijzelde de kop van de slang met een stok; de boeddha, die van top tot teen gevoelloos was, scheen het niet te hebben opgemerkt. Zijn ogen waren gesloten. Daarna wachtten de jonge soldaten tot de menshond zou sterven; maar ik was sterker dan het slangegif. Twee dagen lang werd hij zo stijf als een boom, en zijn ogen keken scheel, zodat hij de wereld in spiegelbeeld zag, met de rechterkant links; ten slotte ontspande hij zich, en zijn ogen hadden niet langer de blik van melkblauwe afwezigheid. Ik werd weer met het verleden verbonden, door slangegif tot eenheid geschokt, en dat begon plotseling door de lippen van de boeddha naar buiten te stromen. Toen zijn ogen weer normaal werden, vloeiden zijn woorden zo vrijelijk dat ze een aspect van de moesson schenen. De kindsoldaten luisterden, geboeid, naar de verhalen die over zijn lippen kwamen, beginnende met een geboorte om middernacht, en onstuitbaar verdergaand, want hij eiste alles weer op, helemaal, alle verloren geschiedenissen, alle myriaden ingewikkelde processen die eraan te pas komen om een mens van iemand te maken. Met open mond, zonder zich los te kunnen rukken, dronken de kindsoldaten zijn leven in als door blad gekleurd water, terwijl hij sprak over bedwaterende neven, revolutionaire pepervaatjes, de volmaakte stem van een zuster... Ayooba Shaheed Farooq zouden er (eens) alles voor over hebben gehad om te weten dat die geruchten waar waren; maar in de Sundarbans schreeuwden zij het niet eens uit.

En verder spoedend: naar laat bloeiende liefde, en Jamila in een slaapkamer in een bundel licht. Nu mompelde Shaheed: 'Dus dat is de reden, toen hij het bekende, daarna kon ze het niet verdragen in zijn buurt...' Maar de boeddha gaat verder, en het wordt duidelijk dat hij moeite heeft zich een bepaald iets te herinneren, iets dat weigert terug te keren, dat hem koppig ontwijkt, zodat hij bij het einde komt zonder het te vinden, en somber en onbevredigd blijft zelfs nadat hij van de heilige oorlog heeft verteld, en heeft onthuld wat er uit de hemel viel.

Er viel een stilte; en toen zei Farooq Rashid: 'Zoveel, yaar, in een mens; zoveel slechte dingen, geen wonder dat hij zijn mond dicht hield!'

Zie je, Padma: ik heb dit verhaal eerder verteld. Maar wat weigerde terug te komen? Wat kwam er niet over mijn lippen, ondanks het bevrijdende gif van een kleurloze slang? Padma: de boeddha was zijn naam vergeten (Om precies te zijn: zijn voornaam.)

En het bleef maar regenen. Het waterpeil steeg met de dag, tot het duidelijk werd dat ze dieper de jungle in zouden moeten gaan, op zoek naar hoger gelegen terrein. Het regende zo hard dat de boot van geen enkel nut kon zijn; dus, Shaheeds aanwijzingen nog steeds opvolgend, trokken Ayooba Farooq en de boeddha hem een heel eind van de oprukkende oever, bonden touw om sundristam, en bedekten hun vaartuig met bladeren; waarna ze, omdat ze geen andere keus hadden, steeds verder de dichte onzekerheid van de jungle in trokken.

Nu, opnieuw, veranderde de Sundarbans van aard; opnieuw merkten Ayooba Shaheed Farooq dat hun oren werden vervuld met de jammerklachten van families van wier boezem zij wat ze eens, eeuwen geleden, 'ongewenste elementen' hadden genoemd, hadden gerukt; ze haastten zich hals over kop voorwaarts de jungle in om te ontsnappen aan de beschuldigende, van pijn vervulde stemmen van hun slachtoffers; en 's nachts verzamelden de spookapen zich in de bomen en zongen de woorden van 'Ons Gouden Bengalen': '... O Moeder, ik ben arm, maar het weinige dat ik heb, leg ik aan uw voeten. En het maakt mijn hart waanzinnig van verrukking.' Niet in staat te ontsnappen aan de ondraaglijke marteling van de onophoudelijke stemmen, niet in staat de last van schande, die nu aanzienlijk door hun in de jungle aangeleerde verantwoordelijkheidsgevoel werd vergroot, nog een ogenblik langer te dragen, werden de drie jonge soldaten er eindelijk toe bewogen wanhoopsmaatregelen te nemen. Shaheed Dar bukte zich en pakte twee handenvol van regen zware junglemodder op; gekweld door die vreselijke hallucinatie stopte hij de verraderlijke modder van het regenwoud in zijn oren. En na hem stopten Ayooba Baloch en Farooq Rashid ook modder in hun oren. Alleen de boeddha liet zijn oren (een goed, een al slecht) open; alsof alleen hij bereid was de vergelding van de jungle te verdragen, alsof hij het hoofd boog voor de onvermijdelijkheid van zijn schuld... De modder van het droomwoud, dat ongetwijfeld ook de verborgen doorschijnendheid van jungle-insekten en het duivelswerk van feloranje vogelpoep bevatte, tastte de oren van de drie jonge soldaten aan en maakte hen allen stokdoof; zodat ze, hoewel hun de zangerige beschuldigingen van de jungle bespaard bleven, nu genoodzaakt waren te praten in een rudimentaire vorm van gebarentaal. Zij schenen echter aan hun ziekelijke doofheid de voorkeur te geven boven de onverkwikkelijke geheimen die sundribladeren hun in het oor hadden gefluisterd.

Eindelijk hielden de stemmen op, hoewel onderhand alleen de boeddha (met zijn ene goede oor) die kon horen; eindelijk, toen de vier zwervers bijna in paniek raakten, voerde de jungle hen door een gordijn van boombaarden en gaf hun iets zo prachtigs te zien dat ze er een brok van in de keel kregen. Zelfs de boeddha scheen zijn greep op de kwispedoor te verstevigen. Met één goed oor op de acht, gingen ze naar een open plek vol vriendelijke wijsjes van zangvogels, in het midden waarvan een monumentale Hindoetempel stond, in voorbije eeuwen uit een enkele immense steile rots gehakt; op de muren dansten friezen met mannen en vrouwen, die waren afgebeeld terwijl ze paarden in onovertrefbare atletische houdingen en soms hoogst komische, absurde. Het viertal liep met ongelovige stappen naar dit wonder toe. Binnen vonden zij, eindelijk, enig respijt van de eindeloze moesson, en ook het hoog oprijzende standbeeld van een zwarte dansende godin, die de jonge soldaten uit Pakistan geen naam konden geven; maar de boeddha wist dat het Kali was, vruchtbaar en verschrikkelijk, met de resten van goudverf op haar tanden. De vier reizigers gingen aan haar voeten liggen en vielen in een regenloze slaap die eindigde om wat middernacht had kunnen zijn, toen ze tegelijkertijd wakker werden en zagen dat ze werden toegelachen door vier jonge meisjes van een schoonheid waar geen woorden voor waren. Shaheed, die zich de vier hoeri's herinnerde die in de kamfertuin op hem wachtten, dacht eerst dat hij in de nacht gestorven was; maar de hoeri's zagen er echt uit en hun sari's, waaronder ze helemaal niets droegen, waren gescheurd en door de jungle bevuild. Nu, terwijl acht ogen in acht andere staarden, werden sari's losgewikkeld en, netjes gevouwen, op de grond neergelegd; waarna de naakte en identieke dochters van het woud naar hen toekwamen, acht armen werden met acht andere verstrengeld, acht benen werden verbonden met acht andere benen; onder het beeld van Kali met de vele ledematen gaven de reizigers zich over aan liefkozingen die heel echt aanvoelden, aan kussen en liefdesbeten die zacht en pijnlijk waren, aan krabben die sporen achterlieten, en ze beseften dat dit dit dit hetgene was dat ze nodig hadden gehad, waarnaar ze, zonder het te weten, hadden verlangd, dat ze, na kinderlijke terugval en het kinderlijke verdriet van hun eerste dagen in de jungle, na de aanval van herinnering en verantwoordelijkheid en de grotere pijnen van hernieuwde beschuldigingen te hebben doorgemaakt, hun kindertijd voor altijd achterlieten en toen, redenen en gevolgen en doofheid vergetend, alles vergetend, gaven zij zich aan de vier indentieke schoonheden zonder een enkele gedachte in hun hoofd.

Na die nacht konden ze zich niet van de tempel losscheuren, behalve om te fourageren, en iedere nacht keerden de zachte vrouwen van hun tevredenste dromen in stilte terug, zonder ooit te spreken, altijd keurig netjes met hun sari's, en het verdwaalde viertal steevast tot een ongelofelijk gemeenschappelijke top van verrukking brengend. Geen van hen wist hoe lang deze periode duurde, want in de Sundarbans gehoorzaamde de tijd aan onbekende wetten, maar ten slotte kwam de dag waarop ze naar elkaar keken en beseften dat ze doorzichtig begonnen te worden, dat het mogelijk was door hun lichamen heen te kijken, nog niet helder, maar troebel, alsof je in mangosap keek. In hun ontzetting beseften ze dat dit de laatste en ergste list van de jungle was, dat die hen, door hun te geven wat hun hart begeerde, zo gek maakte dat ze hun dromen verbruikten, zodat ze, terwijl hun droomleven uit hen wegsiepelde, even leeg en doorzichtig werden als glas. De boeddha zag nu dat de kleurloosheid van insekten, bloedzuigers en slangen wel eens meer te maken kon hebben met de plunderingen die hun insektachtige, bloedzuigerachtige, slangachtige verbeelding beïnvloedden dan met de afwezigheid van zonlicht... alsof ze voor 't eerst ontwaakt waren door de schok van doorzichtigheid, keken ze met nieuwe ogen naar de tempel, en zagen de grote gapende scheuren in de solide rots, en beseften dat grote stukken ieder ogenblik los konden raken en op hen neer konden storten; en toen, in een donkere hoek van de verlaten tempel, zagen ze de overblijfselen van wat wellicht vier kleine vuren waren geweest – oude as, schroeiplekken op steen – of misschien vier brandstapels; en in het midden van elk van die vier, een klein, geblakerd, door vuur verteerd hoopje niet verbrijzelde beenderen.

Hoe de boeddha de Sundarbans uit kwam: het woud van illusies haalde, toen ze van de tempel naar de boot vluchtten, zijn laatste en meest angstaanjagende streek met hen uit; ze waren nauwelijks bij de boot aangekomen toen het op hen afkwam, aanvankelijk een gerommel in de verte, toen een gebulder dat zelfs kon worden gehoord door oren die door modder doof waren gemaakt, ze hadden de boot losgegooid en waren er wild in gesprongen toen de golf kwam, en nu waren ze aan de genade van de wateren overgeleverd, die hen moeiteloos tegen sundri- of wortelboom of nipa had kunnen verpletteren, maar in plaats daarvan voerde de vloedgolf hen mee langs onstuimige bruine kanalen terwijl het woud van hun kwelling vaag als een grote groene muur langs hen heen schoot, het leek alsof de jungle, haar speelballen moe geworden, hen zonder plichtplegingen uit haar gebied smeet; door het water gedragen, voorwaarts en steeds voorwaarts gevoerd door de onvoorstelbare kracht van de golf, dobberden ze meelijwekkend te midden van gevallen takken en de afgestroopte huiden van waterslangen, tot ze ten slotte uit de boot werden gesmeten toen de wegebbende golf tegen een boomstronk brak, ze bleven achter zittend in een ondergelopen rijstveld terwijl de golf zich terugtrok, met het water tot aan hun middel, maar levend, uit het hart van de jungle van dromen gevoerd, waarin ik gevlucht was in de hoop op vrede en zowel meer als minder gevonden had, en opnieuw terug in de wereld van legers en data.

Toen ze uit de jungle te voorschijn kwamen, was het oktober 1971. En ik moet toegeven (maar mijn mening versterkt eigenlijk slechts mijn verbazing om de tijd-verschuivende tovenarij van het woud) dat er die maand geen vloedgolf was opgetekend, hoewel die streek ruim een jaar daarvoor werkelijk door vloedgolven was geteisterd.

In de nasleep van de Sundarbans wachtte mijn oude leven om me weer op te eisen. Ik had het moeten weten: aan oude kennis valt niet te ontkomen. Wat je was, blijf je voorgoed.

In de loop van het jaar 1971 verdwenen drie soldaten en hun speurder gedurende zeven maanden van het oorlogstoneel. In oktober echter, toen er een einde aan de regens kwam en de guerilla-eenheden van de Mukti Bahini de militaire buitenposten van Pakistan begonnen te terroriseren; toen scherpschutters van Mukti Bahini zowel soldaten als onbelangrijke functionarissen begonnen dood te schieten, dook ons kwartet uit de onzichtbaarheid op en probeerde, omdat het weinig keus had, zich weer bij de hoofdmacht van het bezettingsleger van de Westelijke vleugel te voegen. Later, toen hij werd ondervraagd, verklaarde de boeddha zijn verdwijning altijd aan de hand van een verward verhaal dat hij in een jungle was geraakt te midden van bomen waarvan de wortels naar je grepen als slangen. Het was misschien een geluk voor hem dat hij nooit formeel door officieren in het leger waartoe hij behoorde werd ondervraagd. Ayooba Baloch, Farooq Rashid en Shaheed Dar werden evenmin aan dergelijke verhoren onderworpen; maar in hun geval kwam dat omdat ze niet lang genoeg bleven leven om te worden ondervraagd.

...In een volkomen verlaten dorp van hutten met rieten daken en met mest gepleisterde muren – in een verlaten gemeenschap waaruit zelfs de kippen waren gevlucht – beklaagden Ayooba Shaheed Farooq hun lot. Doof gemaakt door de giftige modder van het regenwoud, een handicap waar ze veel last van waren gaan krijgen nu de spottende stemmen van de jungle niet langer in de lucht hingen, jammerden zij hun onderscheidene jammerklachten, allemaal tegelijk pratend, zodat niemand de ander kon horen; de boeddha was echter genoodzaakt naar hen allen te luisteren: naar Ayooba, die met zijn gezicht in een hoek stond in een kaal vertrek, zijn haar verstrikt in een spinneweb, en uitriep: 'Mijn oren mijn oren, alsof er daarbinnen bijen zoemen,' naar Farooq die, kriegel schreeuwde: 'Wie z'n schuld, eigenlijk? – Wie kon, verdomme, met zijn neus alles opsporen? – Wie zei Daarheen, en daarheen? – En wie, wie zal het geloven? – Van jungles en tempels en doorzichtige slangen? – Wat een verhaal, Allah, boeddha, we zouden je hier en nu moeten doodschieten!' Terwijl Shaheed zacht zei: 'Ik heb honger.' Toen ze opnieuw in de echte wereld waren, vergaten ze de lessen van de jungle, en Ayooba: 'Mijn arm! Allah, man, mijn verschrompelde arm! Die geest waar vocht uit lekte...!' En Shaheed: 'Deserteurs, zullen ze zeggen – met lege handen, geen gevangene, na zoveel maanden! – Allah, de krijgsraad misschien, wat denk je, boeddha?' En Farooq: 'Schoft die je bent, zie waartoe je ons gedwongen hebt! O God, te veel, onze uniformen! Kijk onze uniformen eens, boeddha – vodden als van een bedelaarsjongen! Denk eens wat de brigadegeneraal – en die Najmuddin – bij het hoofd van mijn moeder zweer ik dat ik niet – ik ben geen lafaard! Nee!' En Shaheed, die mieren doodmaakt en ze van zijn handpalm oplikt: 'Hoe kunnen we ons weer aansluiten? Wie weet waar ze zijn en of? En hebben we niet gehoord en gezien hoe Mukti Bahini – *thai! thai!* ze schieten van uit hun schuilplaatsen, en je bent dood! Dood als een mier!' Maar Farooq praat ook: 'En niet alleen dic uniformen, man, het haar! Is dit een militaire haardracht? Dit, zo lang dat het als wormen over de oren valt? Dit vrouwenhaar? Allah, ze zullen ons morsdood maken – tegen de muur en *thai! thai!* – wat ik je brom!' Maar nu wordt Ayooba-de-tank rustiger; Ayooba met zijn gezicht in de handen; Ayooba die zacht tegen zichzelf zegt: 'O man, o man. Ik ben gekomen om tegen die verdomde vegetarische Hindoes te vechten, man. En hier is ook iets dat heel anders is. Iets heel slechts.'

Het is ergens in november; ze zijn langzaam verder getrokken, naar het noorden noorden noorden, langs fladderende kranten in vreemd tierelantijnig schrift, door lege velden en verlaten nederzettingen, af en toe een oud wijf passerend met een bundeltje aan een stok over haar schouder, of een groepje achtjarigen met sluwe honger in hun ogen en de dreiging van messen in hun zak, horend hoe de Mukti Bahini onzichtbaar door het rokende land trekken, hoe kogels als bijen uit het niets komen zoemen ... en nu is er een breekpunt bereikt, en Farooq: 'Als jij er niet was, boeddha – Allah, jij misbaksel met je blauwe ogen van een vreemdeling, o God, yaar, wat *stink* je!'

We stinken allemaal: Shaheed, die (met een hiel van een haveloze laars) een schorpioen op de vuile vloer van de verlaten hut verplettert;

Farooq, die belachelijk genoeg naar een mes zoekt om zijn haar mee af te snijden; Ayooba, die met zijn hoofd in een hoek van de hut leunt terwijl een spin langs de kruin loopt; en de boeddha ook: de boeddha die een uur in de wind stinkt, klemt in zijn rechterhand een verdofte zilveren kwispedoor, en probeert zich zijn naam te herinneren. Maar kan alleen maar bijnamen oproepen: Snotneus, Vlekporum, Kaalkop, Snuiver, Stuk-van-de-Maan.

...Hij zat met gekruiste benen te midden van de jammerende storm van de angst van zijn metgezellen, en dwong zich ertoe om het zich te herinneren; maar nee, het wilde niet komen. En ten slotte riep de boeddha, terwijl hij de kwispedoor op de aarden vloer smeet, tegen stokdove oren: 'Het is – NIET – EERLIJK!'

Te midden van het puin van de oorlog ontdekte ik eerlijk-en-oneerlijk. Oneerlijkheid rook als uien; de scherpte van haar geur bracht de tranen in mijn ogen. Aangegrepen door het bittere aroma van onrechtvaardigheid, herinnerde ik me dat de zangeres Jamila zich over een ziekenhuisbed had gebogen – van wie? *Welke naam?* – dat er ook militaire decoraties-en-sterren waren – dat mijn zuster – nee, niet mijn zuster! dat *zij* – dat zij had gezegd: 'Broer, ik moet weggaan, om in dienst van het land te zingen; het leger zal nu voor jou zorgen – voor mij, ze zullen voor je zorgen, heel goed.' Ze was gesluierd; achter witen-goud brokaat rook ik haar verraadstersglimlach; door zachte versluierende stof drukte zij de kus van haar wraak op mijn voorhoofd; en toen leverde zij, die altijd dodelijk wraak nam op hen die het meest van haar hielden, mij over aan de genade van sterren-en-decoraties ... en na Jamila's verraad herinnerde ik mij de doodverklaring lang geleden die mij door Evie Burns werd aangedaan; en verbanningen, en picknick-trucjes; en heel die enorme berg van onredelijke gebeurtenissen die mijn leven zuur maakten; en nu weeklaagde ik over komkommerneus, vlekporum, o-benen, horenslapen, monnikstonsuur, verlies van vinger, een-slecht-oor, en de gevoelloos makende, op m'n hersens slaande kwispedoor; ik huilde nu overvloedig, maar mijn naam ontsnapte me nog steeds, en ik herhaalde – 'Niet eerlijk; *niet eerlijk;* NIET EERLIJK!' En verrassend genoeg kwam Ayooba-de-tank uit zijn hoek; Ayooba, die zich misschien zijn eigen instorting in de Sundarbans herinnerde, hurkte voor me neer en sloeg zijn ene gezonde arm om mijn hals. Ik aanvaardde zijn vertroostingen; ik huilde tegen zijn overhemd; maar toen kwam er een bij naar ons toe zoemen; terwijl hij hurkte, met zijn rug naar het glasloze raam van de hut, kwam er iets door de oververhitte lucht janken; terwijl hij zei: 'Hé, boeddha – vooruit, boeddha – hé, hé!' en terwijl andere bijen, de bijen van doofheid, in zijn oren zoemden, stak hem iets in de nek. Hij maakte een ploffend geluid achter in zijn keel en viel voorover boven op me. De kogel van de sluipschutter die Ayooba Baloch doodde zou, als hij er niet was geweest, dwars door mijn hoofd zijn gegaan. Door te sterven, redde hij mij het leven.

Terwijl ik vroegere vernederingen vergat; eerlijk-en-oneerlijk opzij zettend, en wat-niet-kan-worden-verholpen-moet-worden-verdragen, kroop ik onder het lijk van Ayooba-de-tank uit, terwijl Farooq: 'O God O God O!' en Shaheed: 'Allah, ik weet niet eens of mijn revolver zal –' En Farooq weer: 'O God O! O God, wie weet waar de schoft zit –!' Maar Shaheed staat, als soldaten in films, plat tegen de muur naast het raam. In deze posities: ik op de grond, Farooq gehurkt in een hoek, Shaheed tegen pleisterwerk van mest: we wachten hulpeloos, om te zien wat er zou gebeuren.

Er klonk een tweede schot; misschien had de sluipschutter, die niet wist hoe groot de strijdmacht was die in de hut met muren van modder was verborgen, eenvoudig geschoten en de benen genomen. Wij drieën bleven een dag en een nacht in de hut, tot het lijk van Ayooba Baloch aandacht begon te vragen. Voor we weggingen, namen we houwelen, en begroeven hem... En naderhand, toen het Indiase leger kwam, was geen Ayooba Baloch om hen met zijn theorieën over de superioriteit van vlees over groenten te begroeten; geen Ayooba ging tot actie over, schreeuwend: 'Ka-dang! Ka-blam! Ka-pow!!'

Misschien was dat maar goed ook.

...En op een dag in december kwamen we met ons drieën, op gestolen fietsen, bij een veld van waaruit de stad Dacca tegen de horizon te zien was; een veld waarin zulke vreemde gewassen groeiden, met een zo walglijk aroma, dat wij niet in staat waren op onze fietsen te blijven zitten. Toen we afstapten voor we eraf vielen, betraden we het verschrikkelijke veld.

Er scharrelde een azende boer rond, die onder het werk aan het fluiten was, met een buitenmaatse gonjezak op de rug. De witte knokkels van de hand die de zak vasthield liet zijn vastberaden geestesgesteldheid zien; het fluiten, dat doordringend maar melodieus was, wees erop dat hij er de moed in hield. Het gefluit weerschalde over het veld, van gevallen helmen af kaatsend, hol weerklinkend uit de lopen van door modder geblokkeerde geweren, spoorloos wegzinkend in de gevallen laarzen van die vreemde, vreemde gewassen waarvan de geur, als de geur van oneerlijkheid, in staat was tranen in de ogen van de boeddha te brengen. De gewassen waren dood, getroffen door een of andere onbekende pest ... en de meeste ervan, maar niet allemaal, droegen de uniformen van het Westpakistaanse Leger. Behalve het gefluit was het enige gerucht dat te horen viel de geluiden van voorwerpen die in de schatzak van de boer vielen: leren riemen, horloges, gouden tandvullingen, brilmonturen, lunchtrommeltjes, waterflessen, laarzen. De boer zag hen en kwam aanrennen, beminnelijk glimlachend, snel pratend met een flikflooiende stem die alleen de boeddha genoodzaakt was te horen. Farooq en Shaheed staarden glazig naar het veld terwijl de boer begon uit te leggen.

'Volop schieten! *Thaii! Thaii!*' Hij maakte een pistool met zijn rechterhand. Hij sprak slecht, hoogdravend Hindi. 'Ho heren! India is gekomen, mijne heren! Ho ja! *Ho* ja.' – En over het hele veld lekten de gewassen voedzaam beenmerg in de grond terwijl hij: 'Niet schieten ik, mijne heren. Ho nee. Ik heb nieuws – ho, zulk nieuws! India komt! Jessore heeft gevallen, mijne heren, in een-vier dagen. Dacca ook, janee?' De boeddha luisterde; de ogen van de boeddha keken langs de boer heen naar het veld. 'Zoiets geweldigs, mijnheer! India! Ze hebben een machtige soldaatkerel, hij kan zes personen in een keer doden, breekt nekken *khrikk-khrikk* tussen zijn knieën, mijne heren? Knieën – is goede woorden?' Hij tikte op die van hemzelf. 'Ik zien, mijne heren. Met eigen ogen, ho ja! Hij niet vechten met geweren, niet zwaarden. Met knieën, en zes nekken doen *khrikk-khrikk. Ho* God.' Shaheed stond in het veld over te geven. Farooq Rashid was naar de verste rand gelopen en stond in een bosje mangobomen te staren. 'In eentwee weken de oorlog over is, mijne heren! Iedereen komen terug. Nu iedereen weg, maar ik niet, mijne heren. Soldaten zijn Bahini komen zoeken en hebben velen gedood, ook mijn zoon. Ho ja, heren, ho ja werkelijk.' De ogen van de boeddha waren omfloerst en dof geworden. In de verte kon hij het dreunen van zware artillerie horen. Rookkolommen sliertten omhoog in de kleurloze decemberlucht. De vreemde gewassen lagen stil, onberoerd door de bries... 'Ik blijven, mijne heren. Hier ken ik namen van vogels en planten. Ho ja. Ik ben Deshmukh van naam; verkoper van snuisterijen van beroep. Ik verkoop menig zo mooi ding. Wat wilt u? Medicijn voor constipatie, verdomd goed, ho ja. Ik hebben. Horloge wilt u dat gloeit in het donker? Ik ook hebben. En boek ho ja, en fopding, werkelijk. Ik was beroemd in Dacca ooit. Ho ja, jazeker. Niet schieten.'

De verkoper van snuisterijen babbelde verder, het ene artikel na het andere te koop aanbiedend, zoals een magische riem die de drager in staat zou stellen Hindi te spreken – 'Ik dragen die nu, mijnheer, spreken verdomd goed, ja nee? Veel Indiase soldaten zij kopen, ze praten zoveel verschillende talen, de riem is godsgeschenk van God!' – en toen hij zag wat de boeddha in zijn hand hield. 'Ho meneer! Absoluut meesterding! Is zilver? Is edelsteen? U geven; ik geven radio, camera, bijna in orde, mijnheer! Is verdomd goeie koop, mijn vriend. Voor maar één kwispedoor, is verdomd goed. Ho ja. Ho ja, mijn heer, het leven moet verder gaan; handel moet verder gaan, mijn heer, niet waar?'

'Vertel mij meer,' zei de boeddha, 'over de soldaat met de knieën.'

Maar nu zoemt er opnieuw een bij; in de verte aan het einde van het veld, valt iemand op de knieën; iemands voorhoofd beroert de grond als in gebed; en op het veld wordt een van de gewassen, die levend genoeg was geweest om te schieten, ook heel stil. Shaheed Dar schreeuwt een naam:

'Farooq! Farooq, man!'

Maar Farooq weigert om te antwoorden.

Naderhand, toen de boeddha voor zijn oom Mustapha herinneringen ophaalde aan de oorlog, vertelde hij hoe hij over het veld met lekkend beenmerg naar zijn gevallen makker was gestrompeld; en hoe hij, lang voordat hij Farooqs biddende lijk bereikte, door het grootste geheim van het veld tot staan werd gebracht.

In het midden van het veld was een kleine piramide. Mieren kropen erover, maar het was geen mierenhoop. De piramide bevatte zes voeten en drie hoofden en, daartussenin, een rommelig gebied samengesteld uit stukken tors, flarden van uniformen, slierten van ingewanden en schemerende versplinterde botten. De piramide leefde nog. Een van de drie hoofden had een blind linkeroog, de erfenis van een kinderruzie. Een ander hoofd had haar dat dik met haarolie was neergeplakt. Het derde hoofd was het vreemdst: het had diepe holten waar de slapen hadden behoren te zijn, holten die zouden kunnen zijn veroorzaakt door een verlostang die het bij de geboorte te hard hadden vastgeklemd ... het was dit derde hoofd dat tegen de boeddha sprak:

'Hallo, man,' zei het, 'wat doe jij hier voor de drommel?'

Shaheed Dar zag de piramide van vijandelijke soldaten blijkbaar met de boeddha praten; Shaheed, plotseling aangegrepen door een redeloze energie, stortte zich op me en drukte me tegen de grond met: 'Wie ben je? – Spion? Verrader? Wat? – Hoe weten ze wie jij – ?' Terwijl Deshmukh, de verkoper van snuisterijen, meelijwekkend om ons heen fladderde: 'Ho, heren! Er is al genoeg gevochten. Doe nu normaal, mijne heren. Ik smeek. Ho God.'

Zelfs als Shaheed me had kunnen horen, had ik hem toen niet kunnen vertellen wat later naar mijn overtuiging de waarheid was: dat het doel van die hele oorlog was geweest om mij met een oud leven te herenigen, mij weer met mijn oude vrienden samen te brengen. Sam Manekshaw rukte op naar Dacca om zijn oude vriend de Tijger te ontmoeten; en de wijzen van samenhang bleven hangen, want op het veld van lekkend beenmerg hoorde ik over de wapenfeiten van knieën, en werd begroet door een stervende piramide van hoofden: en in Dacca zou ik Parvati-de-heks ontmoeten.

Toen Shaheed kalmeerde en van me af ging, was de piramide niet langer in staat om te spreken. Later die middag hervatten we onze reis naar de hoofdstad. Desmukh, de verkoper van snuisterijen, riep ons opgewekt achterna: 'Ho heren! Ho mijn arme heren! Wie weet wanneer een mens zal sterven. Wie, mijne heren, weet waarom?'

Soms moeten bergen zich verplaatsen voor oude kameraden herenigd kunnen worden. Op 15 december 1971, in de hoofdstad van de pas bevrijde staat Bangladesh, gaf Tijger Niazi zich over aan zijn oude vriend Sam Manekshaw; terwijl ik me, op mijn beurt, overgaf aan de omhelzingen van een meisje met ogen als schoteltjes, een paardestaart als een lang glanzend zwart touw, en lippen die toentertijd nog niet hadden gekregen wat hun karakteristieke pruilstand zou worden. Deze herenigingen kwamen niet gemakkelijk tot stand; en als gebaar van eerbied voor allen die ze mogelijk maakten, zal ik mijn verhaal even onderbreken om het waarom en het waarvoor uiteen te zetten.

Laat me dan volmaakt duidelijk zijn: als Yahya Khan en Z.A. Bhutto niet hadden samengespannen inzake de coup van 25 maart, zou ik niet in burgerkleren naar Dacca zijn gevlogen; en naar alle waarschijnlijkheid zou generaal Tijger Niazi die maand december ook niet in de stad zijn geweest. Om te vervolgen: de Indiase interventie in het geschil om Bangladesh was ook het gevolg van de wisselwerking tussen grote krachten. Misschien, als tien miljoen mensen niet over de grenzen naar India zouden zijn gelopen, de regering in Delhi daarmee noodzakend om $ 200 000 000 per maand aan vluchtelingenkampen uit te geven – de hele oorlog van 1965 waarvan het geheime doel de uitroeiing van mijn familie was geweest, had hun slechts $ 70 000 000 gekost! – zouden Indiase soldaten, aangevoerd door generaal Sam, de grenzen nooit in de tegengestelde richting zijn overgestoken. Maar India kwam ook om andere redenen: zoals ik van de communistische magiërs te horen zou krijgen die in de schaduw van de Vrijdagmoskee in Delhi woonden, was de sarkar van Delhi hoogst ongerust geweest over de tanende invloed van Mujibs Awami Liga, en de groeiende populariteit van de revolutionair Mukti Bahini; Sam en de Tijger ontmoetten elkaar in Dacca om de Bahini te beletten aan de macht te komen. Dus als Mukti Bahini er niet was geweest, zou Parvati-de-heks de Indiase troepen misschien nooit hebben vergezeld op hun 'bevrijdingscampagne'... Maar zelfs dat is geen volledige verklaring. Een derde reden voor Indiase interventie was de angst dat de troebelen in Bangladesh zich over de grenzen in West-Bengalen zouden verspreiden als ze niet vlug de kop werden ingedrukt; dus hebben Sam en de Tijger, en ook Parvati en ik, onze ontmoeting in elk geval voor een deel te danken aan de meer roerige elementen in de politiek van West-Bengalen: de nederlaag van de Tijger was slechts het begin van een campagne tegen Links in Calcutta en omgeving.

Hoe dan ook, India kwam; en voor de snelheid van zijn komst – want in slechts drie weken had Pakistan de helft van zijn marine, een derde van zijn leger, een kwart van zijn luchtmacht, en ten slotte, nadat de Tijger zich had overgegeven, meer dan de helft van zijn bevolking verloren – moet nogmaals dank worden bewezen aan de Mukti Bahini; want de Bahini adviseerde, misschien uit naïviteit, omdat hij niet begreep dat de Indiase opmars evenzeer een tactische manoeuvre was tegen hem als een strijd tegen de bezettingsmacht van de Westelijke vleugel, generaal Manekshaw omtrent de Pakistaanse troepenbewegingen, omtrent de kracht en zwakte van de Tijger; ook dank zij Tsjoe En-lai, die (ondanks Bhutto's smeekbeden) weigerde Pakistan enige materiële hulp in de oorlog te geven. Omdat het Chinese wapens werd onthouden, vocht Pakistan met Amerikaanse geweren, Amerikaanse tanks en vliegtuigen; de president van de Verenigde Staten was, als enige in de hele wereld, vastbesloten naar Pakistan 'over te hellen'. Terwijl Henry A. Kissinger de zaak van Yahya Khan bepleitte, was diezelfde Yahya bezig in het geheim het befaamde staatsbezoek van de president naar China voor te bereiden ... er waren, derhalve, grote krachten aan het werk tegen mijn hereniging met Parvati en die van Sam met de Tijger; maar ondanks, maar ondanks de overhellende president was het in drie korte weken allemaal voorbij.

Op de avond van de 14de december omcirkelden Shaheed Dar en de boeddha de randen van de ingesloten stad Dacca; maar de neus van de boeddha (u zult zich dat herinneren) was in staat om meer op te snuffelen dan de meeste. Toen ze zijn neus, die veiligheid en gevaar kon ruiken, achterna gingen, vonden ze een weg door de Indiase linies en gingen de stad onder dekking van de nacht binnen. Terwijl ze zich steels door de straten bewogen waarin niemand anders te zien was dan een paar hongerende bedelaars, zwoer de Tijger tot de laatste man te zullen vechten; maar de volgende dag gaf hij zich in plaats daarvan over. Wat niet bekend is: of de laatste man dankbaar was dat hij gespaard bleef of dat hij zich ergerde omdat hij zijn kans had gemist om de kamfertuin binnen te gaan.

En zo keerde ik naar die stad terug waarin Shaheed en ik, tijdens die laatste uren voor herenigingen, vele dingen zagen die niet waar waren, die niet mogelijk waren, omdat onze jongens zich niet zo slecht hebben kunnen gedragen; we zagen bebrilde mannen met hoofden als eieren die in zijstraten werden doodgeschoten, we zagen hoe de intelligentsia van de stad met honderden tegelijk werd uitgemoord, maar het was niet waar omdat het niet waar geweest kon zijn, de Tijger was per slot van rekening een nette vent, en onze jawans waren even goed als tien babu's, we liepen door de onmogelijke hallucinatie van de nacht, ons in portieken verschuilend terwijl vuren als bloemen opbloeiden, me herinnerend aan de manier waarop de Brutale Aap schoenen in brand placht te steken om wat aandacht te trekken, er waren doorgesneden kelen die in anonieme graven werden begraven, en Shaheed begon met zijn: 'Nee, boeddha – wat een toestand, Allah, je kunt je ogen niet geloven – nee, niet waar, hoe kan het – boeddha, zeg, wat heb ik in m'n oog gekregen?' En ten slotte sprak de boeddha, wetende dat Shaheed niet kon horen: 'O Shaheeda,' zei hij, de diepten van zijn kieskeurigheid onthullend, 'een mens moet soms kiezen wat hij wil en wat hij niet wil zien; kijk een andere kant op, toe.' Maar Shaheed staarde naar een maidan waar vrouwelijke artsen met de bajonet werden voortgedreven voordat ze werden verkracht, en nog eens werden verkracht voor ze werden doodgeschoten. Boven hen en achter hen staarde de koele witte minaret van een moskee blind op het schouwspel neer.

Alsof hij in zichzelf sprak zei de boeddha: 'Het is tijd om na te gaan hoe we er heelhuids van af kunnen komen; God weet waarom we zijn teruggekomen.' De boeddha ging de deur van een verlaten huis binnen, een vervallen, afbrokkelend omhulsel van een gebouw, dat eens een theewinkel had gehuisvest, plus een rijwielherstellerszaak, een bordeel en een kleine overloop waarop eens een notaris moet hebben gezeten, want er stond een lage lessenaar waarop hij een halve bril had achtergelaten, er lagen in de steek gelaten zegels en stempels die hem eens in staat hadden gesteld meer te zijn dan een oude nul – stempels en zegels die hem een scheidsrechter hadden gemaakt van wat waar en niet waar was. De notaris was afwezig, dus kon ik hem niet vragen te verifiëren wat er gebeurde, ik kon geen verklaring onder ede afleggen: maar op de mat achter zijn bureau lag een los wijd kledingstuk als een djellabah, en zonder nog langer te wachten trok ik mijn uniform uit, met inbegrip van het teefinsigne van de HEOIA-eenheden, en werd naamloos, een deserteur, in een stad waarvan ik de taal niet kon spreken.

Shaheed Dar bleef echter op straat; in het eerste ochtendlicht keek hij naar de soldaten die wegsnelden van wat-niet-gedaan-was; en toen kwam de granaat. Ik, de boeddha, bevond me nog in het lege huis; maar Shaheed werd niet door muren beschermd.

Wie kan zeggen waarom hoe wie; maar de granaat werd stellig gegooid. Op dat laatste ogenblik van zijn ongehalveerde leven, werd Shaheed plotseling aangegrepen door een onweerstaanbare drang om omhoog te kijken ... naderhand, in het kraaienest van de muezzin, vertelde hij de boeddha: 'Zo vreemd, Allah – de granaatappel – in mijn hoofd, zomaar, groter en helderder dan ooit tevoren – weet je, boeddha, als een gloeilamp – Allah, wat kon ik doen – ik keek!' – En ja, daar was hij, boven zijn hoofd hangend, de granaat van zijn dromen die vlak boven zijn hoofd hing, vallend, vallend, ontploffend ter hoogte van zijn middel, zijn benen naar een ander stadsdeel wegknallend.

Toen ik bij hem kwam was Shaheed bij bewustzijn, ondanks halvering, en wees omhoog: 'Breng me daarboven, boeddha, ik wil het ik wil het,' dus droeg ik wat nu slechts een halve jongen was (en derhalve redelijk licht) een smalle wenteltrap op naar de hoogten van die koele witte minaret, waar Shaheed brabbelde over gloeilampen terwijl rode mieren en zwarte mieren om een dode kakkerlak streden, er op los vechtend langs de metselgroeven in de grof gelegde betonnen vloer. Beneden, te midden van geblakerde huizen, gebroken glas en rooknevel, kwamen mierachtige mensen te voorschijn, zich op vrede voorbereidend; de mieren namen echter geen notitie van de mierachtigen, en vochten verder. En de boeddha: hij stond stil en staarde glazig omlaag en om zich heen, na tussen de bovenste helft van Shaheed en het enige stuk meubilair van het adelaarsnest, een lage tafel waarop een grammofoon stond die verbonden was met een luidspreker, te zijn gaan staan. De boeddha, die zijn gehalveerde metgezel beschermde tegen de desillusionerende aanblik van deze gemechaniseerde muezzin, wiens oproep tot gebed altijd op dezelfde plaatsen zou krassen, haalde uit de vouwen van zijn vormloze kleed een glinsterend voorwerp te voorschijn: en richtte zijn melkachtige blik op de zilveren kwispedoor. In gepeinzen verzonken werd hij overrompeld toen het schreeuwen begon; en keek omhoog en zag een verlaten kakkerlak. (Bloed had langs de metselvoegen gesijpeld; mieren die dit donkere kleverige spoor volgden waren bij de bron van de lekkage gekomen, en Shaheed uitte zijn woede omdat hij het slachtoffer van niet één, maar twee oorlogen werd.)

Hem te hulp komend, terwijl voeten op mieren dansten, stootte de boeddha met zijn elleboog tegen een schakelaar; het luidsprekersysteem trad in werking, en naderhand zouden mensen nooit vergeten hoe een moskee de verschrikkelijke pijn van de oorlog had uitgeschreeuwd.

Na enkele ogenblikken, stilte. Shaheeds hoofd viel naar voren. En de boeddha, die vreesde ontdekt te zullen worden, deed zijn kwispedoor weg en daalde af naar de stad terwijl het Indiase leger arriveerde; ik liet Shaheed achter, die het niet langer kon schelen dat hij meewerkte aan het vredestichtende banket van de mieren, en ging de vroege ochtendstraten op om generaal Sam te verwelkomen.

In de minaret had ik wazig naar mijn kwispedoor gekeken; maar de geest van de boeddha was niet leeg geweest. Die bevatte vier woorden, die de bovenste helft van Shaheed ook almaar had herhaald, tot de mieren: dezelfde vier die eens, naar uien ruikend, me op de schouder van Ayooba Baloch hadden doen huilen – tot de bij, zoemend... 'Het is niet eerlijk,' dacht de boeddha, en toen als een kind, telkens en telkens weer: 'Het is niet eerlijk,' en opnieuw, en opnieuw.

Shaheed, die zijn vaders liefste wens vervulde, had zijn naam ten slotte verworven; maar de boeddha kon zich zijn eigen naam nog steeds niet herinneren.

Hoe de boeddha zijn naam terugkreeg: Eens, lang geleden, op een andere onafhankelijkheidsdag, was de wereld saffraankleurig en groen geweest. Deze ochtend waren de kleuren groen, rood en goud. En in de steden kreten van 'Jai Bangla!' En stemmen van vrouwen die zongen 'Ons Gouden Bengalen', hun harten waanzinnig makend van verrukking ... in het centrum van de stad, op het podium van zijn nederlaag, wachtte generaal Tijger Niazi op generaal Manekshaw. (Biografische bijzonderheden: Sam was een Parsi. Hij kwam uit Bombay. Bombayers stonden die dag gelukkige tijden te wachten.) En te midden van groen rood en goud werd de boeddha in zijn vormloze anonieme kledingstuk door menigten onder de voet gelopen; maar toen kwam India. India, met Sam aan het hoofd.

Was het generaal Sams idee? Of zelfs Indira's? – Deze vruchteloze vragen vermijdend, leg ik alleen maar vast dat de Indiase opmars naar Dacca veel meer was dan uitsluitend een militaire parade; zoals het bij een overwinning past, werd die omkranst door extra attracties. Een speciaal troepentransportvliegtuig van de IAF was naar Dacca gevlogen met honderd en één van de beste artiesten en goochelaars die India kon verschaffen. Ze waren afkomstig van het beroemde goochelaarsghetto in Delhi, velen van hen voor die gelegenheid gekleed in de suggestieve uniformen van de Indiase fauj, zodat vele Daccanen het idee kregen dat de Indiase overwinning van het begin af aan onvermijdelijk was geweest omdat zelfs hun geüniformeerde jawans tovenaars van de hoogste orde waren. De goochelaars en andere artiesten marcheerden naast de troepen en vermaakten de menigte; er waren acrobaten die menselijke piramiden vormden op rijdende wagens die door witte ossen werden voortgetrokken; er waren bijzondere vrouwelijke slangemensen die hun benen tot aan hun knieën konden inslikken; er waren jongleurs die buiten de wet van de zwaartekracht werkten, zodat zij oh's en ah's aan de verrukte menigte konden ontlokken terwijl ze met speelgoedgranaten jongleerden, en er vierhonderdtwintig tegelijk in de lucht hielden; er waren erbij die trucs met kaarten konden doen en de vrouw van chiriya's (de heer van vogels, de keizerin van schoppen) uit de oren van vrouwen konden halen; er was de grote danseres Anarkali, wier naam 'granaatappelkop' betekende, die sprongen draaiingen pirouettes op een ezelkar uitvoerde terwijl een reusachtig zilveren neussierraad aan haar rechterneusvleugel tinkelde; er was Meester Vikram de sitarspeler, wiens sitar kon reageren op de geringste emoties in de harten van zijn gehoor, en die kon aandikken, zodat hij eens (zo zei men) voor een zo slecht gehumeurd publiek had gespeeld, en hun rothumeur zo had verergerd dat als zijn tablaspeler hem niet halverwege met zijn raga had doen ophouden, ze elkaar door de macht van zijn muziek allemaal met messen te lijf zouden zijn gegaan en het auditorium kort en klein zouden hebben geslagen ... vandaag verhief de muziek van Meester Vikram de feestvierende goede wil van het volk tot een koortsachtige hoogte; zij maakte, laat ons zeggen, hun harten waanzinnig van verrukking.

En er was Foto Singh in eigen persoon, een twee meter tien lange reus die tweehonderdveertig pond woog en bekend stond als de betoverendste Man ter Wereld vanwege zijn weergaloze vaardigheden als slangenbezweerder. Zelfs de legendarische Tubriwallahs uit Bengalen konden zijn talenten niet overtreffen; hij schreed door de jubelende menigte, van top tot teen omwonden met dodelijke cobra's, mamba's en kraits, alle met hun gifzakjes intact... Foto Singh, die de laatste in de rij zou zijn van mannen die bereid zijn geweest mijn vader te worden ... en onmiddellijk achter hem kwam Parvati-de-heks.

Parvati-de-heks vermaakte de menigte met behulp van een grote rieten mand met een deksel; gelukkige vrijwilligers gingen de mand in, en Parvati liet hen zo volledig verdwijnen dat ze alleen maar konden terugkeren wanneer zij dat wilde; Parvati, aan wie middernacht de ware gaven van de toverkunst had geschonken, had die in dienst gesteld van haar nederige beroep van illusioniste; zodat haar werd gevraagd: 'Maar hoe lap je het 'm?' En: 'Vooruit, lekker stuk, zeg ons hoe je het doet, waarom niet?' – Parvati kwam me, glimlachend, stralend, haar magische mand voortrollend, met de bevrijdingstroepen tegemoet.

Het Indiase leger marcheerde de stad binnen, en zijn helden volgden de goochelaars; onder hen, zo kreeg ik naderhand te horen, bevond zich die kolos uit de oorlog, de majoor met het rattegezicht en de dodelijke knieën ... maar nu waren er nog meer illusionisten, want de goochelaars van de stad die het hadden overleefd kwamen uit hun schuilplaatsen te voorschijn en begonnen een wonderbaarlijke wedstrijd door te proberen alles wat de bezoekende goochelaars te bieden hadden te overtreffen, en de pijn van de stad werd in de grote blije stroom van hun magie gebaad en verzacht. Toen zag Parvati-de-heks mij, en gaf me mijn naam terug.

'Saleem! O mijn god Saleem, jij Saleem Sinai, ben jij het Saleem?'

De boeddha schokt, als een marionet. Ogen van menigte staren. Parvati dringt zich naar hem toe. 'Luister, jij moet het zijn!' Ze pakt hem bij de elleboog. Schoteltjesogen onderzoeken melkachtig blauw. 'Mijn God, die neus, ik bedoel het niet onaardig, maar natuurlijk! Kijk, ik ben het, Parvati! O Saleem, doe nou niet dom, kom mee kom mee...!'

'Dat is het,' zegt de boeddha. 'Saleem, dat was het.'

'O God, te veel opwinding!' roept ze uit. 'Arré baap, Saleem, weet je nog wel – de Kinderen, yaar, o dit is al te mooi! Waarom kijk je nou zo ernstig terwijl ik zin heb om je plat te drukken? Zoveel jaren heb ik je alleen hierbinnen gezien,' ze tikt op haar voorhoofd, 'en nu ben je hier met een gezicht als een vis. Hé, Saleem! Vooruit, zeg in elk geval een keer hallo.'

Op 15 december 1971 gaf Tijger Niazi zich aan Sam Manekshaw over; de Tijger en drieënnegentigduizend man Pakistaanse troepen werden krijgsgevangenen. Ondertussen werd ik de gewillige gevangene van de Indiase goochelaars, want Parvati sleurde me in de optocht mee met: 'Nu ik je gevonden heb, laat ik je niet gaan.'

Die avond dronken Sam en de Tijger chota-borrels en haalden herinneringen op aan de oude tijd in het Britse leger. 'Hoor eens, Tijger,' zei Sam Manekshaw, 'je hebt je reuzenetjes gedragen door je over te geven.' En de Tijger: 'Sam, je hebt een bliksemse oorlog gevoerd.' Een klein wolkje trekt over het gezicht van generaal Sam: 'Luister, ouwe jongen: men hoort zulke verdomd vreselijke leugens. Slachtingen, ouwe jongen, massagraven, speciale eenheden HEOIA of iets dergelijks genaamd, ontwikkeld om oppositie uit te roeien ... niets van waar, veronderstel ik?' En de Tijger: 'Hondeneenheid voor Opsporings- en Inlichtingenactiviteiten? Nooit van gehoord. Moet verkeerd geïnformeerd zijn, ouwe jongen. Een stelletje verdomd slechte inlichtingenwallahs aan beide kanten. Nee, belachelijk, verdomd belachelijk, neem me niet kwalijk dat ik het zeg.' 'Dacht ik al,' zegt generaal Sam, 'nou hoor, verdomd fijn je te zien, Tijger, ouwe duivel!' En de Tijger: 'Da's jaren geleden, hè, Sam? Bliksems, veel te lang.' ... Terwijl oude vrienden in officierskantines 'Auld Lang Syne' zongen, ontvluchtte ik Bangladesh, mijn Pakistaanse jaren. 'Ik zal je eruit krijgen,' zei Parvati, nadat ik het had uitgelegd. 'Wil je in het diepste geheim?'

Ik knikte. 'In het diepste geheim.'

Elders in de stad bereidden drieënnegentigduizend soldaten zich erop voor om afgevoerd te worden naar krijgsgevangenkampen; maar Parvati-de-heks liet mij in een rieten mand met een goed sluitend deksel klimmen. Sam Manekshaw was genoodzaakt zijn oude vriend de Tijger in verzekerde bewaring te stellen; maar Parvati-de-heks verzekerde mij: 'Op die manier zullen ze je nooit pakken.'

Achter een legerbarak waar de goochelaars wachtten op vervoer terug naar Delhi, stond Foto Singh, de Betoverendste Man ter Wereld, op wacht toen ik die avond in de mand van onzichtbaarheid klom. We hingen nonchalant rond, rookten biri's en wachtten tot er geen soldaten te zien waren, terwijl Foto Singh mij van zijn naam vertelde. Twintig jaar geleden had een fotograaf van Eastman-Kodak zijn portret gemaakt – dat, omkranst door glimlachen en slangen, naderhand in de helft van de Kodakadvertenties en vitrines in India verscheen; en van die tijd af had de slangenbezweerder zijn huidige naam aangenomen. 'Wat vind je, kapitein?' bulderde hij beminnelijk. 'Een mooie naam, nietwaar? Kapitein, wat moet ik anders doen, ik kan me niet eens herinneren welke naam ik vroeger had, de naam die mijn moeder en vader me hebben gegeven! Nogal stom, hè, kapitein?' Maar Foto Singh was niet stom; en hij bezat heel wat meer dan charme. Plotseling verloor zijn stem zijn slaperige goedaardigheid; hij fluisterde: 'Nu! Nu, kapitein, ek dum, als de bliksem!' Parvati zwiepte deksel van riet; ik dook hals over kop in haar cryptische mand. Het deksel, dat dicht ging, sloot het laatste licht van de dag buiten.

Foto Singh fluisterde: 'Okay, kapitein – verdomd goed!' En Parvati boog zich dicht naar me toe; haar lippen moeten tegen de buitenkant van de mand aan hebben gedrukt. Wat Parvati-de-heks door het vlechtwerk fluisterde:

'Hé, jij, Saleem, denk je eens in! Jij en ik, baas – middernachtskinderen, yaar! Dat is iets, nee?'

Dat is iets ...Saleem, omhuld door duisternis van vlechtwerk, werd herinnerd aan middernachten van jaren geleden, aan worstelwedstrijden uit kinderjaren met doel en zin; overweldigd door nostalgie begreep ik nog steeds niet wat dat iets was. Toen fluisterde Parvati nog een paar woorden, en binnen in de mand van onzichtbaarheid loste ik, Saleem Sinai, compleet met mijn losse anonieme kledingstuk, ogenblikkelijk in het niets op.

'Loste op? Hoezo loste op, wat loste op?' Padma's hoofd komt met een ruk omhoog; Padma's ogen staren mij verbijsterd aan. Ik, schouderophalend, herhaal slechts: 'Foetsie, zomaar. Verdween. Werd onstoffelijk. Als een djinn: pff, zo.'

'Dus,' dringt Padma bij me aan, 'was ze werkelijk-waar een heks?'

Werkelijk-waar. Ik zat in de mand, maar ook niet in de mand; Foto Singh tilde hem met een hand op en gooide hem achter in de legertruck die hem en Parvati en negenennegentig anderen naar het vliegtuig bracht dat op het militaire vliegveld wachtte; ik werd met mand en al gesmeten, maar ook weer niet gesmeten. Naderhand zei Foto Singh: 'Nee, kapitein, ik kon je gewicht niet voelen'; en ik voelde ook geen enkele bons bonk klap. Honderd en één artiesten waren met een troepentransportvliegtuig van de Indiase luchtmacht uit de hoofdstad van India gearriveerd; honderd en twee personen keerden terug, hoewel een van hen er wel en niet was. Ja, magische toverformules hebben af en toe succes. Maar ze mislukken ook: mijn vader, Ahmed Sinai, slaagde er nooit in Sherri, de bastaardteef, te vervloeken.

Zonder paspoort of vergunning keerde ik, gehuld in onzichtbaarheid, naar mijn geboorteland terug; geloof het, geloof het niet, maar zelfs een scepticus zal een andere verklaring voor mijn aanwezigheid hier moeten leveren. Dwaalde kalief Haroen al Rashid (in een oudere reeks fabuleuze verhalen) ook niet, ongezien onzichtbaar anoniem, vermomd door de straten van Bagdad? Wat Haroen presteerde in straten van Bagdad, maakte Parvati-de-heks voor mij mogelijk toen we door de luchtcorridors van het subcontinent vlogen. Zij deed het; ik was onzichtbaar; *bas. Genoeg.*

Herinneringen aan onzichtbaarheid: in de mand kwam ik erachter hoe het was, zal zijn, om dood te zijn. Ik had de kenmerken van geesten verworven! Aanwezig, maar onstoffelijk; bestaand, maar zonder wezen of gewicht... ontdekte ik in de mand hoe geesten de wereld zien. Vaag nevelig flauw ... ze was om me heen, hoewel ook maar net; ik hing in een sfeer van afwezigheid aan de rand waarvan de spoken van vlechtwerk als vage weerspiegelingen te zien waren. De doden sterven, en worden geleidelijk aan vergeten; de tijd doet zijn genezende werk en ze vervagen – maar in Parvati's mand leerde ik dat het omgekeerde eveneens waar is; dat geesten ook beginnen te vergeten; dat de doden hun herinneringen aan de levenden verliezen, en ten slotte, wanneer ze van hun leven zijn losgekomen, vervagen – dat sterven, kortom, nog lang na de dood doorgaat. Naderhand zei Parvati: 'Ik wou het je niet zeggen – maar niemand behoort zo lang onzichtbaar te worden gehouden – het was gevaarlijk, maar wat kon ik anders doen?'

In de greep van Parvati's tovenarij voelde ik dat ik mijn greep op de wereld verloor – en hoe gemakkelijk, hoe vredig om nooit meer terug te keren! – om in dit wolkachtige nergens te zweven, verder en verder te drijven, als een zaadspoor dat op de wind verwaait – kortom, ik verkeerde in doodsgevaar.

Waar ik me aan vasthield in die spookachtige tijd-en-ruimte: een zilveren kwispedoor. Die, evenals ikzelf getransformeerd door woorden die Parvati had gefluisterd, niettemin een herinnering was aan de buitenwereld ... fijn bewerkt zilver vastklemmend, dat zelfs in die onnoemelijke duisternis schitterde, overleefde ik het. Ondanks gevoelloosheid van top tot teen, werd ik, misschien, gered door de glinsteringen van mijn kostbare souvenir.

Nee – er was meer in het spel dan kwispedoors: want, zoals we allen nu onderhand weten, wordt onze held erg aangegrepen wanneer hij in enge ruimten wordt opgesloten. Transformaties bespringen hem in de omsloten duisternis. Toen hij nog maar een embryo was in de heimelijkheid van een baarmoeder (niet die van zijn moeder) groeide hij toen niet uit tot de incarnatie van de nieuwe mythe van 15 augustus, het kind van tiktak – verscheen hij niet als Mubarak, het Gezegende Kind? Werden in een benauwde waskamer geen naamkaartjes verwisseld? Zag hij niet heel even, alleen in een waskist met een touwtje in een neusgat, een Zwarte Mango, en snoof hij niet te hard, waardoor hij zichzelf en zijn bovenste komkommer in een soort bovennatuurlijke amateur radio veranderde? Gaf hij zich, toen hij was ingesloten door doktoren, verpleegsters en narcosemaskers, niet over aan getallen en kwam hij niet, na drainage boven te hebben ondergaan, in een tweede fase, die van nasale filosoof en (later) opperspeurder? Leerde hij, opgepropt in een kleine verlaten hut, onder het lijk van Ayooba Baloch, niet de betekenis van eerlijk-en-oneerlijk? Welnu dan – gevangen in het occulte gevaar van de mand van onzichtbaarheid, werd ik gered, niet alleen door de schitteringen van een kwispedoor, maar ook door een andere transformatie: in de greep van die vreselijke lichaamloze eenzaamheid, waarvan de geur de geur van begraafplaatsen was, ontdekte ik woede.

Er was in Saleem iets aan het vervagen en er werd iets geboren. Aan het vervagen: een oude trots op babyfoto's en ingelijste brief van Nehru; een oude vastberadenheid om, bereidwillig, een voorspelde historische rol te spelen; en ook een bereidheid om met allerlei dingen rekening te houden, om te begrijpen hoe ouders en vreemden hem terecht vanwege zijn lelijkheid konden verachten of verstoten; verminkte vingers en monnikstonsuren schenen niet langer afdoende verontschuldigingen voor de manier waarop hij, ik, was behandeld. Het voorwerp van mijn woede was eigenlijk alles wat ik, tot op dat ogenblik, blindelings had aanvaard: het verlangen van mijn ouders dat ik hun investering in mij zou terugbetalen door groots te worden; genialiteit-als-eensjaal; de verbindingswijzen zelf gaven mij een blinde onbeheerste woede in. Waarom ik? Waarom moest ik, door toeval van geboorte profetie etcetera, verantwoordelijk zijn voor taaloproeren en wie-na-Nehru, voor pepervaatjesrevoluties en bommen die mijn familie wegvaagden? Waarom zou ik, Saleem, Snotneus, Snuiver, Landkaartgezicht, Stuk-van-de-Maan, de schuld op mij nemen voor wat-niet-werd-gedaan door Pakistaanse troepen in Dacca?... *Waarom zou ik als enige van al die meer-dan-vijhonderd-miljoen de last van de geschiedenis moeten dragen?*

Wat mijn ontdekking van oneerlijkheid (ruiken van uien) was begonnen, voltooide mijn onzichtbare woede. Woede stelde me in staat de zachte serene verleidingen van onzichtbaarheid te overwinnen; woede maakte mij vastberaden, nadat ik van verdwijning werd bevrijd in de schaduw van een Vrijdagmoskee, om van dat ogenblik af te beginnen mijn eigen, onbestemde toekomst te kiezen. En daar, in de stilte van het naar begraafplaats riekende isolement, hoorde ik de lang-geleden stem van de maagdelijke Mary Pereira zingen:

Alles dat je wilt zijn, kun je zijn,
Je kunt gewoon zijn wat je maar wilt.

Vanavond, terwijl ik me mijn woede herinner, blijf ik volmaakt kalm; de Weduwe heeft woede uit me gedraineerd tegelijk met al het andere. Terwijl ik mij m'n in de mand geboren opstand tegen de onvermijdelijkheid herinner, vergun ik me zelfs een wrange, begrijpende glimlach. 'Jongens,' mompel ik verdraagzaam over de jaren heen tegen de vierentwintigjarige Saleem, 'zijn nu eenmaal zo.' In het hospitium van de Weduwe werd mij, hardvochtig, voor eens en altijd de les van Geen Ontsnapping geleerd; nu, terwijl ik over papier gebogen zit in het licht van mijn bureaulamp, wil ik niet langer iets anders zijn dan wie ik ben. Wie wat ben ik? Mijn antwoord: ik ben het totaal van alles dat er voor mij is gebeurd, van alles dat ik ben geweest, heb gezien gedaan, van alles dat mij-is-aangedaan. Ik ben iedereen alles wiens op-de-wereldzijn het mijne beïnvloedde, door het mijne werd beïnvloed. Ik ben alles wat er gebeurt nadat ik er niet meer ben dat niet gebeurd zou zijn als ik niet gekomen was. En ook ben ik niet bijzonder uitzonderlijk in deze; ieder 'ik', iedereen van de nu-zeshonderd-miljoen-en-nog-wat van ons, bevat een dergelijke menigte. Ik herhaal voor de laatste keer: om mij te begrijpen zult u een wereld moeten verzwelgen.

Hoewel ik nu, terwijl de uitstorting van wat-in-mij-was het einde nadert; terwijl barsten binnen wijder worden – ik het rijten scheuren knarsen kan horen en voelen – begin ik magerder te worden, doorschijnend bijna; er is niet veel van me over, en weldra zal er helemaal niets meer zijn. Zeshonderd miljoen stofjes, en allemaal doorzichtig, onzichtbaar als glas...

Maar toen was ik boos. Klierachtige hyperactiviteit in een amfoor van vlechtwerk: endocriene en exocriene klieren scheidden zweet en stank af, alsof ik probeerde mijn lot door mijn poriën kwijt te raken; en om eerlijk te zijn tegenover mijn woede moet ik optekenen dat ze op een onmiddellijke prestatie bogen – toen ik uit de mand van onzichtbaarheid in de schaduw van de moskee tuimelde, was ik door rebellie gered van de abstractie van gevoelloosheid; toen ik er op het stof van het ghetto van de magiërs uit viel, met de zilveren kwispedoor in de hand, besefte ik dat ik, opnieuw, was gaan voelen.

Sommige aandoeningen kunnen tenminste worden overwonnen.

Geen spoor van twijfel: er vindt een versnelling plaats. Scheur, knars, krak – terwijl wegdekken in de vreselijke hitte splijten, word ook ik naar desintegratie gedreven. Wat-knaagt-aan-botten (hetgeen, zoals ik regelmatig aan de te vele vrouwen om me heen heb moeten uitleggen, de vermogens van de medicijnmannen te ver te boven gaat om waar te nemen, laat staan te genezen) zal niet lang hoeven te wachten; maar er rest nog zoveel om te vertellen... Oom Mustapha groeit binnen in mij, en de pruilmond van Parvati-de-heks; een bepaalde lok heldenhaar wacht in de coulissen; en ook dertien dagen durende weeën, en geschiedenis als een analogie van de haarstijl van een eerste minister; er zal verraad zijn, en ontduiken van reisgeld en de geur (drijvend op winden die bezwangerd zijn van het geweeklaag van weduwen) van iets dat bakt in een ijzeren braadpan... zodat ook ik gedwongen ben te versnellen, een wilde spurt in te zetten naar de eindstreep; voor het geheugen zozeer barst dat er geen hoop meer is het weer in elkaar te zetten, moet ik door het lint gaan. (Hoewel er al, nu al, sluiereffecten zijn, en hiaten; er zal af en toe geïmproviseerd moeten worden.)

Zesentwintig pekelpotten staan plechtig op een plank; zesentwintig speciale melanges, elk met zijn eigen kenmerkende etiket, netjes beschreven met vertrouwde zinnen: 'Bewegingen uitgevoerd door pepervaten', bijvoorbeeld, 'Alfa en Omega', of 'Overste Sabarmati's stokje'. Zesentwintig ratelen welsprekend wanneer lokale treinen geel-met-bruin voorbijrijden; op mijn bureau tinkelen vijf lege potten hardnekkig, en herinneren mij aan mijn onvoltooide taak. Maar nu kan ik niet treuzelen bij lege pekelpotten; de nacht is voor woorden, en groene chutney moet zijn beurt afwachten.

...Padma is droefgeestig: 'O baas, wat moet Kasjmir mooi zijn in augustus, wanneer het hier heet is als chilipeper!' Ik ben genoodzaakt mijn mollige-maar-toch-gespierde gezellin, wier aandacht is afgeleid, een standje te maken; en op te merken dat onze Padma Bibi, geduldig tolerant troostend zich precies zo begint te gedragen als een traditionele Indiase echtgenote. (En ik, met mijn afstandelijkheid en verdiept-zijn in mezelf, als een echtgenoot?) De laatste tijd heb ik, ondanks mijn stoïcijnse fatalisme over de zich uitbreidende barsten, in Padma's adem de droom van een alternatieve (maar onmogelijke) toekomst geroken; de onverzoenlijke onafwendbaarheid van inwendige scheuren negerend is ze de bitterzoete geurigheid van hoop-op-huwelijk gaan uitscheiden. Mijn mestlotus, die zo lang ontoegankelijk bleef voor de door onze werkneemsters met donzige onderarmen sneerend toegeworpen hatelijkheden; die haar samenleven met mij buiten en boven alle codes van sociale welvoeglijkheid stelde, is schijnbaar bezweken voor een verlangen naar wettiging ... kortom, alhoewel ze geen woord over dit onderwerp heeft gezegd, wacht ze op mij tot ik een fatsoenlijke vrouw van haar maak. Het parfum van haar droeve verwachting doortrekt haar onschuldigst bezorgde opmerkingen – zelfs op dit ogenblik waarop ze: 'Hé, baas, waarom niet – maak je schrijverij af en neem dan rust; ga naar Kasjmir, doe het een tijdje kalm aan – en misschien neem je je Padma ook mee, en zij kan zorgen voor...?' Achter deze ontluikende droom van een vakantie in Kasjmir (die eens ook de droom was van Jehangir, de mogolkeizer; van de arme vergeten Ilse Lubin; en misschien van Christus zelf), stel ik snuffelend de aanwezigheid van nog een andere droom vast; maar noch de ene noch de andere kan worden vervuld. Want de barsten, die barsten en altijd weer die barsten, spitsen mijn toekomst nu toe op haar ene onontkoombare eindpunt; en zelfs Padma moet op de tweede plaats komen als ik mijn verhalen wil afmaken.

Vandaag hebben de kranten het over de veronderstelde politieke wedergeboorte van mevrouw Indira Gandhi; maar toen ik naar India terugkeerde, verborgen in een rieten mand, baadde 'Madam' zich in de volheid van haar glorie. Vandaag, misschien, zijn we al aan het vergeten, bereidwillig verzinkend in de verraderlijke nevelen van geheugenverlies; maar ik herinner mij, en zal neerschrijven, hoe ik – hoe zij – hoe het gebeurde dat – nee, ik kan het niet zeggen, ik moet het in de juiste volgorde vertellen, tot er niets anders opzit dan te onthullen... Op 16 december 1971 tuimelde ik uit een mand een India in waarin de Nieuwe Congrespartij van mevrouw Gandhi een ruime twee derde meerderheid in de Nationale Vergadering had.

In de mand van onzichtbaarheid verkeerde een gevoel van oneerlijkheid in boosheid; en bovendien in nog iets anders – getransformeerd door woede, was ik ook overweldigd door een kwellend gevoel van medeleven met het land dat niet alleen mijn tweeling-in-geboorte was, maar ook bij wijze van spreken met mij aan de heup was vergroeid, zodat wat met een van ons gebeurde, ons beiden overkwam. Als ik, met snotterige neus, vlekkerig gezicht etcetera, daardoor een moeilijke tijd had gehad, dan had zij die ook gehad, mijn subcontinentale tweelingzuster; en nu ik mezelf het recht had gegeven om een betere toekomst te kiezen, was ik vastbesloten dat de natie die ook zou delen. Ik denk dat ik, toen ik in stof, schaduw en geamuseerde kreten naar buiten tuimelde, al besloten had het land te redden.

(Maar er zijn barsten en hiaten ... was ik, onderhand, gaan inzien dat mijn liefde voor de zangeres Jamila in zeker opzicht een vergissing was geweest? Had ik al begrepen dat ik eenvoudig de verering naar haar schouders had overgeheveld waarvan ik nu inzag dat het een overkoepelende, alles omvattende liefde voor het land was? Wanneer besefte ik dat mijn werkelijk incestueuze gevoelens naar mijn tweelingzuster, India zelf, uitgingen, en niet naar die del van een crooner die mij zo ongevoelig had verstoten, als een gebruikte slangehuid, en me in de metaforische prullenmand van het militaire leven had gegooid? Wanneer wanneer wanneer?... Mijn nederlaag toegevend, ben ik gedwongen vast te leggen dat ik het mij niet met zekerheid kan herinneren.)

...Saleem zat met knipperende ogen in het stof in de schaduw van de moskee. Een reus stond over hem heen gebogen, breed grinnikend en vroeg: 'Achha, kapitein, goeie reis gehad?' En Parvati, met grote opgewonden ogen, die water uit een lotah in zijn gebarsten, zilte mond goot... Gevoel! De ijskoude aanraking van het water dat in aarden surahi's koel was gehouden, de gebarsten pijnlijkheid van uitgedroogde-ruwe lippen, zilver-en-lapis in een hand geklemd... 'Ik kan voelen!' riep Saleem tegen de goedaardige menigte.

Het was de tijd van de middag die de chaya wordt genoemd, wanneer de schaduw van de hoge Vrijdagmoskee van baksteen en marmer over de warwinkel van krotten van de achterbuurt die zich om haar voet verdrongen viel, die achterbuurt waarvan de gammele zinken daken zo'n smorende hitte veroorzaakten dat het ondraaglijk was om in de fragiele hutten te verblijven, behalve tijdens de chaya en 's nachts ... maar nu hadden goochelaars en slangemensen en jongleurs en fakirs zich in de schaduw rondom de ene standbuis verzameld om de pas aangekomene te begroeten. 'Ik kan voelen!' riep ik uit, en toen Foto Singh: 'Okay, kapitein – vertel ons hoe dat aanvoelt? – om herboren te worden, en als een baby uit Parvati's mand te vallen?' Ik kon verbazing aan Foto Singh ruiken; het was duidelijk dat hij stomverbaasd was over Parvati's truc, maar als een ware professional kwam het niet in zijn hoofd op om haar te vragen hoe ze dat had klaargespeeld. Zodoende werd Parvati-de-heks, die haar grenzeloze vermogens had gebruikt om mij in veiligheid te brengen, niet ontdekt; ook al omdat, zoals ik later ontdekte, het ghetto van de magiërs met de volstrekte zekerheid van beroepsillusionisten niet in de mogelijkheid van tovenarij geloofde. Dus zei Foto Singh verbaasd tegen me: 'Ik zweer het, kapitein – je was zo licht daarbinnen, als een baby!' – Maar het kwam geen moment bij hem op dat mijn gewichtloosheid meer was geweest dan een truc.

'Luister, baby sahib,' riep Foto Singh uit. 'Wat zeg je, baby-kapitein? Moet ik je over mijn schouder leggen en je aan het boeren maken?' – En nu Parvati, verdraagzaam: 'Die daar, baba, maakt altijd grapjes.' Ze lachte stralend tegen iedereen die ze maar zag ... maar er volgde een onheilspellende gebeurtenis. Een vrouwenstem achter de groep magiërs begon te jammeren: 'Ai-o-ai-O! Ai-o-o!' De menigte week verbaasd uiteen en een oude vrouw drong zich erdoorheen en rende op Saleem af; ik moest mezelf tegen een zwaaiende braadpan verdedigen, totdat Foto Singh, geschrokken, haar bij haar met de pan zwaaiende arm pakte en brulde: 'Hé, kapiteinse, vanwaar die herrie?' Maar de oude vrouw ging koppig door: 'Ai-o-ai-o!'

'Resham Bibi,' zei Parvati boos. 'Heb je mieren in je hoofd?' En Foto Singh: 'We hebben een gast, kapiteinse – wat moet hij aan met je geschreeuw? Arré, hou je stil, Resham, deze kapitein is onze Parvati persoonlijk bekend. Ga hier niet voor hem staan schreeuwen!'

'Ai-o-ai-o! Wat hangt ons boven het hoofd! Jullie gaan naar vreemde oorden en brengen het hier! Ai-oooo!'

Ontstelde gezichten van goochelaars keken van Resham Bibi naar mij – want hoewel zij een volk waren dat het bovennatuurlijke ontkende, waren het kunstenaars en zoals alle artiesten geloofden ze onvoorwaardelijk in het fortuin, geluk-en-on-geluk, geluk... 'Je hebt zelf gezegd,' jammerde Resham Bibi, 'dat deze man twee keer geboren is en niet eens uit een vrouw! Nu komt er verwoesting, pestilentie en dood. Ik ben oud, dus kan ik het weten. Arré baba,' ze draaide zich klagelijk naar mij om, 'heb alleen medelijden; ga nu – ga ga vlug!' Er klonk gemompel – 'Het is waar, Resham Bibi kent de oude verhalen' – maar toen werd Foto Singh nijdig. 'De kapitein is mijn geëerde gast,' zei hij. 'Hij blijft in mijn hut zolang hij wil, of het lang is of kort. Wat praten jullie allemaal? Dit is geen plaats voor sprookjes.'

Saleems eerste verblijf in het ghetto van de goochelaars duurde slechts enkele dagen; maar in die korte tijd gebeurde er een aantal dingen die de angst die door ai-o-ai-o was opgewekt temperden. De eenvoudige, onopgesmukte waarheid is dat de illusionisten en andere artiesten uit het ghetto hun prestaties tot nieuwe hoogtepunten voerden – jongleurs slaagden erin duizend-en-één ballen tegelijk in de lucht te houden, en de nog ongeoefende beschermelinge van een fakir liep naar een bed van hete kolen, en wandelde er onbekommerd doorheen, alsof ze de gaven van haar mentor door middel van osmose had verkregen; men vertelde mij dat de truc met het touw met succes was vertoond. Ook voerde de politie haar maandelijkse overval op het ghetto niet uit, hetgeen sinds mensenheugenis niet was gebeurd; en het kamp ontving een voortdurende stroom van bezoekers, de bedienden van de rijken die de professionele diensten van een of meer leden van de kolonie voor een of ander programma op een gala-avond verzochten ... het was eigenlijk alsof Resham Bibi het helemaal bij het verkeerde einde had gehad, en ik werd snel erg populair in het ghetto. Ik werd Saleem Kismeti, Gelukkige Saleem, genoemd; Parvati werd gecomplimenteerd met het feit dat ze mij naar het slop had gebracht. En ten slotte bracht Foto Singh Resham Bibi bij me om haar verontschuldiging aan te bieden.

'V'rexcuseer,' zei Resham tandeloos en vluchtte; Foto Singh voegde eraan toe: 'Het is moeilijk voor de oudjes; hun hersens herinneren zich ondersteboven. Kapitein, iedereen hier zegt dat u ons geluk brengt; maar gaat u gauw bij ons weg?' – En Parvati staarde zwijgend met schoteltjesogen die smeekten nee nee nee; maar ik moest wel bevestigend antwoorden.

Saleem, vandaag, weet zeker dat hij antwoordde: 'Ja'; dat hij op diezelfde morgen, nog steeds gehuld in zijn vormloze kleed, nog altijd onafscheidelijk van een zilveren kwispedoor, wegliep zonder om te kijken naar een meisje dat hem volgde met ogen die vochtig waren van beschuldigingen; dat hij, zich haastend langs oefenende jongleurs en stalletjes met snoepgoed die zijn neusgaten vervulden met de verlokkingen van rasgulla's, langs kappers die aanboden je voor tien paisa te scheren, langs het onverstaanbare gebrabbel van oude vrouwtjes en het met Amerikaanse accenten doorspekte geschreeuw van schoenpoetsjongens die bussenvol Japanse toeristen met dezelfde blauwe pakken en incongruente saffranen tulbanden die door overgedienstige gidsen om hun hoofd waren geknoopt lastig vielen, langs de torenende trappen naar de Vrijdagmoskee, langs verkopers van snuisterijen en itr-essences en gipsen replica's van de Qutb Minar en beschilderde speelgoedpaarden en fladderende ongeslachte kippen, langs uitnodigingen voor hanengevechten en blinde kaartspelletjes, uit het ghetto van de illusionisten kwam en op Faiz Bazar stond, tegenover de zich oneindig uitstrekkende muren van een Rood Fort van welks kantelen een eerste minister eens de onafhankelijkheid had uitgeroepen, en in welks schaduw een vrouw een kijkkasteigenaar had ontmoet, een Dilli-dekho man die haar had meegenomen naar steeds smaller wordende steegjes om de toekomst van haar zoon te horen voorspellen te midden van mongoes en aasgieren en gebroken mensen met bladeren om hun arm gebonden; dat hij, om kort te gaan, rechtsaf sloeg en wegliep van de Oude Stad naar de rozerode paleizen die lang geleden door veroveraars met een roze huid waren gebouwd: mijn redders in de steek latend, ging ik te voet New Delhi in.

Waarom? Waarom, terwijl ik het nostalgische verdriet van Parvati-de-heks ondankbaar versmaadde, stelde ik mij tegen het oude te weer en ging ik het nieuwe tegemoet? Waarom verliet ik haar zo luchthartig in de morgen terwijl ze zoveel jaren lang mijn sterkste medestandster was geweest in de nachtelijke samenkomsten in mijn geest? Strijdend tegen gebarsten hiaten kan ik me twee redenen herinneren; maar ik kan niet zeggen welke de belangrijkste was, of dat een derde ... in de eerste plaats, in elk geval, had ik de inventaris opgemaakt. Saleem, die zijn vooruitzichten analyseerde, had geen andere mogelijkheid dan tegenover zichzelf toe te geven dat die niet goed waren. Ik had geen paspoort; volgens de wet was ik een illegale immigrant (na eens een legale immigrant te zijn geweest); krijgsgevangenkampen wachtten mij overal. En zelfs na mijn status als een verslagen soldaat-op-de-vlucht terzijde te hebben gesteld, bleef de lijst van mijn nadelen ontzagwekkend: ik had noch geld noch andere kleren om aan te trekken; ook geen kwalificaties – omdat ik noch mijn opleiding had voltooid noch mezelf had onderscheiden in dat deel ervan dat ik had ondergaan; hoe moest ik mijn ambitieuze plan om de natie te redden zonder een dak boven mijn hoofd of een familie om te beschermen onderhouden bij te staan ... het trof me als een donderslag dat ik ongelijk had; dat ik hier, in deze stad, familieleden had – en niet alleen familieleden, maar invloedrijke zelfs! Mijn oom Mustapha Aziz, een hoge ambtenaar, die toen ik voor het laatst van hem had gehoord, de op een na hoogste in zijn ministerie was; welke betere beschermheer was er voor mijn messiaanse ambities dan hij? Onder zijn dak kon ik niet alleen nieuwe contacten, maar ook nieuwe kleren opdoen; onder zijn auspiciën zou ik promotie in het bestuursapparaat proberen te maken en, omdat ik de werkelijkheden van de regering bestudeerde, zou ik ongetwijfeld de sleutels voor de redding van het land vinden; en ministers zouden mij het oor lenen, ik zou de groten wellicht bij hun voornaam noemen...! Het gebeurde toen ik in de greep van deze schitterende fantasie verkeerde dat ik tegen Parvati-de-heks zei: 'Ik moet er vandoor; er staan grote dingen te gebeuren!' En, toen ik de pijn in haar plotseling ontvlamde wangen zag, troostte ik haar: 'Ik kom je vaak opzoeken. Vaak vaak.' Maar ze was niet getroost... hovaardigheid was dus een motief om hen die mij geholpen hadden in de steek te laten; maar was er niet iets gemeners, lagers, persoonlijkers? Dat was er inderdaad. Parvati had mij heimelijk terzijde genomen achter een hut van zink en oude houten kisten; waar het wemelde van de kakkerlakken, waar ratten copuleerden, waar vliegen zich tegoed deden aan straathondepoep, pakte ze me bij de pols en haar ogen lichtten op en haar tong fluisterde; verscholen in de rottende onderbuik van het getto bekende ze dat ik niet de eerste van de middernachtskinderen was die haar pad had gekruist! En toen kwam het verhaal van een optocht in Dacca en goochelaars die naast helden liepen; er was Parvati die omhoog keek naar een tank, en daar waren Parvati-ogen die zich vestigden op een paar gigantische, grijpgrage knieën ... knieën die trots door gesteven-geperst uniform bolden; er was Parvati die riep! 'O jij! O jij...' en toen die onzegbare naam, de naam van mijn schuld, van iemand die mijn leven had behoren te leiden als er geen misdrijf in een kraamkliniek was geweest; Parvati en Shiva, Shiva en Parvati, gedoemd elkaar te ontmoeten door de goddelijke bestemming van hun namen, werden verenigd op het ogenblik van de overwinning. 'Een held, man!' siste ze trots achter de hut. 'Ze zullen een grote officier van hem maken en zo!' En wat kwam er nu uit een vouw van haar haveloze kleding te voorschijn? Wat groeide eens trots op het hoofd van een held en lag nu tegen de borst van een tovenares genesteld? 'Ik heb het gevraagd en hij heeft het gegeven,' zei Parvati-de-heks, en liet mij een lok van zijn haar zien.

Liep ik weg voor die noodlottige haarlok? Vluchtte Saleem, die een hereniging vreesde met zijn alter ego, die hij zo-lang-geleden van de nachtelijke vergaderingen had verbannen, terug in de boezem van die familie wier vertroostingen de oorlogsheld waren onthouden? Was het hovaardigheid of schuldgevoel? Ik kan het niet langer zeggen; ik schrijf slechts op wat ik me herinner, namelijk dat Parvati-de-heks fluisterde: 'Misschien komt hij wanneer hij tijd heeft; en dan zullen we met ons drieën zijn!' En nog een herhaalde zin: 'Middernachtskinderen, yaar ... dat is iets, niet?' Parvati-de-heks herinnerde me aan dingen die ik uit mijn geest had trachten te bannen; en ik liep weg van haar, naar het huis van Mustapha Aziz.

Van mijn laatste miserabele contact met de genadeloze intimiteiten van het gezinsleven, zijn alleen nog maar fragmenten over; aangezien het echter allemaal moet worden vastgelegd en vervolgens ingemaakt, zal ik proberen een verslag samen te stellen ... laat me dan om te beginnen melden dat mijn oom Mustapha in een ruime en gerieflijke overheidsbungalow woonde omringd door een keurige ambtenarentuin vlak bij Rajpath in het hart van Lutyens' stad; ik liep langs wat eens Kingsway was geweest, de talloze geuren van de straat inademend die uit het Staatshandwerkcentrum en de uitlaatpijpen van autoriksja's kwamen; de aroma's van bangans en himalayaceders vermengden zich met de spookachtige geuren van lang geleden gestorven onderkoningen en memsahibs met handschoenen, en ook wel de penetrantere lichaamslucht van opzichtige rijke begums en zwervers. Hier stond het enorme bord voor de verkiezingsuitslagen waaromheen (tijdens de eerste strijd-om-de-macht tussen Indira en Morarji Desai) menigten zich in afwachting van de resultaten hadden verdrongen, verwachtingsvol vragend: 'Is het een jongen of een meisje?' ... te midden van oud en modern, tussen India Gate en de Secretariaatsgebouwen, terwijl mijn gedachten krioelden van verdwenen Britse en mogol rijken en ook van mijn eigen geschiedenis – want dit was de stad van de openbare aankondiging, van veelkoppige monsters en een hand die uit de hemel viel – liep ik vastberaden verder, net als al het andere dat te zien was, een uur in de wind stinkend. En ten slotte, na linksaf te zijn geslagen naar Dupleix Road, kwam ik bij een anonieme tuin met een lage muur en een heg; in een hoek waarvan ik een bord in de wind zag zwaaien, net zoals eens borden in de tuinen van Methwolds Villapark hadden gezwaaid; maar deze echo van het verleden vertelde een ander verhaal. NIET TE KOOP met zijn twee omineuze klinkers en drie noodlottige medeklinkers; de houten bloem van mijn ooms tuin verkondigde vreemd genoeg: *Mr. Mustapha Aziz and Fly*.

Niet wetend dat het laatste woord de gebruikelijke droge afkorting van het kloppend emotionele zelfstandige naamwoord 'familie' was, raakte ik in verwarring door het knikkende uithangbord; nadat ik een zeer korte tijd in zijn huishouden had doorgebracht, begon het echter volkomen passend te lijken, want het gezin van Mustapha Aziz was inderdaad even samengedrukt, even insektachtig, even onbetekenend als die mythisch verminkte Vlieg.

Met welke woorden werd ik begroet toen ik, ietwat zenuwachtig, op de bel drukte, vervuld met de hoop om een nieuwe carrière te beginnen? Wat voor gezicht verscheen achter de hordeur en keek dreigend met boze verbazing? Padma: ik werd begroet door de vrouw van oom Mustapha, door mijn krankzinnige tante Sonia, met de uitroep: '*Ptui!* Allah! Wat stinkt die vent!'

En hoewel ik beminnelijk zei: 'Hallo, lieve tante Sonia,' en schaapachtig grijnsde tegen dit door draadgaas beschaduwde beeld van mijn tantes rimpelende Iraanse schoonheid, vervolgde ze: 'Saleem, nietwaar? Ja, ik weet nog wel wie je bent. Een vervelend knulletje was je. Dacht altijd dat je opgroeide om God of zo te worden. En waarom? Een of andere stomme brief die de vijftiende assistent-onderstaatssecretaris van de eerste minister je moet hebben gestuurd.' Bij die eerste ontmoeting had ik de vernietiging van mijn plannen moeten kunnen voorzien; ik had aan mijn krankzinnige tante de onverzoenlijke geuren van ambtenaarlijke jaloezie moeten ruiken, die al mijn pogingen om me een plaats in de wereld te verwerven zouden dwarsbomen. Ik had een brief gekregen, en zij niet; het maakte ons tot levenslange vijanden. Maar er was een deur die openging; er waren vleugjes van schone kleren en douchebaden; en ik, gauw tevreden, liet na de dodelijke parfums van mijn tante te onderzoeken.

Mijn oom Mustapha Aziz, wiens eens-trots-ingevette snor nooit hersteld was van de verlammende stofstorm tijdens de vernietiging van Methwolds Villapark, was niet minder dan zevenenveertig keer gepasseerd voor de leiding van zijn departement, en had eindelijk troost gevonden voor zijn tekortkomingen door zijn kinderen af te tuigen, door iedere nacht te keer te gaan over het feit dat hij duidelijk het slachtoffer van antimoslem-vooringenomenheid was, door een tegenstrijdige, maar volstrekte trouw aan de zittende regering, en door een ziekelijke belangstelling voor genealogieën, wat zijn enige hobby was en waarvan de hevigheid nog groter was dan het verlangen van mijn vader Ahmed Sinai lang geleden om te bewijzen dat hij van mogolkeizers afstamde. In de eerste van die vertroostingen werd hij graag gesteund door zijn vrouw, de half-Iraanse pseudo-mondaine Sonia (née Khosrovani), die certificeerbaar krankzinnig was geworden door een leven waarin van haar verlangd was te beginnen 'een chamcha te zijn' (letterlijk een lepel, maar idiomatisch een vleister) voor zevenenveertig afzonderlijke en opeenvolgende vrouwen van nummers-één die zij daarvoor van zich had vervreemd door haar overweldigend neerbuigende manier van doen toen ze de vrouwen van nummers-drie waren geweest; onder het gezamenlijke geransel van mijn oom en tante waren hun kinderen onderhand zo grondig tot pulp geslagen dat ik mij te enen male hun aantal, geslacht, afmetingen of gezichten niet kan herinneren; hun persoonlijkheden bestonden natuurlijk allang niet meer. In het huis van oom Mustapha zat ik zwijgend te midden van mijn neven en nichten naar zijn nachtelijke alleenspraken te luisteren die voortdurend met elkaar in tegenspraak waren, heen en weer geslingerd tussen zijn wrok vanwege het feit dat hij niet was bevorderd en zijn blinde schoothondachtige toewijding aan elk van de daden van de Eerste Minister. Als Indira Gandhi hem zou hebben gevraagd zelfmoord te plegen, zou Mustapha Aziz dat hebben toegeschreven aan antimoslem-dweperij maar ook het staatsmanschap van het verzoek hebben verdedigd, en de opdracht natuurlijk hebben uitgevoerd zonder te durven (of zelfs te willen) tegensputteren.

Wat genealogieën betreft: oom Mustapha besteedde al zijn vrije tijd aan het volschrijven van enorme logboeken met spinachtige familiestambomen, en aan eeuwig onderzoek naar en het onsterfelijk maken van de bizarre afstammingen van de grootste families van het land; maar op een dag tijdens mijn verblijf hoorde mijn tante Sonia van een rishi uit Hardwar van wie gezegd werd dat hij driehonderdvijfennegentig jaar oud was en de stambomen van elk Brahmaans geslacht in het land stuk voor stuk uit het hoofd had geleerd. 'Zelfs daarin,' krijste ze tegen mijn oom, 'eindig je als nummer twee!' Het bestaan van de rishi uit Hardwar voltooide haar afdaling naar de krankzinnigheid, zodat haar gewelddadigheid jegens haar kinderen zozeer toenam dat wij dagelijks verwachtten dat het op moord uit zou draaien, en ten slotte werd mijn oom Mustapha gedwongen haar te laten opsluiten, want haar uitspattingen brachten hem bij zijn werk in verlegenheid.

Dit was dan de familie waar ik heen was gegaan. Hun aanwezigheid in Delhi begon, in mijn ogen, een ontheiliging van mijn eigen verleden te lijken; in een stad die voor mij voor altijd bezeten was van de geesten van de jonge Ahmed en Amina, kroop deze verschrikkelijke Vlieg over heilige grond.

Maar wat nooit met zekerheid kan worden bewezen is dat, in de jaren daarna, mijn ooms genealogische obsessie in dienst zou worden gesteld van een regering die almaar meer onder de dubbele betovering van macht en astrologie kwam; zodat hetgeen er in het hospitium van de Weduwe gebeurde zonder zijn hulp wellicht nooit gebeurd zou zijn ... maar nee, ik ben ook een verrader geweest; ik veroordeel niet; het enige dat ik zeg is dat ik eens, tussen zijn genealogische logboeken, een zwarte leren map heb gezien met het etiket STRIKT GEHEIM, en met als titel PROJECT M.C.

Het einde is nabij, en er valt niet veel langer aan te ontkomen; maar zolang de Indira sarkar, evenals de regering van haar vader, dagelijks de leveranciers van occulte kennis raadpleegt; zolang Benarsi zieners de geschiedenis van India helpen vormen, moet ik over pijnlijke persoonlijke herinneringen uitweiden; want het was thuis bij mijn oom Mustapha dat ik, met stelligheid, te horen kreeg van de sterfgevallen in mijn familie in de oorlog van '65; en ook over de verdwijning, net een paar dagen voor mijn aankomst, van de beroemde Pakistaanse zangeres Jamila.

...Toen de krankzinnige tante Sonia hoorde dat ik in de oorlog aan de verkeerde kant had gevochten, weigerde ze me te eten te geven (we zaten aan het avondmaal), en krijste: 'God, wat ben jij een brutale hond, weet je dat? Heb je geen hersens om mee te denken? Je komt naar het huis van een hooggeplaatste ambtenaar – een ontsnapte oorlogsmisdadiger, Allah! Wil je dat je oom zijn baan kwijtraakt? Wil je ons allemaal op straat zetten? Sla je handen uit schaamte voor je oren, jongen! Ga, ga, verdwijn, of eigenlijk zouden we de politie moeten roepen en je meteen uitleveren! Ga, wees een krijgsgevangene, waarom zouden wij ons druk maken, je bent niet eens de echte zoon van onze overleden zuster...'

Bliksemschichten, de een na de ander: Saleem vreest voor zijn veiligheid, en tegelijkertijd krijgt hij de onontkoombare waarheid over de dood van zijn moeder te horen, en ook dat zijn positie zwakker is dan hij dacht, want in dit deel van de familie is de daad van aanvaarding niet gesteld; Sonia, die weet wat Mary Pereira heeft bekend, is tot alles in staat!... En ik, zwakjes: 'Mijn moeder? Overleden?' En nu zegt oom Mustapha, die misschien vindt dat zijn vrouw te ver is gegaan, met tegenzin: 'Hindert niet, Saleem, natuurlijk moet je blijven, hij moet, vrouw, wat zit er anders op? en de arme kerel weet niet eens...'

Toen vertelden ze het mij.

Het kwam toen bij mij op, in het hart van die krankzinnige familie, dat ik de doden een aantal rouwperioden verschuldigd was; nadat ik had gehoord van de dood van mijn moeder en vader en tantes Alia en Pia en Emerald, van neef Zafar en zijn Kifi prinses, van Eerwaarde Moeder en mijn verre verwant Zohra en haar man, besloot ik de volgende vierhonderd dagen rouwend door te brengen, zoals het behoorde: tien rouwperiodes, van veertig dagen elk. En dan, en dan, was er de kwestie van de zangeres Jamila...

Ze had van mijn verdwijning in de beroering van de oorlog in Bangladesh gehoord; zij, die haar liefde altijd betoonde wanneer het te laat was, was misschien een beetje gek geworden van het nieuws. Jamila, de Stem van Pakistan, Buulbuul-van-het-Geloof, had zich uitgesproken tegen de nieuwe regeerders van het geknotte, door de motten aangevreten, door oorlog verdeelde Pakistan; terwijl Bhutto tegen de Veiligheidsraad van de Verenigde Naties verklaarde: 'Wij zullen een nieuw Pakistan bouwen! Een beter Pakistan! Mijn land luistert naar mij!' beschimpte mijn zuster hem in het openbaar; zij, de zuiverste, vaderlandslievendste van alle patriotten, werd opstandig toen ze hoorde dat ik dood was. (Zo zie ik het tenminste; het enige dat ik van mijn oom hoorde waren de naakte feiten; hij was die te weten gekomen via diplomatieke kanalen, die zich niet bezighouden met psychologisch getheoretiseer.) Twee dagen na haar tirade tegen degenen die de oorlog hadden veroorzaakt, was mijn zuster van de aardbodem verdwenen. Oom Mustapha probeerde vriendelijk te spreken: 'Er gebeuren daar heel erge dingen, Saleem; er verdwijnen de hele tijd mensen; we moeten het ergste vrezen.'

Nee! Nee nee nee! Padma: hij had het mis! Jamila verdween niet in de klauwen van de staat; want diezelfde nacht droomde ik dat zij, in de schaduwen van duisternis en de verborgenheid van een eenvoudige sluier, niet de onmiddellijk herkenbare goudbrokaten tent van oom Puffs, maar een gewone zwarte burqa, per vliegtuig uit de hoofdstad vluchtte; en daar is ze, ze arriveert in Karachi, niet ondervraagd niet gearresteerd vrij, ze neemt een taxi naar het hartje van de stad, en nu is er een hoge muur met vergrendelde deuren en een luik waardoor ik, eens, lang geleden, brood kreeg, het gegiste brood van mijn zusters zwakte, ze vraagt om te worden binnengelaten, nonnen openen deuren terwijl ze om asiel roept, ja, daar is ze, veilig binnen, deuren worden achter haar vergrendeld, terwijl ze de ene soort onzichtbaarheid verruilt voor een andere, er is nu een andere Eerwaarde Moeder, terwijl de zangeres Jamila die eens, als de Brutale Aap, met het christendom flirtte, veiligheid onderdak vrede vindt te midden van de verborgen orde van Santa Ignacia ... ja, ze is daar, veilig, niet verdwenen, niet in de greep van de politie die schopt slaat uithongert, maar rustig, niet in een naamloos graf naast de Indus, maar ze leeft, bakt brood, zingt lief voor de heimelijke nonnen; ik weet het, ik weet het. Hoe ik het weet? Een broer weet dat soort dingen nu eenmaal; dat is alles.

Verantwoordelijkheid, die me nogmaals aanvalt: want er is geen uitweg – Jamila's val was, zoals gewoonlijk, helemaal mijn schuld.

Ik woonde vierhonderdtwintig dagen in het huis van de heer Mustapha Aziz... Saleem rouwde laattijdig om zijn doden; maar denk geen ogenblik dat mijn oren dicht waren! Neem niet aan dat ik niet hoorde wat er om me heen gezegd werd, de herhaaldelijke ruzies tussen oom en tante (die hem misschien hebben gesterkt in zijn besluiten haar naar een gekkenhuis te sturen): Sonia Aziz die schreeuwde: 'Die bhangi – die smerig-vieze kerel, niet eens je neef, ik weet niet wat er in je is gevaren, we zouden hem eruit moeten gooien!' En Mustapha, die rustig antwoordt: 'De arme kerel gaat gebukt onder verdriet, dus hoe kunnen we, je hoeft alleen maar te kijken om het te zien, hij is niet helemaal goed bij zijn hoofd, heeft veel ellende meegemaakt.' Niet helemaal goed bij zijn hoofd! Dat was geweldig, dat moesten zij nodig zeggen – en dat uit de mond van die familie in vergelijking waarmee een stam brabbelende kannibalen kalm en beschaafd zou hebben geleken! Waarom liet ik het me welgevallen? Omdat ik een man was met een droom. Maar vierhonderdtwintig dagen lang was het een droom die niet uitkwam.

Met zijn hangsnor, lang-maar-gebogen, een eeuwige tweede, was mijn oom Mustapha niet mijn oom Hanif. Hij was nu het hoofd van de familie, de enige van zijn generatie die de algemene slachting van 1965 had overleefd; maar ik kreeg helemaal geen hulp van hem... Ik tartte hem op een bittere avond in zijn met genealogie gevulde studeerkamer en legde hem – met gepaste ernst en nederige maar vastberaden gebaren – mijn historische missie uit om de natie van haar lot te redden; maar hij slaakte een diepe zucht en zei: 'Luister, Saleem, wat wil je dat ik eraan doe? Ik heb je hier in mijn huis; je eet mijn brood en voert niets uit – maar goed, je komt uit het gezin van mijn gestorven zuster, en ik moet voor je zorgen – dus blijf, rust, word beter van binnen; laten we daarna verder zien. Als je een kantoorbaantje of iets dergelijks wilt, valt dat misschien te regelen; maar laat die dromen van God-weet-wat varen. Ons land is in veilige handen. Indiraji is al bezig met radicale hervormingen – landhervormingen, belastingstelsels, onderwijs, geboortenregeling – dat kun je aan haar en haar sarkar overlaten.' Hij bevaderde me, Padma! Alsof ik een onnozel kind was! O, de schande, de krenkende schande om door uilskuikens neerbuigend te worden behandeld!

Bij iedere gelegenheid word ik nu gedwarsboomd; een profeet in de wildernis, als Maslama, als ibn Sinan! Hoe ik ook mijn best doe, de woestijn is mijn lot. O veile onbehulpzaamheid van strooplikkende ooms! O kluisterende ambities van tweederangs pluimstrijkende bloedverwanten! Dat mijn oom mijn smeekbeden om een baantje afwees had één ernstig gevolg: hoe meer hij Indira prees, des te dieper verafschuwde ik haar. Hij was eigenlijk bezig me op mijn terugkeer naar het ghetto van de goochelaars voor te bereiden en op ... op *haar* ... de Weduwe.

Jaloezie, dat was het. De grote jaloezie van mijn gekke tante Sonia, die als gif in de oren van mijn oom droop, belette hem ook maar iets te doen om me op weg te helpen met de loopbaan die ik gekozen had. De groten zijn eeuwig aan de genade van kleine mannetjes overgeleverd. En ook van kleine krankzinnige vrouwtjes.

Op de vierhonderdachttiende dag van mijn verblijf was er een verandering in de sfeer van het gekkenhuis. Er kwam iemand dineren: iemand met een dikke buik, een spits toelopend hoofd bedekt met vettige krulletjes en een mond die even vlezig was als de schaamlippen van een vrouw. Ik meende hem van krantefoto's te herkennen. Ik wendde me tot een van mijn geslachtsloze leeftijdsloze gezichtsloze bloedverwanten, en informeerde belangstellend: 'Is dat niet, je weet wel, Sanjay Gandhi?' Maar het verpulverde schepsel was te ver heen om te antwoorden ... was ie het was ie het niet? Ik wist, op dat tijdstip, niet wat ik nu neerschrijf: dat bepaalde hooggeplaatsten in die buitengewone regering (en ook bepaalde niet verkozen zonen van eerste ministers) de macht hadden gekregen om een kopie van zichzelf te maken ... een paar jaar later zouden er hele troepen Sanjay's in heel India zijn! Geen wonder dat die ongelooflijke dynastie de rest van ons geboortenbeperking wilde opleggen ... dus misschien was ie 't, misschien niet; maar iemand verdween met Mustapha Aziz in de studeerkamer van mijn oom; en die avond – ik ging heimelijk kijken – was er een afgesloten zwart leren map waarop stond STRIKT GEHEIM en ook PROJECT

M.C.; en de volgende morgen bekeek mijn oom me met heel andere ogen, met vrees bijna, of met die speciale blik van walging die ambtenaren reserveren voor hen die officieel in ongenade vallen. Ik had toen moeten weten wat me te wachten stond; maar met wijsheid achteraf is alles eenvoudig. Wijsheid achteraf krijg ik nu, te laat, nu ik ten slotte verwezen ben naar de periferieën van de geschiedenis, nu de banden tussen mijn leven en dat van de natie voor altijd verbroken zijn ... om de onverklaarbare blik van mijn oom te vermijden, ging ik de tuin in; en zag Parvati-de-heks.

Ze zat gehurkt op het trottoir met de mand van onzichtbaarheid naast zich; toen ze me zag werden haar ogen helder van verwijt. 'Je zei dat je zou komen, maar je kwam niet, dus ben ik,' stamelde ze. Ik boog mijn hoofd. 'Ik ben in de rouw geweest,' zei ik slap, en zij: 'Maar je had toch – mijn God, Saleem, je weet niet, in onze kolonie kan ik niemand van mijn echte toverkunst vertellen, nooit, zelfs Foto Singh niet die als een vader is, ik moet het opkroppen en opkroppen, want zij geloven niet in dat soort dingen, en ik dacht, Saleem is gekomen, nu zal ik eindelijk een vriend hebben, we kunnen praten, we kunnen samen zijn, we zijn allebei, en hebben, en arré hoe moet ik het zeggen, Saleem, het kan jou niet schelen, jij hebt gekregen wat je wilde en bent er zomaar vandoor gegaan, ik beteken niets voor, ik weet het...'

Die avond kreeg mijn gekke tante Sonia, zelf slechts dagen verwijderd van opsluiting in een dwangbuis (het kwam in de kranten, een berichtje op een binnenpagina; het moet het ministerie van mijn oom een doorn in het oog zijn geweest), een van die felle ingevingen van de zwaar krankzinnigen en stoof de slaapkamer in waar een half uur eerder iemand met ogen-als-schoteltjes door een raam op de parterreverdieping binnen was geklommen; zij trof mij in bed aan met Parvati-de-heks, en daarna taalde mijn oom Mustapha er niet langer naar om me te beschermen, en zei: 'Jij bent geboortig uit bhangi's, je zult je hele leven lang een viezerik blijven'; op de vierhonderdtwintigste dag na mijn aankomst verliet ik het huis van mijn oom, beroofd van mijn familiebanden, ten slotte teruggekeerd tot die ware erfenis van mijn armoede en behoeftigheid die me zo lang afhandig was gemaakt door het misdrijf van Mary Pereira. Parvati-de-heks wachtte op me op het trottoir; ik vertelde haar niet dat ik in zekere zin blij was met de onderbreking, want toen ik haar in het donker van die clandestiene middernacht kuste, had ik haar gezicht zien veranderen en het gezicht van verboden liefde zien worden; de spookachtige gelaatstrekken van de zangeres Jamila kwamen in plaats van de meisjesheks; Jamila die (ik weet het!) veilig verborgen zat in een nonnenklooster in Karachi, was plotseling ook hier, alleen had ze een duistere gedaanteverwisseling ondergaan. Ze was gaan rotten, de afschuwelijke puisten en uitwassen van verboden liefde verspreidden zich over haar gezicht; net zoals eens de geest van Joe D'Costa in de greep van de occulte melaatsheid van schuld was verrot, zo bloeiden nu de ranzige bloemen van de incest op de spookachtige gelaatstrekken van mijn zuster, en ik kon het niet, kon dat ondraaglijke spookgezicht niet kussen aanraken zien, ik had op het punt gestaan me met een schreeuw van wanhopig heimwee en schaamte los te rukken toen Sonia Aziz ons met elektrisch licht en gegil overviel.

En wat Mustapha betreft, ach, mijn indiscretie met Parvati is misschien in zijn ogen ook alleen maar een handig voorwendsel geweest om me kwijt te raken; maar dat blijft betwijfelbaar, want de zwarte map was afgesloten – het enige waar ik op af kan gaan is een blik in zijn ogen, een geur van angst, twee initialen op een etiket – want naderhand, toen alles voorbij was, brachten een gevallen dame en haar schaamlippige zoon twee dagen achter vergrendelde deuren door, terwijl ze mappen verbrandden; en hoe kunnen wij weten of een ervan al-of-niet het etiket M.C. droeg?

Ik wilde toch in geen geval blijven. Familie: een overschat idee. Denk niet dat ik verdrietig was! Stel u geen ogenblik voor dat ik een brok in mijn keel kreeg toen ik uit dat laatste goedgunstige huis dat voor mij open stond werd gezet! Ik zeg u – ik was heel opgewekt toen ik wegging ... misschien heb ik iets onnatuurlijks, een fundamenteel gebrek aan emotionele reactie; maar mijn gedachten hebben altijd naar hogere zaken gestreefd. Vandaar mijn veerkracht. Sla me: ik kaats terug. (Maar tegen de barsten haalt geen enkele tegenstand iets uit.)

Kortom: ik gaf mijn vroegere naïeve hoop op een ambtenarenbaantje op en keerde terug naar de achterbuurt van de goochelaars en de chaya van de Vrijdagmoskee. Evenals Gautama, de eerste en ware boeddha, verliet ik mijn leven en gerief en trok als een bedelaar de wereld in. De datum was 23 februari 1973; steenkolenmijnen en de graanmarkt werden genationaliseerd, de prijs van olie was almaar hoger en hoger gestegen, zou in een jaar tijd verviervoudigen, en in de communistische partij van India was de scheuring tussen Danges Moskouse fractie en Namboodiripads CPI (M.) onoverbrugbaar geworden; en ik, Saleem Sinai, was net als India vijfentwintig jaar, zes maanden en acht dagen oud.

De goochelaars waren communisten, bijna allemaal. Precies: rooien! Oproerlingen, openbare bedreigingen, het schuim van de aarde – een gemeenschap van goddelozen die godslasterlijk notabene in de schaduw van het huis van God woonden! Schaamteloos bovendien; onschuldig verdorven; geboren met de bloedige smet op hun zielen! En laat me meteen zeggen dat ik me zodra ik dat had ontdekt – ik die was grootgebracht in India's andere ware geloof, dat we het Zakendom kunnen noemen, en die de beoefenaren ervan had verlaten en erdoor was verlaten – onmiddellijk en behaaglijk thuis voelde. Als afvallige aanhanger van het Zakendom begon ik volijverig rood te worden en toen nog roder, even zeker en volslagen als mijn vader eens wit was geworden, zodat mijn missie om-het-land-te-redden nu in een nieuw licht kon worden bezien; nog meer revolutionaire methodologieën deden zich aan mij voor. Weg met de regering van de onbereidwillige box-wallah-ooms en hun geliefde leiders! Vol gedachten aan rechtstreekse-communicatie-met-de-massa, vestigde ik me in de goochelaarskolonie, en verschafte me een karig bestaan door buitenlandse en binnenlandse toeristen te vermaken met de prachtige scherpzinnigheid van mijn neus, die me in staat stelde hun eenvoudige, toeristerige geheimen te ruiken. Foto Singh vroeg me zijn hut met hem te delen. Ik sliep op gehavende zakken tussen manden die sisten van de slangen; maar het kon me niet schelen, net zoals ik merkte dat ik honger dorst muskieten en (in het begin) de bittere kou van de winter in Delhi kon verdragen. Deze Foto Singh, de Betoverendste Man ter Wereld, was ook het onbetwiste hoofd van het ghetto; ruzies en problemen werden in de schaduw van zijn alomtegenwoordige en enorme zwarte paraplu opgelost; en ik, die niet alleen kon ruiken, maar ook lezen en schrijven, werd een soort adjudant van deze monumentale man die steevast een lezing over het socialisme als toegift bij zijn slangachtige voorstellingen gaf, en die in de hoofdstraten en steegjes van de stad om meer beroemd was dan alleen om zijn vaardigheden als slangenbezweerder. Ik kan met volstrekte zekerheid zeggen dat Foto Singh de grootste man was die ik ooit ben tegengekomen.

Op een middag tijdens de chaya, werd het ghetto bezocht door een andere kopie van die schaamlippige jongeman die ik bij mijn oom Mustapha thuis had gezien. Terwijl hij op de trappen van de moskee stond, ontrolde hij een spandoek dat toen door twee helpers omhoog werd gehouden. Er stond op WEG MET DE ARMOEDE, en het symbool van het Congres van Indira: een koe die een kalf zoogt. Zijn gezicht leek opmerkelijk veel op het gezicht van een vet kalf, en hij ontketende een tyfoon van stinkende adem toen hij sprak. 'Broeders-O! Zusters-O! Wat zegt het Congres tot jullie? Dit: dat alle mensen gelijk geschapen zijn!' Hij kwam niet verder; de menigte deinsde terug voor zijn adem van stierestront onder een hete zon, en Foto Singh begon te brullen van het lachen. 'O ha ha, kapitein, geweldig goed, meneer!' En labialippen, schaapachtig: 'Okay, jij, broeder, mogen wij ook horen wat er zo grappig is?' Foto Singh schudde het hoofd, hield zijn buik vast: 'O wat 'n rede, kapitein! Absoluut meesterlijke rede!' Zijn gelach rolde van onder zijn paraplu uit en stak de menigte aan tot we allemaal over de grond rolden, lachend, mieren verpletterend, en onder het stof kwamen te zitten, en de stem van het gedrocht van het Congres werd van paniek hoger: 'Wat is dit? Deze vent vindt niet dat we gelijken zijn? Wat een lage dunk moet ie hebben –' maar nu beende Foto Singh, met de paraplu boven zijn hoofd, naar zijn hut. Schaamlip vervolgde opgelucht zijn rede ... maar niet lang, want Foto Singh kwam terug met een kleine mand met een rond deksel onder zijn linkerarm en onder zijn rechteroksel een houten fluit. Hij zette de mand op de trap naast de voeten van de congres-wallah: nam het deksel eraf; bracht fluit aan de lippen. Onder hernieuwd gelach sprong de jonge politicus zestig centimeter de lucht in toen een koningscobra slaperig uit zijn huis omhoog zwaaide... Schaamlip roept uit: 'Wat doe je? Probeer je me dood te maken?' En Foto Singh, die hem negeert, nu met opgerolde paraplu, speelt verder, alsmaar furieuzer, en de slang ontrolt zich, sneller sneller speelt Foto Singh tot de muziek van de fluit iedere spleet van de achterbuurt vult en dreigt de muur van de moskee af te laten schilferen, en ten slotte staat de grote slang, die in de lucht hangt, slechts ondersteund door de betovering van de melodie, bijna drie meter hoog uit de mand en danst op zijn staart... Foto Singh krijgt medelijden. Nagaraj zakt in lussen in elkaar. De Betoverendste Man ter Wereld biedt de jongeling uit het Congres zijn fluit aan: 'Okay, kapitein,' zegt Foto Singh beminnelijk, 'probeert u het eens.' Maar Schaamlip: 'Man, je weet dat ik dat niet zou kunnen!' Waarop Foto Singh de cobra vlak onder de kop beetpakt, zijn eigen mond wijd wijd wijd opendoet, en een heldhaftige ruïne van tanden en tandvlees laat zien; terwijl hij met zijn linkeroog tegen de jongeman uit het Congres knipoogt, steekt hij de kop met de flitsende tong in zijn afzichtelijk gapende mondopening! Er verloopt een volle minuut voor Foto Singh de cobra weer in zijn mand stopt. Uiterst minzaam zegt hij tegen de jongeman: 'Ziet u, kapitein, hier is de waarheid van de hele zaak: sommige lieden zijn beter, andere zijn minder. Maar misschien vindt u het prettig om er anders over te denken.'

Terwijl hij getuige was van dit tafereel, leerde Saleem Sinai dat Foto Singh en de goochelaars mensen waren wier houvast aan de werkelijkheid volkomen was; ze grepen die zo krachtig beet dat ze haar, in dienst van hun kunst, op iedere manier konden buigen, maar ze vergaten nooit wat ze was.

De problemen van het goochelaarsghetto waren de problemen van de communistische beweging in India; binnen de grenzen van die kolonie kon men, in miniatuur, de vele scheidslijnen en onenigheid aantreffen die de Partij in het land teisterden. Foto Singh, haast ik mij eraan toe te voegen, stond boven dit alles; als de aartsvader van het ghetto was hij de bezitter van een paraplu waarvan de schaduw de ruziënde groepen weer eendrachtig kon maken; maar de twisten die in de beschutting van de paraplu van de slangenbezweerder werden gebracht, werden steeds bitterder, naarmate de prestidigateurs, zij die konijnen uit hoeden toverden, zich stevig achter Danges officiële aan Moskou getrouwe CPI stelden, die mevrouw Gandhi gedurende de hele Noodtoestand steunde; de slangemensen echter begonnen meer naar links en de schuinse ingewikkeldheden van de op China georiënteerde vleugel over te hellen. Vuurvreters en degenslikkers juichten de guerillatactiek van de Naxalitische beweging toe; terwijl hypnotiseurs en lopers-op-hete-kolen Namboordiripads manifest (Moskovisch noch Pekinees) omhelsden en de gewelddadigheid van de Naxalieten betreurden. Er waren Trotzkistische neigingen onder valsspelers, en er was zelfs een communisme-door-middel-van-de-stembus-beweging onder de gematigde leden van de afdeling buiksprekers. Ik was in een milieu beland waarin, terwijl godsdienstige en regionalistische dweperij geheel afwezig waren, onze aloude nationale gave om zich door deling voort te planten, nieuwe uitwegen had gevonden. Foto Singh vertelde mij, verdrietig, dat een bizarre moord tijdens de algemene verkiezingen van 1971 het gevolg was geweest van de ruzie tussen een Naxalitische vuurvreter en een goochelaar die op de lijn van Moskou zat; deze laatste, in woede ontstoken door de meningen van de eerstgenoemde, had geprobeerd een pistool uit zijn magische hoed te halen; maar het wapen was nog niet te voorschijn gekomen of de aanhanger van Ho Chi Minh had zijn tegenstander dood geschroeid in een uitbarsting van angstaanjagend vuur.

Onder zijn paraplu sprak Foto Singh van een socialisme dat niets aan buitenlandse invloeden te danken had. 'Luister, kapiteins,' zei hij tegen elkaar beoorlogende buiksprekers en poppenkastspelers, 'willen jullie naar je dorpen gaan en over Stalins en Mao's praten? Zullen boeren uit Bihar of Tamil iets om de moord op Trotzki geven?' De chaya van zijn magische paraplu koelde de onmatigste van de tovenaars af; en had op mij de uitwerking dat ik ervan overtuigd werd dat weldra op een dag de slangenbezweerder Foto Singh de voetsporen zou drukken van Mian Abdullah zoveel jaren geleden; dat hij, net als de legendarische Kolibrie, het ghetto zou verlaten om de toekomst louter door wilskracht vorm te geven; en dat hij, in tegenstelling tot de held van mijn grootvader, niet tegen te houden zou zijn voor hij, en zijn zaak, hadden gewonnen ... maar, maar. Altijd ge-maar. Wat gebeurde, gebeurde. Dat weten we allemaal.

Voor ik de draad van het verhaal over mijn privé-leven weer oppak zou ik graag willen dat bekend werd dat Foto Singh degene was die mij onthulde dat de corrupte 'zwarte' economie van het land even groot was geworden als de officiële 'witte' variëteit, hetgeen hij deed door me een krantefoto van mevrouw Gandhi te laten zien. Haar haar, in het midden gescheiden, was aan een kant sneeuwwit en aan de andere zwartalsdenacht, zodat ze, al naar gelang het profiel dat ze liet zien, op een wezel of op een hermelijn leek. Herhaling van de middenscheiding in de geschiedenis; en ook, de economie als een analogie met de haarstijl van een eerste minister... Ik dank deze belangrijke waarnemingen aan de Betoverendste Man van de Wereld. Het was Foto Singh die me vertelde dat Mishra, de minister voor de spoorwegen, ook de officieel aangestelde minister voor omkoping was, via wie de grootste transacties in de zwarte economie werden verrekend, en die afkoopsommen voor de ministers en ambtenaren regelde die daarvoor in aanmerking kwamen; zonder Foto Singh zou ik nooit iets van het geknoei met de stemmen in de deelstaatverkiezingen in Kasjmir hebben geweten. Hij hield evenwel niet van de democratie: 'Moge God dit verkiezingsgedoe vervloeken, kapitein,' zei hij tegen me. 'Telkens wanneer ze op komst zijn, gebeurt er iets ergs; en onze landgenoten gedragen zich als clowns.' Ik, in de greep van mijn ijver-voor-revolutie, liet na hierover met mijn mentor in discussie te treden.

Er waren natuurlijk enkele uitzonderingen op de regels van het ghetto: een stuk of twee goochelaars behielden hun Hindoegeloof en omhelsden, in de politiek, de Hindoesectarische partij van Jana Sangh of de beruchte extremisten van Ananda Marg; er waren zelfs Swatantrastemmers onder de jongleurs. Niet-politiek gesproken was de oude mevrouw Resham Bibi een van de weinige leden van de gemeenschap die een ongeneeslijke fantaste bleef, die (bijvoorbeeld) geloofde in het bijgeloof dat vrouwen verbood in mangobomen te klimmen, omdat een mangoboom die eens het gewicht van een vrouw had getorst voor altijd zure vruchten zou gaan dragen ... en er was die vreemde fakir, Chrishti Khan genaamd, wiens gezicht zo glad en stralend was dat niemand wist of hij negentien of negentig was, en die zijn hut had omringd met een fabuleuze schepping van bamboestokken en stukjes felgekleurd papier, zodat zijn woning er uitzag als een veelkleurige kopie van het nabijgelegen Rode Fort in miniatuur. Pas wanneer je zijn gekanteelde poort door kwam, besefte je dat er achter de nauwgezette hyperbolische façade van bamboe en papieren kantelen en ravelijnen net zo'n krot van blik-en-karton schuilging als de rest. Chrishti Khan had het uiteindelijke vergrijp gepleegd om zijn ware leven door zijn illusionistische deskundigheid te laten besmetten; hij was niet populair in het ghetto. De goochelaars hielden zich op een afstand, opdat zijn dromen hen niet ziek zouden maken. U zult dus begrijpen waarom Parvati-de-heks, die waarlijk wonderlijke krachten bezat, die haar hele leven geheim had gehouden; het geheim van haar door-middernacht-gegeven gaven zou haar niet licht vergeven zijn door een gemeenschap die zulke mogelijkheden bij voortduring had ontkend.

Aan de blinde zijde van de Vrijdagmoskee, waar de goochelaars niet te zien waren, en het enige gevaar kwam van lieden die op schroot aasden, van zoekers-naar-achtergelaten-kratten of jagers-op-blikken-golfplaten... daar liet Parvati-de-heks, dolenthousiast, me zien wat ze kon. In een nederige shalwar-kameez die gemaakt was van de brokstukken van een dozijn andere, gaf de tovenares van middernacht me een voorstelling met de verve en het enthousiasme van een kind. Met ogen als schoteltjes, touwachtige paardestaart, mooie volle lippen... Ik zou nooit zo lang weerstand aan haar hebben geboden als niet dat gezicht, die zieke rottende ogen neus lippen van... Er schenen aanvankelijk geen grenzen te zijn aan wat Parvati kon doen. (Maar die waren er wel.) Welnu dan: werden demonen aangeroepen? Verschenen er djinns, die rijkdommen en overzeese reizen op vliegende tapijten aanboden? Werden kikvorsen in prinsen veranderd, en werden stenen in juwelen veranderd? Werden er zielen verkocht, en doden uit het graf opgewekt? Allerminst; de magie die Parvati-de-heks voor mij vertoonde – de enige magie die ze ooit bereid was te vertonen – was van het soort dat bekend staat als 'wit'. Het was alsof het 'Geheime Boek' van de Brahmanen, de Atharva-Veda, haar al zijn geheimen had onthuld; ze kon ziekte genezen en tegengiften bezweren (om dit te bewijzen liet ze zich door slangen bijten, en bestreed dit gif met een vreemd ritueel waaraan bidden tot de slangegod Takshasa, het drinken van water doortrokken van de weldadigheid van de Krimukaboom en de macht van oude gekookte kleren, en het opzeggen van een toverspreuk te pas kwamen: *Garudamand, de adelaar, dronk van vergif, maar het was krachteloos; op een dergelijke manier heb ik zijn kracht afgebogen, zoals een pijl wordt afgebogen)* – ze kon zweren genezen en talismannen wijden – ze kende de sraktyaformule en de Rite van de Boom. En dit alles onthulde ze mij onder de muren van de Moskee – in een reeks bijzondere nachtelijke demonstraties – maar toch was ze niet gelukkig.

Zoals altijd ben ik genoodzaakt verantwoordelijkheid te aanvaarden; de geur van droefenis die om Parvati-de-heks heen hing was mijn schepping. Omdat ze vijfentwintig jaar oud was en meer van mij wilde dan mijn bereidheid haar publiek te zijn; God mag weten waarom, maar ze wilde mij in haar bed – of, om precies te zijn, ze wilde dat ik samen met haar op haar zaklinnen kwam liggen dat haar tot bed diende in het krot dat ze deelde met een familie van drielingen uit Kerala die slangemensen waren, drie meisjes die wees waren net als zij – net als ikzelf.

Wat ze voor me deed: onder de macht van haar tovenarij begon er haar te groeien waar geen haar had gegroeid sinds meneer Zagallo te hard had getrokken; haar tovenarij deed de moedervlekken op mijn gezicht vervagen onder de genezende aanwending van kruidenkompressen; het leek alsof zelfs mijn o-benen onder haar hoede minder erg werden. (Ze kon echter niets doen voor mijn ene slechte oor; er is geen toverkracht op aarde die sterk genoeg is om de erfenis van ouders uit te wissen.) Maar hoeveel ze ook voor mij deed, ik kon datgene wat ze het meest verlangde niet voor haar doen; want hoewel we bij elkaar lagen onder de muren aan de blinde kant van de Moskee, liet het maanlicht me haar nachtelijke gezicht zien dat altijd, steevast, veranderde in dat van mijn verre, verdwenen zuster ... nee, niet mijn zuster ... in het verrotte, walgelijk mismaakte gezicht van de zangeres Jamila. Parvati oliede haar lichaam met smeersels die doordrenkt waren van een erotisch tovermiddel; ze kamde haar haar wel duizend keer met een kam die gemaakt was van liefde opwekkende hertebotten; en moet (ik twijfel er niet aan) wanneer ik er niet was allerlei liefdestovenarijen hebben uitgeprobeerd; maar ik was in de greep van een oudere betovering, en kon, scheen het, niet worden bevrijd; ik was gedoemd te ervaren dat de gezichten van vrouwen die van mij hielden veranderden in de gelaatstrekken van ... maar u weet wier afbrokkelende trekken verschenen en mijn neusgaten met hun goddeloze stank vervulden.

'Arm meisje!' verzucht Padma, en ik ben het met haar eens; maar vooraleer de Weduwe me van verleden heden en toekomst beroofde, bleef ik onder de betovering van de Aap.

Toen Parvati-de-heks ten slotte erkende dat ze gefaald had, kreeg haar gezicht van de ene dag op de andere een verontrustende en uitgesproken pruilerige uitdrukking. Ze viel in slaap in de hut van de slangemens-wezen en werd wakker met haar volle lippen gefixeerd in een vooruitstekende stand van onuitsprekelijke sensuele verongelijktheid. De verweesde drieling vertelde haar, verontrust giechelend, wat er met haar gezicht was gebeurd; ze probeerde energiek het weer goed te trekken, maar noch spieren noch tovenarij slaagden erin haar weer te doen worden zoals ze was; in haar tragedie berustend gaf Parvati het ten slotte op, zodat Resham Bibi aan iedereen die het maar horen wilde vertelde: 'Dat arme meisje – een god moet op haar hebben geblazen toen ze een gezicht trok.'

(Dat jaar, tussen twee haakjes, keken de chique dames in de stad met erotische opzettelijkheid allemaal precies zo; de hooghartige mannequins op de Eleganza-'73 modeshow hadden allemaal getuite lippen terwijl ze over het podium liepen. In de vreselijke armoede van de achterbuurt van de goochelaars was de pruilende Parvati-de-heks op het toppunt van de gezichtsmode.)

De goochelaars wijdden een groot deel van hun energie aan het probleem Parvati weer aan het lachen te maken. Ze namen vrij van hun werk, en ook van de wereldlijker karweitjes om hutten van blik-en-karton die in een storm waren omgewaaid te herbouwen, of ratten te doden, en voerden hun moeilijkste trucs voor haar genoegen op; maar de pruillippen bleven op hun plaats. Resham Bibi zette een groene thee die naar kamfer rook en dwong die door Parvati's keel. Het gevolg van de thee was dat die haar zo grondig constipeerde dat men haar negen weken lang niet achter haar krotwoning zag defecéren. Twee jeugdige jongleurs vatten het denkbeeld op dat ze misschien opnieuw om haar overleden vader was gaan treuren, en legden zich toe op de taak om zijn portret op een stuk oud zeildoek te tekenen, dat ze boven haar mat van zaklinnen hingen. Drielingen maakten grapjes, en Foto Singh, bijzonder ontdaan, liet cobra's knopen in zichzelf leggen; maar niets van dit alles hielp, want als Parvati haar gedwarsboomde liefde zelf niet kon genezen, wat voor hoop konden de anderen dan hebben gekoesterd? De macht van Parvati's pruillip schiep in het ghetto een onnoemlijk gevoel van onbehagen, dat heel de vijandschap van de goochelaars tegenover het onbekende niet geheel en al kon verdrijven.

Maar toen kreeg Resham Bibi een idee. 'Wat zijn we stom,' zei ze tegen Foto Singh, 'we zien niet wat er vlak voor onze neus gebeurt. Het arme kind is vijfentwintig, baba – bijna een oude vrouw! Ze smacht naar een man!' Foto Singh was onder de indruk. 'Resham Bibi,' zei hij goedkeurend tegen haar, 'je hersens zijn nog niet dood.'

Daarna wijdde Foto Singh zich aan de taak om een geschikte jongeman voor Parvati te vinden; vele van de jongere mannen in het ghetto werden geflikflooid getiranniseerd gedreigd. Er werd een aantal kandidaten naar voren geschoven; maar Parvati wees hen allemaal af. Op een avond toen ze Bismillah Khan, de zeer veelbelovende vuurvreter in de kolonie, zei dat hij moest opduvelen met zijn adem van hete chilipeper, wanhoopte zelfs Foto Singh. Die avond zei hij tegen me: 'Kapitein, dat meisje is een beproeving en een verdriet voor me; ze is een goede vriendin van je, weet jij misschien iets?' Toen kreeg hij een idee, een idee dat had moeten wachten tot hij wanhopig werd, want zelfs Foto

Singh werd beïnvloed door klassenoverwegingen – omdat hij mij automatisch als 'te goed' voor Parvati had beschouwd, vanwege mijn veronderstelde 'hogere' afkomst, had de ouder wordende communist er pas nu aan gedacht dat ik misschien... 'Vertel mij een ding, kapitein,' vroeg Foto Singh verlegen, 'ben je van plan eens te gaan trouwen?'

Saleem voelde paniek in zich opkomen.

'Hé, luister, kapitein, je vindt dat meisje aardig, eh?' En ik, die dat niet kon ontkennen: 'Natuurlijk.' En nu grijnsde Foto Singh van oor tot oor, terwijl slangen in manden sisten: 'Je vindt haar heel aardig, kapitein? *Heel erg* aardig?' Maar ik dacht aan Jamila's gezicht in de nacht; en nam een wanhopige beslissing: 'Fotoji, ik kan niet met haar trouwen.' En hij nu, met opgetrokken wenkbrauwen: 'Ben je misschien al getrouwd, kapitein? Heb je ergens vrouw en kinderen die op je zitten te wachten?' Er zat nu niets anders meer op; ik zei rustig, beschaamd: 'Ik kan met niemand trouwen, Fotoji. Ik kan geen kinderen verwekken.'

De stilte in de hut werd gemarkeerd door sissende slangen en het gejank van wilde honden in de nacht.

'Spreek je de waarheid, kapitein? Is dat een medisch feit?'

'Ja.'

'Want men mag over dergelijke dingen niet liegen, kapitein. Om te liegen over je mannelijkheid is slecht, brengt ongeluk. Er zou van alles kunnen gebeuren, kapitein.'

En ik, die de vloek van Nadir Khan over mezelf bracht, die ook de vloek van mijn oom Hanif Aziz was en, tijdens de vorstperiode en de lange nasleep ervan van mijn vader Ahmed Sinai, werd ertoe aangezet nog bozer te liegen: 'Ik zeg je,' riep Saleem uit, 'dat het waar is, en daarmee uit!'

'Dan kapitein,' zei Fotoji tragisch, terwijl hij zijn pols tegen zijn voorhoofd sloeg, 'mag God weten wat hij met dat arme meisje aan moet.'

Een trouwpartij

Ik trouwde met Parvati-de-heks op 23 februari, 1975, de tweede verjaardag van mijn terugkeer als uitgeworpene in het ghetto van de goochelaars.

Padma verstijft: strak als een waslijn, informeert mijn mest-lotus: 'Trouwde? Maar gisteravond zei je nog dat je niet wilde – en waarom heb je me al die dagen, weken, maanden...?' Ik kijk haar droevig aan, en herinner haar eraan dat ik al gesproken heb over de dood van mijn arme Parvati, die geen natuurlijke dood was... langzaam ontrolt Padma zich terwijl ik vervolg: 'Vrouwen hebben mij gemaakt; en ook tenietgedaan. Van Eerwaarde Moeder tot de Weduwe, en nog verder, ben ik aan de genade overgeleverd geweest van wat men, ten onrechte naar mijn mening, het zwakke geslacht noemt. Het is misschien een kwestie van verband: wordt Moeder India, Bharat-Mata, niet algemeen als vrouwelijk voorgesteld? En zoals je weet valt er aan haar niet te ontkomen.'

Er zijn in dit verhaal tweeëndertig jaar geweest gedurende welke ik ongeboren bleef; binnenkort mag ik zelf eenendertig jaren voltooien. Gedurende zesendertig jaar, voor en na middernacht, hebben vrouwen hun best gedaan; en ook, moet ik zeggen, hun slechtst.

In het huis van een blinde landeigenaar aan de oevers van een meer in Kasjmir doemde Naseem Aziz me tot de onvermijdelijkheid van geperforeerde lakens; en in de wateren van dat zelfde meer lekte Ilse Lubin de geschiedenis in, en ik ben haar verlangen naar de dood niet vergeten.

Voor Nadir Khan zich in zijn onderwereld verschool, was mijn grootmoeder, door Eerwaarde Moeder te worden, de eerste geworden van een reeks vrouwen die hun naam veranderden, een reeks die zelfs tot op de dag van vandaag verder gaat – en die zelfs in Nadir lekte, die Qasim werd, en met dansende handen in Café de Pionier zat; en na Nadirs vertrek werd mijn moeder Mumtaz Aziz, Amina Sinai;

En Alia die mij, met de bitterheid van eeuwen, in de babykleertjes kleedde die doordrongen waren van haar oudevrijsterswoede; en Emerald die een tafel dekte waarop ik pepervaatjes liet marcheren;

Er was de Rani van Cooch Naheen, wier geld, dat ter beschikking van een neuriënde man werd gesteld, de optimismeziekte in het leven riep die, met tussenpozen, sindsdien weer is opgedoken; en in de moslemwijk van Oud Delhi, een ver familielid Zohra genaamd wier geflirt, in mijn vader, dat latere zwak voor Fernanda's en Flory's deed ontstaan;

En nu naar Bombay. Waar Winkies Vanita de middenscheiding van William Methwold niet kon weerstaan, en Nussie-de-eend een babywedloop verloor; terwijl Mary Pereira, in naam der liefde, de babykaartjes van de geschiedenis verwisselde en een tweede moeder voor mij werd...

Vrouwen, vrouwen en nog eens vrouwen: Toxy Catrack, die de deur openduwde die later de kinderen van middernacht naar binnen zou laten; de verschrikkingen van haar verpleegster Bi-Appah; de concurrerende liefde van Amina en Mary, en wat mijn moeder mij liet zien terwijl ik in een waskist verscholen zat: ja, de Zwarte Mango die mij dwong m'n neus op te halen en wat-geen-Aartsengelen-waren ontketende!... En Evelyn Lilith Burns, oorzaak van een fietsongeluk, die me een twee verdiepingen hoog heuveltje afduwde, pardoes de geschiedenis in.

En de Aap. Ik moet de Aap niet vergeten.

Maar er was ook nog Masha Miovic, die me ertoe aanzette mijn vinger te verliezen, en mijn tante Pia, die mijn hart met wraakzucht vervulde, en Lila Sabarmati, wier indiscreties mijn verschrikkelijke, manipulerende uit-de-krant-geknipte wraak mogelijk maakte.

En mevrouw Dubash, die mijn geschenk van een Superman stripverhaal vond en het, met behulp van haar zoon, tot Heer Khusro Khusrovand uitbouwde;

En Mary, die een spook zag.

In Pakistan, het land van onderworpenheid, het thuis van de zuiveren, sloeg ik de transformatie van Aap-tot-zangeres gade, en haalde brood, en werd verliefd; het was een vrouw, Tai Bibi, die mij de waarheid omtrent mezelf vertelde. En in het hart van mijn innerlijke duisternis wendde ik me tot de Puffia's en werd op een haar na gered van de dreiging van een bruid met gouden tanden.

Opnieuw beginnend, als de boeddha, sliep ik met een latrineschoonmaakster en werd dientengevolge onderworpen aan geëlektriseerde urinoirs; in het oosten verleidde de vrouw van een boer mij, en dientengevolge werd de Tijd vermoord; en er waren hoeri's in een tempel, en we ontsnapten maar net op tijd.

In de schaduw van een moskee gaf Resham Bibi een waarschuwing.

En ik trouwde met Parvati-de-heks.

'Oef, baas,' roept Padma uit, 'dat zijn te veel vrouwen!'

Ik ben het niet oneens; want ik heb haar er niet eens bij inbegrepen, wier dromen van een huwelijk en Kasjmir onvermijdelijk in mij zijn gelekt, en me doen wensen, als-alleen-maar, als-alleen-maar, zodat ik, na mij eenmaal bij de barsten te hebben neergelegd, nu word bestormd door steken van ontevredenheid, woede angst en spijt.

Maar bovenal, de Weduwe.

'Ik zweer het!' Padma slaat zich op de knie, 'te veel, baas; te veel.'

Hoe moeten we mijn te-vele vrouwen opvatten? Als de veelvoudige gezichten van Bharat-Mata? Of als meer nog ... als het dynamische aspect van maya, als kosmische energie, die wordt voorgesteld als het vrouwelijke orgaan?

Maya wordt in zijn dynamische aspect Shakti genoemd; misschien is het geen toeval dat, in het Hindoepantheon, de actieve kracht van een godheid in zijn koningin is vervat! Maya-Shakti bemoedert, maar 'verstikt ook het bewustzijn in zijn droomweb'. Te-veel-vrouwen: zijn ze allen aspecten van Devi, de godin – die Shakti is, die de buffelduivel doodde, die de boeman Mahisha versloeg, die Kali Durga Chandi Chamunda Uma Sati en Pervati is ... en die, wanneer hij actief is, rood is gekleurd?

'Daar weet ik niets van,' Padma brengt me op aarde terug, 'het zijn alleen maar vrouwen, dat is alles.'

Terwijl ik van mijn verbeeldingsvlucht neerdaal, word ik herinnerd aan het belang van snelheid, voortgedreven door de gebiedende wijzen van rijt scheur barst, laat ik overdenkingen in de steek; en begin.

Zo gebeurde het: hoe Parvati haar lot in eigen handen nam; hoe een leugen, die over mijn lippen kwam, haar tot de wanhopige toestand bracht waarin ze, op een nacht, uit haar sjofele kleren een lok van het haar van haar held haalde, en sonore woorden begon te spreken.

Versmaad door Saleem herinnerde Parvati zich wie eens zijn aartsvijand was geweest; en terwijl ze een bamboestok met zeven knopen erin en een geïmproviseerde metalen haak aan een uiteinde ervan bevestigd pakte, hurkte ze neer in haar krot en sprak; met de haak van Indra in haar rechterhand en een lok haar in haar linker, ontbood ze hem bij zich. Parvati riep Shiva aan; geloof het geloof het niet, maar Shiva kwam.

Van het begin af aan waren er knieën en een neus, een neus en knieën; maar dit hele verhaal door heb ik hem, die andere, naar de achtergrond geduwd (net zoals ik hem eens van de vergaderingen van de Kinderen verbande). Hij kan echter niet langer verborgen worden gehouden; want op een ochtend in mei 1974 – is het alleen maar mijn barstende geheugen, of heb ik gelijk wanneer ik denk dat het de 18de was, misschien op precies hetzelfde ogenblik waarop de woestijnen van Rajasthan door India's eerste atoomontploffing beefden? Was Shiva's explosie in mijn leven synchroon met India's intrede, zonder voorafgaande waarschuwing, in het atoomtijdperk? – hij kwam naar de achterbuurt van de goochelaars. Geüniformeerd, met onderscheidingen-en-sterren, en nu een majoor, stapte Shiva van een legermotorfiets; en zelfs door het bescheiden kaki van zijn legerbroek waren de fenomenale tweelingbobbels van zijn dodelijke knieën meteen te onderscheiden... India's meest gedecoreerde oorlogsheld, maar eens voerde hij een bende apaches in de achterbuurten van Bombay aan; eens, voor hij de gewettigde gewelddadigheid van de oorlog ontdekte, werden prostituées geworgd in goten gevonden (ik weet het, ik weet het – geen bewijs); majoor Shiva nu, maar ook Kleine Willie Winkies jongen die zich de woorden nog herinnerde van lang verstilde liedjes: 'Good Night, Ladies' klonk bij gelegenheid nog in zijn oren.

Er zijn hier ironische aspecten die niet ongemerkt voorbij mogen gaan; want was Shiva niet omhoog gekomen toen Saleem viel? Wie was nu de achterbuurtbewoner, en wie keek neer van hoogten vanwaar men alles kon overzien? Er gaat niets boven een oorlog om levens opnieuw uit te vinden... Op wat heel goed 18 mei kon zijn geweest, arriveerde majoor Shiva in het ghetto van de goochelaars, en schreed door de wrede straten van de achterbuurt met een vreemde uitdrukking op zijn gezicht, die een combinatie was van de oneindige minachting voor de armoede van de sinds kort verhevenen en iets geheimzinnigers: want majoor Shiva, die naar onze nederige behuizing werd getrokken door de toverformules van Parvati-de-heks, kan niet hebben geweten welke kracht hem dwong te komen.

Hetgeen volgt is een reconstructie van de recente loopbaan van majoor Shiva; ik voegde het verhaal aaneen uit Parvati's verslagen die ik na ons huwelijk uit haar loskreeg. Het schijnt dat mijn aartsrivaal ervan hield om tegen haar over zijn heldendaden op te scheppen, dus u zult misschien rekening willen houden met de verdraaiingen van de waarheid die een dergelijk zich op-de-borst-slaan veroorzaakt; er schijnt echter geen reden om te geloven dat wat hij Parvati vertelde, en wat zij me doorvertelde, ver af was van zoals-het-was.

Aan het einde van de oorlog in het oosten gonsden de legenden van Shiva's afschuwelijke heldendaden door de straten van de stad, sprongen verder naar de krant en in tijdschriften, en drongen op die manier door tot de salons van de welgestelden, in wolken dicht als vliegen op de trommelvliezen van de gastvrouwen van het land neerkomend, zodat Shiva zowel opklom in sociale status als in militaire rang, en voor duizend en één verschillende bijeenkomsten werd uitgenodigd – banketten, muziekavondjes, bridgepartijtjes, diplomatieke ontvangsten, partijpolitieke conferenties, grote mela's en ook kleinere, plaatselijke feesten, schoolsportdagen en modieuze bals – om te worden toegejuicht en gemonopoliseerd door de edelsten en mooisten van het land, wie allen de legenden van zijn heldendaden als vliegen aankleefden, over hun oogballen lopend, zodat ze de jongeman door de mist van zijn legende zagen, hun vingertoppen bedekkend zodat ze hem aanraakten door het magische vlies van zijn mythe, zich op hun tongen vastzettend, zodat ze niet tegen hem konden spreken zoals ze dat tegen een gewoon menselijk wezen zouden doen. Het Indiase leger dat in die tijd een politieke strijd voerde tegen voorgestelde bezuinigingen, begreep de waarde van een zo charismatische ambassadeur, en stond de held toe zich in de kringen van zijn invloedrijke bewonderaars te bewegen; Shiva omhelsde zijn nieuwe leven met genoegen.

Hij liet een weelderige snor staan waarop zijn persoonlijke oppasser dagelijks een pommade van lijnzaadolie gekruid met koriander aanbracht; altijd elegant uitgedost in de salons van de machtigen, deed hij mee aan politiek gebabbel, en verklaarde zich een vastberaden aanhanger van mevrouw Gandhi, voornamelijk vanwege zijn haat jegens haar tegenstander Morarji Desai, die ondragelijk oud was, zijn eigen urine dronk, een huid had die ritselde als rijstpapier en, als oppserminister van Bombay, eens verantwoordelijk was geweest voor het verbod op alcohol en de vervolging van jonge goonda's, dat wil zeggen straatschenners en apachen, of, met andere woorden, van het kind Shiva zelf... maar dergelijk hol geklets nam slechts een fractie van zijn gedachten in beslag, waarvan de rest zich helemaal bezighield met de dames. Ook Shiva was verdwaasd door te-veel-vrouwen, en verwierf zich in die onstuimige tijd na de militaire overwinning een geheime reputatie die (zo pochte hij tegen Parvati) snel zodanig toenam dat ze wedijverde met zijn officiële publieke roem – een 'zwarte' legende om naast de 'witte' te stellen. Wat werd er gefluisterd op de damesfeestjes en canasta-avondjes in het land? Wat werd er door gegiechel gesmiespeld waar twee of drie glinsterende dames bij elkaar kwamen? Dit: majoor Shiva begon een berucht verleider te worden; een galante man; iemand die de rijken de horens opzette; kortom, een dekhengst.

Er waren vrouwen – vertelde hij Parvati – waar hij ook ging; hun welvende vogelzachte lichamen trilden onder het gewicht van hun juwelen en wellust, hun ogen beslagen door zijn legende; het zou moeilijk zijn geweest hen af te wijzen zelfs al had hij dat gewild. Maar majoor Shiva was allerminst van plan af te wijzen. Hij luisterde meevoelend naar hun kleine tragediën – impotente echtgenoten, slaag, gebrek-aan-aandacht – naar alle excuses die de lieflijke schepseltjes maar wilden aanvoeren. Net zoals mijn grootmoeder bij haar benzinepomp (maar met meer sinistere motieven) luisterde hij geduldig naar hun klachten; terwijl hij whisky nipte in de bekroonluchterde pracht van balzalen, zag hij hen met de oogleden knipperen en veelbetekenend ademen terwijl ze klaagden; en, ten slotte slaagden ze er altijd in een handtas te laten vallen, of een drankje om te gooien, of zijn rottinkje uit zijn hand te stoten, zodat hij zich moest bukken om datgene op te rapen wat gevallen was, en dan zag hij de briefjes die ze in hun sandalen hadden gestopt, en fijntjes onder hun beschilderde tenen uitstaken. In die tijd (als men de majoor kan geloven) werden de scandaleuze begums van India vreselijk onhandig, en hun chapals spraken van rendez-vous-om-middernacht, over latwerk van bougainvillea buiten slaapkamerramen, van echtgenoten die uiterst gelegen weg waren om schepen te water te laten of thee te exporteren of kogellagers van Zweden te kopen. Terwijl deze ongelukkigen weg waren, bezocht de majoor hun huizen om hun kostbaarste bezittingen te stelen: hun vrouwen vielen hem in de armen. Het is mogelijk (ik heb de eigen cijfers van de majoor gehalveerd) dat er op het toppunt van zijn geflirt niet minder dan tweeduizend vrouwen verliefd op hem waren.

En stellig waren er kinderen. Het gebroed van onwettige middernachten. Mooie gezonde zuigelingen veilig in de wiegen van de rijken. Terwijl hij bastaards over de landkaart van India uitstrooide, ging de oorlogsheld zijn gang; maar (en ook dit vertelde hij aan Parvati) hij leed aan de vreemde fout dat hij de belangstelling voor iedereen die zwanger raakte verloor; hoe mooi sensueel liefdevol ze waren, hij verliet de slaapvertrekken van allen die zijn kinderen droegen; en lieflijke vrouwen met rood omrande ogen waren genoodzaakt hun bedrogen echtgenoten ervan te overtuigen dat ja, natuurlijk, het is jouw kind, lieveling, mijn-leven, lijkt hij niet als twee druppels water op jou, en natuurlijk ben ik niet bedroefd, waarom zou ik, dit zijn tranen van vreugde.

Een van die in de steek gelaten moeders was Roshanara, het kindvrouwtje van de staalmagnaat S.P. Shetty; en op de Mahalaxmi Renbaan in Bombay prikte zij de machtige ballon van zijn trots door. Hij was door de paddock aan het wandelen geweest, zich om de paar meter vooroverbuigend om damessjaals en parasols terug te geven, die een eigen leven schenen te gaan leiden en uit de handen van hun eigenaressen schenen te springen wanneer hij voorbijkwam; Roshanara Shetty trad hem daar tegemoet, ging vierkant voor hem staan en weigerde ook maar een stap opzij te gaan, haar zeventienjarige ogen vervuld van de felle verbolgenheid van de jeugd. Hij groette haar koeltjes, en tikte aan zijn legerpet, en probeerde langs haar heen te gaan; maar zij zette haar naaldscherpe nagels in zijn arm, gevaarlijk glimlachend als ijs, en liep naast hem mee. Onder het lopen goot zij haar infantiele gif in zijn oor, en haar haat en wrok jegens haar vroegere minnaar gaven haar de bedrevenheid om te maken dat hij haar geloofde. Ongevoelig fluisterde ze dat het zo grappig was, mijn God, de manier waarop hij als een soort haan in de voorname kringen rondstapte, terwijl de dames hem de hele tijd achter zijn rug uitlachten. O ja, majoor sahib, houd uzelf maar niet voor de gek, voorname vrouwen hebben het altijd heerlijk gevonden om met beesten kinkels bruten naar bed te gaan, maar zo denken wij over je, mijn God, het is walgelijk om je te zien eten, met jus langs je kin, denk je dat wij niet zien dat je je theekopje nooit bij het oortje vasthoudt, denk je dat we je boeren en winden niet kunnen horen, je bent alleen maar onze lievelingsaap, majoor sahib, erg nuttig, maar in de grond van de zaak een clown.

Na de aanval van Roshanara Shetty begon de jonge oorlogsheld de wereld met andere ogen te bezien. Nu scheen hij overal waar hij ging vrouwen achter hun waaiers te zien giechelen; hij merkte vreemde geamuseerde zijdelingse blikken op die hij nooit eerder had opgemerkt; en hoewel hij zijn gedrag probeerde te verbeteren, hielp dat niet, hij scheen onhandiger te worden naarmate hij beter zijn best deed, zodat eten van zijn bord af vloog op onschatbare kelimkleden en boeren uit zijn keel scheurden met het gebulder van een trein die uit een tunnel dendert en hij winden liet met de razernij van tyfoons. Zijn schitterende nieuwe leven werd, voor hem, een dagelijkse vernedering; en nu herinterpreteerde hij de toenaderingen van de mooie dames en begreep dat ze hem, door hun liefdesbriefjes onder hun tenen te leggen, dwongen vernederend aan hun voeten te knielen ... terwijl hij leerde dat een man ieder mannelijk attribuut kan bezitten en toch veracht kan worden omdat hij niet weet hoe hij een lepel moet vasthouden, voelde hij een oude gewelddadigheid opnieuw in zich opkomen, een haat jegens hooggeplaatsten en hun macht, hetgeen de reden is dat ik er zeker van ben – ik *weet* het eigenlijk – dat hij toen de Noodtoestand Shiva-met-de-knieën de kans bood om zelf enige macht te grijpen, hij niet wachtte tot hij een tweede keer gevraagd werd.

Op 15 mei 1974 keerde majoor Shiva naar zijn regiment in Delhi terug; hij beweerde dat hij, drie dagen later, plotseling werd aangegrepen door het verlangen om de schotelogige schoonheid nog eens te zien die hij voor het eerst lang geleden op de conferentie van de Middernachtskinderen had ontmoet; de verleidster met de paardestaart die hem, in Dacca, om een enkele lok van zijn haar had gevraagd. Majoor Shiva verklaarde tegenover Parvati dat zijn komst in het ghetto van de goochelaars was gemotiveerd door een verlangen om af te zijn van de rijke teven van de Indiase hoge kringen; dat hij gek was geworden van haar tuitende lippen van het ogenblik af dat hij die had gezien; en dat die de enige reden waren waarom hij haar vroeg er met hem vandoor te gaan. Maar ik ben al te edelmoedig geweest tegenover majoor Shiva – hier, in mijn persoonlijke versie van de geschiedenis, heb ik te veel ruimte aan zijn verhaal besteed; dus houd ik vol dat, wat de majoor met de x-benen ook mag hebben gedacht, datgene wat hem naar het ghetto trok eenvoudig en zonder meer de toverkracht van Parvati-de-heks was.

Saleem was niet in het ghetto toen majoor Shiva per motorfiets arriveerde; terwijl atoomexplosies de Rajasthanivlakten deden schudden, buiten het gezicht, onder de oppervlakte van de woestijn, vond de explosie die mijn leven veranderde ook buiten mijn gezichtsveld plaats. Toen Shiva Parvati bij de pols greep, was ik met Foto Singh op een spoedconferentie van de vele rode cellen van de stad om de bijzonderheden van de nationale spoorwegstaking te bespreken; toen Parvati, zonder morren, haar plaats op de duozitting van de Honda van een held plaatsnam, was ik druk bezig de arrestaties van vakbondsleiders door de regering aan de kaak te stellen. Kortom, terwijl ik helemaal in beslag was genomen door politiek en mijn droom de natie te redden, hadden de vermogens van Parvati's hekserij het plan in beweging gezet dat zou uitlopen op met henna beschilderde handpalmen, en gezang, en het tekenen van een contract.

...Ik ben onvermijdelijk genoodzaakt op de verhalen van anderen af te gaan; alleen Shiva kon vertellen wat hem was overkomen; het was Resham Bibi die Parvati's vertrek voor me beschreef toen ik terugkwam, en zei: 'Het arme kind, laat haar gaan, ze is zo lang verdrietig geweest, wat valt er te verwijten?'; en alleen Parvati kon me vertellen wat haar was overkomen toen ze weg was.

Vanwege de status van de majoor als oorlogsheld, mocht hij zich bepaalde vrijheden met de militaire voorschriften veroorloven; dus nam niemand hem onderhanden voor het feit dat hij een vrouw in wat, per slot van rekening, niet het verblijf van gehuwde mannen was had gebracht; en hij, niet wetende waardoor die opmerkelijke verandering in zijn leven teweeg was gebracht ging, zoals hem werd gevraagd, in een rieten stoel zitten, terwijl zij zijn laarzen uittrok, zijn voeten masseerde, hem water bracht dat op smaak was gebracht met vers uitgeperste limoenen, zijn oppasser wegstuurde, zijn snor invette, zijn knieën streelde, en na dit alles een zo exquise avondmaaltijd van biriani bereidde dat hij zich niet langer afvroeg wat hem overkwam, maar in plaats daarvan begon te genieten. Parvati-de-heks veranderde dat eenvoudige legerverblijf in een paleis, een Kailasa passend voor Shiva-de-god; en majoor Shiva, verloren in de spookachtige poelen van haar ogen, ondraaglijk opgewonden door de erotische tuiting van haar lippen, wijdde vier hele maanden lang zijn onverdeelde attenties aan haar; of, om precies te zijn, honderdzeventien nachten. Maar op 12 september veranderden de zaken: want Parvati, die aan zijn voeten knielde, zich ten volle bewust van zijn opvatting over dat onderwerp, vertelde hem dat ze in verwachting was.

De verhouding tussen Shiva en Parvati werd nu een onstuimige aangelegenheid, vol slaag en gebroken borden: een aardse echo van die eeuwige huwelijksstrijd-van-de-goden die hun naamgenoten, naar men zegt, boven op de berg Kailasa in het grote Himalayagebergte voeren... Majoor Shiva begon in deze periode te drinken; ook te hoereren. De hoererende sporen van de oorlogsheld rond de hoofdstad van India droegen een sterke gelijkenis met Saleem Sinais tochten op de Lambretta langs de sporen van de straten in Karachi; majoor Shiva, in het gezelschap van de rijken ontmand door de onthullingen van Roshanara Shetty, was voor zijn pleziertjes gaan betalen. En zijn fenomenale vruchtbaarheid was zodanig (zo verzekerde hij Parvati terwijl hij haar aftuigde) dat hij de carrière van menige lichtzinnige vrouw ruïneerde door haar een baby te geven van wie ze te veel hield om hem te laten zien; hij verwekte in de hoofdstad een leger van boefjes dat een afspiegeling was van de regimenten bastaarden die hij bij de begums uit de bekroonluchterde salons had verwekt.

Aan de politieke hemel begonnen zich eveneens donkere wolken samen te pakken: in Bihar, waar corruptie inflatie honger analfabetisme landloosheid heersten, leidde Jaya-Prakash Narayan een coalitie van studenten en arbeiders tegen het regerende Congres van Indira; in Gujarat waren relletjes, treinen werden verbrand, en Morarji Desai begon aan een vasten-tot-de-dood-erop-volgt om de corrupte regering van het Congres (onder Chimanbhai Patel) ten val te brengen in die door droogte geteisterde staat ... het spreekt vanzelf dat hij daarin slaagde zonder te hoeven sterven; kortom, terwijl woede in Shiva's geest ziedde, begon het land ook nijdig te worden; en wat werd er geboren terwijl er iets nieuws groeide in Parvati's buik? U kent het antwoord: eind 1974 vormden J.P. Narayan en Morarji Desai de oppositiepartij die bekend stond als de Janata Morcha: het volksfront. Terwijl majoor Shiva van hoer tot hoer wankelde, wankelde het Congres van Indira eveneens.

En ten slotte ontsloeg Parvati hem van haar betovering. (Geen andere verklaring is mogelijk; als hij niet betoverd was, waarom dankte hij haar dan niet af zodra hij hoorde dat ze zwanger was? En als de betovering niet was verbroken, hoe kon hij het dan eigenlijk gedaan hebben?) Terwijl hij zijn hoofd schudde alsof hij uit een droom was ontwaakt, merkte majoor Shiva dat hij in het gezelschap was van een meisje uit een achterbuurt met een buik als een ballon, die nu naar het hem voorkwam alles vertegenwoordigde wat hij vreesde – ze werd de verpersoonlijking van de sloppenwijken uit zijn jeugd, waaruit hij was ontsnapt en die nu, door haar, door haar verdomde kind, probeerden hem weer neer neer neer te halen ... haar bij haar haren meesleurend, kwakte hij haar op zijn motorfiets, en binnen zeer korte tijd stond ze, verlaten, aan de rand van het goochelaarsghetto en was weer terug op haar uitgangspunt, met slechts één ding bij zich dat niet haar eigendom was geweest toen ze wegging: het ding dat in haar verborgen zat als een onzichtbare man in een rieten mand, het ding dat groeide groeide groeide, precies zoals ze het had beraamd.

Waarom zeg ik dat? – Omdat het waar moet zijn; omdat wat volgde, volgde; want ik geloof dat Parvati-de-heks zwanger werd om mijn enige afweer tegen een huwelijk met haar te ontkrachten. Maar ik zal alleen maar beschrijven, en het analyseren aan het nageslacht overlaten.

Op een koude dag in januari, toen de kreten van de muezzin van de hoogste minaret van de Vrijdagmoskee bevroren zodra ze over zijn lippen kwamen en als heilige sneeuw op de stad neervielen, kwam Parvati terug. Ze had gewacht tot er geen twijfel aan haar toestand meer mogelijk was; haar inwendige mand bolde door de schone nieuwe kleren van Shiva's nu gestorven verliefdheid heen. Haar lippen, zeker van haar aanstaande triomf, hadden hun modieuze tuiting verloren; in haar schoteltjesogen school een zilverachtige glans van tevredenheid, terwijl ze op de trap van de Vrijdagmoskee stond om er zeker van te zijn dat zoveel mogelijk mensen haar nieuwe gestalte zagen. Zo trof ik haar aan toen ik met Foto Singh naar de chaya van de moskee terugkeerde. Ik voelde me troosteloos, en de aanblik van Parvati-de-heks op de treden, de handen rustig over haar gezwollen buik gevouwen, het lange touw-van-haar zachtjes in de kristallen lucht waaiend, maakte me er bepaald niet vrolijker op.

Fotoji en ik waren de smal toelopende straten achter het hoofdpostkantoor in gegaan, waar herinneringen aan waarzeggers kiekkastmannen genezers in de bries zweefden; en hier had Foto Singh een voorstelling gegeven die met de dag politieker werd. Zijn legendarische kunstenaarschap trok grote goedaardige menigten; en hij liet zijn slangen zijn boodschap uitbeelden onder de invloed van zijn bezwerende fluitmuziek. Terwijl ik, in mijn rol van leerling, een voorbereide toespraak oplas, maakten slangen mijn rede aanschouwelijk. Ik sprak over grove onrechtvaardigheden in de verdeling van rijkdom; twee cobra's voerden, in gebarenspel, de mime op van een rijke man die weigerde een bedelaar een aalmoes te geven. Pesterij door politie, honger ziekte analfabetisme kwamen ter sprake en werden ook door slangen gedanst; en toen begon Foto Singh, zijn voorstelling afsluitend, over de aard van de rode revolutie te praten, en de lucht begon vervuld te raken van beloften, zodat nog voor de politie uit de achterdeuren van het postkantoor verscheen om de menigte met lathi-charges en traangas uiteen te drijven, bepaalde grappenmakers in het publiek de Betoverendste Man ter Wereld waren begonnen te hekelen. Niet overtuigd, wellicht, door de dubbelzinnige mimes van de slangen, waarvan de dramatische inhoud inderdaad enigszins duister was, riep een jongeman uit: 'Ohé, Fotoji, jij zou in de regering moeten zitten, man, zelfs Indiramata doet niet zulke mooie beloften als jij!'

Toen kwam het traangas en we moesten, hoestend sputterend blind, vluchten voor de oproerpolitie, als misdadigers, vals schreeuwend terwijl we renden. (Net zoals eens in Jallianwalabagh – maar in ieder geval waren er bij deze gelegenheid geen kogels.) Maar hoewel de tranen tranen van gas waren, was Foto Singh werkelijk diep terneergeslagen door de spot van de hekelaar, die de greep op de werkelijkheid, die zijn grootste trots was, in twijfel had getrokken; en in de nasleep van gas en knuppels was ook ik terneergeslagen, na plotseling een vlinder van ongerustheid in mijn maag te hebben bespeurd, en ik besefte dat iets in mij bezwaar maakte tegen Foto's uitbeelding in slangendans van de onverminderde slechtheid van de rijken; ik betrapte mezelf erop dat ik dacht: 'Er steekt goed en kwaad in iedereen – en ze hebben me grootgebracht, ze hebben voor me gezorgd, Fotoji!' Waarna ik begon in te zien dat het misdrijf van Mary Pereira mij van twee werelden had onthecht, niet van één; dat ik, nu ik uit het huis van mijn oom was gezet, nooit meer de wereld-volgens-Foto-Singh binnen kon gaan; dat mijn droom om het land te redden eigenlijk iets van spiegels en rook was; onstoffelijk, het gebazel van een dwaas.

En dan was er Parvati, met haar veranderde profiel, in de harde helderheid van de winterdag.

Het was – of heb ik het mis? Ik moet vlug verder gaan; dingen ontglippen me de hele tijd – een dag vol gruwelen. Het was toen – tenzij het een andere dag was – dat we de oude Resham Bibi dood van de kou aantroffen in haar hut die ze van Dalda Vanaspatti pakkisten had gebouwd. Ze was knalblauw geworden, Krishnablauw, blauw als Jezus, het blauw van de hemel van Kasjmir, die soms in ogen lekt; we cremeerden haar op de oever van de Jamuna te midden van modderbanken en buffels, en daardoor liep ze mijn huwelijk mis, hetgeen droevig was, want net als alle oude vrouwen was ze dol op bruiloften, en had in het verleden met energieke vrolijkheid deelgenomen aan de voorafgaande hennaceremoniën, en het formele gezang geleid waarbij de vrienden van de bruid en bruidegom en diens familie beledigden. Bij één zo'n gelegenheid waren haar beledigingen zo briljant en uitgekookt geweest, dat de bruidegom er aanstoot aan had genomen en het huwelijk had afgelast; maar Resham had zich niet uit het veld laten slaan en had gezegd dat het niet haar schuld was als jongemannen tegenwoordig even bangelijk en wispelturig waren als kippen.

Ik was er niet toen Parvati vertrok; ik was niet aanwezig toen ze terugkwam; en er was nog iets vreemds ... tenzij ik het ben vergeten, tenzij het op een andere dag gebeurde ... het komt me in elk geval voor dat op de dag dat Parvati terugkwam, een Indiase minister in zijn spoorwegcoupé zat, in Samastipur, toen een explosie hem de geschiedenisboeken in blies; dat Parvati, die vertrokken was te midden van de explosies van atoombommen, bij ons terugkwam toen L.N. Mishra, minister voor spoorwegen en omkoping, deze wereld voorgoed verliet. Voortekenen en nog meer voortekenen ... misschien spoelden in Bombay dode bramen met de buik omhoog op de kust aan.

26 Januari, de Dag van de Republiek, is een goede tijd voor illusionisten. Wanneer de enorme menigten zich verzamelen om naar olifanten en vuurwerk te kijken, gaan de oplichters van de stad eropuit om de kost te verdienen. Voor mij heeft die dag echter een andere betekenis; het was op de Dag van de Republiek dat mijn echtelijke lot werd bezegeld.

In de dagen na Parvati's terugkeer namen de oude vrouwen van het ghetto de gewoonte aan om telkens wanneer ze voorbijkwam uit schaamte naar hun oren te grijpen; zij, die haar onwettige kind zonder enig blijk van schuldgevoel droeg, lachte dan onschuldig en liep verder. Maar op de ochtend van de Dag van de Republiek werd ze wakker en zag een touw met haveloze schoenen boven haar deur hangen en begon ontroostbaar te huilen, daar haar zelfverzekerdheid het begaf onder de kracht van deze allergrootste belediging. Foto Singh en ik, die onze hut beladen met manden en slangen verlieten, kwamen haar tegen in haar (berekende? echte?) ellende, en Foto Singh stak zijn kaak vastberaden naar voren. 'Kom mee terug naar de hut, kapitein,' gelastte de Betoverendste Man van de Wereld me, 'we moeten praten.'

En in de hut: 'Vergeef me, kapitein, maar ik moet het zeggen. Ik denk dat het iets verschrikkelijks voor een mens is om zonder kinderen door het leven te gaan. Geen zoon te hebben, kapitein: wat droevig voor je, nietwaar?' En ik, verstrikt in de leugen van impotentie, bleef zwijgen terwijl Fotoji het huwelijk voorstelde dat Parvati's eer zou beschermen en tegelijkertijd het probleem van mijn door mezelf opgebiechte steriliteit zou oplossen; en ondanks mijn angst voor het gezicht van de zangeres Jamila, dat, over dat van Parvati heen geprojecteerd, het vermogen had me gek te maken, kon ik het niet over mijn hart verkrijgen te weigeren.

Parvati accepteerde mij meteen – precies zoals ze het had bekokstoofd, daar ben ik zeker van – zei even gemakkelijk en even vaak ja als ze in het verleden nee had gezegd; en daarna kregen de feestelijkheden van de Dag van de Republiek het aanzien alsof ze speciaal voor ons op touw waren gezet, maar wat me door het hoofd speelde was dat opnieuw het noodlot, het onvermijdelijke, de antithese van keuze, mijn leven was komen regeren, opnieuw zou een vader, die niet de vader was, een kind krijgen, hoewel het kind door een vreselijke ironie het echte kleinkind van de ouders van zijn vader zou zijn; verstrikt in het web van deze met elkaar verstrengelde genealogieën, is het misschien zelfs in me opgekomen om me af te vragen wat er begon, wat er eindigde, en of er nog een geheime aftelling aan de gang was, en wat er met mijn kind zou worden geboren.

Ondanks de afwezigheid van Resham Bibi verliep de trouwpartij heel goed. Parvati's officiële bekering tot de Islam (die Foto Singh ergerde, maar waarop ik, naar ik merkte, bleef aandringen, in een nieuwe terugkeer naar een vroeger leven) werd voltrokken door een rood-bebaarde Haji die slecht op zijn gemak leek in de aanwezigheid van zoveel plagende, provocerende aanhangers van het goddeloze; onder de heen en weer gaande blik van deze man die op een grote bebaarde ui leek, dreunde ze op dat ze geloofde dat er geen andere God was dan God en dat Muhammad zijn profeet was; ze nam een naam aan die ik voor haar uit de vergaarbak van mijn dromen had gekozen, en werd Laylah, nacht, zodat ook zij verwikkeld werd in de zich herhalende cycli van mijn geschiedenis, en een echo werd van alle andere mensen die genoodzaakt zijn geweest hun naam te veranderen ... zoals mijn eigen moeder Amina Sinai werd Parvati-de-heks een ander mens om een kind te krijgen.

Bij de hennaceremonie adopteerde de helft van de magiërs mij, de functie van mijn 'familie' vervullend; de andere helft koos de zijde van Parvati, en tot laat in de nacht werden er vrolijke beledigingen gezongen terwijl ingewikkelde versieringen met henna op haar handpalmen en voetzolen droogden; en zo de afwezigheid van Resham Bibi de beledigingen van een zekere scherpte beroofden, waren we niet al te droevig om dit feit. Tijdens de nikah, de eigenlijke huwelijksvoltrekking, zat het gelukkige paar op een verhoging die in allerhaast van de Daldakisten van Reshams afgebroken hut was gemaakt, en de goochelaars trokken plechtig langs ons heen en lieten geldstukken met een geringe waarde in onze schoot vallen; en toen de nieuwe Laylah Sinai flauwviel lachte iedereen tevreden, want iedere goede bruid behoort bij haar huwelijk flauw te vallen, en niemand maakte gewag van de pijnlijke mogelijkheid dat ze misschien was bezwijmd van misselijkheid of wellicht de pijn veroorzaakt door het schoppen van de baby in haar mand. Die avond gaven de goochelaars zo'n wonderbaarlijke voorstelling dat geruchten erover zich door de hele Oude Stad verspreidden, en menigten stroomden samen om ernaar te kijken, moslemzakenlieden uit een naburige muhalla waar eens een openbare bekendmaking was gedaan en zilversmeden en milkshakeventers uit Chandni Chowk, avondlijke wandelaars en Japanse toeristen die allemaal (bij deze gelegenheid) uit beleefdheid chirurgenmaskers droegen, om ons niet aan te steken met uitgeademde bacillen; en er waren roze Europeanen die met de Japanners over cameralenzen spraken, er waren klikkende sluiters en plofende flitslampjes, en een van de toeristen vertelde me dat India echt een werkelijk schitterend land was met vele opmerkelijke tradities, en gewoonweg prachtig en volmaakt zou zijn als je maar niet aan een stuk door Indiaas voedsel hoefde te eten. En bij de valima, de voltrekkingsceremonie (waar bij deze gelegenheid geen met bloed bevlekte lakens, al of niet met perforaties, omhoog werden gehouden, aangezien ik mijn huwelijksnacht met stijfdichtgeknepen ogen en mijn lichaam van dat van mijn vrouw afgewend had doorgebracht, opdat de onverdraaglijke gelaatstrekken van de zangeres Jamila me niet in de verbijstering van het donker zouden komen bezoeken), overtroffen de goochelaars hun inspanningen van de bruiloftsavond.

Maar toen alle opwinding was bedaard hoorde ik (met een goed en een slecht oor) het onverbiddelijke geluid van de toekomst naderbij sluipen: tik, tak, luider en luider, tot de geboorte van Saleem Sinai – en ook de vader van de baby – werd weerspiegeld in de gebeurtenissen van de nacht van de 25ste juni.

Terwijl geheimzinnige moordenaars regeringsautoriteiten koud maakten, en er op een haar na niet in slaagden zich van de door mevrouw Gandhi persoonlijk gekozen opperrechter A.N. Ray te ontdoen, concentreerde het goochelaarsghetto zich op een ander mysterie: de opbollende mand van Parvati-de-heks.

Terwijl de Janata Morcha allerlei soorten bizarre kanten uit groeide, totdat ze de Maoïstische communisten omhelsde (zoals onze bloedeigen slangemensen, onder wie de drieling met de rubberen ledematen met wie Parvati voor ons huwelijk had samengewoond – sinds het huwelijk waren we in een eigen hut getrokken, die het ghetto als huwelijksgeschenk voor ons op de plaats waar Reshams krot had gestaan had gebouwd) en extreem rechtse leden van de Ananda Marg; tot linkse socialisten en leden van de conservatieve Santra hun gelederen kwamen versterken ... terwijl het volksfront zich op deze groteske manier uitbreidde, vroeg ik, Saleem, me voortdurend af wat er achter de zich uitbreidende voorkant van mijn vrouw aan het groeien was.

Terwijl de publieke ontevredenheid over het Congres van Indira de regering als een vlieg dreigde te verpletteren, zat de gloednieuwe Laylah, wier ogen groter waren geworden dan ooit, zo stil als een steen terwijl het gewicht van de baby toenam tot hij haar beenderen dreigde te verpulveren; en Foto Singh, met een onschuldige echo van een oude opmerking zei: 'Hé, kapitein! Hij zal groot groot worden: een echte kanjer van tien spie, wat ik je brom!'

En toen was het de twaalfde juni.

Geschiedenisboeken kranten radioprogramma's vertellen ons dat op 12 juni om twee uur 's middags eerste minister Indira Gandhi door rechter Jag Mohan Lal Sinha van het Hooggerechtshof van Allahabad schuldig werd bevonden aan twee gevallen van knoeierij tijdens de verkiezingscampagne van 1971; wat nooit eerder is onthuld is dat het precies twee uur in de middag was toen Parvati-de-heks (nu Laylah Sinai) er zeker van was dat de weeën waren begonnen.

De weeën van Parvati-Laylah duurden dertien dagen. Op de eerste dag, terwijl de premier weigerde af te treden, hoewel haar veroordeling ook de straf inhield dat ze zes jaar lang geen openbaar ambt mocht bekleden, weigerde de baarmoederhals van Parvati-de-heks, ondanks weeën die even pijnlijk waren als de schoppen van muilezels, koppig zich te ontsluiten; Saleem en Foto Singh uit de hut van haar beproeving geweerd door de contorsionistische drieling die de taak van de vroedvrouw op zich had genomen, waren genoodzaakt naar haar nutteloze kreten te luisteren tot er een gestage stroom vuurvreters valsspelers steenkoollopers op gang kwam en hen op de rug sloegen en smerige moppen tapten; en alleen in mijn oren kon het tikken worden gehoord ... een aftelling tot aan God-weet-wat, tot ik bezeten werd van angst, en tegen Foto Singh zei: 'Ik weet niet wat er uit haar te voorschijn zal komen, maar het zal niet goed zijn...' En Fotoji, geruststellend: 'Maak je niet ongerust, kapitein! Alles komt prima in orde! Een kanjer van tien spie, ik zweer het!' En Parvati, gillend, gillend, en nacht die in dag vervaagde, en op de tweede dag, toen mevrouw Gandhi's verkiezingskandidaten in Gujarat door de Janata Morcha werden verslagen, bevond mijn Parvati zich in de greep van zulke hevige pijnen dat ze haar stijf maakten als een plank, en ik weigerde een hap te eten tot de baby geboren was of wat er gebeurde was gebeurd, ik zat in kleermakerszit voor de hut van haar martelende pijn, en rilde van angst in de hitte, en smeekte laat haar niet doodgaan laat haar niet doodgaan, hoewel ik in al die maanden van ons huwelijk nooit met haar had gevrijd; ondanks mijn angst voor de geest van de zangeres Jamila bad en vastte ik, hoewel Foto Singh zei: 'In godsnaam, kapitein,' weigerde ik, en tegen de negende dag was er een vreselijke stilte over het ghetto gevallen, een stilte zo volkomen dat zelfs de roep van de muezzin van de moskee er niet doorheen kon dringen, een geluidloosheid met zo'n geweldige kracht dat het gebrul van de Janata-Morchademonstraties voor Rashpatri Bhavan, de woning van de president, werd buitengesloten, een door afgrijzen geteisterde stilte met dezelfde omhullende toverkracht als de grote stilte die eens boven het huis van mijn grootouders in Agra had gehangen, zodat we op de negende dag niet konden horen dat Morarji Desai een beroep deed op president Ahmad om de in ongenade gevallen eerste minister te ontslaan, en het enige geluid in de hele wereld het uitgeputte gejammer van Parvati-Laylah was, terwijl de weeën zich als bergen op haar stapelden, en haar stem klonk alsof ze ons door een lange holle tunnel van pijn riep, terwijl ik met gekruiste benen zat en door haar pijn aan stukken werd gereten, met het geluidloze tiktak in mijn hersens, en binnen in de hut was de slangemensdrieling water over Parvati's lichaam aan het gieten om het vocht aan te vullen dat met fonteinen uit haar stroomde, ze forceerden een stok tussen haar tanden om te beletten dat ze zich op de tong beet, en probeerden haar oogleden over haar ogen te trekken die zo angstwekkend uitpuilden dat de drieling vreesde dat ze eruit zouden vallen en op de vloer zouden worden bevuild, en toen was het de twaalfde dag en ik was halfdood van de honger terwijl elders in de stad het Hooggerechtshof mevrouw Gandhi ervan in kennis stelde dat ze pas na haar beroep hoefde af te treden, maar niet in de Lok Sabha mocht stemmen en ook geen salaris toucheren, en terwijl de eerste minister in haar opgetogenheid over deze gedeeltelijke overwinning haar tegenstanders begon uit te schelden in een taal waar een viswijf uit Koli trots op zou zijn geweest, kwamen de barensweeën van mijn Parvati in een stadium waarin ze, ondanks haar volslagen uitputting, de energie vond om een reeks gore verwensingen over haar kleurloze lippen te laten komen, zodat de beerputstank van haar obsceniteiten onze neusgaten vervulde en ons aan het kokhalzen maakte, en de drie slangemensen vluchtten de hut uit, schreeuwend dat ze zo uitgerekt, zo kleurloos was geworden dat je bijna dwars door haar heen kon kijken, en dat ze vast en zeker zou sterven als de baby nu niet kwam, en in mijn oren tik tak het bonken tik tak tot ik er zeker van was, ja gauw gauw gauw, en toen de drieling op de avond van de dertiende dag naar haar bed terugkeerde, riepen ze uit Ja ja ze is begonnen met persen, vooruit Parvati, pers pers pers en terwijl Parvati in het ghetto perste, spoorden J.P. Narayan en Morarji Asai ook Indira Gandhi aan terwijl drieling pers pers pers gilde, drongen de leiders van de Janata Morcha er bij de politie en het leger op aan om geen gevolg te geven aan de illegale bevelen van de gediskwalificeerde minister, dus in zekere zin dwongen ze mevrouw Gandhi om te persen, en toen de avond duisterde naar het middernachtelijke uur, want op een ander tijdstip gebeurt nooit iets, begon de drieling te gillen het komt het komt het komt, en elders baarde de eerste minister een eigen kind ... in het ghetto, in de hut waar ik in kleermakerszit naast zat en doodhongerde, kwam kwam kwam mijn zoon, het hoofd is eruit schreeuwde de drieling, terwijl leden van de Centrale Reservepolitie de leiders van de Janata Morcha arresteerden, met inbegrip van de onmogelijk oude en bijna mythologische figuren Morarji Desai en J.P. Narayan, pers pers pers, en in het hart van die verschrikkelijke middernacht terwijl tiktak in mijn ogen bonkte werd er een kind geboren, inderdaad een kanjer van tien spie, die er ten slotte zo gemakkelijk uit floepte dat het onmogelijk was om te begrijpen wat de moeilijkheden waren geweest. Parvati slaakte een laatste meelijwekkend kreetje en hij floepte eruit, terwijl in heel India de politie mensen arresteerde, alle oppositieleiders met uitzondering van de communisten die voor Moskou waren, en ook onderwijzers advocaten journalisten vakbondsleiders, eigenlijk iedereen die het ooit had bestaan te niezen tijdens een van Madams redevoeringen, en toen de drie contorsionisten de baby hadden gewassen en hem in een oude sari hadden gewikkeld, en naar buiten hadden gebracht om hem aan zijn vader te laten zien, werd op precies dat zelfde ogenblik het woord Noodtoestand voor de eerste keer gehoord, en opschorting-van-burgerrechten, en perscensuur, en gepantserde-eenheden-in-staat-van-paraatheid, en arrestatie-van-subversieve-elementen; er eindigde iets, er werd iets geboren, en precies op het ogenblik van de geboorte van het nieuwe India in het begin van een onafgebroken middernacht die pas na twee lange jaren zou eindigen, kwam mijn zoon, het kind van de hernieuwde tiktak, ter wereld.

En er is nog meer: want toen, in het sombere halflicht van die eindeloos aanhoudende middernacht, Saleem Sinai zijn zoon voor het eerst zag, begon hij hulpeloos te lachen, zijn hersens aangetast door honger, ja, maar ook door de wetenschap dat zijn meedogenloze noodlot opnieuw een van zijn groteske grapjes had uitgehaald, en hoewel Foto Singh, geshockeerd door mijn gelach dat door mijn zwakte leek op bakvisgegiechel, herhaaldelijk uitriep: 'Vooruit, kapitein! Gedraag je nou niet als een krankzinnige! Het is een zoon, kapitein, wees blij!', bleef Saleem de geboorte erkennen door hysterisch om het noodlot te giechelen, want de jongen, de baby, de jongen-mijn-zoon Aadam, Aadam Sinai, was welgeschapen – dat wil zeggen, op zijn oren na. Aan weerskanten van zijn hoofd flapperden luisteruitsteeksels als zeilen, zulke kolossaal grote oren dat de drieling naderhand onthulde dat ze, toen zijn hoofd eruit kwam, een angstig ogenblik hadden gedacht dat het 't hoofd van een olifantje was.

...'Kapitein, Saleem, kapitein,' smeekte Foto Singh, 'wees nou aardig! Oren zijn niet iets om gek van te worden!'

Hij werd geboren in Oud Delhi ... eens. Nee, dat kan niet, aan de datum valt niet te ontkomen: Aadam Aziz arriveerde op 25 juni 1975 in een door de nacht beschaduwde achterbuurt. En de tijd? De tijd komt er ook op aan. Zoals ik zei: 's nachts. Nee, het is van belang om... Klokslag middernacht eigenlijk. Wijzers van klokken vouwden zich als handen samen. O, verklaar je nader, verklaar je nader: precies op hetzelfde tijdstip waarop in India de Noodtoestand begon, kwam hij te voorschijn. Er was het geluid van snikken; en in het hele land stilte en angst. En door toedoen van de occulte tirannieën van dat nachtelijke uur was hij op een geheimzinnige manier in de handboeien van de geschiedenis geslagen, zijn lot onlosmakelijk aan dat van zijn land geketend. Onvoorspeld, ongevierd, kwam hij; geen eerste ministers schreven hem brieven; maar toch, toen mijn tijd van verbondenheid haar einde naderde, begon de zijne. Hij had in de hele zaak natuurlijk niets te vertellen: per slot van rekening kon hij zijn eigen neus toen nog niet eens afvegen.

Hij was het kind van een vader die zijn vader niet was, maar ook het kind van een tijd die de werkelijkheid zo ernstig beschadigde dat niemand er ooit in geslaagd is die weer heel te maken;

Hij was de ware achterkleinzoon van zijn overgrootvader, maar elefantiasis trof hem in de oren in plaats van in de neus – want hij was ook de ware zoon van Shiva-en-Parvati; hij was Ganesha met de olifantskop;

Hij werd geboren met oren die zo hoog en breed flapperden dat ze de schietpartijen in Bihar en het geschreeuw van door lathi aangevallen havenarbeiders in Bombay moeten hebben gehoord ... een kind dat te veel hoorde, en dientengevolge nooit sprak, stom gemaakt door een overdaad van geluid, zodat ik hem, tussen toen en nu, van achterbuurt tot inmaakfabriek, nooit ook maar één woord heb horen zeggen;

Hij was de eigenaar van een navel die naar buiten stak in plaats van naar binnen, zodat Foto Singh ontzet uitriep: 'Zijn bimbi, kapitein! Zijn bimbi, kijk!' en hij werd, van de eerste dagen af, de genadige ontvanger van ons ontzag;

Een zo ernstig goedaardig kind dat zijn absolute weigering om te huilen of te jengelen zijn pleegvader volkomen voor hem innam, die ophield met hysterisch om zijn groteske oren te lachen en de stille zuigeling zachtjes in zijn armen begon te wiegen;

Een kind dat een lied hoorde terwijl het in zijn armen werd gewiegd, een liedje dat gezongen werd met het historische accent van een in ongenade gevallen ayah: 'Je kunt alles worden wat je wilt; je kunt gewoon alles zijn dat je maar wilt.'

Maar nu ik mijn stille zoon met de flaporen ter wereld heb gebracht – zijn er vragen te beantwoorden over die andere synchrone geboorte. Onsmakelijke, pijnlijke vragen: lekte Saleems droom dat hij de natie wilde redden, door de osmotische weefsels van de geschiedenis in de gedachten van de eerste minister zelf? Werd mijn lang gekoesterde geloof in de vergelijking tussen de Staat en mezelf vervormd, in de geest van 'Madam', in die toentertijd-befaamde uitdrukking: *India is Indira en Indira is India*? Streden wij beiden om centraliteit – was ze gegrepen door een verlangen naar betekenis die even diep was als het mijne – en was dat, was dat waarom...?

Invloed van kapsels op de loop van de geschiedenis: er is nog een netelige kwestie. Als William Methwold geen middenscheiding had gehad, zou ik hier vandaag misschien niet geweest zijn; als de Moeder van de Natie een coiffure met een en hetzelfde pigment had gehad, zou er hoogstwaarschijnlijk geen donkerder kant aan de Noodtoestand hebben gezeten die zij baarde. Maar ze had wit haar aan een kant en zwart aan de andere; de Noodtoestand had ook een witte kant – openbaar, zichtbaar, gedocumenteerd, een zaak voor geschiedkundigen – en een zwarte kant die, omdat hij geheim macaber verzwegen was, een zaak voor ons moet zijn.

Mevrouw Indira Gandhi werd in november 1917 geboren als kind van Kamala en Jawaharlal Nehru. Haar middelste naam was Priyadarshini. Ze was geen familie van 'Mahatma' M.K. Gandhi; haar achternaam was de erfenis van haar huwelijk, in 1952, met een zekere Feroze Gandhi, die bekend werd als 'de schoonzoon van de natie'. Ze kregen twee zoons, Rajiv en Sanjay, maar in 1949 trok ze weer bij haar vader in en werd zijn 'officiële gastvrouw'. Feroze deed een poging om daar ook te wonen, maar het was geen succes. Hij werd een fel criticus van de regering Nehru en bracht het Mundhraschandaal aan het licht en dwong de toenmalige minister van Financiën, T.T. Krishnamachari – 'T.T.K.' zelf – af te treden. Feroze Gandhi stierf in 1960 aan een hartaanval, zevenenveertig jaar oud. Sanjay Gandhi, en zijn vrouw, de ex-mannequin Menaka, speelden een vooraanstaande rol tijdens de Noodtoestand. De Sanjay Jeugdbeweging behaalde bijzonder goede resultaten in de sterilisatiecampagne.

Ik heb deze enigszins elementaire samenvatting opgenomen voor het geval dat u niet had beseft dat de eerste minister van India in 1975 al vijftien jaar weduwe was. Of (want de hoofdletter kan van nut zijn) een Weduwe.

Ja, Padma: Moeder India had het werkelijk op mij voorzien.

Nee! – Maar ik moet.

Ik wil het niet vertellen! – Maar ik heb gezworen dat ik het allemaal zou vertellen. – Nee, ik zie er van af, dat niet, het is toch zeker beter sommige dingen met rust te laten...? – Dat argument gaat niet op; wat niet kan worden verholpen, moet worden verdragen! – Maar toch zeker niet de fluisterende muren, en verraad, en knip knip, en de vrouwen met de gekneusde borsten? – Vooral die dingen. – Maar hoe kan ik, kijk eens naar me, ik maak mezelf kapot, kan het zelfs niet met mezelf eens worden, pratend redenerend als een wildeman, barstend, geheugen gaat naar de knoppen, ja, geheugen stort in afgronden en wordt door de duisternis opgeslokt, alleen fragmenten blijven over, er is geen touw meer aan vast te knopen! – Maar ik moet me geen oordeel aanmatigen; moet eenvoudig doorgaan (nu ik eenmaal begonnen ben) tot het einde: zin-en-onzin is niet langer (was misschien nooit) aan mij om te evalueren – Maar het is zo gruwelijk, ik kan niet wil niet mag niet kan niet! – Hou hiermee op; begin. – Nee! – Ja.

Over die droom dan? Ik zou het als een droom kunnen vertellen. Ja, misschien een nachtmerrie: groen en zwart het haar van de Weduwe en grijpende hand en kinderen mmff en kleine balletjes en één voor één en in tweeën gescheurd en kleine balletjes vliegen vliegen groen en zwart haar hand is groen haar nagels zijn zo zwart als het maar kan. – Geen dromen. Noch de tijd noch de plaats ervoor. Feiten, zoals herinnerd. Naar beste vermogen. Zoals het was: Begin. – Geen keus? – Geen enkele; wanneer was die er ooit? Er zijn geboden, en logische gevolgen, en onvermijdelijkheden, en herhalingen; er zijn dingen-die-worden-aangedaan, en ongelukken, en afpersingen-door-het-lot; wanneer was er ooit een keus? Wanneer recht op keuze? Wanneer een beslissing uit-vrije-keuze, om dit of dat of iets anders te zijn? Geen keus; begin. – Ja.

Luister:

Eindeloze nacht, dagen weken maanden zonder de zon, of liever (want het is belangrijk nauwkeurig te zijn) onder een zon zo koud als een door een stroom gespoeld bord, een zon die ons wast in waanzinnig middernachtslicht; ik heb het over de winter van 1975-6. In de winter, duisternis; en ook tuberculose.

Eens, in een blauwe kamer die over de zee uitkeek, onder de wijzende vinger van een visser, vocht ik tegen de tyfus en werd door slangegif gered; nu, gevangen in de dynastieke webben van herhaling door mijn erkenning van zijn zoon-zijn, was onze Aadam Sinai ook genoodzaakt tijdens zijn eerste maanden tegen de onzichtbare slangen van een ziekte te vechten. De slangen van de tuberculose wonden zich om zijn nek en deden hem naar lucht snakken ... maar hij was een kind van oren en stilte, en wanneer hij sputterde waren er geen geluiden; wanneer hij hijgde, kwam er geen gerochel uit zijn keel. Kortom, mijn zoon werd ziek, en hoewel zijn moeder, Parvati of Laylah, op zoek ging naar de kruiden van haar magische gave – hoewel voortdurend aftreksels van kruiden in grondig gekookt water werden toegediend, weigerden de geestachtige wormen van de tuberculose zich te laten verdrijven. Ik vermoedde, van het begin af aan, iets duister metaforisch in deze ziekte – gelovend dat, in die middernachtelijke maanden toen de era van mijn verbondenheid-met-de-geschiedenis de zijne overlapte, onze eigen noodtoestand toch verband hield met de grotere macrocosmische ziekte, onder de invloed waarvan de zon even bleek en ziek was geworden als onze zoon. Parvati-toen (evenals Padma-nu) wuifde deze abstracte overpeinzingen weg, en bestreed mijn groeiende bezetenheid van licht, in de greep waarvan ik kleine olielampjes in de hut van mijn zoons ziekte begon te ontsteken die ons schamele onderkomen 's middags met kaarsvlammen vervulden, als louter dwaasheid ... maar ik houd vol dat mijn diagnose juist was; 'ik zeg je,' hield ik vol, 'zolang de Noodtoestand duurt, zal hij niet beter worden.'

Tot waanzin gedreven doordat ze er niet in slaagde dat ernstige kind dat nooit huilde te genezen, weigerde mijn Parvati-Laylah mijn pessimistische theorieën te geloven; maar ze werd kwetsbaar voor elk ander belachelijk idee. Wanneer een van de oudere vrouwen in de goochelaarskolonie haar vertelde – zoals Resham Bibi zou hebben kunnen doen – dat de ziekte er niet uit kon komen zolang het kind stom bleef, scheen Parvati dat aannemelijk te vinden. 'Ziekte is een verdriet van het lichaam,' beleerde ze mij, 'die moet worden afgeschud met tranen en gekreun.' Die nacht keerde ze naar de hut terug met een klein pakje groene poeder in haar handen geklemd, in krantepapier gewikkeld en dichtgebonden met een lichtroze touwtje, en zei me dat dit een zo krachtig preparaat was dat het zelfs een steen aan het gillen zou maken. Toen ze het medicijn toediende begonnen de wangen van het kind op te bollen, alsof zijn mond vol eten zat; de lang-onderdrukte geluiden van zijn eerste kindsheid kwamen achter zijn lippen opwellen, en hij deed woedend zijn mond stevig dicht. Het werd duidelijk dat het kind de verstikking nabij was toen hij het onstuimige braaksel van opgepot geluid die het groene poeder had opgewekt weer probeerde in te slikken; en dit was het ogenblik waarop we beseften dat we in de

tegenwoordigheid verkeerden van een van de onverzoenlijkste willen op aarde. Na een uur, waarin mijn zoon eerst geel werd, toen geel-en-groen, en ten slotte de kleur van gras, kon ik het niet langer aanzien en bulderde:
'Vrouw, als het ventje zich zo graag stil wil houden, moeten we hem er niet om doodmaken!' Ik pakte Aadam op om hem te wiegen en voelde zijn kleine lichaam verstijven, zijn kniegewrichten ellebogen nek vulden zich met het achtergehouden tumult van ongeuite geluiden, en ten slotte liet Parvati zich vermurwen en maakte een tegengif klaar door pijlwortel en kamille in een tinnen kom fijn te stampen terwijl ze fluisterend vreemde formules mompelde. Daarna probeerde niemand ooit meer Aadam Sinai iets te laten doen dat hij niet wilde doen; wij keken toe hoe hij tegen de tuberculose vocht en probeerden ons gerust te stellen met het idee dat een zo stalen wil zeker zou weigeren om zich zo maar door een ziekte te laten verslaan.

In die laatste dagen werd mijn vrouw Laylah of Parvati ook door de inwendige motten van wanhoop aangevreten, want wanneer ze naar mij toe kwam voor troost of warmte in de afzondering van de uren dat we sliepen, zag ik nog altijd op haar gezicht de gruwelijk aangetaste fysionomie van de zangeres Jamila geprojecteerd; en hoewel ik Parvati het geheim van het spook bekende, en haar troostte door erop te wijzen dat het met de snelheid waarop het nu wegrotte niet lang zou duren voor het helemaal was afgetakeld, zei ze me smartelijk dat kwispedoors en oorlog mijn hersens hadden verweekt, en ze wanhoopte aan haar huwelijk dat, naar bleek, nooit door de coïtus zou worden voltrokken; langzaam langzaam begonnen haar lippen omineus smartelijk te pruilen ... maar wat kon ik doen? Welk soelaas kon ik bieden – ik, Saleem Snotneus, die tot armoede was vervallen doordat mijn familie me haar bescherming onthield, die had verkozen (als het een keuze was) om van mijn gaven op het gebied van het reukvermogen te leven en een paar paisa per dag verdiende door op te snuiven wat mensen de vorige dag als avondeten hadden gegeten en wie van hen verliefd waren; welke troost kon ik haar geven, terwijl ik me al in de greep bevond van de koude hand van die aanhoudende middernacht, en het einde in de lucht kon ruiken?

Saleems neus (u kunt dat niet zijn vergeten) kon vreemdere zaken ruiken dan paardemest. De geuren van emoties en ideeën, de reuk van hoe-dingen-waren: die werden door mij alle met gemak uitgesnuffeld. Toen de grondwet werd gewijzigd om de eerste minister vrijwel-absolute macht te geven, rook ik de geesten van oude imperiums in de lucht ... in die stad die krioelde van de fantomen van slavenkoningen en mogols, van Aurangzeb de genadeloze en de laatste, roze veroveraars, ademde ik opnieuw het scherpe aroma van dwingelandij in. Het rook als brandende vette poetslappen.

Maar zelfs zij die incompetent waren met hun neus hadden kunnen concluderen dat er tijdens de winter van 1975-6 iets rottigs in de hoofdstad te ruiken was; wat me verontrustte was een vreemdere, persoonlijker stank: de geur van persoonlijk gevaar, waarin ik de aanwezigheid van een paar verraderlijke, wraakzuchtige knieën ontwaarde ... mijn eerste aanwijzing dat een oud conflict, dat begon toen een door liefde verdwaasde maagd naamkaartjes verwisselde, weldra zou eindigen in een razernij van verraad en snippers.

Misschien had ik, met een dergelijke waarschuwing in mijn neusgaten prikkend, moeten vluchten – gewaarschuwd door een neus had ik mijn hielen kunnen lichten. Maar er waren praktische bezwaren: waar zou ik heen hebben gekund? En, belast met vrouw en zoon, hoe vlug had ik kunnen wegkomen? En men moet ook niet vergeten dat ik al een keer gevlucht was, en kijk waar ik terechtkwam: in de Sundarbans, de jungle van fantomen en vergelding, waaruit ik slechts op het nippertje was ontsnapt!... Hoe het ook zij, ik liep niet weg.

Het maakte waarschijnlijk niets uit; Shiva – onverzoenlijk, verraderlijk, mijn vijand van onze geboorte af – zou me ten slotte toch hebben gevonden. Want hoewel een neus uniek is toegerust voor het doel om dingen mee op te sporen, wanneer het op handelen aankomt valt het niet te ontkennen dat een paar grijpende, verstikkende knieën hun voordelen hebben.

Ik zal me een laatste, paradoxale opmerking over dit onderwerp veroorloven: als het, naar ik geloof, in het huis van de weeklagende vrouwen was dat ik het antwoord hoorde op de vraag van de zin der dingen, die me mijn hele leven had geplaagd, dan zou ik me, door mezelf uit dat paleis van vernietiging te redden, ook deze allerkostbaarste ontdekking hebben ontzegd. Om het filosofischer te formuleren: achter de wolken schijnt de zon.

Saleem-en-Shiva, neus-en-knieën ... we hadden eenvoudig drie dingen gemeen: het ogenblik van onze geboorte (en de gevolgen daarvan); de schuld van verraad; en onze zoon, Aadam, onze synthese, zonder glimlach, ernstig, met alleshorende oren. Aadam Sinai was in vele opzichten precies het tegendeel van Saleem. Ik groeide, aanvankelijk, met duizelingwekkende snelheid; Aadam, die worstelde met de slangen van ziekte, groeide nauwelijks. Saleem had van het begin af aan een beminnelijke glimlach; Aadam bezat meer waardigheid, en hield zijn glimlachen voor zich. Terwijl Saleem zijn wil had onderworpen aan de gezamenlijke tirannieën van familie en noodlot, vocht Aadam meedogenloos, en weigerde zelfs zich aan de dwang van groen poeder over te geven. En terwijl Saleem zo vastberaden was geweest om het universum in zich op te nemen waar hij, enige tijd, niet tegen had kunnen knipperen, gaf Aadam er de voorkeur aan de ogen stijf dicht te houden ... hoewel ik, wanneer hij zich af en toe verwaardigde ze te openen, hun kleur kon zien, die blauw was. IJsblauw, het blauw van herhaling, het noodlottige blauw van de Kasjmiri hemel ... maar ik hoef daar niet verder over uit te weiden.

Wij, de kinderen van de Onafhankelijkheid, snelden hals over kop onze toekomst in; hij, geboren tijdens de Noodtoestand, zal voorzichtiger zijn, is dat al, zijn tijd beidend; maar wanneer hij handelt, zal hij niet te stuiten zijn. Hij is nu al sterker, harder, vastberadener dan ik: wanneer hij slaapt, liggen zijn oogballen onbeweeglijk onder hun oogleden. Aadam Sinai, kind van knieën-en-neus, geeft zich (voor zover ik kan zien) niet aan dromen over.

Hoeveel hoorden die flaporen die, af en toe, schenen te gloeien door de warmte van hun kennis? Als hij had kunnen praten, zou hij me dan tegen verraad en bulldozers hebben gewaarschuwd? In een land dat werd beheerst door de tweeling-menigvuldigheden van geluiden en geuren, hadden we een volmaakt team kunnen zijn; maar mijn zoontje weigerde te praten, en ik gehoorzaamde niet aan de ingevingen van mijn neus.

'Arré baap,' roept Padma uit, 'vertel gewoon wat er is gebeurd, baas! Is het zo verbazingwekkend wanneer een baby geen gesprekken voert?'

En opnieuw die gespletenheid in mij: ik kan het niet. – Jij moet. – Ja.

In april 1976 woonde ik nog steeds in de kolonie of het goochelaarsghetto; mijn zoon Aadam bevond zich nog altijd in de greep van een slepende tuberculose die op geen enkele vorm van behandeling scheen te reageren. Ik zat vol bange voorgevoelens (en gedachten aan vluchten); maar als één man de reden was dat ik in het ghetto bleef, was het Foto Singh.

Padma; Saleem had zich bij de goochelaars van Delhi gevoegd ten dele uit een gevoel dat het zo hoorde – een zelfkastijdend geloof in de rechtschapenheid van zijn recente verval tot armoede (ik had uit het huis van mijn oom niet meer meegenomen dan twee overhemden, witte, twee pantalons, ook wit, een T-shirt versierd met roze gitaren, en schoenen, één paar, zwart); ten dele was ik uit loyaliteit gekomen, daar ik door knopen van dankbaarheid verbonden was met mijn redster, Parvati-de-heks; maar ik bleef – hoewel ik als een geletterde jongeman, op zijn minst bankbediende of leraar lezen en schrijven op een avondschool had kunnen zijn – want mijn hele leven heb ik, bewust of onbewust, naar vaders gezocht. Ahmed Sinai, Hanif Aziz, Scherpsteker sahib, generaal Zulfikar zijn bij ontstentenis van William Methwold allen gedwongen dienst te doen; Foto Singh was de laatste in die nobele rij. En misschien heb ik Foto Singh overdreven in mijn tweeledige verlangen naar vaders en om het-land-te-redden; de afschuwelijke mogelijkheid bestaat dat ik hem vervormde (en hem opnieuw op deze bladzijden heb vervormd) tot een gedroomd verdichtsel van mijn eigen verbeelding ... het is ongetwijfeld waar dat hij, iedere keer dat ik vroeg: 'Wanneer ga je ons leiden, Fotoji – wanneer komt de grote dag?', verlegen weifelend antwoordde: 'Zet dergelijke dingen maar uit je hoofd, kapitein; ik ben een arme man uit Rajasthan, en ook de Betoverendste Man ter Wereld; maak niets anders van me.' Maar ik, hem pressend: 'Er is een precedent – er was Mian Abdullah, de Kolibrie ...' waarop Foto zei: 'Kapitein, je houdt er soms rare ideeën op na.'

In de eerste maanden van de Noodtoestand bleef Foto Singh in de greep van een sombere stilte die (opnieuw!) deed denken aan het grote stilzwijgen van Eerwaarde Moeder (dat ook in mijn zoon was gelekt ...), en hij las zijn publiek op de hoofdwegen en in de achterafstraten van de Oude en Nieuwe stad niet langer de les, zoals hij in het verleden altijd had gedaan; maar hoewel hij zei: 'Dit is een tijd om te zwijgen, kapitein,' bleef ik ervan overtuigd dat op een dag, bij de dageraad van een duizendjarig rijk aan het eind van de middernacht, Foto Singh degene zou zijn die, aan het hoofd van een grote jooloos of optocht van de bezitslozen, misschien fluitspelend en omkranst door dodelijke slangen, ons naar het licht zou leiden ... maar misschien was hij wel nooit meer dan een slangenbezweerder; ik ontken die mogelijkheid niet. Ik zeg alleen dat mijn laatste vader voor mij, groot vel-over-been baardig, het haar achterover getrokken in een knot achter in zijn nek, de avatar van Mian Abdullah in eigen persoon scheen te zijn; maar misschien was het allemaal een illusie, die voortkwam uit mijn poging hem met louter wilsinspanning aan de draden van mijn geschiedenis te binden. Er zijn illusies in mijn leven geweest; denk niet dat ik mij van dat feit niet bewust ben. We komen echter bij een tijd die illusies te boven gaat; omdat ik geen andere keus heb, moet ik ten slotte, zwart op wit, de climax neerschrijven die ik de hele avond heb vermeden.

Brokstukken herinnering: dit is niet de manier waarop een climax zou moeten worden geschreven. Een climax behoort naar zijn Himalaya-hoge top op te rijzen; maar ik heb alleen maar flarden over, en moet als een marionet waarvan de touwtjes zijn gebroken hortend op mijn crisis afgaan. Zo had ik het niet bedoeld; maar misschien is het verhaal dat je afmaakt nooit dat waarmee je begint. (Eens, in een blauwe kamer, improviseerde Ahmed Sinai einden voor sprookjes die hij lang geleden was vergeten; de Brutale Aap en ik hoorden, in de loop van de jaren, allerlei verschillende versies van de reis van Sinbad, en van de avonturen van Hatim Tai ... als ik opnieuw zou beginnen, zou ook ik dan op een andere plaats eindigen?) Nu dan: ik moet me tevreden stellen met flarden en brokstukken: zoals ik eeuwen geleden schreef, de truc is om de hiaten in te vullen, aan de hand van de paar aanwijzingen die je krijgt. De meeste dingen die er in ons leven op aankomen gebeuren in onze afwezigheid; ik moet me laten leiden door de herinnering aan een eens vluchtig gezien dossier met onthullende initialen; en door de andere nog resterende scherven van het verleden die nog in de geplunderde kelders van mijn herinnering zijn achtergebleven als gebroken flessen op een strand... Als flarden herinnering werden er altijd stukken krantepapier op de middernachtelijke wind door de goochelaarskolonie geblazen.

Door de wind verwaaide kranten bezochten mijn krot om me ervan op de hoogte te stellen dat mijn oom Mustapha Aziz het slachtoffer van onbekende moordenaars was geworden; ik liet na een traan te vergieten. Maar er waren andere berichten; en hieruit moet ik de werkelijkheid opbouwen.

Op een vel papier (dat naar knolraap rook) las ik dat de eerste minister van India nergens heen ging zonder haar persoonlijke sterrenwichelaar. In dit fragment ontwaarde ik meer dan vleugjes knolraap; op geheimzinnige wijze ontdekte mijn neus opnieuw de geur van persoonlijk gevaar. Wat ik uit dit waarschuwende aroma moet afleiden: waarzeggers voorspelden mij; zouden waarzeggers me aan het eind ook niet hebben geruïneerd? Zou een Weduwe, bezeten door de sterren, van astrologen niet hebben kunnen horen over het geheime potentieel van kinderen die op dat middernachtelijk uur lang geleden waren geboren? En was dat de reden waarom een ambtenaar, deskundig op het gebied van stambomen, was gevraagd na te gaan ... en waarom hij me 's ochtends vreemd aankeek? Ja, ziet u, de brokstukken beginnen in elkaar te passen! Padma, begint het niet duidelijk te worden? *Indira is India en India is Indira* ... maar zou ze misschien niet de brief van haar eigen vader aan een middernachtskind hebben gelezen, waarin haar eigen met slagzinnen ondersteunde centraliteit werd ontkend; waarin mij de rol van spiegel-van-de-natie was toebedeeld? Zie je wel? *Zie* je wel?... En er is meer, er is een nog duidelijker bewijs, want hier is nog een stuk van de *Times of India*, waarin het eigen persbureau van de Weduwe, Samachar, haar citeert wanneer ze het heeft over haar 'vaste wil om de diepe en wijdverbreide samenzwering die er is beraamd te bestrijden'. Ik zeg u: ze bedoelde niet de Janata Morcha! Nee, de Noodtoestand had zowel een zwarte als een witte kant, en hier is het geheim dat zo lang onder het mom van die benauwde tijd verborgen heeft gelegen: het waarste, diepste motief achter de afkondiging van de Noodtoestand was de vernietiging, verpulvering, de onherstelbare verstoring van de middernachtskinderen. (Wier conferentie, natuurlijk, al jaren geleden was ontbonden; maar alleen al de mogelijkheid van onze hereniging was genoeg om het sein op rood te zetten.)

Astrologen – ik twijfel daar niet aan – sloegen alarm; in een zwarte map gemerkt M.C waren namen verzameld uit bestaande rapporten; maar er zat nog meer aan vast. Er waren ook gevallen van verraad; er waren knieën en een neus – een neus, en ook knieën.

Brokstukken, flarden, fragmenten: het komt mij voor dat ik, vlak voor ik wakker werd met de reuk van gevaar in mijn neusgaten, had gedroomd dat ik sliep. Ik werd wakker, in die hoogst beangstigende droom, en trof een vreemde in mijn krot aan: een poëtisch uitziende kerel met sluik haar dat over zijn oren hing (maar die bovenop al aardig gedund was). Ja: tijdens mijn laatste slaap voor wat-beschreven-moet-worden, werd ik bezocht door de schim van Nadir Khan, die verbijsterd naar een zilveren kwispedoor staarde, ingelegd met lapis lazuli, en de absurde vraag stelde: 'Heb je die gestolen? – Want anders moet jij – is het mogelijk? – het jongetje van mijn Mumtaz zijn?' En toen ik bevestigde: 'Ja, niemand anders, ik ben het –,' uitte de droomgeest van Nadar-Qasim een waarschuwing: 'Duik onder. Er is weinig tijd. Duik onder nu het nog kan.'

Nadir, die zich onder het tapijt van mijn grootvader had verscholen, kwam mij aanraden dat ook te doen; maar te laat, te laat, want ik werd nu helemaal wakker, en rook de geur van gevaar die als trompetten in mijn neus schalde ... bang zonder te weten waarom, stond ik op; en verbeeld ik het me, of opende Aadam Sinai blauwe ogen om ernstig in de mijne te kijken? Waren de ogen van mijn zoon eveneens van ontsteltenis vervuld? Hadden flaporen gehoord wat een neus had opgesnoven? Communiceerden vader en zoon zonder woorden in dat ogenblik voor het allemaal begon? Ik moet vraagtekens laten zweven, onbeantwoord; maar wat zeker is is dat Parvati, mijn Laylah Sinai, wakker werd en vroeg: 'Wat is er, baas? Wat zit je dwars?' – en ik, zonder de reden helemaal te kennen: 'Verberg je, blijf hier binnen en kom er niet uit.'

Toen ging ik naar buiten.

Het moet ochtend zijn geweest, hoewel de duisternis van de eindeloze middernacht als een nevel boven het ghetto hing ... door het sombere licht van de Noodtoestand zag ik kinderen hinkelen en Foto Singh, met zijn paraplu opgerold onder zijn linkeroksel, tegen de muren van de Vrijdagmoskee urineren; een kleine kale illusionist was aan het oefenen en stak messen door de hals van zijn tien jaar oude leerling, en een goochelaar had al een publiek gevonden en bracht grote wollen ballen ertoe uit de oksels van vreemden te vallen; terwijl in een andere hoek van het ghetto Chand Sahib, de musicus, zijn trompetspel studeerde, waarbij hij het oude mondstuk van een gedeukte hoorn tegen zijn hals zette en het eenvoudig bespeelde door zijn keelspieren te laten werken ... daar, ginds, was de contorsionistendrieling, die surahi's met water op hun hoofd balanceerden terwijl ze van de enige waterstandpijp van de kolonie naar hun hut terugkeerden ... kortom, alles scheen in orde te zijn. Ik begon mezelf te gispen wegens mijn dromen en neusalarm; maar toen begon het.

De bestelwagens en bulldozers kwamen het eerst over de hoofdweg denderen; ze hielden stil tegenover het goochelaarsghetto. Een luidspreker begon te tetteren: 'Gemeentelijk verfraaiingsprogramma ... goedgekeurde actie van het Centrale Comité van de Sanjayjongeren ... bereidt u onmiddellijk voor op evacuatie naar een nieuw terrein ... deze krottenwijk is een doorn in het oog van de gemeenschap, kan niet langer worden getolereerd ... iedereen moet bevelen zonder weigering opvolgen.' En terwijl de luidspreker schetterde, stapten er figuren uit bestelwagens: een fel gekleurde tent werd haastig opgezet, en er waren veldbedden en chirurgische apparaten ... en nu kwam er uit de andere bestelwagens een stroom mooi geklede jongedames van hoge afkomst met een buitenlandse opleiding, en toen een tweede stroom van even goed geklede jongemannen: vrijwilligers, Sanjayjongerenvrijwilligers, die hun steentje aan de gemeenschap bijdroegen ... maar toen besefte ik nee, geen vrijwilligers, want alle mannen hadden hetzelfde krulhaar en lippen als de labia van vrouwen, en de elegante dames zagen er ook allemaal eender uit, en hun gezichten kwamen precies overeen met dat van Sanjay's Menaka, die in stukjes in de krant was beschreven als een 'lange, slanke schoonheid', en die eens in nachtjaponnen voor een matrassenfabrikant had geposeerd ... terwijl ik daar in de chaos van het krotopruimingsprogramma stond, kreeg ik opnieuw te zien dat de regerende dynastie van India had geleerd hoe zich te herhalen; maar toen was er geen tijd meer om te denken, de talloze labialippen en slanke schoonheden pakten goochelaars en oude bedelaars, mensen werden naar de bestelwagens gesleurd, en nu verspreidde zich een gerucht door de goochelaarskolonie: 'Ze voeren nasbandi uit – er wordt sterilisatie verricht!' – En een tweede kreet: 'Redt de vrouwen en kinderen!' – En er begint een rel, kinderen die net aan het hinkelen waren gooien stenen naar de elegante invallers, en daar is Foto Singh die de goochelaars om zich heen verzamelt, woedend met een paraplu zwaaiend die eens harmonie geschapen had, maar nu was veranderd in een wapen, een fladderende donquichotachtige lans, en de tovenaars zijn een defensieleger geworden, molotowcocktails worden magischerwijze gemaakt en gegooid, bakstenen worden uit de zakken van goochelaars te voorschijn gehaald, de lucht is vervuld van kreten en projectielen, en de elegante labialippen en lange, slanke schoonheden trekken zich terug voor de felle furie van de illusionisten; en daar gaat Foto Singh en leidt de aanval op de vasectomietent ... Parvati of Laylah, de bevelen in de wind slaand, staat nu naast me, en zegt: 'Mijn God, wat zijn ze –', en op dit ogenblik wordt een nieuwe en geduchtere aanval op de krottenwijk ontketend: troepen worden op magiërs, vrouwen en kinderen af gestuurd.

Eens marcheerden goochelaars kaarttruqeerders poppenspelers en hypnotiseurs triomfantelijk naast een zegevierend leger; maar dat alles is nu vergeten en Russische geweren worden op de bewoners van een ghetto gericht. Wat voor kans hebben communistische tovenaars tegen socialistische geweren? Zij, wij, rennen nu, alle mogelijke kanten uit, Parvati en ik worden gescheiden terwijl de soldaten aanvallen, ik verlies Foto Singh uit het oog, er zijn geweerkolven die ranselen hameren, ik zie een van de slangemensdrieling onder de furie van de geweren vallen, mensen worden bij de haren naar de wachtende gapende bestelwagens gesleurd; en ook ik ren, te laat, terwijl ik over mijn schouder kijk, struikelend over Daldablikjes lege kratten en de achtergelaten zakken van de doodsbange illusionisten, en over mijn schouder door de sombere nacht van de Noodtoestand zie ik dat dit alles een rookgordijn, een bijkomstigheid is geweest, want door de verwarring van het oproer komt een mythische figuur aan snellen, een incarnatie van noodlot en vernietiging: majoor Shiva heeft zich in het strijdgewoel gestort, en hij is alleen maar op zoek naar mij. Terwijl ik ren, komen de pompende knieën van mijn noodlot achter me aan...

...Het beeld van een krot komt in mijn geest op: mijn zoon! En niet alleen mijn zoon: een zilveren kwispedoor, ingelegd met lapis lazuli! Ergens in de verwarring van het ghetto is een kind alleen achtergelaten ... ergens is een talisman, die zolang is bewaakt, blijven liggen. De Vrijdagmoskee kijkt onbewogen toe terwijl ik zwenk buk ren tussen de scheve krotten door, en mijn voeten me naar de zoon met flaporen en de kwispedoor leiden ... maar wat voor kans maakte ik tegen die knieën? Die knieën van de oorlogsheld komen almaar dichterbij, dichterbij terwijl ik vlucht, de gewrichten van mijn nemesis donderen naar me toe, en hij springt, de benen van de oorlogsheld vliegen door de lucht, zich als kaken om mijn hals sluitend, knieën persen de adem uit mijn keel, ik val, met een draaiende beweging, maar de knieën verslappen niet, en nu een stem – de stem van trouweloosheid verraad haat! – zegt, terwijl de knieën op mijn borst rusten en me in het dikke stof van de achterbuurt drukken: 'Zo, kleine rijkeluisjongen: we komen elkaar weer tegen. Salaam.' Ik sputterde; Shiva glimlachte.

O glimmende knopen op het uniform van een verrader! Blinkend schitterend als zilver ... waarom deed hij het? Waarom werd hij, die eens anarchistische apachen door de sloppenwijken van Bombay had gevoerd, de militaire machthebber van tirannie? Waarom verried middernachtskind de kinderen van middernacht, en voerde hij me naar mijn noodlot? Uit liefde voor gewelddadigheid, en de wettigende glinstering van knopen op uniformen? Ter wille van zijn oude antipathie jegens mij? Of – ik vind dit zeer plausibel – in ruil voor immuniteit voor de straffen die de rest van ons werden opgelegd ... ja, dat moet het zijn; o geboorterecht-ontkennende oorlogsheld! O door-troep-van-soep-gecorrumpeerde rivaal... Maar nee, ik moet met dit alles ophouden, en het verhaal zo eenvoudig mogelijk vertellen: terwijl troepen goochelaars najoegen arresteerden uit hun ghetto sleurden, concentreerde majoor Shiva zich op mij. Ik werd ook ruw naar de bestelauto getrokken; terwijl bulldozers de krottenwijk binnenreden, werd er een deur dichtgeslagen ... in de duisternis schreeuwde ik: 'Maar mijn zoon! – En Parvati, waar is ze, mijn Laylah? – Foto Singh! Red me, Fotoji!' – Maar er waren nu bulldozers, en niemand hoorde me schreeuwen.

Door met mij te trouwen, werd Parvati-de-heks het slachtoffer van de vloek van een gewelddadige dood die over heel mijn familie hangt... Ik weet niet of Shiva haar, na mij in een stikdonkere bestelwagen te hebben gesloten, ging zoeken, of dat hij haar aan de bulldozers overliet ... want nu waren de machines van de vernietiging in hun element, en de kleine krotten van de sloppenwijk gleden schoven schots en scheef onder de kracht van de onweerstaanbare beesten, hutten braken als twijgjes, de kleine papieren pakjes van de poppenspelers en de magische manden van de illusionisten werden tot pulp vermalen; de stad werd verfraaid, en als er een paar doden vielen, als een meisje met ogen als schoteltjes en van verdriet pruilende lippen onder de oprukkende kolossen vielen, nou, wat dan nog, een lelijke plek werd verwijderd van het aangezicht van de oude hoofdstad ... en het gerucht wil dat, gedurende de doodsstrijd van het goochelaarsghetto, een baardige reus omkranst door slangen (maar dat is misschien overdreven) – IN VOLLE VAART – door het puin rende, wild voor de naderende bulldozers uit rende met het handvat van een onherstelbaar vernielde paraplu in zijn hand, zoekend zoekend alsof zijn leven ervan afhing.

Tegen het eind van die dag was de sloppenwijk die in de schaduw van de Vrijdagmoskee stond van de aardbodem verdwenen; maar niet alle goochelaars waren opgepakt; ze waren niet allemaal weggevoerd naar het prikkeldraadkamp Khichripur, hutspotstad, genaamd, helemaal aan de overkant van de rivier de Jamuna; Foto Singh kregen ze niet te pakken, en men zegt dat er de dag nadat het goochelaarsghetto door de bulldozers werd plat gewalst, een nieuwe sloppenwijk in het hartje van de stad werd gemeld, vlak bij het spoorwegstation van New Delhi. Bulldozers werden haastig naar de plaats van gemelde krotten gestuurd; ze troffen er niets aan. Daarna werd het bestaan van de mobiele krottenwijk van de ontsnapte illusionisten bij alle bewoners van de stad bekend, maar de slopers vonden hem niet. Hij werd in Mehrauli gemeld; maar toen de vasectomisten en troepen erheen gingen, zagen ze dat de Qutb Minar onbezoedeld was door de krotten van armoede. Informanten zeiden dat hij was opgedoken in de tuinen van de Jantar Mantar, Jai Singhs mogolobservatorium; maar de werktuigen van vernietiging, die naar die plaats snelden, vonden alleen maar papegaaien en zonnewijzers. Pas na het einde van de Noodtoestand kwam de bewegende krottenwijk tot staan; maar dat moet tot later wachten, want het is tijd om, eindelijk, en zonder de beheersing te verliezen, over mijn gevangenschap in het Hospitium van de Weduwen in Benares te praten.

Eens had Resham Bibi gejammerd: 'Ai-o-ai-o!' – en ze had gelijk: ik bracht vernietiging over het ghetto van mijn redders; majoor Shiva, die ongetwijfeld volgens de uitdrukkelijke instructies van de Weduwe handelde, kwam naar de kolonie om me op te pakken; terwijl de zoon van de Weduwe zijn gemeentelijke verfraaiings- en vasectomieprogramma's organiseerde om een afleidingsmanoeuvre uit te voeren. Ja, natuurlijk was het allemaal op die manier beraamd; en (als ik dat mag zeggen) uitermate doeltreffend. Wat werd er bereikt tijdens de opstand van de goochelaars: niet minder dan de ongemerkte gevangenneming van de enige persoon op aarde die de sleutel bezat tot de verblijfplaats van elk van de middernachtskinderen – want had ik niet, nacht na nacht, op ieder van hen afgestemd? Droeg ik niet, voor altijd, hun namen adressen gezichten in mijn geest rond? Ik zal die vraag beantwoorden: inderdaad. En ik werd gevangen genomen.

Ja, natuurlijk was het allemaal op die manier beraamd. Parvati-de-heks had mij alles over mijn rivaal verteld; is het waarschijnlijk dat ze niet met hem over mij had gesproken? Ik zal die vraag ook beantwoorden: dat is helemaal niet waarschijnlijk. Dus onze oorlogsheld wist waar in de hoofdstad die ene persoon die zijn meesters het liefst wilden hebben zich schuilhield (zelfs mijn oom Mustapha wist niet waar ik naartoe ging nadat ik bij hem was weggegaan, maar Shiva wist het wel!) – en toen hij eenmaal een verrader was geworden, ongetwijfeld omgekocht, door alles van beloofde bevordering tot gegarandeerde persoonlijke veiligheid, was het voor hem een koud kunstje mij in handen van zijn meesteres, de Madam, de Weduwe met het veelkleurige haar uit te leveren.

Shiva en Saleem, overwinnaar en slachtoffer; begrijp onze rivaliteit, en u zult inzicht verwerven in de tijd waarin u leeft. (Het omgekeerde van deze bewering is eveneens waar.)

Ik verloor die dag nog iets anders behalve mijn vrijheid: bulldozers slokten een zilveren kwispedoor op. Beroofd van het laatste voorwerp dat me met een tastbaarder, historisch-verifieerbaar verleden verbond, werd ik naar Benares gebracht om de gevolgen van mijn innerlijke, door middernacht geschonken leven onder ogen te zien.

Ja, daar gebeurde het, in het paleis van de weduwen op de oevers van de Ganges in de oudste levende stad ter wereld, de stad die al oud was toen de boeddha jong was, Kasi Benares Varanasi, Stad van Goddelijk Licht, de plaats van het Profetische Boek, de horoscoop der horoscopen, waarin ieder leven, verleden heden toekomst, al is opgetekend. De godin Ganga stroomde door Shiva's haar omlaag op aarde... Benares, de tempel voor Shiva-de-god – daar werd ik door held-Shiva heen gebracht om mijn lot onder ogen te zien. In het huis van horoscopen bereikte ik het ogenblik dat door Ramram Seth in een dakkamer was voorspeld: 'soldaten zullen hem verhoren ... tirannen zullen hem roosteren!' had de waarzegger opgedreund; welnu, er was geen formeel proces – Shiva-knieën zaten om mijn nek geslagen, en dat was dat – maar wel rook ik, op een winterdag, de geuren van iets dat in een ijzeren koekepan gebakken werd...

Volg de rivier, voorbij Scindia-ghat waarop jonge gymnasten met witte lendedoeken zich met één arm opdrukten, langs Manikarnika-ghat, de plaats voor begrafenissen, waar heilig vuur te koop is bij de bewakers van de vlam, langs drijvende karkassen van honden en koeien – ongelukkigen voor wie geen vuur werd gekocht, langs Brahmanen onder strooien paraplu's in Dasashwamedh-ghat, gekleed in saffraan, zegeningen uitdelend ... en nu wordt het hoorbaar, een vreemd geluid, als het blaffen van honden in de verte ... volg volg volg het geluid, en het neemt vorm aan, u begrijpt dat het een machtig, onophoudelijk gejammer is, dat uit de geblindeerde ramen van een paleis aan de rivier komt: het Hospitium van de Weduwen! Eens was het de verblijfplaats van een maharadja; maar vandaag de dag is India een modern land, en dergelijke paleizen zijn door de staat onteigend.

Het paleis is nu een tehuis voor vrouwen die hun man hebben verloren; zij, die begrijpen dat hun ware levens eindigden met de dood van hun mannen, maar niet langer de bevrijding van sati mogen zoeken, komen naar de heilige stad om hun waardeloze dagen met hartgrondig geweeklaag te slijten. In het paleis van de weduwen woont een soort vrouwen wier borsten ongeneeslijk gekneusd zijn door de kracht van hun voortdurende gestomp, wier haar onherstelbaar is uitgetrokken, en wier stemmen zijn verscheurd door de aanhoudende, weeklagende uitingen van hun verdriet. Het is een enorm gebouw, een labirint van kleine kamers op de hoger gelegen verdiepingen die uitkomen op de grote jammerzalen beneden; en ja, daar gebeurde het, de Weduwe zoog mij in het privé-hart van haar vreselijke rijk, ik werd opgesloten in een heel klein bovenkamertje en de van hun mannen beroofde vrouwen brachten me gevangenisvoedsel. Maar ik kreeg ook andere bezoekers: de oorlogsheld bracht twee van zijn collega's mee, met de bedoeling een gesprek te voeren. Met andere woorden: ik werd aangemoedigd om te praten. Door een slecht bij elkaar passend duo, de een dik, de ander mager, dat ik Abbott-en-Costello noemde omdat ze er niet in slaagden me aan het lachen te maken.

Hier teken ik een genadige leemte in mijn geheugen op. Niets kan me ertoe brengen me de gesprekstechnieken van dat humorloze geüniformeerde paar te herinneren; er is geen chutney of zoetzuur dat de deuren waarachter ik die dagen heb weggesloten kan ontsluiten! Nee, ik ben het vergeten, ik kan niet wil niet zeggen hoe ze me aan het verklikken kregen – maar ik kan niet aan de schaamteloze kern van de zaak ontkomen, namelijk dat ik, ondanks de afwezigheid van grappen en de over het algemeen onsympathieke manier van doen van mijn tweekoppige inquisiteur, zonder enige twijfel praatte. En meer dan praatte: onder de invloed van hun onnoemelijke – vergeten – pressie, werd ik uiterst spraakzaam. Wat stroomde, snotterend, over mijn lippen (en weigert dat nu te doen): namen adressen signalementen. Ja, ik vertelde hun alles, ik noemde alle vijfhonderdachtenzeventig (want Parvati, deelde ze me hoffelijk mee, was dood, en Shiva was naar de vijand overgelopen, en de vijfhonderdeenentachtigste praatte honderd uit...) – gedwongen tot verraad door het verraad van een ander, verried ik de middernachtskinderen. Ik, de Stichter van de Conferentie, zat het eind ervan voor, terwijl Abbott-en-Costello, zonder te glimlachen, me van tijd tot tijd in de rede vielen met: 'Aha! Uitstekend! Van haar wisten we niet!' of: 'Je bent bijzonder behulpzaam; deze kerel is nieuw voor ons!'

Dergelijke dingen gebeuren. Statistieken kunnen mijn arrestatie in het verband zetten; hoewel er een aanzienlijk verschil van mening bestaat over het aantal 'politieke' gevangenen dat tijdens de Noodtoestand werd gemaakt, werden zeker òf dertigduizend òf een kwart miljoen personen van hun vrijheid beroofd. De Weduwe zei: 'Het is maar een klein percentage van de bevolking van India.' Tijdens een Noodtoestand gebeuren er allerlei dingen: treinen lopen op tijd, vergaarders van zwart geld worden zo bang dat ze belasting gaan betalen, zelfs het weer wordt in het gareel gebracht, en er worden recordoogsten binnengehaald; er is, ik herhaal het, een witte kant en een zwarte. Maar aan de zwarte kant zat ik door tralies ingesloten in een klein kamertje, op een stromatras die het enige meubelstuk was dat me was toegestaan, en deelde mijn dagelijkse kom rijst met kakkerlakken en mieren. En wat de middernachtskinderen betrof – die geduchte samenzwering die tot elke prijs moest worden ontmanteld – die bende moordzuchtige desperado's waar een door astrologie bezeten premier angstig voor beefde – die groteske gestoorde monsters van de onafhankelijkheid, waarmee een moderne natie-staat geduld noch medelijden kon hebben – negenentwintig jaar oud nu, pin me niet vast op een maand of twee meer of minder, werden naar het Hospitium van de Weduwen gebracht, tussen april en december waren ze opgepakt, en hun gefluister begon de muren te vervullen. De muren van mijn cel (dun als papier, bladderend pleisterwerk, kaal) begonnen, in een slecht en een goed oor, de gevolgen van mijn schandelijke bekentenissen te fluisteren. Een gevangene met een komkommerneus, getooid met ijzeren staven en ringen die verschillende natuurlijke functies onmogelijk maakten – lopen, gebruik maken van de tinnen po, hurken, slapen – lag ineen gedoken tegen afschilferend pleisterwerk en fluisterde tegen een muur.

Het was het einde; Saleem liet zijn verdriet de vrije loop. Mijn hele leven, en tijdens het grootste deel van deze herinneringen, heb ik geprobeerd mijn verdriet achter slot en grendel te houden, om te verhinderen dat het mijn zinnen met zijn zilte, overdreven vloeibaarheden zou besmeuren; maar nu niet meer. Ik kreeg geen reden te horen voor mijn kerkering (tot de hand van de Weduwe ...): maar wie, van alle dertigduizend of een kwart miljoen, kreeg te horen waarom of waarvoor? Wie hoefde het te worden verteld? In de muren hoorde ik de gedempte stemmen van de middernachtskinderen: zonder verdere voetnoten nodig te hebben, griende ik over afschilferende pleisterkalk.

Wat Saleem tussen april en december 1976 tegen de muur fluisterde:

...Beste kinderen. Hoe kan ik dit zeggen? Wat valt er te zeggen? Mijn schuld mijn schaamte. Hoewel verontschuldigingen mogelijk zijn: mij trof geen schuld wat Shiva aangaat. En er worden allerlei lieden opgesloten, dus waarom wij niet? En schuld is een ingewikkelde zaak, want zijn we niet allemaal, ieder van ons in zeker opzicht verantwoordelijk voor – krijgen we niet de leiders die we verdienen? Maar dergelijke verontschuldigingen worden niet aangeboden. Ik heb het gedaan, ik. Beste kinderen: en mijn Parvati is dood. En mijn Jamila, verdwenen. En iedereen. Verdwijnen schijnt nog een van die kenmerkende dingen te zijn die telkens weer in mijn geschiedenis opduiken: Nadir Khan verdween uit een onderwereld en liet een briefje achter; Aadam Aziz verdween eveneens, voor mijn grootmoeder opstond om de ganzen te voeren; en waar is Mary Pereira? Ik, in een mand, verdween; maar Laylah of Parvati was foetsie zonder behulp van toverformules. En nu zitten we hier, van de aardbodem verdwenen. De vloek van verdwijning, beste kinderen, is klaarblijkelijk in jullie gelekt. Nee, wat de schuldvraag betreft, ik weiger volstrekt om het ruim te zien; we zitten te dicht bij wat-er-gebeurt, perspectief is onmogelijk, later zullen analytici misschien zeggen waarom en waarvoor, zullen misschien onderliggende economische tendensen en politieke ontwikkelingen aanvoeren, maar nu op dit ogenblik bevinden we ons te dicht bij het witte doek, het beeld valt in stippen uiteen, slechts subjectieve oordelen zijn mogelijk. Dus laat ik subjectief mijn hoofd van schaamte hangen. Beste kinderen: vergeef. Nee, ik verwacht niet dat jullie vergeven.

Politiek, kinderen: zelfs in het beste geval een slechte vieze zaak. We hadden die moeten vermijden, ik had nooit over doeleinden moeten dromen, ik kom tot de slotsom dat privacy, de kleine individuele levens van mensen te verkiezen zijn boven al die opgeblazen macrocosmische bedrijvigheid. Maar te laat. Niets aan te doen. Wat niet kan worden verholpen, moet worden verdragen.

'n Goeie vraag, kinderen: wat moet worden verdragen? Waarom worden we hier verzameld, een voor een, waarom hangen er staven en ringen aan onze nek? En vreemdere opsluitingen (als je een fluisterende muur kunt geloven): die-de-gave-van-levitatie-heeft is bij de enkels aan ringen vastgemaakt die in de grond zitten, en een weerwolf wordt gedwongen een muilkorf te dragen; die-door-spiegels-kan-ontsnappen, moet water drinken door een gat in een kan met een deksel, zodat hij niet door de spiegelende oppervlakte van de drank kan verdwijnen; en zij-wier-blikken-kunnen-doden zit met haar hoofd in een zak, en de betoverende schoonheden uit Baud hebben eveneens zakken als hoofden. Een van ons kan metaal eten; zijn hoofd zit klem in een beugel, die alleen op etenstijden wordt ontsloten ... wat wordt er voor ons bekokstoofd? Iets ergs, kinderen. Ik weet nog niet wat het is, maar het komt. Kinderen: we moeten ons ook voorbereiden.

Geef het door: sommigen van ons zijn ontsnapt. Ik ruik afwezigen door de muren. Goed nieuws, kinderen! Ze kunnen ons niet allemaal te pakken krijgen. Soumitra, de tijdreiziger bijvoorbeeld – O jeugdige dwaasheid! O domme wij, om hem niet te geloven! – is hier niet; terwijl hij misschien, in een gelukkiger periode van zijn leven rondzwierf, is hij voor altijd opsporingspatrouilles ontkomen. Nee, benijd hem niet; hoewel ook ik er af en toe naar verlang om achterwaarts te ontsnappen, misschien naar de tijd toen ik, de appel van het universele oog, als baby een triomfantelijke rondreis langs de paleizen van William Methwold maakte – O verraderlijk verlangen naar tijden van grotere mogelijkheden, voor de geschiedenis, als een straat achter het hoofdpostkantoor in Delhi, versmalde tot deze laatste punt! – maar we zijn nu hier; dergelijke retrospectie ondermijnt de geest; verheug je er eenvoudig over dat sommigen van ons vrij zijn!

En sommigen van ons zijn dood. Ze hebben me van mijn Parvati verteld. Over wier gezicht, tot het laatste toe, het verbrokkelende spookgezicht van. Nee, we zijn niet langer met ons vijfhonderdeenentachtigen. Hoevelen van ons zitten, rillend in de decemberkou, ommuurd te wachten? Ik vraag het aan mijn neus; hij antwoordt; vierhonderdtwintig, het getal van bedrog en fraude. Vierhonderdtwintig, gevangen gehouden door weduwen; en er is er nog een, die met laarzen door het Hospitium beent – ik ruik zijn stank wanneer die nadert, weggaat, het spoor van verraad! – majoor Shiva, oorlogsheld, Shiva-met-de-de-knieën, houdt toezicht op onze gevangenschap. Zullen ze tevreden zijn met vierhonderdtwintig? Kinderen: ik weet niet hoe lang ze zullen wachten.

...Nee, jullie houden me voor de gek, hou op, geen grappen maken. Waarom vanwaar hoe-in-godsnaam deze goedaardigheid, deze bonhomie in jullie doorgegeven fluisteringen? Nee, jullie moeten me veroordelen, botweg en zonder pardon – martel me niet met jullie opgewekte groeten terwijl jullie een-voor-een in cellen worden opgesloten; wat voor soort plaats of tijd is dit voor salaams, namaskars, hoemaak-je-het's? – Kinderen, begrijpen jullie niet, ze zouden alles met ons kunnen doen, alles – nee, hoe kunnen jullie dat zeggen, wat bedoelen jullie met je wat-zouden-ze-kunnen-doen? Laat me jullie vertellen, mijn vrienden, stalen staven zijn pijnlijk wanneer ze gebruikt worden voor de enkels; geweerkolven laten kneuzingen op het voorhoofd achter. Wat kunnen ze doen? Elektrische draden die onder stroom staan in je achterwerk, kinderen; en dat is niet de enige mogelijkheid, er is ook nog bij-de-voeten-ophangen, en een kaars – ah, die lieve romantische gloed van kaarslicht! – is minder aangenaam wanneer hij, aangestoken, tegen de huid wordt gehouden! Stop er nu mee, hou op met dat vriendschappelijke gedoe, zijn jullie dan niet bang! Willen jullie me niet aan gruzelementen schoppen trappen stampen? Waarom deze voortdurend gefluisterde herinneringen, dit heimwee naar oude ruzies, naar de oorlog van ideeën en dingen, waarom dagen jullie me uit met je kalmte, je normaliteit, jullie vermogen om boven de crisis uit te stijgen? Eerlijk, ik vind het raadselachtig, kinderen: hoe kunnen jullie, op negenentwintigjarige leeftijd, flirtziek in jullie cellen tegen elkaar zitten fluisteren? Goddomme, dit is geen gezellige reünie!

Kinderen, kinderen, het spijt me. Ik geef openlijk toe dat ik de laatste tijd mezelf niet ben geweest. Ik ben een boeddha geweest, en een geest in een mand, en een zogenaamde redder van de natie... Saleem heeft door doodlopende steegjes gerend, heeft aanzienlijke problemen met de werkelijkheid gehad, van het ogenblik af dat een kwispedoor als een stuk-van-de... heb meelij met me: ik heb zelfs mijn kwispedoor verloren. Maar ik ga weer in de fout, ik was niet van plan om medelijden te vragen, ik was van plan te zeggen dat ik misschien inzie – ik was degene, niet jullie, die niet begreep wat er gebeurt. Ongelooflijk, kinderen: wij, die geen vijf minuten konden praten zonder het oneens te zijn: wij, die als kinderen ruzie maakten vochten twistten wantrouwden uiteengingen, zijn plotseling te zamen, verenigd, als één! O wonderbaarlijke ironie: de Weduwe heeft ons, door ons hier te brengen, ons te breken, eigenlijk samengebracht! O zichzelf vervullende paranoia van tirannen... want wat kunnen ze ons doen, nu we allemaal aan dezelfde kant staan, geen taalconcurrentie, geen godsdienstige vooroordelen: per slot van rekening zijn we nu negenentwintig, ik behoor jullie geen kinderen te noemen...! Ja, hier heerst optimisme, als een ziekte: eens zal ze ons eruit moeten laten en dan, en dan, wacht maar, misschien moeten we, ik weet het niet, een nieuwe politieke partij vormen, ja, de Middernachtspartij, wat voor kans heeft de politiek tegen mensen die vissen kunnen vermenigvuldigen en onedele metalen in goud kunnen veranderen? Kinderen, er wordt hier iets geboren, in deze donkere tijd van onze gevangenschap; laat Weduwen maar doen wat ze niet laten kunnen; eenheid is onoverwinnelijkheid! *Kinderen: we hebben gewonnen!*

Te pijnlijk. Optimisme, groeiend als een roos op een mestvaalt: het doet me pijn het me voor de geest te halen. Genoeg: ik vergeet de rest. – Nee! – Nee, goed dan, ik weet nog... Wat is erger dan staven tralies kaarsen-tegen-de-huid? Wat slaat het uittrekken van nagels en uithongering? Ik onthul de mooiste, verfijndste grap van de Weduwe: in plaats van ons te martelen gaf ze ons hoop. Hetgeen betekende dat ze iets – nee, meer dan iets, het mooiste van alles! – had om ons af te nemen. En nu, heel gauw nu, zal ik moeten beschrijven hoe ze dat afsneed.

Ectomie (uit, veronderstel ik, het Grieks): een uitsnijding. Waar de medische wetenschap een aantal voorvoegsels bij doet: appendectomie tonsillenectomie mastectomie tubectomie vasectomie testectomie hysterectomie. Saleem zou graag nog een ander ding kosteloos, gratis en voor niks aan deze catalogus van excisies willen geven; het is echter een woord dat eigenlijk tot de geschiedenis behoort, hoewel de medische wetenschap erbij betrokken is, was.

Sperectomie: het laten weglekken van hoop.

Op nieuwjaarsdag kreeg ik bezoek. Gekraak van deur, geruis van duur chiffon. Het patroon: groen en zwart. Haar bril, groen, haar schoenen zwarter dan zwart... In kranteartikelen was deze vrouw 'een beeldschoon meisje met brede, wiegende heupen' genoemd ... ze had een juwelenboetiek gehad voor ze met maatschappelijk werk begon ... tijdens de Noodtoestand was ze, officieus, belast met sterilisatie.' Maar ik heb mijn eigen naam voor haar: zij was de Hand van de Weduwe. Die één voor één en kinderen mmff en scheurend scheurend gaan kleine balletjes ... groenachtig-zwartachtig zweefde ze mijn cel in. Kinderen: het begint. Bereidt je voor, kinderen. We sluiten de gelederen. Laat Hand van Weduwe werk van Weduwe doen maar naderhand, na ... denk aan toen. Onverdraaglijk om aan nu te denken ... en zij, lief, redelijk: 'In de grond van de zaak is het allemaal een kwestie van God.'

(Luisteren jullie, kinderen? Zegt het voort.)

'Het volk van India,' legde de Hand van de Weduwe uit, 'vereert onze Vrouwe als een god. Indiërs kunnen maar één God aanbidden.'

Maar ik ben grootgebracht in Bombay, waar Shiva Vishnu Ganesha Ahuramazda Allah en talloze anderen hun kudden hadden... 'En het pantheon dan,' wierp ik tegen, 'de driehonderddertig miljoen goden van het hindoeïsme alleen al? En de Islam en Bodhisattva's...?' En nu het antwoord: 'O ja! Mijn God, *miljoenen* goden, je hebt gelijk! Maar allemaal manifestaties van dezelfde OM*. Jij bent een moslem: weet jij wat OM is? Goed dan. Voor de massa is onze Vrouwe een manifestatie van de OM.'

We zijn met ons vierhonderdtwintigen: slechts 0,00007 procent van de zeshonderd miljoen sterke bevolking van India. Statistisch onbelangrijk: zelfs als we als een percentage van de gearresteerde dertig (of tweehonderdvijftig) duizend werden beschouwd, maakten we slechts 1,4 (of 0,168) procent uit! Maar wat ik van de Hand van de Weduwe te horen kreeg, is dat zij die goden willen zijn voor niemand zo bang zijn als voor andere potentiële godheden; en dat, dat en dat alleen, is de

* Een gebedsformule gebruikt bij de beschouwing van de ultieme werkelijkheid (vert.).

reden waarom wij, de magische kinderen van middernacht, werden gehaat gevreesd vernietigd door de Weduwe, die niet alleen de eerste minister van India was, maar ook Devi wilde zijn, de moedergodin in haar vreselijkste vorm, bezitster van de shakti van de goden, een godheid met vele ledematen en een middenscheiding en schizofreen haar ... en op die manier leerde ik in het afbrokkelende paleis van de vrouwen met de gekneusde borsten mijn betekenis kennen.

Wie ben ik? Wie waren wij? Wij waren zijn zullen zijn de goden die u nooit hebt gehad. Maar ook iets anders; en om dat uit te leggen, moet ik eindelijk het moeilijkste gedeelte vertellen.

Inderhaast, want anders komt het er nooit van, vertel ik u dan dat op nieuwjaarsdag 1977, een beeldschoon meisje met wiegende heupen me vertelde dat, ja, ze tevreden zouden zijn met vierhonderdtwintig, ze hadden geverifieerd dat er honderdnegenendertig dood waren, slechts een handjevol was ontkomen, dus nu zou het beginnen, knip knip, er zou een verdoving zijn en tel-tot-tien, de getallen marcherend één twee drie, en ik fluisterde tegen de muur: Laat ze maar, laat ze maar, wie kan ons iets doen zolang we in leven zijn en bij elkaar blijven?... En wie bracht ons, een-voor-een, naar het vertrek in de kelder waar, omdat we geen wilden waren, mijnheer, luchtverversingsapparaten waren aangebracht, en een tafel met een hanglamp, en doktoren verpleegsters groen en zwart, hun jassen waren groen hun ogen waren zwart ... wie met knobbelige onweerstaanbare knieën begeleidde me naar het vertrek van mijn ondergang? Maar u weet het, u kunt het raden, er is maar één oorlogsheld in dit verhaal, niet in staat te redetwisten met het venijn van zijn knieën liep ik waar hij het beval ... en toen was ik er, en een beeldschoon meisje met brede wiegende heupen zei: 'Per slot van rekening heb je niets te klagen, je zult niet ontkennen dat je eens hebt beweerd dat je een profeet was?', want ze wisten alles, Padma, alles alles, ze legden me op de tafel neer en het masker kwam over mijn gezicht en tel-tot-tien en getallen die stampten zeven acht negen...

Tien.

En 'Goeie God hij is nog steeds bij bewustzijn, wees zo vriendelijk om tot twintig door te gaan...'

...Achttien negentien twin

Het waren goede artsen: ze lieten niets aan het toeval over. Voor ons niet de eenvoudige vas- en tubectomieën die op de krioelende massa werden toegepast; want er was een kans, een kleine kans dat dergelijke operaties ongedaan konden worden gemaakt ... er werden ectomieën uitgevoerd, maar onomkeerbaar: testikels werden uit zakjes verwijderd, en baarmoeders verdwenen voor altijd.

Van testikels en baarmoeders ontdaan werd de kinderen van middernacht de mogelijkheid om zich voort te planten ontzegd ... maar dat was slechts een neveneffect, want het waren werkelijk zeer bijzondere artsen, en ze namen nog meer bij ons weg dan dat: hoop werd ook afgesneden, en ik weet niet hoe ze dat deden, want de getallen waren over me heen gemarcheerd, ik was uitgeteld, en het enige dat ik u kan vertellen is dat na achttien dagen waarop de verbijsterende operaties werden uitgevoerd met een gemiddeld aantal van 23,33 per dag, we niet alleen onze balletjes en inwendige zakjes kwijt waren, maar ook andere dingen: in dit opzicht kwam ik er beter af dan de meesten, want drainage van boven had me van mijn door middernacht geschonken telepathie beroofd, ik had niets te verliezen, de gevoeligheid van een neus kan niet worden afgetapt... maar wat de anderen betreft, voor al degenen die met hun magische gaven intact naar het paleis van de weeklagende weduwen waren gekomen, was het ontwaken uit de narcose werkelijk wreed, en door de muur kwam het verhaal van hun ongeluk fluisteren, de gekwelde kreet van kinderen die hun magie hadden verloren: zij had die uit ons weggesneden, beeldschoon met brede wiegende heupen had ze de operatie van onze vernietiging op touw gezet, en nu waren we niets, wie waren wij, een armzalige 0,00007 procent, nu konden vissen niet worden vermenigvuldigd noch onedele maten worden veranderd; voor altijd weg, de mogelijkheid van vluchten en weerwolfsziekte en de oorspronkelijk-duizend-en-één schitterende beloften van een magische nacht.

Drainage beneden: het was geen omkeerbare operatie.

Wie waren wij? Gebroken beloften; gedaan om te worden gebroken.

En nu moet ik u van de geur vertellen.

Ja, u moet het allemaal horen: hoe opgeblazen, hoe melodramatisch als een sprekende film uit Bombay ook, u moet het tot u laten doordringen, u moet het *zien*! Wat Saleem op de avond van 18 januari 1977 rook: iets dat in een ijzeren braadpan bakte, zachte onnoemelijke dingen gekruid met geelwortel koriander komijnzaad en fenegriek ... de doordringende onontkoombare dampen van wat-was-uitgesneden, sudderend op een laag, langzaam vuur.

Toen de vierhonderdtwintig ectomieën ondergingen, verzekerde een wrekende Godin zich ervan dat bepaalde weggesneden delen werden gekruid met uien en groene chilipepers, en aan de straathonden van Benares werden gevoerd. (Er waren vierhonderdtwintig ectomieën verricht: omdat een van ons, die we Narada of Markandaya noemden, zijn of haar geslacht kon veranderen; hij, of zij, moest twee keer worden geopereerd.)

Nee, ik kan het niet bewijzen, niets ervan. Bewijs ging op in rook: een deel werd aan de straathonden gevoerd; en later, op 22 maart, werden dossiers door een moeder met veelkleurig haar en haar beminde zoon verbrand.

Maar Padma weet wat ik niet langer kan doen; Padma die eens, in haar woede, uitriep: 'Maar wat heb ik aan *jou*, mijn god, als *minnaar*?' Dat deel kan in elk geval worden geverifieerd: in het krot van Foto Singh vervloekte ik mezelf met de leugen van impotentie; ik kan niet zeggen dat ik niet was gewaarschuwd, want hij zei tegen me: 'Er kan van alles gebeuren, kapitein.' En zo was het.

Soms voel ik me duizend jaar oud: of (want ik kan, zelfs nu, de vorm niet opgeven), om precies te zijn, duizend en één.

De Hand van de Weduwe had wiegende heupen en was eens de eigenares geweest van een juwelenboetiek. Ik begon tussen juwelen: in Kasjmir, in 1915, waren er robijnen en diamanten. Mijn overgrootouders hadden een winkel in edelstenen. Vorm – opnieuw, herhaling en vorm! – er valt niet aan te ontkomen.

In de muren, het hopeloze gefluister van de verbijsterde vierhonderdnegentien; terwijl de vierhonderdtwintigste lucht geeft aan – een keer maar; een ogenblik van razen is toegestaan – aan de volgende onstuimige vraag ... zo hard ik kon schreeuw ik: 'En hij? Majoor Shiva, de verrader? Kan hij jullie niets schelen?' En het antwoord van het stuk-met-brede-wiegende-heupen: 'De majoor heeft vrijwillig vasectomie ondergaan.'

En nu, in zijn uitzichtloze cel, begint Saleem te lachen, van ganser harte, zonder ophouden: nee, ik lachte niet wreed om mijn aartsrivaal, en ook vertaalde ik het woord 'vrijwillig' niet cynisch in een ander woord; nee, ik herinnerde me verhalen die Parvati of Laylah me had verteld, de legendarische verhalen van de versiertoeren van de oorlogsheld, van het legioen onechte kinderen dat in de niet geëctomiseerde buiken van voorname dames en hoeren groeide; ik lachte omdat Shiva, vernietiger van de middernachtskinderen, ook de andere rol had vervuld die in zijn naam verborgen lag, de functie van Shiva-lingam, van Shiva-de-verwekker, zodat op ditzelfde ogenblik een nieuwe generatie kinderen, verwekt door middernachts duisterste kind, in de boudoirs en krotten van de natie voor de toekomst werd grootgebracht. Iedere Weduwe slaagt er wel in iets belangrijks te vergeten.

Aan het eind van maart 1977 werd ik onverwachts uit het paleis van de jammerende weduwen ontslagen, en stond als een uil te knipperen in het zonlicht, zonder te weten hoe wat waarom. Naderhand, toen ik me weer had herinnerd hoe ik vragen moest stellen, ontdekte ik dat op 18 januari (precies de dag van het einde van knip knip, en van substanties gebraden in een ijzeren braadpan: wat voor bewijs wilt u nog meer dat wij, de vierhonderdtwintig, waren wat de Weduwe het meest van alles vreesde?) de eerste minister, tot ieders verbazing, een algemene verkiezing had aangekondigd. (Maar nu u van ons af weet, valt het u misschien gemakkelijker haar overmoed te begrijpen.) Maar op die dag wist ik niets van haar verpletterende nederlaag en evenmin van brandende dossiers; pas later kwam ik te weten hoe de gehavende hoop van de natie aan de hoede van een oude seniele man was toevertrouwd die pistache- en cashewnoten at en dagelijks een glas van 'zijn eigen water' dronk. Urinedrinkers waren aan de macht gekomen. Het leek me niet (toen ik ervan hoorde) dat de Janata Partij, met een van zijn leiders gevangen in een niermachine, een nieuwe dageraad vertegenwoordigde; maar misschien was ik erin geslaagd me eindelijk van het optimismevirus te genezen – misschien dachten anderen, met de ziekte nog in hun bloed, er anders over. In elk geval heb ik – had ik op die dag in maart – genoeg, meer dan genoeg van de politiek.

Vierhonderdtwintig stonden in het zonlicht en de herrie van de steegjes van Benares te knipperen; vierhonderdtwintig keken elkaar aan en zagen in elkaars ogen de herinnering aan hun castratie en toen, omdat ze die aanblik niet langer konden verdragen, mompelden ze een woord van afscheid en verspreidden zich, voor de laatste keer, in de genezende privacy van de menigten.

En wat gebeurde er met Shiva? Majoor Shiva werd door het nieuwe regime onder militaire detentie geplaatst; maar bleef daar niet lang, want hij mocht één keer bezoek ontvangen: Roshanara Shetty kocht om koketteerde wist zijn cel binnen te dringen, dezelfde Roshanara die op de Mahalaxmi-renbaan gif in zijn oren had gegoten en die sindsdien gek was geworden van een bastaardzoon die weigerde te praten en niets deed dat hij niet wilde doen. De vrouw van de staalmagnaat haalde uit haar handtas een enorm Duits pistool dat het eigendom was van haar man, en schoot de oorlogsheld door het hart. Hij was, zoals men dat zegt, op slag dood.

De majoor stierf zonder te weten dat eens, in een saffraan-met-groene kraamkliniek te midden van de mythologische chaos van een onvergetelijke middernacht, een kleine radeloze vrouw babynaamkaartjes had verwisseld en hem zijn geboorterecht had onthouden, namelijk op die wereld op de top van het heuveltje ingesponnen in geld en gesteven witte kleren en dingen dingen dingen – een wereld die hij heel graag zou hebben bezeten.

En Saleem? Niet langer verbonden met de geschiedenis, van boven en beneden afgetapt, ging ik terug naar de hoofdstad, me ervan bewust dat aan een era die op die middernacht lang geleden was begonnen, min of meer een einde was gekomen. Hoe ik reisde: ik wachtte op het perron van het station van Benares of Varanasi met alleen maar een perronkaartje in mijn hand, en sprong op de treeplank van een eersteklas coupé toen de posttrein zich in beweging zette, op weg naar het westen. En nu wist ik eindelijk wat voor gevoel het was om je vast te houden alsof je leven ervan afhangt terwijl deeltjes roet stof as in je ogen schuurden, en je op de deur moest bonzen en schreeuwen: 'Ohé, maharadja! Doe open! Laat me erin, grote heer, maharadja!' terwijl binnen een stem bekende woorden sprak: 'Tegen geen enkele prijs mag iemand opendoen. Alleen maar zwartrijders, meer niet.'

In Delhi: Saleem stelt vragen. Heb je gezien waar? Weet je of de goochelaars? Kent u Foto Singh? Een postbode met de vervagende herinnering aan slangenbezweerders in zijn ogen wijst naar het noorden. En later stuurt een paan-wallah met een zwarte tong me terug naar waar ik vandaan kwam. Dan, eindelijk, houdt de weg op met kronkelen; straatartiesten zetten me op het spoor. Een Dilli-dekho man met een kijkkastmachine, een mongoes-en-cobra-temmer die een papieren muts als een kinderzeilboot op heeft, een cassière van een bioscoop die nog steeds heimwee heeft naar haar kindertijd als tovenaarsleerling ... als vissers wijzen ze met hun vinger. Westwaarts westwaarts westwaarts, tot Saleem eindelijk aankomt bij de busremise van Shadipur aan de westelijke rand van de stad. Hongerig dorstig verzwakt ziek, wankelend uit de baan van bussen springend die het depot in en uit scheuren – vrolijk beschilderde bussen, die opschriften op de motorkap hebben zoals *Als God het Wil!* en andere motto's als bijvoorbeeld *Dank God!* op hun achterkant – komt hij bij een groepje haveloze tenten die onder een betonnen spoorbrug bijeen staan, en ziet, in de schaduw van beton, een slangenbezwerende reus die ineens een enorme glimlach met rottende tanden vertoont, en, in zijn armen, in een T-shirt verlucht met roze gitaren, een kleine jongen van ongeveer eenentwintig maanden, wiens oren de oren van olifanten zijn, wiens ogen groot zijn als schoteltjes, en met een doodernstig gezicht.

Om de waarheid te zeggen, ik heb gelogen over Shiva's dood. Mijn eerste flagrante leugen – hoewel mijn voorstelling van de Noodtoestand onder het mom van een zeshonderdvijfendertig-dagen-lange middernacht misschien overdreven romantisch was, en stellig door de beschikbare meteorologische gegevens werd tegengesproken. Maar toch, wat men ook moge vinden, het valt Saleem niet gemakkelijk om te liegen, en ik buig mijn hoofd beschaamd terwijl ik het beken... Waarom dan die ene onbeschaamde leugen? (Want eigenlijk heb ik er geen flauw idee van waar mijn wisselbroer-en-rivaal heenging na het Hospitium van de Weduwen; hij zou in de hel of het bordeel verderop in de straat kunnen zijn en het zou voor mij geen verschil uitmaken.) Padma, probeer het te begrijpen: ik ben nog altijd doodsbang van hem. Er is een onafgedane kwestie tussen ons, en ik heb mijn dagen huiverend doorgebracht bij de gedachte dat de oorlogsheld op de een of andere manier misschien het geheim van zijn geboorte heeft ontdekt – heeft hij ooit een dossier te zien gekregen waarop twee onthullende initialen stonden? – en dat hij me, woedend geworden om het onherstelbare verlies van zijn verleden, zou gaan zoeken om een verstikkende wraak te nemen ... zal het daarop uitlopen, dat het leven uit me wordt geknepen door een paar bovenmenselijke, genadeloze knieën?

Daarom jokte ik in elk geval; voor het eerst viel ik ten prooi aan de verleiding van iedere autobiograaf, aan de illusie dat aangezien het verleden alleen bestaat in je herinneringen en de woorden die vergeefs proberen ze in te kapselen, het mogelijk is vroegere gebeurtenissen te creëren door eenvoudig te zeggen dat ze hebben plaatsgevonden. Mijn huidige angst gaf Roshanara Shetty een pistool in de hand; terwijl de geest van overste Sabarmati over mijn schouder keek, stelde ik haar in staat zich door omkoping koketterie zijn cel binnen te dringen ... kortom, de herinnering aan een van mijn eerste misdaden schiep de (fictieve) omstandigheden van mijn laatste.

Einde van bekentenis: en nu kom ik gevaarlijk dicht bij het einde van mijn memoires. Het is nacht; Padma zit op haar plaats; aan de muur boven mijn hoofd heeft een hagedis net een vlieg opgepeuzeld; de broeierige hitte van augustus, die genoeg is om je hersens te pekelen, borrelt vrolijk tussen mijn oren; en vijf minuten geleden geel-en-bruinde de laatste plaatselijke trein in zuidelijke richting naar het

Churchgate station, zodat ik niet hoorde wat Padma zei, met een verlegenheid die een vastberadenheid machtig als olie verhulde. Ik moest haar vragen of ze het nog eens wilde zeggen, en de spieren van ongeloof begonnen in haar kuiten te trillen. Ik moet meteen optekenen dat onze mestlotus mij ten huwelijk heeft gevraagd, 'opdat ik voor je kan zorgen zonder me voor het oog van de wereld te hoeven schamen.'

Net waar ik al bang voor was! Maar het is er nu uit, en Padma (dat weet ik) zal een weigering niet accepteren. Ik heb tegengestribbeld als een blozende maagd: 'Zo onverwacht! – en die ectomie dan, en wat er aan de straathonden is voorgezet: kan dat je niet schelen? – en Padma, Padma, er is ook dat nog wat-aan-botten-knaagt, het zal een weduwe van je maken! – en denk eens even, er is de vloek van een gewelddadige dood, denk aan Parvati – weet je zeker, weet je zeker, weet je zeker...?' Maar Padma, haar kaak halsstarrig in het beton van een majesteitelijk onwankelbare vastberadenheid, antwoordde: 'Nou moet je eens naar me luisteren, baas – maar geen maren! Hou nu maar op met al dat mooie gepraat. We moeten aan de toekomst denken.' De huwelijksreis gaat naar Kasjmir.

In de brandende hitte van Padma's vastberadenheid word ik overvallen door het gestoorde idee dat het per slot van rekening toch mogelijk zou kunnen zijn dat ze het einde van mijn verhaal zal kunnen veranderen door de fenomenale kracht van haar wil, dat barsten – en de dood zelf – opzij zouden kunnen gaan voor de macht van haar onblusbare bezorgdheid... 'We moeten aan de toekomst denken,' waarschuwde ze me – en misschien (veroorloof ik me voor de eerste keer sinds ik aan dit verhaal begon te denken) – misschien is die er wel! Een oneindigheid van nieuwe einden zwermt om mijn hoofd, zoemend als insekten op een warme dag... 'Laten we gaan trouwen, baas,' stelde ze voor, en vlinders van opwinding roerden zich in mijn ingewanden, alsof ze een kabbalistische formule had uitgesproken, een gruwelijke abracadabra, en me van mijn lot had bevrijd – maar de werkelijkheid knaagt aan me. De liefde overwint niet alles, behalve in films uit Bombay; rijt scheur knauw zullen zich niet laten verslaan door zomaar een plechtigheid; en optimisme is een ziekte.

'Op je verjaardag, wat vind je?' stelt ze voor. 'Met eenendertig is een man een man, en wordt hij verondersteld een vrouw te hebben.'

Hoe moet ik het haar zeggen? Hoe kan ik zeggen dat er andere plannen zijn voor die dag, ik ben, ben altijd al, in de greep van een vormgek noodlot geweest, dat er genoegen in schept zijn verwoestingen aan te richten op heilige dagen ... kortom, hoe moet ik het haar zeggen van de dood? Ik kan het niet; in plaats daarvan aanvaard ik haar voorstel, lankmoedig en met alle schijn van dankbaarheid. Ik ben vanavond een pas verloofd man; laat niemand mij er hard om vallen dat ik mezelf – en mijn verloofde lotus – dit laatste, ijdele, onbelangrijke genoegen heb toegestaan.

Door een huwelijk voor te stellen onthulde Padma haar bereidheid om alles wat ik haar over mijn verleden heb verteld als 'mooipraterij' weg te wuiven; en toen ik terugkwam en Foto Singh stralend in de schaduw van een spoorbrug zag staan, werd het al gauw duidelijk dat de goochelaars hun geheugen ook aan het verliezen waren. Ergens, tijdens de vele verhuizingen van de rondreizende krottenwijk hadden ze hun vermogen om te onthouden zoekgemaakt, zodat ze nu niet langer konden oordelen, omdat ze alles waarmee ze iets dat was voorgevallen konden vergelijken waren vergeten. Zelfs de Noodtoestand werd al gauw naar de vergetelheid van het verleden verwezen, en de goochelaars concentreerden zich met de monomanie van slakken op het heden. En evenmin merkten ze dat ze waren veranderd; ze waren vergeten dat ze ooit anders waren geweest, het communisme was uit hen gesiepeld en opgeslokt door de dorstige, hagedisvlugge aarde; ze begonnen hun vaardigheden te vergeten in de verwarring van honger, ziekte, dorst en pesterij door de politie die (zoals gewoonlijk) het heden vertegenwoordigde. Ik vond deze verandering bij mijn oude metgezellen echter niet minder dan weerzinwekkend. Saleem had zijn geheugenverlies overwonnen en had te zien gekregen hoe immoreel dat was; in zijn geest werd het verleden dagelijks levendiger terwijl het heden (waar messen hem voor altijd van hadden afgesneden) kleurloos, verward, iets van geen belang scheen; ik die me iedere haar op het hoofd van gevangenbewaarders en chirurgen kon herinneren, was diep geschokt door de tegenzin van de goochelaars achterom te kijken. 'Mensen zijn net als katten,' zei ik tegen mijn zoon, 'je kunt ze niets leren.' Hij keek gepast ernstig, maar hield zijn mond.

Mijn zoon Aadam Sinai vertoonde, toen ik de spookkolonie van de illusionisten opnieuw ontdekte, geen spoor meer van de tuberculose waaraan hij in zijn eerste tijd had geleden. Ik was er natuurlijk van overtuigd dat de ziekte met de val van de Weduwe was verdwenen; Foto Singh zei me echter dat de eer van de genezing toekwam aan een zekere wasvrouw, Durga genaamd, die hem tijdens zijn ziekte had gezoogd, en hem dagelijks de weldaad van haar onuitputtelijke kolossale borsten had gegeven. 'Die Durga, kapitein,' zei de oude slangenbezweerder, en zijn stem verried het feit dat hij, op zijn oude dag, ten prooi was gevallen aan de slangachtige charmes van de dhoban: 'Wat een vrouw!'

Ze was een vrouw wier biceps opbolden; wier bovennatuurlijke borsten een stortvloed van melk loslieten waarmee je hele regimenten kon voeden; en die, zo werd er geheimzinnig gefluisterd (hoewel ik vermoed dat het gerucht door haarzelf de wereld in was gestuurd) twee baarmoeders had. Ze zat even vol met geroddel en geklets als met melk: iedere dag stroomde een dozijn nieuwe verhalen over haar lippen. Ze bezat de tomeloze energie die alle beoefenaren van haar handwerk gemeen hebben; terwijl ze op haar steen het leven uit hemden en sari's sloeg, scheen haar kracht te groeien, alsof ze de fut uit de kleren zoog, die plat, zonder knopen en doodgeranseld bleven liggen. Ze was een monster dat iedere dag vergat zodra hij om was. Slechts met de grootste tegenzin stemde ik erin toe kennis met haar te maken; slechts met de grootste tegenzin laat ik haar op deze bladzijden toe. Nog voor ik haar ontmoette had haar naam de geur van nieuwe dingen; ze vertegenwoordigde nieuwigheid, beginnen, de komst van nieuwe verhalen gebeurtenissen verwikkelingen, maar ik stelde geen belang meer in iets nieuws. Maar toen Fotoji me eenmaal had verteld dat hij van plan was met haar te trouwen had ik geen andere keus; ik zal haar echter zo kort mogelijk afdoen als de nauwkeurigheid me dat toestaat.

In het kort dan: Durga de wasvrouw was een boeleerduivelin! Een bloedzuiger hagedis in menselijke gedaante! En haar uitwerking op Foto Singh was slechts te vergelijken met haar macht over haar op stenen gekletste hemden: in één woord, ze mangelde hem. Nadat ik haar een keer had ontmoet, begreep ik waarom Foto Singh er oud en eenzaam uitzag; nu beroofd van zijn paraplu van harmonie, waaronder mannen en vrouwen zich vroeger verzamelden om raad en schaduw, scheen hij dagelijks te krimpen; de mogelijkheid dat hij een tweede Kolibrie zou worden verdween voor mijn ogen. Durga bloeide echter op; haar roddel werd obscener, haar stem luider en rauwer, tot ze me ten slotte aan Eerwaarde Moeder in haar latere jaren deed denken, toen zij uitdijde en mijn grootvader kromp. Deze nostalgische echo van mijn grootouders was voor mij het enige van belang in de persoonlijkheid van die onstuimige wasvrouw.

Maar de weldaad van haar borstklieren valt niet te ontkennen: toen hij eenentwintig maanden oud was, zoog Aadam nog tevreden aan haar tepels. Aanvankelijk overwoog ik dat ik erop zou aandringen dat hij moest worden gespeend, maar toen herinnerde ik me dat mijn zoon precies, en uitsluitend, deed wat hij wilde, en besloot er geen punt van te maken. (En, naar bleek, had ik daar gelijk in.) Wat haar zogenaamde dubbele baarmoeder betrof, ik had geen enkel verlangen erachter te komen of het verhaal al of niet waar was, en informeerde er niet naar.

Ik maak voornamelijk gewag van Durga de dhoban omdat zij degene was die, op een avond toen we aan een maaltijd zaten die bestond uit zevenentwintig rijstkorrels de man, voor het eerst mijn dood voorspelde. Ik, geërgerd door haar aanhoudende stroom van nieuws en kletspraat, had uitgeroepen: 'Durga bibi, niemand stelt belang in jouw verhalen!' Waarop ze onverstoord antwoordde: 'Saleem baba, ik ben aardig tegen je geweest omdat Fotoji zegt dat je na je arrestatie helemaal kapot moet zijn geweest; maar, om eerlijk te zijn, het enige waar jij je tegenwoordig mee bezig schijnt te houden is rondhangen. Je zou moeten begrijpen dat wanneer een mens zijn belangstelling voor nieuwe dingen verliest, hij de deur opent voor de Zwarte Engel.'

En hoewel Foto Singh, goedaardig, zei: 'Kom nou, kapiteinse, wees niet hard voor de jongen,' trof de pijl van Durga de dhoban doel.

In de uitputting van mijn gedraineerde terugkeer voelde ik de leegte van de dagen zich als een dikke geleiachtige laag om me afzetten; en hoewel Durga de volgende ochtend, en misschien in een geest van oprechte wroeging om haar hardvochtige woorden, aanbood me op krachten te brengen door me aan haar linkerborst te laten zuigen terwijl mijn zoon aan de rechter zoog, 'en daarna zul je misschien weer normaal kunnen denken', begonnen influisteringen van sterfelijkheid mijn gedachten in beslag te nemen; en toen ontdekte ik de spiegel van nederigheid bij het autobusdepot van Shadipur, en werd overtuigd van mijn naderende overlijden.

Het was een schuine spiegel boven de ingang van de busgarage; ik, die doelloos op het voorplein van het depot zwierf, merkte dat mijn aandacht werd getrokken door de knipperende weerkaatsingen van de zon. Ik besefte dat ik mezelf maandenlang, misschien wel jaren, niet in een spiegel had gezien, en ik liep erheen en ging eronder staan. Toen ik omhoog in de spiegel keek, zag ik dat ik veranderd was in een topzware dwerg met een groot hoofd; in de verootmoedigende verkorte weerspiegeling van mezelf zag ik dat het haar op mijn hoofd nu zo grijs was als regenwolken; de dwerg in de spiegel, met zijn doorgroefde gezicht en vermoeide ogen, herinnerde me levendig aan mijn grootvader Aadam Aziz op de dag toen hij ons vertelde dat hij God had gezien. In die tijd (in de nasleep van de drainage) keerden alle kwalen die door Parvati-de-heks waren genezen terug om me te plagen; met negen vingers, slapen als horens, monnikstonsuur, vlekporum, o-benen, komkommerneus, bovendien gecastreerd en nu voortijdig verouderd, zag ik in de spiegel van ootmoed een menselijk wezen dat door de geschiedenis niets meer kon worden aangedaan, een grotesk schepsel dat was bevrijd van het voorbeschikte lot dat hem had mishandeld tot hij half buiten zinnen was; met een goed oor en een slecht oor hoorde ik de zachte voetstappen van de Zwarte Engel des doods.

Het jong-oude gezicht van de dwerg in de spiegel vertoonde een uitdrukking van hartgrondige opluchting.

Ik begin somber te worden; laten we op een ander onderwerp overgaan... Precies vierentwintig uur voor de tergende opmerking van een paan-wallah Foto Singh ertoe bracht naar Bombay te gaan, kwam mijn zoon Aadam Sinai tot het besluit dat ons veroorloofde de slangenbezweerder op zijn reis te vergezellen: van de ene dag op de andere, zonder enige waarschuwing, en tot ontzetting van zijn wasvrouw-min, die genoodzaakt werd haar resterende melk in vanativaten van vijf liter af te kolven, speende Aadam met de flaporen zichzelf door de tepel geluidloos te weigeren en (zonder woorden) een dieet van vast voedsel te eisen: geprakte rijst overgare linzenkaakjes. Het was alsof hij besloten had me toe te staan mijn eigen, en nu-heel-dichtbije eindstreep te bereiken.

Zwijgende autocratie van nog-geen-twee-jaar-oud kind: Aadam vertelde ons niet wanneer hij honger of slaap had of zijn natuurlijke behoefte wilde doen. Hij verwachtte van ons dat we dat wisten. De voortdurende aandacht die hij opeiste is misschien een van de redenen waardoor ik er, ondanks alle aanwijzingen van het tegendeel, in slaagde te blijven leven ... daar ik in die tijd na mijn vrijlating uit gevangenschap tot niets anders in staat was concentreerde ik me erop mijn zoon gade te slaan. 'Ik zeg je, kapitein, het is een geluk dat je bent teruggekomen,' grapte Foto Singh, 'anders zou deze van ons allemaal ayahs hebben gemaakt.' Ik begreep opnieuw dat Aadam tot een tweede generatie van magische kinderen behoorde die wanneer ze opgroeiden veel harder zouden zijn dan de eerste en hun lot niet zouden zoeken in voorspellingen of de sterren, maar het in de onverzoenlijke smidsen van hun wil zouden smeden. Wanneer ik in de ogen keek van het kind dat tegelijkertijd niet-mijn-zoon was maar ook meer mijn erfgenaam dan enig kind van mijn eigen vlees zou hebben kunnen zijn, vond ik in zijn lege, klare pupillen een tweede spiegel van ootmoed, die me liet zien dat mijn rol, van nu af aan, even ondergeschikt zou zijn als die van ieder ander overbodig oudje: de traditionele functie, misschien, van herinneringen-ophaler, van verhalenverteller... Ik vroeg me af of over het hele land de bastaardzonen van Shiva dergelijke tirannieën uitoefenden over ongelukkige volwassenen, en stelde me voor de tweede keer die stam van onbevreesde machtige kindertjes voor die groeiden wachtten luisterden, het ogenblik repeterend waarop de wereld hun stuk speelgoed zou worden. (Hoe deze kinderen, in de toekomst, kunnen worden herkend: hun bimbi's steken naar buiten in plaats van naar binnen.)

Maar het is tijd om de zaak in beweging te zetten: een beschimping, een laatste trein die naar het zuiden zuiden zuiden gaat, een laatste strijd ... op de dag dat Aadam zich had gespeend, begeleidde Saleem

Foto Singh naar Connaught Place, om hem te helpen bij zijn slangenbezwering. Durga de dhoban was bereid mijn zoon mee te nemen naar de dhobi-ghat: Aadam bracht de dag door met te kijken hoe macht uit de kleren van de welgestelden werd geranseld en door de boeleerduivelin werd ingezogen. Op die noodlottige dag, toen het warme weer als een bijenzwerm naar de stad terugkeerde, werd ik verteerd door verlangen naar mijn gebulldozerde zilveren kwispedoor. Foto Singh had me een surrogaatkwispedoor verschaft, een leeg Dalda-Vanaspatiblik, maar hoewel ik dat gebruikte om mijn zoon mijn deskundigheid in de zachtaardige kunst van het kwispedoorspugen te vermaken, en lange stralen betelsap door de stoffige lucht van de goochelaarskolonie zond, was ik niet getroost. Een vraag: waarom zo'n verdriet over wat alleen maar een vergaarbak van sappen was? Mijn antwoord luidt dat je een kwispedoor nooit moet onderschatten. Elegant in de salon van de Rani van Cooch-Naheen, stelde het intellectuelen in staat de kunstvormen van de massa te beoefenen; glinsterend in een kelder veranderde hij Nadir Khans onderwereld in een tweede Taj Mahal; terwijl hij stoffig lag te worden in een oude tinnen koffer, was hij niettemin mijn hele geschiedenis door aanwezig, heimelijke incidenten in waskisten, spookbeelden, vorst-dooi, drainage, verbanningen in zich op nemend; toen hij uit de hemel viel als een stuk van de maan bewerkstelligde hij een transformatie. O talismanachtige kwispedoor! O mooie verloren vergaarbak van herinneringen en speekselsap! Welk gevoelig mens kan mij zijn medeleven onthouden in mijn nostalgische pijn om het verlies ervan?

...Naast me achter in een bus die uitpuilde van de mensheid, zat Foto Singh met slangenmanden onschuldig op zijn schoot gerold. Terwijl we door de stad rammelden en schokten, die ook vol was met de herrezen geesten van vroegere, mythologische Delhi's, maakte de Betoverendste Man van de Wereld een verwelkte moedeloze indruk, alsof een strijd in een verre donkere kamer al voorbij was ... tot aan mijn terugkeer had niemand begrepen dat Fotoji's echte en onuitgesproken angst was dat hij oud begon te worden, dat zijn vermogens begonnen af te nemen, dat hij weldra op drift zou raken en incompetent zou zijn in een wereld die hij niet begreep: net als ik klampte Foto Singh zich vast aan de aanwezigheid van baby Aadam alsof het kind een toorts in een lange donkere tunnel was. 'Een mooi kind, kapitein,' zei hij tegen mij, 'een kind met waardigheid; die oren vallen je nauwelijks op.'

Die dag was mijn zoon echter niet bij ons.

Geuren van New Delhi randdden me in Connaught Place aan – de biscuitachtige geur van de advertentie van J.B. Mangharam, de klaaglijke kalkachtigheid van afbrokkelend pleister; en er was ook het tragische spoor van de auto-riksja bestuurders, door de stijgende benzineprijzen tot fatalisme uitgehongerd; en geuren van groen gras uit het ronde park in het midden van het wervelende verkeer, vermengd met de geurigheid van oplichters die buitenlanders ertoe overhalen geld op de zwarte markt in beschaduwde galerijen te wisselen. Van het Koffiehuis India, waar men onder de zonneluifels het eindeloze gebabbel van roddelaars kon horen, kwam het minder prettige aroma van beginnende nieuwe verhalen: intriges huwelijken ruzies, waarvan de geuren allemaal vermengd waren met die van thee en chili-pakora's. Wat ik op Connaught Place rook: de bedelende nabijheid van een meisje met een litteken op het gezicht dat eens Sundari-de-al-te-mooie was geweest; en geheugenverlies, en op-de-toekomst-richten, en er-verandert-eigenlijk-niets ... me, afwendend van deze olfactorische aanduidingen, concentreerde ik me op de alles doordringende en eenvoudiger geuren van (menselijke) urine en dierlijke mest.

Onder de zuilengalerij van Blok F aan Connaught Place, naast een boekenstalletje op het trottoir, had een paan-wallah zijn kleine stek. Hij zat in kleermakerszit achter een groene glazen toonbank als een mindere god van het plein: ik laat hem tot deze laatste bladzijden toe, want, hoewel hij de geuren van armoede verspreidde, was hij eigenlijk iemand van aanzien, de eigenaar van een Lincoln Continental automobiel, die hij buiten het gezicht op Connaught Circus parkeerde, en die hij had bekostigd uit de fortuinen die hij verdiende met de verkoop van uit het buitenland gesmokkelde sigaretten en transistorradio's; ieder jaar ging hij twee weken met vakantie naar de gevangenis, en de rest van de tijd betaalde hij politieagenten een aardig salaris. In de gevangenis werd hij als een vorst behandeld, maar achter zijn groene glazen toonbank zag hij er onschuldig, gewoon uit, zodat het niet gemakkelijk was (zonder het voordeel van een gevoelige neus als die van Saleem) om te weten dat dit een man was die alles over alles wist, een man wiens oneindige net van contacten hem deelgenoot maakte van geheime kennis ... voor mij verschafte hij een extra en niet onaangename echo van een soortgelijke figuur die ik gedurende de tijd van mijn reizen op de Lambretta in Karachi had gekend; ik was zo druk bezig de vertrouwde geuren van de nostalgie in te ademen dat hij mij verraste toen hij sprak.

We hadden onze vertoning naast zijn stek opgezet; terwijl Fotoji bezig was fluiten te poetsen en een enorme saffraankleurige tulband op te zetten, vervulde ik de functie van stoepier. 'Komt dat zien komt dat zien – zoiets ziet u maar eens van uw leven – ladees, ladahs, komt dat zien komt dat zien! Wie is hier? Geen gewone bhangi; geen dakloze oplichter; dit, burgers, dames en heren, is de Betoverendste Man van de Wereld! Ja, komt dat zien komt dat zien: zijn foto is genomen door Eastman-Kodak Limited! Kom en vrees geen zier – FOTO SINGH is hier!' En dat soort flauwekul meer; maar toen sprak de paan-wallah: 'Ik ken een beter nummer. Deze man is niet de beste; o, nee, zeker niet. In Bombay is een nog betere.'

Op die manier hoorde Foto Singh van het bestaan van zijn rivaal; en kwam hij ertoe, terwijl hij al zijn plannen om een voorstelling te geven liet varen, naar de minzaam lachende paan-wallah toe te gaan en in de diepten naar zijn oude bevelende stem te reiken, en te zeggen: 'Je moet me de waarheid omtrent deze bedrieger vertellen, kapitein, anders sla ik je tanden door je strot tot ze je maag opvreten.' En de paan-wallah, onvervaard, zich bewust van de drie rondhangende politieagenten die als de nood aan de man kwam, snel te hulp zouden komen om hun salaris te beschermen, fluisterde ons de geheimen van zijn alwetendheid toe, en vertelde ons wie wanneer waar, tot Foto Singh zei, met een stem waarvan de vastberadenheid zijn angst maskeerde: 'Ik ga naar Bombay, dan zal ik die kerel eens laten zien wie de beste is. In één wereld, kapiteins, is geen ruimte voor twee Betoverendste Mannen.'

De verkoper van fijne betelnoten, fijntjes de schouders ophalend, spuwde voor onze voeten.

Als een toverformule openden de schimpscheuten van een paan-wallah de deur waardoor Saleem terugkeerde naar de stad waar hij geboren was, de woonplaats van zijn diepste heimwee. Ja, het was een sesam-open-u, en toen we naar de haveloze tenten onder de spoorbrug terugkeerden, krabde Foto Singh in de aarde en groef de dichtgeknoopte zakdoek van zijn zekerheid op, het door vuil verkleurde linnen waarin hij centjes voor zijn oude dag had opgespaard; en toen Durga de wasvrouw weigerde hem te vergezellen en zei: 'Wat denk je wel Fotoji, dat ik een crorepati rijke vrouw ben dat ik vakanties en zo kan nemen?', draaide hij zich naar mij om met iets in zijn ogen dat erg op een smeekbede leek en vroeg me met hem mee te gaan, opdat hij zich niet zonder vriend in zijn ergste strijd, de proef van zijn ouderdom, zou hoeven te begeven ... ja, en Aadam hoorde het ook, met zijn flaporen hoorde hij het ritme van de magie, ik zag zijn ogen oplichten toen ik ja zei, en toen zaten we in een derdeklas spoorwegcoupé op weg naar het zuiden zuiden zuiden, en in de vijflettergrepige monotonie van de wielen hoorde ik het geheime woord: abracadabra abracadabra zongen de wielen toen ze ons terug-naar-Bom voerden.

Ja, ik had de goochelaarskolonie voor altijd achter me gelaten, ik was abracadabra abracadabra op weg naar het hart van een nostalgie die me lang genoeg in leven zou houden om deze bladzijden te schrijven (en een overeenkomstig aantal zoetzuren te creëren); Aadam en Saleem en Foto Singh persten zich in een derdeklas rijtuig, en we hadden een aantal met touw dichtgemaakte manden bij ons, manden die de als haringen opeengepakte mensen in het rijtuig verontrustten door aan een stuk door te sissen, zodat de menigte zich weg weg duwde, weg van de dreiging van de slangen, en ons een zekere mate van comfort en ruimte lieten; terwijl de wielen in Aadams flappende oren hun abracadabra's zongen.

Terwijl we naar Bombay reisden, dijde het pessimisme van Foto Singh uit tot het leek alsof het een fysieke eenheid was geworden die er alleen nog maar uitzag als de oude slangenbezweerder. In Mathura kwam een Amerikaanse jongeman met een puistige kin en een hoofd zo kaal geschoren als een biljartbal ons rijtuig binnen te midden van de kakofonie van venters die dieren van aardewerk en kopjes chaloo-chai verkochten; hij waaierde zich met een waaier van pauweveren koelte toe, en de ongeluk brengende pauweveren maakten Foto Singh onvoorstelbaar neerslachtig. Terwijl de oneindige vlakheid van de vlakte van de Indo-Ganges zich buiten het raampje ontrolde, en de hete waanzin van de loo-wind van de middag stuurde om ons te kwellen, hield de geschoren Amerikaan voor de inzittenden van het rijtuig een verhandeling over de ingewikkeldheden van het Hindoeïsme en begon hun mantra's te leren terwijl hij een walnoten bedelnap uitstak; Foto Singh was blind voor dit opmerkelijke schouwspel en ook doof voor het abracadabra van de wielen. 'Het heeft geen zin, kapitein,' vertrouwde hij me somber toe, 'die kerel in Bombay zal wel jong en sterk zijn, en ik ben van nu af aan gedoemd alleen maar de op een na betoverendste man te zijn.' Tegen de tijd dat we het station van Kotah bereikten, was Fotoji helemaal bezeten van de geuren van ongeluk die door de waaier van pauweveren werden afgescheiden, ze hadden hem zo verontrustend ondermijnd dat hij, hoewel iedereen in het rijtuig aan de verste zijde van het perron uitstapte om tegen de zijkant van de trein te urineren, geen enkel teken gaf dat hij moest. Toen we bij Ratlam Junction waren en mijn opwinding steeg, was hij in een trance vervallen die geen slaap maar de groeiende verlamming van het pessimisme was. 'Als het zo doorgaat,' dacht ik, 'zal hij niet eens in staat zijn zijn rivaal uit te dagen.' Baroda ging voorbij; geen verandering. Bij Surat, het oude depot van de John Company, besefte ik dat ik gauw iets zou moeten doen, want abracadabra bracht ons met de minuut dichter bij het Centraal Station van Bombay, dus pakte ik ten slotte Foto Singhs oude fluit en door die met zo'n vreselijke onbekwaamheid te spelen dat alle slangen in doodsnood kronkelden en de Amerikaanse jongen van angst het zwijgen oplegden, door een zo hels geluid voort te brengen dat niemand merkte dat Bassein Road, Kurla, Mahim voorbij schoten, overwon ik de schadelijke uitwaseming van de pauweveren; Foto Singh schudde eindelijk met een flauwe grijns zijn wanhoop van zich af en zei: 'Je kunt beter ophouden, kapitein, en mij op dat ding laten spelen; anders zullen er vast een paar mensen van pijn sterven.'

Slangen werden weer rustig in hun manden; en toen hielden de wielen op met zingen, en we waren er:

Bombay! Ik drukte Aadam heftig tegen me aan, en kon me er niet van weerhouden een oude kreet te slaken: 'Terug-naar-Bom!' juichte ik, tot verbijstering van de Amerikaanse jongeling, die deze mantra nooit had gehoord; en opnieuw, en opnieuw en opnieuw: 'Terug-naar-Bom!'

Per bus langs Bellasis Road, naar de Tardeo-rotonde, reden we langs Parsi's met diepliggende ogen, langs rijwielherstelzaken en Iraanse cafés; en toen was Hornby Vellard rechts van ons – waar wandelaars hadden toegekeken toen Sherrie de vuilnisbakkenteef was achtergelaten en haar ingewanden liet leeglopen! Waar de kartonnen afbeeldingen van worstelaars nog boven de ingangen van het Vallabhbhai Patel Stadion uit torenden! – en we rammelden en hobbelden langs verkeersagenten met parasols, langs de Mahalaxmitempel – en toen Warden Road! Het Breach Candy Zwembad! En daar, kijk, de winkels... maar de namen waren veranderd: waar was het Lezersparadijs met zijn stapel Superman stripverhalen? Waar de Band Box Wasserij, en Bombelli met zijn Eén Meter Chocolaatjes? En mijn God, op een heuveltje van twee verdiepingen waar eens de paleizen van William Methwold omkranst door bougainvillea trots naar zee hadden staan uit te staren ... kijk nu eens, een groot roze monster van een gebouw, de rooskleurige wolkenkrabberobelisk van de vrouwen van Narlikar, zich boven de circuspiste van de jeugd verheffend en die uitwissend... ja, het was mijn Bombay, maar ook weer niet, want we kwamen bij Kemp's Corner en zagen dat de schuttingen met Air India's kleine radja en van het Kolynos Joch verdwenen waren, voor goed verdwenen, en Thomas Kemp en Co zelf was in rook opgegaan... viaducten kruisten elkaar waar, eens, medicijnen werden bereid en een dwerg met een chlorofiel mutsje stralend op het verkeer neerkeek. Weemoedig mompelde ik fluisterend: 'Houdt Tanden Schoon en Houdt Een Sterk Gebit! Houdt Kolynos Tanden Superwit!' Maar ondanks mijn bezwering verscheen het verleden niet opnieuw; we reden ratelend langs Gibbs Road en stapten bij het strand van Chowpatty uit.

Chowpatty was in elk geval bijna net zo als vroeger: een vuile zandstrook wemelend van zakkenrollers, en wandelaars, en venters met warme-channa-channa-warm, met kulfi en bhel-puri en chutter-mutter; maar verder langs Marine Drive zag ik wat vierpoten hadden gepresteerd. Op land dat door het Narlikar-consortium op de zee was veroverd, verrezen enorme monsters in de lucht, die vreemde buitenlandse namen droegen: OBEROI-SHERATON schreeuwde me van ver toe. En waar was het neon Jeep-teken?... 'Vooruit, Fotoji,' zei ik ten slotte, terwijl ik Aadam aan mijn borst drukte, 'Laten we gaan waar we heen moeten en het dan verder maar vergeten; de stad is veranderd.'

Wat kan ik zeggen over de Midnite-Confidential Club? Dat hij ondergronds gelegen is, geheim (hoewel bekend bij alwetende paan-wallahs); de deur, zonder aanduiding, zijn clientèle, de crème van de beau monde van Bombay. Wat nog meer? O ja: geleid door een zeker Anand 'Andy' Shroff, zakenman-playboy, die de meeste dagen te vinden is terwijl hij bruin zit te bakken in het Sun 'n Sand Hotel op Juhu Beach, te midden van filmsterren en afgezette prinsessen. Ik vraag u: een Indiër die zonnebaadt? Maar blijkbaar is het volkomen normaal, de internationale regels van het playboy-dom moeten letterlijk worden gehoorzaamd, met inbegrip, neem ik aan, van die waarin de dagelijkse verering van de zon wordt gestipuleerd.

Hoe onschuldig ben ik (en ik dacht vroeger altijd dat Sonny, door verlostang gedeukt, de naïeveling was!) – ik had nooit vermoed dat er gelegenheden als de Midnite-Confidential bestonden! Maar natuurlijk bestaan die; en fluiten en manden vastklemmend, klopten wij drieën er op de deur.

Bewegingen, zichtbaar door een klein ijzeren rooster op ooghoogte: een zachte zoetgevooisde vrouwenstem vroeg waarvoor we kwamen. Foto Singh kondigde aan: 'Ik ben de Betoverendste Man ter Wereld. Er werkt hier bij u een andere slangenbezweerder in het cabaret; ik wil hem uitdagen en bewijzen dat ik beter ben. Ik vraag er geen vergoeding voor. Het is, kapiteinse, een kwestie van eer.'

Het was avond; mijnheer Anand 'Andy' Shroff was gelukkig in het pand aanwezig. En, om kort te gaan, de uitdaging van Foto Singh werd aanvaard, en wij betraden de gelegenheid, waarvan de naam me al enigszins van m'n stuk had gebracht, omdat die het woord *middernacht* bevatte, en omdat de initialen ervan mijn eigen geheime wereld hadden verborgen: M.C., de afkorting voor Metro Club, en eens ook voor de Middernachtskinderen Conferentie, en was nu door de geheime nachtclub wederrechtelijk overgenomen. In een woord: ik voelde me belaagd.

Tweelingproblemen van de intellectualistische, cosmopolitische jeugd: hoe alcohol te consumeren in een drooggelegde staat; en hoe meisjes in de beste westerse traditie te versieren, door ze mee uit stappen te nemen in de stad, maar tegelijkertijd volkomen geheimhouding te bewaren, om de typisch oriëntaalse schande van achterklap te vermijden. De Midnite-Confidential was Shroffs oplossing voor de martelende moeilijkheden van de welvarende jeugd van de stad. In die ondergrondse van losbandigheid had hij een wereld van Stygische duisternis geschapen, zwart als de hel; in de heimelijkheid van middernachtelijke duisternis ontmoetten de gelieven van de stad elkaar, dronken geïmporteerde sterke drank, en flirtten; ingesponnen in de isolerende kunstmatige nacht scharrelden ze ongestraft. De hel is wat andere mensen zich voorstellen: iedere sage vereist minstens één afdaling in Jahannum, en ik volgde Foto Singh de inktachtige zwartheid van de Club in, met mijn zoontje in m'n armen.

We werden over een weelderig zwart tapijt geleid – middernachtzwart, zwart als leugens, kraaiezwart, woedezwart, het zwart van 'haiho, zwarte man!'; kortom, een donker vloerkleed – door een vrouwelijke bediende met verrukkelijke seksuele charmes, die haar sari erotisch laag op haar heupen droeg, met een jasmijn in haar navel; maar toen we in de duisternis afdaalden, draaide ze zich met een geruststellende glimlach naar ons om, en ik zag dat haar ogen gesloten waren; onaardse lichtgevende ogen waren op haar oogleden geschilderd. Ik vroeg onwillekeurig: 'Waarom...' Waarop zij, eenvoudig, antwoordde: 'Ik ben blind; en bovendien, niemand die hier komt wil gezien worden. Hier ben je in een wereld zonder gezichten of namen; hier hebben mensen geen herinneringen, familie of verleden; hier gaat het om *nu*, niets anders dan nu.'

En de duisternis slokte ons op; ze leidde ons door die nachtmerrieachtige kuil waar licht in kluisters en boeien werd gehouden, dat oord buiten de tijd, die ontkenning van de geschiedenis... 'Neem hier plaats,' zei ze, 'de andere slangenman komt zo. Als het tijd is, zal er een licht op je schijnen; begin dan met je wedstrijd.'

We zaten daar – hoe lang? minuten, uren, weken – en er waren de gloeiende ogen van blinde vrouwen die onzichtbare bezoekers naar hun plaatsen brachten; en geleidelijk, in het donker, werd ik me ervan bewust dat ik omringd was door zachte amoureuze fluisteringen als het paren van fluwelen muizen; ik hoorde het getinkel van glazen die werden vastgehouden door verstrengelde armen, en zachte aanrakingen van lippen; met een goed oor en een slecht oor hoorde ik dat het geluid van ongeoorloofde seksualiteit de middernachtelijke lucht vervulde ... maar nee, ik wilde niet weten wat er gebeurde; hoewel mijn neus, in de fluisterende stilte van de Club, allerlei nieuwe verhalen en beginnen kon ruiken, van exotische en verboden liefdes, en kleine onzichtbare contretemps en wie-er-te-ver-ging, eigenlijk alle soorten gewaagde roddeltjes, verkoos ik ze allemaal te negeren, want dit was een nieuwe wereld waarin voor mij geen plaats was. Mijn zoon, Aadam, zat echter naast me met rode oren van geboeidheid; zijn ogen glansden in het donker terwijl hij luisterde, en in zich opnam, en leerde ... en toen was er licht.

Een enkele lichtbundel scheen in een poel op de grond van de Middernachtelijke Confidentiële Club. Uit de schaduwen achter de grens van het verlichte gebied zagen Aadam en ik Foto Singh met gekruiste benen stijf naast een knappe met Brylcreem gepommadeerde jongeman zitten; elk van hen was omringd door muziekinstrumenten en de gesloten manden van hun kunst. Een luidspreker kondigde het begin van die legendarische wedstrijd om de titel van Betoverendste Man ter Wereld aan; maar wie luisterde? Was er ook maar iemand die er aandacht aan schonk, of waren ze te druk bezig met lippen tongen handen? Dit was de naam van Fotoji's tegenstander: de Maharadja van Cooch Naheen.

(Ik weet het niet: het is gemakkelijk om een titel aan te nemen. Maar misschien, misschien was hij werkelijk de kleinzoon van die oude Rani die eens, lang geleden, een vriend van dokter Aziz was geweest; misschien was de erfgenaam van de aanhanger-van-de-Kolibrie ironisch genoeg tegenover de man gesteld die de tweede Mian Abdullah had kunnen zijn! Het is altijd mogelijk; vele maharadja's zijn arm geweest sinds de Weduwe hun salarissen van de civiele lijst introk.)

Hoe lang streden zij in die zonloze grot? Maanden, jaren, eeuwen? Ik weet het niet; ik keek betoverd toe terwijl ze elkaar probeerden te overtreffen, ieder soort slang die je je maar kon indenken bezwerend, vragend om zeldzame variëteiten te laten komen van de slangenfarm in Bombay (waar eens dr. Schaapsteker...); en de maharadja evenaarde Foto Singh slang voor slang, en speelde het zelfs klaar constrictors te bezweren, iets waar tot dan toe alleen Foto Singh in was geslaagd. In die helse Club waarvan de duisternis nòg een aspect was van de bezetenheid van de eigenaar van de kleur zwart (onder de invloed waarvan hij zijn huid iedere dag in de Sun 'n Sand bruiner liet worden), zetten de twee virtuosen slangen tot onmogelijke kunststukjes aan, maakten dat ze zich in knopen of bogen legden, of kregen ze zover dat ze water uit wijnglazen dronken, en door brandende hoepels sprongen ... vermoeidheid, honger en leeftijd trotserend gaf Foto Singh de voorstelling van zijn leven (maar keek er iemand? Was er één toeschouwer?) – maar uiteindelijk werd het duidelijk dat de jongere man het eerst moe werd; zijn slangen dansten niet langer op de maat van zijn fluit; en ten slotte, door een staaltje behendigheid dat zo snel ging dat ik niet zag wat er gebeurde, slaagde Foto Singh erin een koningscobra om de hals van de maharadja te knopen.

Wat Foto zei: 'Geef je gewonnen, kapitein, of ik zeg hem dat ie moet bijten.'

Dat was het eind van de wedstrijd. Het ontluisterde prinsje verliet de Club en er werd later bekend dat hij zich in een taxi had doodgeschoten. En op het toneel van zijn laatste grote strijd zakte Foto Singh als een vallende banyanboom in elkaar ... blinde suppoosten (aan een van wie ik Aadam toevertrouwde) hielpen me hem van het slagveld weg te dragen.

Maar de Middernachts-Confidentiële had nog een kunstje in petto. Eens per avond – om het wat pikanter te maken – zocht een bewegend zoeklicht een van de clandestiene paren uit, en onthulde hen aan de verborgen ogen van de anderen: een snufje lumineuze Russische roulette dat het leven voor de jonge cosmopolieten van de stad ongetwijfeld opwindender maakte ... en wie was die nacht het uitverkoren slachtoffer? Wie, met horenslapen vlekkerig gezicht komkommerneus, werd in scandaleus licht verdronken? Wie, door het voyeurisme van elektrische lampen even blind gemaakt als vrouwelijke bedienden, liet bijna de benen van zijn bewusteloze vriend vallen?

Saleem keerde terug naar de stad waar hij geboren was en stond verlicht in een kelder terwijl Bombayieten uit het donker om hem giechelden.

Vlug nu, want we zijn aan het einde van voorvallen gekomen, leg ik vast dat Foto Singh in een achterkamer waar licht was toegestaan, uit zijn flauwte bijkwam; en terwijl Aadam vast sliep, bracht een van de blinde serveersters ons, bij wijze van felicitatie, een maaltijd waar we helemaal van opknapten. Op de thali van de overwinning: samosa's, pakora's, rijst, dal, puri's; en groene chutney. Ja, een kleine aluminium kom met chutney, groen, mijn god, groen als sprinkhanen ... en het duurde niet lang of ik had een puri in mijn hand; en op de puri lag chutney; en toen had ik hem geproefd, en deed bijna de bezwijmingsscène van Foto Singh na, want hij voerde me terug naar een dag toen ik met negen vingers uit een ziekenhuis terugkwam en in ballingschap ging in het huis van Hanif Aziz, en de beste chutney van de wereld kreeg ... de smaak van die chutney was meer dan alleen maar een echo van die smaak van lang geleden – het was die oude smaak zelf, precies dezelfde, die de macht had het verleden terug te brengen alsof het nooit weg was geweest ... in een vlaag van opwinding greep ik de blinde kelnerin bij de arm; nauwelijks in staat me te beheersen, flapte ik eruit: 'Die chutney! Wie heeft die gemaakt?' Ik moet hebben geschreeuwd, want Foto Singh zei: 'Rustig, kapitein, je maakt de jongen nog wakker ... en wat is er aan de hand? Je kijkt alsof je de geest van je ergste vijand hebt gezien!' En de blinde kelnerin, ietwat koel: 'Vindt u de chutney niet lekker?' Ik moest een almachtig gebulder inhouden. 'Ik vind hem lekker,' zei ik met een stem gekooid in tralies van staal, 'ik vind hem *heerlijk* – wil je me nu vertellen waar ie vandaan komt?' En zij, verontrust, verlangend om weg te gaan: 'Het is Braganza Zoetzuur; de beste in Bombay, dat weet iedereen.'

Ik liet haar mij het potje brengen; en daar, op het etiket, stond het adres: van een gebouw met een knipogende, saffraan-met-groene neon-godin boven de poort, een fabriek die werd bewaakt door neon Mumbadevi, terwijl lokaaltreinen voorbij geel-en-bruinend: Braganza Zoetzuur (B.V.), in het zich uitbreidende noorden van de stad.

Opnieuw een abracadabra, een sesam-open-u: woorden gedrukt op een zoetzuurpotje, die de laatste deur van mijn leven openden... Ik werd aangegrepen door een onstuitbare vastberadenheid de maker van die onmogelijke chutney van de herinnering op te sporen, en zei: 'Fotoji, ik moet gaan...'

Ik ken het einde van het verhaal van Foto Singh niet; hij weigerde me op mijn speurtocht te vergezellen, en ik zag in zijn ogen dat de inspanning van zijn strijd iets in hem gebroken had, dat zijn overwinning eigenlijk een nederlaag was; maar of hij nog in Bombay is (en misschien voor mijnheer Shroff werkt), of terug is bij zijn wasvrouw; of hij nog in leven is of niet, kan ik niet zeggen... 'Hoe kan ik je verlaten?' vroeg ik wanhopig, maar hij antwoordde: 'Wees niet stom, kapitein; je hebt iets dat je moet doen, dan zit er niets anders op dan het te doen. Ga, ga, wat moet ik met je aan? Zoals de oude Resham tegen je zei: ga, ga, vlug, ga!'

Ik nam Aadam met me mee en ging.

Einde van de reis: van de onderwereld van de blinde kelnerin liep ik naar het noorden noorden noorden, met mijn zoon in de armen; en kwam ten slotte op een plek waar vliegen door hagedissen worden opgeslokt, en ketels borrelen, en vrouwen met sterke armen schuine moppen vertellen, in deze wereld van opzichters met scherpe tongen en conische borsten, en het alles doordringende gerinkel van zoetzuurpotten uit de bottelarij ... en wie plantte zich, aan het einde van mijn weg, voor mij, de armen uitgespreid, 't haar glinsterend van transpiratie op de onderarmen? Die, op de man af als altijd, vroeg: 'U, meneer, wat is er van uw dienst?'

'Ik!' schreeuwt Padma, opgewonden en enigszins in verlegenheid bij de herinnering. 'Natuurlijk, wie anders? Ik ik ik!'

'Goedemiddag, begum,' zei ik. (Padma valt me in de rede: 'O jij – altijd zo beleefd en zo!') 'Goedemiddag; mag ik de directeur spreken?'

O grimmige, afwerende, koppige Padma! 'Niet mogelijk, directeur begum is bezig. U moet afspraak maken, andere keer terugkomen, dus gaat u nu alstublieft weg.'

Luister: ik zou zijn gebleven, hebben overreed, gedreigd, zou zelfs geweld hebben gebruikt om langs de armen van mijn Padma te komen; maar er klonk een kreet van het looppad – dit looppad, Padma, buiten het kantoor! – het looppad van waar iemand die ik eerst nu heb willen noemen omlaag keek, over gigantische pekelvaten en pruttelende chutneys – iemand die van de metalen trap af rende en schreeuwde zo hard ze kon:

'O mijn God, o mijn God, o Jezus, lieve Jezus, baba, mijn zoon, kijk wie er gekomen is, arré baba, zie je me niet, kijk eens hoe mager je geworden bent, kom, kom, laat me je kussen, laat me je gebak geven!'

Precies zoals ik had vermoed was de directeur begum van Braganza Zoetzuur (B.V.), die zich mevrouw Braganza noemde, natuurlijk mijn vroegere ayah, de misdadigster van middernacht, juffrouw Mary Pereira, de enige moeder die ik nog op de wereld over had.

Middernacht, of daaromtrent. Een man met een opgevouwen (en hele) zwarte paraplu komt uit de richting van de spoorbaan naar mijn raam lopen, blijft staan, hurkt, poept. Dan ziet hij mijn silhouet tegen het licht en in plaats van me mijn voyeurisme kwalijk te nemen, roept hij: 'Kijk eens!' en drukt vervolgens de langste drol die ik ooit heb gezien. 'Vijfenveertig centimeter!' roept hij: 'Hoe lang kun jij de jouwe maken?' Eens, toen ik energieker was, zou ik zijn levensverhaal hebben willen vertellen; het uur en zijn bezit van een paraplu zouden alle verbanden zijn geweest die ik nodig had om het proces te beginnen hem met mijn leven te verweven, en ik twijfel er niet aan dat ik zou zijn geëindigd met te bewijzen dat hij onmisbaar was voor iedereen die mijn leven en onverlichte tijd wil begrijpen; maar nu ben ik afgesneden, uitgeschakeld, terwijl er alleen nog maar grafschriften geschreven hoeven te worden. Dus, terwijl ik naar de kampioenpoeper wuif, roep ik terug: 'Twintig als ik een goeie dag heb,' en vergeet hem.

Morgen. Of de dag daarna. De barsten zullen wachten op de 15de augustus. Er is nog een weinig tijd: ik zal het morgen afmaken.

Vandaag heb ik mezelf een vrije dag gegeven en heb Mary bezocht. Een lange hete stoffige busrit door straten die beginnen te borrelen door de opwinding van de aanstaande Onafhankelijkheidsdag, hoewel ik andere, meer aangetaste geuren kan ruiken: ontgoocheling, veiligheid, cynisme ... de bijna-een-en-dertig-jaar-oude mythe van vrijheid is niet langer wat ze was. Er zijn nieuwe mythen nodig; maar dat gaat mij niets aan.

Mary Pereira, die zich nu mevrouw Braganza noemt, woont met haar zuster Alice, nu mevrouw Fernandes, in een appartement in de roze obelisk van de vrouwen van Narlikar op het twee verdiepingen hoge heuveltje waar ze eens, in een afgebroken paleis, op een bediendemat sliep. Haar slaapkamer neemt kubiek min of meer evenveel lucht in beslag als waarin de wijzende vinger van een visser een paar jongensogen naar buiten naar de horizon leidde; in een teakhouten schommelstoel wiegt Mary mijn zoon en zingt 'Red Sails in the Sunset'. Rode dhow-zeilen spreiden zich tegen de verre hemel.

Een heel prettige dag, waarop de dagen van weleer worden opgehaald. De dag waarop ik besefte dat een oud cactusbed de revolutie van de vrouwen van Narlikar had overleefd, en na een spade van de mali te hebben geleend, een lang begraven wereld opgroef: een blikken aardbol die een vergeelde en door de mieren aangevreten enorm grote babyfoto bevatte met de naam van Kalidas Gupta als de maker, en een brief van een Eerste Minister. En dagen later: voor de twaalfde keer praten we over de verandering in Mary Pereira's lot. Hoe ze het allemaal aan haar lieve Alice te danken had. Wier arme mijnheer Fernandes aan kleurenblindheid was gestorven, toen hij, in zijn oude Ford Prefect bij een van de toen nog schaarse verkeerslichten van de stad in de war was geraakt. Hoe Alice haar in Goa bezocht met het nieuws dat haar werkgevers, de geduchte en ondernemende vrouwen van Narlikar, bereid waren een deel van hun geld in een inmaakonderneming te steken. 'Ik zei tegen ze, niemand maakt achar-chutney als onze Mary,' had Alice volkomen juist gezegd, 'want zij legt haar gevoel erin.' Dus bleek Alice ten slotte toch een goed meisje te zijn. En baba, wat denk je, hoe kon ik geloven dat de hele wereld mijn armzalige zoetzuur zou willen eten, zelfs in Engeland eten ze het. En nu, stel je voor, zit ik hier waar jouw dierbare huis vroeger stond, terwijl er god-weet-wat allemaal met je is gebeurd, zolang als bedelaar geleefd, wat een wereld, baapu-ré!

En bitterzoete jammerklachten: O, je arme mammie-pappie! Die voorname dame, dood! En die arme man, die nooit wist wie er van hem hield of hoe hij moest liefhebben! En zelfs de Aap ... maar ik val haar in de rede, nee, niet dood: nee, niet waar, niet dood. Heimelijk in een nonnenklooster, waar ze brood eet.

Mary, die de naam van de arme koningin Catharina gestolen heeft die deze eilanden aan de Britten heeft gegeven, leerde me de geheimen van het inmaakprocédé. (De laatste hand aan een opvoeding leggend die in ditzelfde luchtruim begon toen ik in de keuken stond terwijl zij schuld in groene chutney roerde.) Nu zit ze thuis, gepensioneerd in haar witharige ouderdom, opnieuw gelukkig als een ayah met een baby om groot te brengen. 'Nu je klaar bent met je schrijverij, behoor je meer tijd voor je zoon te hebben.' Maar Mary, ik heb het voor hem gedaan. En zij, op een ander onderwerp overgaand, omdat haar geest tegenwoordig allerlei soorten vlooiesprongen maakt: 'O baba baba, kijk jou eens, wat ben je al oud geworden!'

Rijke Mary, die nooit droomde dat ze rijk zou worden, kan nog steeds niet in bedden slapen. Maar drinkt zestien Coca-Cola's per dag, niet bezorgd voor haar tanden, die er toch al allemaal uitgevallen zijn. Een vlooiesprong: 'Waarom ga je zo ineens ineens trouwen?' Omdat Padma het wil. Nee, ze zit niet in moeilijkheden, hoe zou dat kunnen, in mijn toestand? 'Okay, baba, ik vroeg het alleen maar.'

En de dag zou heel vredig zijn geëindigd, een schemerdag aan het einde van de tijd, behalve dat Aadam Sinai nu, eindelijk, op de leeftijd van drie jaar, één maand en twee weken, een geluid maakte.

'Ab...' Arré, o mijn God, luister, baba, de jongen zegt iets! En Aadam, heel voorzichtig: 'Abba...' Vader. Hij noemt me vader. Maar nee, hij is nog niet klaar, er staat spanning op zijn gezicht te lezen, en ten slotte voltooit mijn zoon, die een tovenaar zal moeten zijn om de wereld aan te kunnen die ik hem nalaat, zijn ontzagwekkende eerste woord: '...cadabba.'

Abracadabra! Maar er gebeurt niets, we veranderen niet in padden, engelen vliegen niet door het raam naar binnen: de jongen oefent zijn spieren alleen maar. Ik zal zijn wonderen niet zien... Te midden van Mary's viering van Aadams wapenfeit, ga ik terug naar Padma, en de fabriek; mijn zoons raadselachtige eerste inbreuk op de taal heeft een verontrustende geur in mijn neusgaten achtergelaten.

Abracadabra: helemaal geen Indiaas woord, een kabbalistische formule afgeleid van de naam van de oppergod van de Basilidaanse agnostici, die het getal 365 bevat, het aantal dagen van het jaar, en van de hemel, en van de geesten die uitstralen van de god Abraxas. 'Wie,' vraag ik me, niet voor de eerste keer, af 'verbeeldt die jongen zich wel dat hij *is*?'

Mijn speciale melanges: ik heb ze opgespaard. Symbolische waarde van het inmaakprocédé: alle zeshonderd miljoen eitjes die het leven schonken aan de bevolking van India zouden in een enkel standaardformaat zoetzuurpotje kunnen; zeshonderd miljoen spermatozoën zouden op een enkele lepel kunnen worden geschept. Ieder zoetzuurpotje (u zult het mij wel vergeven als ik even bloemrijk word) bevat derhalve de verhevenste van alle mogelijkheden: de haalbaarheid van de chutnificatie van de geschiedenis; de grootse hoop om de tijd in te maken! Ik evenwel heb hoofdstukken ingemaakt. Vanavond bereik ik, door het deksel stevig op een pot te schroeven waarop staat *Speciale Formule Nr. 30: 'Abracadabra'*, het einde van mijn languitgesponnen autobiografie; in woorden en zoetzuur heb ik mijn herinneringen onsterfelijk gemaakt, hoewel bij beide methoden verdraaiingen onvermijdelijk zijn. We moeten, vrees ik, leven met de schaduwen van de onvolmaaktheid.

Tegenwoordig leid ik de fabriek voor Mary. Alice – 'Mevrouw Fernandes' – beheert de financiën; ik ben verantwoordelijk voor de creatieve aspecten van ons werk. (Natuurlijk heb ik Mary haar misdrijf vergeven; ik heb zowel moeders als vaders nodig, en een moeder is boven verwijten verheven.) Te midden van het geheel uit vrouwen bestaande personeel van Braganza Zoetzuur, onder het geel-en-groen knipperende neonlicht Mumbadevi, kies ik mango's tomaten limoenen van de vrouwen die bij het ochtendkrieken met manden op het hoofd komen. Mary, met haar oude haat jegens 'de mens', laat geen andere mannen behalve mij in haar nieuwe gerieflijke universum toe ... mij, en natuurlijk mijn zoon. Alice heeft, vermoed ik, nog haar kleine verhoudingen; en Padma viel meteen voor me, omdat ze in mij een uitlaatklep voor haar enorme reservoir opgekropte aandacht vindt; ik kan niet voor de anderen spreken, maar de formidabele competentie van de vrouwen van Narlikar wordt weerspiegeld, in deze fabriek, in de sterk-armige toewijding van de ketelroersters.

Wat is er nodig voor chutnificatie? Grondstoffen, dat is duidelijk – fruit, groenten, vis, azijn, kruiden. Dagelijkse bezoeken van vrouwen uit Koli met hun sari's tussen hun benen opgehesen. Komkommers aubergines munt. Maar ook: ogen blauw als ijs, die niet misleid worden door de oppervlakkige verlokkingen van fruit – die bederf onder de schil van een citrusvrucht kunnen zien; vingers die, met de vederlichtste aanraking, de geheime wispelturige harten van groene tomaten kunnen peilen: en bovenal een neus die de verborgen talen van wat-moet-worden-ingemaakt, en de stemmingen en emoties daarvan, kan onderscheiden ... bij Braganza Zoetzuur houd ik toezicht op de bereiding van Mary's legendarische recepten; maar er zijn ook mijn speciale melanges, waarin ik, dank zij de vermogens van mijn gedraineerde neusgaten, herinneringen, dromen, ideeën kan leggen, zodat wanneer ze eenmaal in massaproduktie gaan allen die ze eten zullen weten wat pepervaatjes in Pakistan presteerden, of hoe het was om in de Sundarbans te zijn ... geloof het geloof het niet maar het is waar. Dertig potten staan op een plank en wachten om op de vergeetachtige natie te worden losgelaten.

(En ernaast staat één lege pot.)

Het revisieproces behoort voortdurend en eindeloos te zijn; denk niet dat ik tevreden ben over wat ik heb gedaan! Onder mijn ongelukkigheden: een al te wrange smaak van die potten die herinneringen aan mijn vader bevatten; een zekere tweeslachtigheid in het liefdesaroma van de 'zangeres Jamila' (Speciale Formule Nr. 22), die de onontvankelijken misschien tot de conclusie zouden leiden dat ik het hele verhaal van de babyruil heb verzonnen om een incestueuze liefde te rechtvaardigen; vage onaannemelijkheden in de pot met het etiket 'Ongeluk in een Waskist' – het zoetzuur werpt vragen op die niet geheel en al worden beantwoord, zoals: Waarom had Saleem een ongeluk nodig om zijn vermogens te verwerven? De meeste andere kinderen hadden dat niet... Of ook in 'Radio All-India' en andere, een dissonant in de georkestreerde smaken: zou Mary's bekentenis voor een echte telepaat als een schok zijn gekomen? Soms, in de zoetzuurversie van de geschiedenis, blijkt Saleem te weinig te hebben geweten; maar andere keren te veel ... ja, ik moet herzien en herzien, verbeteren en verbeteren; maar ik heb er noch de tijd noch de energie voor. Ik ben genoodzaakt niet meer dan deze koppige zin aan te bieden: Het gebeurde op die manier omdat het zo is gebeurd.

Er is ook de kwestie van de kruidenbases. De ingewikkeldheden van geelwortel en komijn, de subtiliteit van fenegriek, wanneer grote (en wanneer kleine) kardemonplanten te gebruiken; de myriaden mogelijke effecten van knoflook, garam masala, pijpkaneel, koriander, gember... om niet te spreken van de aromatische bijdragen van het toevallige stofje vuil. (Saleem wordt niet langer geobsedeerd door zuiverheid.) In de kruidbases verzoen ik me met de onvermijdelijke vervormingen van het inmaakprocédé. Inmaken is per slot van rekening onsterfelijkheid geven: vis, groenten, fruit drijven gebalsemd in kruiden-met-azijn; een bepaalde verandering, een kleine verheviging van smaak, is toch zeker iets gerings? De kunst is om de intensiteit van de smaak te veranderen, niet de aard ervan; en bovenal (in mijn dertig potten en een pot) om die gestalte en vorm te geven – dat wil zeggen, betekenis. (Ik heb het gehad over mijn angst voor belachelijkheid.)

Eens, misschien, zal de wereld het zoetzuur van de geschiedenis proeven. Dat zal wellicht voor sommige verhemeltes te sterk zijn, de geur ervan zal misschien overweldigend zijn, tranen kunnen in ogen schieten; ik hoop niettemin dat het mogelijk zal zijn ervan te zeggen dat het de authentieke smaak van de waarheid bevat ... dat het, ondanks alles, liefdesdaden zijn.

Eén lege pot... hoe te eindigen? Gelukkig, met Mary in haar teakhouten schommelstoel en een zoon die is gaan praten? Te midden van recepten, en dertig potten met de titels van hoofdstukken als naam? In melancholie, verdrinkend in herinneringen aan Jamila en Parvati en zelfs aan Evie Burns? Of met de magische kinderen ... maar, moet ik dan blij zijn dat sommigen zijn ontsnapt, of eindigen in de tragedie van de ontbindende gevolgen van drainage? (Want in drainage ligt het ontstaan van de barsten: mijn ongelukkige, verpulverde lichaam, van boven en onderen gedraineerd, begon te barsten omdat het was uitgedroogd. Verdroogd gaf het zich op het laatst over aan de gevolgen van een leven lang van gerammei. En nu is er rijt scheur kraak, en een stank komt door de spleten die de geur van de dood moet zijn. Beheersing: ik moet het zo lang mogelijk de baas blijven.)

Of met vragen: nu ik, ik zweer het, de barsten op de rug van mijn handen kan zien, barsten langs mijn haargrens en tussen mijn tenen, waarom bloed ik dan niet? Ben ik al zo geleegd uitgedroogd ingemaakt? Ben ik al mijn eigen mummie?

Of dromen: want gisternacht verscheen de geest van Eerwaarde Moeder aan me, omlaag starend door het gat in een geperforeerde wolk, wachtend op mijn dood opdat ze veertig dagen lang een moesson kon huilen ... en ik, buiten mijn lichaam zwevend, keek neer op het verkorte beeld van mezelf, en zag een dwerg met grijze haren die er eens, in een spiegel, opgelucht uitzag.

Nee, dat gaat niet, ik zal de toekomst moeten schrijven zoals ik het verleden geschreven heb, ik zal haar moeten optekenen met de volkomen zekerheid van een profeet. Maar de toekomst kan niet in een pot worden geconserveerd; één pot moet leeg blijven... Wat niet kan worden ingemaakt, omdat het niet is gebeurd, is dat ik mijn verjaardag zal halen, eenendertig vandaag, en ongetwijfeld zal er een huwelijk worden voltrokken, en Padma zal hennatraceerwerk op haar handpalmen en voetzolen krijgen, en ook een nieuwe naam, misschien Naseem ter ere van de toeziende geest van Eerwaarde Moeder, en buiten het raam zal vuurwerk zijn en menigten, want het zal Onafhankelijkheidsdag zijn en de veelkoppige massa zal op straat zijn, en Kasjmir zal wachten. Ik zal treinkaartjes in mijn zak hebben, er zal een taxi zijn die wordt bestuurd door een jongen van het platteland die eens, in Café de Pionier, droomde van filmsterrendom, we zullen naar het zuiden zuiden zuiden rijden het hart van de tumultueuze menigten in, die ballons met verf naar elkaar zullen gooien, naar de omhoog gedraaide raampjes van de taxi, alsof het de dag van het schilderfeest van Holi was; en langs Hornby Vellard, waar een hond werd achtergelaten om te sterven, zal de menigte, de dichte menigte, de menigte zonder grenzen, aangroeiend tot ze de wereld vult, vooruitgang onmogelijk maken, we zullen onze taxi en de dromen van zijn chauffeur achterlaten, te voet in de drommende menigte, en ja, ik zal worden gescheiden van Padma, terwijl mijn mestlotus een arm naar me uitstrekt over de woelige zee, tot ze in de menigte ondergaat en ik alleen ben in de immensiteit van getallen, de getallen die marcheren één twee drie, ik word van links naar rechts gegooid terwijl scheur rijt kraak zijn hoogtepunt bereikt, en mijn lichaam schreeuwt, het kan dit soort behandeling niet langer verdragen, maar nu zie ik vertrouwde gezichten in de menigte, ze zijn er allemaal, mijn grootvader Aadam en zijn vrouw Naseem, en Alia en Mustapha en Hanif en Emerald, en Amina die Mumtaz was, en Nadir die Qasim werd, en Pia en Zafar die in bed waterde en ook generaal Zulfikar, ze drommen om me heen duwend dringend persend en de barsten worden groter, stukken van mijn lichaam vallen af, daar is Jamila die haar klooster heeft verlaten om deze laatste dag mee te maken, er is een aftelling die naar middernacht tiktakt, vuurwerk en sterren, de kartonnen silhouetten van worstelaars, en ik begrijp dat ik Kasjmir nooit zal bereiken, evenals Jehangir de mogolkeizer zal ik sterven met Kasjmir op mijn lippen, zonder de vallei van heerlijkheden te kunnen zien waar mensen heengaan om van het leven te genieten of om het te beëindigen, of beide; want nu zie ik andere figuren in de menigte, de angstaanjagende figuur van een oorlogsheld met dodelijke knieën, die heeft ontdekt hoe ik hem van zijn geboorterecht heb beroofd, hij dringt zich naar me toe door de menigte die nu helemaal uit vertrouwde gezichten bestaat, er is Rashid de riksjajongen arm in arm met Rani van Cooch Naheen, en Ayooba Shaheed Farooq met de Mutasim de Schone, en van een andere kant, de richting van Haji Ali's eilandgraf, zie ik een mythologische verschijning naderen, de Zwarte Engel, alleen zijn gezicht terwijl hij mij nadert is groen zijn ogen zijn zwart, een middenscheiding in zijn haar, aan de linkerkant groen en aan de rechterkant zwart, zijn ogen de ogen van Weduwen; Shiva en de Engel komen dichterbij dichterbij. Ik hoor in de nacht leugens die geuit worden, alles wat je wilt zijn kun je zijn, de grootste leugen van alle, nu het barsten, splitsing van Saleem, ik ben de bom in Bombay, kijk eens hoe ik explodeer, beenderen versplinteren breken onder de vreselijke druk van de menigte, zak met beenderen valt neer neer neer, net zoals eens in Jaillianwala, maar Dyer schijnt er vandaag niet te zijn, geen mercurochroom, alleen een gebroken schepsel dat stukken van zichzelf op straat gooit, want ik ben zo-vele te-vele personen geweest, het leven in tegenstelling tot syntaxis staat er meer dan drie toe, en eindelijk ergens een klok die slaat, twaalf keer, bevrijding.

Ja, ze zullen me onder de voet lopen, de marcherende getallen één twee drie vier honderd miljoen vijfhonderd zes, waardoor ik word herleid tot stemloze stofjes, net zoals ze te gelegener tijd mijn zoon zullen vertrappen die niet mijn zoon is, en zijn zoon die niet de zijne zal zijn, en de zijne die niet de zijne zal zijn, tot de duizend en eerste generatie, tot duizend en één middernachten hun vreselijke gaven hebben geschonken en duizend en één kinderen zijn gestorven, omdat het een voorrecht en een vloek van middernachtskinderen is om zowel meester als slachtoffer van hun tijd te zijn, een persoonlijke levenssfeer te verzaken en in de vernietigende draaikolk van de grote massa te worden gezogen, en niet in vrede te kunnen leven of sterven.

In Pandora Pockets verschenen titels:

Lisa Alther - *Andere vrouwen*
Lisa Alther - *Kinflicks*
Lisa Alther - *Een vrouw van vlees en bloed*
Julia Alvarez - *In de tijd van de vlinders*
Martin Amis - *Geld*
Lynn V. Andrews - *Medicijnvrouw*
Milo Anstadt - *Niets gaat voorbij*
Arita Baaijens - *Een regen van eeuwig vuur*
Elisabeth Badinter - *De een is de ander*
Eva Bentis - *Moeders en dochters*
Marjan Berk - *Liefde en haat*
Marjan Berk - *De zelfvergrootster*
Anne Biegel & Heleen Swildens - *M'n bril in de ijskast*
Alain de Botton - *De romantische school*
Fleur Bourgonje - *Spoorloos*
Fleur Bourgonje - *De verstoring*
Paul Bowles - *Hoog boven de wereld*
H.M. van den Brink e.a. - *Papa*
Jan Brokken - *De moordenaar van Ouagadougou*
Jan Brokken - *En de vrouw een vreemde*
Jeroen Brouwers - *De versierde dood*
Jeroen Brouwers - *De vervulling*
Boudewijn Büch - *Eenzaam*
Joop en Sophie Citroen - *Duet Pathétique*
Carol Clewlow - *Handleiding tot overspel*
T. Coraghessan Boyle - *Duyvels End*
Vivianne Crowley - *Hekserij*
Charles Darwin - *De reis van de Beagle*
Richard Dawkins - *Onze zelfzuchtige genen*
Midas Dekkers - *De kip en de pinguïn*
Midas Dekkers - *De mol en de baviaan*
Daniel C. Dennett - *Het bewustzijn verklaard*
Jenny Diski - *Nog lang en gelukkig*
Jenny Diski - *De prinses in de spiegel*
Emma Donoghue - *Geroerd*
Renate Dorrestein - *Korte metten*
Renate Dorrestein - *Buitenstaanders*
Renate Dorrestein - *Het hemelse gerecht*
Renate Dorrestein - *Een nacht om te vliegeren*
Renate Dorrestein - *Het perpetuum mobile van de liefde*
Renate Dorrestein - *Noorderzon*
Renate Dorrestein - *Vóór alles een dame*
Renate Dorrestein - *Vreemde streken*
Stephanie Dowrick - *Intimiteit & alleenzijn*
Jeffrey Eugenides - *De zelfmoord van de meisjes*
Richard Ford - *De sportschrijver*
Pim Fortuyn - *Zonder ambtenaren*

Dr. Susan Forward - *Als liefde pijn doet - en je weet niet waarom*
Marilyn French - *Ruimte voor vrouwen*
Johnny Frisbie - *Puka-Puka*
Graham Greene - *Een ander Mexico*
David Grossman - *Zie: liefde*
Louise Hay - *Gedachten van innerlijke wijsheid*
Haye van der Heyden - *Jij bent steeds een ander*
Kristien Hemmerechts - *Kerst en andere liefdesverhalen*
Lex Hixon - *Wegen naar verlichting*
Douglas R. Hofstadter & Daniel C. Dennett - *De spiegel van de ziel*
Nick Hornby - *Voetbalkoorts*
Marijke Höweler - *Ernesto*
Michael Ignatieff - *Russisch familiealbum*
Kazuo Ishiguro - *De rest van de dag*
Kazuo Ishiguro - *Versluierde heuvels*
Aletta Jacobs - *Herinneringen*
Hedda Kalshoven-Brester - *Ik denk zoveel aan jullie*
Thomas Keneally - *De vloek*
Eric de Kuyper - *De hoed van tante Jeannot*
Laurie Lee - *Die zomerochtend waarop ik van huis wegwandelde*
Norman Lewis - *Zendelingen*
Alexander Lowen - *Leven zonder angst*
Dacia Maraini - *Brieven aan een vriendin*
Peter Matthiessen - *Oerwoud*
Peter Matthiessen - *Zen-dagboeken*
Hannes Meinkema - *De speeltuin van Teiresias*
Hannes Meinkema - *Te kwader min*
Willem Melchior - *De roeping van het vlees*
Marcel Metze - *De geur van geld*
Sue Miller - *De goede moeder*
Sue Miller - *Het betoverde kind*
Sue Miller - *Uit liefde*
Anchee Min - *Rode azalea*
Anne Moir & David Jessel - *Brainsex. Het grote verschil tussen man en vrouw*
Margriet de Moor - *Eerst grijs dan wit dan blauw*
Margriet de Moor - *Dubbelportret*
John David Morley - *De waterhandel*
Iris Murdoch - *Antwoord op het raadsel*
Iris Murdoch - *De leertijd*
Dervla Murphy - *Voetsporen in de Andes*
Ingrid Noll - *De hoofden van mijn geliefden*
Rascha Peper - *Oefeningen in manhaftigheid*
Rascha Peper - *Oesters*
Linda Polman - *De varende stad*
Richard Powers - *Op weg naar een dansfeest*

Ton van Reen - *Roomse meisjes*
Michael J. Roads - *Gesprekken met de natuur*
Salman Rushdie - *Duivelsverzen*
Salman Rushdie - *De glimlach van een jaguar*
Salman Rushdie - *Middernachtskinderen*
Salman Rushdie - *Oost, west*
Salman Rushdie - *Schaamte*
Nicholas Shakespeare - *Het visioen van Elena Silves*
Mart Smeets - *Net echte mensen*
Mart Smeets - *Rugnummers en ingevette benen*
Mart Smeets - *Stoempen, snot en sterven*
Mart Smeets - *Stukken beter*
Rosita Steenbeek - *De laatste vrouw*
Anthony Storr - *De kracht van het alleenzijn*
William Styron - *Sophie's keuze*
Colin Thubron - *Het verloren hart van Azië*
Alice B. Toklas - *Het kookboek van Alice B. Toklas*
Herman Vuijsje - *Pelgrim zonder god*
Beb Vuyk - *Kampdagboeken*
Bert Wagendorp - *De proloog*
Lévi Weemoedt - *Bedroefd maar dankbaar*
Lévi Weemoedt - *De ziekte van Lodesteijn*
Lévi Weemoedt - *Halte tranendal*
Lévi Weemoedt - *Van Harte Beterschap*
Grete Weil - *Tramhalte Beethovenstraat*
Fay Weldon - *Het hart van het land*
Fay Weldon - *Leven en liefdes van een duivelin*
Fay Weldon - *Levenslust*
Fay Weldon - *Met de muziek mee*
Fay Weldon - *De oorlog tussen boven en beneden*
Fay Weldon - *Stuifzwam*
Fay Weldon - *Vriendinnen*
Fay Weldon - *Vrouwen onder elkaar*
Rudi Wester (red.) - *Rusteloze vrouwen '96*
Jeanette Winterson - *Kersen sexen*
Jeanette Winterson - *Op het lichaam geschreven*
Jeanette Winterson - *Sinaasappels zijn niet de enige vruchten*
Ivan Wolffers - *Liefste, mijn liefste*
Ivan Wolffers - *Het zout van de Dode Zee*
Irvin D. Yalom - *Scherprechter van de liefde*
Banana Yoshimoto - *Kitchen*
Rik Zaal - *Leve het toerisme!*
Aya Zikken - *De polong*